LES PASSIONS
ET LA SAGESSE

CE VOLUME, LE CENT QUARANTE TROISIÈME DE LA « BIBLIOTHÈQUE DE LA PLÉIADE » PUBLIÉE AUX ÉDITIONS GALLIMARD, A ÉTÉ ACHEVÉ D'IMPRIMER SUR BIBLE BOLLORÉ LE SIX FÉVRIER MIL NEUF CENT SOIXANTE-QUATRE SUR LES PRESSES DE L'IMPRIMERIE SAINTE-CATHERINE, A BRUGES.

ALAIN

LES PASSIONS ET LA SAGESSE

BIBLIOTHÈQUE
nrf
DE LA PLÉIADE

TEXTE ÉTABLI ET PRÉSENTÉ
PAR GEORGES BÉNÉZÉ
PRÉFACE D'ANDRÉ BRIDOUX

CE VOLUME CONTIENT :

PRÉFACE

CEUX qui ont aimé le précédent recueil aimeront à plus forte raison celui-ci. Ils y verront s'épanouir les idées qu'ils ont vues naître et se développer sur le terrain des arts et de la religion. La réflexion sur les passions et la sagesse nous porte au terme de l'itinéraire qui est pour Alain l'itinéraire naturel de l'homme et dont nous avons indiqué les étapes : commencer par l'art, venir à la religion, surmonter la religion par la philosophie. Surmonter, a dit Alain, c'est tout l'homme. L'homme, en effet, n'est autre que la possibilité de se surmonter pour franchir la distance des passions à la sagesse.

Notre nature est ainsi faite que nous ne pouvons pas former de pensées indépendamment des mouvements du corps. Nous l'avons reconnu quand nous avons parlé de l'imagination et nous avons pu dire, à ce propos, que l'imagination et la passion étaient même chose. La transe organique, qui caractérise l'imagination se retrouve en effet dans toutes les passions : dans l'irrésolution, dans l'ennui, dans la peur, dans la colère... Cette transe agit de telle manière sur le cours de nos pensées que nous sommes portés au désarroi, au désespoir, à la condamnation de nous-mêmes et à l'impuissance. L'imagination a pour effets ordinaires le refus du monde réel, la fuite devant les moyens, l'incapacité de s'adapter à la situation présente. Elle est essentiellement une perception fausse. Par voies de conséquence, elle fait de toute passion une erreur continue sur ce que l'on sait, sur ce que l'on croit, sur ce que l'on espère et sur ce que l'on peut ; en somme, un perpétuel aveuglement de chacun sur soi. Mal éclairées, mal gouvernées, les forces de l'âme s'usent contre des obstacles illusoires, ou nous précipitent dans le malheur et la méchanceté. Telle est la servitude humaine, la servitude des passions.

La situation de l'homme n'est pourtant pas désespérée. Nous avons déjà vu tout ce que peuvent l'art et la religion pour enchanter et discipliner l'être humain. Le pouvoir de la philosophie est plus grand encore, car la philosophie c'est l'avènement de l'esprit qui apporte dans l'âme de l'homme la conscience de sa situation et de ses moyens. Remarquons dès maintenant que ce pouvoir de la philosophie n'est pas illusion et qu'il a ses racines dans la nature. Toute passion, même la plus violente, est habitée par l'esprit, comme on voit si bien dans l'amour; autrement, elle ne serait ni conscience, ni passion, ni même quoi que ce soit. Par l'action de l'esprit qui l'habite, toute passion peut donner naissance à une vertu correspondante : la peur à la prudence, la colère au courage. A la limite, l'homme peut de nature faire liberté. Le propre de l'homme, ce qui le distingue de l'animal, est de se déprendre pour se reprendre et de se reprendre pour avoir prise; cette reconquête de lui-même, qui lui ouvre la voie de la sagesse, met en œuvre ses principales facultés, d'abord la faculté de reconnaître les choses.

La réflexion sur ce point porte à comprendre l'importance qu'Alain attribuait à la théorie de la perception. Il n'est pas exagéré de dire que tout part de là. Une analyse sincère de la perception révélerait entièrement l'homme.

Percevoir, comme on le voit si bien quand on se délivre au réveil des images du rêve, c'est prendre une attitude positive en face du monde; c'est explorer, c'est se rendre compte de la position des objets, de leur usage, des possibilités d'action sur eux.

Percevoir ne va pas sans exigence de vérité. Il n'y a de perception que par la vérité de la perception. On ne peut pas percevoir sans tisser, ajuster, justifier des liaisons; sans mettre en œuvre la faculté correspondante, qui est l'entendement. C'est pourquoi l'étude de l'entendement et de ses « difficiles détours » fait la matière de plusieurs ouvrages qu'on trouvera dans ce recueil, en particulier des Entretiens au bord de la mer. *On ne peut pas percevoir non plus sans appeler et reconnaître le contrôle des autres hommes, sans les envelopper avec soi dans la pensée d'un même univers.*

Percevoir, c'est éprouver à chaque instant notre solidarité avec les choses, comprendre du même coup qu'on commet une erreur grave en concevant des idées séparées du monde, comme si elles avaient l'esprit pour refuge, une erreur non moins grave en concevant un monde à part des idées. L'esprit et le monde n'ont d'existence et de consistance que l'un par l'autre. L'idée n'a de réalité que dans son application à un objet actuel. L'objet n'a de réalité que dans le tissu des idées, sans lequel il n'aurait pas de place dans le monde. On voit, en conséquence, que ceux qui ne veulent que construire ne construisent rien et que ceux qui ne veulent que constater ne constatent rien.

Percevoir, c'est apprécier et déjà transformer. Toute perception est réformatrice dans ses fins. Voir ce qui est représente la condition première de toute action et même de toute morale. Perception appelle ordre et appelle justice. « Travaillez à percevoir le monde afin d'être justes », disait Alain.

Percevoir, enfin, c'est juger, c'est affirmer, assumer la responsabilité et le risque d'une affirmation. Percevoir, c'est se porter garant. Or, juger implique foi, courage, audace et conduit nécessairement l'homme à prendre conscience du pouvoir de liberté qui est ce qu'il y a en lui de plus intime, ce qui le constitue radicalement et l'impose au respect d'autrui. La perception a son origine dans la liberté; par ce biais également elle apparaît solidaire de la morale.

L'étude de la perception suffirait donc, comme on voit, pour nous conduire à cette religion de la liberté qui est le fond de tout homme et sans laquelle il n'y aurait ni idées ni perceptions pour personne. « Éclairé par les stoïciens, dit Alain, et par Lagneau, mon maître, j'ai pu comprendre assez vite et peut-être trop vite que c'est la volonté qui fait et porte les idées. »

Il semble donc légitime de penser que la réflexion sur la perception est l'étape première, mais décisive, dans l'art humain de se reconquérir.

La théorie de la perception a pour prolongement naturel une doctrine de l'action, dont elle est grosse. L'action a pris aux yeux d'Alain, une importance toujours plus grande, que j'ai sentie grandir. Je n'ai pas oublié que quand je suis allé prendre congé de lui, dans les derniers jours de juillet 1914, *il me parla de ses projets pour la rentrée suivante, car il ne croyait pas encore à la guerre. « J'ai l'intention, me dit-il, de faire un cours sur l'action, mais je n'en parlerai pas d'une manière théorique, comme on le fait d'ordinaire. J'en parlerai pour de bon. J'étudierai la lutte menée par les Américains contre la fièvre jaune à Cuba. »*

Nos lecteurs se rappellent assurément la belle parole du Système des Beaux-Arts : « *Pense ton œuvre, oui, certes; mais on ne pense que ce qui est; fais donc ton œuvre.* » *Alain a dit aussi :* « *Je ne sais pas ce que c'est que vouloir sans faire.* » *Et nous venons de voir que la volonté porte la pensée. Pensée, volonté, action; cette trilogie constitue l'homme. S'il fallait mettre l'accent sur un des termes, ce serait sur l'action qui seule rend effective la volonté qui soutient tout.*

L'action, c'est l'homme. C'est l'insertion de la volonté dans le monde; c'est le passage de l'imaginaire au réel, des passions à la sagesse, de la nature à la liberté; c'est, pour chacun, la reconquête de soi.

Par l'action, l'homme se donne naissance. La liberté, ou la volonté, car c'est tout un, qui est le fond de son être, n'existe pas comme une chose parmi les autres; on ne la constatera jamais; il est de sa nature d'être volontaire. Par là, comme dit Descartes, elle a le pouvoir d'être. On ne la prouve qu'en la mettant à l'œuvre. Elle suppose la foi, le courage, la confiance.

Par l'action, l'homme se connaît. L'âme humaine n'est pas à décrire, mais entièrement à faire. En se faisant, elle se révèle. Il faut se mettre à l'œuvre pour découvrir ce que l'on veut, ce que l'on aime, ce que l'on peut, et en un mot, ce que l'on est. Fais des mathématiques, et tu sauras si tu es mathématicien. Nul ne se connaît que par ce qu'il fait, et encore mieux dans ses œuvres. Il ne faudrait point dire : que suis-je ? mais plutôt : que fais-je ? Ce qui suppose l'action en train. Heureux celui qui est pour soi l'homme d'une œuvre, d'une entreprise ou d'un chantier. Malheureux celui qui veut se juger lui-même devant les possibles toujours équivalents, et bientôt impossibles, par la loi cachée de l'imagination, toujours portée, par les mouvements compensateurs, à effacer ce qu'elle esquisse. En suivant cette idée on verrait que l'homme peut beaucoup plus qu'il ne croit et qu'il n'est pas de métier pratiqué avec persévérance qui ne fasse paraître une aptitude. On verrait également que la connaissance de l'âme humaine va de haut en bas. S'il faut se détourner des idées qui rompent le courage et la confiance, ce n'est pas tant parce qu'elles sont nuisibles au succès, c'est parce qu'elles sont peu favorables à la connaissance de l'homme.

A peine est-il nécessaire d'ajouter qu'une vue si profonde découvre d'immenses possibilités, en particulier tout un renouvellement de la pédagogie. N'est-il pas évident qu'il faut commencer par instruire les enfants si l'on veut les connaître et si l'on veut qu'ils se connaissent ?

Cette doctrine de l'action est immanente aux grandes œuvres d'Alain. Elle y est développée avec l'admirable richesse qui nous émerveillait quand nous étions dans sa classe, et qui révèle une connaissance de l'esprit, du cœur et des ressorts de l'homme comparable à celle de Malebranche. Elle est constamment embellie par le sentiment profond du langage, sentiment probablement unique et dans lequel s'unissent d'une manière indissoluble la pensée d'une philosophe et la nature d'un artiste.

Ces idées, Alain en avait sucé le lait, si je puis dire, dans l'enseignement de son maître Lagneau. Nous ne saurions trop recommander à nos amis la lecture des Souvenirs concernant Jules Lagneau *qui figurent dans le présent recueil. Ils y trouveront un admirable traité de philosophie, où Alain dévoile peut-être le mieux ses dons de métaphysicien, et qui a la mérite d'être écrit non par un auteur qui se met en bataille, mais par un homme qui se laisse porter par la magie du souvenir. Lagneau, disait Alain, ne traitait presque jamais de morale. Il ne traitaît guère que de la perception, puis du jugement, ce qui conduisait à une philosophie de la liberté. C'était suffisant, car la liberté est tout. La liberté porte la pensée; la liberté porte le devoir. La liberté, c'est la philosophie. La liberté, c'est l'existence. « Être ou ne pas être, soi et toutes choses, il faut choisir. »*

Alain doit beaucoup à Jules Lagneau. Il était heureux de le reconnaître. Il lui doit le sentiment de vénération éprouvé pour un homme, c'est-à-dire pour tous les hommes. Il lui doit « des parties inébranlables de doctrine » et, comme on le voit, maintes idées cardinales. Il lui doit bon nombre de formules qui ont été durant toute sa vie aussi bien des points d'appui précieux que des questions permanentes. Il lui doit la plus haute idée du métier de professeur de philosophie : « ...l'essentiel est de créer de vrais auditeurs..., il n'y a que l'enseignement vivant qui puisse quelque chose. »

Quand on y songe, rien n'est plus émouvant que cette tradition des professeurs. Alain a gardé le souvenir de Jules Lagneau toute sa vie et s'est toujours référé à lui. J'ai gardé le souvenir d'Alain toute ma vie et je me suis toujours référé à lui. Lagneau était né en 1851. *La chaîne de fidélité est déjà longue de plus d'un siècle.*

Le souvenir qu'Alain avait gardé de Jules Lagneau était pour lui inséparable de son affection pour certains grands auteurs dont son maître lui avait parlé, de même que le souvenir que j'ai gardé d'Alain est pour moi inséparable de certains grands auteurs dont il m'a parlé : Spinoza, Platon, Descartes. Si je les cite dans cet ordre, c'est volontairement. Spinoza est un cas à part. Après l'avoir beaucoup aimé, et l'avoir lu, relu, pieusement, dans l'exemplaire que lui avait lègué Jules Lagneau, Alain s'en était détaché. Il avait fini par voir en lui le tombeau de Descartes. Il lui semblait que la liberté ne pouvait vivre dans l'éternité des idées et qu'elle était comme murée dans cette nécessité implacable. A ses yeux, l'homme, dans la philosophie de Spinoza, était aussi aplati que l'animal peut nous paraître aplati dans le monde. Je lui disais parfois : « Monsieur, je vous assure qu'on peut sauver la liberté chez Spinoza. Je vois les passages : au livre II de l'Éthique, au livre IV, au livre V. » Il me répondait : « Essaye si tu veux, mais ce n'est pas facile ! » On m'a même rapporté qu'il disait de Simone Weill : « Elle est intelligente, la petite ; elle pourrait bien comprendre Spinoza. » Au contraire, son attachement à Platon et à Descartes n'a pas cessé de croître. La beauté est un signe qui ne trompe pas. Je ne connais rien de plus beau, Bergson ne connaissait rien de plus beau, que la dernier des onze chapitres sur Platon, celui qui est consacré à Er le Pamphylien, ou que le chapitre de l'Introduction au Discours de la Méthode *qui s'intitule « Imagination, Entendement, Volonté. » On voit ce qui remplissait l'esprit et le cœur d'Alain, d'un côté, comme de l'autre. Du côté de Platon, c'était l'idée de ce choix que l'homme ne peut éluder, mais qui le fait cependant maître et responsable de son destin. Du côté de Descartes, c'était l'idée de la générosité qui soutient toute la vie de l'homme, en particulier toute la vie intellectuelle et sans laquelle nos idées retombent sans cesse au plus bas, c'est-à-dire à l'imagination : « Je n'ai jamais eu que des idées faibles, disait Alain, quand j'ai manqué de courage. »*

Tout se resserre autour du libre pouvoir de juger, de choisir, d'agir, de mettre en œuvre, de persévérer ; pouvoir qui constitue l'homme et qui l'impose au respect d'autrui. L'absolu respect de cet absolu qu'est la liberté conduit nécessairement à l'idée d'une égalité radicale contre laquelle rien ne peut prévaloir. Telles sont les idées dominantes. Les devoirs correspondants apparaissent. Pratiquer la justice, toujours. Respecter l'homme, toujours, et sous toutes les apparences. Comprendre que les places dans la société n'ont pas plus d'importance que, pour les pierres, les places dans un mur. Toujours faire confiance et toujours ouvrir crédit. Alain aimait à répéter ce mot du vieux Pècaut : « Tous les hommes apportent en naissant un immense crédit que la plupart d'entre eux dissipent follement. » Cet immense crédit n'est-il pas sensible dans l'émotion que nous éprouvons à la vue d'un tout petit enfant ? Et la pensée de l'avoir dilapidé n'est-elle pas la punition de tout vieillard ? Alain croyait que nous avons la possibilité d'user de ce crédit et de nous sauver par l'action et dans la joie. Il avait une telle confiance dans la liberté, dans le présent de la liberté et dans la perpétuelle faculté de réparation qu'elle nous apporte, qu'il était arrivé à se débarrasser de l'idée si obsédante du caractère ineffaçable de nos fautes. Nos fautes, disait-il, sont vouées à l'oubli, et c'est tout ce qu'elles méritent. Il n'oubliait pas, d'ailleurs, que l'homme le plus vertueux est toujours exposé à faillir et qu'un sage se distingue des autres hommes non par moins de folie, mais par plus de raison. — Je ne connais pas d'optimisme plus clairvoyant.

La guerre fut pour Alain une terrible épreuve. Il eut le sentiment que toute son humanité, que toute l'humanité faisait naufrage. Il ne supportait pas l'idée de cet immense massacre, massacre des meilleurs, de cette tuerie organisée, de ce traitement que l'homme infligeait à l'homme. Il ne supportait pas non plus l'idée de tout ce travail employé à détruire. « Avec toutes ces journées de travail, que n'aurions nous pas fait ? Des parcs autour de nos écoles, des hôpitaux comme des châteaux. C'était l'air pur, le lait crèmeux, la poule au pot pour tout le monde. » Il lui fut également très pénible de voir se détériorer d'une manière peut-être irrémédiable les rapports des citoyens et du pouvoir. Il avait une idée si haute de la liberté, et, par suite, de l'égalité, qu'il ne pouvait, tout comme Descartes, concevoir de relations humaines qu'entre des égaux. Il n'admettait comme autorité légitime que celle de l'officier de police, de l'agent chargé de la circulation, du chef de chantier, de ceux en somme qui ont pour mission de rappeler au sentiment des nécessités extérieures. Il ne respectait, ni ne reconnaissait le pouvoir pour lui-même; bien plus, il le considérait comme dangereux, étant persuadé que nul ne peut l'exercer sans être enivré et perverti. On ne saurait lui donner tort quand on a une vie derrière soi. L'expérience montre que les hommes résistent à tout sauf au pouvoir et au succès. Ceux qui sont passés par l'une ou l'autre épreuve, en sont, à ma connaissance, restés intoxiqués. Alain se sentit révolté en voyant les pouvoirs se multiplier et s'adorer, les flatteurs sortir des pavés, les importants foisonner, et en assistant à la mise au point d'une énorme machine destinée à tenir les hommes dans l'obéissance. Tous ces sentiments et toutes ces réflexions forment la matière de Mars ou la Guerre jugée.

Pour échapper à l'idée de la guerre, il se réfugia dans la vie du soldat. Il se fit soldat pour de bon, j'entends homme de troupe, car il ne voulut point accepter d'autres galons que ceux de brigadier d'artillerie. Le « récit de l'artilleur » fait la matière des Souvenirs de guerre, *un des beaux livres que* je connaisse, que j'ai lu une dizaine de fois, et où je me retrouve à chaque ligne, moi qui fus soldat de bonne volonté, comme je me retrouvais à chaque mot, quand Alain me parlait de ses aventures ou de ses impressions aux armées.

Sans renier une seule page de *Mars*, Alain nous avertit que le ton des *Souvenirs* est différent et qu'il se propose seulement de dire comment il a vécu et ce qu'il a vu autour de lui. Comme cela est arrivé à beaucoup, comme cela m'est arrivé, il n'a pas été sans se laisser prendre par la vie du soldat. Je garde précieusement une belle photographie de ce temps-là, qui le montre la pipe à la bouche..., et qui ne trompe pas. Il ressentit une fierté légitime à se trouver capable d'entrer dans une telle aventure à l'âge de quarante-six ans. Sa robuste nature lui permit d'apprécier le renouveau physique que nous avons connu et de sentir que notre fragile marionnette pouvait résister aux épreuves élémentaires de la faim, de la soif, de la fatigue et des intempéries. Il éprouva des plaisirs d'une vivacité insoupçonnée : manger quand on a faim, boire quand on a soif, dormir quand on a sommeil, s'asseoir quand on ne tient plus debout. Là-bas, comme il me le dit un jour, il apprit ce que c'est que l'animal. Il observa que dans les conditions élémentaires, tout s'égalise, pour tous. Il connut, mais alors pour de bon, les jouissances incomparables qu'on trouve dans la société des égaux; il sentit que la vie d'un homme est exactement aussi grande que celle d'un autre et que, selon l'admirable parole de Châteaubriand dont on aurait pu espérer la paix du monde, les soldats sont frères. Il devint aussi troupier que les autres, excellant « à la grosse plaisanterie et à musiquer sans prétention ». Il ne bouda ni la sardine, ni le fromage, ni la charcuterie, ni le gros mouton du ravitaillement, ni le bouillon chaud, ni le pinard, ni l'eau des braves, ni les ripailles d'occasion. Je ne puis relire ces *Souvenirs* sans avoir bien souvent l'impression que ce sont mes propres souvenirs qui reviennent; quand je rencontre, par exemple, des remarques comme celles-ci : « Ces moments sont éternels et je songeais aux héros d'Homère...; une couronne de pain frais me causa un des plus vifs plaisirs que j'aie connus. » Ce que je tenais à souligner, c'est qu'Alain a partagé de bon cœur l'existence de ses camarades, leurs goûts et leurs plaisirs. Je souligne encore plus fortement qu'il n'y a pas d'autre manière de ne pas mépriser ceux avec lesquels on vit.

Comme il aimait beaucoup les métiers, il se plut à des ouvrages précis et de patience, qui lui allaient bien. Il fut *heureux de réfléchir sur le travail de ses mains; heureux aussi de constituer une équipe de spécialistes renommés pour l'installation du téléphone et le réglage des tirs. Il inventa même des dispositifs nouveaux dont il demeurait fier, par exemple celui de la terre unique.*

Je reste par ailleurs persuadé que dans cette vie parmi les hommes et parmi les choses quelques unes de ses idées maîtresses se sont affermies ou mises au point. Il eut le sentiment de revêtir mieux que jamais sa condition d'homme, d'homme inséparable de ses perceptions réelles et mis en train sur cette bordure du temps où l'avenir se fait perpétuellement. Il se confirma dans l'idée de nos pouvoirs, mais il les mesura mieux que jamais et fut à même de recueillir les plus précieuses observations sur ce que Montaigne appelle l'ordinaire de nos actions. Il put vérifier ses idées sur l'imagination et ses effets, constater, par exemple, que l'on n'arrive pas à être malade si on craint de ne pas l'être. Il put également reconnaître que l'entendement est un bon outil, mais qu'il ne faut pas en exagérer l'importance, et se rendre compte que dans le maniement du téléphone aussi bien que dans la pratique du calcul tout est familiarité, que « l'intelligence ne fait qu'accompagner et parfois dérange ». Il sentit, comme il ne l'avait encore jamais fait que l'homme doit tout tirer de lui-même et que la morale n'est pas pour le voisin, mais que de ce côté aussi il faut savoir borner ses ambitions et ne pas vouloir forcer les choses. Le devoir est des choses prochaines sur lesquelles il n'y a pas de doute. Si la liberté est inépuisable, il serait osé de prétendre que le courage ne s'use point, ou qu'il entre en action dans toutes les circonstances. On peut observer qu'il ne se met guère en train sous l'empire de représentations idéales, mais plutôt par l'effet de l'exemple, car le « courage d'imitation est sans limites », ou dans des urgences rendues familières par les professions, quand il s'agit, par exemple pour des soldats de sauver des camarades en danger, ou pour des infirmières de soigner des blessés. Observations qui s'accordent avec celles que j'ai entendu rapporter par André Malraux, lors de la guerre d'Espagne, au sujet des femmes de ce pays, qui n'avaient rien valu groupées en bataillons, mais qui s'étaient montrées héroïques dans les hôpitaux.

Ayant en d'autre part à composer et à vivre avec des hommes simples, Alain fut amené à faire de nombreuses remarques sur l'ordinaire de la vie en société. On trouvera dans ce livre les plus belles réflexions sur l'esprit de justice, sur la solidarité, sur l'accueil, sur l'hospitalité, sur le bon sens. Alain mettait très haut le bon sens du peuple qu'il trouvait seulement trop peu confiant en lui-même et trop porté à s'incliner devant l'intelligence et les intellectuels. J'aurais fait beaucoup pour la liberté, disait-il, si j'avais relevé le bon sens. On trouvera bien d'autres choses encore dans ces Souvenirs *dont je m'épuiserais à vouloir montrer la richesse; même de la philosophie à proprement parler; en particulier les remarques les plus éclairantes qui soient sur le hasard.*

Pourtant, qu'on ne se leurre point ! Quelle que soit la valeur de ces observations et de ces réflexions, quel que soit même le plaisir qu'Alain ait eu à les faire, l'essentiel de son esprit n'a pas été entamé. Il est revenu des armées plus hostile que jamais à la guerre et à la domination de l'homme par l'homme, plus ancré dans son respect de l'être humain.

Ce que je me permets de croire, c'est que la guerre a eu sur lui et sur son œuvre une influence décisive. En 1914, *il était en possession de toutes ses forces. Sous l'action des circonstances, ces forces paraissent s'être rassemblées et avoir pris un nouveau départ. Ses grands livres datent d'alors. Les* 81 Chapitres, *le* Système des Beaux-Arts, Mars, *ont été en grande partie écrits à l'hôpital, dans les abris, parfois sous les obus.*

Georges Bénézé me disait dernièrement qu'à son avis Alain était avant tout un moraliste et que son intention dominante était de demander à l'homme ce que la société lui avait refusé et ne pouvait d'ailleurs lui donner. Je crois que c'est vrai, et qu'il faut voir là une conséquence nécessaire de toute philosophie de la liberté. En contrepartie du respect que lui vaut la possession de la liberté, l'homme a le devoir d'en bien user, ce qui l'oblige à se prendre en charge. Il ne saurait rien faire de mieux, ni pour lui ni pour les autres. Sans cet effort de l'homme pour s'aider lui-même, tout est vain, et l'on peut rien espérer de positif. Quand l'Atlantide revivrait, quand l'âge d'or revivrait, quand la République *de Platon gouvernerait les hommes pour le mieux, il n'y aurait pas pour cela un atome de vertu dans leurs âmes; tout serait à faire d'instant en instant : tempérance, courage, justice, sagesse. N'est-ce point fait d'expérience que les règlements les mieux étudiés ne sont efficaces que par la bonne volonté de ceux qui les appliquent ? Chacun doit donc se persuader que l'extérieur ne suffit point.*

Il semble que de telles idées soient perdues de vue. Des notions comme celles de liberté, de responsabilité, ont été manipulées de telle sorte qu'elles sont devenues troublantes et qu'elles sont même devenues impopulaires, à peu près dans tous les milieux, en particulier dans les milieux scolaires, où celle n'est point sans fâcheuses conséquences. Un peu partout, on a pris l'habitude de tout attendre de l'extérieur. Une disposition si générale a des causes nombreuses qu'il serait trop long de reconnaître ici. Mais sans doute faut-il faire une large part à l'influence des philosophies qui condamnent l'homme au désespoir, ou qui le dépossèdent de lui-même.

Cependant, on dirait qu'un retour se dessine. Comme il est naturel, et comme cela s'est produit souvent au cours des siècles, dans les jours d'épreuve, et quand s'accroissent les périls qui nous menacent, chacun se sent porté à se replier sur soi, pour mesurer ses forces et pour chercher dans son for intérieur son espoir et son salut. Il ne faut pas manquer de rappeler que le Stoïcisme, c'est-à-dire la plus haute entreprise qui ait jamais été tentée pour donner confiance à l'homme à partir de lui-même, est né dans les grandes épreuves des cités grecques. Il n'est pas indifférent de constater que les auteurs des plus terribles destructions qu'on ait vues dans l'histoire se trouvent aujourd'hui au premier rang des promoteurs d'un nouvel humanisme.

Ce retour vers l'homme, c'est l'éternel de la philosophie, c'est la philosophie d'Alain. Nul n'a mesuré comme lui nos limites, nos pouvoirs et ce qu'il nous est permis d'espérer. Il sait que notre nature est chétive, qu'aucune servitude n'est comparable à notre servitude temporelle, et que notre isolement est irrémédiable. Mais, dans cette servitude et dans cet isolement il trouve les moyens de notre libération. Il nous fait comprendre que l'homme n'est en possession de toutes ses forces qu'à condition d'être réduit à ses seules forces. Aujourd'hui, maintenant, tout de suite, c'est notre seule prise, et pour nous seulement. Cette prise suffit, si nous sommes fidèles à nous-mêmes, c'est-à-dire attentifs à reconduire d'instant en instant notre libre effort. Chaque instant est à la fois mourir et renaître; mais nous ne renaîtrons vraiment que si nous sommes des dieux vigilants. L'éternité n'est autre que le miroir de cette perpétuelle renaissance. Et c'est dans la vertu de fidélité qui correspond à cette renaissance que nous pouvons le mieux sentir et expérimenter que nous sommes éternels.

Nous vivons dans un monde, a dit Alain, où la raison et la vertu sont aussi bien possibles que le contraire, et où il n'y a pas de fatalité. Si nous sommes des dieux vigilants, ce monde un jour sera créé. Par notre libre effort sera réalisée l'œuvre humaine qui non seulement améliorera de mille manières notre condition temporelle, mais apportera dans l'âme de chacun la connaissance de soi et des autres; qui apportera aussi la conciliation sur la terre. Toute la foi d'Alain était qu'à la longue la liberté saurait guérir les maux que se font les hommes. Je ne saurais oublier qu'il m'a écrit, en 1915, *une lettre que j'ai reçue dans les tranchées de Belgique, que j'ai perdue, mais où il y avait ces mots qui pourraient être de tous les temps, et qui me sont restés dans l'esprit :* « Rien *n'a été promis... Ce monde peut être détruit par l'eau ou par le feu... Il est pourtant affreux de voir ce mal que l'homme fait à l'homme... Heureusement, c'est un mal que la liberté saura guérir.* »

André Bridoux.

INTRODUCTION

*V*OICI *la liste des ouvrages publiés dans le présent volume, avec les dates des premières éditions :*

I. Les Idées et les Ages *(1927)*
II. Les Sentiments familiaux *(1927)*
III. Les Aventures du Cœur *(1945)*
IV. Souvenirs de guerre *(1937)*
V. Mars ou la Guerre jugée *(1921)*
VI. Souvenirs concernant Jules Lagneau *(1925)*
VII. Abrégés pour les Aveugles *(1942)*
VIII. Platon *(1928)*
IX. Descartes *(1928)*
X. Hegel *(1932)*
XI. 81 Chapitres sur l'esprit et les Passions *(1917)*
XII. Entretiens au bord de la mer *(1931)*

Nous avons suivi les mêmes règles que pour la publication du volume précédent (les Arts et les Dieux, *Bibliothèque de la Pléiade, 1956). Nous ne nous sommes pas astreint à l'ordre chronologique, et nous avons publié les textes des premières éditions, conformément à la volonté d'Alain lui-même. Une exception cependant à propos de l'ouvrage :* les Idées et les Ages. *Nous l'avons fait suivre de quelques pages, signalées par lui. Enfin, nous avons pu enrichir l'Introduction, comme celle du précédent volume, par des extraits de dédicaces en tête d'exemplaires offerts à Madame Morre-Lambelin.*

Nous renouvelons nos remerciements à tous ceux qui nous ont aidé : MM. Jean Bruno, conservateur adjoint à la Bibliothèque nationale ; O. Nadal, conservateur ; Chapon, bibliothécaire de la bibliothèque Doucet ; Madame J.-Michel-Alexandre, MM. André Buffard, le Professeur Henri Mondor, Maurice Savin et Madame Gabrielle Chartier.

Les indications qui, dans le reste de cette Introduction, suivent le titre de chaque ouvrage, renvoient à la bio-bibliographie d'Alain, dressée par Maurice Savin, dans l'Introduction aux Propos *(Bibliothèque de la Pléiade, 1956).*

I. LES IDÉES ET LES AGES
(I, XXXVI)

N.R.F. *Deux volumes. Achevé d'imprimer le 20 septembre 1927. Nouvelle édition sans changement en un volume (Gallimard, 1948). Le manuscrit autographe est à la bibliothèque Doucet, daté 4 mars 1926. Feuillets 260 × 202, collés sur pages blanches; encre noire. 2 volumes: pp. 1-176, pp. 177-319. Reliures de plein maroquin vert. Plats encadrés d'un sextuple filet or. Dos à cinq nerfs ornés d'un filet or et soulignés de filets à froid. Compartiments encadrés d'un quintuple filet or à l'exception du compartiment portant le nom et le titre or, encadré d'un double filet or, et du compartiment portant la mention de tomaison et de manuscrit or, encadré d'un triple filet or. Coupes ornées d'un double filet or. Contre-plats de moire verte encadrés de maroquin vert, décoré d'un filet à froid et d'un sextuple filet or. Gardes de moire verte. Contre-gardes de papier à la cuve. Étuis recouverts de papier à la cuve bordés de maroquin vert. Reliures et emboîtages signés de Maylander. Ex-libris Henri Mondor.*

Dédicace à Madame Morre-Lambelin.

« *Que dire de ces deux volumes ? D'abord qu'ils devraient n'en faire qu'un. Et encore qu'ils furent écrits lentement et souvent remaniés.* Le Navire d'Argent *m'en demanda de bonnes pages ; je les lui donnai ; or, elles ne figurent pas dans ce livre-ci. J'avais sans doute trop à dire, et je voulais me limiter. C'est que le sujet débordait de lui-même. Quel sujet ? La nature pensante, autant qu'on peut joindre les deux termes. Je ne sais si j'écrirai le livre de l'Entendement, mais j'étais fait pour écrire le livre de l'imagination disciplinée, celle qui remplace si bien l'entendement, et qui notamment le remplace dans mes pensées, dès que je ne suis pas extrêmement sévère. En ce sens, j'étais géomètre, c'est-à-dire que je pensais par positions, avec les yeux et les mains. Je suis encore ainsi ; il n'est point de mécanique qui ne me soit aisément pénétrable ; je devine, j'invente, j'aurais fait un bon ingénieur. J'en ai cent preuves. Avec cela, j'étais aussi capable de raisonner et d'en-*

tendre, mais c'était alors tout autre chose ; c'est pourquoi mon métier me fut toujours pénible, et pénible par volonté. De cette disposition, qui est puérile, devait résulter quelque mise en ordre de mes pensées d'enfance, et une sorte de Critique de l'Imagination; *ce serait l'autre face de l'analyse kantienne. Mais toujours est-il que le présent essai est bien insuffisant. Au fond, je ne crois point que cette partie de l'analyse transcendantale puisse être brève et systématique ; au contraire, je suppose que le passage de l'imagination au Schématisme ne peut se faire que par d'immenses recherches et très variées (par exemple, le rond, la ronde, l'assiette ronde, la roue, etc.). Selon mon opinion l'entendement ne peut paraître que dans cette poursuite de l'entendement à travers ce qui n'est pas lui. Le sujet qui est très obscur, paraît donc tout clair. On est heureux d'avoir compris juste au moment où l'on s'aperçoit que l'on n'a pas compris. On pourrait dire autrement : comment l'inspiration soutient l'entendement. J'entrevois maintenant que la Poésie est une méthode de penser. Le fait est que Mallarmé et Valéry sont les deux hommes de ce temps qui ont approché le plus près de l'entendement pur ; seuls peut-être, ils ont volé jusqu'à cette région irrespirable* Igitur, Monsieur Teste. *Pour mon compte, j'ai essayé de me maintenir sur le bord, d'où l'on devine l'entendement pur, et d'où l'on devine aussi qu'on va le perdre si on le saisit. Cette partie de la doctrine en est encore aux commencements. Cela me fait penser que cet ouvrage est bien trompeur par la clarté.* »

Automne 1927.

ALAIN.

II. LES SENTIMENTS FAMILIAUX
(I, XXXVI)

Cahiers de la Quinzaine. Huitième cahier de la dix-huitième série. Achevé d'imprimer le 23 septembre 1927. Repris, sous le titre : Essai d'une sociologie de la famille, *dans* Idées *(1939), à la suite de l'étude sur Auguste Comte.*

Le manuscrit appartient à Madame Chartier.

Dédicace à Madame Morre-Lambelin.

« *Je vous dédie ces pages comme un exemple de leçons bien faites, dans le genre de* Collège Sévigné; *car au* Lycée

Henri-IV, *les mêmes choses avaient été dites en quelques parenthèses. Je suis très étonné, à la réflexion, de paraître sous le nom de Péguy; cela s'explique par le fait que Madame Marcel Péguy fut mon élève. Et il se peut encore que Marcel Péguy lui-même ait cru trouver en moi une sorte de témoin du groupe Charles Péguy, Romain Rolland, Benda, Daniel Halévy et autres. En cela, il se serait trompé. Je n'ai vu Charles Péguy qu'une fois et chez Dick May, sans lui parler. Je n'aime pas un Normalien socialiste, je n'aime pas la barbe moraliste, et encore moins l'homme qui maudit les hérétiques, et encore moins les chapelles. Je ne fus jamais d'aucune... Je conseille à mon frère de l'avenir un pseudonyme impénétrable, et de ne jamais se montrer. C'est que je suis sociable et non sauvage.* »

Le 24 décembre 1927.

ALAIN.

Dans l'édition de 1939 de Idées, *Alain avait ainsi terminé son étude sur Auguste Comte :*

« *Ces remarques trop abstraites seront éclairées par un essai de morale réelle que j'ai résolu d'ajouter à cette étude sur Comte, comme une conclusion fort utile. J'ai assez dit que les grands philosophes doivent réformer toutes nos idées. En cet* Essai d'une Sociologie de la Famille *j'ai voulu montrer comment on peut appliquer les principes de Comte et donner un exemple d'un tel usage d'un système, c'est-à-dire faire voir qu'un bon lecteur peut se proposer une tâche bien plus importante que d'expliquer le système, c'est, aussi bien en suivant Hegel, Descartes ou Platon, d'inventer soi-même d'après la méthode du Maître qu'on s'est choisi. Ainsi la morale sociologique en un sens repose sur l'expérience de la vie sociale, mais encore sur l'expérience de l'utilisation de la pensée d'un vrai sociologue.* »

Dans la dédicace à Madame Morre-Lambelin de cette édition de 1939 (Idées), *Alain parlait ainsi d'Auguste Comte :*

« *J'éprouve à l'égard de ce philosophe un peu la même piété que je voue à Platon ; il est vrai qu'ils ne se ressemblent guère. Mais Comte est touchant comme un frère très voisin... Je crois voir encore près du Luxembourg et de l'Odéon, la noble figure d'un positiviste en chapeau claque qui portait sur un poteau l'inscription que j'ai transcrite sur « ...la présente lutte Fratricide...» Nous payons donc à l'égard de Comte, une ingratitude que je sens vivement, et dont je suis coupable pour une part. Car je pouvais réhabiliter Comte. Et pourquoi je ne l'ai point fait? Parce que je m'indignais trop de l'ignorance incroyable des meilleurs disciples... Eh oui!... J'ai péché par un défaut d'amitié et par un culte abstrait de Platon... J'ai fini par tout réparer sans abus de polémique. Cela est méritoire quand on pense que Benda se prétend Spinoziste.»*

Mai 1940.
ALAIN.

III. LES AVENTURES DU CŒUR
(I, XL)

Chez Hartmann. Achevé d'imprimer le 5 juillet 1945. Le manuscrit appartient à Madame Chartier.

IV. SOUVENIRS DE GUERRE
(I, XXXIX)

Chez Hartmann. Achevé d'imprimer: mai 1937. Le manuscrit appartient à Madame Chartier.

Dédicace à Madame Morre-Lambelin:

« *... Je ne manque pas de choses à vous dire sur ce livre-ci, car sa publication fut plusieurs fois contrariée. Il fut écrit pour la satisfaction de notre ami Hartmann. En 31, c'était fait, et les typographes allaient s'y mettre quand je fis arrêter l'affaire. Par quel scrupule? Je ne sais. En 33, j'avais oublié le scrupule, et la publication se remit en marche. Par quel autre scrupule fut-elle interrompue? Je ne sais. Il n'y avait dans ce livre rien d'inventé; c'était une peinture tout unie et personne n'en doutera. Schlumberger a bien voulu dire dans la* N.R.F. *qu'il jugeait cet ouvrage le plus confidentiel des miens. Il pouvait le dire, car ce brigadier qui raisonne, c'est tellement bien moi...*

« *Mais maintenant je considère toutes choses tout à fait à neuf, par cela que le charmant Schlumberger vint me voir hier; et, comme je vous l'ai conté, Savin ayant mis la conversation sur le* Bivouac, *le plus beau récit militaire selon mon goût, j'obtins sans difficulté de Schlumberger plusieurs aveux, d'où il résultait que l'histoire du* Bivouac *était entièrement inventée; que le type du Vieux (le Chef), du vieux soldat, du jeune soldat du corps d'élite, que tout cela était directement tiré des institutions militaires des Grecs et des Romains. J'en suis encore dans l'admiration. Car il est clair qu'Homère n'a pas connu Agamemnon ni Ulysse. Et l'invention est belle par dessus tout. En y pensant, je trouve qu'un homme pouvait découvrir le vrai de la guerre, des armées et de la discipline sans avoir besoin d'exemples déterminés. Ainsi, le* Bivouac *est vrai et modèle. Je ne songe donc plus à me vanter d'avoir raconté uniquement ce que j'ai vu. Et au fond, ai-je raconté ce que j'ai vu? N'ai-je pas construit, moi aussi, une armée, des Polytechniciens, des sous-officiers, et tout? N'ai-je pas construit ce paysage de Woëvre, encore si consistant dans mon souvenir?*

« Telles sont maintenant mes réflexions, bien différentes de ce qu'elles eussent été sans la visite d'hier. Je m'instruis par éclairs de la Littérature, et je voudrais faire des leçons là-dessus, qui expliqueraient enfin pourquoi ceux qui ont vu peuvent raconter fort mal. Non pas que je conseille d'écrire ce qu'on ignore. Non. Je veux dire qu'il faut s'instruire, mais ne pas raconter ses expériences. Surtout n'aller pas, le carnet à la main, chercher des phrases descriptives. J'ai un exemple, je ne le lâcherai pas. Au Bivouac *a été inventé, et si l'on trouve vérité plus cruelle, récit plus saisissant, qu'on me les montre...*

« Ce qu'il y a de plus plaisant, c'est que notre auteur était observateur dans un ballon, c'est-à-dire secoué et tourné de façon très désagréable, choses qu'on ne peut deviner dans son récit. La secousse est autre et de plus haute qualité. Voilà un homme qui répondrait comme Mallarmé à cette dame qui disait: « Ainsi, Monsieur Mallarmé, vous ne pleurez jamais dans vos vers. » — « Ni ne me mouche, Madame », répondit-il. Où vais-je? A ceci qui revient souvent sous ma plume, c'est que les moyens d'émouvoir de l'art sont bien loin d'être directs et supposent une ruse supérieure qu'il s'agirait de décrire.

« D'ailleurs, sur le Polytechnicien (qu'il connaît parfaitement), nous étions d'accord, Schlumberger et moi. Cela encore est sans doute plutôt construit que vu. « Ma vie, a dit cet homme charmant, fut un long dialogue avec le Polytechnicien (son frère, illustre dans le genre). » Et j'ajoute qu'il n'est pas besoin d'avoir un frère polytechnicien, attendu qu'on l'est toujours assez soi-même.

« Mais vous savez bien que dans ce livre-ci, je n'ai fait que dessiner des figures bien réelles, et que j'aimais bien. Comment l'idée s'y est-elle incorporée, voilà la question. Soit Jeannin, le fosseyeur (comme il disait), je l'ai compris et aimé sans

dialogue préalable avec le fossoyeur (V. Hamlet). *Vous voyez que je n'échappe pas aux paradoxes littéraires. Du moins j'échappe à des lieux communs ennuyeux sur l'expérience et l'observation.*

« *J'ai remarqué pendant nos longues nuits, que les canonniers observaient fort mal la marche de la lune parmi les étoiles, au lieu que le lieutenant le Barbu, polytechnicien, à peine le nez en l'air, observait très exactement le spectacle céleste, le retrouvant, comme il disait à travers son cours de Cosmographie. Si étonnantes que soient ces remarques, elles fondent la possibilité d'instruire sans expériences et presque sans perception, comme nous avons fait, vous et moi.*

« *Me voilà nageant dans la philosophie la plus commune ; et je soutiens que c'est la philosophie qui fera des livres vrais et non pas le contraire. Là-dessus, j'ai tout le monde contre moi et je sais pourquoi. C'est que j'ai étudié la perception visuelle et que je sais qu'on ne voit réellement rien si l'on ne sait pas d'avance (a priori), ce que l'on va voir. Je donne ici du pied dans les bêtises irritantes que l'on trouve partout. Et je veux vous conter encore une histoire. J'ai eu à Rouen un élève du nom de Gaubert qui était borgne par strabisme et fut guéri. Mais j'avais comme l'idée que l'œil insensible, maintenant offert à la lumière se mettrait à voir et c'est ce qui arriva. Seulement Gaubert ne s'en aperçut que lorsque je l'invitai, si je puis dire, à regarder ce qu'il voyait. L'exemple est double. Le fait est que Gaubert voyait double et trouvait cela gênant. C'est qu'il ne comprenait pas le sens de la seconde image. Ainsi tout y est, dans cette confidence et presque l'aveugle-né, et le secret d'une si constante opposition à mes écrits.*

« *Mais savoir pourquoi je m'en tiens à cette position difficile. Les braves penseurs que j'ai connus, Lachelier (Jules), Lagneau, semblaient avoir juré de justifier l'a priori, comme si c'était une question de politique. Réfuter l'empirisme, comme ils disaient, c'était leur grande affaire. Je n'ai point cette passion. Je veux bien qu'on soit empiriste. Et par là, je suis plus dangereux que mes maîtres, car on voit bien que je n'ai pas de préférence et qu'un empiriste à mes yeux, peut être honnête homme comme un autre. Alors, semblent penser nos bien-pensants, je n'ai plus d'excuse si je tourne toute l'Académie des sciences contre moi, laquelle choisit de connaître par expérience ; et c'est de bon sens.*

« *Je tombe donc dans la faute des débutants, le zèle ; je décide du vrai et du faux. Par exemple, présentement à propos d'une œuvre littéraire je relève ce paradoxe qu'on ne peut observer sans idées, j'en trouve de nouvelles preuves et je restitue l'âme, à propos de récits militaires. Car tout serait perdu, et l'âme aussi, si la connaissance était toute d'emprunt et d'expérience. L'âme c'est ce qu'on sait d'avance sur n'importe quoi ; Aristote a bien dit que l'âme humaine est toutes choses en puissance. Et quand on m'a dit de lire Aristote, je l'ai lu. J'ai pensé comme lui, comme Thomas d'Aquin. Or c'est bien ce qu'il faut penser si l'on pense bien, mais il ne faut pas dire qu'Aristote a quelque chose à nous apprendre. Cela est trop paysan du Danube ; ce personnage de comédie est usé. Pendant que je me méprends ainsi, et qu'on me tire inutilement par la manche, les Importants disent : « S'il nous avait crus, quelle belle carrière... » Je n'ai cru personne, si ce n'est des hommes du volume d'Aristote et de Kant. Mais quoi ? La philosophie recommence donc toujours ; il n'y a donc point de progrès. Aux heures, assez rares, où je médite ainsi sur la conduite de ma vie, souvent je me réfugie près de Lagneau, cherchant un sourire et un regard d'ami. Mais non... Impossible... On dirait que je les rends ridicules. Le fait est qu'Élie (Halévy) avec sa petite thèse sur le sentir (réfutation de Hume) avait fait la même faute qui lui a coûté une mention très honorable, enfin toutes les faveurs que l'on gardait pour lui. Oui, descendant de Platon, il a soutenu le paradoxe intellectualiste, contre Bergson donc, et contre les négociateurs, qui avaient tellement peur d'être battus. Souvenez-vous de ce que je vous ai raconté de Bergson à qui j'exposais un raisonnement vraisemblable par lequel Newton aurait pu démontrer sa fameuse loi. Il se moqua cruellement de moi. C'est que l'exemple était de première grandeur. Il voulait m'enlever l'espoir de croire à la science plus que ne le font les savants. Partout, j'étais d'accord avec moi-même. Je n'avais que sarcasmes pour Brunetière qui était une sorte de dieu, et qui avait annoncé la faillite de la science. Entendez bien, c'est la faillite d'Aristote et de l'âme, qui est toutes choses en puissance. J'aurais pu me faire un puissant ennemi (non, car c'était un noble homme). J'allais toujours combattant et isolé, toujours du même côté, du côté Thomas d'Aquin, mais sans l'excuse de la messe et de la confession. Je note ici un trait peu connu. C'est l'impossibilité d'une philosophie réellement laïque. Les sages de la Laïcité trouvent alors qu'il y a de l'abus, qu'il ne faut point avoir raison jusqu'à diviser les Français. Ce degré de sottise est admirable. Je conçois fort bien Darlu choqué d'entendre démontrer ce qu'il enseigne : « Ce n'est pas, dit-il, si vrai que cela. » J'ai vu la même impartialité en Jules Lachelier qui était un grand esprit ; mais j'ai ouï conté qu'il ne supportait pas bien Lagneau et qu'il lui tirait dans les jambes. Il faut qu'il y ait quelque chose de diabolique dans la force d'esprit, quelque chose qui est estimé très dangereux par tous les partis. « Il ne faut pas croire, aurait peut-être dit Jaurès, il ne faut pas croire que le socialisme est vrai. » En cette tête carrée je pense que le vrai et le faux s'arrangeaient autrement que je ne puis savoir. Et là, l'homme cultivé triomphe sans peine ; il laisse entendre que le vrai et le faux sont des notions déchaînées qu'il faut manier avec prudence...*

*« C'est ainsi que je me penche par-dessus mes propres limites. Il est donc vrai qu'il ne faut pas penser à tour de bras. Au vrai, l'*Impendere Vero *de Rousseau est un principe anarchiste, c'est-à-dire ennemi du genre humain. La pensée n'est pas tout. Eh bien !... dirais-je, j'ai pourtant joué tout le jeu, puisque j'ai fait la guerre. Non. Ce n'est pas encore cela. La position du brigadier très savant n'est pas tout à fait acceptable. Il y a de l'abus encore ici ; il faut une vie plus liée à la terre ; il faut des contradictions intimes. Le fait est que je n'ai jamais opposé l'humanité à la patrie. Dès lors, on ne peut plus causer et il faut être comme les Polytechniciens, parler poliment de tout et ne pas croire que la raison humaine va mettre le colonel en échec. Le fait est que ce genre d'homme se défend bien. Il ressemble à Scipion et à Cicéron plus qu'à Épictète et à Lucrèce. Cicéron savait tout et mêlait le doute à ses pensées selon l'éloquence et selon l'amitié. J'en écris comme si j'avais trente ans, comme si j'avais le temps de devenir raisonnablement raisonnable. Riez un peu de moi, et amusez-vous à constater que je n'ai pas le visage d'un sage. Cela ne changera pas ma bonne humeur. La neige couvre le terrain, et je me résigne à mon état de penseur rhumatisant.*

« Trouvera-t-on encore que j'exagère ? Voilà pourtant où m'a conduit le paradoxe de Schlumberger sur la manière d'écrire l'histoire... »

Le 10 décembre 1937.

ALAIN.

Dédicace à André Buffard.

Bien amicalement,

« Ce texte de nos conversations. Votre expérience militaire ne diffère pas beaucoup de la mienne. L'homme est beau à la

guerre ; tant qu'on n'a pas compris cela, on est à côté de tout. Sachons premièrement voir l'homme comme il est et le prendre comme tel, et tout ira bien dans nos folies et dans tout ce qui en dépend. Amen. En toute amitié. »

15 mai 1937.

ALAIN.

L'exemplaire de Journal de Guerre *dédicacé à Madame Morre-Lambelin se trouve à la Bibliothèque nationale, dans la* Réserve. *Il contient, collées après les dernières pages, vingt-huit photographies, prises sur le front, images des champs, des tranchées, des bivouacs, avec des portraits d'Alain et de ses camarades de batterie.*

V. MARS OU LA GUERRE JUGÉE (I, XXXIII)

N.R.F. *Achevé d'imprimer le 8 juillet 1921. Édition nouvelle en 1936, augmentée de vingt propos, tirés des* Libres Propos. *Le présent texte est celui de 1921.*

Le manuscrit appartient à Madame Chartier.

Dédicace à Madame Morre-Lambelin.

« Mars *aurait pu être quatre fois plus long. Mais vous savez que c'est en réalité le premier tome que j'aie écrit. Il me semblait long ; mais la typographie l'a fait court. Tel qu'il est, il suffit pour que soit dit ce que personne ne dit.*

« *Il faut dire que je faisais la guerre comme téléphoniste d'artillerie, ce qui laisse quelques loisirs et des heures protégées (le téléphone est autant que possible protégé). J'étais donc plutôt étonné qu'accablé par cette vie nouvelle. Je remarquai premièrement que le danger ne fait souvent que stimuler les actions, et d'autant plus que l'on a à faire quelque chose d'évidemment utile (par exemple, porter un message, ou réparer un fil). La peur n'envahit l'homme que dans l'inaction, ou bien encore quand il voit de loin la zone dangereuse et qu'il s'en approche. La plus grande peur est si l'on est voituré ; j'ai vu de vieux habitués aimer mieux sauter à terre quand on approchait des lieux battus. Au reste, on se trouve promptement dans une situation telle qu'on ne voit pas d'avantage à reculer ; bien plutôt l'abri le plus solide est en avant. On peut rencontrer des moments difficiles la nuit et seul sur une de ces routes si propres où il ne passait point de voitures, lorsque les fusées éclairantes s'élevaient, et que l'artillerie ennemie tirait. Si l'on se rapprochait davantage dans le pays fleuri de marguerites qui s'étendait entre l'artillerie et l'infanterie, on avait le sentiment d'une sécurité parfaite. Mais ce sont des choses qu'on apprend par l'expérience. De premier abord, on croit qu'on n'en reviendra pas ; dans la suite, on apprend à se protéger.*

« En remarquant comme les hommes se montraient souvent courageux, dévoués, tranquilles, je comprenais mal une sévérité hargneuse ; j'en éprouvais moi-même les effets. On voudrait de l'amitié entre les compagnons d'armes (V. Fabrice, à Waterloo) ; mais on trouve deux castes séparées. Un officier peut entendre de vifs reproches ; mais jamais il n'est traité comme le sont les hommes (admirez cette manière de dire). Et le plus haut grade qui soit traité ainsi, c'est le grade d'adjudant. L'aspirant appartient à la caste des officiers. Les hommes sont toujours supposés ignorants et paresseux. Je n'ai senti que par hasard ce pouvoir capricieux, injuste, violent, méprisant, mais je ne me suis pas habitué à entendre qu'on parlait ordinairement aux hommes comme on parle aux bêtes. Bref, ce que j'ai ressenti le plus vivement dans la guerre, c'est l'esclavage. La fable du Cheval qui s'est voulu venger du cerf *me fut enseignée tous les jours. Je sais bien que dès l'armistice, l'homme de troupe a commencé à refuser le mors ; mais je prévois que les chefs ne se résigneront pas à se démettre de leur pouvoir asiatique. Et je vois que là se trouve la cause principale des guerres ; mais quand je considère les causes réelles et ce qu'il faudra changer dans les idées si l'on veut faire œuvre utile, je ne sais plus par où commencer. A chaque jour sa peine. Le courage ne manquera pas. »*

Le 15 août 1922.

ALAIN.

Autre dédicace (Édition de 1936).

« ... Maintenant, quelle est l'idée ? L'idée est que toute la guerre est intime et intérieure à la paix et que finalement l'existence du quartier explique tout et même la victoire. Tant que l'on n'a pas bien compris cela, on s'en prend à la guerre, qui est plus forte que nous. Au lieu que la paix est faible et

bien facile à soigner sur son lit de repos. C'est alors que la résistance de la masse est invincible, et c'est le colonel qui a des soucis, non pas l'homme de troupe, pourvu qu'il sorte à cinq heures ; assez content de ces menues faveurs auxquelles il a droit, il est le maître sans le savoir, mais les politiques le savent et se gardent bien de le dire. C'est donc la paix qui prépare la paix. La paix ne cesse jamais, voyez comme elle se prolonge presque sans effort.

« ... *Comme on apaise les chevaux en leur parlant, ainsi on apaise les hommes. On leur dit qu'étant comme ils sont, il ne peut manquer de leur arriver de se heurter à eux-mêmes ou aux objets durs. Et voilà l'essentiel de la bataille. Les hommes vieux ne veulent pas sourire. Voilà comment la conquête d'une province, chose peu avantageuse, finit par intéresser tout le monde. Aussi les sarcasmes de Voltaire tombent à côté. Et Frédéric le savait bien. Il savait faire avancer la paix en bon ordre et serrer un régiment contre un autre. Cette période de naïve tyrannie est passée, ne croyez pas que la suite sera très facile. Il n'en sera rien. Il faudra marquer le pas en suivant les tambours. Car on ne peut pas ne pas suivre les tambours de ville. Tous les gamins courent après. Bref, faire vivre en paix une foule d'hommes dans la ville, voilà le problème.*

« *Ces idées vous sont très bien connues. Vous seule en avez saisi l'importance par cette sorte de guerre continue que vous avez menée contre les Importants. Ce qu'il y a de plaisant, c'est que le citoyen ne peut s'empêcher de les respecter. Voilà ce que c'est que vivre avec des gens qu'on ne connaît point. Il faut se connaître, voilà toute l'affaire. Et vous verrez comme les tyrans seront sages ; dès que je sais par quels ressorts il remue, il n'est plus rien. Il n'est que ma propre mécanique qui va toute seule. Il n'y a rien de plus ridicule que le style du tyran. Tous les mots y sont forcés et tordus. Ce sont de mauvaises machines américaines. On se demande quel est l'intérêt d'un général chinois. Il voudrait bien le savoir, et il cherche, il cherche...* »

Le 15 mai 1937.

Dans le même exemplaire.

« ... *J'ai encore beaucoup à dire sur* Mars, *à vous qui savez si bien quand furent écrits les manuscrits. Bref, voici le paradoxe qui a rempli tant de conversations et qui pourrait embarasser le lecteur de l'avenir, mis en présence des deux manuscrits. On croirait volontiers que ces chapitres, pleins de sentiments vifs, ont été écrits à la guerre même, sur la crête de Beaumont-en-Woëvre. En réalité, j'écrivis là et dans la fumée, environ quatre-vingt-treize chapitres qui ne sont pas dans ce livre-ci. Il fut tout écrit après l'armistice, dans le bonheur de la paix. Ce qui peut intéresser le lecteur dans ces remarques, c'est que ces chapitres sont beaucoup plus réfléchis qu'on ne le croirait. On les relira et l'on trouvera la retenue et la mesure, qui sont les ornements de la réflexion...*

« ... *Je suis assuré que toutes les émotions fortes sont rétrospectives. On a alors, dirais-je, le loisir de les éprouver... Au reste, ce que l'on pense là-bas, je l'ai assez dit dans les* Souvenirs de Guerre, *et en effet, ces choses-là s'oublient ; il faudrait une autre guerre pour qu'on y pense. Ce ne sont donc pas, dans ce livre-ci, les mouvements d'indignation d'un soldat mécontent, comme voulut me qualifier un ami trop sévère. Non pas mécontent, mais plutôt content, et formant plutôt l'amour que la haine. Spinoza dit que l'amour vaincra, et cela aussi, je le crois. Mais quel tumulte encore de sentiments dans un lecteur de journaux, en ce temps-là... Pourra-t-il s'y reconnaître ? Certes ce ne sont pas les avions en l'air par leur terrible bruit de puissance, qui l'orienteront comme il faut. Et quant aux bêtises lancées par les imprudents conducteurs de peuples, comment les peser ? Elles tordent la balance. Bref, le citoyen est comme le soldat, environné d'éclairs et de tonnerres et bondissant comme un animal. Non ; il faut en venir à une pensée plus serrée ; et si j'ose dire, plus ceinturée.* »

15 décembre 1937.

A Buffard : « *Les lâches ne font jamais la guerre, mais les braves la feront.* »

24 juillet 1926.

« *L'Esprit de la Bible nous possède.* »

Janvier 1927.

VI. SOUVENIRS CONCERNANT JULES LAGNEAU (I, XXXIV)

N.R.F. Achevé d'imprimer le 6 juillet 1925.

De l'exemplaire dédié à Madame Morre-Lambelin :

« *Vous offrant cet ouvrage qui est si bien à vous, je vous vois en cornette dans quelque couvent d'Augustines. Vous étiez disciple de Lagneau avant de me connaître. J'ai touché par vous une de ces chapelles inconnues où le vrai culte se conserve. Par votre amie, Mademoiselle Alligret, et par Léon Letellier (l'Homme de Dieu), vous avez reconnu le Prince de l'Esprit. Je l'avais reconnu aussi et célébré ; vous m'avez estimé très haut à cause de cela, et au fond, vous ne vous êtes point trompée : occasion de dire, à vous et à ceux que ma destinée intéresserait, que j'ai dû au vrai culte d'avoir évité la plupart des écueils qui se trouvaient sur mon chemin. Car je pouvais me maintenir à Paris, comme tant d'autres, par une facilité étonnante d'écrire et de tout. Mais je n'y ai pas seulement pensé... Et j'ai toujours manœuvré de façon à anéantir les occasions. Ma vieille amie de Paissy riait aux larmes en me racontant mes débuts de littérateur, au temps où elle était en position de m'aider efficacement. Je le pris de très haut avec la* Revue de Paris; *je puis dire, parce que je le sais, que c'était une manière de me fermer à moi-même cette porte. Plus tard, un officier de marine, piqué de littérature et de théâtre, voulut collaborer avec moi. Je dis oui et ce fut non. Même remarque pour Téry et l'*Œuvre. *J'ai toujours aimé l'aventure et la brasserie, mais sans les estimer. Et pour n'y pas tomber j'ai usé de ruse. C'est-à-dire que j'ai pris très au sérieux mon difficile métier ; cela je peux l'offrir à la mémoire de Jules Lagneau. Se faisait-il une idée des périls que je traversais ? Mais lui-même avait-il ses diables ? Voilà ce que je ne sais pas. Ce livre-ci est bon par le mouvement. Je me souviens que je l'écrivis en chemin de fer, entre Paris et Le Vésinet, à un moment où les trains allaient encore bien plus lentement qu'à présent. Que de fois je faillis me laisser entraîner jusqu'au Pecq. J'ai remarqué souvent que l'incommodité nourrit le style. Mais il est plus vrai de dire que les circonstances sont indifférentes ; vous en avez eu cent fois la preuve. Pour vous donc cet ouvrage naïf où il n'y a rien pour la parure.* »

Le 15 août 1925.
ALAIN.

VII. ABRÉGÉS POUR LES AVEUGLES
(I, XL)

Hartmann, 1942. Écrit en 1917, pour les aveugles, et d'abord publié en braille. Le manuscrit appartient à Madame Chartier.

VIII. PLATON (I, XXXVI)
IX. DESCARTES (I, XXXVII)
X. HEGEL (I, XXXVIII)

Platon. *Onze chapitres sur Platon. Hartmann. Achevé d'imprimer le 23 juillet 1928. Ensuite dans* Idées *(Hartmann)*.

Le manuscrit est à la bibliothèque Doucet. Deux manuscrits autographes, 13 avril 1928 et mars-avril, mai 1928. 1er manuscrit : Feuillets quadrillés, collés sur pages blanches. Les pp. 14-16, 18-20, 23-25, 27, 30, 31, 37-39 sont écrites recto-verso. 219 × 170. 44 p., encre noire. 2e manuscrit : Feuillets collés sur pages blanches, 209 × 158, 97 p., encre noire. Reliure *plein maroquin vert. Plats encadrés d'un sextuple filet or. Dos à cinq nerfs ornés d'un filet or et soulignés de filets à froid. Compartiment encadrés d'un quintuple filet or, à l'exception d'un compartiment portant le nom et le titre or, encadré d'un double filet or et du compartiment portant la mention de manuscrit encadré d'un triple filet or. Coupes ornées d'un double filet or. Tranche dorée. Contre-plats de moire verte encadrés de maroquin vert décoré d'un filet à froid et d'un sextuple filet or. Gardes de moire verte. Contre-gardes de papier à la cuve. Étui recouvert de papier à la cuve bordé de maroquin vert.* Reliure *et étui signés de Maylander. Ex-libris Henri Mondor.*

Ces deux manuscrits sont un peu différents : le premier sans épigraphes aux chapitres ; le second avec épigraphes, dont une (au Gygès*), raturée et remplacée. Le texte ici publié est celui du second manuscrit.*

Dédicace à Madame Morre-Lambelin.

« ... *J'aime ce* Platon. *Quand on m'en dirait du mal, et le plus habilement du monde, je n'en croirais rien. J'ai enseigné Platon bien des fois, soit à Henri-IV, soit à Sévigné. A chaque fois j'ai trouvé occasion d'exprimer sous une forme nouvelle et enlevante des idées qui me sont vertébrales. Platon est le premier auteur que j'aie entrepris sérieusement de lire, d'après ce que Jules Lagneau en disait. A l'École normale, je lisais Platon aux cours de Brunetière, et partout, directement en grec, à tous risques, car je me servais bien rarement du dictionnaire : je devinais, je me trompais ; les fautes de bonne foi n'altèrent pas un auteur. Ceux que j'ai vus travestir honteuse-*

ment Platon étaient des niais qui faisaient leur mot-à-mot, mais qui avaient juré que Platon a bien vieilli. Peu d'hommes ont eu l'idée que Platon dit vrai. Et, comme vous savez, je ne puis lire un auteur qu'avec l'idée qu'il dit vrai. Une telle idée à la fois vieille et neuve, devait soulever le monde ; mais on ne voit jamais ses grands effets. Toujours est-il que toutes mes leçons sur Platon ont soulevé le monde des jeunes. Ce feu est conservé dans ce livre.

« *Je viens, tout en rêvant, d'en relire quelques pages. Il n'y a point d'autre chemin vers le ciel des idées. Aussi la tradition humaine a surnommé Platon* le Divin. *Quel frère de nous tous !... Et quels contes !... On sait qu'il ne s'est rien perdu des écrits de Platon. C'est un miracle unique ; et cela suffit à donner la mesure de l'homme, j'entends de n'importe qui. Pour moi, je me vois marchant dans le purgatoire de Platon depuis des milliers d'années ; car combien de fois ai-je recommencé ? Et combien de fois ai-je recommencé mes recommencements ? Tous les âges de l'homme sont dans une vie, et des milliers de vies dans une vie. Cette poésie, quand on la retrouve, est bien autre chose que l'amour. Je sais que rien ne vous est plus beau que Platon. Encore une fois, je viens de relire Gygès en ces pages. Souvenez-vous que c'est encore plus beau dans Platon.* »

15 août 1928.
ALAIN.

Descartes. *Deux études. La première, intitulée :* Étude sur Descartes *(9 chapitres) ; la seconde, intitulée :* Sur le Traité des Passions *(5 chapitres). Parues ensemble dans* Idées *(1932). Mais la seconde avait été publiée en 1928, en tête d'une édition du* Traité des Passions *(in-8° chez Henri Jonquières et Cie, 17 rue Froidevaux, à Paris, avec un portrait en taille douce de Descartes, gravé par Jollain en 1670. Collection L'Intelligence).*

Le manuscrit de Étude sur Descartes *est à la bibliothèque Doucet. Manuscrit autographe et premières épreuves corrigées (1927). Feuillets du manuscrit montés sur onglets 308 × 198, 28 pages, couverture de papier vert, encre noire. Reliure plein maroquin vert. Plats encadrés d'un sextuple, puis d'un double filet or. Dos à cinq nerfs ornés d'un filet or et soulignés de filets à froid. Compartiments encadrés d'un quintuple, puis d'un simple filet or à l'exception du compartiment portant le nom et le titre or, encadré d'un double filet or. Coupes ornées d'un double filet or. Tranche dorée. Contre-plats de moire verte encadrés de maroquin vert décoré d'un filet à froid, puis d'un filet or, puis d'un quintuple filet or, enfin d'un filet or. Gardes de moire verte. Contre-gardes de papier à la cuve. Étui recouvert de papier à la cuve bordé de maroquin vert.* Reliure et *étui signés de* Maylander. *Ex-libris* Henri Mondor.

Sur l'exemplaire de Madame Morre-Lambelin.

« *Lorsque Crès me demanda de rééditer le* Discours, *je pensai aussitôt aux* Passions, *livre plus directement utile, plus lisible, et bien moins connu. Toutefois, il faut reconnaître que le* Discours *a plus de gloire que l'autre ; c'est là un fait humain. Crès n'hésita pas ; et il faut lui rendre honneur ; car on remarquera d'une édition à l'autre un changement de firme. Il n'en est pas moins que c'est par les soins de Crès que fut mis en tête de cette édition un portrait de Descartes moins connu que celui de Fr. Hals, et non moins intéressant. Je fus bien heureux de faire mieux connaître aux amateurs de livres les beaux titres et les courts chapitres des* Passions. *Jamais ouvrage ne fut plus lisible ; et l'extrême difficulté du sujet rendait cette précaution bien nécessaire. Les passions sont obscures par-dessus tout, parce qu'on ne veut point du tout croire ce qu'elles sont ; mais plutôt on veut les voir telles qu'elles paraissent, et ornées de leurs raisons ; au lieu que leurs effets dépendent principalement d'un régime physiologique ; et cela est maintenant connu, au moins des médecins. Mais ce qui est oublié, c'est ce qui importe le plus, qui est, en chaque passion un conflit entre la nature et l'esprit. Ce qui compte dans les Passions, et les redouble, c'est l'esprit humilié. Aussi est-il utile d'orienter le lecteur vers le* CLIII *(Générosité). Je me souviens qu'à l'École normale, où je commençai à explorer ce Traité, je m'y perdis tout à fait. Au reste il importe peu que le lecteur véritable éprouve la même chose ; car c'est une partie de la connaissance des Passions que l'on s'y perde, et que l'on soit d'abord borné par une ou deux ; car un système ne sert à rien ; ce qui sert, c'est la remarque particulière ; et toutefois ces remarques sont sans portée souvent, comme on voit en* La Rochefoucauld, *faute de l'idée héroïque qui est la véritable lumière, et qui fait comprendre notamment que les grandes âmes sont sujettes à de violentes passions, en raison même de leur hauteur naturelle, qui ne sait point combattre les Pygmées. Au reste, on n'en finirait point de commenter un ouvrage qui dans le fond n'a pas besoin de commentaires. Je ne veux que marquer ici pour vous un travail dont je suis fier.* »

Décembre 1928.

ALAIN.

Hegel. *Étude publiée (Hartmann) en 1932, avec les deux précédentes sous le titre commun* Idées. *Édition augmentée en 1939 par l'addition d'une étude sur Auguste Comte et* les Sentiments familiaux *(Essai d'une sociologie de la famille). Le texte présent est celui de l'édition de 1932.*

Le manuscrit est à la Bibliothèque nationale. Manuscrit autographe. Sans lieu. Juillet 1931, de IV-77 pages, écrites au recto ; encre noire. Papier arches. Cahier broché. Format : 249 × 177 × 16. Page I. Envoi de Henri Mondor à Madame J.-Michel-Alexandre. Pages II, III, IV. Note sur Aristote. Pp. 1-77 : Hegel. L'écriture est petite (54 signes ou lettres en moyenne pour une ligne d'environ 13 cm. 40 lignes, très droits, à la page sur une hauteur d'environ 20 cm., bien encadrées par les blancs, admirablement régulière et lisible. Sans aucune rature. Reliure, double étui, signée Maylander. Le premier demi-maroquin vert, avec bordure enveloppante sur le grand côté, de maroquin vert. Plats de papier à la cuve, sombre. Dos à nervures figurées par un filet or, à six grands compartiments et deux petits (en tête et en queue), ceux-ci entourés d'un simple filet or ; quatre des grands encadrés d'un triple filet or ; les deux autres, qui portent le nom, le titre, la mention de manuscrit or, encadrés d'un simple filet or. L'intérieur garni de papier à la cuve, clair. Le second, enveloppant le premier, recouvert de papier à la cuve, sombre, bordé de maroquin vert ; 268 × 192 × 35.

Dédicace à Henri Mondor.

« *Ma méthode est de lire sans réserves, et d'approuver toujours. Il me semble que cela est terrible contre la médiocrité.* »

Le 7 février 1932.

ALAIN.

Dédicace à Madame Morre-Lambelin.

« *Ce volume n'a de neuf que le* Hegel. *Je trouve que ce n'est pas peu. Je n'ai rien enseigné de mieux que le* Hegel d'Henri-IV, et l'on en trouve ici la substance. S'admirer n'est qu'un moment. Je viens de relire un bon nombre de pages de Hegel, et mon impression est que la difficulté règne presque partout. Je me souviens que la première fois que j'enseignai Hegel (le samedi soir) avec l'encouragement de Herr, je me trouvai assez content de moi. Un autre hégélien fut curieux d'examiner les notes d'un bon élève ; il me les rendit en disant : « Ce n'est qu'une table des Matières. » C'était vrai. Quand j'enseignai Hegel pour la troisième fois (c'était dans la grande salle de dessin et devant une foule d'élèves et d'anciens élèves où se mêlaient même des étrangers, par exemple un coulissier) je crus m'être assez défendu contre la Table des Matières. A présent je n'en suis plus si assuré. Pendant l'exécution, on est heureux, car on découvre à chaque pas. Les résultats, dans Hegel, sont prodigieux ; lisez son Esthétique, vous ne cessez pas d'être ravi, hégélien ou non. Mais être ravi n'est pas encore être hégélien. Il faut se mettre dans l'escarpolette, et se sentir déporté, le voulant et ne le voulant pas, et sans espoir de retour. Ai-je fait pleinement cette expérience, ou bien l'ai-je seulement comprise ? Voilà la question. Je crois que Herr avait fait l'expérience ; mais aussi son Hegel de l'Encyclopédie n'est qu'une Table des Matières. C'est qu'on n'est guère occupé d'expliquer le passage lorsqu'on l'a fait soi-même, avec armes et bagages. Ainsi cette puissante doctrine devient pratique et s'enseigne par l'exemple. Nous voilà au Marxisme et je ne suis pas Marxiste...

« Si je ne me trompe, toutes les difficultés sont rassemblées dans ce que je viens d'écrire. Je conclurais qu'un hégélien n'est pas l'homme qui expliquera le mieux la doctrine, et qu'en fin de toute doctrine, il faut tirer et se retirer. Voilà Descartes. Ayant choisi Descartes, je ne puis être hégélien. Mais je puis saisir par Hegel des idées prodigieusement fécondes, quand on ne considérait même que le style, si puissamment régulateur. J'en viens donc, ou j'en reviens à être passablement content de ce que j'ai essayé concernant la philosophie de Hegel.

« J. Lachelier parlait mal de Hegel ; Lagneau aussi. Les seconds rôles l'ignorent tout à fait et très sottement. Antoine Roche avait pris pour sujet de diplôme la Philosophie de Hegel ; il l'exposait avec talent et avec force. Il lui fut reproché qu'il n'y faisait point d'objections : « Peut-on rester inerte devant un pareil système ? Est-ce cela penser ? » Ainsi parlait le correcteur... L'infatuation est ici admirable ; elle coupe le souffle. Il croit vraiment faire mieux que Hegel, mieux que

Descartes, mieux que Platon. Inutile de dire que mon souffle ne fut pas coupé pour si peu... »

Le 3 mars 1932.

ALAIN.

De l'édition de 1939.

Exemplaire de Madame Morre-Lambelin.

« *Au moment de vous dédier cette réimpression d'un livre si prodigieusement rempli de toutes les philosophies, j'ai relu tout l'ouvrage et voici l'impression que j'en ai.*

« *J'ai aperçu d'une partie à l'autre des liaisons non marquées, que le lecteur devra trouver. C'est beaucoup demander au lecteur ; aussi cet ouvrage n'aura-t-il que quelques lecteurs ; il est de ceux (y compris les* 81 Chapitres... *aussi réimprimés) qui doivent jeter le disciple dans l'océan de la vraie Philosophie.*

Ce qui doit d'abord arrêter l'esprit, c'est la note sur Aristote, si évidemment insuffisante. C'est à l'occasion de mon examen de 92 que j'ai incliné de Platon vers Aristote. Ce dernier auteur me semblait plus substantiel, plus nourrissant pour un exposé oral, et j'avais raison. Lagneau devina ce changement d'après le premier dialogue de Criton, *où il ne pouvait manquer de reconnaître tout l'Aristotélisme. Quoique je n'aie pas averti le lecteur, tout ce grand système est amplement développé plus loin, à l'occasion de Hegel ; ainsi la note n'est pas insuffisante. Elle relie Aristote à Platon, et elle soutient Platon, qui est un peu trop planant ; elle prépare à une idée qu'éclaire Hegel, c'est que la Philosophie est elle-même histoire.*

Réfléchissant là-dessus, je viens à penser qu'il manque ici un Kant, *que certainement, je pourrais écrire. On trouvera le nécessaire de cet auteur dans l'*Histoire de mes Pensées. *Il enferme moins d'obscurités que Hegel, par lequel il est juge dans ce livre même ; et certes le disciple ne manquera point de lire la* Critique de la Raison pure, *qui est, à mes yeux, un excellent manuel élémentaire...*

« ... *Descartes promena philosophiquement dans toute l'Europe un guerrier du style Louis XIII. En ce* Descartes *se trouve ici tout l'esprit de guerre possible, assez choquant par son parti pris de penser tout seul et devant Dieu, ce qui est mépriser l'histoire.* »

ALAIN.

Exemplaire de André Buffard:
« Voici de la Philosophie à usage de monastère. »

26 juin 1935.
ALAIN.

Nous joignons ici trois sonnets, dédiés à Melle G. L.

I

(sur un exemplaire du Traité des Passions*)*

A DESCARTES

En ton œil de velours, et sur ta grosse lèvre,
Confiance et bonté s'endormirent d'abord,
Et longtemps ton génie hésita sur le bord,
Entre la force et la grâce mièvre.

Tout brillant et poli, tel que le fit l'orfèvre,
Tu reflétas longtemps l'ordre que rien ne mord,
Mêlant au fil doré que la Parque nous tord
Le regret, cette mort, et l'amour, lente fièvre.

Mais tu sentis l'ennui de ce monde tout fait.
Tu voulus, secouant la cause avec l'effet,
Remettre en tourbillon l'expérience toute.

Et méprisant enfin masques et carnaval,
Tu foulas l'ordre ancien aux pieds de ton cheval,
Et pris pour Dieu vivant l'indubitable doute.

Le 27 avril 1928.

Ce sonnet a été publié par Henri Mondor dans son livre Alain *(1953).*

II

(sur un exemplaire de Platon*)*

Platon, lumière d'or et voyage des âmes !
O grande vision d'un ciel de pur esprit !
Dès qu'elle te toucha, mon âme te comprit,
Qui de son noir bûcher tirait de pures flammes.

La tempête de chair, la mer aux grandes lames,
Qui cernait en grondant mon rocher de granit,
En vain fermait la route au pauvre cœur proscrit,
Ivre de son orgueil et de ses propres drames ;

Car ton ciel déployait, sur ce monde pesant,
Fait de lymphe, et de chair, et de pierre, et de sang,
De désirs ambigus et de menace tendre,

Et de colère injuste et de trouble mortel,
Une clarté d'azur qui me fit tout comprendre,

Bleu regard, au dessus d'un moment éternel.

Le 11 octobre 1929.

ALAIN.

III

(Sur un exemplaire de Idées*)*

Faut-il penser, lorsque l'étreinte sûre et prompte
De ce monde réel nous serre durement ?
Quand la nécessité, vive comme l'aimant,
Tourne au pôle absolu l'amour que rien ne dompte ?

Quand le temps ravageur nous laisse pour tout compte
Le souvenir chéri que l'on sauve en aimant,
Quand le coupant du fait, ainsi qu'un diamant
A rayé le miroir où l'âme se raconte ?

J'ai fui dans l'autre monde, où de froides couleurs
Dessinent en cristaux sur d'irréelles plaines
La forme transparente et nette des douleurs,

Des espoirs, des pardons, des minutes sereines,
Ou quelque lune encore aux mouvantes lueurs
Projette l'ombre longue et pâle de nos peines.

Le 28 février 1932.

ALAIN.

XI. 81 CHAPITRES SUR L'ESPRIT ET LES PASSIONS (I, XXXII)

*Première édition à l'*Émancipatrice *(1917) sans visa de la censure, avec la mention :* Par l'Auteur des Propos d'Alain. *Nouvelle édition, sans changement, chez Camille Bloch. Sous le titre de* Éléments de Philosophie, *quatorze chapitres nouveaux et des notes, Gallimard, 1941. Suivant le désir d'Alain lui-même, le texte présent est celui de l'édition Bloch et de l'Émancipatrice.*

Le manuscrit appartient à Madame Chartier.

L'exemplaire dédié à Madame Morre-Lambelin comprend un Avertissement d'Alain, transcrit par elle-même.

« Cet ouvrage veut être étranger à la mode, j'entends aux manières de discuter de ce temps-ci. Il se propose de préparer le lecteur à lire les œuvres philosophiques d'importance avec toute l'attention nécessaire, et aussi à réfléchir par ses propres moyens et à esquisser pour lui-même quelque système abstrait ; car il faut toujours commencer par mettre nos idées en ordre, même si on ne trouve pas de places pour toutes. L'ambition de l'auteur s'arrête là. Ce n'est ici qu'une introduction à l'étude des Philosophes et de la Philosophie. Mais n'entendez point que l'exposition en sera claire et facile partout. Nulle part les difficultés ne sont volontairement éludées. En revanche il n'est traité dans ce livre que des notions communes toujours exposées dans le langage commun ; ce qui permet d'écarter les difficultés de belle apparence, qui servent de matière aux discoureurs de profession.

L'auteur a enseigné longtemps ; il ne se flatte point de l'avoir tout à fait oublié. Mais il compte que vingt mois passés loin des livres, ainsi que des occupations entièrement étrangères à son métier, ne le disposent pas mal à discerner ce qui est de première importance et à laisser aller le reste. Mais il ne peut espérer que le lecteur le plus bienveillant et le mieux doué ait autant de plaisir à lire cet ouvrage que l'auteur en a trouvé à l'écrire. »

Flirey, 8 avril 1916.

ALAIN.

D'autre part, l'édition de 1941 comportait ce passage qui fixe mieux encore l'idée que se faisait Alain de son ouvrage :

« ... *On trouvera donc ici des traces de mon enseignement ; on se rendra compte de ce que furent mes leçons à* Henri-IV, *et encore mieux au* Collège Sévigné. *Dans ce dernier cas, surtout, je m'adressais à des esprits tout à fait ignorants de la philosophie classique, au lieu que les vétérans de Henri-IV étaient nourris de la doctrine scolaire. Toujours est-il qu'on peut aborder ce livre sans rien savoir des questions qui y sont traitées. Un étudiant attentif sera donc assez instruit ? Non, mais il sera en mesure de prendre les problèmes d'un peu plus haut. En vue de quoi je lui recommande* Idées *qui convient pour initier à la philosophie du second degré et non plus élémentaire. Ces deux ouvrages une fois bien possédés, je ne vois pas ce qui manque à la réflexion personnelle, qui peut, à partir de là, se prolonger sans fin... On demandera peut-être, si, par des études ainsi conduites, on se rapprochera un peu de ce qui s'enseigne et de ce qui se dit sous le nom de* Philosophie. *Là-dessus, je ne réponds de rien. Toutefois, dans les* Souvenirs concernant Jules Lagneau, *on trouvera le fidèle tableau d'une classe de philosophie justement illustre. Il est vrai que beaucoup reprochaient à Lagneau de s'éloigner un peu trop de l'usage scolaire en matière de philosophie...* »

Dédicaces à André Buffard.

« *Le lâche n'est jamais à craindre, mais le généreux est toujours à craindre.* »

24 juillet 1926.

Pour mon vieil ami B.

« *Voilà, mon cher, une sorte de catéchisme ; mais il ne peut servir que si on le contrarie par principe ; je sais que vous n'y manquerez pas. Ce sera une occasion de penser que nous sommes amis par affinité naturelle. C'est une pensée agréable et je vous souhaite bien du plaisir, et je suis votre fidèle ami.* »

15 avril 1950.

XII. ENTRETIENS AU BORD DE LA MER
Recherche de l'entendement
(I, XXXVII)

N.R.F. *Achevé d'imprimer le 10 janvier 1931. Nouvelle édition, 1949.*

Le manuscrit est à la bibliothèque Doucet.

Autographe. Les grands Sables en Clolohars, 24 septembre 1929. 247 × 173, 105 p., couverture de papier vert, encre noire. Reliure *plein maroquin vert. Plats encadrés d'un quintuple filet or. Dos à cinq nerfs ornés d'un filet or et soulignés de filets à froid. Compartiments encadrés d'un triple filet or, à l'exception des compartiments, encadrés d'un simple filet or, portant le nom, le titre, la mention de manuscrit or. Coupes ornées d'un double filet or. Tranche dorée. Contre-plats de moire verte encadrés de maroquin vert décoré d'un filet à froid puis d'un sextuple filet or. Gardes de moire verte. Contre-gardes de papier à la cuve. Étui recouvert de papier à la cuve, bordé de maroquin vert.* Reliure *et étui signés de Maylander. Ex-libris Henri Mondor.*

Dédicace à Madame Morre-Lambelin.

« *Votre exemplaire mérite bien une préface particulière. Car, ce livre, vous me l'avez pris des mains pour le porter à l'imprimeur, alors que je croyais que d'importantes retouches y étaient nécessaires. Vous aviez raison. Le livre est bon. Un plus grand détail, un souci de tout dire auraient gâté l'ouvrage et peut-être découragé l'auteur. Maintenant, pour qui cet ouvrage, et à quelles fins ? Les hommes se trompent, en ce qui concerne l'Univers, de deux manières. Premièrement, et faute d'avoir bien lu David Hume, ils croient qu'une expérience constante peut décider de l'impossible. C'est faire comme le roi de Siam (cité par cet auteur) qui niait que l'eau pût jamais porter un éléphant. Ou bien, c'est dire que parce qu'on n'a jamais vu un chat tricolore mâle, on n'en verra jamais. Deuxièmement, les hommes se trompent faute d'avoir lu Kant, en décidant par humeur que nous ne pouvons jamais prononcer sur l'impossible d'après nos idées. Or nous pouvons très bien affirmer qu'on ne trouvera jamais un autre nombre premier entre 13 et 17, ni un espace limité, ni deux temps simultanés, ni un temps plus rapide qu'un autre, ni un mouvement uniformément accéléré dans lequel l'espace n'égale* kt^2. *Ce n'est pas que la négation de ces choses soit contraire à la logique verbale, qui, au fond, permet tout ; mais cette négation est contraire à la* Logique transcendantale *que les philosophes officiels n'ont pas bien comprise et que les savants ignorent. Toute la philosophie des sciences est comprise entre ces deux espèces d'erreurs ; elle doit écarter l'une et l'autre. Mais ce genre de spéculation, dont on trouvera ici quelque idée, est assez difficile et, bien pis, les philosophes s'en sont détournés par la crainte qu'ils ont des mathématiciens et des physiciens, qui, à la suite du célèbre*

Poincaré, se sont avisés de tyranniser sur la Philosophie. Cela n'eſt que comique ; mais cette panique des Philosophes eſt cause que ce livre ne sera pas beaucoup lu. Plus d'une fois dans mon enseignement, j'ai ajouté à la Logique transcendantale *un chapitre concernant le mouvement afin de montrer que le mouvement n'eſt pas moins de forme que de temps et d'espace. Sans compter de solides raisons, cette position eſt la seule qui permette de venir à bout de Zénon d'Élée. Les élèves (je dis les meilleurs) comprenaient, mais ne s'exerçaient jamais là-dessus, jugeant sans doute qu'une telle doctrine ne passerait devant aucun juge. Peut-être avaient-ils raison. Je ne vois présentement que deux ou trois disciples d'Hamelin qui sauvent l'honneur. Vous savez ces choses ; je vous les ai assez dites. Il nous plaira de les retrouver ici.* »

Le 3 mars 1931.

ALAIN.

Exemplaire de André Buffard :

Pour André Buffard,

« *L'homme préfère naturellement le calcul à l'expérience. En vive amitié.* »

26 juin 1935.

GEORGES BÉNÉZÉ.

I

LES IDÉES
ET LES AGES

AVANT-PROPOS

J'AI lu bien des fois, dans Homère, le conte de Protée, aussi ancien que les hommes. Et souvent je me le répétais à moi-même, sur le rivage de la mer sans moissons, ramené sans doute par cette odeur des algues, et par ces rochers qu'on dirait couchés dans le sable comme des phoques. Soutenant le conte par les choses mêmes, comme on fait toujours, mais attentif aussi, selon une règle secrète, à ne rien changer de cet étrange récit, comme si tout y était vrai sans aucune faute. J'imaginais donc le troupeau des phoques, et les héros grecs couchés sous des peaux de phoques, et remplis de l'odeur marine. Mais Protée ne paraissait point. Je me racontais comment ils le saisirent, et comment il fit voir toutes ses ruses, devenant lion, panthère, arbre, feu, eau. Je l'avais devant les yeux cette eau qui prend toutes couleurs et toutes formes, et n'en garde aucune, mais qui nous dit aussi toute vérité dès que, par attention vive, nous la percevons comme elle est. Je m'éveillai de ce conte, tenant une grande idée, mais trop riche aussi de ce monde tout changeant et tourbillonnant à l'image de l'eau trop parlante.

Qu'avais-je demandé ? Non point, comme le héros grec, le retour au lieu de mon départ, les chemins à suivre, et les malheurs accomplis que j'y trouverais, Egisthe, Clytemnestre, Oreste, et le tombeau d'Agamemnon ; l'avenir vient toujours assez tôt. Mais faisant retour d'un long voyage, et après beaucoup de temps perdu, j'avais demandé, comme ce Pilate qui tua l'esprit et le tue toujours : « Qu'est-ce que la vérité ? » Or, Protée marin avait repris sa vraie forme, qui est aussi la fausse, et j'entendais bien sa réponse double.

« La vérité, disait-il, est tout ce qui est. Tout ce qui

est est vrai, et ce qui n'est pas n'est rien. Tu ne sortiras pas de cette pensée. Tout ce que tu cherches, tu l'as. Ce que tu n'as pas n'est rien. Comme sont vrais les moindres filets de l'eau, tous les courants, tous les balancements que tu vois, chacun d'eux éternel, puisque ce qui est vrai ne cesse jamais d'être vrai, puisque ce qui est vrai a toujours été vrai. »

« La vérité, disait-il, n'est pas; car tout change sans cesse, et même ce rivage. Ce sable est fait de ces rochers, qui s'écoulent comme de l'eau, quoique plus lentement. Fausse toute pensée qui ne se modèle point sur la chose; mais fausse absolument toute pensée, puisque ce qui était n'est déjà plus. Tu ne peux penser l'âge vrai que tu as; cette pensée, parce qu'elle est vraie, est déjà fausse. De même toute pensée se nie et se refuse, à l'image de cette eau mouvante qui est mon être, et qui nie continuellement sa propre forme. »

Ainsi chantait la mer. Et Protée était véritable, dans sa vraie et constante figure qui est toujours autre, et en me trompant ne me trompait point, puisque cette fois, et par ma demande, c'était lui-même qu'il disait.

LIVRE PREMIER

LE SOMMEIL

CHAPITRE PREMIER

LA NUIT

« Il était nuit, et la lune brillait dans le ciel serein parmi les astres mineurs. » Sous cette invocation de la nuit, Horace rappelait les serments de Néère. Petite chose. Mais n'est-ce pas admirable que l'heure des ténèbres, l'heure tragique du chassant et du chassé, soit pour l'homme l'heure des douces rêveries, l'heure où il oublie toutes choses autour pour s'en aller penser aux astres instituteurs, et aux temps passés qu'ils rappellent, pendant que la poésie délie les passions et fait chanson de nos douleurs mêmes ? Chose digne de remarque, l'homme n'a pu voir loin et réellement au delà de sa planète que la nuit; car le jour est comme une claire coupole sans mystère aucun; aussi l'homme n'a regardé loin qu'au moment où, les objets proches étant dérobés à sa vue, l'ouïe le devant occuper tout, et le silence même l'émouvoir, juste alors se montraient les objets les plus éloignés et les mieux réglés qu'il puisse connaître. Cette opposition fait le sublime des nuits tranquilles, par cette vue au loin et cet esprit arraché à la terre, mais aussi par cette chasse nocturne de toutes les bêtes, par cette faim et cette terreur mêlées, qui devraient nous mettre en alarme, et ne peuvent. Oui, il nous semble que la nuit vienne arrêter toutes les affaires en même temps que les nôtres, et que ce temps des alarmes nous laisse à choisir entre dormir et penser. Laisse passer une nuit, dit le proverbe, entre l'injure et la vengeance. C'est donc que, par une énergique négation des mœurs animales, la nuit a le pouvoir miraculeux de suspendre cette vie inquiète, d'apaiser l'imagination, d'imposer trêve à tout ce qui est pressant et proche, d'accorder enfin le repos de l'esprit avec le repos des yeux, et de nous verser comme par son souffle frais cette indifférence qui conduit au sommeil.

Or cette paix des nuits n'est point naturelle. Au contraire, il y a lieu de penser que la nuit fut longtemps l'ennemie et même qu'elle l'est toujours, mais aussi que l'on a fait d'abord provision contre la nuit, plus anciennement que contre la faim. Le sommeil, faites-y attention, est bien plus tyrannique que la faim. On conçoit un état où l'homme se nourrirait sans peine, n'ayant qu'à cueillir. Mais rien ne le dispense de dormir; rien n'abrégera le temps de dormir; c'est le seul besoin peut-être auquel nos machines ne peuvent point pourvoir. Si fort, si audacieux, si ingénieux que soit l'homme, il sera sans perceptions, et par conséquent sans défense, pendant le tiers de sa vie. La société serait donc fille de peur, bien plutôt que de faim. Disons même que le premier effet de la faim est de disperser les hommes bien plutôt que de les rassembler, tous cherchant quelque lieu où l'homme n'ait point passé. D'où un désir de départ et de voyage que chaque matin réveille. Le matin donc, les hommes sentent la faim et agissent chacun selon sa propre loi; mais le soir ils sentent la fatigue et la peur, disons même la peur de dormir, et ils aiment la loi commune.

Sans doute faudrait-il dire que nos institutions sont plutôt filles de nuit que filles de faim, de soif ou d'amour. Peut-être ceux qui ont voulu expliquer ce monde humain ont-ils ignoré l'ordre naturel de nos besoins quand ils ont décrit premièrement ce travail de cueillir, chasser, pêcher, semer, récolter, oubliant de nommer à son rang cet autre travail de veiller, de garder, de régler les tours de veille, les patrouilles, et enfin les fonctions de chacun, celles-là communes à tous, mais divisées selon le temps. Or, cette division de la vigilance n'est qu'utile pendant le jour; mais pendant la nuit elle est de nécessité, dès que l'on veut supposer la moindre prévoyance. Si d'après cela on mettait la garde de nuit au premier rang des problèmes humains, on apercevrait que les premières institutions furent politiques, et, parmi les politiques, militaires, enfin, parmi les militaires, de défense et de surveillance. D'où l'on pourrait comprendre pourquoi le courage est plus estimé que l'économie, et la fidélité encore plus que le courage.

Toutefois, si l'on cherche quelle est la vertu de nuit, on ne trouvera point la fidélité d'abord, mais plutôt l'ordre. Car il n'est point de gardien qui puisse demeurer attentif sans dormir. Ainsi le héros de la fidélité ne peut se promettre de ne point dormir; il le sait par l'expérience peut-être la plus humiliante. La fidélité doit donc s'assurer sur l'ordre; entendez sur cette relève des gardes et sur ces tours de faction d'avance réglés, choses aussi anciennes que la société elle-même, et qui dessinent aussitôt le droit abstrait, et cette marque d'égalité qu'il porte toujours. De deux hommes faisant société, il est naturel que l'un soit chasseur et l'autre forgeron, ce qui crée des différences et un certain empire à chacun sur certaines choses et sur certains outils; mais il ne se peut point que, de deux hommes, un seul soit toujours gardien du sommeil. C'est peu de dire qu'on aurait alors un gardien mécontent; on aurait premièrement un gardien somnolent. Cette part de repos et de garde éveillée, la même pour tous, est sans doute la plus ancienne loi. Au surplus, il y a égalité pour la garde. Un enfant bien éveillé peut garder Hercule dormant.

Ne perdons pas l'occasion de dire une chose vraie. La force, en cette relation, ne donne aucun avantage. Elle se trouve déchue par cette nécessité de dormir. Le plus fort, le plus brutal, le plus attentif, le plus soupçonneux, le plus redouté des hommes doit pourtant revenir à l'enfance, fermer les yeux, se confier, être gardé, lui qui gardait. C'est encore peu de chose que cette faiblesse qui l'envahit, cet abandon de soi et de tout ce que la nature lui impose non moins impérieusement que la faim et la soif, c'est encore peu cette naturelle abdication, si sensible dans le geste du corps dormant. On peut à peine penser à Louis XIV dormant; mais cette faiblesse est peu à côté de l'idée qu'il en a et de la crainte qu'il en a. La plus douce chose peut être la plus redoutée. A quoi bon cette attention à ce que tu as dit, ce souvenir de ce que tu as ordonné, cette revue de tes chères pensées? A quoi bon ce mouvement que tu imprimes et entretiens autour de toi afin que tes pensées soient les pensées de tous? Tu seras négligent tout à l'heure; et, à ton image, toute cette tyrannie autour s'assoupira.

D'où cette paix qui vient avec le soir. L'œil du jour se ferme. C'est une invitation à être bon et juste; et certes la fatigue termine nos soupçons; mais de toute façon il faut être bon et juste. Non pas demain. Le sommeil nous presse par cette lente approche. Selon la vue platonicienne, qu'on n'épuisera pas, il te faut la paix en toi brigand. D'où peut-être une disposition à se pardonner à soi-même, ce qui suppose qu'on pardonne aux autres. N'est-ce pas prier? Comment ne pas remarquer que le geste de plier les genoux est aussi de fatigue, ainsi que la tête basse? Prier, ce serait sentir que la fatigue vient, et la nuit sur toutes les pensées.

> Ma fille, va prier; vois, la nuit est venue,
> Une planète d'or là-bas perce la nue.

Il faut maintenant que la douceur l'emporte. Il y a assez à dire sur la fureur. Mais n'est-il pas de précaution, si l'on veut juger équitablement ces violentes et difficiles natures qui sont nous, de remarquer que ni la colère, ni l'orgueil, ni la vengeance ne tiendront jamais à aucun homme plus longtemps qu'un tour de soleil? Oui, par l'excès même de la force, il viendra le consentement, le renoncement, l'oubli de soi-même, l'enfance retrouvée, la confiance retrouvée, enfin cette nuit de la piété filiale, première expérience de tous, expérience quotidienne de tous. Ainsi la commune nuit finit par nous vaincre. En ces fortes peintures de l'ambition, de l'envie, de l'emportement, de la férocité, qui ne manquent point, il n'y a qu'un trait de faux qui est la durée. La moitié de l'histoire est oubliée. C'est une perfection, dans Homère, que toutes les nuits y sont, aussi celles où l'on dort. D'où certainement une règle de durée pour les tragédies; car, la nuit divine, il se peut qu'elle roule une fois vainement ses ombres, une fois, mais non pas deux.

Il est à croire que nous tenons ici la plus grande idée concernant l'histoire de nos pensées. Car à oublier la nuit, comme naturellement on fait toujours, on imaginera un développement continu. Mais cela n'est point.

Certainement un relâchement, et bien plus d'un; un renoncement, et bien plus d'un; un dénouement, et bien plus d'un. J'aperçois même que chacune de nos pensées imite ce rythme de vouloir et de ne plus vouloir, de prétendre et de ne plus prétendre, de tenir ferme et de laisser aller. Et sans doute nos meilleures pensées sont celles qui imitent le mieux cette respiration de nature; ainsi, dans les pires pensées comme dans les sottes pensées, je retrouverais aisément ce bourreau de soi qui ne veut point dormir, et ce tyran qui n'ose point dormir. Habile par-dessus les habiles celui qui sait dormir en ses pensées de moment en moment, ce qui est rompre l'idée en sa force. Dans ce jeu, Platon n'a point d'égal.

CHAPITRE II

LE BONHEUR DE DORMIR

Le bonheur de dormir ne se sent qu'aux approches. Il arrive pour ce besoin ce qui arrive pour beaucoup d'autres, c'est que l'homme apprend à le satisfaire avant de l'éprouver trop. On sait que l'appétit n'est pas la même chose que la faim. De même il y a un consentement très actif à dormir, et, bien plus, un énergique jugement par lequel on écarte tout ce qui voudrait audience. L'esprit, en son plus bel équilibre, peut jusque-là qu'il se retire du jeu des apparences; et je crois que les pensées d'un homme se mesurent d'abord à ceci qu'il peut se rendre indifférent à beaucoup de choses qui l'intéresseraient bien et même violemment s'il voulait. Il y a comme de la grandeur d'âme à ajourner même les plus chères pensées; mais c'est la santé à proprement parler d'ajourner aisément dans les choses de peu. « Il n'y a point d'affaires pressées, disait quelqu'un, il n'y a que des gens pressés. » Disons pareillement qu'il y a peu de questions pressantes, et qu'il faut même, dans le fond, décréter qu'il n'y en a pas une; et cette précaution est la première à prendre si l'on a le goût de réfléchir. Ce genre d'indifférence est ce qui fait scandale en Montaigne; mais ce trait est plus commun qu'on ne croit. C'est laisser dormir quelque idée ou quelque sentiment, ou même le couler à fond, selon l'expression de Stendhal. Aussi c'est l'heure de puissance si l'on se permet de donner congé à tout, ce qui est appeler le sommeil et en quelque sorte l'étendre sur soi comme une couverture.

Si le régime du corps humain ne s'accordait pas à ce régime de nos pensées, nous serions deux. Nous ne sommes point deux; aucun bonheur n'est sans lieu; et c'est dans le corps aussi que je sens le bonheur de dormir. J'invite le lecteur à donner attention, s'il le veut bien, à quelques vérités triviales. On sait que bâiller est une agréable chose, qui n'est point possible dans l'inquiétude. Bâiller est la solution de l'inquiétude. Mais il est clair aussi que par bâiller l'inférieur occupe toute l'âme, comme Pascal a dit de l'éternuement, solution d'un tout autre genre. Par bâiller on s'occupe un moment de vivre. C'est, dans le vrai, un énergique appel du diaphragme, qui aère les poumons profondément, et desserre le cœur, comme on dit si bien. Bâiller est pris comme le signe de l'ennui, mais bien à tort, et par celui qui n'arrive pas à nous plaire; car c'est un genre d'ennui heureux, si l'on peut dire, où l'on est bien aise de ne point prendre intérêt à quelque apparence qui veut intérêt. Bâiller c'est se délivrer de penser par se délivrer d'agir; c'est nier toute attitude, et l'attitude est préparation. Réellement bâiller et se détendre c'est la négation de défense et de guerre; c'est s'offrir à être coupé ou percé; c'est ne plus faire armure de soi. Par ce côté, c'est s'affirmer à soi-même sécurité pleine.

Mais il faut faire ici un détour, afin de ramener à l'idée tout ce qui s'y rapporte. En toute action difficile, et que l'on ne sait pas bien faire, il y a une inquiétude des membres et une agitation inutile qui est guerre contre soi. Nous touchons ici à la colère, et il y faudra revenir. Il suffit de nommer cette impatience de ne pas faire comme il faudrait soit pour faucher, soit pour jouer du violon, soit pour danser. Dans tout apprentissage, le difficile est de ne faire que ce qu'on veut. L'action passerait en nous comme l'oiseau dans l'air; et c'est bien ainsi que nous agirons, quand nous saurons agir. Mais il s'élève d'abord un tumulte, par l'éveil de tous les muscles, et surtout par l'irrésolution en notre pensée, qui ne sait pas d'abord se fier à la nature. Le corps tout entier frappe, et pèse tout sur la main; une difficile action des doigts fait que l'on serre les dents; les muscles du thorax s'efforcent en même temps que les jambes, et essoufflent le coureur. De ces actions contrariées naît une peur de soi, et de ce qu'on fera sans l'avoir voulu, qui est timidité, sentiment odieux, promptement suivi de colère. Au contraire l'heureuse habitude rend, comme dit Hegel, le corps fluide et facile. De telles actions descendent au sommeil. La puissance n'y fait plus attention, si ce n'est qu'elle se sent elle-même en ces actions, difficiles autrefois, faciles maintenant; elle se sent libre pour d'autres tâches. Or, cette même fluidité est sensible aussi dans l'inaction, parce qu'il s'en faut de beaucoup que l'inaction soit toujours un état agréable. Par l'attente, par les projets commencés et retenus, par l'attention sautant ici et là, le corps aussi saute en lui-même, et s'agite, et se divise, tous ces efforts ayant le double effet d'encrasser tout notre être et de gêner le mouvement d'aération, de lavage et de nutrition. L'irritation nous guette encore par là. Aussi c'est un mouvement royal de s'abandonner tout et de favoriser l'intérieure et précieuse vie des tissus par ce passage si sensible de l'inaction au repos. Comme le linge du matelot dans le sillage, ainsi s'étend tout notre tissu, étalé et en large contact avec l'air et avec l'eau saline.

Mais il faut considérer la chose sous un autre aspect encore. Tous soucis renvoyés, tous projets ajournés, il reste une inquiétude par cette contraction terrestre ou pesanteur, qui nous tient toujours. Voilà notre ennemie de tout instant, voilà notre constante pensée. Il me suffirait pour le savoir d'observer cette sensibilité au tact, si remarquable sous les pieds du bipède humain. Il ne cesse pas de palper en quelque sorte son propre équilibre et d'interroger son étroite base, afin de se garder de chute, soit dans le mouvement, soit dans le repos. C'est pourquoi vous n'aurez jamais toute l'attention d'un homme debout sur ses jambes. Et le vertige, ou peur de tomber, fait bien voir que notre imagination a toute richesse ici, d'après le moindre avertissement. Sans nous mettre sur la célèbre planche, où toute sagesse périt, sans nous mettre au bord du gouffre, il suffit de penser à cette agitation ridicule qui nous prend lorsque notre pied ne rencontre pas la marche qu'il attendait. Cette espèce de chute étonne le plus résolu; et, par réaction, il vient encore une sorte de colère, car il y a offense. Il est clair d'après cela que la préparation au sommeil consiste à achever toute chute, et ce n'est pas si facile qu'on croit. La difficulté est au fond la même que si on veut faire une gamme fort vite; l'obstacle est en nous, seulement en nous. Le corps n'est pas fluide, n'ose pas être fluide. Et cette métaphore est tout près de vérité pour un homme couché. Il n'est point vraiment couché s'il n'est fluide, autant que sa forme le permet. En un fluide équilibré, tous les travaux sont faits; la pesanteur a produit tous ses effets; il n'y a plus de montagnes. De même dans un homme couché, je dis vraiment couché, il n'y a plus rien qui puisse tomber, pas même une main, pas même un doigt. Celui qui se tient par sa force, si peu que ce soit, si peu debout que ce soit, il lui arrivera ceci que par sommeil il tombera un peu et se réveillera plus ou moins, d'où ces rêves connus, où la chute et le sentiment de la chute, si odieux, sont l'objet principal. Et ces petits drames sont des exemples de cette sédition et division contre soi, que le sommeil apaise, mais qu'il faut apaiser d'abord si l'on veut aller au devant du sommeil; et ce sentiment de sécurité à l'égard de notre ennemie principale est pour beaucoup aussi dans le bonheur de dormir, ou, pour mieux parler, de sentir que l'on va dormir.

Comprenez que cet heureux état est notre réduit et notre refuge. Il n'y a point d'esprit au monde sans ce court sommeil, sans ce repos d'un moment, et ce renoncement total. Et ces éclairs de l'esprit qui a dormi ne prouvent point que l'esprit travaille en dormant; une telle supposition est mythologique; je ne puis le prouver, mais j'espère peu à peu le montrer. Il faut dire plutôt que le vif succès de notre première prise vient de ceci que nous avons d'abord rompu la querelle, et que nous revenons à notre gré, non au gré de l'autre; et c'est ce que cherche le lutteur. Il se peut bien que le génie du sommeil soit le génie tout simplement. Mais de cela plus tard.

CHAPITRE III

CE QUE C'EST QUE SOMMEIL

On a considéré longtemps la chaleur comme un être subtil, comme une vapeur déliée et corrosive qui se promenait d'un corps à l'autre, à peu près comme l'eau pénètre dans un linge étendu ou au contraire l'abandonne, selon le temps qu'il fait. La nuit fut un être, il reste encore un être pour beaucoup, un être qui vient et qui s'en va. Or Platon annonçait déjà que c'est la relation qui est objet dans nos meilleures pensées, et vraisemblablement dans toutes. Nous savons que la nuit n'est que l'ombre; et l'être de la nuit n'est que l'être de l'ombre; c'est une des relations entre la lumière, le corps opaque et nos yeux. La chaleur aussi n'est qu'une relation. Je voudrais qu'on ne considérât point non plus le sommeil comme un être qui vient et qui s'en va, de façon que, de même que la nuit n'est qu'un cas remarquable de l'ombre, de même le sommeil apparaisse comme un cas remarquable par rapport à cette ombre, inséparable de nos pensées, et qui nous fait, d'instant en instant, savants, puis ignorants, puis de nouveau savants des mêmes choses. L'attention et l'inattention vont ensemble comme des sœurs. Puisqu'on ne peut penser sans métaphores, comme nous dirons, que les métaphores soient rabattues au rang de l'apparence, comme font les peintres pour les formes et les couleurs.

Le premier aspect du sommeil est cette immobilité non tendue, ce consentement à la pesanteur dont je parlais. L'expérience fait voir que, lorsque l'on s'est mis dans cette situation et que l'on est en quelque sorte répandu sur une surface bien unie, quand ce serait la terre ou une planche, on ne sait pas longtemps qu'on y est. Aussitôt, par cette immobilité même, par cette indolence, par cette espèce de résolution que nous prenons de ne lever même pas un doigt sans impérieux motif, les choses cessent d'avoir un sens, une position, une forme; le monde revient au chaos; d'où souvent des erreurs ridicules, qui marquent un réveil d'un petit moment. Mais la venue du sommeil est surtout sensible par ceci que je ne réfléchis pas sur ces erreurs, et qu'ainsi je ne les élève pas même au niveau de l'erreur. Ce triangle du ciel m'a paru être un chapeau bleu; mais cette sotte pensée annonce le réveil. Il y a une prétention dans l'erreur, et un commencement de recherche. L'heureuse pensée de l'homme qui va dormir ne s'élève point jusque-là, elle s'en garde. Il y a un appel de l'apparence, que nous connaissons bien. Il n'y a pas de solution de l'apparence si l'on ne bouge; il n'y en a point non plus si l'on bouge, car les premières apparences font place à d'autres apparences; j'ai souvent ri des astronomes qui nous conseillent de nous transporter dans le soleil; car le ciel, vu du soleil, ne serait pas plus clair par la seule apparence que le ciel vu de la terre. Ce serait un autre problème, nullement plus facile; le passage de la lune sur la terre n'est pas plus aisé à comprendre que l'éclipse de soleil. Nous voilà donc au plus grand travail, mouvement et pensée ensemble. Ou, autrement dit, la première apparence nous éveillera, car, quelque réponse que nous fassions à la question : « Qu'est-ce que c'est? » ce n'est jamais cela. Ce triangle bleu, donc, me somme d'agir et de penser; je sais très bien ce que je refuse, et c'est pourquoi je refuse. Et remarquez qu'aucune apparence n'a ici de privilège, car toutes sont fantastiques au premier moment. C'est pourquoi il n'y a que le sursaut du corps qui nous réveille; des apparences absurdes ne nous éveillent point par elles-mêmes; elles ne sont absurdes que pour l'homme éveillé. Voilà déjà que nous rêvons. Revenons au seuil.

Je vois trois choses principales à dire si l'on veut décrire convenablement le sommeil. La première, qui est sans doute déjà assez expliquée, c'est que les choses ne sont perçues que par une continuelle investigation, l'apparence étant niée et surmontée. Je ne vois à dire encore que ceci, c'est que l'apparence n'est telle que surmontée, c'est-à-dire par relation avec une opinion qui la corrige; c'est à ce moment-là que l'apparence se montre. Il ne faut donc point tenter de dresser quelque apparence non surmontée, qui serait encore une pensée. Ce monde, s'il ne se déploie, se replie; voilà la nuit autour de nous. Secondement, il y a à dire que nous ne connais-

sons point les choses sans une continuelle action. Ces doutes, ces essais, ces investigations ne vont jamais sans quelque mouvement de notre corps, qui se dispose à tourner autour de l'arbre, à toucher le sceptre, à faire sonner l'armure. Attention, l'idée est difficile; on la manque aisément. Je veux dire que la nourriture vient à nos perceptions par le sentiment vif de mouvements commencés et retenus. Cette agitation sentie est proprement l'imagination. C'est elle qui creuse le gouffre. Que serait le creux du gouffre sans le mouvement d'y tomber et de se garder d'y tomber? Cette agitation réalise la distance. Il faut conclure que ce corps couché et immobile fait que nous ne percevons rien; autre nuit plus proche, plus intime.

La troisième chose à dire est que hors des objets du monde nous ne pensons rien. Cela demande de plus amples explications. Penser est certainement se retirer du monde, et, en un certain sens, refuser le monde. Cette remarque est juste, pourvu qu'on ne fixe pas le mouvement de la pensée en ce refus plutôt que dans le retour aussitôt après. J'expliquerai dans la suite autant que je pourrai ces éclairs, je dirais presque ces étincelles de croire et de décroire, par quoi l'apparence est apparence. Mais c'est l'objet qui soutient le doute. Sur l'objet s'appuie la fuite; contre l'objet se heurte le retour. Je veux dire seulement ici que ceux qui se refusent à l'objet et cherchent pensée en eux-mêmes n'y trouvent rien. J'ai observé que le mouvement de la réflexion est bien de fermer les yeux, et même d'ajouter aux paupières l'écran des mains; mais aussitôt les yeux comme reposés se rouvrent et se rejettent au monde. Bref, nous ne pensons que nos perceptions. Je sais que le monde des souvenirs fait comme une monnaie qui a cours par la complaisance. Là-dessus on voudra bien remarquer, d'abord, que la voix, haute ou basse, ne cesse de donner un objet réel à nos pensées, réel, mais trop dépendant alors de nos affections, d'où d'étonnantes divagations en tous, par ce renversement de penser ce qu'on dit au lieu de dire ce qu'on pense. Toutefois, il faut remarquer là-dessus et pour y revenir plus d'une fois, qu'un beau langage, c'est-à-dire selon les maîtres, forme un objet encore réglé et résistant, qui a sauvé plus d'un penseur aux yeux fermés. Telle est la première

remarque que je propose au lecteur attentif. La seconde est que le commun langage appelle souvenirs non pas principalement des pensées, mais d'abord des objets propres à soutenir celles de nos pensées qui n'ont plus d'objet; tel est un portrait; telle est une fleur fanée. Tous ces monuments, car c'est leur nom, sont de puissants signes faute desquels personne n'a jamais pu se recueillir sans se perdre. C'est toujours langage, mais ferme langage. Et remarquez que l'art monumental, le plus ancien de nos maîtres à penser, cherche toujours la plus lourde et la plus résistante matière, afin que cet autre monde soit puissant assez contre le monde. Ces murs épais ne sont point d'abord pour la durée, mais d'abord pour soutenir la pensée présente, et tirer au dehors la vie intérieure, toujours par elle-même au bord du sommeil. Chacun a l'expérience de cette rêverie réglée et à chaque instant sauvée par ce regard des yeux priant. Ici est le culte et les images, car il faut nier l'image, mais conserver l'image présente. On saisit la puissance des ruines, par insuffisance, mais insuffisance perçue. Il est beau de penser ce qui manque à l'objet, et, en toute pensée, c'est le plus beau. Mais il est d'expérience aussi que cette insuffisance n'existe que par l'objet même; dont le lecteur des œuvres de Tacite, ruines par volonté, achevées encore par le temps, sait quelque chose; car si ce style n'avait pas, par la vénération, mais encore par autre chose qui est matière et impénétrable, une sorte de masse résistante, nos pensées seraient aussitôt errantes, et légères comme des ombres; et c'est ainsi, faute d'objet, que l'on s'endort.

Faute de recherche, donc, et c'est la partie délibérée du sommeil, faute de mouvement aussi, et c'est le soutien de la nature, faute d'objet enfin par ces deux causes, et par la nuit et par le silence, voilà par quoi nous passons au sommeil. Je note ici, comme une vérification assez étonnante, les pratiques des endormeurs et magnétiseurs, ou comme on voudra dire, pratiques qui vont toujours, premièrement à rassembler l'inquiétude sur un point rétréci et par lui-même sans différences, deuxièmement à réduire les mouvements, et troisièmement à réduire l'objet perçu à des paroles, ce qui rend l'opérateur maître de ce délire somnolent qui suit la parole. Ces remarques éclaireront assez, si l'on veut les

suivre, tout un ordre de miracles sur lesquels l'attention revient de temps en temps par mode, et qui séduisent soit par la puissance, soit par ce bonheur d'approuver où ce qui nous reste d'enfance retourne aisément comme à un sein maternel. Ainsi revenons-nous chaque jour à ce bonheur de nos premiers ans, bénissant, en dernière pensée, le secourable tissu humain, vrai berceau et seul berceau.

CHAPITRE IV

DE L'INSOMNIE

L'INNOCENCE se trouve jointe au sommeil d'après un préjugé ancien et vénérable. En joignant de même ensemble les termes opposés, je voudrais traiter de l'insomnie comme d'un genre de méchanceté, je dirais même comme de l'essentielle méchanceté. Mais, sans espérer de comprendre tout à fait l'admirable étymologie du mot méchant, qui est méchéant ou mal tombant, il faut pourtant que je ramène cette idée de méchanceté dans l'être même qui la porte, en considérant, à l'exemple de Platon, que le mal que l'on fait ou que l'on désire aux autres n'est que l'accident secondaire du mal que l'on se fait ou que l'on se désire à soi-même. Et cela seul enferme que la méchanceté ne soit jamais volontaire. Depuis que Platon a pris pour son compte le mot de Socrate : « Nul n'est méchant volontairement », je vois que cette maxime a été plutôt réfutée que comprise, parce que l'on ne s'est point avisé de ceci, que méchanceté était premièrement colère et sédition dans le méchant, et, dans le fond, simple agitation entretenue d'elle-même, comme le mot irritation, en son double sens, le fait entendre si bien. Nous voilà à l'insomnie, car ce n'est qu'une fureur, comme de se gratter.

Avant de venir à cet état violent, je veux dire quelque chose aussi des fous, qui, dans toute étude des passions, ou violences contre soi, doivent figurer comme des images grossies de nous-mêmes, grossies, mais non point tant déformées. Je remarque d'abord que la méthode de partir des fous, afin d'expliquer le sage, qui est celle des médecins, ne réussit point. On retombe toujours à un mécanisme; car il est trop clair que c'est l'animal machine qui forme ici les réponses, les invectives, les monotones ou convulsives actions. Mais aussi l'on oublie aisément ce qui est de l'homme en ce tumulte animal, c'est-à-dire un genre de malheur et même d'humiliation qui ne se connaît plus lui-même, mais qui reste marqué de pensée. Sans compter que l'idée fataliste, prise ainsi du fou par une sorte de contagion, est étendue naturellement à toutes nos idées. C'est nier que la difficulté de penser soit au fond de tous nos malheurs et même de nos crimes; c'est enlever tout sens à ce beau mot de passion, toujours éclairé d'une sorte de justice; et c'est vivre sans amour que de prendre par système l'homme au plus bas; l'homme est ainsi fait que, même enfant, il méprise l'indulgence dont il tire pourtant avantage, et estime au contraire la sévérité, comme à lui due. Mais, en dépit de l'universelle prière, il faut de proche en proche refuser à tous cette sévérité de l'estime, que l'on a d'abord refusée au fou. Cette position fait une sorte de sage par indifférence; non sans colère; non sans une misanthropie de système, qui corrompt jusqu'à la joie de comprendre; car la pensée, en ce monde à l'envers, n'est jamais qu'un genre de manie tranquille. Et cette méthode est peut-être la suite d'un métier aigre et mécontent de soi; car les médecins ne sont guère mieux aimés que les médecines. Or, dans ces pages, et dans toutes celles qui suivront, j'essaie une manière opposée de penser aux fous, et d'abord aux malades, et d'abord aux impatients de toute espèce, qui est de représenter le sage, roi de cette planète, et qui prétend au courage, à la tempérance, à la sagesse, à la justice, de le représenter aux prises avec soi-même, et jouant tous les drames humains en ce monologue, dont le dialogue, comme le poignard et le poison, n'est qu'un épisode; il suffit que l'on pense à Hamlet ou à Othello pour comprendre ce que j'entends par là. Et c'est d'après ces crises et tempêtes, dont chacun n'a que trop l'expérience, que j'essaie de descendre aussi près qu'il se peut du point où l'homme ne se connaît plus lui-même, c'est-à-dire où le mécanisme le reprend tout. Or, sur les fous, je fus éclairé par un mot de grande portée, jeté à moi par un homme qui sans doute n'y pense plus, et qui, par sa fonction, avait écouté en arbitre les revendications des fous et des folles. « Les fous, me dit-il, sont des méchants. » Seulement écartons l'idée de méchanceté volontaire, qui est elle-même une idée de fou, et concevons le méchant comme un homme qui se nuit à lui-même, par mal se prendre, par mal se gouverner; comme un homme qui, en quelque sorte, veut vouloir, et ne sait.

De nouveau nous voilà à l'insomnie, en même temps que nous tenons le mot méchant en son vrai sens, qui est maladroit. Maladroit l'homme qui voudrait dormir et ne peut. Je vois bien pourquoi, d'après ce qui a été ci-dessus expliqué. On peut désirer le sommeil et même s'appliquer à le vouloir; le loisir de l'homme est même à ce prix. Il est aisé de dormir lorsque l'on est au bout de ses forces; mais cette existence est terrassée et animale; elle exclut la contemplation, les arts et le culte. L'équilibre humain veut que l'on dorme par décret et préférence, je dirais même par précaution, comme on conte de plusieurs grands capitaines, et comme il est heureusement vrai de presque tout homme. L'expérience de cet état heureux, où l'on touche au sommeil, où l'on y revient, fait qu'on travaille à le retrouver, mais non pas toujours comme il faudrait. Qui ne voudrait terminer ces confuses délibérations, où l'on revient sans cesse au même point, ou rompre ce cercle de pensées amères, auxquelles on ne trouve point de remède? Mais il n'est pas nécessaire que des incidents nourrissent l'insomnie. Elle se nourrit d'elle-même, et il arrive que le souci de dormir soit le principal souci de celui qui ne peut dormir. De toute façon, l'échec du vouloir vient de ce qu'on ne sait pas vouloir.

Nous n'avons aucun pouvoir directement sur le cours de nos pensées; c'est cela d'abord qui irrite; les pensées sont des choses légères et sans corps; ou plutôt elles nous semblent telles. Chacun connaît cette chasse aux fantômes, où nos coups donnent force à l'adversaire, toute victorieuse raison de ne point penser à une telle pensée nous ramenant et nous fixant à y penser. Il y a donc un art de ne point penser à quelque chose, et un art de ne penser à rien, dont le sommeil serait la récompense. Mais il faudrait, pour y atteindre, connaître un peu mieux que nous n'avons coutume ce mécanisme des idées de traverse, communément décrit sous le nom d'association des idées; en quoi je ne puis voir rien de solide, si l'on entend qu'une idée par elle-même en amène une autre pourvu qu'elle y soit ordinairement liée; si cela était, nos pensées n'auraient point de fin. Mais surtout j'attends qu'on me produise une expérience où une idée vienne à la suite d'une autre, sans que les objets autour y soient pour rien. Cette expérience est impossible, il faudrait que nous fussions hors de ce monde. Au contraire, il est ordinaire que le passionné, quand il suit son discours chéri, emprunte continuellement ses renouvellements, qui sont métaphores pour lui, aux choses qui sont devant ses yeux ou sous ses mains. D'après ces remarques, la doctrine de l'association des idées serait entièrement à reprendre. Je conseille de relire là-dessus Hume, mais sans préjugé. Car il dit bien qu'une impression vive, c'est-à-dire provenant d'un objet, réveille aussitôt son compagnon ordinaire, et c'est ainsi qu'une fleur fanée évoque aussitôt un lieu et des circonstances; mais il ne dit jamais qu'une impression faible ait ce pouvoir. Par la vertu d'une description exacte, il échappe au piège dialectique, selon lequel nous pourrions développer un monde de choses hors de toute perception. A quoi j'oppose cette idée, déjà exposée et qui s'éclairera encore dans la suite, c'est que l'homme qui ne perçoit point dort.

D'où je reviens à une méthode pour conduire indirectement le cours de nos pensées. Dans l'occupation du jour, rien n'est plus simple, et chacun le sait bien. Tourner la tête, cela change tout. La puissance des cartes ou des échecs, que Hume avait remarquée, est d'abord en ceci que des perceptions nettes effacent aussitôt nos pensées errantes; c'est pourquoi je ne crois point que ces couleurs vives des cartes soient peu de chose dans le jeu. Mais de cela plus loin. Il reste que, si l'on veut ne point penser du tout, il faut d'abord s'appliquer à ne rien percevoir, c'est-à-dire, les sens fermès autant qu'on peut, ne rien interroger autour, et d'abord ne point remuer, ne point entretenir ce commentaire des muscles s'éveillant un peu, qui donne corps au moindres impressions. Mais qui ne voit que la pensée la plus contraire au sommeil est de remarquer qu'on ne dort point, et d'en chercher autour de soi les preuves et les causes?

Il reste à marquer ce que je disais, qui est une fureur de ne rien pouvoir. Il faut regarder avec attention par là, car j'expliquerai plus d'une fois que le principal des passions et même des vices est ce scandale, à savoir qu'on n'y peut rien, et que l'on met le désespoir au comble en jugeant qu'on n'y peut rien. « Cela est indigne de moi »; d'où vient le mot indignation, qui marque toutes nos peines. Et j'y insiste maintenant parce que, dans l'insomnie, l'indignation est souvent le seul mal, par une condamnation de soi. Et l'esprit tire encore ici de son malheur, comme de tout malheur à soi-même prédit, une sorte de satisfaction dogmatique. D'où ce paradoxe assez comique, qu'il y a une prétention à ne pas dormir, une colère si, ayant dormi, on a manqué en quelque sorte à son malheur, et enfin, au réveil, une application à se prouver à soi, et à prouver aux autres, que l'on n'a point dormi. Il y a donc un genre d'insomnie imaginaire, comme de maladie imaginaire; mais soudain une meilleure réflexion nous conduit à cette idée que tout est imaginaire dans l'insomnie, et souvent dans la maladie, par ceci que l'imagination est quelque chose de terriblement réel, si on la conçoit, ainsi qu'il faut, comme consistant en cette agitation du corps humain, qui s'entretient d'elle-même et s'irrite, de façon que la peur de ne point dormir, comme toute peur, nous prive à coup sûr de ce qu'il faut appeler le sommeil libre.

Je reviens au méchant, afin de fermer ce large cercle de l'insomnie. Le méchant est celui qui tombe au mécanisme et qui ne peut s'en consoler. Oh! les bons et nobles méchants! Comme j'aperçois bien que la méchanceté en eux n'est qu'un désespoir, ou mieux une de ces timidités irritées, comme on voit en ces pianistes, par eux-mêmes condamnés, qui craignent la faute, la prévoient, la regardent et y tombent. Ce regard noir ne me concerne point. Ce n'est pas à moi qu'il en veut; non. Il me dit : « Écartez-vous; me voilà à me nuire à moi-même; il n'en peut rien résulter de bon ni pour vous ni pour personne. Ne voyez-vous pas bien que je suis méchant? » D'où cette sombre nuance de nos passions, d'après laquelle la confiance même, enfin l'amour plein, est une sorte d'injure, parce qu'elle contredit une opinion abhorrée, mais assurée. Les théologiens disent bien que Lucifer ne veut pas être sauvé. N'entendons pas mal;

ce n'est pas qu'il se perde par volonté; c'est au contraire parce qu'il est assuré que vouloir ne peut rien, et qu'ainsi son propre et intime mal est sans remède. Au vrai c'est le refus du remède qui est le seul mal; et cette assurance dans le désespoir est l'orgueil en effet, qui serait donc de penser de soi plus de mal qu'il n'est juste. Bref, il y a bien de la prétention dans nos vices.

CHAPITRE V

DE LA FATIGUE

REVENONS. Au seuil des âges, où nous étions, cette pensée que j'ai fait paraître est un peu trop lourde. On sait qu'il y a deux fatigues, la première par encrassement, la seconde par épuisement. La nourriture et le médecin peuvent beaucoup contre la seconde, mais il n'y a que le sommeil qui guérisse la première; d'abord par l'ampleur du lavage dans le corps étalé et délié, aussi par une évidente disproportion entre l'élimination qui nettoie les tissus et le travail qui les salit. Ce que je vois à remarquer dans ce premier genre de fatigue, c'est qu'il est partout à la fois, par la circulation d'un sang vicié. Et l'expérience fait voir que la marche fatigue aussi les bras; les différentes parties de l'organisme, si étroitement liées par le contact en ce sac de peau, si subtilement liées quant à leurs moindres mouvements par l'appareil nerveux, sont liées encore par cette continuelle circulation du sang, qui porte promptement aux unes le témoignage que les autres se sont fatiguées. Après cela on peut conjecturer raisonnablement que tous ces poisons, charriés dans tout l'organisme, et plus vite renouvelés qu'ils ne sont éliminés, agissent d'abord principalement sur la cellule nerveuse elle-même, et qu'ainsi le pouvoir d'anticiper, de coordonner, et enfin de penser, s'use plus vite par l'action que le pouvoir même d'agir. La somnolence est donc le premier signe de la fatigue. Chacun a connu de ces faibles et mourantes pensées, alors que les jambes et les bras peuvent encore beaucoup pour une action machinale ou convulsive. Cet état retombe au sommeil dès que l'objet ne nous menace plus.

On fait communément honneur au cerveau, centre des centres, de toute l'activité pensante qui est avant ou après l'action. En cela on ne se trompe point. Car, puisque penser est considérer toutes choses ensemble, la pensée a naturellement pour condition que chaque mouvement d'une partie du corps communique avec les mouvements de toutes les autres, ce qui ne se peut qu'autant que les ondes nerveuses, ou comme on voudra dire, montent plus ou moins directement jusqu'au centre principal, et en redescendent. Cette liaison des actions proprement dites à ces frémissements qui ne font rien, figure la relation d'une perception particulière au sentiment total et indivisible. Il est donc clair, d'après la structure du corps humain, que les pensées courtes correspondent à des actions courtes, j'entends qui se font par quelque cerveau inférieur, sans que le grand centre, ou pour dire autrement, toutes les parties du corps, y participent. Et même, selon la structure, ces actions courtes doivent toujours aller devant, comme de fermer les paupières à un éclair, ou d'étendre les mains contre une menace, ou de se rattraper d'une glissade. D'où l'on peut tirer cette maxime qui va fort loin, qu'on ne dirige que ce qui est commencé. Mais, revenant sur ces pensées courtes, qui n'embrassent point le tout, il faut se demander si ce sont encore des pensées. Ce problème est résolu négativement, et en toute rigueur, si l'on comprend que le Je est le sujet indivisible de toutes nos pensées sans exception. Toutefois cette solution, qui dépend d'une analyse abstraite de la fonction d'entendre, veut être préparée par des remarques sur ces éclairs de conscience qui toujours illuminent tout le paysage. Je ne sais point si ma pupille se dilate ou non; mais je ne sais point non plus que j'allonge le bras; ce qui se passe alors dans les muscles et les os ne m'est nullement connu, sinon par les effets extérieurs. Je perçois que j'allonge le bras, mais je ne le perçois pas dans mon bras seulement; je rapporte ce mouvement de mon bras à mon corps tout entier. Non point à mon corps seul, mais aux choses dans lesquelles je le juge pris; par exemple je vois que mon bras s'allonge parce qu'il me cache des choses que je voyais; cela suppose toute la perspective des choses. Ces avenues du monde, qui sont tout ce que je connais, n'auraient point de sens sans la prévision, sans le souvenir, et sans le mouvement de douter qui oriente tout ce chaos. Dire qu'on pense, ce qui est penser qu'on pense, ce n'est pas peu dire.

Les choses étant ainsi, il est naturel que, hors d'un repos suffisant, et par un retard continuel de l'élimination sur l'action, presque toute l'activité consiste en des actions machinales qui en entraînent d'autres, ce qui est se réveiller à peine pour s'endormir aussitôt. L'action dévore la pensée, comme dans ces courses mécaniques où l'action se trouve déjà faite avant qu'on ait loisir de peser ou délibérer, et où, dans le temps qu'on va penser à cette action faite, une autre action la recouvre et ainsi sans fin. On entrevoit ici ce que peut être une existence animale sous une nécessité pressante et sans loisir aucun, ni repos véritable. Toutefois il est à propos de considérer cette idée de plus près.

L'espace est de réflexion, et représente des actions seulement possibles. La distance apparaît à celui qui s'arrête et mesure; et sans comparaison il n'y a point de distances pour personne. Ce qui étale l'espace et le creuse devant nos yeux, c'est une contemplation sans préférence, et même, si l'on y fait attention, un refus de partir, par la considération d'autres buts et d'autres chemins. Cela ne va pas sans un grand nombre d'actions commencées et retenues, qui creusent l'espace comme le vertige crée soudain le gouffre. Souvent sur un haut rocher au bord de la mer, le contemplateur ne creuse plus assez le gouffre, j'entends qu'il ne se prépare plus à y tomber, qu'il ne se retient plus d'y tomber. Son corps prend peu à peu la position du sommeil, et tout va se brouiller et se replier, comme ces tableaux de nos rêves, qui périssent faute de relations. Mais il arrive qu'un oiseau descendant comme une flèche ou une pierre roulant éveille la prudence par l'effet d'un mouvement d'imitation et de poursuite, vivement retenu, et qui fait sentir aussitôt dans tout le corps la pesanteur ennemie. C'est ce que signifie devant les yeux ce gouffre soudain creusé, et cette tragique représentation d'une chute; ce qui fait voir encore une fois que, si nous étions tout à fait immobiles, il ne nous servirait pas de garder les yeux ouverts. Cet exemple pris du vertige est seulement plus tragique que d'autres; il n'en diffère pas radicalement. Nous ne voyons l'horizon bien plus loin que les arbres que par des commencements d'action, par des départs retenus. On observera cette sorte de convulsion musculaire devant le stéréoscope, où il est clair et sensible que les images brouillées n'ont point ce sens tragique d'un relief qui pourrait blesser, tant que le corps ne se met point en défense, et ne dessine point quelque précaution et quelque recul. On ne peut pas mesurer ces frémissements musculaires, sinon peut-être indirectement par la pression du sang et la réplique du cœur, qui représentent aussitôt la moindre contraction musculaire, par ce flot pressé et chassé comme d'une éponge. En revanche, ces mouvements et ces répercussions sont ce que nous sentons le mieux au monde, et sans doute tout ce que nous sentons au monde. La peur est la connaissance immédiate et sans parties de cette alerte non délibérée. Bref, c'est cet intérêt de cœur, au sens propre du mot, qui creuse les perspectives aussi bien que les gouffres. L'attention, comme on l'a souvent remarqué, est toujours frémissante. Mais, pour comprendre tout à fait le guetteur à la proue, il faut joindre à cette préparation de tous les muscles à ce bondissement retenu, la passion qui y correspond, et qui, éclairée par la réflexion, se nomme timidité. Tout cela en mouvement et changement, car la timidité est à chaque instant surmontée, comme l'est le vertige du contemplateur, par un tassement et un équilibre retrouvé. La pensée est dans ces passages. Ceux qui ont dit que penser c'est se retenir d'agir ont fait apercevoir une vérité d'importance, mais qui risque de périr elle-même par l'immobile, car qui n'agit point dort.

Je suis maintenant où je visais. Qui agit dort aussi, en un sens, en ce sens que la distance franchie n'est plus représentée, dans le temps qu'on la franchit; dans le fait je la supprime; sauter est autre chose que mesurer. En ce moment de l'action tout l'univers se ramasse en un sentiment sans parties ni distances, car je me jette tout; ce n'est que la prompte retenue et le court arrêt qui aussitôt renvoient les choses à leurs places. Le souvenir même de l'action n'est plus possible en cette perspective retournée où l'obstacle est dépassé; se souvenir c'est revenir, réellement revenir, au point où l'on était, et percevoir mieux, avec plus de confiance, et comme en familiarité avec l'obstacle. Mais qui ne voit aussi que cette réflexion, cette idée de mesurer, enfin de recommencer, est propre au stade, qui est lieu de loisir? En une fuite on ne mesure point du tout l'obstacle franchi, on ne mesure guère l'obstacle à franchir. La nuit se fait sur nos pensées, par l'action précipitée. Observons aussi, avec le projet de revenir là-dessus, que par cette absence de lumière supérieure, les faibles lumières du sentiment s'éteignent aussi; il y a un degré de nécessité et un degré de terreur où la terreur elle-même n'est plus sentie. Terreur aussi veut arrêt et mesure; terreur sentie est terreur surmontée.

Concevons donc une existence en sursauts, où toujours on retombe au sommeil sans pouvoir y rester, parce qu'il n'y a point d'excédent de puissance, et l'on se fera quelque idée de l'existence des animaux. Un oiseau, autant que je puis conjecturer, est action vive ou aussitôt sommeil. Je pense à l'oiseau parce que la dépense m'y semble tout juste égale à la recette, le vol, par la fluidité de l'air, étant prodigalité. Que l'on compare les impétueux battements d'ailes qui rendent l'oiseau maître du papillon, non pas même à tous les essais, que l'on compare cette folle dépense avec cette parcelle d'aliment, on tombera sur cette idée que l'oiseau n'arrive que par chance à récupérer ce que le vol lui coûte; d'où, principalement chez les insectivores, ces couvées de vingt à quarante œufs par an, sans que la population s'accroisse d'une manière sensible. Quelle est donc la vie des rares survivants, sinon une course éperdue entre le désir et la crainte? La première idée qui s'offre ici est que ce régime atteint naturellement un point où, le repos et le loisir manquant absolument, toute pensée et tout sentiment périssent absolument. Ce qui ferait dire que ces êtres mobiles n'ont presque plus de désir ni de crainte, par l'excès même du désir et de la crainte. Toutefois cette idée n'est pas encore suffisante, et je crois que, lorsque l'on veut conserver des degrés ici, à imaginer une existence crépusculaire qui serait crainte et désir seulement, on méconnaît ceci, c'est que nos sentiments à nous ne sont quelque chose pour nous que par un loisir que les animaux n'ont jamais et que par une contemplation dont ils n'offrent jamais le moindre signe. Le demi-sommeil n'existe que pour l'homme qui s'en retire. Et bref, je crois que, le plus haut degré du savoir manquant, tout manque de proche en proche, et qu'il n'y a point de degrés du tout. Qui ne pense point ne sent point. Faisons la supposition d'un homme qui dormirait toujours et n'aurait que des rêves; cette supposition se détruit elle-même; car ce n'est que si l'on surmonte et si l'on nie le rêve qu'on le connaît. J'indique seulement ici cette idée difficile.

CHAPITRE VI

LA CONSCIENCE

Perdre conscience ou perdre connaissance, comme on dit quelquefois, c'est la même chose que dormir. Je n'en suis pas encore à vouloir épuiser cette riche notion de la conscience. Je prends la conscience au bord du sommeil, et, autant qu'il est possible, sans aucune réflexion. Des degrés m'apparaissent, depuis la claire perception jusqu'à la somnolence qui borde le sommeil plein. Des degrés aussi depuis la lumineuse délibération jusqu'à cet élan de sauter qui est au bord d'un autre gouffre, l'action. Cette description est bien aisée par analogie avec les degrés de l'ombre, de la pénombre et de la lumière, mais je crois que cette analogie est trompeuse aussi, et que toutes ces peintures crépusculaires sont à refaire d'après cette idée qui vient de se montrer en quelque sorte d'elle-même, c'est que les degrés inférieurs supposent les supérieurs. Car ces situations où l'on borde le sommeil ne se soutiennent point; on n'y peut rester comme on reste dans la pénombre, et à dire vrai on ne sait qu'on y est que lorsque l'on n'y est plus. Si je suis sur le point de m'endormir et si je m'endors, je ne sais rien du passage; mais si de cet état ou du sommeil je me réveille et me reprends, alors le passage apparaît comme éclairé par un reflet de cette pleine conscience. Bref, j'aperçois ici des pièges admirables; car il faut faire grande attention pour saisir ces états crépusculaires; il faut s'en approcher avec toute précaution, et n'y point tomber. Pour simplifier je dirais que c'est notre pleine liberté qui s'essaie ici et qui joue en quelque sorte à ne rien vouloir, à ne rien préférer, à ne rien affirmer. Enfin, la conscience sans réflexion n'apparaît qu'à la réflexion. C'est dire que la faible conscience n'est un fait que dans la plus haute conscience. Il y a donc une sorte de sophisme, à bien regarder, si l'on suppose qu'un être vive en cet état de demi-conscience, et y reste toujours, et sache néanmoins qu'il y reste. C'est transformer en choses les jeux de la pensée; c'est vouloir que la demi-conscience existe comme la lumière atténuée de cette cave. Remarquant cette bordure et cette pénombre de vos pensées, vous prétendez, la laissant telle, la séparer, et qu'elle pense pour soi, non pour vous. Pour parler autrement, c'est vouloir que ce qui se définit par ne pas penser soit encore une pensée. Les souvenirs, qui viennent et s'en vont, comme s'ils sortaient de cette ombre et y rentraient, sont ce qui donne appui à cette intime mythologie; car il faut faire grandement attention pour remarquer que, ce qui est conservé et qui revient, c'est toujours une action, comme réciter. Faute d'avoir bien regardé là, on imagine les souvenirs comme des pensées qui sont ordinairement derrière nous en quelque sorte, et à un moment se montrent. En parlant de là on développe aisément une doctrine aussi fantastique que l'ancienne doctrine des ombres et des enfers. Car rien n'empêche qu'une idée soit encore une idée dans cette ombre, qu'elle vive, s'élabore, se fortifie, se transforme, dans cette ombre. Il ne faut pas moins qu'une doctrine des rêves, une doctrine de la personne, et une doctrine de l'idée pour effacer tout à fait cette illusion aimée. Je devais la signaler dès maintenant ici parce que je veux traiter de la conscience comme d'une puissance humaine non divisible, et qui, à son moindre degré, se trouve supposée toute. En d'autres mots, je veux décrire la conscience comme la fonction de réfléchir, fonction de luxe inséparable du loisir et de l'excédent qui sont le propre de la société humaine.

Reprenons l'hypothèse connue des Martiens occupant la terre. L'homme, au regard de ces êtres, n'est qu'un animal comme le rat ou le lapin. Essayons de concevoir l'homme soumis à cette existence difficile, l'homme affamé, menacé, poursuivi, toujours fatigué, toujours inquiet, toujours jeté de la somnolence à l'action. Chacun admettra que les fonctions supérieures de l'esprit seraient aussitôt perdues; mais on admettra moins aisément que les inférieures disparaîtraient tout aussi vite, et, pour mieux dire, aussitôt. Comte, attentif à nos frères inférieurs, et porté par les signes à leur supposer quelque chose qui ressemblerait à nos plus humbles pensées, mais rejeté aussi de là, par cette vue qu'il a formée mieux qu'homme au monde, à savoir que nos plus humbles pensées sont des pensées, universelles dans le double sens du mot, échangées, enseignées, conservées, cultivées, comme les plus anciennes mythologies le font voir, Comte a aperçu finalement les conditions d'une déchéance au-dessous du concevable. Le fait est, dit-il, que l'humanité règne sur la planète et détruit continuellement toute société animale, jetant ainsi les autres espèces dans un état de lutte, de fatigue, et de terreur, qui exclut tout vrai langage, toute culture, toute mémoire à proprement parler, faute de cet excédent qui rend le loisir possible. Mais, encore une fois, et afin de ne pas manquer l'idée, concevons un homme qui n'ait absolument pas de temps et que l'événement talonne sans cesse. Il y a de ces peurs paniques où l'individu galope, frappe, écrase, sans avoir conscience de ce qu'il fait. Peut-être voudra-t-on dire qu'il ne sait pas s'il n'a pas eu conscience au moment même, et s'il n'a pas oublié simplement les pensées ou perceptions qu'il avait dans le temps qu'il sauvait ainsi sa vie. Mais il faut savoir de quoi nous parlons et de quoi il parle en supposant un peu de conscience sur ses actes, un peu de conscience séparée de sa propre conscience. Cette séparation va contre le mot; conscience ajoute à science ceci que les connaissances sont ensemble. La conscience égrenée n'est pas seulement faible; elle tombe au néant. Ou, pour mieux dire, la bordure de conscience, séparée du centre qui l'éclaire, n'est rien de concevable. Parce que cet homme fuyant n'a pas eu le loisir de s'entretenir avec lui-même, de contempler un moment plusieurs chemins, enfin de douter, pour dire le mot, c'est comme s'il ne savait point du tout. Savoir c'est savoir qu'on sait. La réflexion n'est pas un accident de la pensée, mais toute la pensée. Revenez à l'exemple du gouffre et du vertige. Sans aucune réflexion sur ce que je vois en me penchant, peut-on dire que je vois? En vain les bêtes ont des yeux, en vain les choses s'y peignent au fond comme en des tableaux; ces tableaux sont pour nous qui observons comment leur œil eſt fait, non pour elles, parce qu'elles n'ont point loisir ni repos, ni discussion avec elles-mêmes. Mais qu'eſt-ce que discuter avec soi, sinon prendre à témoin ses semblables et la commune pensée? Une pensée qui ne revient pas, qui ne compare pas, qui ne rassemble pas, n'eſt pas du tout une pensée; en ce premier sens, on peut dire qu'une telle pensée n'eſt pas universelle, parce qu'elle ne rassemble pas le loin et le près; il n'y a que l'univers qui fasse une pensée. Mais il faut dire aussi qu'une pensée qui ne convoque point d'autres pensants et tous les juges possibles n'eſt pas non plus une pensée. Les formes premières de la pensée seraient donc l'univers autour de l'objet et le faisant objet, et la société autour du sujet et le faisant sujet.

Je vais droit au but, et trop vite sans doute. Mais cette pensée même que je forme eſt soumise à la condition de toute pensée, qui eſt que l'on commence par finir. C'eſt cette totale ambition et cette prétention au delà de toute prétention qui fait qu'une pensée eſt une pensée. Si vous n'êtes pythagoricien d'un moment, éclairant à la fois le haut et le bas et pour ainsi parler l'anti-terre et l'autre côté de la lune, vous n'êtes rien pour vous-même. Et ce mouvement hardi explique toutes nos erreurs, comme on voit chez les primitifs, où la moindre pensée ferme un cercle immense selon la forme d'une loi universelle. Partout ainsi, toujours ainsi. Ils ont pris une tortue énorme sur la plage le jour même où un missionnaire eſt venu; ils ne peuvent point croire qu'un de ces événements ne soit point le signe de l'autre, c'eſt-à-dire qu'il n'y ait point de liaison réelle de l'un à l'autre. En quoi ils ne se trompent pas tout à fait, car tout tient à tout; et si les causes qui ont apporté et retourné cette tortue avaient manqué, si la mer, les vagues, le flux, le vent avaient été autres, ce missionnaire n'aurait peut-être point abordé ce jour-là, ou bien il aurait abordé en un autre lieu, et autrement. Mais, comme ils ne connaissent pas assez les antécédents et toute cette double aventure, ils lient comme ils peuvent; et cette pensée eſt plutôt incomplète que fausse; mais c'eſt bien une pensée; d'autant qu'ils s'en déchargent, pour le détail, sur quelque puissance supérieure qui a voulu ensemble ces deux choses de la même manière qu'ils veulent, eux, leurs familières actions. C'est ainsi qu'ils perçoivent toutes choses. Ils ne voient point une tortue qu'ils ne voient dieu. Mais qu'est-ce que voir une tortue? Qu'est-ce enfin que voir? Dire que l'espace est donné avant ses parties, ce qui n'est que décrire, c'est dire que l'univers soutient chaque objet et le fait être. Mais qu'est-ce encore que voir une tortue, sinon appeler les témoins et discuter avec eux en soi-même, de façon que, par le langage, cette tortue les accorde entre eux? Deux choses sont donc a priori et ensemble dans la moindre pensée, l'univers des choses et l'univers des hommes. Et toutes les erreurs de ces primitifs viennent de ce qu'ils visent à ne rompre ni un de ces univers ni l'autre, ne pensant jamais moins que tout et tous, comme chacun fait.

On saisit par là que la conscience ne peut pas être petite ni grande, ni errante, ni séparée, ni subjective, comme on dit trop vite. Ne penser que soi ce serait dormir. Ainsi toute l'idée de Comte apparaît, au delà même de ce qu'il a montré, se bornant à dire que d'un côté il n'y a point de pensée séparable du langage et du monde des hommes, de l'autre que hors du monde des hommes et de cette association continue qui donne loisir en même temps que mémoire, l'homme ne serait qu'un animal pourchassé, agissant ou dormant, sans cette provision de repos qu'assure le sommeil par précaution. Toutefois, en disant d'après cela que c'est l'humanité qui pense, il mythologise encore, d'où l'on vient quelquefois à une conscience sociale qui serait à la société comme notre conscience est à notre corps. C'est passer au monde des choses et perdre les relations. La conscience est bien sociale par cette nuit des villes, qui assure et règle le repos, luxe des luxes, par cette confiance qui affermit chacun en ses pensées, par cette corrélation de l'un à l'autre qui seule permet de dire moi, par ce capital enfin du langage, provision essentielle, qui modère nos sentiments et règle nos pensées, en même temps qu'elle nous les propose comme en un miroir où nous les percevons. Mais c'est notre conscience qui est sociale. Cette métaphysique n'est pas hors de nous ni loin de nous. Nous y participons même en solitude, et encore par la plus secrète de nos pensées en solitude. Ces idées seront développées, mais il fallait les faire paraître dès maintenant, corrélativement à ce sommeil d'institution, voulu, aimé, cherché, qui est proprement humain.

CHAPITRE VII

LE GRAND SOMMEIL

Nous sommes ainsi faits qu'attendre est la même chose pour nous que craindre. Oui, par un effort déréglé pour essayer ce que nous allons faire, sans savoir ce que c'est, sans faire à proprement parler, nous venons bientôt à un état d'agitation où tous les muscles tirent en tous sens, jusqu'à nous rompre de fatigue, en même temps que ces pressions, exercées par soubresauts sur la masse fluide du sang, dérèglent le cœur, qui s'essaie à répondre et ne peut répondre, et que le sang se trouve ainsi chassé vers les parties molles, intestins, glandes et cerveau, d'où, par les nerfs, des excitations diffuses et contrariées qui entretiennent l'agitation musculaire. Cet état est fort commun; il suffit d'une tape imprévue sur l'épaule pour jeter en cette inquiétude l'homme le plus tranquille et le mieux gouverné. On ne regardera jamais assez attentivement à cette émotion, qui est l'état naissant de toute émotion, le fond varié, instable et riche de tous nos sentiments sans exception. Il n'est point de courage sans peur, ni d'amour sans peur, ni enfin de sublime sans peur. Il n'y a ainsi qu'un combat et qu'un drame au monde, qui est de chacun avec soi. Je crois même que le tragique résultant de cette humiliation et fureur mêlées, toujours jointes à la plus petite atteinte de la peur, est le principal de la douleur même, comme le double sens du mot douleur le fait assez entendre. Ainsi par ce chemin je me trouve aussitôt dans le réel de ce sujet redoutable que j'aborde. Chacun descend aux Enfers tout vivant, comme Dante; car tous nos supplices sont à venir, et l'avenir lui-même est supplice dès qu'on essaie de le contempler au lieu de le faire. Je dirais le principal là-dessus en répétant après Descartes que l'irrésolution est le plus grand des maux; mais cette grande idée veut être développée selon l'immortel *Traité des Passions de l'Ame*. Et je remarque d'abord, toujours suivant le Maître, que les passions sont dans l'âme, quoiqu'elles soient du corps. Cette agitation et angoisse, que j'ai d'abord sommairement décrite, qu'est-elle dans une fuite panique, où je ne sais seulement pas ce que je fais? Qu'est-elle dans une action pressante et difficile, où chaque moment efface les autres? C'est par réflexion et contemplation, toujours ensemble comme il a été expliqué déjà, que le tragique est tragique. Et voilà pourquoi, par une pratique assurée de l'art d'émouvoir, le faiseur des tragédies refuse les actions et compose le drame en des signes dont il nourrit l'indignation, la terreur et la pitié. Le vrai drame est en âme, et non pas dans le roi mort, mais dans le roi humilié.

Un homme qui s'étrangle en buvant est plus inquiet que malade, et plus humilié qu'inquiet. Son supplice est de ne savoir pas le parti à prendre devant cette sédition de lui-même. Il s'y joint une honte honorable, par ces signes animaux qui effacent l'humanité autour. Imaginez Louis XIV ayant une arête dans le gosier. Ces remarques ne sont pas, on en conviendra, pour diminuer cette terreur qui est notre fidèle compagne tout le long de notre vie; mais elles vont à ramener la terreur à ses véritables causes, par ceci que la peur est toujours le vrai mal et le seul mal. D'où l'on verra peut-être enfin qu'il n'y a point de différence entre le savoir vivre et le savoir mourir. Qui resterait bien tranquille avec une arête dans le gosier, coulant sa respiration sans aucune crainte et sans aucune colère, sans aucun geste d'acteur tragique, conduit à cela par le double sentiment de l'utile et du convenable, celui-là ferait quelque chose de plus difficile que de mourir. Montaigne, qui regarde souvent par là, n'a point regardé d'assez près. La peur d'avoir peur, qui est toute la peur, de même que penser qu'on pense est toute la pensée, la peur d'avoir peur, donc, laissait le problème entier, et derrière le penseur, non devant. Attendre le temps d'avoir peur, c'est presque tout le courage; et comme dit ingénûment le héros de Stendhal, justement dans la condition où la constance est rare par dessus tout : « Qu'importe que j'aie bien peur maintenant si je n'ai point peur quand le bourreau viendra? » Qu'importe? Cela définit toute la sagesse possible; car la peur qui n'importe pas n'est plus peur. Ce n'est pas l'agitation physique qui est peur, car nous la pouvons sentir après un grand effort sans nous en inquiéter autrement. Ce qui fait peur dans la peur c'est ce qu'elle annonce.

Ici les analyses seraient sans fin et toutes utiles. « Une passion, dit Spinoza, cesse d'être une passion lorsque nous en formons une idée adéquate. » Tout soldat a fait ainsi, à un moment ou à un autre, le compte exact, ou, si l'on peut dire ainsi, la revue militaire de ce qu'il éprouve dans le moment. En ces moments sublimes, qui seuls font l'homme, la question est bien précisément celle-ci : « Qu'ai-je à supporter présentement, qui dépende des autres choses et non de moi ? Où est l'insupportable ? Où est l'irréparable » ? Et le mot du héros sera toujours le même : « Pas encore. Ce n'est pas encore le moment d'avoir bien peur. La vie, en tout ce bruit, en ces secousses du sol même, en ces écroulements autour, la vie est possible, et douce, et tranquille comme celle de Tityre à l'ombre, à cela près que je forme des opinions sur ce qui va peut-être m'arriver tout à l'heure. » A ce compte, Tityre pourrait bien trembler aussi. Chacun a connu des hommes qui tremblent partout et de tout, par exemple à la seule idée que ce qu'ils mangent ou respirent pourrait bien enfermer quelque microbe redoutable. Bref, il est aisé d'avoir peur; et dès qu'on se donne la peur, ou qu'on se permet la peur, les objets ne manquent jamais.

Je porterai mon attention sur un double effet des mouvements de la peur. D'un côté, par l'agitation ci-dessus décrite, les mouvements de la respiration, et ainsi les cris et les paroles, sont profondément troublés. Sans compter que, puisqu'il y a une dépendance réglée par les nerfs entre le cœur et la respiration, il est aisé de comprendre que l'alerte musculaire, si promptement contagieuse, doit mettre en état de contracture et de soubresaut les muscles de la poitrine et de la gorge. Ces effets sont par eux-mêmes effrayants, comme en un homme qui s'étrangle, et c'est assez pour faire comprendre qu'on puisse arriver à avoir très grand peur sans savoir de quoi; la peur de s'étrangler suffit à nourrir tout le tragique possible. Mais il s'y joint ces signes rauques de la voix étranglée, ces appels émouvants qui reviennent au cri de l'enfance, et que l'oreille entend très bien; car l'homme s'entend parler et se parle à lui-même. Et la voix dénaturée, méconnaissable, comme recouverte d'animalité, est parmi les choses humaines qui nous effraient le plus. Aussi n'est-ce pas peu de chose, en les occasions difficiles, si l'on sait se parler à soi-même comme on parle à un enfant pour le rassurer. Un des effets tragiques, au théâtre, est que l'on voit bien que le personnage s'effraie lui-même de sa propre voix.

L'autre effet est moins facile à démêler. Il s'agit du cerveau, qui se trouve, en cet état d'émotion, envahi par des flots de sang chargés en même temps de poisons ou narcotiques, qui sont les résidus de l'agitation même. On peut dire en gros, d'après une sommaire relation entre l'activité cérébrale et le cours de nos pensées, que nos pensées se trouvent ainsi à la fois multipliées et en quelque façon paralysées ou endormies. On se ferait déjà une idée passable de cette agitation pensante remarquable par la vivacité et variété des pensées, comme aussi par une incapacité de les critiquer et mettre en ordre; ce serait une sorte de délire. Toutefois, je ne considère pas ces vues comme suffisantes. D'après un plus sévère examen, le seul effet de cette circulation sanguine redoublée dans le cerveau doit être une circulation plus active dans tout le réseau des nerfs, c'est-à-dire un redoublement de l'agitation musculaire, et rien de plus. J'aurai peut-être occasion d'expliquer que les images, si aisément et si complaisamment décrites, ne sont rien au delà de l'agitation musculaire même et des actions esquissées. Tout au plus pourrait-on ajouter que l'agitation générale réagit peut-être sur les sens eux-mêmes et les excite directement, produisant ainsi des fantômes, c'est-à-dire des impressions difficiles souvent à interpréter. Cet effet ne fait pas doute pour le toucher, qui nous fait sentir très bien et connaître très mal nos propres mouvements. De même nos cris frappent nos oreilles, et font des fantômes réels, si l'on peut dire. Il se peut bien que, par des réactions du même genre, la rétine soit à son tour excitée, d'où des apparitions colorées qui seraient matière aux plus folles visions.

Ce qui me paraît surtout à considérer, dans cet état de peur, c'est moins l'objet imaginaire que l'assurance où nous sommes, par l'émotion même, d'une existence indéterminée et d'un monde au contact, quoique informe. Ces perceptions confuses accompagnent toute peur, surtout lorsque les perceptions proprement dites ne sont d'aucun secours pour expliquer la peur. Et c'est ce qui arrive dans la peur toute nue, où l'objet manquant tout à fait, nous écoutons et palpons, nous scrutons les ténèbres, assurés d'une redoutable présence, et ne pouvant en trouver témoignage par nos méthodes d'exploration accoutumées. Cette peur a donc pour objet une sorte de néant, une nuit informe, un autre monde qui n'a d'autre propriété que de nous faire peur. Nous touchons ici à cette autre vie, objet insaisissable, mais réel par notre terreur. Et, puisqu'un tel objet est l'objet même de n'importe quelle peur, je puis dire que la peur de la mort ressemble à toute peur, et se guérit comme toute peur. J'ose même dire que c'est là un effet de timidité qui n'est pas plus étonnant ni plus pénible que tant d'autres. On peut toujours craindre avant une action, même facile, si seulement on y pense avant de la faire. Car, comme nous ne pouvons pas alors l'essayer réellement, puisque le temps et l'occasion n'en sont point venus, nous sommes livrés à la fatigante et irritante irrésolution; et l'on sait que l'accoutumance ne guérit pas toujours l'orateur ni l'acteur de cette étrange maladie. A bien plus forte raison, pensant que nous aurons à mourir, nous tentons d'imaginer ce que nous aurons à faire en ce passage, et bien vainement, puisque rien ne ressemble moins à une action que de mourir. Et c'est la même faute que de tendre son effort à dormir, au lieu qu'il faudrait se fier et s'abandonner. La pensée de la mort est donc toujours hors de lieu, et c'est le cas de dire comme le héros : « Pas encore ». Et, sans oublier que nous sommes tous timides un peu, je dirais qu'il n'y a que les timides qui craignent la mort, comme ils craignent tout. Ne dites pas que j'essaie en vain de faire petite la plus grande et la plus insurmontable de toutes les peurs. Dans le fait, il suffit d'une action à faire ou d'une passion vive, revendication, indignation, humiliation, pour que la crainte de la mort cesse tout à fait d'agir, comme on voit en toutes les actions de guerre, en toutes les tragédies, en tous les martyres. Qu'on n'oublie point aussi que, d'après ces sommaires analyses, il n'est pas absurde qu'on vienne à se tuer par peur de mourir; cela n'est pas absurde si, comme j'ai voulu le montrer, il n'y a de peur que de la peur.

LIVRE DEUXIÈME

LES SONGES

CHAPITRE PREMIER

LES PERCEPTIONS FAUSSES

« Vous rêvez », dans le commun langage, cela veut dire : « Vous percevez mal », et c'est très bien dit. Les rêves ont recouvert longtemps toute la vie des hommes, et, aux yeux de beaucoup, comptent encore un peu plus que l'expérience de la veille. Et le prestige des rêves, difficile à surmonter tout à fait, car tout homme craindrait un rêve menaçant et répété, résulte de ce que nous supposons que le rêve nous vient d'un autre monde, soit hors de nous, soit en nous; et la seconde interprétation, plus raffinée, est peut-être encore plus dangereuse que l'autre; la mythologie est lourde à porter quand on croit la sentir toute en soi-même, comme si les dieux étaient derrière nous. Nous avons donc à nous purger de nos rêves, et à les renvoyer à cette unique, indivisible et immense existence, seule condition, et suffisante amplement, devant la bonne volonté.

A quoi l'on arrivera par deux chemins, il me semble. D'un côté en tirant nos perceptions vers le rêve, par ce que nous y trouvons de faux, qui n'est jamais imputable à l'objet, mais à notre paresse seulement. L'autre chemin est en sens opposé, qui nous conduira à tirer nos rêves vers nos perceptions, ce qui encore une fois nous en décharge pour ce qu'ils ont de vrai, et, pour ce qu'ils ont de faux, en charge plutôt le libre jugement que l'imagination, puissance elle-même imaginaire.

Il faut faire attention ici, et ne pas craindre de se jeter

dans le difficile, de façon à écarter tout à fait le jeu dialectique. Si vous êtes d'abord dupe de l'imagination et si vous lui donnez corps en des objets non existants, cela dans la veille même, et devant une scrupuleuse attention, que direz-vous aux rêves ? Me voilà donc sur la montagne, et contemplant les villes comme des jouets, les hommes comme des fourmis. Ils me semblent bien petits, en quoi je me trompe. Mais il est clair pourtant que cette apparence des hommes tout petits ne renferme aucune espèce d'erreur. Voici un observateur qui mesure cette apparence, et, rapportant cette grandeur à la grandeur d'un homme moyen situé à dix mètres, évalue la distance où est cet homme si petit. Je me tromperais donc en ne le voyant point si petit. Et l'exemple de Spinoza, du soleil à deux cents pas dans la brume de Hollande, s'analyse de la même manière; car l'astronome voit le soleil à des milliers de milliers de pas, mais ce n'est point qu'il change l'apparence, au contraire, c'est de cette apparence même, mesurée, rapprochée d'autres apparences, qu'il conclut la vraie distance, ou pour mieux dire qu'il l'évalue mieux. Tout est donc vrai en ce spectacle trompeur. Même dans ce cas remarquable où le soleil me paraît plus grand à son lever, il est bien vrai que je me trompe mais il n'est pas vrai que l'apparence me trompe; car mesurez cette apparence, elle est la même à l'horizon et au zénith; la même malgré l'apparence; mais il n'y a point d'apparence; le soleil apparaît ici et là comme il doit. Qu'y a-t-il donc en cette erreur si frappante où nous tombons tous ? Non point l'apparence d'un soleil plus gros, mais une imagination, qui est un vide d'image, et en revanche une forte affection, une surprise, un saisissement, une déclamation silencieuse, enfin un énorme soleil s'élevant au-dessus des toits. L'objet n'est pas tel; l'apparence n'est pas telle; mais l'imagination veut qu'elle soit telle; et vous-même qui me lisez, vous ne renoncez point à ce pouvoir de grossir le soleil ou la lune; vous y croyez, comme les magiciennes de Thessalie croyaient qu'elles faisaient descendre la lune. Telles sont ces erreurs passionnées, comme de voir un visage d'homme dans une vieille souche. Regardez bien, éveillez-vous, vous ne voyez jamais qu'une vieille souche; toute cette peur, qu'elle soit sérieuse ou qu'elle soit de jeu, n'arrive pas à changer l'apparence de cette vieille souche; elle apparaît comme elle doit. Ainsi rien de ce que vous croyez voir n'apparaît jamais. Toutefois vous êtes assuré du contraire; vous jurez que vous avez vu. Même devant cette vieille souche vous le jurez. Que sera-ce dans le récit? Et que verrez-vous en racontant? Rien ne s'est montré de ce que vous dites. Rien ne se montre de ce que vous dites. Je dis à vous. Vous voulez me faire croire que vous avez vu cela; et je vous défie de le croire vous-même. Vous rêvez. Approchez-vous, tournez autour, reculez-vous; je vous laisse juge. Vous rêviez. Et dans ces exemples privilégiés vous retrouvez le rêve. De nouveau vous voyez ce visage d'homme dans les nœuds du bois; de nouveau vous vous éveillez, et c'est toujours le même monde. « L'esprit rêvait; le monde était son rêve. » Je me suis répété bien des fois ce mot de Lagneau, sous cette forme ramassée, qui appartient à la tradition. Rien ne m'a étonné davantage; mais il restait à comprendre, il reste toujours à comprendre en ce court poème. Il n'y a qu'un monde et toujours se montrant comme il doit. L'imagination n'y ajoute rien.

Voici un autre exemple, où cette fois l'apparence ne semble même pas changer, quoique le dormeur s'éveille. Je rêve que j'entends crier au feu; je me réveille et j'entends que l'on crie au feu. Tout concorde, le bruit et le mouvement, la fumée, les flammes et, au jour, les ruines calcinées. Ai-je rêvé? Il est clair que dans cet exemple j'ai perçu comme il fallait. En quel sens donc est-ce que je rêvais? En ce sens, sans doute, que percevant cela, je croyais percevoir d'autres choses encore, qui, à l'enquête, ont disparu. En ce sens surtout que je ne cherchais point au delà de ce que je croyais. Et qu'est-ce que chercher? C'est agir. C'est tourner autour de la chose, vouloir toucher et frapper la chose, la faire sonner. Il n'y aurait donc point d'autre investigation sur les rêves que celle qui les transforme en perceptions. Si l'on comprend bien cette idée, une des plus cachées qui soient, on rira bien de ces enquêtes sur les rêves, qui ont pour fin de les laisser rêves comme ils paraissent d'abord, ce qui conduit à décrire des apparences qui réellement n'apparaissent pas encore. Et c'est toujours vouloir dire ce que je pense quand je ne pense point. Me voilà donc à vaticiner, c'est-à-dire à me rendre délirant par étude, jusqu'à me tromper maintenant comme je me trompais tout à l'heure. C'est toujours le récit d'un poltron qui a vu le diable, et qui, dit-il, s'est enfui en se couvrant les yeux, de peur d'avoir vu cette terrible face. Qu'a-t-il donc vu ? Il n'avait qu'à s'arrêter et à ouvrir les yeux; il n'y a point d'autre manière de voir que de savoir ce qu'on voit, et d'abord de s'interroger sur ce qu'on voit. Il n'y a d'autre description d'un rêve que celle que se donne l'homme qui s'éveille et qui fait l'enquête. Je vous laisse l'idée à suivre. Retenez seulement, comme rare fruit de sagesse, cette espèce de maxime, c'est qu'il n'y a point deux objets, l'objet apparent et l'objet réel, mais que tout objet est apparent et réel ensemble, et qu'enfin c'est le réveil qui est juge du rêve.

Il n'y a pas longtemps qu'à la gare Saint-Lazare, un jour de pluie, je vis soudain des voies ferrées brillantes sous la pluie et dirigées de côté, comme si les trains s'en allaient désormais vers la rue. J'eus un mouvement de surprise et même d'inquiétude que j'ai bien retenu; c'est que j'étais en doute sur la position que j'occupais. Il y a toujours un peu de vertige dans les erreurs de ce genre, c'est-à-dire une précaution de surprise, et convulsive. Dans le fait ce n'était qu'un toit de zinc mouillé qui m'offrait de brillantes parallèles. Je remis tout en ordre, entendez que je m'assurai que rien n'était changé, et que ce court rêve avait bien eu pour objet ce même monde sur lequel j'enquêtais maintenant, mais non plus selon la méthode du poltron, qui commence par s'enfuir.

D'après cela jugez des apparitions, soit vénérées, soit redoutées. Songez qu'on peut toujours se dire que la chose vue a disparu, comme disparaît la biche aux oreilles pendantes que vous voyez un moment entre deux arbres. C'est que je n'ai pas toujours cette chance favorable de faire apparaître de nouveau ce que j'ai cru voir. Ainsi je verrai tous les dieux possibles, tant que je n'aurai pas appris à douter. Et douter, ce n'est pas douter d'une chose ou d'une autre, mais de toutes et dans tous les cas. C'est ce jugement de refus et de dire non qui les fait paraître. Il ne faut point croire; et croire est croire qu'on croit.

CHAPITRE II

L'OBJET DES RÊVES

L'IMMENSE existence nous est continuellement présente; nous y tenons par l'étoffe de ce corps vivant qui y est collée et adhérente, bien plus, qui s'y mêle indistinctement. Car il faut faire attention à ceci que le loin et le près ne concernent que nos actions. Une étoile est fort loin en ce sens que je ne puis la toucher; mais autant que je la vois elle n'est pas loin. Même, ces distances étant l'œuvre de la veille, et soutenues et distendues en quelque sorte par nos départs retenus, il faudrait dire qu'à l'heure du sommeil, ce monde autour, bien loin de nous quitter, au contraire revient sur nous et nous serre en quelque façon de plus près. Comme la vague ne cesse point sur la plage, ainsi toutes sortes de vagues s'étalent sans cesse sur nous, agissant sur les sens que l'on ne peut fermer, comme toucher, ouïe, odorat. Il n'est donc point vraisemblable qu'une botte de roses, passant sous les narines du dormeur, ne change point ses rêves, qu'un courant d'air froid ne change pas ses rêves, que le roulement d'un tombereau ne change point ses rêves. Nous aurions chacun beaucoup à dire là-dessus si nous pouvions remarquer ce qui nous réveille, et la première apparence que prend cette perception; mais communément cette première apparence est redressée, entendez qu'elle prend le sens d'une perception à proprement parler, en sorte que nous ne disons point alors : « J'ai rêvé », mais seulement : « Je me suis éveillé à la clarté soudaine, au bruit, à la fumée ».

Que les objets du monde soient donc la substance de nos rêves, c'est ce qui est évident. J'irais jusqu'à dire que nos rêves n'ont jamais d'autres objets que les objets. Mais cette remarque suppose, pour être entendue, un grand détour de doctrine. Il faudrait en venir à joindre toujours l'imagination à la perception, sous la forme de l'affection ou de l'émotion, non point sous la forme d'un autre objet qui recouvrirait en partie l'objet. Par exemple, il y a de l'imaginaire dans le vertige de chute en ce sens que je ne tombe pas; mais cet imaginaire est réel par l'affection, c'est-à-dire par le sentiment de cette défense et de cette peur qui creusent le gouffre. Si l'on suivait assez cette idée, on comprendrait qu'il n'y a pas de perception sans imagination, et aussi, ce qui est un peu plus difficile, qu'il n'y a point du tout d'imagination sans perception. Cela revient à dire encore une fois que ce monde ne cesse pas d'être présent et de modifier sans cesse mes réactions et affections; en sorte qu'il n'arrive jamais que mes propres agitations ne présentent pas, en même temps qu'elles le cachent, quelque objet à découvrir qui nous donnerait puissance de les faire varier. Que donc je voie un fantôme dans le brouillard ou dans la nuit, ou que je le voie les yeux fermés, il y a toujours quelque chose à découvrir autour qui explique en partie le fantôme, comme une ombre lunaire, ou un rayon sur les paupières, ou un contact léger, ou froid, ou chaud. Je ne compte pas présentement les frissons, fourmillements et mouvements du corps, qui ne cessent pas plus dans le sommeil que dans la veille, et dont aucune perception n'est jamais séparable. Je dis seulement que l'objet autour, qui ne laisse point de nous vêtir, y est toujours pour quelque chose. Par exemple notre corps ne cesse point de peser, et ainsi d'appuyer sur quelque corps résistant; notre corps ne cesse point de toucher l'air ni de baigner dans cet éther où l'on suppose que voyagent sans cesse des myriades de vibrations. Que nous puissions donc composer quelque objet sans avoir égard au monde, c'est ce qui n'est pas vraisemblable.

Au reste, il ne manque pas d'observations, comme celle du rêveur qui reçoit un léger choc sur la nuque, et se réveille disant qu'il a rêvé de révolution et de guillotine. Le commentaire dépasse de loin l'objet; mais c'est ce qui arrive aussi dans nos perceptions; nous ne jugeons le vrai de chaque chose qu'après de folles interprétations, qui sont presque toujours oubliées, mais non pas toujours; une feuille est prise pour un oiseau, une ombre qui se déplace pour une souris qui court, un coup de tonnerre pour le roulement d'un train sur un pont. En particulier la lecture des caractères, sur les enseignes ou sur les affiches, donne souvent lieu à des méprises risibles. Un jour je lisais en lettres dorées « Salon de confiture », et je construisais déjà des suppositions à demi vraisemblables, lorsque je vis enfin toutes les lettres de l'enseigne, dont quelques-unes m'étaient cachées par des branches. Bref, je devine toujours beaucoup; on peut même dire qu'une perception où je ne devinerais rien ne serait plus une perception. Par exemple, c'est percevoir un trou que deviner la chute avant d'y tomber. C'est deviner que voir devant soi un mur impénétrable. Et nous devinons souvent à l'aventure; ce bruit de moteur, je le rapporte ou à une voiture ou à un avion, ou à un dirigeable, ou à un canot automobile, et je me trompe souvent. Un bruit dans la nuit me trompe souvent. J'appellerai perception vraie la recherche où je me jette soit par prudence, soit par curiosité. La perception vraie est celle de l'homme éveillé.

Par opposition, j'essaie de dire que le rêve est la perception d'un homme endormi. Songez au bonheur de dormir, au refus de se réveiller, à ce congé que nous donnons alors à tous les soucis, à ce préjugé où nous donnons alors que rien de redoutable ne peut approcher de nous. Si nous sommes établis en cette incuriosité et en cette ferme indifférence, il est clair que n'importe quel essai de percevoir sera pris pour bon, comme il nous arrive en toutes les choses auxquelles nous ne voulons pas faire attention. Toutefois cette interprétation n'est elle-même que par quelque commencement de recherche, c'est-à-dire par quelque éveil. Il est même vraisemblable que les rêves que nous racontons se terminent tous par un réveil véritable. On retrouvera ici cette idée qui s'est déjà présentée, c'est que c'est le vrai qui fait paraître l'erreur. Nos rêves seraient donc aisément reconnus comme des perceptions hasardeuses et aussitôt redressées, s'il n'y avait aussi en nous un bonheur de raconter et une fureur de déclamer. Nous y viendrons. Toujours est-il que l'erreur n'est rien, comme nous avons dit, et que les rêves portent toujours ce caractère de n'être rien, ou de n'être plus rien, comme cette ombre qui bouge n'est plus rien de ce que j'avais cru; mais ce que j'avais cru ne changeait pas l'ombre. Telles sont les images des rêves, si on les regarde en face. Quand nous racontons, ce qui est une méthode immémoriale d'évoquer, nous ne voyons les ombres que du coin de l'œil, informes, sur le point de se montrer. Semblables à Orphée, nous ramenons derrière nous quelque Eurydice; mais il nous est défendu de la regarder en face. Bref, il n'y a point d'expérience des rêves, ou plutôt cette expérience est le réveil même, la perception même. Attention ici; car c'est par là que manque le célèbre idéalisme, qui veut voir dans le rêve une constatation, mais fausse. Au rebours je dirais qu'un rêve est ce qui n'est pas constaté et ne peut l'être, comme une perception fausse est ce qui n'est pas constaté et ne peut l'être. Pour parler autrement il n'y a point d'existence apparente, parce que l'immense existence est toujours connue sous quelque apparence. Les deux termes se tiennent.

Nous tenons un des termes. Rêver est un état heureux, un état où l'on veut rester; cela suppose une confiance qui ne repose nullement sur l'objet, mais sur elle-même, et qui suffit. Le rêve, comme le sommeil, nous rend notre enfance. Les rêves sont donc des pensées d'enfance; on verra que les pensées d'enfance, qui sont nos pensées, reposent encore sur autre chose que sur les rêves. Le rêve n'est pas lui-même l'état d'enfance à proprement parler. Notre pensée est née du sommeil, elle y retourne, elle y reprend ses forces; de nouveau, en chacun, elle s'éveille dans les rêves, qui sont la jeunesse de nos pensées, et mûrit dans le réveil, par ce regard en face et par l'action décidée; toutefois le rêve y est encore, et fait en ce sens, comme dit le poète, l'étoffe du monde. Car que seraient nos perceptions de position et de distance si ce n'étaient des erreurs en redressement? Ce qui creuse l'espace, c'est ce voyage imaginaire que je commence et que j'achève sans le payer d'un travail suffisant. Le travail au contraire raccourcit les vues, et, dans l'effort, par ne plus conjecturer, éteint toute lumière sur le monde. Car, dès que le lointain périt, il faut que le proche périsse aussi; la lune rapproche l'horizon et l'horizon rapproche toutes choses. Nous allons donc, par l'éveil, à cet état qu'il faut appeler technique, et qui ne voit plus ce qu'il fait que par rares éclairs. Autre sommeil, qui est d'habitude ou de coutume, selon le degré, et qui est la vieillesse de nos perceptions. C'est dire : « Je sais », et ainsi ne plus savoir qu'on sait, et aussitôt ne plus savoir. Telle est la nuit de l'âge.

CHAPITRE III

LE CORPS HUMAIN

J'ai voulu oublier ce corps, toujours en mouvement dans le sommeil, par les fonctions de la vie, qui sont respiration et circulation; toujours en mouvement, vraisemblablement, en nos rêves, où nos bras et nos jambes, enfin tous nos muscles, commencent continuellement des actions, provoquées elles-mêmes par les objets environnants. Par exemple le dormeur se tourne s'il est incommodé par son propre poids; il se débat si l'enroulement des couvertures l'enchaîne soudain; il met ses mains sur ses yeux si quelque lumière vive offense ses yeux à travers les paupières. Ce sont ces mouvements mêmes qui nous réveillent peu ou beaucoup.

Maintenant ces mouvements petits et grands sont sentis. Nos plus fantastiques rêves ont d'abord un objet réel qui est notre propre corps. Il s'agit donc de décrire ce que notre corps peut fournir à nos conjectures par ses mouvements propres. Et il est à propos, afin de ne rien oublier, d'examiner l'un après l'autre les cinq sens. Il suffit de nommer l'odorat pour que l'on comprenne que notre corps y puisse fournir une certaine variété. Pour le goût, ce n'est pas moins évident, quoique ici, non plus, l'attention ne se tourne pas aisément à ces impressions d'amertume et à d'autres que la vie suffit à entretenir et à varier. Il est clair qu'un commencement de nausée peut éveiller des conjectures, et ainsi orienter nos premiers essais de perception, qui sont nos rêves. Pour l'ouïe, on voudrait dire qu'elle ne reçoit que de l'extérieur, mais cela n'est point. Il est clair que nous entendons notre propre voix, et il est d'ailleurs connu que beaucoup parlent en dormant. Ces discours mécaniques, régis par la fatigue et le repos, doivent contribuer beaucoup à faire dévier nos rêves, et d'étrange façon. Un observateur a pu raconter quatre rêves, participant tous d'un même mot enfin prononcé au réveil, mais d'abord déformé selon la prononciation errante. Barreau, ballon, baron, tels furent les essais; le mot cherché était Baron; c'était le nom d'un homme que le dormeur devait aller voir au matin. Imaginez d'après cela ce que vous voudrez, fête publique, prison, cages à lions, comme il vous plaira; car le narrateur ne peut savoir, lui non plus, jusqu'où il invente en croyant raconter. Nous rêvons toujours assez, et encore mieux quand nous voulons nous remettre dans l'état du rêve.

Outre la voix, nous entendons aussi le bruit de la respiration, qui souvent fait des râles et quelquefois des musiques. Et nous entendons aussi plus ou moins les battements du sang, principalement ceux qui sont un peu sourds. Voilà donc un monde de sons et de bruit, et une tempête en nous-mêmes, dans le silence des choses.

En ce qui concerne la vue, il faut remarquer que l'observation des images qui résultent de la vie même de l'œil est assez difficile, et récente parmi les hommes. Gœthe a décrit de près ces images informes, mais souvent riches de couleur, qui remplissent la nuit des yeux fermés à l'approche du sommeil. Ce sont des houppes mobiles, en transformation continuelle, comme des volutes de vapeur. Souvent un point vivement coloré s'élargit et s'éteint comme un météore. Je suis bien loin de penser que ces confuses images dessinent jamais les derniers objets que l'œil ait vus. Non que les objets ne laissent pas de traces; chacun a perçu un soleil violet, image du disque jaune qu'il avait regardé un moment par mégarde, à l'approche du couchant. Ici l'image est complémentaire et se forme d'après la loi de fatigue; mais l'objet laisse sa propre image directe d'après l'excitation continuée. Il est bon d'observer ces suites et ces transformations en regardant soit une fenêtre vivement éclairée, soit une ampoule électrique. Si l'on ferme les yeux après qu'ils ont reçu la touche de la lumière, on remarque d'abord, dans un champ noir, l'objet avec ses couleurs affaiblies; ce spectre se dissout bientôt mais subit en même temps une transformation remarquable. L'image de l'ampoule de jaune qu'elle était devient violette. L'image de la fenêtre montre les parties claires en foncé et les barreaux éclairés d'une lueur pâle. Par les mêmes causes, le fantôme d'un tuyau de poêle, si l'on détourne les yeux, apparaît en blanc sur un mur gris. C'est un grand moment pour tout homme lorsqu'il reconnaît ces images évanouissantes; mais, par le changement continuel et la faible

intensité de ses apparences, il arrive sans doute rarement qu'on les reconnaisse de soi-même et sans être averti; en revanche on les reconnaît très bien lorsqu'on les attend; et voilà un exemple qui fait comprendre le prix de la sagesse acquise et transmise. Au temps où on ignorait complètement l'origine de ces images, et la loi de leurs transformations, je ne m'étonne pas que l'on ait vu souvent les dieux. Ces choses étant rappelées, je crois que l'œil du dormeur est excité en raison d'une foule d'impressions superposées, et en même temps par l'effet des pulsations sanguines et de la circulation dans les tissus de l'œil. Observez maintenant comment des rêves s'esquissent dans cette nuit des yeux fermés. Vous serez bien surpris d'y voir aisément ce qui n'y est point, de la même manière qu'on voit un homme barbu dans un feuillage. Cela est d'autant plus saisissant que le changement continuel de ces formes fait que les apparitions sont fugitives. Souvent, par l'élargissement des taches colorées, l'illusion est que quelque chose s'approche. Je renvoie le lecteur à ce que j'ai expliqué des perceptions fausses; seulement ici l'enquête ne peut être faite, parce que nous n'avons aucun moyen de changer ces fugitives apparences; nous ne pouvons qu'attendre. Si l'on regardait bien, on verrait que les émotions de l'attente sont communes dans les rêves.

Non sans action, ou plutôt commencement d'action. Venant au toucher, je reconnais que mon propre corps en agitation m'est un monde, soit qu'il subisse principalement, comme dans la pression du poids ou dans la chute, ou par les fourmillements, chaleur, froid, malaises innombrables, faibles douleurs, sourdes ou passagères, soit qu'il se dispose à réagir, se heurtant ainsi aux choses et à lui-même lorsqu'il s'agite, serre et frappe. Le lien des couvertures, qui s'oppose à presque tous les mouvements, ne contribue pas peu à éveiller la représentation, que l'action au contraire dévorerait. Aussi voyons-nous qu'en rêve on croit souvent vouloir courir et ne pouvoir. Par ces causes, et par ce parti pris de dormir quoi qu'il arrive, nous sommes spectateurs énergiquement, et spectateurs de peu. Non pas acteurs, mais plutôt frémissants d'actions commencées et retenues, plus riches de sentiments et d'émotions que d'expérience. Si nous pouvions être ici spectateurs par réflexion, nous saurions ce que

penser selon l'ordre des affections de notre corps. Au reste, nous ne rêvons jamais sans penser que nous rêvons, et quelquefois il semble que cette pensée se montre elle-même par un essai de réflexion supérieure. Il faut bien qu'il en soit ainsi, sans quoi le rêve retomberait à l'immédiat. Il faudrait dire peut-être que ce n'est point tant la réflexion qui manque ici que l'objet. Nos pensées sont réglées d'après nos affections et ce sont bien des pensées; mais elles ne sont point réglées d'après l'ordre des choses. Le spectacle n'y est donc pas plus cohérent ni mieux ordonné que dans nos rêveries parlées, où l'on remarque, dès que l'on y fait attention, des voyages étonnants d'un objet à un autre et des passages inexplicables. Ce cours mécanique a reçu le nom d'association des idées, mais je crois que c'est très mal dit. L'enchaînement fortuit n'est point entre nos idées, mais plutôt entre les mouvements du corps qui commandent nos affections et les perceptions qui les accompagnent. Par exemple, si j'agite mes mains, il peut arriver que je les heurte contre le mur; voilà un objet nouveau, ici complet, inattendu, d'où je me ferai quelque idée de combat et d'adversaire. Ou bien un muscle quelque temps bandé se relâche par la fatigue; ainsi l'attitude se trouve soudain changée, d'où un nouveau récit qui ne s'enchaîne à l'ancien que par cette liaison cachée du travail et de la fatigue. Nos discours errants sont encore un bon exemple d'actions qui s'enchaînent très bien, mais qui sont occasion de pensées absurdes; car il n'y a pas loin de dire chapeau à dire château, ni de prière à pierre, et nous avons souvent à corriger de telles fautes dans nos discours de la veille; nous les corrigeons, parce que nous avons alors d'autres objets que nos paroles; mais dans le rêve les paroles que nous proférons et percevons sont le principal des objets qui sont proposés à nos pensées. Et il est clair que, dans les mouvements de la parole, fatigue et repos se traduisent par des ruptures, des crochets et des raccourcis imprévus. Combinez ces rencontres avec celles qui résultent de nos mouvements et du choc fortuit des objets, vous rendrez déjà compte de cette absurdité des rêves, qui est leur caractère le plus remarquable.

Je crois pourtant que ces inexplicables ruptures dans nos pensées ont encore une autre cause. Nos mouvements, si peu réglés qu'ils soient, ont encore une espèce

de suite, d'après nos affections. La peur conduit à essayer de courir, et la colère à essayer de frapper. Il y a évidemment des suites de coutume, soit dans l'agir, soit dans le parler. Ainsi dans ce commencement de réveil, où nous avons affaire principalement à nous-mêmes, nous jouerions encore des drames passables, que le récit ne manquerait pas de redresser encore; aussi trouvons-nous des fragments dans nos rêves qui offrent une sorte de cohérence. Mais, cependant, les images visuelles, houppes, franges, taches colorées, qui font le décor, se déroulent et se transforment selon la vie des tissus, et nullement selon nos mouvements. D'autant que, dans la veille, presque toute prévision vient de vision, comme le mot l'indique; mais ce conseiller ordinaire se moque maintenant de nous, effaçant le vert par le rouge selon des lois purement biologiques, en sorte que la prairie, la mer, le couchant, l'incendie se succèdent sans aucun égard à nos luttes, à nos courses, à notre éloquence. Bref les perceptions de la vue sont maintenant bien au-dessous des passions, et les rompent, bien loin de les ordonner et de les régler. Ces étonnantes fantaisies contribuent plutôt à nous rassurer qu'à nous effrayer; car, si décidés que nous soyons à ne nous étonner de rien, néanmoins la suite de nos passions, de nos actions, de nos discours pourrait bien nous éveiller par l'inquiétude et c'est ce qui arrive assez souvent; mais souvent aussi le décor en changeant nous détourne, et nous rejette à l'heureux état de l'enfance par l'impossibilité de comprendre. C'est ainsi que l'enfant porté à bras passe d'un paysage à l'autre soudainement, par ce décret d'une puissance supérieure; et nous sommes accoutumés de bonne heure à nous consoler même par ce moyen. D'où vient que l'on se plaît aux rêves. Mais il est à propos de remarquer ici que l'enfant n'a pas besoin de dormir pour former des idées fantastiques. Son existence dépendante, et ses perceptions, si souvent étrangères à son action propre, y suffisent bien. La mythologie a donc un autre fondement que les rêves, quoique les rêves naturellement la confirment, comme on voit dans Homère.

CHAPITRE IV

LA SIBYLLE

Que l'homme observe les choses et les bêtes en vue de deviner ce qui approche et ce qui va être, cela n'étonne point. Que l'homme demande conseil à l'homme, c'est encore plus naturel. Mais que l'homme demande conseil à l'homme endormi, qu'il prenne littéralement les signes ainsi produits dans le sommeil, et qu'en même temps il fasse science et art de les interpréter, qu'ainsi la foi la plus naïve se réfléchisse en ruse et en finesse, comme on voit en tant de récits, voilà une situation humaine qui offre plus d'un repli, et l'extrême vieillesse des politiques jointe à la naïveté de l'enfance, et en quelque sorte entée dessus. Le fait même des oracles est encore oracle. Mais il faut démêler ce jeu merveilleux. Socrate s'y abandonnait, découvrant comme dans un songe, disait-il, ses meilleures pensées, et s'échappant ainsi de dialectique par une reprise de soi-même plus serrée, plus attentive, mieux défendue, faisant même système, encore comme dans un songe, de ces songes qui sont réminiscences, et qui, devant les réelles figures géométriques du *Ménon,* deviennent aussitôt vérités pour tout l'avenir. Mais qui ne reconnaît en ce mouvement l'éveil même de tout homme, et la réflexion essentielle? Ou bien vous voyez ce même Socrate retournant en tous sens les songes des poètes, toujours faisant sonner le texte sacré, plus libre alors qu'il ne fut jamais en cette recherche errante, où les discours naissent et périssent. L'oracle delphique fut le centre de cette pensée hellénique, la première qui fut pensée de la pensée. Ces libres géomètres vécurent selon l'oracle, et tout le monde barbare y venait, cherchant lumière aux plus profondes ténèbres, ce qui dessinait, en ces pèlerinages, d'avance la réflexion socratique et les voyages de Platon méditant. Le miracle grec est en ce corps déjà pensant et disposé par musique et gymnastique, de telle façon que la nature humaine fut suffisante une fois. L'Olympe l'atteste, et la statue, et le temple, et cet Homère aveugle, qui sait encore tout. Nous autres barbares, n'allons-nous pas à l'oracle aussi?

Nos songes sont nos oracles, et seront toujours nos oracles. Sans doute, par cette position d'attente, qui est celle du dormeur rêvant, avons-nous alors la seule vision d'avenir qui soit de réflexion. Car, pour l'avenir que nous faisons, par exploration, travail, entreprises, intrigues, armées en marche, nous ne pouvons guère le penser; il n'est pas objet; il est ambigu par l'action même, inconnaissable par l'action même. Une épée cherche passage vers moi, un chariot roule et va m'écraser; je perçois, je bondis, j'échappe; cet avenir se fait; je suis mort si je le pense fait. Mais, dans nos songes, ce n'est pas ainsi; la position même du corps fait que nous nous sentons hors d'action, et spectateurs même dans le péril, mahométans par là comme les mahométans ne sont point, et mahométans aussi par cette résignation, ou plutôt cette indifférence heureuse, qui est le seul lit où l'on puisse dormir. Situation privilégiée donc, si nous voulons savoir ce que le monde apportera de lui-même, sans nos téméraires actions. Les visions des songes portent ainsi la marque de ce qui arrivera, non pas quoi que nous fassions, mais si nous ne faisons rien. D'où cette idée, commune à tous les oracles, qu'il y a quelque chose à savoir, faute de quoi on ne pourra agir utilement, mais d'après quoi on pourra agir utilement, L'oracle est, comme le songe, une donnée sur quoi la sagacité s'exerce. Ce ne sont point des prédictions à proprement parler, mais plutôt nos désirs et nos projets y trouvent à la fois obstacle et appui. Comme il arrive pour les situations perçues; on ne peut les négliger; il serait fou de les négliger; mais aussi elles offrent plus d'un conseil. De même le songe ou l'oracle sont quelque chose de confus et d'ambigu par nature; ils orientent la délibération, ils ne la terminent point. Ainsi se traduit la richesse, la variété, l'indétermination du songe; c'est un chaos; c'est la première connaissance, d'où sort naturellement toute connaissance; c'est comme la jeunesse du monde.

Le lecteur aperçoit sans doute déjà de quel côté je le conduis, par des sentiers anciens, loin de ces routes d'ingénieur qui conduisent directement d'ignorance à science. Cette autre marche est abstraite, et n'instruisit jamais personne. Il n'y a qu'un passage pour l'esprit, qui est du songe à la perception, toujours au milieu du monde et ne connaissant rien d'autre que le monde, mais aussi le connaissant d'abord tout. Il n'est point vrai que l'homme connaisse d'abord une chose, sans rapport aux autres; une telle connaissance ne serait point dans son expérience. On ne peut séparer que ce qui est d'abord lié. Toute notre connaissance s'éveille donc, et chaque jour se réveille, en procédant du tout aux parties, mais plutôt en développant le tout sans jamais pouvoir isoler une partie, comme une vue sommaire du corps humain le fait entendre. Mais d'un autre côté ceux qui croient que l'esprit est une autre chose que le corps et le monde autour sont sujets à vouloir penser qu'il entre dans l'esprit une idée et puis une autre comme des personnages sur un théâtre. Dans le fait, si l'on y regarde attentivement, on verra que l'idée d'une chose est exactement le rapport de cette chose au tout, ce qui revient à reconnaître, dans la perception la plus claire, le songe anciennement et de tout temps proposé. Nous ne pensons point autrement que les Mages, mais seulement mieux, et la science n'est autre chose que la clef des songes. Car c'est un songe, cette lune malade, et puis morte, et puis renaissant, et faisant croître avec elle l'herbe et les cheveux; or, la lune astronomique est cette même lune, et les marées, qui soulèvent de l'épaule aisément nos navires et nous, nous font lunatiques au delà de ce que le lunatique pouvait croire. Bref, nous savons premièrement tout, par sentiment total, et c'est de là que nous pensons, toujours tenus par nos songes; ce que Comte a exprimé avec d'autres mots, disant que toute conception est d'abord théologique. J'aime mieux dire que toute connaissance est un éveil. Tel est le mythe des mythes, par quoi la nature répond à la critique, faisant paraître et presque apparaître l'*a priori,* sous cette forme que tous nos songes sont vrais.

Je ne sais comment on est venu à la Sibylle; toujours est-il qu'on y est venu; peut-être par cette remarque que le récit d'un songe, parce qu'il ne peut manquer de choisir et de mettre en ordre, enlève à l'esprit ce riche objet d'où il doit naturellement partir. On voudrait retrouver cet objet immédiat et énigmatique; on ne peut; il faudrait en même temps veiller et dormir. Nul ne peut prophétiser à soi; il faudrait être double, et, pendant que l'on traduit en ses songes l'immense présence, la retenir et l'observer. Or l'expérience nous fait voir qu'en pensant, ce qui est prendre parti, nous négligeons souvent quelque circonstance qui semblait de peu, et qui importait beaucoup, comme l'événement le fait connaître ensuite et trop tard. Tels sont les retours, et les regrets souvent, de l'homme qui n'a point su se croire assez. Il faut admettre que la divination fut l'objet de profondes méditations en tous les temps. Peut-être les plus anciens physiologistes eurent-ils l'idée qu'en ce petit monde de l'organisme tout le grand monde s'exprime en raccourci, en sorte que le sentiment total, pourvu qu'on n'y choisisse pas, qu'on n'y divise pas, contient toute la vérité possible.

L'homme qui dort reçoit donc tout ensemble, changements alentour et mouvements de la vie mêlés; l'homme qui s'éveille choisit, retient, rejette, témérairement et sans retour, et ainsi se conseille fort mal lui-même. D'où ces Pythies, ces Sibylles, ces Prophètes, qui rêvent pour nous, non pour eux. Il suffit que la Sibylle parle, et s'agite sans aucun choix, pour que je sois assuré que ce que j'ignore et que je cherche est enfermé dans ce tumulte prophétique. Toujours est-il que les choses présentes s'expriment ici comme en un résonateur, et, rassemblées en ces vociférations, perdent cet aspect de coutume, suffisant pour les actions ordinaires, muet sur les autres. Que peut dire une ville à celui qui médite de la brûler? Elle refuse cette pensée. Chacun sait qu'avant d'entreprendre, en ce monde tout occupé et cultivé et arrangé, on voudrait défaire cette apparence qui n'annonce que le recommencement; revenir aux éléments, comme le chimiste qui veut faire de l'or. Et quand nos songes nous offrent ce prodigieux chaos, c'est comme un trésor que l'on nous montre, aussitôt dérobé. Or la Pythie en convulsion défait ce tissu, mêle les éléments, se mêle aux possibles naissants, mais n'en sait rien. C'est à nous de lire, et toute la prudence humaine se rassemble ici. La raison cherche objet dans la folie, qui est son contraire enfin trouvé. Tout est dit, et tout reste à comprendre. D'où ces admirables ruses, qui n'offensent point le dieu, mais l'honorent au contraire; car ce qu'il dit nous passe, et ainsi l'oracle a bien plus d'un sens. L'oracle ne nous parle point autrement que le monde; il nous rend ce monde entier; il nous offre d'autres choix, auxquels nous ne pensions point, ou plutôt d'autres occasions de choisir; mais il nous laisse choisir. C'est ainsi que, dans la rêverie du poète, qui est sibylle un peu à lui-même, rien n'est d'abord préféré, mais au contraire tout est remis dans le désordre premier, et tout devient en quelque façon neuf et incompréhensible; tout est énigme. Et peut-être nous autres, qui vivons sans oracles, manquons-nous dans l'ordinaire de la vie d'avoir quelquefois tout l'être présent, et de n'y plus retrouver nos faibles desseins. Les anciens peuples ont mis en système cet art d'inventer, par le détour de l'oracle, qui portait leur attention sur des objets inattendus et, en apparence, étrangers à la question. C'était occasion non point de croire mais de douter, par la résistance d'une donnée neuve, sacrée, invariable. C'était rompre la coutume, et par la coutume; c'était jeter l'esprit dans l'extraordinaire, et ainsi porter au plus haut point le pouvoir de la critique, tout en la préservant d'errer. Ici se montre la sagesse virile, par opposition à cette crédulité puérile qui se voit dans les contes. Dans les contes, tout arrive selon la prédiction, tout est prévu et réglé; trois pas à droite, un geste, un mot à prononcer, et le rocher s'ouvrira. Je crois que ces naïves idées doivent moins aux rêves qu'à l'expérience enfantine. Le conte est objet pour la raison abstraite, toujours en quête de la loi, et impatiente de servir. Le rêve est plus digne de l'attention virile, car les lois y sont cachées; la matière y fume et bouillonne; c'est le chaos avant la création. Tu te connais mal, toi et le monde, par tes maximes, et voilà le conte, où les bons sont toujours bons, et les méchants toujours méchants. Si tu te connaissais tout, tu pourrais te changer; c'est pourquoi l'ambitieux vient à l'oracle. Et, par le miracle grec, il recevait deux réponses ensemble; l'une, bien loin de répondre à une question, au contraire les posait toutes, la crédulité éveillant aussitôt ses contraires, l'investigation et le doute. L'autre réponse, écrite au fronton du temple, disait : « Connais-toi. » Nous avons développé cette première harmonie, mais nous ne l'avons pas retrouvée.

CHAPITRE V

DES RÉCITS

Le grand fait de l'histoire humaine est que les hommes ont cru plutôt ce qu'ils entendaient raconter que ce qu'ils voyaient et touchaient. Dès que l'on regarde en face cet étonnant problème, on voit paraître des causes qui ne sont pas petites, parmi lesquelles la passion d'approuver, ou, en d'autres termes, le plaisir de s'accorder, n'est pas des moindres. Mais l'explication véritable de cette créance que l'on donne aux récits bien plus libéralement qu'à l'expérience directe dépend d'une doctrine de la connaissance que je ne veux point développer ici, mais seulement rappeler. Que toute connaissance suppose un objet, c'est ce qui ne peut être ignoré que de ceux qui sont tout à fait neufs en ces matières. Que la connaissance réelle suppose un objet présent, c'est à quoi on pense moins souvent, parce qu'il est reçu qu'une expérience conservée est aussi bonne pour y penser qu'une expérience faite; et cela vient d'une illusion bien commune au sujet des souvenirs, et dont tous les passionnés font leur bonheur; car toujours ils croient voir, ils croient y être encore, enfin ils évoquent par incantation, vieille méthode, bien connue, trop peu considérée. Nous voilà au centre, et à demander à celui qui pense au Panthéon par souvenir de vouloir bien compter les colonnes du péristyle. Cette simple question irrite, mais veuillez bien considérer que le doute au sujet de ce qui est raconté irrite le narrateur, et, bien mieux, celui qui écoute, qui lui aussi croit y être et voir, et qui ne peut voir. Regardons bien ici. Il ne peut voir, et c'est cela qui l'irrite.

Traduisons autrement. Vous l'invitez à douter, et il ne peut douter. Je répète une fois de plus que pour douter il faut être sûr; mais cette fois-ci le paradoxe va toucher terre. Il n'est point d'homme qui, en présence du Panthéon, s'en tienne à l'apparence, et qui ne suppose, par exemple, un dedans de l'édifice, des parties cachées, une solidité au delà de ses forces dans ces pierres, un escalier, un effort à faire, et bien d'autre choses qu'il ne voit point, mais qui donnent un sens à ce qu'il voit. Ces suppositions sont aussi bien faites devant une image photographiée; mais alors elles ne donnent point lieu à une recherche réelle, parce que vous ne pouvez faire ce mouvement si naturel de tourner autour, ni seulement ce déplacement de tête, qui devant l'objet réel, aussitôt dérange les perspectives, et dénonce, par ce petit changement, que l'apparence n'est qu'apparence. En bref il n'y a point de vision réelle qui ne soit investigation, correction d'une apparence par une autre, mais toujours sous la domination de l'apparence, qui s'affermit, bien loin de céder, à mesure qu'elle est niée. En ce poste, convenable et seul convenable pour penser, ce qui est peser, en ce poste devant l'objet lui-même, il ne peut rester le moindre grain de crédulité en aucun homme; et de là vient que les hommes sauvages, qui se trompent avec bonheur sur tant de choses, ne se trompent jamais sur la piste, sur le gibier, sur l'orage, ni sur aucune chose, dès qu'ils exercent leurs sens. Et cela suppose qu'ils savent douter alors aussi bien que nous, et, pour mieux dire, qu'ils ne font que douter, chercher et corriger. Pourquoi? Parce que l'objet présent répond toujours et nous soutient en cet exercice, l'apparence se trouvant changée par le moindre de nos mouvements. En bref, voir c'est douter, continuellement douter, et en même temps continuellement s'assurer. Ne dites point que cela est évident, mais plutôt demandez-vous ce que serait ce paysage devant vos yeux si vous ne le mettiez à la question, si vous le preniez enfin bonnement pour ce qu'il a l'air d'être. Voir c'est découvrir, c'est redresser, c'est dire non à la pensée que l'on vient de former. « Ce n'est pas encore cela », telle est la pensée de l'homme qui voit. L'horizon est cette bande bleuâtre, oui, quand on découvre ce que c'est, et que ce n'est pas une bande bleuâtre. Et, au contraire, dès que vous agissez au milieu d'objets familiers, reconnus, jugés sans appel, vous ne les voyez plus. Telle est une des conditions du connaître, qui est que l'on redresse une erreur en la conservant; mais n'oubliez pas l'autre condition, qui est que l'objet, en son apparence, ne cède jamais, qu'il pose et maintienne fortement, sous divers aspects, la même question toujours. On saisit ici, une fois de plus, que la nécessité extérieure peut seule porter nos pensées. En ce qui résiste, c'est là que nous découvrons. D'où Comte a tiré cette maxime de raison trop peu connue : régler le dedans sur le dehors. Cette remarque s'applique encore plus aisément à nos autres sens, moins prompts, plus tâtonnants que notre vue. Écouter, de même, c'est douter et essayer; palper, de même; flairer, de même. Vous sentez par exemple une odeur de papier brûlé; vous voilà en quête et en doute; armé pour douter parce que vous êtes armé pour chercher, parce que vous ne cessez de trouver. Telle est l'idée; saisissez-la bien en toute son ampleur. Vous ne comptez et ne mesurez que devant l'objet, parce que l'objet résiste, et ainsi ne promet pas vainement une meilleure connaissance. Vous êtes sûr de lui et de vous, et vous doutez fermement et activement par cela même. Loin de l'objet vous ne pouvez plus chercher; vous ne rencontrez plus cette solide apparence, cette apparence qui répond. L'imaginaire ne répond pas; il change sans aucune règle, il fuit. Je ne vois que les mots qui tiennent bon. Et remarquez que les mots qui nient tiennent bon aussi, mais sans aucun moyen non plus de conduire l'investigation. Nous ne pouvons penser, voilà le point. Nous ne sommes pas dans des conditions telles que notre connaissance puisse s'enrichir par le doute. Mais il reste l'injure de ne pas croire, et le scandale de l'accord rompu; tout le reste est égal. Récit contre récit, l'un et l'autre sans objet. Ne doute point qui veut. Au reste la même chose est à dire de tout vouloir. Ne veut point qui veut. Le vouloir imaginaire fait rire; il n'y a aucun moyen de vouloir marcher à l'ennemi, s'il n'y a point d'ennemi. De même vouloir examiner est vain, s'il n'y a rien à examiner. Ce doute errant, qui n'est point le doute, n'est qu'un plaisir amer de déplaire ou d'étonner. L'intelligence ne peut jouer si elle se prend à un récit.

« Si vous avez appris à croire, dit un héros de Kipling, vous n'avez pas perdu votre temps. » Après une suffisante méditation là-dessus, je me suis rangé à la règle de l'amitié humaine, et je crois maintenant tout, comme Montaigne savait faire. Exactement je crois en me gardant de penser; et je me garde de penser, sinon peut-être sur ce visage et ces gestes du narrateur, ou sur la beauté même du récit, comme dans la Bible, ou dans Homère. Mais quant à l'objet raconté, il n'est pas objet, je n'y puis mordre. Je n'ai point d'arme ni d'outil pour l'éprouver. Je reçois donc le récit comme un fait humain présent; le narrateur croit; je crois qu'il croit et je crois qu'il raconte, réservant de débrouiller plus tard ce qui est de lui et ce qui est de l'objet en ce mélange, lorsque la perception d'un objet réel, ressemblant quelque peu à ce récit qu'il me fait, me mettra dans le cas d'examiner son récit en même temps que celui que je me ferai. J'ai souvent pensé qu'il y a moins de mal à croire un fou qu'à ne point le croire. Car comment serais-je plus raisonnable devant ce qu'il dit que lui-même devant ce qu'il croit? L'objet nous manque à tous deux. Et qui ne voit aussi qu'il est mieux de se croire soi-même, lorsqu'on n'a pu saisir qu'une fugitive et absurde apparence? C'est le seul moyen de trouver quelque jour un sens à cette apparence. Car il est vrai que je n'en dois point croire mes yeux; mais il est vrai aussi que je n'en puis croire finalement que mes yeux, comme fait l'astronome. Et c'est une grande folie souvent de croire qu'on rêve; disons mieux c'est toujours une grande folie, comme en ce physicien dont Painlevé racontait qu'il ne voulait point examiner la lumière cendrée de la lune, assuré que c'était une illusion pure. Il y a une grande sagesse, mais rare, à s'ébahir simplement, si l'on ne peut mieux, d'après cette idée que, tout mis en place, la vision d'un fou serait vraie toute. Tel est donc l'usage sain qu'il faut faire de tout récit et de tout rêve. Car les décider vrais lorsqu'on ne peut est la même faute que les décider faux lorsqu'on ne peut. Il n'y a de douteux, de réellement douteux, que ce que l'on est en train d'éclaircir. Ces idées sont de grande conséquence, mais assez cachées.

Avant de les développer vers le monde, objet unique et suffisant de toutes nos pensées sans exception, il n'est pas inutile de décrire sommairement le récit même d'un songe, qui est un vain effort pour le séparer du monde et pour se séparer soi-même du monde. Tout récit est incantation, et vise à faire paraître les choses racontées dans le texte même de l'expérience environnante. Car nous n'avons point de visions qui ne soient des perceptions fausses, fausses et vraies à la fois, comme le lecteur l'a compris. Aussi l'incantation jette des paroles parmi le monde, de réelles paroles, et souvent répétées, et jointes selon une loi s'il se peut, afin qu'elles s'incorporent au monde des choses liées. On voit ici paraître la poésie, qui est un édifice sonore, élevé en commémoration. Mais, dans l'incantation naïve, des gestes aussi sont jetés au monde et incorporés au monde, et qui ont double effet. Le premier effet est de faire passer devant les yeux ces mains, comme des oiseaux, ce qui voudrait créer d'autres formes. Le second effet, par les brusques mouvements du corps, de la tête et surtout des yeux, agitation propre au conteur, est de rompre l'invesstgation, qui dissoudrait le songe, et de mêler et faire courir les choses, de façon à retrouver chaos et matière vierge : d'où le poète fera comparaison ou métaphore ; mais dans le récit d'un songe la métaphore est substantielle, puisque c'est dans le monde autour que je dois tendre le songe comme cette toile légère de l'araignée. Il faut que les choses portent le songe, car c'est présentement que j'imagine, et que je veux songer de nouveau les yeux ouverts. Ainsi je défais et refais ; ainsi je tends mes affections comme un voile entre le monde et moi, sans savoir jamais distinguer le souvenir, l'invention, la perception, car la perception porte les deux autres. Ainsi Athalie, racontant Jézabel parée, doit fixer ses doigts ornés de bagues et ses ongles peints, et bientôt déchirer de ces ongles ses mains et ses bras, et se couvrir les yeux, enfin mettre le monde en pièces, pendant que l'incantation fait que des chiens hurlent et grondent de nouveau à ses oreilles. On voit paraître ici l'art en son enfance, qui est toujours et profondément une mnémotechnie. C'est parce qu'il faut un objet réel à nos pensées que des conteurs plus résolus plient enfin les choses pliables, les plient à toujours, entassant les pierres, broyant les couleurs, ciselant, gravant, ce que commence le geste de griffer, encore sensible dans le griffonnage de Rembrandt graveur. Celui qui a fixé son geste ne rêve plus ; il perçoit son rêve. Il le perçoit et en même temps l'efface ou s'en purifie. L'art fut le premier remède à la folie et reste peut-être le seul, car nos raisons irritent le fou. Il faudrait lui montrer ce qu'il essaie de nous montrer, et enfin l'éveiller dans son rêve, et non de son rêve.

CHAPITRE VI

L'EXPÉRIENCE

Il ne manque point de sages qui ont dit, et quelques-uns arrogamment, que toutes nos connaissances, sans exception, viennent d'expérience. Bien loin d'aller contre, je veux rendre à cette maxime son sens plein, et en faire honte à ceux qui la donnent comme règle et aussitôt l'oublient. Je veux entendre par expérience la perception d'un objet actuellement soumis à l'investigation des sens. Je dis que c'est alors seulement qu'une connaissance se peut faire, et, en d'autres termes, que je puis former une idée; alors seulement que je puis douter, chercher, redresser, alors seulement que je puis m'éveiller et penser. Tout le reste est sommeil de coutume et mécanique récitation.

J'ai assez dit que nul ne peut juger sur récit. Mais le dira-t-on jamais assez? Nous ne faisons que cela. Nos opinions sont des critiques d'opinions. L'objet n'est autre chose alors que le discours, et le discours permet tout, hors la contradiction. C'est par là que l'esprit cherche prise, détruisant toujours au lieu de fonder. Car nul n'oserait dire qu'un discours sans contradiction est vrai par cela seul; mais chacun prononce qu'un discours qui se contredit ne peut être vrai. D'où ce jeu de réfuter, qui occupe misérablement et inutilement les heures précieuses de l'adolescence. Cependant le monde nous manque, qui est le seul régulateur de nos pensées. Aussi il est commun que nous passions alors de la perception au rêve, par le mélange des discours et l'incohérence qu'ils font à la fin. Ce genre de travail est ce qui rend sceptique. Il est de métier dans le juge; car qu'y a-t-il en une salle d'audience? Principalement des discours, et quelques objets qui sont comme arrachés à l'événement, et qui sont pris maintenant dans d'autres relations. Le poignard de Brutus et la robe de César sont sur la table. Le cadavre est retourné aux éléments; les discours vont. Un poignard est quelque chose, une robe sanglante est quelque chose, un discours est quelque chose. On peut penser là-dessus. Un discours offre un genre de solidité ou de réalité qui lui est propre. Il tient debout par l'accord, il se dissout par la contradiction reconnue et en quelque sorte éprouvée par l'expérience. Mais dès que l'on essaie de connaître la chose qui n'est plus, qui ne sera plus, la raison s'emploie mal; elle est toujours dialectique quoi qu'on fasse, et ne peut mieux. Qu'on puisse tout prouver par le seul discours, et encore mieux ruiner tout discours par un autre discours, chacun le dit; mais il n'y a que le juge qui le sache vraiment, parce qu'il est le seul à entendre de sérieux discours, d'où dépend la fortune ou la vie d'un homme. Les discours d'historien sont un peu plus frivoles, et les discours de philosophe encore plus. De toute façon, l'argument sceptique que l'on tire des contradictions sur tous sujets est bien fort, parce que, laissant l'examen impossible de tant de choses présentement éloignées, passées, inaccessibles, il se prend à l'objet présent, à cet univers des discours qui est du moins quelque chose. Et les plus sages sont ceux qui voudraient percevoir ces discours dans l'univers qui les porte, par l'examen des affections du corps humain qui les produit, et de proche en proche, par le soleil, l'air, les eaux, les productions qui nourrissent, excitent, empoisonnent ou endorment le parleur. C'est bien chercher la vérité du discours justement où elle est, et par perception droite; la raison se prend où elle peut. Mais ce n'est toujours que connaître un témoin simple ou rusé, timide ou effronté, irritable ou enthousiaste, menteur ou crédule. Or, que savoir d'un témoin mort depuis cent ans? Nécessairement l'on revient au discours, et, en l'absence du parleur, à ce qu'il faut appeler la physique du discours écrit, que l'on nomme logique. Mais on vient souvent à penser, principalement d'après le prestige de l'enseignement, que les choses présentes et passées sont réglées aussi selon la logique. C'est pourquoi je veux appeler logique du prétoire cette physique des discours écrits, qui juge sur pièces. Platon n'a pas ignoré que cet art de réfuter se réfute lui-même, et le *Parménide* offre comme un dessin achevé de la plaiderie toute nue. Aristote le naturaliste a enfin décrit cet objet comme il aurait décrit le chameau ou la girafe, plutôt pour se garder, à ce que je crois, de s'en servir hors de lieu; mais cela reste obscur, par une erreur des siècles, qui ont pris aussitôt ces lois du discours comme lois des choses, et font comparaître l'univers en cour plénière. Ainsi, selon un mot d'avocat, tout se plaide.

D'où l'on voudrait conclure contre la raison. Mais bien vainement. Il y a une raison du discours, autant que le discours est objet; les célèbres *catégories* sont des faits du discours, et la raison s'exerce à les saisir; ce sont ses premières armes. Et l'on doit même aller jusqu'à dire qu'autant que nos pensées sont des discours, les lois du discours régissent toutes nos pensées sans exception. Toute la précaution à prendre ici, et qu'il faut rappeler toujours, parce que notre enfance revient toujours à chaque réveil, est de ne pas conclure, de ce qu'un discours est absurde, que c'est la chose même qui est absurde, et de ce qu'un discours est impossible, que c'est la chose même qui est impossible. Par exemple une même chose est près et loin, grande ou petite, selon la relation; une même chose est en mouvement et en repos, selon la relation; chaude et froide, selon la relation. L'or est jaune, vert et rouge, selon la relation; d'où le sophiste veut conclure que cela ne se peut point, parce que oui et non ensemble ne se peuvent point. On ose à peine rappeler qu'il n'y a point de contradiction dans les choses et qu'enfin les choses ne disent rien : il faut pourtant se le rappeler à soi-même. Au reste on trouvera dans les œuvres illustres de Kant une belle esquisse et même plus qu'une esquisse de cette autre logique qui n'est plus du oui et du non, mais du grand et du petit, du degré, du permanent, du changeant et de la liaison réciproque de toutes choses. Il est seulement imprudent d'appeler encore Logique cette réflexion sur la connaissance sans paroles. Aussi bien ce serait un immense travail, et réellement sans fin, que d'approcher ce beau système encore un peu plus des choses mêmes par une perception ravivée. Mais il faut attendre, en tout cas, d'avoir l'âge canonique; toujours est-il que cet ouvrage-ci est plutôt physiologique que logique, ou, si l'on veut, plus poétique que grammatical. Laissons donc le système des *catégories*.

J'aurai dit le principal si je dis que la raison épuise son pouvoir à constater, et que ce n'est pas peu. La logique vient ici témoigner, mais elle n'est plus juge. Que fait-elle, sinon constater comment nous parlons, prouvons, et réfutons, devant le juge? La mathématique vient témoigner aussi, non point par ses discours, que nous renvoyons à la logique, mais par ses objets, qui sont réellement des objets. Même à prendre la mathématique comme on l'enseigne, on sait bien qu'elle ne se passe pas d'objets, réalisés par l'écriture ou le tracé; en quoi on trouve des simplifications et abrégés; mais enfin le mathématicien perçoit continuellement quelque chose, qui est souvent fort compliqué, et qui exige une exploration et une révision continuelle. On sait qu'il serait tout à fait vain de vouloir saisir le raisonnement de l'algébriste, si l'on ne prenait d'abord une exacte et familière connaissance de cette chose qu'il réalise en l'écrivant. Ce n'est même pas assez de lire et de relire; il faut écrire soi-même, et distinctement. Cette clarté des écritures n'est pas peu de chose; ceux qui ont tâtonné longtemps pour avoir négligé un indice, ou pour avoir mal placé ou mal terminé un radical, me comprendront assez. Mais j'irai jusqu'à dire qu'en ces difficiles matières, où l'objet est réduit, simplifié, presque uniforme, la seule difficulté est de lire ce qu'il y a à lire, et de s'y tenir. Le calcul, entendu dans tout son sens et dans sa profondeur, est bien exactement une expérience que je fais. Et certes il y a une vivacité de l'esprit qui anticipe; mais je crois que la vertu mathématicienne est d'aller selon les règles, et de voir ce qui va arriver. Celui qui anticipe va fort vite au commencement, mais se trouve bientôt arrêté et découragé par une complication supérieure. Il faut donc écrire et lire bien des fois le triangle arithmétique avant d'en parler.

Ces objets algébriques ou arithmétiques sont un peu loin des choses, quoiqu'ils soient toujours rangés ou ordonnés comme des choses, et qu'ils donnent au fond la connaissance de l'ordre et du rangement même. La géométrie est plus près des choses, et c'est toujours là qu'il faut revenir. Je remarque d'abord que les figures ne sont pas essentielles ici, mais tout au plus commodes. Thalès disant : « A l'heure où l'ombre de l'homme est égale à l'homme, l'ombre de la Pyramide est égale à la Pyramide », Thalès percevait en géomètre; les choses étaient ses figures.

Je me suis promis d'effleurer seulement ce grand sujet. Revenant aux figures les plus simples, je vois bien qu'il faut constater la ligne, et qu'il ne suffirait évidemment pas de la définir pour en donner l'idée. Mais que constate-t-on ici ? Non pas tant la ligne droite que la distance ou séparation de deux choses par la ligne droite. Et les choses ainsi séparées seraient constatées comme telles par des points. Pour parler autrement, les relations, qui sont idées, sont plutôt ici instruments qu'objets ; mais il faut ajouter que sans de telles idées ou relations il n'y aurait plus d'objet du tout. Qu'est-ce que ce monde sans les distances et les positions ? Toutefois les distances et les positions ne sont point des choses. Ainsi, même par ces vues sommaires, on apercevrait qu'on ne peut constater sans former d'idées, et que même ces deux opérations ne sont nullement séparables. Par exemple, c'est bien vainement que je voudrais former l'idée de ligne droite si deux points séparés ne me sont donnés ; mais, au rebours, c'est bien vainement que je voudrais les penser séparés si je ne les joins pas en quelque façon par cette séparation même ; et cette relation, qui n'est rien que séparation, est sans doute l'idée même de la droite, aussi purifiée qu'on voudra. La pure distinction de deux points, sans égard à un troisième, cette pensée qui les joint par ceci seulement qu'ils sont distincts, c'est toute la droite, et le tracé n'y ajoute rien. Le triangle d'étoiles d'*Aldébaran* est parfaitement un triangle et perçu comme tel. On dira qu'on ne peut alors s'empêcher de tracer la droite ; je l'entends ainsi ; seulement je veux dire que ce n'est point ce tracé imaginaire qui imite le dessin, mais que c'est bien plutôt le dessin géométrique qui s'exerce à imiter cette insaisissable et évanouissante pensée.

Cet exemple d'un triangle d'étoiles me conduit à d'autres qui suffiront. Comment constater que les étoiles tournent toutes ensemble, sans penser en même temps, et dans l'objet même, sphère, pôle, et axe du monde ? Comment comparer les hauteurs des astres sans penser des angles et des parties d'angles ? Et réfléchissez à cette mesure de la distance de nous au soleil, si compliquée, si chargée d'idées auxiliaires, et qui est pourtant constatation ? Nos idées sont le tissu même du monde perçu ; comme le fait voir la distance, cette âme du monde, qui n'est pourtant qu'un rapport, et qui évidemment n'est rien hors de l'expérience. En voilà assez pour faire entendre ce que je propose ici, c'est que nous ne pensons jamais qu'en percevant, et ne formons d'idées que dans la perception actuelle d'un objet. Mon dessein n'est pas maintenant d'instruire mais seulement d'avertir. Je crois que l'idée qu'il y a des idées séparées, existant et combinables à l'intérieur de l'esprit, si l'on peut dire, est une de ces erreurs préliminaires qui gâtent à jamais toutes nos pensées.

CHAPITRE VII

LE MONDE

On ne peut traiter des songes sans agiter le problème de l'existence des choses extérieures. L'argument du songe est ici le plus ancien et le plus fort. Platon, Descartes, Pascal y ont touché. Or, je ne crois point que la question soit incertaine. Tout est dit dans le célèbre théorème : « La seule conscience de moi-même, pourvu qu'on n'oublie pas qu'elle est empiriquement déterminée, suffit à prouver l'existence des choses hors de moi. » Il ne faut que développer tout ce contenu. A quoi peut servir aussi un mot sublime de Jules Lagneau : « Être ou ne pas être, soi et toutes choses, il faut choisir. » Et voici le sommaire de ce qui est ici à developper. C'est que, d'abord, l'existence ne se divise point; c'est que, par suite, je n'existe pour moi-même qu'autant que je connais l'Univers autour; en d'autres termes, que mon existence séparée est une existence abstraite et fictive. Cette idée est posée dans Spinoza; c'est là qu'on trouvera l'immense existence et la loi de toute existence. C'est la route royale.

Qu'on me permette de prendre ici de petits chemins. On ne connaît que trop la thèse idéaliste, que l'on trouve dans Berkeley en sa parfaite apparence. Beaucoup y ont mordu, et ne se délivrent pas aisément. Or j'ai aperçu une faute dans cet idéalisme, et je crois utile de la mettre au jour. La faute est dans cette idée impossible de l'apparence seule, et séparée de l'objet. Plus près de nous et plus clairement, je dirais que la faute est de prendre comme réel un monde subjectif, comme on dit, c'est-à-dire dans lequel l'existence extérieure ne figurerait point encore, et devrait s'y ajouter à titre d'hypothèse. Ici les difficultés s'accumulent, et je veux essayer d'y mettre un ordre. Entendons bien. Il ne s'agit pas d'argumenter. Qui argumente contre, il est pour. Car la force de l'idéalisme est en ceci qu'il obtient aisément que l'existence des choses extérieures doit être prouvée; en quoi il a partie gagnée de toute façon; car, si bonne que soit la preuve, elle court, comme dit Kant, le risque de toute preuve; et il reste une différence entre l'indubitable existence de moi-même, et cette autre existence qu'il faut prouver, et qui, par cela seul, fait figure d'ombre, et enfin se trouve seconde et subordonnée. Or, l'embarras où l'on se trouve alors vient de ce que le philosophe ne donne pas ici le monde tel qu'il nous le faut. Il y a disproportion, et même ridicule disproportion, entre cette immense et impérieuse présence, dans laquelle nous sommes pris et engagés, et les légers discours par lesquels nous essayons d'en rendre compte. Et c'est parce que nous sommes assurés premièrement du monde que le philosophe fait rire. C'est pourquoi il faut examiner sévèrement ce départ, cette position initiale où nous croyons pouvoir nous retirer d'abord, laissant le monde et considérant nos pensées.

Quand on aura bien compris qu'il n'y a point du tout de connaissance hors de l'expérience, ni d'idée sans objet actuellement présent, tout sera dit. Quand on aura bien compris que le souvenir ne s'achève que par la perception de l'objet, et enfin que nous ne connaissons que les choses, tout sera dit, et plus près encore de l'illusion qu'il s'agit de surmonter. Mais ces idées veulent un immense développement. Je conseille de les suivre dans l'*Analytique* de Kant, jusqu'au fameux théorème qui affirme, comme en un puissant raccourci, que les choses n'existent pas moins que moi-même. Seulement ce chemin est long et aride. Saisissons plutôt cette prise que nos songes nous offrent. Délivrons-nous d'abord de cette idée que le songe se tient par lui-même; c'est une idée d'homme éveillé et qui raconte, et qui se plaît à dire que le songe qu'il a eu est comme un autre monde, que l'imagination suffit à porter. Il est clair que si nous sommes capables de faire un monde qui ressemble au monde, à l'existence près, il faudra prouver que nous ne fabriquons pas aussi ce monde de la veille, d'où de fantastiques suppositions, et bien du temps perdu. Or, le récit tient par le monde existant, puisque le conteur est éveillé. Pour prouver le contraire, ou seulement concevoir le contraire, il faudrait s'éveiller à son rêve, et penser sans percevoir. Or, dès qu'on s'éveille, c'est le monde qu'on trouve; ou, pour mieux dire, percevoir le monde réel et s'éveiller ce n'est qu'un. Pour parler autrement, il n'y a point deux chemins du sommeil à la veille, l'un qui mènerait au songe, et l'autre au monde; mais, bien plutôt, rêver c'est s'éveiller un peu, et percevoir c'est s'éveiller tout à fait. On demande « Qu'est-ce que ce rêve ? » Si on se pose réellement la question et si l'on fait l'enquête selon les règles de l'art de constater, alors bien loin de rêver mieux on cesse de rêver; on met en jeu les sens, l'essai, l'action; on se réveille, et l'on découvre la vérité du rêve, qui est la même chose que le rêve, et qui est le monde réel. Il n'y a point d'autre vérité du rêve que le monde réel. Il n'y a point de monde existant qui soit ce monde non existant des songes. L'objet du rêve c'est le monde, de même que l'objet du soleil à deux cents pas c'est le soleil même à vingt-trois mille rayons terrestres.

Il est vrai que ce rapport entre la chose et le rêve n'apparaît point toujours. Il suffit qu'il apparaisse quelquefois. Car il n'est pas dit que toutes les visions seront expliquées, même celles de la veille. Je crois voir un animal qui fuit; tout me prouve que j'ai mal vu; mais enfin je n'arrive pas toujours à retrouver l'apparence trompeuse, soit une feuille morte roulée par le vent, qui me fasse dire : « C'est cela même que j'ai vu, et qui n'est qu'une feuille morte roulée par le vent. » Toutefois le plus souvent je retrouve l'apparence, et c'est cela même qui est percevoir. La nuit, et ne dormant pas, j'entends ce pas de loup, si redouté des enfants. Quelqu'un marche; il n'y a point de doute. Toutefois je doute, j'enquête; je retrouve un léger battement de porte fermée, par la pression de l'air qui agit comme sur l'anche, mais plus lentement. Je reviens à mon premier poste, et cette fois, je retrouve mon rêve, mais je l'explique. Je crois voir une biche en arrêt; je m'approche; ce n'est qu'une souche d'arbre, où deux feuilles font des oreilles pendantes. Je me recule de nouveau; de nouveau je crois voir la biche, mais en même temps, je vois ce que c'est que je croyais voir, et que c'est une souche d'arbre. En même temps je connais l'apparence, et l'objet dans l'apparence. A un degré de réflexion de plus, qui ne manque guère en l'homme percevant, et qui fait la joie et la lumière de ce monde, je m'explique l'illusion même par la disposition des objets; ainsi je ris à ma jeunesse, je la retrouve et je la sauve. « Autrefois ou tout à l'heure je voyais ceci ou cela; et maintenant je vois encore la même chose et c'est toujours la même chose; je me trompais et ne me trompais point. » Apprendre se trouve ici, ou bien ne se trouve jamais. Apprendre c'est sauver l'erreur, bien apprendre, c'est la sauver toute. Le vrai astronome se plaît à voir tourner les étoiles, et n'essaie plus de ne point les voir tournant. Il ne sacrifie rien de l'apparence, et retrouve tout le rêve chaldéen. Ce mouvement de surmonter en conservant est dans la moindre de nos perceptions, et c'est ce qui la fait perception. Je sais que je vois un cube, mais en même temps je sais que ce que je vois n'a point six faces ni vingt-quatre angles droits; en même temps je sais pourquoi. Tout cela ensemble, c'est voir un cube.

Constater n'est donc point un état de sommeil et de repos. Constater c'est refus et recherche devant l'apparence maintenue, comme on voit en clair dans les instruments, microscope, sextant, où l'on s'instruit par la pure apparence. Et toute mesure au vernier refait l'apparence pure, qui superpose l'objet et la règle graduée. L'homme qui sait n'est nullement un homme qui ne voit plus l'apparence, c'est au contraire un homme qui sauve toute l'apparence, et qui pense comme il faut le rêve des anciens sages, et les planètes errantes.

Ce détour n'était pas inutile en vue de montrer qu'on ne constate pas un rêve, ou, si l'on veut, que constater un rêve, c'est s'éveiller et s'expliquer à soi-même le rêve. Tant qu'on n'en est pas venu là, le rêve ne peut être dit existant; il n'est que le signe d'une existence que l'on n'arrive pas à déterminer. Et le rêve n'aurait même pas d'apparence si l'on ne supposait que l'existence ou la vérité du rêve dépend d'autre chose que l'on ne démêle pas encore, et que l'on ne prend pas la peine de démêler. Mais on saisit maintenant cette instabilité du rêve qui oscille sans cesse entre le plein réveil et le plein sommeil, sans un réel jugement d'existence. On remet l'explication : « A demain les affaires. » Le malheur est que, lorsqu'on en vient au récit et à chercher l'explication, le rêve n'est plus que paroles, la situation du corps et des objets n'étant plus telle qu'on ait chance de trouver l'explication véritable. C'est comme si, ayant cru voir une biche en arrêt, et n'ayant point fait l'enquête, je voulais me rendre compte de cette perception incomplète quand je suis assis au coin de mon feu. Il n'y a plus alors de biche pour moi, ni d'objet qui puisse en tenir lieu; d'où ces récits d'apparitions, non moins trompeurs que les rêves, et qui passent pour vrais parce que nous ne sommes plus en situation de les penser vrais ou faux, ou mieux vrais et faux, comme toute connaissance le requiert.

Il n'y a donc qu'un monde, tantôt mal connu, tantôt bien. Le monde n'est point un autre rêve, mais la vérité du rêve; et cette vérité est en acte et en éveil, non en sommeil. En d'autres termes, le rêve n'existe pas encore, parce que le monde réel, dont il est le premier signe, ne paraît pas encore pour lui donner substance. Si peu que je cherche, c'est toujours le monde que je cherche et que je trouve. Pour dire encore autrement, un rêve n'est pas un fait; mais, dans tout rêve, il y a un fait réel à trouver. Le passage du rêve à la veille ne se fait pas par différence, mais par identité et reconnaissance. Aussi celui qui retombe au sommeil et remet au lendemain perd son rêve. Il ne saisit point la seule occasion de le penser vrai, qui est de s'éveiller aussitôt. Ce que le rêve a l'air d'être, c'est le monde qui l'est. Et enfin, puisqu'il n'y a que l'apparence qui soit vraie, et que c'est cela qui l'achève comme apparence, il ne manque rien au rêve, mais c'est nous qui manquons au rêve.

Ayant ainsi vaincu l'apparence dialectique, je veux ajouter encore autre chose, que Spinoza ne perd jamais de vue, c'est que l'immense existence est une et indivisible. D'où je dirai que reconnaître l'existence comme telle, c'est la retrouver indivisible, c'est-à-dire lier tout ce qui apparaît à tout ce qui apparaît, ce qui fait que constater est toujours lier et n'est rien de plus que lier. La loi de l'existence est qu'une chose particulière n'existe que par toutes les autres, et qu'ainsi un rêve ne peut être dit exister que lorsqu'on peut le lier à l'univers existant. On peut dire encore autrement que l'on ne prouve point l'existence à partir de l'essence, mais que, l'existence indivisible étant donnée, il s'agit toujours de comprendre comment une apparence y tient. Ici se trouve le lien entre constater et démontrer. Ce sujet est infini; je remarque seulement que les essences les mieux connues consistent en ces liens de voisinage comme entre les angles d'un triangle, par la connaissance desquels liens nous apprenons à découvrir qu'une chose particulière existe et comment. Mais ici c'est le sévère tableau de l'entendement qui se propose, et cela n'est point directement de mon sujet. Il me suffit de redire le court et beau poème : « L'esprit rêvait. Le monde était son rêve. »

LIVRE TROISIÈME

LES CONTES

CHAPITRE PREMIER

CE QUI EST PROPRE AUX CONTES

Les contes sont des faits humains comme les temples et les tragédies. Les comprenne qui pourra; mais il n'est pas en notre pouvoir de décider qu'ils n'enferment point une profonde vérité. Il n'y a point de doute là-dessus; l'intérêt esthétique en décide d'abord. Ces fictions existent à la manière d'un objet, et ainsi n'ont pas à nous rendre compte de ce qu'elles sont. Aladin frotte sa lampe lorsqu'il veut quelque miracle; on ne demande point pourquoi. Comme dans la musique, où on ne demande point pourquoi. Seulement, dans le conte, de même que dans la musique populaire, notre attente est toujours comblée; le conte achève quelque chose qui s'accorde avec notre nature. En cherchant donc ce qu'il y a d'humain là-dedans, on cherche à coup sûr. Je prononce par sentiment qu'il n'y a rien dans aucun conte populaire qui ne soit vrai. Ceux qui admirent comment la pensée des primitifs est éloignée de la nôtre, méthode faible, qui ne conduit à rien, devraient bien plutôt se demander comment il se fait que les contes nous plaisent. Mais sans doute ils trouveraient les mêmes difficultés aux contes qu'aux mythologies, par ne point se souvenir qu'ils ont été enfants, par ne point savoir qu'ils le sont encore. Mais peut-être en est-il de l'enfance comme du sommeil; il faut s'en retirer pour en juger, et c'est cela même qui est juger. Vieillesse n'est guère, si ce n'est point jeunesse qui vieillit. Il n'y a presque point d'ancien conte où Platon ne s'arrête. Mais c'est assez de préliminaires. Si altérés que soient les contes par les conteurs et les copistes, ils n'en reviennent pas moins tous, et de tous pays, à une sorte de modèle, qui, par l'abondance des copies, et la concordance de toutes, finit par ressortir. Cette pensée existe et nous défie. Faisons donc nos preuves.

Les contes sont des rêves. Telle est l'idée la plus naturelle, et celle qui s'offre la première. Mais elle ne suffit point. L'idée qu'une chose est une autre chose ne suffit jamais. Ce n'est qu'un moyen de trouver les différences, et de pousser les différences, si on peut, jusqu'à l'opposition. Ici les ressemblances sont ce qui saisit d'abord, par ces voyages aériens, par ces génies ou grands oiseaux ou tapis magiques qui nous transportent d'un lieu à un autre dans le temps d'un éclair, par ce monde changeant aussi et ces métamorphoses, qui d'une citrouille font un carrosse, et d'une fumée font un esclave noir. Je reconnais les paillettes, les tourbillons, les nuées que voit un œil fermé. L'impossible donc est facile aussi bien, l'obstacle d'abord invincible, cède soudain, sans qu'il y ait jamais de proportion entre le travail et l'effet. Cela va jusqu'à ceci que, dans les contes, le héros ne combat jamais à proprement parler. Il se sert seulement avec confiance d'un sabre magique, d'une baguette ou d'un mot. Bref, comme on dit, les lois naturelles sont comme suspendues, et tout est miracle.

Mais voici une différence, qui va même à l'opposition. Les miracles du conte se font toujours suivant des règles. Qui perd la lampe merveilleuse perd son pouvoir. Qui oublie le mot perd son pouvoir. De même les génies, les enchanteurs et les fées ont des pouvoirs bien définis. Le monde des contes est donc soumis à des lois; lois arbitraires il est vrai; mais, du moins, la forme vide de la loi s'y retrouve, car le même moyen réussit toujours et réussit seul. Dans les rêves aussi on trouve bien quelques linéaments de cette logique pure; mais cela ne dure point longtemps; l'évènement y efface les objets et les règles. L'imprévu est, si l'on peut dire, la loi du rêve, mais non pas du conte; tout y arrive au contraire, d'après des prévisions formulables, du moment que l'on connaît les propriétés, peut-on dire, de la lampe, de l'anneau et de l'enchanteur. Ce qui me ramène à dire que ce qui manque dans les contes ce n'est point la raison, mais plutôt l'expérience. Remarquez que, dans le rêve, l'expérience ne manque point, puisque tout s'y déroule selon les changements du corps humain et d'après la pression de l'univers ; ce qui manque dans le rêve c'est l'expérience suivie, l'investigation, l'exploration. Le conte est un récit, qui, au contraire, efface tout à fait l'expérience réelle par la puissance des mots. L'auditeur pourrait se mettre à rêver à sa manière et suivant les impressions particulières qu'il reçoit des objets ; mais c'est ce que le conte ne souffre point ; tel est l'effet de cette logique sans exception et de ces formules invariables. L'esprit n'est jamais trompé par ce jeu des causes et des effets ; au contraire il s'y retrouve et goûte ici à plein le bonheur de comprendre, que l'expérience réelle nous vend si cher. Aussi remarque-t-on que les enfants sont très attentifs à la forme du conte et ne supportent point qu'on y change un seul mot. Les contes ne manquent donc point de cohérence. Tout s'y tient. Mais, comme aimait à dire Montaigne en son secret : « Cela n'est pas. » L'opposition entre les contes et les rêves revient donc à ceci, que dans les contes l'expérience fictive est toujours conforme à des lois, au lieu que, dans le rêve, l'expérience réelle, par exemple le jeu des formes colorées dans le champ visuel noir, dément n'importe quelle formule, et nous jette sans cesse d'une supposition à une autre.

Cette opposition est encore mieux marquée pour les personnes que pour les choses. Car, dans les rêves, les personnes que l'on rencontre ne disent jamais ce qu'on attendait ; tout va à l'absurde en ces discours trébuchants. Au lieu que dans les contes les natures sont durcies et immuables, dans leurs vertus comme dans leurs vices, et chacun y est absolument fidèle à soi. Les sœurs de Cendrillon sont et restent méchantes. Le prince Charmant est fidèle ; même changé en oiseau, il aime encore sa belle, et vient chanter à elle, ne pouvant parler. Cela me conduit à une remarque d'importance, quoique par elle-même obscure, que j'ai trouvée dans Comte, c'est que, dans les anciennes fictions, le miracle, si commun dans l'ordre physique, n'entre jamais dans l'ordre moral, qui est celui de nos affections, de nos passions, de nos caractères. Le fait est qu'on ne trouve point dans les contes un enchanteur qui guérisse d'aimer ou de haïr. Ainsi voyons-nous dans l'*Iliade* que les dieux, à qui il est aisé de détourner une flèche ou d'envelopper le héros d'un nuage, n'ont point d'autre action sur la colère d'Achille que la contrainte, ni d'autre moyen de changer les résolutions que le conseil, par présage ou songe, que chacun interprète selon sa nature. Et il est bon de remarquer que, dans les contes, plus naïfs encore que les poèmes homériques, les caractères sont non pas plus flexibles que nous les voyons dans l'expérience, mais au contraire moins. Le monde moral, par ses divisions tranchées entre les bons et les méchants, par ses décisions irrévocables et ses règles sans exception, serait donc l'armature des contes.

Les contes se rapprochent par là des fables, monuments non moins anciens et non moins vénérés. Mais la fable s'oppose au conte par ceci d'abord, qu'en dépit de la fiction, tout s'y termine selon les lois naturelles qui sont comme le recours du fabuliste. Le monde extérieur ici nous ramène sévèrement. La tortue tombe; le fromage tombe. Le chat grimpe à l'arbre, ce que le renard ne peut, et le bouc reste au fond du puits. Dans les contes, au contraire, les lois naturelles ne comptent pas. Les difficultés sont toujours de magie ou d'enchantement, et les triomphes aussi, comme si les distances, les masses, la pesanteur étaient entièrement subordonnées à des décrets favorables ou contraires. Cette opposition entre deux genres si fortement retranchés en leur définition en fait aussitôt paraître une autre. La morale des fables, d'après le poids constant des choses inférieures, est que le fort a raison du faible et que le rusé triomphe du généreux. La morale des contes, lorsqu'on peut l'apercevoir, est plutôt que la foi de jeunesse, l'amour et la vertu finissent par tout surmonter. La chose règne dans la fable, et l'esprit ambitieux y est humilié. L'esprit règne dans le conte.

CHAPITRE II

IDÉES D'ENFANCE

Les plus anciennes idées sur le monde furent les plus fausses aussi que l'on puisse imaginer. Cela ne va point du tout avec ces outils admirables que l'on trouve partout, et qui enferment bien plus d'esprit que nos machines, et une entente plus directe et plus proche de l'air, des eaux, des matières et des actions. Certes la barque signifie exactement le flot. La flèche est comme une peinture de la pesanteur et de l'air résistant. L'arc représente parfaitement l'archer, la flèche et le daim ensemble, comme la faux exprime le faucheur et l'herbe ensemble. Tout compte fait on ne trouve pas la plus petite erreur dans ce langage des outils et des armes. Toutefois nous trouvons presque toujours lettre sur lettre. La figure de proue du navire et les signes magiques sur le bois de l'arc ne retracent aucune expérience réelle. Il n'est pas vrai que la navigation dépende d'une forme humaine sculptée à la proue; il n'est pas vrai que la trajectoire de la flèche dépende de ce cercle gravé dans le bois. Or, chose remarquable, les idées que les anciens peuples ont exprimées par le langage articulé sont toutes prises de ces signes qui n'expriment point la vérité de la nature. Il semble que toutes les idées positives de ces temps-là soient enfermées dans les outils, et que l'on n'ait point su les en tirer. Et, en revanche, toutes les idées sur les vents, les pluies, l'ombre, la lune, l'éclipse, sont des idées de fou. Comment reconnaître ici le dompteur de chevaux, le dresseur du chien, l'inventeur du blé, du moulin, de la voile, de la roue? Il est pourtant évident que cette nature des choses les tenait comme elle nous tient, les redressait comme elle nous redresse. On serait donc conduit à supposer un état de l'homme primitif où le jugement serait prompt, prudent, précis comme l'action même, puisque la stricte expérience, qui ne flatte point, qui n'a point d'égards, qui ne hait point, qui n'a point souvenir, détermine les passages, les résistances, le dur et le mou, le possible, le difficile et l'impossible parmi les choses. Pourquoi cela ne s'est-il pas inscrit dans les esprits comme dans les outils? Rude école, où les esprits se seraient formés d'abord; mais on n'en trouve point trace, et tous les peuples se ressemblent en cela; ils se trompent avec enthousiasme, avec bonheur. Ils conservent comme des trésors des notions qui ne sont jamais vérifiées, qui ne le furent jamais, qui ne peuvent l'être. De quoi est fait ce tissu de mythes et de contes qui leur cache si bien l'utile et pesant univers? Comment ce qui ne se laisse point négliger a-t-il été d'abord négligé partout ? Comment des idées funestes, qui rendent inutilement craintifs ceux qui les ont, furent-elles formées les premières, et enseignées par le fer et par le feu ? Voilà un beau problème pour l'incrédule.

La réponse est sociologique et définit en quelque sorte la sociologie. Elle est toute dans Comte, et elle est belle à développer. L'homme est société. Son empire sur la planète s'explique par là ; et cet empire même explique qu'il ne se soit point formé, dans le monde animal, d'autre société à proprement parler que l'humaine. Cette idée posée, il est naturel de penser que la société même fut pour l'individu le premier objet et de beaucoup le plus important, ou, si l'on veut, le plus puissant outil, auprès duquel les autres étaient méprisables. Il a donc réfléchi d'abord là-dessus, formant ses premières idées non pas du monde des choses, pour l'ordinaire aisément dominé d'après une pratique analogue à l'instinct, mais bien du monde des hommes, bien plus proche, et bien plus redoutable, par le soupçon, par la colère, par les supplices. D'où devait sortir une physique tout à fait déraisonnable. Car, supposons acquise une connaissance passable de cette technique politique, d'après laquelle on prévoit et on persuade ; il est aisé de comprendre, puisque toute connaissance juge de l'inconnu d'après le connu, que le monde des choses fut connu d'abord à travers les idées politiques et par ces idées. D'où cette mythologie universelle et d'abord cette universelle magie, qui veut persuader le vent, la pluie, le fleuve, l'aliment, l'arme. D'où nos idées les plus purifiées, de droit, de force, d'attraction, portent encore la trace, métaphorique et un peu plus que métaphorique.

Cette idée conduit assez loin. Je ne crois pourtant pas qu'elle suffise. Car, dans l'existence humaine ainsi décrite, on ne voit pas de temps où l'expérience réelle fut plutôt conforme à ces idées qu'à d'autres. Il faudrait aller jusqu'à un mythe père de tous les mythes, d'après lequel l'humanité fut un temps comme paralysée et faible, mais servie en revanche par des géants fort puissants qui avaient pour mission de la conserver, qui lui donnaient la nourriture et la transportaient ici et là, de façon que la physique des hommes, en ces temps étranges, consista dans l'étude attentive de ce qui plaisait ou déplaisait à ces géants, enfin de ce qu'on pouvait dire pour les apaiser et les persuader. En ces temps, la politique n'était pas seulement l'objet principal de la réflexion, elle en était le seul objet. Il fallait prier, et savoir prier, pour avoir le fruit ou l'eau. Tel fut, dirait quelque personnage platonicien, l'état premier de l'homme, et c'est de là qu'il a tiré ces idées mères, vraies en ce temps-là, et maintenant bien difficiles à accorder à notre situation réelle.

J'applique ici la règle même que j'explique. Il s'agit d'intéresser d'abord par un conte. Et le lecteur a déjà compris que je décris ainsi métaphoriquement, mais exactement, notre enfance à tous, et l'état dans lequel nous avons tous commencé à former des pensées. Si l'on décrivait mieux la condition de l'enfance, on saurait de quelles étranges expériences nous avons tous formé nos premières idées. Essayons de dire ici tout ce qui importe. Premièrement, il faut remarquer que l'enfant a touché le tissu maternel avant tout autre objet, et qu'il le touche dans la suite bien plus souvent que tout autre objet. Il faut dire aussi que ce corps extérieur, qui est le corps maternel, est ami, non ennemi, secourable et non point redoutable. Invitation non point au réveil, mais plutôt à l'ancien sommeil, au premier sommeil. Je mets ici cette remarque afin de ne rien oublier, quoique je ne voie pas présentement où elle conduit. Mais voyez comme ce premier homme de Buffon est loin du naturel, quand le premier obstacle qu'il touche est un arbre. Secondement je remarque que l'enfant est porté avant de se mouvoir, donc selon ses désirs et non selon son propre travail. Souvent à cheval, en voiture, en bateau. Je remarque aussi qu'on le fait sauter ou qu'on le détourne, qu'on le couche et qu'on le relève sans l'avertir et sans avoir égard à ce qu'il désire; c'est même une méthode de consoler excellente, parce qu'elle change en même temps l'objet connu et les affections du corps. Mais il faut avouer aussi que ces expériences ne peuvent l'instruire, car elles ont plutôt comme effet de rompre toute recherche et de brouiller tout, ce qui a pour résultat de laisser au monde des choses bien peu de consistance, au regard du monde humain et d'abord du corps maternel ou paternel, seules constantes dans ces expériences. La connaissance d'un ordre extérieur se présente d'abord, et même toujours, comme une relation déterminée entre un travail et un résultat. L'enfant n'acquiert des notions vraies sur les choses qu'autant qu'il les explore par ses propres moyens et à ses risques; et cela est bien connu. On se trompe seulement en ce qu'on oublie trop que les premières notions ne sont jamais acquises par ce moyen, puisque l'enfant reçoit avant de conquérir et est porté avant de marcher. Il est vrai que cet état ne dure pas longtemps; toujours est-il qu'il ne peut orienter l'enfant vers aucun genre de cosmologie réelle.

Mais considérons l'enfant qui se traîne, l'enfant qui marche, l'enfant qui conquiert enfin le pouvoir d'essayer. Son univers est encore plutôt politique que physique. Il éprouve la défense, la contrainte, enfin la force supérieure de la mère et de la nourrice, bien avant de connaître la limite de ses propres forces devant un obstacle matériel. L'obstacle est presque toujours humain, et invincible, sinon par prière ou politique. De toute façon, c'est presque toujours par des signes, et non par des actions, que l'obstacle sera vaincu, par exemple une porte fermée. Il se peut que, les choses étant bien au-dessous de leur réelle importance, dans cette expérience enfantine, nous tenions ici la cause principale des jeux, où jamais le résultat n'importe. Toujours est-il que, si la physique de l'enfant n'est qu'un jeu, la politique de l'enfant n'est jamais un jeu, puisqu'il n'y a que le résultat qui compte. Ainsi l'enfant est préparé à compter pour beaucoup l'obstacle humain, et pour peu de chose l'obstacle réel, presque toujours aisément vaincu par la mère ou par la nourrice, si ces hautes puissances le veulent bien.

Voilà littéralement le monde des fées et des enchanteurs. Tout serait facile, sans les décrets incompréhensibles de toutes ces fées Carabosse, et de ces terribles enchanteurs barbus. Tout serait impossible, sans les puissances favorables, ou qui se laissent aisément fléchir. Ici les stratagèmes du cœur et les miracles d'un constant désir; ici le pouvoir du mot, encore mieux remarqué par ceci, que la mère ou la nourrice, en bonne intention, exigera toujours que l'on dise le mot avant que l'on obtienne la chose. Il est vrai que l'enfant demande la lune et ne l'obtient jamais; mais cette expérience n'est pas remarquable autant pour lui que pour nous; car s'il demande quelque fleur du jardin voisin, cela n'est pas moins impossible. D'où cet esprit des contes, qui méprise les distances et les obstacles matériels, mais aperçoit toujours, en travers du moindre désir, un enchanteur qui dit non. Aussi, quand quelque fée plus puissante a dit oui, il n'y a plus de problème, et la distance est franchie n'importe comment. Image fidèle de ce monde humain où l'enfant vit d'abord, et dont il dépend. Image fidèle de ces entreprises enfantines où tout est proposé comme récompense, ou obtenu par prière et obstination. Le monde enfantin est composé de provinces et d'éléments, sur chacun desquels règne une puissance bien déterminée. Cuisinière, jardinier, portier, voisine sont des sorciers et des sorcières dont les attributions sont réglées, et qui sont l'objet d'un culte spécial. C'est pourquoi nos souvenirs les plus anciens sont organisés mythologiquement. Notre destinée est de redresser une mythologie d'abord formée, et non point de former premièrement une physique par nos expériences solitaires. Nous ne naissons pas au monde, nous naissons aux hommes, à leurs lois, à leurs décrets, à leurs passions. D'où cet ordre renversé d'après lequel notre physique est une politique prolongée, adaptée, redressée. Si l'on ajoute ici pour mémoire que l'enfant apprend presque tout des autres, et toujours le mot avant la chose, on comprendra que tous les genres d'erreur soient naturellement notre première pâture, et enfin que tout esprit est religieux et magicien pour commencer. La société a toujours grande prise sur tout homme; elle a toute prise sur l'enfant. D'où cette difficulté ensuite, de percer la peau de l'œuf. D'où cette vie principalement politique de presque tous. Que d'hommes qui arrivent par plaire! Que d'hommes qui creusent pour plaire, et non pour faire le trou!

CHAPITRE III

MAGIE

La Magie consiste toujours à agir par des signes en des choses où le signe ne peut rien. Par exemple les faiseurs de pluie, dont Frazer, en son *Rameau d'or*, nous rapporte les pratiques, sont des hommes qui signifient pluie par une mimique énergique, soit qu'ils lancent ici et là des gouttelettes d'eau, soit qu'ils courent en élevant des masses de plumes qui figurent des nuages. En quoi ils ne font autre chose que parler et demander, choisissant seulement de tous les langages le plus clair et le plus pressant. Tel est le plus ancien mouvement de l'homme, par la situation de l'enfance, qui n'obtient d'abord qu'en demandant, qu'en nommant et montrant la chose désirée. Aussi il est tout à fait inutile de supposer, en la croyance du magicien, quelque relation mystique entre l'image et la chose; il suffit de considérer les effets constants du langage dans le monde humain, puisque c'est de ce monde que nous prenons nos premières idées. Ces sorciers, donc, signifient énergiquement ce qu'ils désirent, à la manière des enfants. Comme, d'après une constante expérience, ils savent que, dans le monde humain, il faut répéter le signe sans se lasser, ainsi ils se gardent de douter de leur puissance, se croyant tout près du dernier quart d'heure; et l'événement leur donne raison, puisque la pluie finit toujours par arriver. Cela nous fait rire; mais celui qui, dans le monde des hommes, affirme guerre sans se lasser, ne nous fait pas rire; c'est que les hommes comprennent les signes et sont toujours changés par les signes plus qu'ils ne croient. Quel homme ne serait changé s'il recevait constamment les signes du mépris? Je ne ris point du signe dès qu'il arrive du menaçant au menacé. Certes on ne peut point me nuire en soumettant au feu ou au poison un petit morceau de mon vêtement, ni en perçant au cœur une petite image faite à ma ressemblance. Mais ces actions, prises comme signes de haine, si je les connais, ces actions pourront bien me nuire, et même me nuiront certainement en excitant en moi colère ou peur ou les deux ensemble. C'est par les mêmes causes qu'une prédiction funeste nuit toujours, même si je n'y crois point. Au reste, qu'est-ce que croire et ne pas croire? Que la prédiction reste piquée dans ma mémoire comme une mauvaise flèche, n'est-ce pas déjà opinion ou croyance? Si l'on me prédit que quelqu'un me tuera, puis-je faire, quand je le rencontre, que mon sentiment n'en soit point changé? Je me défends de croire; mais ni le vertige ni aucun genre de peur ne demandent permission. Celui qui a le vertige ne croit-il pas déjà qu'il tombe? Eh bien, supposons qu'on prédise à un alpiniste qu'il tombera à un certain passage difficile; cette pensée ne peut que lui nuire, si elle lui vient, comme il est naturel, en ce passage même. C'est parce que l'imagination consiste en des mouvements du corps humain qu'elle est redoutable.

Mon père m'a conté comment un de ses camarades mourut du choléra par persuasion. Il avait parié qu'il coucherait dans les draps d'un cholérique; il le fit, prit le choléra, et mourut presque sur l'heure. Or ses camarades, dont mon père était, avaient bien pris soin de purifier tout, ne conservant que des apparences. Ces apparences suffirent à tuer le malheureux. Il se trompait en ceci qu'il croyait que le courage guérit de la peur. Nous n'avons directement aucune action sur ces mouvements intérieurs du ventre, si sensibles dans les moindres peurs. Et mon exemple est bon en ceci que le microbe visait justement là.

Il me semble que je trouve ici rassemblés tous les éléments de ce que les magiciens appelaient une conjuration. Les signes tuèrent parce que l'homme y croyait; et l'on croit toujours un peu aux signes, dès qu'on les comprend. Il est clair qu'une conjuration tout à fait secrète ne peut nuire. Toutefois c'est encore trop dire; les signes nourrissent les passions et les passions se plaisent aux signes. S'il est déjà naturel, par mécanisme physiologique, qu'un homme irrité se plaise à détruire les choses sans aucun profit, il l'est plus encore qu'il se plaise à détruire l'image de son ennemi ou les objets qui le lui rappellent. Cette mimique redouble la colère, ranime la haine, et est ainsi directement propre à nuire. Sans doute une longue expérience a fait voir que les passions les plus violentes tombent dans l'oubli, et bien plus vite qu'on ne croirait, si l'on ne les ranime par des signes. Si ces signes sont réputés sacrilèges, criminels, punissables, comme c'est souvent le cas, les passions y trouvent encore mieux leur compte, car c'est quelque chose d'oser. Si les conjurés jurent de tuer César, cela importe à la sûreté de César. S'ils percent tous une image de César, cela importe encore plus, parce qu'un tel signe se grave plus fortement dans les mémoires. S'ils croient s'engager ainsi par une sorte de crime déjà, cela importe un peu plus. La magie a donc toujours place dans le monde humain, où l'on sait bien qu'une opinion finit toujours par blesser celui qu'elle vise, peu ou beaucoup. Au reste, quand on ne le comprendrait point, quand on n'aurait même aucune raison de l'espérer, on se plairait encore à maudire, et non sans gestes imitatifs. La passion montre le poing, même en solitude.

On peut montrer le poing au ciel; on peut maudire la mer. Ces mouvements sont naturels. Maintenant comment peut-on croire, sérieusement, systématiquement, par réflexion croire, que les choses de la nature sont sensibles aux signes? D'après ce que je comprends de l'enfance, et des idées de l'enfance, il faudrait plutôt demander comment l'homme est arrivé à connaître que certains objets échappent à la puissance des signes. Remarquez que l'homme devait être trompé ici par une des plus anciennes industries, qui est le dressage des animaux; car les animaux connaissent les signes et sont changés par les signes. L'agriculture, à son tour, dépend de tant de conditions qu'il est fort difficile d'y conduire une expérience où tout ce qui importe soit connu. Ajoutons qu'en toutes nos actions nous mêlons l'homme aux choses, l'homme, qui connaît les signes. Si j'ai un mauvais pressentiment concernant les chenilles ou les vers blancs, je renonce à les détruire, ou bien je les détruis mollement. La prière est réellement cause, les Rogations sont réellement cause, par l'homme qui y croit. Toute entreprise veut confiance. C'est ce qu'on voit dans l'exemple, comme grossi à la loupe, de ce chasseur naïf, qui, parce qu'il a laissé échapper une parole contraire, rentre aussitôt à sa hutte.

La nécessité extérieure, qui ne sait rien, qui ne veut rien, est une idée bien cachée. Je ne crois pas que l'expérience par laquelle nous entrons dans l'événement soit propre à nous éclairer. Dès qu'on se jette sur pouvoir, on manque savoir. Et c'est ce qui rend souvent indéchiffrable l'expérience la plus familière et la plus proche. Quel est le cuisinier qui sait la cuisine? Ce que nous appelons chimie, et qui nous donne aussitôt puissance, devait d'abord fortifier les espérances les plus chimériques. Car, à force de tout mêler et de tout cuire, on obtenait des transformations inattendues; et l'on n'en sut pas le pourquoi, tant que la main impatiente troubla les faits sans précaution. C'est pourquoi la fin du Balthazar de Balzac est symbolique et belle. Après tant d'essais et tant de grimoires, l'or s'est fait tout seul, on ne sait comment, dans le laboratoire abandonné. Ce genre de recherches, où l'aveugle action marche la première, explique le pas de Balthazar dans l'escalier. Cette page de la *Recherche de l'Absolu* instruit plus que Broussais, et ce n'est pas peu dire.

Où donc l'ordre, où donc les moyens, où donc la source de l'espérance raisonnable? Il fallait regarder le ciel, parce que notre action ne va pas jusque-là. Les sorcières de Thessalie, dont Platon nous parle, ne faisaient point descendre la lune. Aussi la superstition ici, bien loin d'aller à changer l'objet par des signes, en fut promptement réduite au contraire à transporter l'immuable et l'irrévocable de là-haut jusqu'ici, ce qui, non seulement entretenait l'esprit de ces mouvements célestes que rien d'humain ne change, mais encore faisait descendre cette idée d'un ordre sur la terre et parmi nous, sous le nom de destin. Le penseur s'est donc affermi en regardant le ciel. Ce geste est resté.

CHAPITRE IV

LE MONDE HUMAIN

Il est bon d'expliquer les erreurs. Mais l'erreur n'est rien. La magie, dès que nous en formons une idée adéquate, n'est plus magie, de même que l'image du soleil à deux cents pas ne trompe pas l'astronome, mais le confirme au contraire; il retrouve avec bonheur cette boule rouge qui fut souvent l'objet de Spinoza, en son brumeux pays. Ce monde des choses se montre comme il doit, et nous finissons par le comprendre.

Il faut considérer maintenant l'autre monde, le monde humain, qui change par nos erreurs. C'est ici le lieu de la magie vraie. Il est vrai que l'enfant obtient d'abord par des signes tout ce qu'il obtient, de façon que son bonheur ou malheur dépend de l'usage qu'il fait des signes. Cet enfant boudeur, à qui l'on expliquait qu'il aurait aussi des enfants à gouverner, et qui répondit : « Oh! mais, je les battrai », employait mal les signes; mais plutôt ces mots étaient les signes d'une colère, non d'une pensée. Toutefois, bien ou mal pris, les signes ont des effets réels. L'erreur est événement. Que de drames enfantins pour un mot mal pris! Maintenant, il faut dire que l'homme fait, en notre temps, parmi nous, ne dépend guère moins des signes. La plupart vivent, bien ou mal, de parler bien ou mal. Presque tous vivent de conseiller ou persuader. C'est pourquoi l'étude des signes, qui est politesse et culture, est presque le tout de l'éducation et de l'instruction. C'est de là que vient ce mépris des arts mécaniques que nous trouvons dans Platon. C'est travail servile. De nos jours, l'art du chaudronnier se relève jusqu'à la science des choses; mais il faut convenir qu'il n'y reste pas longtemps. L'esprit se pose là, mais bientôt s'envole et laisse la machine à l'ignorant, qui a bien plus vite appris à conduire une voiture à moteur, ou à distribuer le courant électrique, que l'ancien potier n'apprenait les secrets de son art. Si l'on y faisait attention, on verrait que la pensée, quand elle s'applique aux métiers, bien loin de les relever, les rabaisse au contraire, par des comptes faits et des manettes. Les métiers manuels sont plus que jamais sans esprit. L'ancien terrassier étudiait les eaux et la pente, en vue d'assainir le sol. Le nouveau terrassier découvre le tuyau d'égout et le recouvre, d'après un plan qui ne lui est point soumis. Mais il faut dire que le plan n'est soumis à personne. Il est dans les travaux mêmes, dans les travaux faits qui partout guident et barrent les travaux à faire. A quoi bon penser au meilleur tracé puisque la conduite principale des eaux passe ici et non là? Au reste ce n'est jamais le penseur qui commande, mais bien plutôt l'avide banquier, qui va toujours, lui aussi, au plus court. D'où les plus savants sont bientôt réduits à un métier d'esclave. Cette situation paraît en des discours amers, où l'on voit que l'homme savant se défait bien vite de cette partie du savoir qui est contemplation, enviant aussitôt la dextérité du maçon ou du cimentier, mais ne pouvant non plus se satisfaire et se grandir de ce qu'il sait à demi ce que l'homme en bourgeron fait très bien. Ces remarques relèvent promptement l'art politique, qui apparaît profond, mystérieux, magique enfin, comme il fut toujours. Il n'est point d'homme qui ne soit fier de l'autorité qu'il a sur des hommes. En quoi il y a deux parties; dont une est de puissance réelle, mais ce n'est pas celle-là qui plaît. Elle est force, seulement force, si on la creuse. Et nul n'est fier de force, par cette raison, qui suffit, que la force décroît bientôt avec les années; un boxeur de trente ans est un homme fini. Ce qui plaît donc, et dont chacun fait provision déjà pour l'âge mûr, c'est de pouvoir par des signes.

Le pouvoir militaire est le modèle de tous, et le but caché ou non de tous les ambitieux sans exception. Il se réduit à force, mais à force de beaucoup. Le chef n'est donc jamais le plus fort. Le chef ne peut que persuader. César ne peut que persuader les trognes armées qui le gardent. Les armes, il est vrai, ne sont point signes; les armes sont choses efficientes; mais l'usage des armes dépend des signes; et c'est par d'autres signes que César quelquefois est massacré. Ce pouvoir militaire se cache toujours derrière ses œuvres, victoire, transport, ravitaillement; mais cette manœuvre même appartient à l'art des signes. Dans le fait le pouvoir militaire méprise ces moyens d'industrie, serviles et s'emploie seulement à choisir, essayer, enseigner les signes. A quoi servirait l'organisation si les signes n'obtenaient obéissance? Aussi la réorganisation consiste toujours réellement à relever les signes. Il y a de la profondeur dans ce colonel qui, administrant au repos une troupe très éprouvée, ne fit attention qu'à supprimer les cache-nez, mains dans les poches, et choses de ce genre. Dans une revue de harnachement j'ai toujours aperçu deux fins, l'une qui est d'avoir des cuirs brillants, et l'autre d'obtenir une soumission sans pensée. D'où ces folles exigences qui provoquent d'abord l'indignation, mais qui vont à prouver aussi que l'indignation est hors de place et tout à fait inutile. J'ai observé que le chef exigeant vient enfin, et sans qu'on puisse savoir pourquoi, à trouver tout bien, d'où une joie sans mesure, et qui se trouve ainsi détachée de l'œuvre, et liée seulement à un signe du chef. Cet art approche de la perfection quelquefois, par un mélange de sévérité sans apparence de raison, et d'une bonhomie soudain indifférente, qui fait miracle. L'humeur y sert; mais c'est un art profond aussi de savoir user de son humeur. Bref, il y a un naturel étudié que j'ai observé en tous ceux qui ont pouvoir, et qui est la ruse suprême. En regardant par là, on comprend Turenne, et ses soldats en larmes lorsqu'il fut tué. On le comprend, comme un spectateur peut comprendre; mais toujours est-il que, pour celui qui est dans le jeu, le chef est inexplicable.

Tibère est inexplicable. Il faisait croire à tous qu'il pouvait tout, et après tant d'expériences où l'on voyait que chacun peut selon sa force. On voit à peu près dans Tacite comment il gelait les sénateurs jusqu'au ventre par ses discours réticents. Je crois que ces ruses agissaient surtout par le spectacle d'un homme assez tranquille pour inventer et conduire de telles ruses, dans le lieu même où Jules César avait été poignardé. Ce chef qui, tant de fois dans l'histoire, désigna un homme sur dix parmi des mutins ou des fuyards, pour le faire tuer sur l'heure par les neuf autres, ce chef n'était pas le plus fort; mais il avait l'air et le regard d'un homme invulnérable. Nul ne tente rien contre ces signes-là. Le cours ordinaire des affaires ne demande point de si grands effets. On saisit donc, d'après cette vue, ce que peut un homme assuré, et qui ne fait jamais voir les signes de l'hésitation ni de la peur. Il est remarquable qu'un homme bien élevé, comme on dit si bien, se reconnaît aussitôt à ceci qu'il gouverne les signes, ce qui se voit aussitôt aux gestes rares, au visage tranquille. « Vous voulez être compté, dit à peu près le fat dans Stendhal; faites toujours le contraire de ce qu'on attend. » Par où l'on vient à cette règle, de ne point laisser voir des signes de ce qu'on va faire, et enfin à la règle vraie, qu'il faut gouverner ses propres signes.

Le jeune homme sait après cela de qui il dépend, mais il le sait d'abord et l'a toujours su. D'où je conjecture que ce monde humain est livré aux enchanteurs. Car il est vrai que nous tirons toute subsistance et puissance de ce monde environnant; d'où il suivrait que ceux qui savent extraire et fabriquer seraient les maîtres de l'heure. Ils le sont, au sens où les soldats sont les maîtres de la guerre; ce n'est pas beaucoup. Or, cela même est magique comme dans les contes; toutefois par une raison qui est assez claire, quoique assez cachée, c'est que ce n'est jamais la possession qui fait difficulté, mais la propriété, qui dépasse de loin la force, même chez le plus pauvre. Ainsi il reste une pesante équivoque dans le mot puissance. Les puissants sont des hommes qui persuadent. Il est vrai que toutes les affaires humaines supposent consentement; et c'est ce qui donne force aux extracteurs et fabricateurs, par le refus; mais cette force négative ne fait rien. Tout travail, dès qu'il n'a pas pour fin la conquête de la subsistance immédiate, est strictement subordonné aux échanges, aux promesses, au crédit. Donc les persuasifs mènent tout, et l'économique dépend de la politique. Ce qui est représenté en image grossie dans les contes, où les travaux réels ne comptent jamais à côté du travail de persuader et de fléchir les enchanteurs barbus. Il y a plus d'une chose à apprendre à ces décrets qui barrent tout, et qui ne peuvent être surmontés que par un autre décret. C'est l'image presque sensible au toucher de cette résistance absolue que trouve la force, dans ce monde humain aussitôt hérissé et impénétrable. On pense surtout au refus de concours qui est aux mains des travailleurs; on y pense parce qu'il s'exerce peu et est toujours explicite. On ne compte pas assez ce refus de concours qui fait que les boutiques se ferment, que les marchés sont ajournés, les entreprises lentes, les vivres amassés, l'argent caché. On ne peut forcer la confiance; mais, bien plutôt, dès qu'il y a apparence qu'on va la forcer, cela même la fait tomber au zéro. Faites attention que même les supplices, qui obtiennent tant, n'obtiennent jamais cette porte ouverte, cette bourse ouverte, cette facilité d'acheter, de vendre et d'inventer, qui mettent aussitôt les métiers en marche. On dit communément que la politique ne peut rien devant l'économique, par exemple si le papier-monnaie s'en va tombant. Cette relation est obscure par ceci qu'on ne distingue pas assez le travail qui produit et le travail qui organise, persuade, rassure. Et puisque ce dernier est réellement politique, il faudrait réduire l'économique, en dépit du sens ancien de ce mot, à l'art de produire, d'acheter, de vendre, de transporter, autant qu'il dépend des choses et de la connaissance qu'on en a, par exemple qu'une locomotive veut tant de charbon par tonne et par kilomètre, ou qu'un tunnel usera tant de marteaux et de pelles. Cette organisation est sans persuasion, parce qu'on ne persuade pas l'échafaudage, ni la pioche, ni la digue, ni le torrent. L'homme n'est pas magicien ici, mais physicien. En revanche, il faudrait renvoyer à la politique toute l'organisation, autant qu'elle dépend des hommes et de la connaissance qu'on en a. Ces idées étant ainsi nettoyées, il faudrait dire, devant une crise de la monnaie et du crédit, que c'est au contraire l'économique qui est sans puissance devant la politique, en d'autres termes qu'on ne peut point passer tant que l'enchanteur étend sa baguette. L'enchanteur, entendez l'enchanté, car c'est la passion qui barre, c'est-à-dire la peur puisque toutes viennent là. Charger à poings fermés contre la peur en vue de rassurer, n'est-ce pas bien sot ? La première chose, je pense, que l'homme ait comprise, ou plutôt sentie, est que la force ne sert jamais pour le principal, ce qui arrête net le premier mouvement. Or, il n'y a point de réflexion tant que l'on pioche; et il est vraisemblable que si l'homme n'avait eu affaire qu'aux choses, il aurait percé au lieu de penser. Mais l'homme est un étrange objet pour l'homme, outre que c'est le premier, et toujours le plus important et le plus proche. Et parce qu'on n'a rien fait de ce qui importe si on l'effraie, et encore moins si on le tue, voilà Hercule arrêté et réfléchissant. De quelque côté que l'on prenne la question, on arrive toujours à apercevoir que la première pensée fut la pensée du semblable; non pas d'abord pensée de la pensée, mais pensée du pensant. Logos fut le premier nom de la raison.

CHAPITRE V

DE LA GUERRE

On conçoit à peine un état d'isolement où tous les maux et tous les biens viendraient des choses. Dans l'état de société, qui est l'état normal de l'homme, et aussi ancien qu'on voudra, les plus grands biens et les plus grands maux viennent de l'homme à l'homme. Querelles, rivalités, passions; tyrannie, supplices, vengeances; superstitions, malédictions, rumeurs, fanatisme. Ces maux ont reculé un peu, mais la guerre nous reste, et c'est l'exemple le plus fort de la subordination de l'économique à la politique. Seulement il faut vaincre ici des lieux communs directement contraires à cette idée. Ce long détour, par les contes, les rêves, et le sommeil, y servira, en rappelant d'abord que le premier besoin est de sécurité, pour un être qui prévoit sa propre peur, et qu'ainsi la première organisation est la militaire; ou bien, en d'autres mots, que la lutte contre les dangers imaginaires est ce qui occupe principalement les hommes. Mais on peut considérer la chose encore autrement.

Les échanges, comme les entreprises, supposent la paix. Le bonheur de posséder et d'entreprendre ramène à la conservation de soi et se trouve ainsi directement opposé, en chacun, à cette fureur qui met la vie en jeu, et qui soumet le droit à la force. Cela semble d'abord faux, parce qu'il est plus vite fait de prendre la richesse acquise que de la produire à grande patience. Les pauvres se jetteraient sur les riches, et les peuples misérables sur les nations prospères. La loi des naissances, qui fait varier la population à l'inverse de la richesse, exigerait ce transfert des biens qui n'est pas échange, et qui se ferait des riches aux pauvres par la seule puissance du nombre, mais non pas sans une résistance des riches, ainsi naturellement par guerre. Toutefois les choses ne sont pas si simples, et l'on a vu assez souvent, on voit surtout aujourd'hui, le peuple riche, au contraire, se jeter sur le pauvre. Et dans ce cas-là, il est remarquable que le riche impose ici non pas son bon plaisir, d'après une force supérieure, mais plutôt le droit des échanges, qui lui suffit, et qui est en quelque sorte, l'instrument propre du riche. C'est ainsi que nous colonisons, et que, vraisemblablement, on a toujours colonisé. Et il faudrait voir si la résistance des peuples pauvres vient de ce qu'ils se sentent encore plus pauvres sous ce régime nouveau, ou si cette résistance n'est pas principalement politique. Au sujet du Maroc, il faut dire si les rebelles défendent leurs biens propres et leur propre travail, ou si ce ne sont pas plutôt les politiques qui défendent par les armes le pouvoir qu'ils avaient sur les biens et le travail d'autrui. Il est à propos de rappeler ici que de meilleurs moyens de faire servir les choses à notre usage ont pour effet d'enrichir tous ceux qui s'en servent, par le seul jeu des échanges.

Nous voilà ainsi ramenés à l'idée principale, qui est que l'économique se définit par une action sur les choses, d'après la connaissance qu'on en a. Ce genre d'exploitation n'est nullement guerre, mais au contraire paix, par la division des travaux, et les échanges qui en sont la condition, par le crédit enfin sans lequel le moindre travail productif, comme de creuser un port, est tout à fait impossible, puisqu'on ne vit pas directement de creuser. Considérez bien ici le salaire, et ce qu'il signifie, la monnaie, et ce qu'elle suppose, et ce guichet de l'entrepreneur, précieux seulement si chacun le respecte, de nulle valeur s'il est pillé. Or, encore une fois, cette sécurité des échanges est politique. On n'a pas à la conquérir sur les choses, par travail, industrie, connaissance des choses; il faut la conquérir sur les hommes par un enchantement de l'imagination. Une panique est politique, non économique. Regardons de près la Bourse. Une catastrophe de Bourse est économique autant que ce sont les choses qui trompent l'attente, par exemple si des mines s'épuisent ou si des éboulements anéantissent des années de travail. Mais ce qu'il peut y avoir ici de panique, et qui n'est pas peu, vient d'émeute ou de rumeur, enfin de ce que l'homme craint l'homme. Cette partie des mouvements de Bourse est donc politique. Et ce n'est pas la moindre, ce qui fait voir encore que l'économique dépend de la politique.

Sautons donc au centre, à présent, afin de ne pas manquer l'idée. La possession est économique. Après une année de travaux, il existe un port, qui n'existait pas auparavant; aussitôt des bateaux y viennent, au lieu d'aborder péniblement à quelque plage défendue par des rochers. Les hommes sont réellement plus puissants; ils possèdent quelque chose qu'ils n'avaient pas. Maintenant à qui appartient ce port? Non pas nécessairement à ces bateliers qui s'en servent, mais plutôt à ceux qui l'ont creusé, ou à ceux qui ont nourri ceux qui l'ont creusé. Autre question; et cette autre question est politique. La propriété est politique, non économique. L'homme qui cache des provisions, parmi d'autres hommes qui les prendraient s'ils les connaissaient, les possède, mais n'en est pas encore le propriétaire. La propriété est publique, déclarée, reconnue, protégée par cette même organisation de guet qui garde notre sommeil. Ce n'est pas par accident, et dans l'intérêt du fisc, que la propriété est connue. Son essence est d'être connue, comme l'essence du vol est d'être furtif, c'est-à-dire de faire croire que ce qu'on a volé, on l'avait déjà à soi de notoriété. Tant que le voleur n'a pas franchi ce passage, il est possesseur, il n'est pas propriétaire. Aucun voleur ne dirait d'une montre : « Elle est à moi, puisque je la tiens. » Au contraire il voudra prouver qu'il l'a achetée, ou reçue en héritage, c'est-à-dire qu'il invoquera publiquement les lois mêmes qu'il a violées secrètement.

Ces lois sont politiques. Dès que l'on cherche à en comprendre le sens, on découvre qu'elles ont pour fin première la sécurité et le bon ordre, et que le fond de la justice est de fixer publiquement le domaine de chacun. Le droit est dit. Le droit qu'aurait chacun à toutes les parties des fortunes n'est contesté que parce qu'il n'est pas formulable. Les procès n'ont pas pour fin de produire, mais plutôt de régler les querelles. Les procès sont politiques, non économiques.

C'est ce que n'admet point aisément celui qui revendique. Sans moi, dit l'inventeur, pas une parcelle de cette richesse ne serait. Cela est vrai de la richesse à venir, et il peut, en effet, l'anéantir par refus de concours. Ici il a pouvoir. Mais sur la richesse produite déjà par son invention il n'a nullement ce genre de pouvoir. Il ne peut la garder tout seul, et ce mot garder est plein de sens. Il faut donc qu'il persuade. Son pouvoir économique ne lui sert plus de rien. Le droit ne s'extrait point comme d'une carrière, à force de bras; ce précieux produit s'extrait du monde humain, et seulement par persuader. Par ce chemin on viendrait sans doute à considérer sous un jour nouveau l'opposition du droit et de la force. Mais je n'essaie point ici de circonscrire la guerre; je veux seulement en expliquer quelque chose d'après cette sagesse des contes, autre Sphinx.

Si la guerre est supposée géographique et économique, si elle est prise comme une suite naturelle de la distribution des produits et du mouvement de la population sur la surface de la terre, il faut ou bien subir la force, ou bien dresser force contre force. Mais la sagesse des contes nous invite à considérer plutôt la politique et les passions que la nécessité extérieure, nous rappelant ici à propos, par un mythe universel, que les jeunes sont naturellement le jouet de puissances vieilles, tracassières, jalouses, impitoyables. En somme transporter, échanger, produire, comme assainir, drainer, défricher, c'est bientôt fait, en chantant et riant; mais les plus grands maux viennent de la Fée Carabosse, et autres monstres aigres. Ces fureurs d'institution, cette infatigable colère, ces redoutables sacs de bile, qui sont enchanteurs et sorcières, et qui contrarient tout projet joyeux, sain et juste, offrent une image grossie de la condition humaine telle qu'elle est par les âges. Car il est vrai que le pouvoir des méchants est incompréhensible dans les contes. A peine le bonheur est-il en vue qu'apparaît sur la route un vieil homme ou une vieille femme qui étend sa baguette, interdit le passage, et impose des épreuves arbitraires. La parole règle tout; il faut céder. Or, cela est fantastique tant qu'on en juge par l'imagination; mais, si l'entendement familier regarde, il reconnaît un genre d'obstacle familier et directement invincible, que les anciens ont représenté à faire frémir par la tête de Méduse; et ce n'est que le visage humain durci par l'humeur aigre, la jalousie, la colère, visage qui arrête tout net le jeune héros par les invisibles liens du respect et de la coutume; car le visage humain peut beaucoup par le regard muet, surtout quand l'espérance d'un changement, d'un fléchissement, d'une pitié, d'un regret, doit être abandonnée par la dureté de cette enveloppe; c'est alors qu'il faut revenir dans les chemins de l'enfance, et subir la volonté de la sorcière. Il faut que je sois bien enfant; encore aujourd'hui, et déjà si loin de cette guerre, je ne vois rien de redoutable comme ces invincibles visages qui disent une seule chose. Mais il faut rompre l'enchantement.

CHAPITRE VI

DU ROMANESQUE

Le romanesque est déjà tout dans les contes, mais enveloppé. J'y vois une mythologie, mais dépassée et comme réfléchie. L'idée romanesque n'enferme plus que les choses se plient à des sortilèges; tout le merveilleux est rassemblé dans le monde humain, et, par opposition, tout le facile est renvoyé à l'autre monde, à l'égard duquel le romanesque enferme un peu trop de mépris; c'est encore une idée des contes, c'est-à-dire une idée d'enfance, que les obstacles extérieurs sont de peu, s'il n'y a point de décret contraire. Idée à demi juste, et peut-être plus qu'à demi, qui répond au sentiment d'une force jeune, elle-même parente de ce monde, et si intimement engagée en lui qu'elle ne peut se développer sans le changer. Dans les actions qui dépendent des choses comme telles, il reste ainsi quelque chose du jeu enfantin. Il faut remarquer que la guerre, à ce romanesque jugement, compte comme une sorte de chasse; car l'ennemi n'a nullement un pouvoir de charme, il ne compte que comme une chose; de là vient un étonnant contraste entre les délicatesses du sentiment et l'impétuosité guerrière, qui se trouvent souvent dans le même homme. Le romanesque est guerrier comme il est cavalier. Encore moins pense-t-il au temps qui est nécessaire pour changer les choses. Ainsi, formant aisément de grands desseins, il les manquerait toujours sans l'alliance de quelque esprit positif, qui prépare une action après l'autre.

L'enfant est d'abord romanesque, parce qu'il ignore d'abord tout à fait comment la nécessité extérieure est dominée, comment la vie est assurée, comment les choses utiles sont conquises; il ignore cela, parce que tout lui est donné; et, pendant longtemps encore, son grand travail est de demander. Ce pli reste longtemps, et même toujours. C'est une idée romanesque de vouloir plaire, et de compter sur plaire. L'idée positive, qui est qu'il faut faire et servir, est longtemps cachée; à beaucoup elle l'est toujours. Il y a de vieux enfants qui reviennent toujours à expliquer l'avancement d'un homme par faveurs et grâces; et là-dessus les apparences nous trompent toujours un peu. Ce qui est le plus caché à l'enfant, c'est que la nécessité extérieure tient les hommes fort serrés, et qu'il n'est au pouvoir de personne de faire durer la faveur, disons même l'amitié, si la nécessité y met obstacle, surtout par cette suite inflexible et cette obstination qui est propre aux plus humbles nécessités. Par exemple il faut qu'un homme dorme, il faut qu'il mange. Croire que les sentiments vifs fassent oublier l'un et l'autre, cela est romanesque; et c'est vrai d'abord, mais ce n'est pas vrai longtemps. Descartes remarquait que la tristesse lui donnait faim. De telles idées ne plaisent point. A plus forte raison est-il malaisé d'apercevoir que les touches de la nécessité, parce qu'elles reviennent toujours comme des vagues, finissent par communiquer aux choses humaines un mouvement irrésistible. C'est là-dessus que le politique parie, mais il y a peu de politiques.

Il y a des amoureux, il y a des courtisans; c'est le même

homme, qui ne sait point vieillir. Héros par ceci que, comme c'est la crainte de déplaire qui est son supplice propre, il se jette avec bonheur dans les aventures où il ne s'agit nullement de plaire ou de ne pas plaire; mais au retour se montre la difficulté de faire un seul pas dans le cercle des puissances vénérées. La timidité est le mal des héros; l'entreprise de guerre ne la guérit nullement. Elle est suite d'enfance; elle vient de vouloir persuader et de renoncer tout à fait à l'idée même de forcer. C'est alors que les signes humains tendent leurs fils fragiles et infranchissables. On aperçoit ici les perplexités de l'amour; mais le jeu de toute coquette est déjà dans toute politesse, comme dans toute politique qui imagine que plaire est le tout. Dès qu'il est reconnu des deux côtés que l'on veut persuader et non forcer, la force tombe dans le vide. Il n'y a point de refus plus exaspérant qu'un consentement qui se donne comme forcé. D'où cet arrêt à mi-chemin, qui est un sévère rappel de politesse, de soi à soi. L'idée de Dieu tel qu'on l'adore est presque impossible à comprendre si l'on n'a d'abord mesuré les liens de société, dans lesquels il n'entre point de contrainte qui ne soit voulue et même cherchée par celui-là qui la subit. Sachez que ce n'est point Célimène qui veut conduire Alceste à faire sa cour comme il est convenable; Célimène ne peut rien; tous ses signes sont pour le faire entendre; elle se joue à ne point consentir. Or tous les amours viennent buter là. L'idée d'un Dieu est faite pour presque tous de cette puissance qui ne peut rien, et qui est invincible. Dieu a besoin de nous; mais cela ne veut pas dire que nous n'ayons pas besoin de lui. Il n'est rien de plus simple que de le vaincre; mais il n'est rien d'impossible comme de le vaincre. Il n'approuve pas comme on voudrait. Toute la piété vise à persuader Dieu, avec l'idée qu'il n'y a pas un moyen assuré de le persuader, hors de nous persuader nous-mêmes et de faire sa volonté, et avant même qu'elle nous soit connue. Cela jette à l'offrande de soi, sans plus de pensée. Or cette idée du culte et du sacrifice est tirée de nos proches et de l'obstacle humain. Tous les drames sont de religion. Dès que je sens l'obstacle humain, je sens aussi que le moindre effort le durcit. La ruse de l'enchanteur est en ceci qu'il se dit : « Voilà un gaillard qui a besoin de mon consentement et qui pense l'enlever comme une redoute. » Cette force de l'extrême faiblesse, et encore jouée, est toute la coquetterie. On voit, dans *la Duchesse de Langeais,* que Montriveau, l'homme fort, se blesse lui-même à coup sûr, en toutes ses démarches de conquérant. Finalement il possède un cadavre, et cela fait un beau symbole.

Représentez-vous donc un homme qui a peur de sa propre force, parce qu'il sait qu'elle est non seulement inutile, mais directement contraire à ses desseins. N'est-ce pas bien l'enchantement ? Je ne veux pas forcer le prince, quand je le pourrais. Cette seule contrainte m'aliénera son bon vouloir à jamais, son bon vouloir, qui est ce pouvoir que je convoite. De là ces invisibles traits, et infranchissables, qui sont sur le parquet autour du trône, et en toute société. « Je veux bien sourire, dit Célimène, si vous y tenez. » Mais, traîtresse, il faut sourire et que cela vous plaise, et non point parce que j'y tiens ; il faut être heureuse de me voir. Il faut. Mais par cela seul qu'il faut, cela ne peut être. C'est par de telles expériences que celui qui fait sa cour vient à se défier de son désir même, et interroge les signes afin de savoir ce qu'il veut. Ces mille faces du visage, du geste, du discours jettent souvent le courtisan dans une irrésolution et même une fureur contre soi qui le tient attaché au parquet, tout comme l'était le Prince Charmant. D'où finalement un renoncement, un dévouement, une soumission ailée dans les choses de peu ; et j'y compte un voyage de cent lieues, ou une folie qui fait manquer un héritage. Tel est le merveilleux dans lequel se meut le héros, tantôt aisément, rapidement, sans peur aucune, dans un bonheur plein, tantôt péniblement et comme serré dans d'invisibles bandelettes qui l'arrêtent même de respirer. Les amoureux connaissent cet étrange état, mais ils n'en ont point le privilège. Tout pouvoir s'exerce ainsi, dès qu'on y croit. Et il n'y a point d'autre pouvoir que ce magique pouvoir ; chacun sait bien que la force n'est pas le pouvoir. Dans l'ordinaire de ce monde humain qui est le lieu des miracles, ce n'est point le héros qui tient le pouvoir, mais plutôt quelque vieille carcasse pleine de ruses. Toutes les espérances et toutes les craintes du héros s'agitent dans un cercle d'enchantements. L'épreuve, alors, est une action, difficile, périlleuse, mais permise, et encore mieux que permise, ordonnée. La force délivrée s'y précipite toute. Les autres peurs ne comptent point à côté de la peur de déplaire.

Communément on se guérit du romanesque par une vue positive des intérêts et des services, et l'on fait reposer tout l'art de gouverner, et tout l'art d'obéir, sur l'art d'accumuler et de transformer les choses. L'ouvrier et le chef d'entreprise, par les fins qu'ils poursuivent, arrivent aussitôt à nier le romanesque. Mais ce n'est encore qu'une demi-vérité. Car le besoin de fidélité, qui répond au besoin de confiance, est plus ancien et plus fort que le besoin de gagner sa vie; l'enfance le fait bien voir; nul n'a commencé par l'échange des services; tous ont commencé par la vénération, la crainte et l'espérance. Ainsi l'état économique pur est sans racines par trop de raison. L'homme vit premièrement d'amour et de gloire; et il n'est point vrai qu'on obtienne amour et gloire par argent et services; on n'en obtient que de faibles signes et chacun le sait bien. Chacun sait même bien plus; c'est que de tels signes payés rendent impossibles les précieuses choses dont ils sont les signes. C'est par là que l'avare en arrive à n'aimer plus que ses richesses, sans songer au vain usage qu'il en pourrait faire. En disant que la richesse est la seule possession qui ne trompe point, il dit quelque chose de profond. Mais cette raison désespérée convient seulement à l'extrême de l'âge.

Il y a une vue supérieure sur le monde humain et qui est physiologique. Je trouve un trait de ce genre dans le *Mémorial*. Il me fallait, dit Napoléon, une société et des salons. Or les femmes qui pouvaient soutenir l'ordre nouveau étaient jeunes et toujours courant; elles n'avaient pas ce poids qui fait immobilité et centre; mais, ajoute-t-il, elles auraient vieilli. Nature aurait donc fait tout doucement ce qu'intrigue ni conseil ne pouvaient. De ce mot étonnant : « Elles auraient vieilli », on est renvoyé à mille autres remarques, de plus prompt effet. Il arrive souvent que nature fait sourire et consentement, comme elle fait colère et résistance, par de petites causes; et la nourrice est la plus sage, qui fait sauter le nourrison pleurant, ou bien qui tout simplement le retourne. On ne peut retourner un homme comme un paquet; mais on peut offrir à propos un siège, un cheval, un peu de vin. On peut attendre, et guetter le jeu compensateur, plus fort que tout homme. Car par les lois de la vie, fatigue, sommeil, faim, il est assuré que rien ne durera, et que l'enchanteur est aussi variable et faible que l'enchanté. De là vient que la position des valets intérieurs, comme Saint-Simon les appelle, est toujours la plus forte dans n'importe quelle cour. Mais ils usent de ce pouvoir sans le bien comprendre. Je crois que les vrais politiques, peut-être sans y réfléchir beaucoup plus, se meuvent ainsi sans grande peine, d'échec en échec toujours, cherchant passage et tournant autour, guettant la faim, l'ennui ou la fatigue, au lieu de fatiguer eux-mêmes inutilement un cheval, loin de la changeante Mathilde, comme ce fou de Julien Sorel. Toutefois, selon mon opinion, il reste souvent dans ces politiques plus de romanesque qu'on ne croit; ils pensent encore trop à persuader et à plaire, au lieu de laisser l'état présent s'user de lui-même. Ainsi abandonnant à un demi-mépris les affaires autant qu'elles sont choses, ce qui est une partie de la sagesse, peut-être en revanche croient-ils trop à la constance dans les passions, et prennent-ils pour réel obstacle ce qui n'a de consistance souvent que par notre peur. Plus d'une fois les signes de l'amoureux ont rappelé Célimène à son rôle, dont elle était fatiguée peut-être. Et il suffit souvent en politique d'avoir vaincu la timidité. C'est encore un autre genre d'enchantement que de ne point répondre aux signes. D'où cet œil puissant que les statuaires ont copié et achevé, qui ne voit plus les signes. Autour de quoi de nouveau gravite le romanesque né d'hier, et toujours aisément gouverné.

CHAPITRE VII

DE LA MÉTAPHORE

Il faut toucher à cet immense sujet. Nous parlons par images souvent. La parabole fait entendre autre chose que ce qu'elle dit, mais qui est inséparable de ce qu'elle dit. Déjà on aperçoit comment l'absurde dans l'apparence nous somme quelquefois de comprendre; par exemple l'ouvrier de la onzième heure, autant récompensé que les autres, ou bien le figuier maudit parce qu'il n'a point de figues hors de saison. Ce dernier passage est corrigé maintenant presque partout; on efface les mots : « Et ce n'était pas la saison des figues », de façon à obtenir un sens bien plat. Il n'y a pourtant pas de vraisemblance que l'on ait ajouté une phrase absurde à première vue. Et quand on l'aurait ajoutée, cela même s'accorderait au jeu libre de l'imagination. L'invention est toujours fortuite par un côté, et il faut dire que le raisonnable dans l'image fait une médiocre nourriture. Les poètes qui visent là sont de plats poètes.

Je n'approuve point non plus ceux qui corrigent la pantoufle de verre, en *Cendrillon,* disant que c'est pantoufle de vair, et que le vair est fourrure souple et chaude. Nous n'avons pas gagné beaucoup, et bien imprudemment, nous avons changé la lettre. Beaucoup croient que penser est cela même, c'est-à-dire former des images convenables, et qui ne posent point de question. Mais l'imagination selon la raison n'est ni imagination ni raison; c'est la coutume dormeuse. Celui qui ne commence pas par ne pas comprendre ne sait pas ce que c'est que penser. « Ne sois point droit, disaient les Stoïciens; non pas droit, mais redressé. » Si les détourneurs avaient pu trouver ici quelque correction bien plate, nous manquerions aussi la doctrine stoïcienne. C'est bientôt fait. Je retourne à mes contes, où il y a certainement quelque chose à comprendre, ce qui ne veut point dire qu'il y ait quelque chose à y changer. On pourrait bien aussi corriger les figures du géomètre, avec cet espoir qu'à force d'amincir et de nettoyer le tracé, on finira par comprendre ce que c'est qu'une droite. Mais l'esprit du vrai géomètre ne cherche nullement par là. Et Platon raisonnant sur les quatre osselets, dont aucun n'est quatre, ou sur Socrate plus grand que Théodore et plus petit que Théétète, n'est point gêné par ces hommes, ni par ces osselets. Le nombre quatre, en ces osselets, n'est pas moins pur qu'en quatre points. Et c'est déjà d'un esprit juste de prendre l'imagination pour ce qu'elle est. Pareillement, il n'y a rien à comprendre en ces amours raisonnables. Amour et raison s'y corrompent par le mélange. Les exemples abondent.

Je traitais au chapitre précédent sommairement des épreuves imposées à l'amoureux; on voit bien qu'il n'y a rien à comprendre à une épreuve raisonnable; mais au contraire c'est dans l'épreuve absurde que je saisis l'idée, et ce n'est pas un petit avantage, si l'on est mis en demeure de saisir l'idée ou de ne rien saisir du tout. Stendhal cite le *Sunt lacrimæ rerum* en pensant au cercueil de son ami Lambert. A-t-il compris ? Mais qui a compris ? L'esprit est beau lorsqu'il se mire en de tels miroirs; il est assuré au moins de ne pas s'y voir assez pour se prendre à une ombre. Un esprit cultivé est rempli de ces problèmes insolubles, auxquels il revient toujours. C'est un peu le même plaisir que l'on trouve aux tours de passe-passe. On soupçonne qu'il y a une explication; on se pique de ne la point trouver, et puis l'on ne se pique plus. Savoir attendre est beaucoup; savoir ignorer est beaucoup. La Rochefoucauld a dit : « L'honnête homme ne se pique de rien », et ce mot va fort loin.

J'ai dit que les contes sont vrais. Mais ce n'est pas assez dire. La profonde sagesse populaire est plus rusée que nos philosophes, lesquels se font souvent de petites machines à penser, qui donnent la réponse. Les contes ne se donnent point l'air d'être vrais. Au rebours du détourneur, qui dit toujours : « C'est bien simple », l'antique sagesse nous met en garde contre cette fausse raison, qui n'est qu'imagination selon la coutume. Piquant moyen, aussi ancien que l'espèce humaine, qui est de nous jeter l'absurde aux yeux, de grossir et de redoubler l'impossible, par quoi l'imagination est définie, et rappelée à son rôle de folle. A quoi servent aussi ces comparaisons étranges, que le génie poétique nous jette comme un défi. Mais allons doucement. J'admire d'abord la grandeur des enfants, qui ne discutent jamais sur la lettre, et même ne veulent point qu'on la change. Ce n'est pas qu'ils saisissent déjà l'esprit; mais ils savent toujours bien que l'esprit n'est pas ce maigre gibier. Ainsi en s'amusant de l'absurde ils ne déshonorent pas l'esprit, mais au contraire ils l'honorent. Montaigne et Pascal, avec Platon le maître de tous, jouent ici dans leur berceau. L'enfance voit grand, par cette croissance qu'elle sent en elle. Elle attend quelque chose de mieux que des fictions cohérentes. Certes, il y a majesté, et santé aussi peut-être, à laisser jouer l'imagination en même temps que le corps, et par les mêmes lois. Le comique se délivre aussi de folie par contemplation de folie pure; l'homme se reconnaît jeune et souverain en ce corps séparé, qui ne fait point la bête, mais qui est la bête. De même je vois quelque chose d'impérial à conserver l'absurde tel qu'il est; c'est refuser les petites raisons. Ainsi sont les décors de Shakespeare. Parce que cette apparence ne peut contenter, il faut voir au delà. Et c'est sur l'absurde même que l'esprit rebondit, car il n'y peut rester. Ces signes nous délivrent des signes. Au contraire par des signes de raisonnable apparence, nous venons à penser les signes, et la coutume nous tient. Telle est la vieillesse de l'esprit.

La fable n'espère point nous faire croire que les animaux parlent, ni qu'une tortue voyage entre deux canards, serrant un bâton dans sa mâchoire. Cette société de lion et de chèvre, de loup et de bouc, de renard et de cigogne, n'a point non plus de vraisemblance. Quelqu'un a-t-il jamais cru que l'image de la lune dans l'eau puisse être prise pour un fromage? Seulement ce trait, que la lune est déjà à demi mangée par le renard, nous plaît à tous, grands et petits, par un retour soudain de l'ordre extérieur, qui prête consistance aux images un petit moment. Mais toujours est-il que nous sommes détournés de penser ici à la lune, ou au renard, ou au loup, quoique ce moyen des deux seaux et de la poulie soit encore pour nous rappeler l'inflexible ordre des choses. Qui débrouillera tous ces fils? A chaque instant la fiction se montre comme telle; à chaque instant la nécessité des choses se montre comme telle. Le corbeau écoute le renard; le corbeau tient un fromage en son bec; cela ne trompe point. Il ouvre un large bec, et le fromage tombe; cela ne trompe point non plus. C'est tenir l'attention par le corps, et de deux manières, par le corps percevant et par le corps rêvant. Tout est donc rassemblé, et rien ne se montre. Cet art semble écarter à plaisir et retarder le moment où sera dite enfin une chose bien connue et trop connue. Dans les temps anciens déjà on remarquait que comprendre tout à fait n'est plus comprendre.

La parabole est comme une fable sans la morale. L'énigme est du même genre; et il faut la tenir aussi comme une des formes les plus anciennes de la pensée. « Le matin sur quatre pieds, à midi sur deux, le soir, sur trois. » Il est clair que ce n'est qu'un jeu; mais aussi ce plaisir de trouver un sens à l'absurde ne s'use point. Il faut que l'esprit se mette d'abord dans le cas de renoncer; c'est de là qu'il renaît; c'est sur le point de ce réveil qu'il se connaît pensant.

Toutes ces figures enferment des comparaisons. Le vaniteux ressemble à un corbeau qui, par le bonheur d'être loué, oublierait de se garder des voleurs. La vie humaine ressemble à une journée dont l'enfance serait le matin. La lune ressemble à un fromage. Le loup ressemble à un roi qui ferait marcher ses juristes avec ses armées. Une citrouille ressemble à un carrosse. Le méchant ressemble à un homme qui vomit, d'où cette énergique image de la sorcière qui crache crapauds et serpents. Ce dernier exemple montre bien comment le corps se trouve disposé selon la pensée; et l'on comprend en quel sens une image forte vaut mieux qu'une image juste, et pourquoi la description qui nous touche le plus n'est pas toujours la plus exacte. Mais sans doute faut-il se livrer avec suite et tout ingénûment à cette répugnante image si l'on veut comprendre où visent les images. Je crois qu'elles visent toujours à produire quelque changement d'attitude et d'affection dans le corps humain, ce qui est la seule manière de faire connaître comme présent un objet absent. Un récit exact et sans aucune métaphore ne fera jamais l'effet de l'objet même, et les détails n'y ajouteront rien. Mais en revanche un mouvement vif et réel de notre corps fera l'affaire, comme en ces peurs, rêves d'un moment, où l'on croit si bien, même sans savoir ce que l'on croit. Ainsi nous passerions de la métaphore à l'idée comme du songe à la chose. La poésie serait donc un jeu d'énigmes qui rendrait vie à nos faibles idées, comme ferait une continuelle fable.

LIVRE QUATRIÈME

LES JEUX

CHAPITRE PREMIER

LES TRAVAUX

DESTRUCTION, conquête, extraction, fabrication, transports, négoce, voilà les travaux. Notre affaire n'est pas maintenant de développer ces différences, ni la suite merveilleuse des instruments, animaux, outils, machines. Il s'agit de déterminer la notion du jeu, par opposition, non sans toucher aux beaux-arts, qui semblent entre deux. Il me paraît même qu'il faut tenir ces trois notions ensemble sous le regard. Il s'agit, dans tous les cas, d'actions. Tout ce mouvement des hommes sur la terre, ces changements des eaux, des bois, des plaines, ces marques de l'homme partout, ces vestiges étonnants, représentent des jeux, des travaux ou des œuvres. Toutefois, il est clair que le jeu est ce qui laisse le moins l'empreinte de l'homme sur la terre, et qu'au contraire l'art laisse des signes puissants, qui suffisent, et auxquels on ne touche plus, comme les Pyramides. Le travail ne laisse pas de signes à proprement parler, mais ce sont plutôt des moyens ou instruments, usés continuellement par le travail même, et continuellement réparés en vue de cette consommation ou destruction qui ne cesse point et qui entretient notre vie. Il y a quelque chose de pressant, d'ininterrompu, de suivi dans le travail, qu'on ne trouve point dans le jeu, ni dans les œuvres de loisir. Et cette sévère loi du travail nous fait sentir une double contrainte. La nécessité extérieure nous tient. Les choses nous usent, nous détruisent et même nous conservent sans nous demander permission et sans le moindre égard. Soleil, pluie, vent, inondation, donnent perpétuellement assaut. Le blé pousse selon la saison, non selon nos désirs. Ainsi nous courons toujours, et nous ne cessons jamais d'obéir. Tous les hommes vont à une tâche, prévue ou non, mais qui n'attend jamais. Nul ne peut dire, au commencement de la journée, ce qui sera le plus pressant avant le soir, moisson, éboulement, incendie ou cyclone. Mais autre chose encore nous presse, et gouverne tous nos mouvements, c'est que le jeu des échanges et de la coopération fait que tout travail dépend d'un travail, et que l'homme attend l'homme. Faute de cueillir mes fruits lorsqu'ils sont mûrs, je les perds. Faute de livrer au jour convenu cet habit que j'ai promis, je ne puis plus compter sur le pain, sur la viande, sur le charbon qu'on m'a promis. Telle est donc la double nécessité qui règle tout travail.

L'homme est ainsi tenu de deux manières. Au regard des choses, il est clair que l'intention ne compte pas, ni l'effort, mais seulement le résultat, et que le travail du lendemain dépend de celui de la veille. La sagesse des proverbes ne tarit point là-dessus, disant qu'il faut faire chaque chose en son temps, qu'heureux commencement est la moitié de l'œuvre, qu'on ne bâtit pas sur le sable, et qu'enfin l'on récolte ce que l'on a semé. Mais j'ai trouvé dans une pensée de Franklin la plus forte expression de cette nécessité toujours menaçante, et qui exige un continuel travail. « La faim, dit-il, regarde par la fenêtre du travailleur, mais elle n'ose pas entrer. » C'est le privilège de l'enfance de ne point former d'abord cette idée-là. Autant que l'enfant l'éprouve, il n'est plus enfant. Il est clair aussi que le travail de l'artiste est réglé par d'autres lois ; car nul ne compte les essais, si l'œuvre est belle.

Les hommes savent bien attendre que l'enfant ait grandi, pourvu qu'ils le puissent. Ils savent bien attendre que l'artiste ait essayé assez, pourvu qu'ils le puissent. Mais ils sont tous dominés par cette sévère condition des travaux réels, qui est qu'il faut un résultat à temps fixé. D'où une autre manière de récolter encore ce que l'on a semé, si l'on se montre maladroit, négligent, inexact. C'est en quoi l'apprentissage diffère du travail scolaire et même s'y oppose. L'apprenti qui gâte une belle planche détruit un travail fait et arrête un travail en train,

D'où ces jugements humains, plus sévères que l'homme, et qui refusent secours à celui qui ne réussit point. En ce sérieux de l'existence réelle, sur laquelle la nature extérieure pèse toujours inexorablement, se déterminent les carrières, les situations, enfin la valeur marchande de l'homme, toujours d'après les résultats passés, et au mépris des excuses et promesses. Le milieu humain est inhumain en ce sens, parce qu'il ne fait que traduire la nécessité extérieure, et l'obéissance de gré ou de force qui est notre lot à tous. D'où ces imprécations contre le négligent, qui arrête soudain le cours entier des actions. Communément rumeur sourde, mouvement et bruit du travail même, qui fait que l'homme court où il a promis d'être. Le paresseux, à ce que je crois, n'est qu'un homme qui n'a point encore de poste, ou qui croit n'en pas avoir. Chose remarquable, c'est toujours parce qu'il sait ou croit qu'on ne compte point sur lui, qu'il ne se presse point. Supposez au contraire dans cet homme l'idée, vraie ou fausse, que nul ne saura le remplacer, vous le verrez aller. C'est donc trop peu dire que de dire que l'homme aime son travail. La prise du travail est bien plus sûre. Comme ces courroies et engrenages, qui vous happent par la manche, ainsi la grande machine ne demande point permission. C'est un fait remarquable, et que je crois sans exception, que l'homme qui règle lui-même son travail est celui qui travaille le plus, pourvu qu'il coopère, et que d'autres lui poussent sans cesse des pièces à finir. Aussi je crois que sous les noms de cupidité, d'avarice, ou d'ambition, on décrit souvent assez mal un sentiment vif d'un travail à continuer, d'une réputation à soutenir, enfin d'une certaine action que les autres ne feront pas aussi bien. Il est clair que l'écolier ne trouve pas de ces raisons d'agir; pour une version mal faite rien ne manquera au monde. Voilà sans doute pourquoi c'est dans la partie la plus active, la plus remuante, la plus infatigable, qui est l'enfance, que l'on trouve le plus de paresseux.

CHAPITRE II

LES ŒUVRES

Je crois utile de distinguer les travaux et les œuvres. La loi du travail semble être en même temps l'usage et l'oubli. Qui pense à la récolte de l'autre année? La charrue trace les sillons; le blé les recouvre; le chaume offre encore un autre visage; mais cet aspect même est effacé par d'autres travaux et par d'autres cultures. Le chariot, la machine, l'usine sont en usure; on en jette les débris, sans aucun respect; on reprend ces débris pour d'autres travaux. Rien n'est plus laid qu'un outil brisé et jeté sur un tas; rien n'est plus laid qu'une machine, rouillée, une roue brisée au bord de la route. Les choses du travail n'ont de sens que dans le mouvement qui les emporte ou les entoure, ou bien dans leur court repos, quand tout marque que l'homme va revenir. C'est pourquoi les signes de l'abandon, les herbes non foulées, les arbustes se mêlant aux outils et aux constructions industrielles, font tout autre chose que des ruines vénérables. Le silence aussi étonne et choque en ces chantiers désolés. Une voie ferrée plaît par le luisant du métal, la végétation abolie ou nivelée, les traces du feu, toutes choses qui signifient le passage et l'usage.

Par opposition on comprend que l'œuvre est une chose qui reste étrangère à ce mouvement. Cette résistance, et encore signifiée, est sans doute le propre des œuvres d'art, et passe même bien avant l'expression, car un tas de débris exprime beaucoup. Aussi voyons-nous qu'un aqueduc ou un rempart, par la seule masse, sont monuments. Et l'on peut décider qu'il n'y a point de forme belle, si elle ne résiste. Même le désordre peut avoir quelque beauté par la masse, comme on voit aux montagnes et aux précipices. Si différentes des monuments que soient la poésie et la musique, mobiles en apparence comme nos pensées, on y reconnaît pourtant l'art de construire, plus sensible encore peut-être par une facilité de les changer, qui fait paraître aussitôt l'impossibilité de les changer. Il n'y manque même pas la résistance et le heurt de la matière.

Les sons assemblés ont à leur manière le solide du monument ou du bijou; nous en suivons le contour, fidèles ici par choix, mais n'ayant pourtant point le choix entre une manière d'être et une autre, puisque l'œuvre périt par le moindre changement. Et sans doute la plus pure beauté de la musique est dans ces formes qui ne fléchissent point, et sans aucun genre de caresse ou de flatterie. En voilà assez pour faire comprendre, ce qui est ici notre fin, que l'art n'est pas un jeu. Il y a du sérieux dans l'art, et un résultat à jamais, ce que toutes les espèces de jeux repoussent énergiquement.

L'art tient de plus près au travail. Il s'en distingue pourtant par ceci que les formes du travail en appellent d'autres, par d'autres actions; le sillon annonce la moisson. On attend que la moisson soit mûre. L'homme ici se prépare et s'élance déjà pour briser la forme; il voit déjà les gerbes, la paille, la farine, le pain. Un jardin, au contraire, offre en chacune des saisons quelque chose de fini et repousse en quelque sorte, la main de l'homme. Encore faut-il dire que la beauté d'un jardin ne consiste pas principalement dans ces fragiles apparences de couleurs ou de feuillages, sans durée et sans solidité, mais plutôt en ces assises architecturales, comme terrasses, escaliers, et lignes de grands arbres, toutes choses qui signifient durée au delà d'une saison. Toutefois un jardin d'agrément est encore à peine une œuvre. Au lieu qu'on voit bien qu'une œuvre d'art est finie et en quelque sorte retranchée, formant îlot dans le travail. Dans les choses façonnées par le travail, tout raconte qu'elles servent, qu'elles serviront, qu'elles ont servi. Leur honneur est de s'user en produisant, comme on voit pour l'outil. Leur fin est hors d'elles; au lieu que les œuvres sont elles-mêmes leur propre fin; par exemple un poignard damasquiné est mis comme hors d'usage par l'ornement, qui évidemment ne sert à rien. Modèle peut-être, mais non point matière à son tour. Modèle, signe, témoin, telle est l'œuvre. Ce que l'ancienne église, inviolable au bord du trafic et détournant le flot des machines et machinistes, représente bien.

Toute opposition suppose un passage insensible de nature et des degrés. Le tombeau est sans usage; l'homme n'y imprime plus d'autres vestiges. La vieille église s'use encore, mais non point comme un instrument de travail.

Il arrive qu'une maison ne soit qu'un instrument comme gare, usine, hôtel. Au contraire une demeure familiale a toujours quelque chose d'une œuvre, car elle n'est pas marquée par le travail seulement. Les marques du travail gardent quelque chose de l'action qui passe. Les chasseurs traînent un cerf jusqu'à la grotte; les bois entaillent la roche friable; voilà un signe d'une chasse heureuse, et un souvenir en un sens. Mais le dessin de la bête sur le mur est un signe d'un autre genre. Un siège poli par l'usage offre un signe d'un autre genre encore. Par l'un et par l'autre, un cycle d'actions se trouve fermé. Le trait le plus frappant d'un dessin est que l'action y revient sur elle-même, mouvement que la contemplation imitera. Au contraire, ce cerf traîné allait à d'autres actions; c'était une partie de ce travail finalement destructeur qui soumet la chose à l'homme. On pourrait dire que celui qui dessine ne possède point, mais plutôt est possédé, et ce caractère se retrouve dans la demeure, où la trace humaine réagit continuellement sur l'homme; on ne fait pas autre chose d'un fauteuil ou d'un lit que de s'y conformer. L'opposition entre la chose et l'homme se trouve effacée. La chose n'est plus alors comme une matière à transformer, dont on fera nourriture, vêtement, abri, outil; elle représente, au contraire, par sa forme, un rapport de l'homme à lui-même, enfin une invitation à penser. Telle est la différence entre un escalier et une échelle; l'échelle n'est qu'un moyen; l'escalier, surtout monumental, règle aussitôt l'action de l'homme selon la forme humaine, on dirait presque selon la majesté. Toute la demeure, voilà un beau mot, nous retient et nous dispose selon notre nature seulement. Un fauteuil est de cérémonie; il n'invite point à ces mouvements de force et sans égards, par lesquels l'homme conquiert et broie. Les ornements, qui ajoutent d'autres formes à ces formes consacrées, ont certainement aussi pour effet de retenir et de composer l'homme. Il faut qu'il y ait un rapport caché entre la forme des meubles et le dessin, puisque partout nous voyons que le dessin s'ajoute à la forme comme pour avertir qu'il n'est pas question maintenant de détruire ni de transformer, mais au contraire, de se régler sur la chose. Toutefois je ne puis dire d'où vient cet impérieux avertissement du dessin. Ou peut-être faut-il considérer ici la ligne du dessin, naturellement continue, mais qui aussi ramène à la chose, je dirais presque à l'intérieur de la chose, par cette obstination à en circonscrire l'extérieur. Et c'est pourquoi, sans doute, il n'est pas nécessaire que l'intérieur de la chose soit décrit par d'autres traits; le contour suffit, et cette grande surface nue du papier exprime beaucoup par cette ligne sinueuse qui y ramène et y emprisonne l'attention. C'est dire que le dessin est un énergique appel à la fonction de contempler; et cela n'est pas également vrai de tous les dessins, car l'Océan bien dessiné, ou le fleuve, nous emmènent en voyage; mais il semble que le dessin d'ornement, qui est ce qui nous occupe ici, ait pour loi de fermer le passage à toute action, et de ramener à un objet qui, alors, n'a d'autre sens que cet avertissement même. Ce qui invite à considérer le monument, la maison ou le meuble non point comme des instruments, mais comme des choses qui ont en elles-mêmes leur fin. Toujours est-il que la demeure, par ces signes concordants, passe insensiblement au rang de l'œuvre. Vous apercevez aisément cette différence entre l'atelier secoué et marqué de travail, souillé de débris et de poussière, et la chambre à coucher où toutes les formes, au contraire, sont finies et consacrées, rappelant l'homme lui-même à sa forme naturelle.

CHAPITRE III

LE TRAVAIL ENFANTIN

De ces travaux virils et de ces arts virils, il faut revenir au peuple enfant et à l'heureuse école. Au premier danger, le petit revient à ce tissu maternel dont il est à peine sorti. Si vous rassemblez des enfants sans avoir fait un puissant barrage contre les choses de nature, vous aurez des peurs folles. L'école est ainsi par nécessité hors de la nature, protégée et nourrie par le tissu humain environnant. Je ne vois donc point que le travail réel y soit possible. Les outils réels, et qui vraiment mordraient, sont hors de lieu dans cette foule mobile, violente et faible, qui doit au contraire se mouvoir dans des choses soumises et façonnées. Si l'enfant travaille, il ne le peut faire que sous la surveillance constante et la protection efficace d'un groupe d'hommes, et c'est une proportion que l'atelier d'apprentissage a trouvée et gardée. Il faut apercevoir que l'école d'apprentissage mélange deux institutions fort différentes. Et l'enfant, pris ainsi entre deux tâches qui ne se ressemblent point, risque de manquer à la fois l'instruction et l'apprentissage.

L'apprenti n'essaie pas, car la sévère loi des travaux le tient, et la nécessité n'a point d'égards. Une pièce préparée ou dégrossie se trouve gâtée par la moindre improvisation, surtout ingénieuse; l'ordre des travaux réels est troublé; le temps et la matière sont perdus. Scandale, et il faut que ce soit scandale, tout autant que si un enfant s'amusait à un pansement téméraire. La sagesse virile commande ici comme elle obéit, c'est-à-dire de rude et forte manière. Si l'apprenti ne se heurte pas, à son dommage, contre l'ordre extérieur et l'ordre humain ensemble, il n'est pas apprenti. Il n'acquiert point cette prudence et cette patience ouvrière, qui étonne aussitôt l'ingénieux amateur, et si promptement le dépasse, mais sans l'instruire. Par ces sévères leçons, l'apprenti est ramené d'abord à d'humbles travaux, comme balayer et ranger, où il apprend la première précaution, et puis au rôle de l'aide qui tient les outils, ce qui le dispose à observer longtemps, et à n'essayer jamais que l'action la plus simple, en se conformant d'abord au modèle humain. L'attitude imitée, qui est la politesse propre à l'apprenti, le prépare à se défier de ses propres inventions d'abord. Le voilà donc obéissant à la chose, à l'outil, à l'homme, éclairé principalement par la crainte de mal faire. Ce long temps, et qui semble perdu, ne l'est pourtant point. Ce n'est pas une condition aisée que de s'instruire sans jamais se tromper. Il faut s'y disposer. Mais aussi ce n'est point s'instruire; c'est tout à fait autre chose. Celui qui, à défaut de l'atelier, n'a pas été formé au métier de conducteur de chevaux, de téléphoniste ou de signaleur, sous la nécessité militaire, ne comprendra jamais bien ce genre d'essais, sous la seule loi de l'obéissance, par lesquels la turbulente curiosité et le zèle puéril sont coulés à fond d'abord, l'intelligence étant serve, et comme ligotée étroitement à la pointe de l'outil. Toute fonction est métier, et il manque quelque chose à celui qui n'a pas été apprenti, soit dans la politique, soit dans la chicane. Les avocats reconnaissent aussitôt celui qui fut d'abord clerc d'avoué. C'est de la même manière que l'ouvrier reconnaît aussitôt l'amateur. On ne conçoit pas un général qui n'ait pas fait le métier de capitaine. La pensée est une belle et grande chose, en tout souveraine; mais on ne pense jamais à tout.

Par cette vue de l'apprentissage, qui est chose technique, on comprend mieux ce qu'est le travail scolaire et qu'il n'est point chose technique. Ici l'on n'attend point de savoir pour essayer. Ici on ne s'étonne point de la faute, ni du papier gâté. Le maître de violon ne s'étonne point des fausses notes; mais peut-être y a-t-il, dans ces familles de musiciens errants, un apprentissage qui ne reçoit point la fausse note. L'idée du châtiment corporel, si étrangère à l'enseignement, est naturelle dans le métier, où la chose elle-même punit, ou bien le froid et la faim; et l'on doit seulement ce ménagement à l'enfant qui gagne sa vie, de mesurer la punition à ses forces, mais en conservant le mordant de l'univers qui attaque sans cérémonie ni respect ce sac de peau. Si c'est travail de jouer du violon, il faut que la fausse note blesse le doigt, comme un outil maladroitement poussé blesse; à quoi pourvoit la règle de bois qui meurtrit les doigts de Jean-Christophe apprenti. Et ce genre d'avertissement donne une attention admirable, qui est au-dessous de l'esprit. L'enseignement militaire qui est, au vrai, apprentissage, ne reçoit point non plus la fausse note. Toujours est-il que l'enseignement la reçoit, et même instruit par la faute. Aussi la fin du travail scolaire n'est-elle point de produire quelque chose; et il y a beaucoup de différence entre l'apprenti comptable et l'enfant qui apprend à compter. Ce sont deux méthodes, et même directement opposées. La réflexion périt dans l'apprentissage comme dans le travail viril; car nécessairement elle s'égare sur les conséquences, toujours emportée par le regret et la colère, toujours aux dépens de l'espérance. Ce n'est qu'à l'école, et dans le travail proprement scolaire, que l'on s'instruit par ses fautes. Cet heureux état, où l'on aperçoit dans la faute même le moyen de la réparer, est propre à l'enfance et fait durer l'enfance. Mais aussi cela n'est possible que par cette clôture environnante qui écarte la nécessité extérieure. Si l'enfant comptait pour manger, je ne dis pas qu'il compterait plus mal, mais il compterait autrement; comme un marchand de journaux, comme un ministre. Ce ravissement de s'être trompé, de savoir comment et pourquoi, ce chiffon de papier oublié, ce recommencement, cette virginité de l'esprit sans repentir, qui les trouvera dans ce monde viril où les fautes courent, et où la hâte de réparer exclut le retour de l'esprit qui se corrige et se redresse ? Comment penser quand l'avion glisse sur l'aile ? La faute est faite, irréparable, présente tout au plus par la peur, couverte par d'autres faits qui n'attendent point. Cette pensée, courante, précipitée, exclut la pensée de la pensée.

Peut-être aperçoit-on ici la force et la faiblesse de cette habileté technique, tour à tour louée et méprisée. L'action dévore la pensée, il faut le dire et le redire, par ceci qu'il est toujours trop tard pour penser à ce que l'on a pensé ; parce que ce retour, qui est conscience, est réduit par l'emportement du travail, sous la double impulsion du concert humain et de la nécessité extérieure, à un faible désir, à un projet d'examiner aussitôt recouvert par un nouvel objet qui veut examen. Ainsi se suivent les audiences d'un ministre ; et sans doute souhaite-t-il, dans le temps d'une sortie ou d'une entrée, d'avoir loisir de comprendre ce qu'il fait. Mais le métier y pourvoit, en ce sens que, quand le loisir vient, la chose qui voulait loisir est passée et oubliée. Hors de lieu. Nos pensées se perdent dans l'action comme l'eau dans le sable. Heureuse enfance ! Heureux temps de l'école où ce que l'on fait n'a point tant d'importance, où l'on refait, où la même action revient, toujours sans rides, toujours neuve, toujours apportant un espoir entier. Où la punition ne mutile point. Où le succès efface pour toujours les longs tâtonnements. Où l'on s'assure qu'on sait, par une sorte de jeu devant la faute. Je lis cette heureuse frivolité dans le mouvement de l'écolier qui remonte son sac à livres ; j'entends le bon écolier, qui possède en propre cette attention légère, et ce rire à lui-même. Pour le mauvais, j'y soupçonne souvent plus de sérieux, et une vieillesse imitée, par ceci qu'il porte son passé comme une charge de manœuvre, et qu'il n'ose pas plus qu'un plombier ou qu'un caissier. Cette erreur est plus commune qu'on ne croit, de conduire le travail scolaire comme un réel travail, et ainsi de vouloir réussir au premier coup. C'est comme une avarice de pensée, qui croit se ruiner aux solécismes. Socrate est peut-être le premier homme qui ait pensé, par cette attention à rester dans l'erreur, et à n'en point sortir comme le renard d'un piège. Laissez-moi, semble-t-il dire, me tromper d'abord tout mon saoul.

CHAPITRE IV

LE JEU

Ce long détour nous conduit enfin à la notion même du jeu, qui consiste en ceci, quel que soit l'âge, et quel que soit le genre, que la partie suivante ne dépend pas de la précédente. Ce caractère se montre assez clairement dans les jeux de hasard; mais il faut y apercevoir la négation même des lois du travail réel; on retrouve alors ce caractère dans tous les jeux sans exception. Dans tout jeu il arrive un moment où le terrain est déblayé, de façon qu'il n'y reste plus aucune trace de la défaite ou de la victoire; et tout recommence à neuf. Le jeu est donc oublieux et sans monuments, c'est par quoi il se distingue de l'art. Le jeu nie énergiquement toute situation acquise, tout antécédent, tout avantage rappelant des services passés, et c'est en quoi il se distingue du travail. Le jeu rejette tout capital accumulé, toute chose gagnée et qui servirait de départ, enfin ce lourd passé qui est l'appui du travail, et qui fait le sérieux, le souci, l'attention au loin, le droit, le pouvoir. Tout travail enferme des préparations, une patience, et une longue suite. Quand on recommence, il faut recommencer de loin. Cette loi est ce qui mûrit l'homme, par une continuelle méditation sur le temps. Le jeu est ce qui rajeunit; c'est l'action d'enfance; on le voit au jeu de croquet, où tout est rétabli en l'état initial, tout effacé, où les pièces enfin sont remises en boîte, le vainqueur perdant aussitôt les positions qu'il a gagnées, et se retrouvant sur un terrain net et dans des conditions égales, comme si chaque partie était la première. De même chaque coup de la roulette est comme un premier coup. Chaque partie de cartes commence par une distribution que l'on veut rendre indépendante des luttes et des victoires qui ont précédé, jusqu'à prendre souvent un jeu neuf. Cette idée de recommencer, et d'espérer mieux et de faire mieux, en se lavant des erreurs et des fautes, vient souvent dans le travail malheureux; mais elle est sans lieu et vaine. Les effets occupent le terrain, et il faut trébucher sur les œuvres manquées.

Le jeu n'échappe point à la nécessité extérieure. Les jeux de ballon et de toupie dépendent de la pesanteur et de la forme. Le jeu de dés aussi et le jeu de roulette. Toutefois c'est une nécessité qui n'a point cette suite sans fin qui rend l'homme soucieux comme elle le charge aussi de vains regrets. Le jeu n'échappe point non plus aux lois de l'ordre humain ni aux rivalités. Mais, premièrement, tout avantage finit par être rendu, et l'égalité est toujours à un moment rétablie. Secondement le jeu se fait comme en vase clos. Il n'est point pris, comme est le travail, dans un cycle qui couvre la planète. Il ne dépend point d'une multitude innombrable d'hommes chassant, cultivant, creusant, transportant, fabriquant. Il se joue à chaque fois dans une société fermée et dénombrée comme on voit en ces parties d'échecs, de cartes ou de tennis, souvent voisines, et qui pourtant n'ont rien de commun. L'homme qui travaille au contraire est attelé à l'univers des hommes; un navire qui sombre à mille lieues de là change tout. L'homme qui joue sait ce qu'il traîne.

Venons aux jeux de l'enfance. Ce n'est pas les expliquer que d'y voir les effets d'un surcroît de puissance disponible. L'art suppose aussi un excédent, et le travail de même; bien évidemment en nos sociétés riches, mais non moins en un animal réduit à ses seules ressources, car il lui faut toujours une force de trop pour conquérir l'aliment. Si un repas ne faisait que réparer sans accumuler, il serait le dernier repas. Le défrichement, par exemple, est un travail qui suppose un excédent; et, puisqu'on sait que les besoins s'accroissent à mesure que les travaux et les profits s'étendent, et puisque enfin l'utile n'a point de limites, il n'y aurait point de raison de jouer à la rigueur, hors de l'idée d'échapper en quelque façon à la loi de nécessité.

On dit que l'enfant joue naturellement, par un excès de puissance. Mais si l'enfant avait à conquérir sa nourriture, il est vraisemblable qu'il jouerait moins qu'aucun autre, par cette loi de croissance qui le met dans le cas de recevoir plus qu'il ne donne. Dans le fait, l'enfant est nourri par le travail d'autrui. Il est même longtemps écarté du cercle des travaux réels. Si l'homme était ramené à la condition misérable du rat ou du lapin, on verrait d'abord disparaître les jeux. Le jeune chat qui joue n'est pas seulement nourri par sa mère, mais aussi par l'homme. Quant aux jeux des animaux sauvages, on n'y peut faire la part de la peur et de l'emportement. Le jeu serait donc d'institution plutôt que de nature.

Ce qui est dans la nature, c'est l'emportement, dont on voit promptement les effets dans un enfant isolé et qui ne sait point jouer. Et à vrai dire le jeu est plutôt remède à l'emportement qu'à l'ennui. Il faut donc circonscrire cette notion de l'emportement, en la tenant au niveau de la nature, et en la nettoyant de tous les motifs supposés qui font croire souvent à une méchanceté première. Platon a bien décrit son homme en trois parties, tête, poitrine et ventre. Par ces images assez simples, que nos docteurs méprisent, j'ai souvent assez compris ces grosses têtes presque sans poitrine, ces gros ventres à petites têtes, et surtout l'homme tambour, qui est tout poitrine. Nos petits auteurs ne décrivent que tête et ventre. Quand ils ont décrit les idées et les besoins, ils croient avoir tout dit. Or ils oublient la colère, qui est la source principale des maux humains. Et c'est une grande lumière sur l'homme si l'on distingue, dans ce qu'il doit gouverner, ce qui est besoin et appétit, qui vient de pauvreté, de ce qui est emportement, qui vient de richesse.

Tout muscle et toute parcelle de muscle est comme un accumulateur chargé, ou bien un explosif qui attend l'étincelle. Et l'étincelle, autant qu'on sait, vient par les nerfs. Le tissu des nerfs n'est pas moins mêlé à toutes les parties que le tissu des vaisseaux. Ce qu'il a en propre ce sont ces carrefours ou centres innombrables, différents par le nombre des conduits qui s'y rencontrent, jusqu'au carrefour commun, d'ailleurs composé, que l'on appelle cerveau. Sans supposer autre chose en ces canaux qu'un changement de pression qui circule en ondes, et que chaque carrefour renvoie dans toutes les directions, on saisit déjà passablement la loi de ce frémissement animal, qui, pour une mouche, parcourt la masse musculaire, agite les membres les plus légers d'abord, oreilles et queue, et enfin met l'animal en folie. On peut appeler irradiation cette transmission progressive qui va de la partie au tout selon les nerfs et les carrefours, selon la charge de chaque muscle et selon la masse à remuer. La première irradiation est ce que les médecins décrivent sous le nom d'irritation, mot admirable par son double sens. Autour de la pointe du chirurgien on observe, à ce qu'ils disent, cette réaction de défense qui s'étend peu à peu. Or, si l'irradiation ne dépendait que d'une excitation extérieure, il n'y aurait point d'emportement, mais seulement une lutte plus ou moins vigoureusement menée. Mais il est clair que le plus petit mouvement dans l'organisme est par lui-même excitation, chaque partie agissant sur les autres comme un corps extérieur, ainsi qu'on voit clairement par l'action des griffes et des dents sur l'animal lui-même. Tout vivant peut se blesser beaucoup, et se blesse toujours un peu par son propre mouvement. Les ondes de transmission sont ainsi entretenues et amplifiées par leur effet même. L'agitation grossit comme l'avalanche. Chaque partie tire, frappe, déchire, mord, selon sa force et selon les obstacles. On s'emporte à frapper un corps dur. La colère n'a jamais d'autres causes que celles-là; elle se mesure aux forces accumulées et se termine par la fatigue. La réflexion n'y ajoute peut-être que le souvenir de la colère, la crainte d'en être de nouveau saisi, et la prévision ou le pressentiment de cette courte maladie, ce qui suffit bien à rendre compte des antipathies, des aversions et des haines. On s'étonnera de trouver, en toute disposition hostile, seulement le souvenir de s'être irrité, qui n'est pas peu. Toutes les inventions qu'on y ajoute, pour se laver de honte, sont d'une légèreté à faire frémir, mais qui doit pourtant consoler. Si peu que l'on fasse attention aux discours d'un homme irrité, on les croit encore trop; ce ne sont point des pensées. Le mieux est de les oublier; le pire est de mettre l'homme en demeure de penser ce qu'il a dit; telle est la substance des drames. Un esprit juste remonte aux causes au lieu de rechercher les fins. C'est l'action, l'action même, qui fouette l'homme, comme le bruit de son propre galop fait peur au cheval. Ainsi galopent les passions conquérantes. On ne voudrait point du lièvre, comme dit Pascal, s'il était donné. Ce genre d'ambition ne cède qu'à la fatigue. Ainsi va l'amour conquérant, qui se pique à l'obstacle. Ainsi va la guerre, fille d'ennui et de puissance, nullement fille de besoin et de désir.

L'enfant s'explique tout par là ou presque tout. Il est connu que l'enfant le mieux nourri n'est pas le plus tranquille; et l'on observera comment, dans les jeux sans règle, comme jeux de mains, le mouvement va de lui-même à la violence, de même que la parole et les cris vont à l'extravagance. Rousseau nous conte la guerre pénible qu'il eut à mener contre un enfant en vérité indomptable. Ce sont des monstres, à première vue; mais il ne faudrait pas prononcer là-dessus tant que l'enfant n'a pas participé aux jeux du collège, qui sont le vrai remède. Comptez ce qui se dépense en courses et en cris. L'imitation et les rivalités réglées tirent l'action hors du corps par un massage que rien ne peut remplacer; et en même temps l'esprit est purgé de honte et de fureur par le travail propre que le jeu lui impose. Ainsi l'action ne fermente point, ni l'idée.

Il faut que le précepteur subisse l'équivalent de tout ce bruit et de tout ce mouvement. Et je ne vois pas une grande différence entre l'enfant qui court et l'enfant qui donne des coups de pied dans une porte. La différence principale viendra de ce que le précepteur fera voir des passions haineuses, que naturellement l'enfant imite. Finalement, il se peut bien que l'enfant, d'après ce qu'on lui dit, se juge méchant et même reste tel. Malheur à celui qui, à la première vue de son semblable, craint d'abord de s'irriter. Toutefois il faudrait savoir si tous les enfants méchants deviennent des hommes méchants; car le travail bien fait est un remède aussi; et je ne m'étonne pas que Rousseau cherche des travaux pour son Émile. Dans cette situation difficile d'un enfant séparé des enfants, il ne pouvait pas trouver mieux.

J'ai vécu en étroite amitié, vers mes sept ans, avec un enfant qui, tous les jours, jetait son père dans la colère et le désespoir. Or je n'eus jamais rien à souffrir de ce terrible enfant; et, autant que je sais, il est devenu un homme paisible et estimé. Cela peut se comprendre si l'on explique l'irritation par ses causes réelles, au lieu de supposer et de grossir des idées inhumaines, qui, autant qu'elles existent, sont plutôt conséquences que causes. Il n'est donc point raisonnable de supposer quelque méchanceté, et surtout il n'est point permis de le dire, car les mots marquent, et toujours changent en idée ce qui n'était que mouvement. On voit que le coup de pied au ballon est de raison encore plus que de santé. En bref, il faut considérer les jeux comme la religion de l'enfance, ou, ce qui revient au même, comme les arts de ce peuple enfant qui ne travaille point. Et, comme l'enfance suit longtemps l'homme et peut-être toujours, de même aussi les jeux, transformés seulement par le voisinage des travaux réels.

CHAPITRE V

LE PEUPLE ENFANT

L'ÉLÉPHANT, dans Kipling, tire sur la corde, arrache ses piquets, et, répondant aux appels nocturnes, court à cette danse des éléphants, cérémonie que nul homme n'a vue. Ainsi l'enfant exilé de son peuple se tient derrière la fenêtre fermée, écoutant l'appel des enfants. Dès qu'il peut ronger sa corde, il court au jeu, qui est la cérémonie et le culte du peuple enfant. Il y trouve enfin ses semblables, et jouit du bonheur plein de se mouvoir comme eux, et de percevoir en leurs mouvements l'image de ses propres mouvements, qui en est en même temps la règle.

Dans la famille, l'enfant n'est point lui-même; il emprunte tout; il imite ce qui n'est point de son âge. L'enfant y est comme étranger, parce qu'il n'éprouve ni les sentiments qu'on lui prête, ni ceux qu'il exprime. Alors la règle lui est extérieure; et, quoiqu'il la vénère, il ne peut s'empêcher d'y manquer à tout instant. Par la force oisive, ces mouvements vont à l'emportement; contre quoi il n'a d'autres ressources que la timidité et la honte, autres maladies. D'où un ennui agité, trop peu compris. Ce que l'on veut appeler méchanceté n'est sans doute qu'impatience de ne pouvoir rompre la corde et aller retrouver le peuple enfant. Ce peuple méconnu est athée à la fois et religieux. Il y a des rites et des prières dans tous les jeux, mais sans aucun dieu extérieur. Ce peuple immuable et qui ne peut vieillir est à lui-même son dieu; il adore ses propres cérémonies et n'adore rien d'autre. C'est le bel âge des religions. L'enfant est un dieu pour l'enfant.

Les profanes font scandale s'ils sont spectateurs ; encore plus s'ils se mêlent au jeu ; l'hypocrite ne peut tromper ceux qui ont la foi. De là des mouvements d'humeur incompréhensibles. J'ai souvenir d'un père indiscret qui voulait jouer aux soldats de plomb avec nous, enfants ; je voyais clairement qu'il n'y comprenait rien ; son propre fils bientôt renversait tout. Les grandes personnes ne doivent jamais jouer avec les enfants. Qui fait l'enfant ne trompe point l'enfant. Il me semble que le parti le plus sage est d'être poli et réservé à l'égard de ce peuple comme on doit être devant des rites étrangers. Quand un enfant se trouve séparé des enfants de son âge, l'esprit du jeu le sépare encore bien plus de ses aînés et de ses parents. Il ne joue bien que seul.

Les jeux d'adresse sont ceux où la mystique a le moins de part. Ils ressemblent aux travaux en ceci qu'il s'agit d'obtenir un certain effet contre des forces naturelles, et presque toujours contre la pesanteur. Mais ils sont jeux en ceci qu'il n'en reste rien. Ainsi en un sens le jeu prépare aux travaux, en un sens non. Le jeu ne produit rien et ne change rien dans le monde des choses. Vingt parties de ballon ne font qu'user le ballon et la prairie ; le résultat est tout entier dans le joueur, qui est après cela plus leste, plus fort, plus maître de lui-même.

Et ce n'est point l'utile qui fait la différence ; car il est utile d'être fort et leste ; et d'autre part un travail est encore travail quand il ne serait point strictement utile, comme de tout disposer pour une fête, mâts, drapeaux, estrade. Un jardin peut être de luxe ; mais le jardinage n'est jamais un jeu, si ce n'est pour le petit enfant qui plante des brindilles dans le sable selon un certain ordre, cherchant la symétrie et l'alignement. Encore ce chef-d'œuvre est-il périssable ; les choses ne sont alors qu'une occasion d'agir selon une règle ; au lieu que, dans le jardinage véritable, c'est la chose qui donne la règle. Et voilà une raison décisive, que je rappelle seulement ici, pour prononcer que l'art n'est nullement un jeu. La chasse non plus n'est pas un jeu, car c'est l'objet, lièvre, perdrix ou cerf, qui donne la règle. Mais si des enfants jouent à la chasse, ils conviennent entre eux de certaines règles, et l'un d'eux fera la bête, d'autres, les chiens et les chasseurs. Suivre la bête d'après les vestiges ou l'odeur, ou d'après la voix des chiens, ce n'est pas un jeu; mais suivre un coureur et l'atteindre d'après les petits papiers qu'il sème, c'est jeu.

Cette différence importe beaucoup, parce que l'idée d'une chose étrangère et ennemie manque tout à fait dans le jeu, qui ainsi revient sur lui-même et se prend lui-même comme objet. D'où il suit que la règle du jeu est respectée, tandis que la règle du travail ne l'est jamais. L'homme qui travaille suit la règle qu'il connaît, faute de mieux; mais s'il aperçoit un moyen raccourci, il le prend; au lieu que, dans le jeu, tous les moyens ne sont pas permis, comme on sait. Ainsi celui qui joue n'est nullement tenu par la chose, il n'est tenu que par sa promesse, ou pour mieux dire par sa religion. Si le jeu de cartes est pris comme un travail, il est absurde de vouloir deviner les cartes de l'adversaire quand on peut les voir dans une glace. C'est pourquoi je ne dirai point que des enfants jouent à construire une maison s'ils construisent véritablement une maison; car il manque alors ce qui définit le jeu, c'est à savoir quelque chose à quoi l'on est tenu, non par l'obstacle, mais par sa propre volonté. Qui joue a juré. Si des enfants construisent véritablement une maison, alors il n'y a rien dans leurs actions qui soit permis ou défendu, mais seulement de l'utile, de l'inutile et du nuisible. Si c'est bien ou mal agi, c'est la maison qui en décidera, à l'usage, et par la durée. Au contraire, dans le jeu, l'objet n'est que simulacre. Par ce côté, le jeu est quelque chose de moins que le travail. Mais quant au régime intérieur il est quelque chose de plus, puisque l'homme ou l'enfant s'y étudie à n'obéir qu'à lui-même. Toutes les difficultés d'une partie de ballon, et surtout solitaire, résultent de la volonté même de celui qui joue. Il est beau de voir une petite fille en ces essais de plus en plus difficiles, et qui, pour une seule faute, et sans la moindre contrainte, même d'opinion, recommence tout. Ainsi, déjà dans les jeux d'adresse, on aperçoit que l'homme est ici en difficulté avec lui-même, et occupé seulement à se vaincre. Que l'homme, au cours des âges, se porte d'abord au problème moral et politique, cela est digne de remarque. Certes il manque au jeu cette idée d'importance que la nécessité extérieure règne toujours sur nos projets, et enfin ne nous donne pouvoir que contre obéissance. Mais, en revanche, il manque au travail cette autre idée que le plus pressant besoin de l'homme est de se gouverner lui-même, et qu'enfin il y a des actions utiles que, par principe, on ne doit point faire. Au jeu l'on éprouve la puissance des serments et la résistance propre de l'institution. La politique s'apprend donc par le jeu, non moins que par le travail, et peut-être mieux.

Dans les jeux de cérémonie, la danse, la poésie et le chant se trouvent presque toujours réunis, ou tout au moins l'imitation des égards et de la politesse. L'obligation envers soi-même s'offre donc ici à l'état de pureté, en même temps qu'apparaît, comme un pressentiment essentiel, le souci de purger les passions à leur naissance. Rien n'est plus propre à faire entendre que l'espèce est raisonnable et belle, mais aussi faible et tumultueuse. Il faut arrêter encore et plus d'une fois l'attention sur cette agitation et ces cris des enfants en liberté, ce qui finit en batailles. Par contraste, il est clair que tous les jeux, et plus évidemment les jeux de cérémonie, ont pour fin non pas tant de libérer l'énergie musculaire que de la régler, en la nettoyant de brutalité, de contracture et de fureur. Telle est la fin des chants et des rondes, où l'on reconnaît presque toujours les anciens éléments de la danse et du théâtre, à savoir le chœur et les récitants. Mais on a rarement occasion d'observer des exemples complets, et réglés seulement par les traditions du peuple enfant. J'en citerai deux.

« La tour, prends garde » est une sorte de ballet, avec chants alternés, que je n'ai pu observer qu'une fois et du coin de l'œil, ce qui m'a donné à penser que les mœurs réelles de l'espèce humaine ne nous sont guère mieux connues que celles des oiseaux. Le jeu se jouait sur un escalier de jardin; c'était comme un assaut réglé et rythmé, symbole de tous les désirs et de tous les refus, sous l'empire des Muses. Ce jour-là je vis ces immortelles. Ce spectacle était pour guérir un misanthrope. Une grâce, une pudeur admirable; une religieuse attention à la loi; l'œil au loin fixé; l'oreille suivant l'écho humain. Par cela même, le naturel, l'innocence, non sans une certaine hardiesse de sentiment, quoique sans contenu encore; enfin une attente, et l'aurore du cœur.

Ce qu'il faut remarquer, si l'on veut saisir la perfection

propre à notre espèce, c'est que le naturel n'est tel que composé. Libre, il se corrompt aussitôt sous le regard, par l'instabilité, par l'égarement, par l'emportement. La honte qui suit ces désordres les porte au comble. Il n'est pas rare d'observer ce genre d'agitation, qui fait rougir, dans l'enfant isolé et donné en quelque sorte en spectacle. L'âge fait que l'on retient ces mouvements, mais cette compression fait pressentir, et enfin paraître, des signes involontaires. La crainte de ces signes, qui cachent si bien le naturel, est le mal des timides; et le pire, qui écarte tout remède, est que ces signaux désespérés n'ont point de sens. C'est pourquoi le naturel est difficile à montrer. Mais aussi ces jeux chantés, de même que la danse villageoise, rendent à chacun la possession de lui-même, et donnent enfin assurance à cet orageux cœur humain. C'est par là que l'émotion est élevée au niveau du sentiment. Par ce juste pressentiment, ces fillettes étaient délivrées et belles.

J'ai entendu décrire une danse plus sauvage. Le jeu des « Aiguilles de bois », où l'on voit que la chaîne des danseurs se resserre et se noue par des retours et passages, nous découvre un peu plus « cette folle qui se plaît à faire la folle ». Ce jeu d'entrelacements est joint à une poésie absurde. « Les aiguilles sont enfilées. Il faut les faire cuire. » Observons ici que ces absurdes paroles sont de tradition. En même temps il s'y joint un rythme impérieux et ferme. Sans doute l'esprit se plaît alors à enchaîner cette imagination errante, et à la ramener du moins dans les mêmes chemins, sous l'empire d'une musique inflexible. Ici la raison reconnaît la folie, s'en rend maîtresse, et en supporte la vue. Ce jeu serait donc plus profond que l'autre; il approcherait plus de la sauvage nature; il oserait représenter au vif l'improvisation délirante, sans que la loi du rythme fléchisse pourtant un seul moment. Dans l'autre jeu, le monstre était plutôt oublié que dompté. Décemment vêtu. C'est ainsi qu'il y a toujours de l'hypocrisie dans le tragique; mais dans le comique, point du tout.

D'après ces deux exemples, il est permis de penser que les jeux de cérémonie essaient d'avance, et non sans précaution, les principaux mouvements et les crises les plus communes d'une vie humaine, nouant et dénouant d'après la loi humaine seulement, et avant l'épreuve des forces extérieures, qui instruit toujours mal. C'est un travail de vivre, et les âges se séparent de plus d'un sentiment comme on change d'outil. Le jeu est une sorte d'anticipation, étroitement analogue à la formation des idées. Le contour est fermé d'abord, et la forme attend le contenu, comme un espace géométrique. Ce sont des idées de sentiments, à proprement parler, que tend et tisse le chœur des fillettes en ses passages, et chacune par de telles idées saisira sa propre vie, mais d'abord l'interroge et en quelque façon l'appelle. Il en serait de ces idées comme de toutes les idées. L'enfance les forme; l'adolescence les essaie; l'âge mûr les maintient à grand peine; la vieillesse les laisse aller devant l'action des forces inhumaines.

CHAPITRE VI

LES JEUX VIRILS

Dans tous les jeux virils on découvre à la fin le jeu de hasard, qui est l'âme de tous les jeux. Mais rien n'est plus caché que le joueur. Découvert, simplifié, cynique d'apparence, et presque impénétrable. J'ai souvent observé l'homme, juste au bord de ce risque, le plus nu qui soit, celui qui demande le moins et qui demande le plus. J'ai reçu ce froid regard terni par l'attente, et ce mépris immobile. J'ai senti l'orgueilleux défi, aux hommes, au monde, à tout. C'est peut-être le courage qui a jeté les armes. Il est bon de dire que ce jeu absolu n'est point de l'enfance. L'enfance ne renonce point à faire, et change aussitôt l'événement; mais c'est par grâce d'état. La toupie est un univers clos et obéissant. L'action se mire en cette force dormante. L'haltère, le palet et la bille rendent témoignage de l'industrie humaine seulement. La nécessité y est mesurée à nos moyens; l'imprévisible n'y entre point. Mais le temps de ces jeux est déjà passé. Les travaux nous tiennent. Les choses résistent; l'homme résiste. Le temps marque les œuvres. Égard, précaution, patience, prière. Le vieil homme, qui a rusé beaucoup, attend ici sa revanche, et elle ne manque jamais. Un bouillant jeune homme, qui n'était que sous-préfet, dit un jour au commissaire, qui lui faisait son rapport, de faire vite; mais il connut aussitôt qu'on ne fait point tourner les hommes comme des toupies. Qu'est-ce à dire ? Qu'il faut traîner cette masse d'hommes, tous collés à la terre, et la terre elle-même mère des travaux. Le grain mûrit; il faut attendre, jusqu'au moment où l'on ne peut plus attendre. Tel est le mors que l'on passe aux jeunes chevaux; ils s'y usent les dents. L'ambitieux use ses meilleures années dans les caves et fondations. On admire l'occasion, et l'heureux homme qui l'a prise aux cheveux; mais il l'a prise au corps depuis son âge d'homme; il l'a tenue, bercée, caressée, léchée. Ainsi il n'a jamais cessé de gagner sur la chose et sur l'homme, en cette partie qu'il joue, où il n'y a qu'un coup, qui dure toute une vie. Cette loi de continuer, d'accepter, de suivre, de faire gain de perte, succès d'échec et de ruine maison, c'est le travail viril, dont l'agriculture est le modèle. En ces vies sérieuses et appliquées, nul ne peut jamais dire si c'est gagné ou perdu; bien plutôt c'est toujours perdu par la pression de la nature et des hommes, qui n'a point de cesse, et c'est toujours gagné par l'effort qui s'agrippe et se hisse. Le sort gouverne ces existences, car de partout il arrive des coups de pied imprévisibles; mais finalement la pierre qui roule est incorporée aussi à la maison. Le sort donne gagné au laborieux et donne perdu au paresseux.

Le joueur ne veut point mûrir au soleil, lui et sa fortune. Il s'irrite d'attendre. Il ne supporte point cette audace qui n'est jamais récompensée ni même punie à sa mesure. Tel est le premier moment de la réflexion; c'est un refus de jouer selon la nature, et une obstination à jouer selon l'homme, tout bien clair, l'obstacle défini et l'action de même. Et puisque tant de forces inconnues tirent avec chacun, du moins qu'elles soient inconnues et inhumaines, sans fausses promesses. Au loin cette sagesse louche qui trompe toujours, faisant de perte gain et de gain perte. L'enrichi a bien ce visage d'un homme qui perd toujours. Le travail est figuré fortement par ces héritiers qui creusent, cherchant un trésor et trouvant ce qu'ils ne cherchent point. Cette fortune muette ou ambiguë exaspère; on la veut forcer. Tenter Dieu et qu'enfin il réponde, comme dit Coûfontaine. Mais l'oracle delphique savait déjà répondre.

Le jeu répond toujours. Il n'y a point ici de délai, ni aucune ambiguïté. Puisqu'il faut dépendre du sort, sachons du moins ce qu'il veut. Ce genre d'essai, qui appelle le malheur en champ clos, est au fond de tous les jeux virils. La guerre les rassemble tous, par cette volonté de tout résoudre en une journée. Par un bonheur des mots, négocier s'oppose à combattre. Or cet esprit de provocation cède bientôt à la prudence, même dans le guerrier. La guerre finit, et même promptement, par être un travail, une ruse, une patience, Pareillement l'explorateur devient agriculteur et diplomate. Il faut donc que l'esprit du jeu périsse ou se purifie.

Il y a de l'ambiguïté dans les jeux de combinaison. Le jeu d'échecs, qui élimine si bien le sort, ne reste un jeu que par l'imprudent décret qui n'attend point de savoir. Mais celui qui s'y donne n'en reste point là, et tombe dans le travail à proprement parler; toute partie bien jouée de part et d'autre est nulle. Le tric-trac supprime cette condition par les dés, qui mettent un terme à l'esprit de prévision. Les cartes aussi, par d'autres moyens. Ces jeux ressemblent encore au travail par cette attention à tirer le meilleur parti d'une mauvaise chance. Tous ces jeux sont encore jeux, et nous délivrent de la nécessité réelle, par ceci qu'une partie ne dépend pas de la précédente. Mais ils ne font qu'amuser les passions. Dans le fait, comme je l'ai souvent remarqué, les vrais amateurs de cartes et de dés attendent toujours l'occasion d'interroger le destin, en laissant les vaines précautions. Le plaisir de combiner, ou plaisir propre à l'intelligence, qui s'exerçait en d'étroites limites, mais alors sans coup de traverse, est soudain comme nul devant le plaisir de décider aveuglément en une chose d'importance, enfin d'oser. Ceux qui ont éprouvé le jeu des passions, au lieu de prendre comme règle une sagesse à mi-chemin, sont les seuls peut-être qui sachent bien que la fonction royale, en l'homme, n'est point de comprendre, mais de vouloir. D'où ces jeux mécaniques, monotones, sans aucune pensée, auxquels se développe une étonnante passion qui efface toutes les autres. Si l'homme n'est pas tout là, qui donc joue?

Ici, il me semble, la nécessité toute seule d'un côté, et devant elle la liberté pure. Tout est disposé de façon qu'il n'y ait rien à deviner ni à prévoir. En revanche la nécessité est aussitôt privée de sa victoire, car elle ne peut pas plus après qu'avant. Le pouvoir de choisir est toujours le même; l'espoir toujours le même; la crainte toujours la même. Et cette incertitude invincible est ce qui écarte du jeu ceux qui aiment l'argent. Non que cet argent qui va et vient n'éveille pas de vifs désirs. Mais ces désirs sont en quelque façon maniés, repris et déposés. L'avarice est tentée à chaque instant, et convaincue de ne rien pouvoir. L'homme fouette sa passion et la méprise. Les téméraires savent bien qu'il est plus aisé d'aller chercher la peur que de l'attendre. On dit quelquefois que l'homme qui s'ennuie a besoin d'émotion. Cette remarque ne suffit pas ici, car les travaux donnent des émotions vives quelquefois, mais à l'improviste; au lieu que les émotions du jeu commencent et se terminent à point nommé. On les trouve, on les quitte, on les dose. Mais il y a bien plus; on les domine, et l'on se prouve qu'on les domine. La prudence est vaincue, et le courage s'exerce seul. C'est donc toujours une demi-vertu qui joue. Le beau joueur, qui est le joueur, s'élève à chaque instant du désir et de la crainte à l'indifférence, c'est-à-dire qu'il fait naître de violentes émotions, mais se montre plus fort qu'elles. En sorte que, derrière cette ombre de liberté, qui consiste à choisir, se montre aussitôt la liberté véritable, qui consiste à se dominer. Le jeu participe donc du plus haut courage. La force d'âme y trouve son épreuve, quand elle veut et comme elle veut, sans se soumettre aux conditions réelles du travail, qui veulent soumission et patience. Même dans les affaires, dans la politique, dans la guerre, une âme hautaine viendra à tenter ce qu'elle craint, non pas tant pour vaincre que pour se vaincre. C'est sans doute un premier mouvement de recul, et une lèse-majesté de soi à soi, qui fit qu'Alexandre vida la coupe. C'est ainsi qu'on joue, et la fermeté console déjà de perdre. Qu'est-ce alors que la joie de gagner, quand toute la nature se soumet à l'âme indomptable, en cette roulette qui n'est que nature?

CHAPITRE VII

DE LA CHANCE

Je tombe maintenant sur une idée profondément cachée, pourtant réelle et émouvante pour chacun. Je n'y veux toucher qu'avec précaution. Il m'est arrivé de dire, au sujet d'un homme ambitieux et considérable, qu'il ne se maintiendrait point parce qu'il n'avait pas de chance; j'aurais pu dire aussi qu'il n'avait pas de bonheur; retenez cette autre manière de dire; il se peut bien qu'elle nous offre le véritable visage de la chance. Mais n'allons point si vite. Je remarque d'abord que la chance n'est pas une idée d'enfance, ni même de jeunesse, mais plutôt un fruit de l'expérience. J'en dirais autant des superstitions, qui sont toutes comme les marques de l'âge et nos étrivières. Au reste il se peut que la chance rassemble toutes les superstitions en une seule idée. Mais d'abord disons que l'idée commune de la chance est celle d'une suite d'essais constamment favorables ou défavorables, et sans qu'on puisse apercevoir comment un essai dépend de l'autre. Et il me semble que les jeux ne peuvent guère donner cette idée-là, et qu'au contraire ils la reçoivent. Toutefois je vois bien par où ils la reçoivent; c'est par cette condition, qui se retrouve en tous les jeux, qu'après chaque partie on remet tout en place, de façon qu'un essai ne dépende jamais du précédent. Toutefois il faut distinguer les jeux de hasard, où cette condition est essentielle, des jeux d'adresse, où elle n'est réalisée que dans les choses et non dans celui qui essaie. Nul n'appelle chance alors les merveilleux effets de l'entraînement qui font que, tout étant remis en place, ce qui était difficile devient peu à peu facile. Personne non plus n'appelle mauvaise chance cette maladresse qui vient de ce que l'entraînement a été longtemps abandonné. Mais il y a une autre suite dans les jeux d'adresse, et qui vient d'une imagination malheureuse; car celui qui croit qu'il tombera tombe souvent. L'idée du malheur appelle ainsi le malheur, et cette prédiction à soi se peint en caractères assez clairs sur le visage.

D'où l'on dit indifféremment n'avoir point de bonheur ou n'avoir point de chance. Ce qu'il faut remarquer ici, et qui est de nature à étonner, c'est que ce visage malheureux, qui annonce si bien l'action manquée, et qui même physiologiquement l'explique, ne fait rien aux jeux de hasard. Ici la mécanique du jeu est réglée de façon que la disposition des muscles du joueur n'entre point dans l'événement et n'y puisse point entrer. Même si ce n'est point une main indifférente qui pousse la roulette ou qui donne les cartes, tout est réglé de façon que les passions, quoiqu'elles changent alors quelque chose, ne puissent expliquer la différence entre rouge et noir, ou pair et impair. Par ce côté encore, le jeu de hasard est le dernier refuge contre la mauvaise chance. Cette idée y est donc importée; elle n'est pas ici à sa place; elle y est étrangère.

Qu'elle vienne des jeux d'adresse et des travaux, cela n'est point non plus vraisemblable. Car l'imagination ne trouble que les premières actions; et il est d'expérience que ces difficultés sont bientôt vaincues par l'entraînement. Toutefois il en pourrait bien rester quelque trace en ceux qui ont perdu courage, et qui n'ont point suivi leurs premiers essais. C'est certainement une partie de la mauvaise chance que cette condamnation de soi qui se lit sur le visage. Mais observons ce signe puissant; il se réflète sur le visage d'autrui; il est renvoyé sans qu'on y pense, et porte condamnation dans toutes les affaires où le principal est de persuader. C'est ici dans ce monde humain, que court la chance impalpable, la chance bonne ou mauvaise. Dès qu'il s'agit de plaire, c'est un obstacle invincible si l'on fait signe qu'on est assuré de n'y pas réussir, car cela seul déplaît. Et, comme l'autre renvoie le signe, et d'avance condamne le malheureux, il résulte de là que le regard humain a trop de puissance, et souvent en use sans ménagements, par ce signe du mépris assuré qui paralyse. Et certes, celui qui, par ses propres signes, fait naître ce signe sur les visages, peut bien dire qu'il n'a pas de chance. La beauté aussi donne chance; mais l'on est amené à dire que l'on peut plaire sans beauté, et, en toutes actions, forcer le jugement par les signes de la confiance en soi, de l'espérance et du courage. Voilà l'essentiel et le premier moment de la chance. Maintenant voici comment les effets s'en développent d'un essai à l'autre, dans toutes les actions où il s'agit de persuader et enfin d'avoir crédit, et même dans le cas où un essai ne dépend point du précédent par l'enchaînement matériel. C'est déjà beaucoup que les autres nous jugent naturellement sur les effets et attendent de nous quelque chose qui ressemble à ce que nous leur avons déjà montré. Les affaires humaines dépendent de tant de causes dont beaucoup ne se voient jamais, que la pratique conduit à juger des moyens de l'homme d'après le succès. C'est ce qui donne déjà un immense avantage pour le second coup, si l'on a gagné le premier. L'effet inverse est encore plus puissant, parce que les hommes d'âge, de qui tout dépend, sont plus sujets à se défier qu'à se fier. C'est pourquoi l'ambitieux marche naturellement de succès en succès ou de revers en revers. Il se sent porté, ou bien il se sent glisser. Mais surtout l'ambitieux sait cela. Il prend confiance par la confiance d'autrui, et défiance par la défiance. Le moindre succès le rend plus décidé, et en même temps plus agréable à voir. Au contraire les échecs aigrissent, rendent maladroit et hésitant, et en même temps odieux à voir, ou tout au moins importun, non par réflexion, car les hommes ont aussi pitié et secourent volontiers les faibles, mais par un effet immédiat, qui fait que l'observateur doute de lui-même en même temps que du solliciteur triste. En sorte que l'effet du triste visage n'est souvent que du premier moment, mais suffit aussi à mettre en fuite l'homme aigri. On pourrait dire qu'une certaine expérience de ne point trop plaire est ce qui fait qu'on persiste ou qu'on revient, ce qui, par les services réels, finit par vaincre la chance. Au rebours, la certitude de plaire rend quelquefois un échec trop amer, et en général rend faible contre les gens tristes ou fatigués; on renonce alors trop vite. De toute façon les signes de l'antipathie, réelle ou supposée, nous arrêtent net. Nous cherchons tous chance et bonheur dans les signes. La superstition du mauvais œil est des plus puissantes, des plus anciennes, et des plus résistantes. On se détourne de ces visages dont on croit qu'ils portent malheur, et cela est vrai du solliciteur comme du sollicité. Heureusement il y a plus d'un chemin. Toujours est-il que, les causes de l'ordre extérieur, et même de l'ordre humain pris en masse, étant indifférentes par leurs variétés et leurs inépuisables combinaisons, l'imagination, qui joue de visage à visage, règle seule ou presque les démarches de l'ambition. Cela n'est plus un jeu, c'est même le contraire d'un jeu, puisque alors le coup suivant dépend du précédent, quoique par d'invisibles liens. La jeunesse mûrit toujours trop vite, et souvent mal, aux yeux de la gloire, de l'envie et de la pitié. Vient alors l'idée d'attendre sa chance, de la suivre, d'en profiter, ou bien de l'accuser au lieu de s'y résigner. On remarquera la puissance de la politesse, qui a pour fin notamment de réduire ces messages favorables ou funestes que portent les visages et les accueils. Mais aussi les moindres signes prennent un sens effrayant par cette économie des signes; et il arrive souvent que l'absence de signes met encore plus promptement en fuite l'homme timide, qui est le même que l'homme ambitieux. Ces jeux du visage humain disposent assez à penser qu'une suite de succès annonce d'autres succès, comme une suite de revers annonce d'autres revers. Telle est l'origine de cette idée paradoxale que les coups heureux et malheureux forment des séries. Idée qui n'est nullement fondée dans le jeu du hasard. Car cette expression de hasard veut dire, il me semble, uniquement que de telles séries de biens et de maux sont tout à fait écartées, par cette loi que le coup suivant ne dépend nullement du précédent, ni des passions du joueur. Mais comme justement le joueur vient chercher ici le remède à ces sottises du cœur, à cette crainte des signes, et enfin à cette maladie de l'ambition, il n'est pas étonnant qu'il apporte avec lui cette idée de la bonne et de la mauvaise chance, et qu'il croie la retrouver d'après les moindres indices. Ce mauvais mélange des notions se fait donc ici, à la table de jeu, d'où se forme cette vue de sentiment qu'un seul coup, pris en lui-même, est plus ou moins probable qu'un autre. La théorie des jeux de hasard nie énergiquement cette idée; mais elle s'y frotte, et je ne jurerais pas qu'elle n'en ait gardé quelque trace, voulant par exemple définir des probabilités égales, et conservant ainsi ce qu'elle nie, qui est le probable même, et qui n'est qu'en notre cœur défiant. Toute la force de cette notion perfide, enlaçante, irritante, est sans doute en ceci que, dans les affaires humaines, qui sont les grandes affaires, le calcul du probable change le probable. Mais le mathématicien m'arrête ici, autre tête de Méduse.

LIVRE CINQUIÈME

LES SIGNES

CHAPITRE PREMIER

L'AILE

Chacun, vers la fin du printemps, a eu occasion d'observer des oiseaux qui nourrissent leurs petits. Non seulement à la ferme et aux champs, mais dans le jardin public et jusque sur le pavé des rues, on voit les petits, et on les reconnaît à leurs ailes entr'ouvertes et tremblantes. Ce signe est moins clair pour nous que le bec ouvert, parce que le bec ouvert est le commencement de l'action; mais c'est éminemment un signe, parce que nous ne voyons pas d'abord à quoi il sert. Aussi faut-il le comprendre d'après la cause, et non d'après la fin. Remarquons d'abord que le tremblement, mouvement commencé et retenu, est toujours un signe de misère, aussi bien dans notre espèce. C'est pourquoi ce tremblement des ailes nous fait distinguer à première vue l'affamé du nourricier, dont les mouvements, au contraire, sont nets et prompts, sans aucun signe. Et l'action, sans aucun signe, est elle-même signe de puissance en tout être.

Mais voyons les causes. Il est naturel, par l'irradiation, dont il a été rendu compte précédemment, que le désir mette en mouvement le corps tout entier. Ou, pour mieux parler, c'est le besoin qui, par cette irradiation, se transforme en désir. Il n'est pas étonnant non plus que, par la faiblesse et l'inexpérience, les mouvements du désir soient retenus, ce qui veut dire qu'ils sont contrariés. On peut aussi comprendre que le premier désir, comme la première crainte, mette en mouvement d'abord et surtout les parties les plus mobiles, les plus légères et les plus libres. La première onde de l'émotion ne fait pas toujours sauter le cheval, mais agite aussitôt les oreilles et la queue du puissant animal, comme Darwin l'a remarqué. Par quoi je comprends le tremblement de l'aile; car qu'y a-t-il de plus mobile que l'aile? La physiologie des signes doit, il me semble, considérer d'abord la structure et la situation. Ce paquet de muscles est agité tout et de toutes les manières par la circulation en tous les filets nerveux, onde, fluide, ou comme on voudra dire. Si l'on veut comprendre les premiers effets de cette agitation non dirigée, il faut voir comment le paquet de muscles est fait, sur quelles articulations rigides il est monté, sur quelles parties il pèse, à quoi il se heurte, s'appuie ou s'accroche. L'aile de l'oiseau doit donc signifier éminemment, parce qu'elle est forte et libre. Au reste approchez-vous; vous verrez le nourrisson s'envoler lestement; tel est le signe de la peur, et c'est la fuite même. Signifier, c'est d'abord agir; et comprendre le signe, c'est d'abord imiter l'action. Sur le pont tous les hommes regardent en bas; je regarde aussi; j'ai compris le signe. Tous les hommes fuient et je fuis; je comprends ce signe avant de l'avoir vu, avant de savoir que je le comprends, avant de savoir qu'il signifie. Et il est assez clair que l'imitation s'explique assez, en partie par une même structure, en partie par une même situation, et enfin par ceci que percevoir une forme c'est toujours l'imiter par quelque mouvement. Je fais la flèche afin de suivre la flèche; mais je ne suis point flèche. Je fuis avec l'homme que je vois fuir, parce que je suis homme. C'est ici qu'il faut toujours revenir. Toute lumière sur les signes vient des actions.

En ce frémissement de l'aile il faudrait donc retrouver une action liée au besoin de manger par la coutume, et qui se serait changée en un geste rituel. C'est ainsi que Darwin a observé des canards du Labrador piétinant sur le pavé de la cuisine et signifiant par là qu'ils avaient faim; c'est ce même mouvement qu'ils font sur la vase, et qui fait sortir les vers dont ils se nourrissent. Vous trouverez d'autres exemples en Darwin encore. Le plus remarquable, peut-être, des signes humains, celui de la tête qui dit oui, est le mouvement même de prendre par les mâchoires, de prendre pour soi, pour convenable à soi. Et, au rebours, le non de la tête refuse la nourriture, comme non convenable, non assimilable. Ainsi le merle pique droit et plonge du bec sur la chose désirée, et au contraire rejette d'un tout autre mouvement, non moins vif, à droite et à gauche, les choses inutiles. C'est dire oui et c'est dire non. Suivant donc ce chemin, je cherche quel est le mouvement de l'oisillon dans son nid. A l'approche du nourricier chacun s'agite et se pousse, surtout par de petits mouvements des ailes, qui agissent alors comme des bras. Ces mouvements sont de peu d'ampleur et continuellement recommencés, parce que les voisins ne cessent de se pousser et de se soulever aussi. Ne cessons jamais de considérer la structure et la situation. La forme du nid fait de toute la couvée un seul être que la pesanteur rassemble continuellement. D'où ce frémissement, lié au plus ancien désir.

Or nul vivant n'oublie les premiers mouvements qui ont conquis nourriture. C'est par ces mouvements toujours qu'il désire et qu'il aime. Aussi voit-on que le baiser de l'homme imite le mouvement de téter, comme il est vraisemblable que les gestes de la prière imitent ce corps du nourrisson penché et appliqué, et jusqu'au geste des mains qui pressent la mamelle. Or l'oiseau tette si l'on peut dire, non seulement de son bec ouvert, mais de ses ailes cherchant appui. Tout désir, dès qu'il ne dépend pas de sa seule action, le remettra donc au nid en quelque sorte, et dans sa première enfance.

Les petites espèces, tout au moins, comme moineau, pinson, mésange, vérifient admirablement ce que je dis là. Car l'amour est signifié par ce même tremblement de l'aile. En quoi j'aperçois un riche mélange; car il est naturel que la plus puissante partie, et la plus libre, se meuve la première dans l'agitation de tout l'être; mais il ne l'est pas moins que l'action de force soit toujours retenue et de nouveau essayée, en un désir qui cherche consentement. Et il se peut bien que le brillant de l'esprit, souvent remarquable dans l'homme qui aime, soit aussi un essai de force, promptement réprimé par une profonde crainte, en cette conquête où il ne sert point de prendre. Toujours est-il que l'amour remet l'homme au berceau comme l'oiseau au nid. Cupidon, l'amour enfant, signifie donc bien plus qu'on ne croit. Il faut comprendre comment et quand nous apprenons à désirer; cela donne quelque lumière sur nos idées, si étroitement liées à nos signes. Tout désir ainsi nous ramènerait à l'enfance. Et il se peut bien que la timidité, outre qu'elle s'explique déjà par une agitation communiquée d'une partie à toutes, soit principalement un retour d'enfance, odieux à l'homme dès qu'il cherche à mettre en avant, au contraire, les signes de la maturité et de la puissance. On se trouverait donc, devant un ministre, et quant aux signes, tout à fait dans la situation d'Alceste devant Célimène; et Alceste lui-même serait enfant et nourrisson, dans le moment qu'il voudrait être maître et juge. Je crois assez que la grandeur d'âme consiste souvent à ne point se défendre d'enfance, soit dans le désir, soit même dans la moindre des pensées. C'est de cette première ignorance que nous perçons toujours; tout ce qui vivra doit sortir de l'œuf.

Toujours est-il que l'homme qui désire se fait enfant et ramassé, contre son désir même, qui le porterait à s'étendre. Et, même hors de l'amour, il y aurait un peu d'étonnement dans le désir, par ce besoin de recueillement et cette comédie de faiblesse. Ce n'est donc pas toujours par une ruse méditée que l'homme se retire d'abord de la chose désirée comme pour couver son propre désir. La pudeur serait donc naturelle, par la nécessité de laisser éclore nos sentiments sous l'abri des signes contradictoires. Nos signes naturels seraient donc énigmatiques. La rougeur serait ainsi l'exemple de l'effet et en même temps de la cause, puisqu'elle est le signe de l'innocence, et le signe aussi du mensonge. Parler clair est donc comme une violence, et comme une tromperie de bonne foi. D'où les ruses du poète, qui paraissent dans le plus ancien langage; et, pour tous, cette loi du style qui condamne à ne rien dire celui qui ne dit que ce qu'il dit.

CHAPITRE II

LA MAIN

Si l'on vise à connaître l'homme, il n'y a qu'une langue pour toute l'espèce. La difficulté ne vient pas de la diversité des langues, mais plutôt de ce qu'elles sont toutes obscures, profondes, réticentes, oraculaires, par les mêmes causes. En voulant pénétrer dans Tacite, je pénètre dans ma propre langue aussi bien, je veux dire aussi péniblement, et aux mêmes points de sondage. Une langue étrangère, et surtout si elle n'est plus parlée, a seulement ceci de remarquable, et qui remue l'esprit, c'est qu'elle ne semble point claire comme semble la langue natale. Les langues vivantes sont claires au premier abord, par ceci qu'elles désignent premièrement les choses, et bien aisément. Mais si vous poussez un Anglais jusqu'à l'impatience, son visage nous sera aussi familier ensemble et aussi obscur que les sonnets de Shakespeare. Qui traduirait le chant de l'oiseau ? Mais la main, comme l'aile, parle plus clairement et universellement, par les commencements d'action.

Le mouvement naturel de la main est de prendre et de garder, comme on voit aux toutes petites mains des nourrissons, qui s'accrochent au doigt comme la patte de l'oiseau sur le perchoir. Toutes les passions nous ferment les mains ; ainsi les poings sont tout prêts. C'est pourquoi, en revanche, la main qui s'ouvre est toujours le signe d'une pensée contemplative ; d'où ce geste d'adoration, qui ouvre les mains en même temps qu'il les sépare et les élève ; c'est laisser tomber les biens de la terre ; c'est se fier au monde. Ce geste est théologique. Le geste pratique qui y correspond, et qui en est souvent la suite, nous fait joindre les mains, et même les serrer et entrelacer. C'est le retour à soi, c'est le mouvement de passion, mais avec la précaution aussi de ne rien prendre, et de ne nuire à personne. C'est comme une fureur enchaînée par soi. Les gestes intermédiaires, comme d'appliquer les mains l'une contre l'autre, sans les lier l'une par l'autre, indiquent toujours un genre de contemplation plus près de l'homme, et une prière pour tous.

Donner la main c'est se lier à l'autre ; c'est sentir à la fois notre propre contrainte et la sienne. Cela fait une sorte d'assurance contre l'attaque et la prise. Le voleur et le rusé ne savent pas bien donner la main. Leur jeu est de prendre sans être pris. Au rebours les civilisés se donnent la main en toute rencontre ; ils la donnent toute, et même cette manière de donner la main signifie que l'on ne pense nullement qu'on la donne. Mais ce vide du signe est lui-même le signe d'une profonde paix. Gobseck tendait un doigt; confiance bornée, mais qui donnait pourtant ce qu'elle promettait. Il y a des paumes qui se retirent, et des mains qui s'enfuient comme des animaux. En ce langage nul n'a rien à apprendre; nul n'y trouve d'autre difficulté que de spéculation, et cette difficulté est la même pour tous. Chacun sait qu'il y a bien plus d'une manière de refuser la main, comme de la donner. J'ai remarqué que ces effets restent en l'homme le plus simple et y font des pensées, au lieu que la politesse s'étudie à effacer les différences, en réglant ces gestes selon une commune grammaire. La poignée de main sauvage est donc comme un poème; c'est un réveil des signes.

J'ai observé des variétés étonnantes dans le geste de payer. On y saisit ou la vanité, ou l'insouciance, ou l'avarice, ou le secret. Il y a des mains qui sont comme des bourses; on ne sait point ce qu'elles donnent. D'autres prennent l'univers à témoin. Les unes donnent en une fois, pour n'y plus revenir, et s'en vont tout ouvertes; d'autres s'attardent et s'en vont fermées; on ne sait si elles ont tout donné. Il est vrai aussi que l'usage du papier a changé tous ces gestes, et, sans doute, par une réaction naturelle, les sentiments de celui qui paie. Le poids de l'argent, et surtout de l'or, était comme un avertissement pour la main. On se plaisait à soulever l'or, à le tenir loin de soi comme au fléau d'une longue balance. Le papier est aimé autrement et interrogé autrement; on étale, on essaie, on éprouve par l'épaisseur ce tissu fin et résistant. Sans doute y sent-on moins de puissance que dans l'or, et plus de témoignage. Le sentiment de la richesse s'étend alors au lieu de se concentrer. L'avare est moins disposé à garder, et plus à entreprendre. La main en forme de bourse n'a plus ici de sens; sans doute cette forme est oubliée maintenant comme la bourse elle-même; et la main ouverte donne passage à d'autres pensées.

Il est admirable comme le langage parlé est sec et réduit, comme tout y est rabattu. C'est que chacun craint son propre cri. C'est pourquoi le ton est une sorte de chanson. L'homme craint aussi son propre visage, et le compose. Toutefois la coutume de manger en compagnie permet de deviner plus d'un secret. Les mâchoires sont comme d'autres mains, condamnées à la fonction de détruire, qui est la plus ancienne; et, quoiqu'il y ait un art diplomatique de manger, néanmoins la puissante fonction des joues et des mâchoires ne reçoit guère l'hypocrisie. En cette partie du visage sont rassemblés tous les signes de violence; et le rire est une détente, mais encore violente; c'est, quant au visage, le signe d'un homme repu. Or, ce signe ne cesse point d'apparaître et de disparaître en l'homme qui mange; et c'est en ce mouvement que je connais son véritable sourire. L'homme ne pense pas à tout; mais je crois bien que l'avare a pensé à cela; d'où, par cette cause et par d'autres, cette bouche serrée et coulissée comme une bourse. En revanche l'homme se défie peu de ses mains; elles comptent, elles persuadent, elles s'irritent sans permission. Il m'est arrivé de surprendre une vive impatience, et très bien dissimulée, dans les mouvements d'une main, pourtant épiscopale, encore amplifiés par un coupe-papier révélateur. D'où le personnage de Stendhal dit : « Regardez ses mains » Mais il faut être déjà vieux pour se repaître des signes involontaires. L'amour jeune plaide, et veut consentement.

L'idée de connaître un homme par ses mains n'est donc point folle. Non plus l'idée de connaître un homme par l'écriture; car l'écriture, parce qu'elle se conforme au modèle, fait peser en même temps sur la plume tous les gestes et tout l'homme. D'autant qu'on n'écrit jamais sans penser à mille autres choses qu'à ces signes-là. Je crois qu'on ne peut changer son écriture sans se changer soi-même. Il est donc vrai qu'il y a beaucoup à deviner d'après une écriture, et encore plus que d'après une main. Ce qui n'empêche pas que les arts correspondants, qui existent et qui même nourrissent leur homme, sont fantastiques en presque tout. L'art chiromantique l'est en ceci qu'il se détourne de l'avenir humain pour annoncer l'avenir extérieur. L'autre, l'art graphologique, l'est aussi, quoique moins visiblement, par un souci de décrire selon le langage poli, au lieu de pénétrer sans paroles ce qui dit plus que toute parole. Comme s'il importait beaucoup de savoir qu'un homme est avare, jaloux, ou emporté; mais ce n'est qu'un jeu, et qui ne mord point. Quand on a dit qu'Othello est jaloux, on ne connaît pas encore Othello. Car, dans le fond, tout homme est jaloux, avare, emporté, et ces idées sont universelles, et non générales. Exactement, ce ne sont point des idées, entre lesquelles il faudrait choisir, mais ce sont des formes, qu'il faut composer jusqu'à approcher de l'individu, comme le mathématicien approche d'une chute réelle, en combinant solidité, attraction, surface, frottement; mais j'anticipe. Il nous faut demeurer quelque temps dans le royaume des signes, où le signe répond au signe. Si ce travail de signe pour signe ne se faisait pas bien au-dessous de la pensée, la pensée elle-même n'aurait point d'objet. La réflexion reçoit le langage et ne le fait jamais; c'est pourquoi la réflexion est réflexion.

CHAPITRE III

LA VOIX

L'OUÏE est le sens de la nuit, toujours ouvert, même dans le sommeil. Toutefois il n'y a sous ce rapport, entre ce sens et les autres, qu'une différence de degré. L'odorat a seulement moins de portée que l'ouïe; le toucher encore moins que l'odorat. Pour la vue, elle n'est jamais si bien fermée qu'une vive et soudaine lumière ne la puisse toucher. Ce qui fait que l'ouïe nous met promptement en alerte, c'est une incertitude sur la distance et la direction; c'est l'habitude aussi de se fier à l'ouïe, non sans précaution, lorsque la vue nous manque, qui est notre gardien le plus sûr. Par ces remarques on comprend l'attaque du son; mais on ne la comprend pas encore assez. Le son se trouve joint à toutes nos pensées; l'histoire du langage humain dépend principalement de cette remarque. Un auteur a dit que le son est frère de l'âme, et cette parole sonne bien; mais il est utile de rechercher quelques-unes des causes qui font que le signe vocal est par excellence le signe, et pourquoi l'oreille est ainsi la vraie porte par où entrent nos pensées. Tout autre sens nous réveille par nos mouvements. Par exemple le froid me réveille par ces mouvements de plus en plus étendus par lesquels je cherche à me couvrir. Un contact me réveille par ceci que je le fuis et qu'il me poursuit. Une vive lumière, par ceci que je veux m'en garder. Il me semble que le bruit ne m'éveille pas ainsi en surface, mais qu'il me saisit en mon centre et en quelque sorte par l'esprit. Un bruit connu, comme du vent, de la pluie, de la mer, du moulin, n'éveille pas. Peut-être faudrait-il dire que mes mouvements ne changent pas le bruit comme ils changent la lumière et les autres contacts, plus rudes. Aussi voit-on qu'un appel ne met pas en mouvement, mais au contraire suspend les mouvements. Écouter c'est attendre, au lieu que regarder c'est déjà agir; et palper est agir. Voilà une différence qui a du prix. Au bruit je m'éveille immobile; au bruit je fais silence. L'extrême attention est jointe à l'extrême immobilité. D'où la surprise, qui est l'éveil sans riposte, par la nécessité d'écouter. Et, comme la respiration fait encore un léger bruit, celui qui écoute dans la nuit retient son souffle. D'où ce choc musculaire qui suspend le corps en éveil, et, par une réaction qui est de physiologie, renvoie le sang au cœur et excite follement ce muscle creux. D'où vient que l'homme surpris par le bruit entend aussitôt son cœur et ses artères et porte là son attention, discernant ce qui est de lui et ce qui est du dehors. Ce qu'éveille donc le bruit, c'est plutôt l'émotion que l'action. D'où l'on voit qu'un bruit continué, ou revenant, et dans les deux cas reconnu, est aussi ce qui détend d'abord et rassure. Le bruit continuant, et continuant le même, recouvre en quelque sorte l'émotion, et nous rend le souffle. Le bruit revenant, le bruit attendu et prévu donne relâche, et sans doute nous invite à régler d'abord sur ses retours les mouvements de la respiration et par suite tous les mouvements du cœur. C'est par une merveille du langage que le silence en musique est appelé soupir. Le soupir est une détente de l'émotion, une reprise du souffle. On aperçoit pourquoi les silences de la musique, surtout mesurés, expriment autant que les sons. Nous pouvons dire, sans aucune métaphore, que le cœur est saisi d'abord par le bruit, calmé déjà et comme enchanté, encore un mot admirable, par le bruit constant qui est le son, et enfin réglé par une suite convenable de silence et de bruit, qui discipline l'attente, qui apaise par l'attente comblée, et qui est le rythme. Les bruits qui n'éveillent point sont des bruits continus, ou des bruits préparés, comme le crescendo du vent, ou les bruits rythmés, comme de la vague ou du moulin.

Cette analyse, si on la suivait assez, expliquerait à la fois la musique et cette partie de la poésie qui est musique, et dont il y a trace encore et plus que trace dans l'éloquence. Mais je veux considérer maintenant l'alerte, qui est de prose pure.

Par opposition donc aux atteintes mesurées de la musique, aux préparations et gradations de la poésie et de l'éloquence, je comprends cette attaque du bruit soudain et de l'appel. La voix naturelle a quelque chose de désagréable par ce qu'elle a de heurté et de précipité. On a de grandes vues sur les passions si l'on sait seulement que la voix comme elle va irrite toujours, et que la partie irritante, en tout discours comme en tout signal, n'est pas aisément effacée. C'est une des causes qui font que le timide, dans le moment qu'il rassemble son courage, produit souvent l'effet qu'il craint. Bien dire et bien prononcer, c'est principalement préparer et avertir, enfin graduer le son. Les orateurs et les comédiens arrivent à cette fin par une mélopée qui étonne toujours dès qu'on la remarque. Et, au rebours, il est bien rare que le cri de l'improvisation ou de la découverte, même entre amis, n'irrite pas un peu. Il est clair aussi qu'un silence sans fin, après le cri, est ce qui trouble le plus; tout silence veut être préparé, mesuré. Ceux qui ont seulement abordé l'art oratoire ont senti que le silence, dès qu'il dépasse si peu que ce soit la mesure convenable, la mesure attendue, fait catastrophe en quelque façon. Comprenez d'après cela le bavardage rituel, et comment il a la vertu de remplir le temps sans étonner. Toutefois il faut se garder encore ici de ces attaques rauques qui viennent de fatigue et d'irritation. Il y a souvent de la brutalité ou une violence suivie dans le bavardage, d'où les plus aigres passions se trouvent si aisément éveillées. Les hommes d'écurie disent qu'il ne faut point toucher au cheval avant de lui parler. Les hommes de salon savent qu'il ne faut pas parler à l'homme avant de l'avoir effleuré, en quelque sorte, et en même temps préparé et rassuré, par des paroles connues, sur un ton connu et convenu. Une proposition non annoncée est toujours rejetée; chacun devrait le savoir. Mais ce que l'on sait moins, c'est qu'un accent non annoncé, comme l'huissier annonce d'abord celui qui entre, alarme et raidit aussitôt l'homme à qui l'on parle, et que cette attitude est déjà refus et bien pis que refus.

C'en est assez pour faire comprendre que la voix est naturellement de tous les signaux le plus mal reçu, le plus ambigu, le plus émouvant, le plus irritant, le plus trompeur, le pire pour l'amitié, le pire pour l'action. Il est prodigieux que l'homme se fasse comprendre par cris réglés. Il est naturel qu'en dépit des conventions, de l'usage et de la coutume, le discours libre soit ordinairement la source des querelles. Mais les arts les plus anciens, poésie, musique, éloquence, s'expliquent aussi par là; car les hommes n'ont pu s'entendre, encore un beau mot à double sens, que par une attention constante à la manière de dire, enfin par des précautions dont le discours écrit tire encore aujourd'hui toute sa puissance. Les sentiments, les scrupules, les progrès, l'esprit de doute, enfin toute la civilisation humaine, dépendent de ce fait étonnant que le langage vocal a remplacé tous les autres, jusqu'à ce point que le dessin, qui n'est que le geste fixé, a été déchu de son rang parmi les signes, pour devenir une simple écriture.

Comment expliquer un si grand changement, une si grande discipline imposée au cri, à l'appel, à la plainte? Comment expliquer une telle déchéance de la mimique, par elle-même si claire, si explicite, puisqu'il suffit alors d'imiter pour avoir compris? Darwin a dit là-dessus le principal par cette remarque que le langage vocal est le seul qui puisse servir la nuit. La nuit est le temps des alarmes, mais aussi de la confiance et du repos, dès que l'on pose seulement que la société humaine est aussi ancienne que l'homme. D'où une composition naturelle des signes de nuit, et des différences soigneusement observées, selon qu'il s'agit de rassurer, ou d'avertir, ou d'alarmer. L'état de guerre entre les sociétés d'hommes explique aussi comment ces signes furent secrets; ils pouvaient l'être, étant naturellement ambigus. D'où la confusion des langues, qui étonne encore aujourd'hui par opposition à la mimique qui est un signe universel, et enfin à tous les arts, qui parlent à tout homme. Encore une fois, d'après cette immense idée, on comprendra que la nuit est la mère des institutions, et qu'un jour d'autre nature éclaire nos nuits, depuis que l'homme sait entendre ce que les bêtes voient. Toutefois la remarque de Darwin est bien loin d'épuiser ce grand sujet.

On approche un peu plus de saisir la puissance du

langage parlé si l'on considère la musique, si puissante pour régler les actions. La faiblesse du geste est en ceci qu'il présuppose attention; c'est dire qu'il est naturellement précédé du cri; et c'est par là qu'il faut comprendre que le cri et le geste soient si naturellement liés. Mais il faut dire aussi que l'attention au geste détourne de faire attention à l'objet, ce qui arrête l'action réelle, et y substitue l'imitation du geste même; c'est temps perdu. Dans les exercices militaires, on peut bien, au commencement, imiter le geste de l'instructeur; mais, dans l'action réelle, c'est au terrain et c'est à l'ennemi qu'il faut regarder. En toute action la vue est occupée toute. Obéir, fonction ancienne et de tous les temps, c'est traduire les sons dans les actions, comme font les rameurs, comme font ceux qui tirent ensemble sur une corde.

Aussi, chose digne de remarque, l'attention au geste, est arrivée à se refermer sur elle-même et à ramener l'homme à l'homme, comme on voit dans la danse, où l'échange des gestes imités est sans fin, le geste tenant lieu d'objet. Cette méthode de se comprendre les uns les autres se borne à elle-même, par ceci que ce que je comprends c'est seulement que je suis compris. C'est la forme du langage, sans contenu. Et telle est la connaissance de soi dans l'autre, qui oriente tous les arts plastiques, en éliminant l'événement, et enfin toute la nature extérieure. La frise, ou danse fixée, efface le monde, comme on voit par ce vide sculptural, qui est de tradition, et caractéristique du style ancien. Au contraire le signe vocal, si naturellement propre à régler l'action sans l'interrompre, se trouve lié aux perceptions vives de la vue et du toucher, et de façon même qu'il les règle en réglant l'action. D'où cette aptitude du cri, qui est le mot, à exprimer toujours autre chose que lui-même. Il n'est de signe que rabaissé.

Comte a dit encore là-dessus quelque chose de plus profond; et peut-être a-t-il saisi l'idée principale en voulant attacher au signe vocal le sens d'une méditation avec soi. Je ne vois point mon geste comme je vois le geste d'autrui. Je le sens, je l'éprouve en moi-même, mais par des effets du toucher intime, que les autres ignorent; l'apparence de mon geste, ce qu'il serait pour les autres, m'est donc tout à fait inconnue quand je suis seul, c'est-à-dire quand les autres ne me renvoient pas mon image par des mouvements imités. Au contraire ma propre voix sonne à mes oreilles comme ferait une voix étrangère. Ainsi l'homme se parle à lui-même, et se connaît parlant comme il connaît les autres parlant. D'où le voilà deux en solitude, et formant et percevant l'écho de ses propres pensées. D'où ce monologue, qui est la pensée. Cette idée veut d'amples développements. Encore une attention, avant cela, au cri sauvage, et aux sauvages émotions qui le suivent toujours, en nos chansons, en nos poèmes, en nos prières, et jusque dans nos plus abstraites méditations.

CHAPITRE IV

ENTENDRE

Comprendre dit plus que voir; cela n'étonne point. Mais entendre dit plus que comprendre. Entendement a vaincu compréhension. Voilà une des révélations du langage commun; il y en a d'autres, comme on verra. Toutes font rêver. Celle-là doit nous retenir maintenant. Ce n'est pas que j'espère retrouver par ce chemin le sévère entendement. J'ai déjà dit que je ne veux point l'aborder par détour. Il faut le prendre dans l'objet éclairé par la preuve, et tirer la preuve au clair. La difficulté n'est pas petite; mais ce n'est point celle que nous rencontrons maintenant. En cette physiologie, où nous sommes aventurés, il est à prévoir que nous découvrirons quelques racines de l'entendement; car l'entendement est en nous, et à nous incorporé. Mais, comme aucune preuve n'est soumise à l'enfance, de même le chemin de nature qui mène à l'entendement ne change point la preuve, et ne peut l'éclairer. Notre objet est maintenant l'imagination. Toutefois, si, dans la description des mouvements de la nature, nous n'arrivions pas à découvrir et à reconnaître l'entendement comme on découvre un organe, et à deviner au moins ce qu'il est, il manquerait quelque chose à l'homme de chair. Descartes disait que l'union de l'âme et du corps s'éprouve et se connaît dans la société et les conversations. Que faisons-nous en cette revue des signes, qu'appliquer l'entendement même à ce monde humain, lieu des signes, et à tenir en quelque sorte avec le genre humain toute la conversation possible ? Or, très justement, le mot entendre nous arrête, et fait périr d'abord ces développements faciles, d'après lesquels entendre est des passions seulement, au lieu que voir nous règle selon l'objet. Ne voit-on pas les nombres et les figures ? Et, quand on a vu, tout n'est-il pas dit ? Qui n'a pas conçu une géométrie à la muette, qui nous ferait faire la visite des formes comme on visite un château historique ? J'ai donné assez de temps à ces jeux d'imagination pour qu'on ne me soupçonne pas de les mépriser. Pour détourner l'homme ingénieux de prendre l'imagination pour l'entendement, il ne faut pas moins que la preuve même, qui est un discours. Ainsi s'éclaire aussitôt, dès qu'on y pense, cette puissante métaphore d'après laquelle le signe vocal se trouve lié à la pensée même. Tout au moins nous sommes avertis. Avertis aussi par cet axiome de la sagesse populaire, d'après lequel ne point savoir ce qu'on dit est ce qu'il y a de pire. Savoir serait donc savoir ce qu'on dit.

Que nos objets soient nos pensées, cela finira par être vrai. C'est le ciel, objet inaccessible, le seul que nos téméraires essais ne peuvent changer, c'est le ciel qui nous a sauvés de déraisonner. Mais, de cet état supérieur de Thalès contemplant, il faut dire que nous n'y sommes point d'abord, et que Thalès y arriva, y revint, mais n'y put rester. C'est notre point de fuite, qui donnera sens à toute folie ; mais la folie d'imagination est notre état premier et ordinaire. Le sommeil et les songes nous le rappellent assez. Les Grecs, nos instituteurs, ont appelé logos, qui est discours, l'entendement de l'entendement. Cela est abstrait et presque violent. Mais les mêmes Grecs nous instruisent mieux quand, par le nom sacré des Muses, ils joignent la musique à toute sagesse, et Polymnie à Uranie en ce beau cortège, que la piété nous détourne de rompre. Il faut donc comprendre, au moins par éclairs, comment la poésie fut notre maître à penser.

Entendre nous ramène à nous, par un tumulte physiologique d'abord sans direction. Entendre des mots nous rassure, par la présence humaine. C'est le signe du semblable, et c'est le lieu de la société. Par l'imitation des mouvements, nous nous faisons semblables aux autres, mais sans le savoir. La moindre action réelle fait sentir les différences, qui sont toutes de lieu. Je ne puis me voir comme je vois l'autre. Une danse de sourds n'arriverait pas à être une danse. Mais, dans le chant des rameurs, tous sont ensemble d'une certaine manière. Chacun arrive à s'entendre lui-même comme il entend l'autre. Les rameurs sont distincts; le chant est un. Les sons se joignent et s'épousent comme rien au monde ne se joint ni ne s'épouse. Des hommes marchant font un même bruit. Il n'y a point d'autre témoin d'une action commune que le bruit. Chaque homme a toujours sa place dans une foule, et il y a une perspective sur la foule aux yeux de chacun, variable selon la place de chacun; mais les bruits ne font qu'un bruit. La discorde, de même que l'accord, est un fait de l'ouïe. Aussi toute imitation grimace, et sans être avertie; mais l'imitation des sons ne grimace point. Je touche donc la société par l'ouïe. On dira que je puis bien aussi la voir. Il est vrai que je la vois dans un cortège, ou dans ces rameurs si bien accordés en leurs mouvements; mais alors je n'y suis point. On comprend mieux ces effets par les extrêmes. Le sourd est exilé et retranché; mais l'aveugle, de même que tout le monde dans la nuit, se trouve plongé au contraire dans le milieu humain. Il semble que le sentiment humain ait les yeux fermés. Et l'amour aveugle signifie autre chose qu'une pauvre satire. Peut-être pourra-t-on comprendre, d'après ces obscures remarques, que le premier objet de la pensée, c'est le son. Penser, c'est bien s'accorder aux objets; finalement c'est bien cela; mais si ce n'était que cela, ce serait agir, non penser. L'action a ceci de bon et de sain qu'elle est ce qu'elle est, et qu'elle se borne à elle. Une action manquée est une autre action. L'adaptation toute seule n'est point pensée; car qui ne s'adapte point du tout meurt; tout ce qui vit a réussi et réussit sans cesse. Il faut sans doute porter son attention de ce côté-là pour comprendre l'activité technique et cette nuit de pensée, impénétrable, qui la recouvre, par ceci que le succès vient tout d'un coup, comme il arrive à celui qui essaie d'ouvrir une serrure difficile. La pensée ne peut naître en ces essais; mais plutôt elle naît de cet autre essai de s'accorder par la voix avec son semblable. J'aperçois qu'il n'y a pas de pensée en ces actions de l'oiseau si bien réglées. J'en verrais plutôt quelque trace en ses chants; mais une remarque m'arrête, que je n'avais encore jamais faite, c'est que les oiseaux ne chantent point ensemble. Ce n'est jamais que tumulte; chacun chante comme il agit. Cela revient à dire que les chants des oiseaux sont profondément étrangers à toute musique. La mélodie est de société, et essentiellement harmonie. Elle est modèle; elle est faite pour être imitée. Ici trouve sa place la pensée de la faute, ou de l'erreur, qui est la pensée même.

Qu'on me pardonne d'insister ici. L'entendement est quelque chose par soi de clair et de solide; mais l'homme d'entendement se cache. Parce que la science est quelque chose de plus, évidemment, qu'un discours bien fait, l'homme d'entendement méprise la logique et cherche l'objet. Mais la science n'est pas dans l'objet non plus, ce n'est que le succès, ou l'industrie, qui est dans l'objet. Il faut refaire, autant que l'on peut, ce mouvement de parler à penser, qui est l'universel rudiment, si l'on veut faire honneur aux Muses des progrès de la physique. Mais l'ingratitude est le premier état de tout pouvoir; ainsi c'est une erreur naturelle de prendre l'action pour la pensée. Il faut redire que celui qui débrouille un peloton de ficelle ne se trompe jamais, pas plus que l'oiseau qui pique des grains et les manque. On dira que l'homme prévoit, devine, suit la ficelle des yeux en ses replis. Mais examiner ainsi, c'est toujours agir; c'est pencher la tête, tourner autour; le problème change à chaque instant. Peut-être pourrait-on dire que la pensée suppose un problème qui ne change pas par les essais. Or cela n'a de sens qu'en des choses chantées et de nouveau chantées, ou en des discours dits et de nouveau redits.

Platon est le seul écrivain que je sache qui ait donné à la mémoire mécanique, celle qui répète sans changer, et qu'il faudrait appeler scolaire, son vrai rang. Remarquez ce que signifient apprendre et savoir, dans le commun langage. Je croirais assez qu'il y a plus de pensée dans l'application à répéter comme il faut un vers ou une chanson, que dans toute l'invention des outils et des machines. L'action ne résout point de problèmes; elle passe; elle fait son trou. Celui qui secoue le téléphone ne recommence point; il cherche passage au son comme celui qui traverse un hallier cherche passage pour lui-même. L'enfant qui récite des vers ne cherche point passage ainsi; car il ne peut changer l'objet, et il ne le veut point; au contraire il veut premièrement s'accorder à l'humain, qui lui est annoncé ici énergiquement par le sentiment du beau. Il veut donc parler humainement. Ce premier respect est vraisemblablement la première pensée qui portera toutes les autres. Comprendre ne se peut que par vénérer; faute de vénérer on changera. La science doit premièrement vaincre des discours, et ensuite vaincre la chose par une préparation de discours. Vaincre premièrement, ce n'est point savoir. Peut-être est-ce un trait du pur ouvrier, et trop peu remarqué, que d'être toujours content de lui. Il ne voit le mieux que lorsqu'il le fait; seulement comme l'essai moins heureux est profondément oublié, jamais il ne voit le mieux; mais plutôt il fait ce qu'il fait. J'ai déjà dit et je dirai encore ce que chacun sait, c'est que l'expérience ne donne pas de leçon à proprement parler. Ce sont les Muses qui donnent leçon.

Rassemblons. L'ordre de nature semble être celui-ci. D'abord parler, ce qui est reproduire un modèle fixé, et se plaire là, ce qui n'est pas comprendre, mais plutôt d'abord se faire comprendre. L'enfant dit avant de savoir ce qu'il dit. Ici se montre la magie originelle, qui consiste dans cette opinion, tant de fois vérifiée, que le sens des mots va bien au delà de ce que l'on en comprend soi-même. Or, telle est la vertu de la poésie, qui plaît d'abord par l'accord, par le modèle immuable, par la faute sensible et aussitôt corrigée. Le sens ne se découvre qu'ensuite, par un développement sans fin, qui ne change point l'objet, mais qui, au contraire, y ramène. Il est très vrai qu'on ne peut chercher que ce que l'on sait déjà en un sens. Mais aussi il faut dire qu'il n'y a de méditation réelle que sur le langage commun. Regardez bien ici; observez l'enfant; remarquez comme vous parlez et écrivez. Peut-être saisirez-vous ceci, que l'on ne commence pas par dire ce qu'on pense, mais que toute la pensée d'un homme au contraire est occupée à savoir ce qu'il dit. Cette conclusion, péniblement conquise, nous élève comme d'un bond jusqu'à la méthode de Socrate, qui consiste à dire d'abord, et à s'accorder sur ce qu'on dit, objet premier d'une réflexion sans fin. C'est ainsi que la géométrie commence, se continue et se termine en discours. Non qu'elle se réduise à des discours; les objets, qui sont les figures, y importent au contraire beaucoup. Toutefois, alors que le praticien ne fait attention qu'aux objets, le propre de l'esprit géomètre est socratique au contraire, en ce qu'il est surtout occupé d'accorder ce qu'il dit à ce qu'il a dit. Le fait est qu'un maçon est, en un sens, un parfait géomètre, puisqu'il agit selon les formes, les volumes, les poids, les directions; mais le maçon n'est point du tout géomètre, attendu qu'il n'est nullement le grammairien de ces choses. Il touche la géométrie, il la voit; mais il ne l'entend point.

CHAPITRE V

LES NOMS

L'APPARENCE c'est que l'on peut imposer des noms comme l'on veut. Le vrai, c'est ce qui est entrevu dans le *Cratyle,* qu'il y a une vérité des noms et du langage. Là-dessus on ne peut que suivre Comte; c'est le seul auteur qui éclaire la question comme il faut. Toutefois, selon une constante pratique, j'y renvoie le lecteur, n'ayant point l'intention de le résumer ici, mais plutôt de reprendre les mêmes idées d'une autre manière. Et cette remarque appartient à notre sujet; car les auteurs participent à cette vérité du langage, et en même temps l'assurent; aussi les reconnaît-on à ceci qu'un résumé de leur doctrine ne peut jamais remplacer leur doctrine, laquelle n'est nullement séparable de l'expression qu'ils lui ont donnée. Mais, poussant plus avant cette exploration, je dirais non seulement qu'un auteur, que l'on peut résumer n'est pas un auteur, mais, encore bien plus, qu'une idée résumée et sans ornement, autrement dit sans cette parure du langage, n'est plus une idée. Cela s'accorde assez avec ce qui a été dit précédemment, mais se trouve aussi plus aisé à expliquer.

La pensée ne vit que par un signe qui renvoie à autre chose, et encore à autre chose. Mais comprenons bien la vertu du signe. La lune n'est pas un signe de la marée, ni la marée de la lune; car ce sont deux choses, et l'une n'enferme point l'autre, mais au contraire l'exclut. Le monde ainsi nous emmène en voyage; mais ce n'est toujours qu'action; au lieu que, à interroger le vrai signe, la pensée mûrit, revenant toujours là, et rassemblée par le privilège de cet objet, qui est son miroir en quelque sorte. Toutes les œuvres d'art sont des signes, j'entends qu'elles signifient sans fin, mais en elles-mêmes. Or, le langage est quelquefois œuvre d'art, quelquefois non. Il ne l'est point lorsqu'il signifie une autre chose, comme fait le poteau indicateur. Mais la croix du carrefour est véritablement un signe, signe de beaucoup de choses et même sans fin, seulement en elle-même. Or, autant que tout son sens nous ramène à elle, elle est belle; et c'est ainsi qu'un beau vers est beau. Le commun langage appelle énergiquement pensée une manière de dire fixée et suffisante, et telle que sa signification nous ramène à elle. L'algèbre est tout à l'opposé, car les termes voudraient n'y signifier qu'une chose, et toujours ne conduire à d'autres idées que par d'autres signes. Toutefois l'algèbre n'arrive jamais à ce sens dépouillé, et elle participe du langage réel en un sens, comme Comte l'a montré, parce qu'elle est un produit de nature aussi. L'homme n'a point inventé cette exacte écriture en vue d'exprimer quelque chose qu'il pensait d'abord; mais au contraire cette écriture, peu à peu formée et enrichie, s'est trouvée aussitôt exprimer bien plus qu'on ne croyait; et l'on y a fait des découvertes, comme dans un monde; Fermat et Euler en témoignent. Toutefois il faut laisser ce grand et beau sujet; car la poésie qu'il enferme, par le merveilleux et inépuisable sens des termes les plus dépouillés, est profondément cachée, et sensible seulement à un petit nombre d'hommes dont je ne suis point.

Le commun langage est un meilleur objet, plus familier, qui sonne mieux, qui répond mieux. Je veux dire quelque chose maintenant de la poésie qui lui est propre. Suivons Comte encore, mais en un libre commentaire. Il ne se lasse point d'admirer la profonde ambiguïté du mot cœur. Développons quelque chose de cette richesse qui est à tous. Laissant même les parentés d'étymologie, qui sont belles et instructives, ne considérons que ce qu'y voient les bonnes femmes. Le mot cœur désigne à la fois l'amour et le courage, en même temps que, par son sens physiologique il les relève tous deux au niveau du thorax, lieu de richesse et de distribution, non lieu d'appétit et de besoin. Par quoi le courage est éclairé, et encore mieux l'amour. Le physiologiste est détourné par là de confondre les passions avec les intérêts; et cette distinction se fait d'elle-même et en quelque sorte au bout de sa plume, pourvu qu'il pense et écrive selon le commun langage. On peut méditer là-dessus autant qu'on voudra; mais personne n'aura l'idée de redresser le langage, car il s'agit de le comprendre. La sagesse populaire ne conseille pas ici, mais décide. Nous voilà avertis, et, si nous méprisons l'avertissement, punis de style plat. C'est la peine capitale. Et l'on devine ce que c'est qu'être auteur et ne l'être point. On n'écrit pas comme on veut, et heureux celui qui écrit comme il faut. Mais aussi, dès que l'on écrit comme il faut, on n'a pas fini de savoir ce qu'on a écrit. « Rodrigue, as-tu du cœur ? » Cette question a de la résonance.

Faisons donc sonner encore notre beau mot. Il a deux genres, comme dit le philosophe. C'est le cœur masculin qui est surtout courage; c'est le cœur féminin qui est surtout amour. Mais encore une fois le mot rassemble l'idée, et il faut entendre les deux ensemble. Cela développe une suite de pensées infinie. Car, s'il n'y a point de vrai courage sans amour, la haine ne va donc point avec la guerre dans le même homme; l'esprit chevaleresque se montre ainsi dans une manière de dire que nous avons reçue et non inventée. Chacun parle ainsi, disant bien plus qu'il ne croit. De même il arrive que les mots se heurtent autrement qu'on ne voulait. Les sens explicites s'accordent, mais les sens cachés se battent; la phrase n'a plus de consistance; encore moins de pointe. C'est ainsi que le style plat avertit. Mais suivons. S'il n'y a point non plus d'amour sans courage, voilà que la fidélité se montre, et le serment, et enfin, sous n'importe quel amour, l'amour purement voulu que l'on nomme charité. Enfin il est enfermé dans le mot cœur que c'est un triste amour que celui qui tient ses comptes et qui n'ose pas espérer. Le sentiment avare habite au-dessous du diaphragme et ne jure jamais de rien. Ces développements sont bien faciles à suivre dès que l'on est dans le bon chemin. Mais c'est trop peu ici de regarder les êtres; il faut encore aimer les mots et même les vénérer. Il faut entendre l'homme; cela porte plus loin que de le voir. Et l'on aperçoit aussitôt que ceux qui ont bien écrit sont nos vrais guides. La science est donc aveugle, si la culture ne va devant.

Il suffit maintenant de rappeler d'autres exemples, et d'inviter ainsi le lecteur à en chercher lui-même. Presque tout le dictionnaire s'éclairera alors de cette lumière poétique, qui fait voir qu'on ignore, et qui donne à chercher. Le mot nécessaire a un sens abstrait qui échappe à beaucoup; mais le sens usuel du mot nous rappelle aussitôt comment la nécessité nous tient. Comte méditait avec ravissement sur ce double sens. On dit un esprit juste, et l'on ne peut le dire sans mettre la justice dans le jeu, qu'elle paraisse ou non, la justice qui semble bien loin. Et aussitôt se montre, par le jeu des contraires, l'injustice comme source de nos principales erreurs, et peut-être de toutes. Ainsi la plus simple expression dépasse aussitôt nos faibles pensées. On dit aussi un esprit droit et le droit. Imprudent qui voudrait écarter la droite des géomètres, que ce discours enferme en dépit de l'écrivain. Mais j'y veux encore la main droite; je la veux parce qu'elle y est; et comprenne qui pourra, mais d'abord le langage nous tient, et tout ce que nous disons veut développement. Tel est l'intérieur du style, et c'est le style; et la chose décrite n'est donc pas la seule règle du bien dire. Ici, et par cette loi même, il faut que les exemples m'accablent. On dit que l'on aime passionnément; prophétie à soi; mais qui donc pense assez qu'il s'annonce à lui-même esclavage et souffrance? Bien plus, qui donc pense ici la passion du Christ, et le calice choisi et repoussé? Je veux insister encore, comme fait Comte, sur le double sens du mot peuple, qui veut que la partie qui travaille soit prise aussitôt pour le tout. Je citerai seulement des mots comme affection, charité, culte et culture, génie, grâce, noblesse, faveur, courtisane, esprit, fortune, épreuve, irritation, foi et bonne foi, sentiment, jugement, ordre. Chacun de ces mots pose un problème qu'on ne peut changer. Chacun de ces mots veut être compris, non selon la définition qu'on en voudra donner, mais selon ce qu'il est. Maintenant j'ai sans doute éclairé assez cette idée qui choque d'abord, c'est que chacun a premièrement à savoir ce qu'il dit, et que ce n'est pas un petit travail.

CHAPITRE VI

LES NOURRICES

On se fait une idée maintenant de ce que c'est que l'enseignement des nourrices, et l'on comprend que, par respecter l'usage, il va bien plus loin qu'on ne croit. Mais il est à propos de dire comment les choses se passent; car tous le voient, et peu le savent. Que l'enfant parle d'abord selon la structure de son corps, cela ne peut étonner personne. Qu'il parle ainsi son propre langage, par mouvement, cris variés ou gazouillements, sans savoir le moins du monde ce qu'il dit, cela n'est pas moins évident. Comment le saurait-il, tant qu'il n'est pas compris? Comment comprendrait-il son propre langage tant que personne ne le lui parle? C'est pourquoi les très prudentes nourrices essaient d'abord d'apprendre ce langage, afin de l'apprendre au nourrisson. Quand on remarque que l'enfant applique d'abord aux objets familiers certains mots qu'il invente, on oublie que la nourrice ne cesse pas de chercher un sens à ces mots d'une langue inconnue, et qu'elle en trouve un. Ainsi l'enfant apprend sa propre langue; il apprend ce qu'il demande d'après la chose qui lui est donnée. On devine que par cet échange continuel, les mots du langage enfantin sont inclinés vers les mots véritables et y ressemblent de plus en plus, par une lente transformation. Il y a des articulations difficiles; et puisque l'enfant ne peut prononcer comme la nourrice, la nourrice prononce comme l'enfant. L remplace R, Z remplace J, et ainsi du reste, et les grammairiens retrouveraient ici quelque chose de ce qu'ils observent dans le changement des mots. L'enfant représente l'usage, qui va au plus court; et la nourrice représente la grammaire. On peut supposer, et on a remarqué souvent, que la manière enfantine de parler, qui est un peu de tous, changerait bien vite une langue sans la nécessité de comprendre ce qui est écrit, qui conserve l'ancienne coutume. Les poètes sont bien forts ici, parce qu'ils ne supportent pas que la moindre syllabe soit négligée; d'où l'on voit que les études classiques continuent le combat que les nourrices ont commencé.

Mais c'est par l'autorité des choses écrites que l'enfant est soumis plus ou moins à cette condition de renoncer à sa propre langue et de prendre celle qu'on nomme si bien maternelle. Toutefois, il y a une exception à cela et peut-être plusieurs. Le nom de maman est reçu de l'enfant et règne sur les hommes. C'est le premier nom que font les lèvres lorsqu'elles se séparent selon leur plus ancien mouvement, qui est de téter. Mais remarquons que l'enfant ne dit point maman; il dit quelque chose qui en approche, que l'on lui répète en le changeant un peu. Il est clair que ce premier mot, si bien attendu, n'est pas choisi arbitrairement; il est ce qu'il peut être par la structure de la bouche enfantine.

La langue naturelle, l'unique langue humaine, celle qui dépend seulement de la structure, naîtrait ainsi, à supposer que des enfants grandissent ensemble sans jamais avoir à parler qu'entre eux. Et j'ai cru remarquer qu'entre deux jumeaux que j'ai observés, il a subsisté longtemps quelque trace d'un langage propre à eux deux. Mais la règle est que les premiers discours sont entre l'enfant et la mère, sous l'autorité de la mère; la mère elle-même a égard au père et à d'autres; aussi la nourrice. Le langage des poètes et surtout l'écriture règnent sur eux tous. Le premier effet de la lecture est de subordonner le ramage enfantin à un certain objet que l'on ne peut fléchir. Si vous écoutez le langage abrégé, simplifié, rabattu, qui a cours dans les métiers et même dans la conversation familière, vous comprendrez comment se multiplient les dialectes et les patois, et comment tout langage se perdrait bientôt, en un peuple qui ne lirait point. Toutefois la simplification ne serait jamais la seule loi. Il y aura toujours des mots d'importance, et des passions qui donneront importance à des mots. La violence même y conserve le rauque et le grondant, comme on voit dans les jurons.

En un peuple qui a des prières, des conjurations, des serments, des chansons et des livres, la situation de l'enfant est qu'il apprend fort vite unelangue qui le dépasse et le dépassera toujours. Et, comme il dit maman sans savoir d'abord qu'il le dit, de même il parle toujours sans savoir d'abord ce qu'il dit, attentif aux articulations comme à une chanson. Le sens sera connu d'après les effets. Mais je ne veux point imaginer cet enfant pensif allant à la recherche des idées; un tel enfant n'existe pas et ne peut exister. Les premières expériences de l'enfant ne sont point faites par lui. Il est porté avant de marcher; on lui présente des objets avant qu'il les remarque; on l'instruit avant qu'il puisse s'instruire. Il est dans l'ordre que l'enfant ait peur du feu avant de savoir qu'il brûle, et peur de la porte de la cave avant de savoir qu'il y peut tomber. L'expérience enfantine a d'abord pour objet des signes; la première connaissance d'un objet est l'imitation d'un signe et d'une suite de signes. La première connexion entre feu et brûlure est entre le mot feu et le mouvement de se retirer, détourner ou protéger. Le feu lui-même n'y est d'abord pour rien. Un chien méchant est perçu par les signes que fait voir la nourrice. Au reste remarquez que l'expérience qui expliquerait que nous nous garons si bien des voitures n'a été faite presque par personne. C'est le geste et le cri de l'homme qui sont ici notre objet. Il est clair que l'enfant périrait par l'expérience avant de s'instruire par l'expérience; et cela est vrai de nous tous. C'est pourquoi la plupart des dangers nous effraient peu au premier moment; au lieu que la peur sur un visage effraie le plus brave; et presque personne ne résiste à un mouvement de terreur panique.

On trouve d'abord à dire, quand on étudie les idées des peuples arriérés, qu'il est étonnant que les choses ne les aient pas instruits. Mais sommes-nous tant instruits par les choses? Même nos paysans, qui tirent tout de la nature inhumaine, balancent encore à préférer leur propre expérience à la tradition. Une grande part de nos connaissances à tous porte seulement sur les signes. Il est clair que c'est la chose enfin qui décidera; mais, parce que nous avons été enfants avant d'être hommes, chose que Descartes n'a point dédaigné de dire, il est dans l'ordre que nous ne commencions point par interroger la chose toute nue, mais au contraire, que nous allions à la chose déjà tout pourvus de signes, on dirait presque armés de signes. Tout notre travail de recherche est à vérifier des signes; et c'est l'inflexion imprimée au signe par la chose, c'est cela que nous appelons idée. On remarque que celui qui manie les choses seulement, et en quelque sorte sans leur parler, n'a pas d'idées. C'est sans doute que les souvenirs des choses ne sont point des idées; et cela se comprend. Un souvenir ne peut être faux, ni donc vrai; il peut seulement être mutilé, incomplet, confus, comme dit l'autre. Au lieu que ce qui fait l'idée, c'est qu'elle est préconçue, essayée, violente et violentée. Comment s'en étonner, puisque l'homme a connu les signes avant de connaître les choses, et, bien plus, a usé des signes avant de les comprendre? Un signe est magique en son enfance; il l'est par ceci que je sais qu'il signifie avant de savoir ce qu'il signifie. Un signe, par sa nature, revêt d'abord toute l'expérience possible. « L'enfant, disait le sagace Aristote, appelle d'abord tous les hommes papa. » Je dirais encore plus; je dirais que le signe papa, dès qu'il est reconnu comme signe, dès qu'il a pris ce sens admirable d'être un signe, c'est-à-dire de faire échange entre les hommes, et d'abord de les arrêter en admiration, que ce signe donc est toujours présupposé universel, et que l'enfant d'abord l'essaie à tout. La plus ancienne magie étonne par l'indétermination. L'expérience prend alors un sens, car tantôt elle répond et tantôt non. Elle mord sur une erreur présupposée. Penser se définit sans doute par là, par cette lutte entre les signes et la nature des choses. Et c'est sans doute une idée profonde que celle du Créateur qui fait naître les choses en les nommant. Car, que les choses soient senties en nous par leurs effets, cela n'explique pas assez ce monde en spectacle. Ce monde ne cesse pas d'être et de nous tenir, mais il y a des moments où cela même se montre à quelqu'un. Il y a plus d'une manière de perdre ce visage du monde, par sommeil, par coutume, par action précipitée. Et il ne faut pas oublier que c'est le poète qui le retrouve en le nommant d'un nom étranger. Les vieilles pratiques des incantations sont ainsi justes dans le fond. Le monde paraît à travers les signes. L'apparence toujours nous trompe, et c'est par ce mouvement de dépasser l'apparence que quelque chose apparaît. Que serait le soleil sans cette opposition de l'idée et de son contenu? Où percerait le jugement, si la chose était nue et sans ce vêtement de signes? N'est-ce pas toujours l'Atlas métaphorique qui porte le monde? Se heurter n'est que douleur. Mais c'est ce heurt des pensées impossibles qui fait l'étendu et le solide. D'où il semble que nous avons à reprendre élan de nos signes d'enfance pour ressusciter la suffisante et immense présence, qui n'est signe de rien. C'est ce qu'exprime le poète aveugle.

CHAPITRE VII

LES MUSES

Puisque le commun langage enferme toute sagesse et s'offre comme le seul objet qui puisse régler nos pensées, naturellement errantes et folles, on comprend qu'un livre soit quelque chose, et comment l'imprimerie a achevé le livre, en lui donnant, par ces copies nombreuses, dispersées, indestructibles, le caractère du monument. Ce n'est pas peu de chose que de méditer sur un livre; cela dépasse de bien loin la conversation la plus étudiée, où l'objet change aussitôt par la réflexion. Le livre ne change point, et ramène toujours. Il faut que la pensée creuse là.

Certes c'est un beau moment, comme Comte l'a remarqué, que celui où l'homme, seul avec lui-même, se trouve à la fois avocat et juge. C'est le moment de la conscience, et ce beau mot aussi rassemble tous ses sens en un. Sans doute ne fait-on paraître le soi qu'en parlant à soi. Au reste beaucoup ont aperçu, en suivant Platon, que notre pensée n'est autre chose qu'un monologue qui commence et finit avec nous. Mais aussi qui n'a rencontré de ces parleurs égarés, qui parlent à eux-mêmes en suivant leurs passions? Le mécanisme alors est le plus fort, et la physiologie, par ses lois de fatigue et de compensation, composées avec la loi de coutume, tantôt nous égare et tantôt nous ramène; ainsi tout redescend à l'humeur, faute d'un modèle. De moi à moi, il faut que je me fie à ma parole, car délibérer sur sa parole, c'est toujours parler; il faut donc que je me fie à ma parole et que je l'écoute comme un oracle; cet état sibyllin est de l'enfance et de tous les âges. Or la déception, qui est l'effet ordinaire, irrite bientôt. On saisit ici le prix d'une mémoire ornée, et qui ramène en leur forme immuable les discours qui méritent attention. Chacun se redresse aux maximes et aux proverbes; chacun en sent le prix. Penser sur des maximes c'est se reconnaître et reprendre le gouvernement de soi. Mais l'agitation biologique brouille encore les mots. Le miroir grimace comme moi-même. C'est pourquoi les maximes et les proverbes plaisent par l'allitération, qui ramène au vrai texte, et encore mieux par un certain art de marier et d'accorder les paroles, par une certaine mesure réglée sur les mouvements de l'homme sain, enfin par une variété jointe à des retours qui occupe la fantaisie sans l'égarer. C'est pourquoi l'on pardonne beaucoup au naïf poète, d'après cette idée, où sont cachées toutes les ruses de la sagesse, qu'il est plus important et plus difficile de régler que d'instruire. La danse de mes pensées est la plus instable de toutes, et qui va le plus vite au convulsif; car mon vis-à-vis c'est mon discours, et c'est encore moi. Quelle sécurité donc quand mon discours prend corps et me résiste, quand je suis sûr de ne pouvoir l'altérer, quand la folle imagination elle-même m'y ramène par le sang et la chair! Ici la vénération trouve enfin son objet. Car l'oracle delphien lui-même, qui me prouve que je le répète comme il faut?

Le poète est mon maître. Le poète m'attend. Vieux de deux mille ans, immortel par cette forme que je ne puis faire autre, il m'ouvre ce chemin qu'il faut que je prenne; il sait que j'y viendrai; il sait que mes faibles improvisations seront alors effacées. Il frappe obstinément de son rythme vide; il le fait sonner devant moi. Les mots qu'il faut dire viendront s'encastrer là; ces mots mêmes et non point d'autres. Ici je me retrouve; et d'avance je sais que je vais me retrouver; telle est la première mémoire et peut-être la seule. Muses, filles de mémoire. Auguste Comte, ici encore, nous conduit comme il faut, puisqu'il veut appeler prière cet entretien avec le poète. L'incantation trouve ici sa preuve. J'évoque, et le beau vers se montre. A ce modèle mes sentiments reprennent forme; je les reconnais; c'est dire qu'enfin je sais que je les sens. Je retrouve amour, courage et même fureur en cet objet fidèle, qui contente mes plus secrets mouvements en même temps qu'il les règle et les apaise. La danse de mes pensées se trouve fixée en cette frise mobile, en ce cortège qui bouge et ne cède point. Tous les pas de l'amour, de la vengeance, du désespoir même, y sont marqués d'avance. Me voilà sauvé de la convulsion animale par ce divin secours. Mes pensées se recueillent en cette conque si bien faite pour les tenir assemblées. Me voilà donc, voilà le vrai visage de mon âme, en ce poème vieux de vingt siècles. Me voilà, en cet examen de conscience, plus vrai que moi-même, mieux composé que moi-même; voilà mon vrai visage, car j'y trouve encore le modèle de mes fautes qui est aussi pardon. Faites sonner ici ce beau mot d'Humanités; tous ses sens s'y montrent en un. Comme les bras maternels, le tissu humain se referme encore sur moi. L'antique bercement encore une fois me rassure. La grimace est effacée, le cri est parole. Aussi cette surprise ne s'use point, de recevoir à mon port ce grand vaisseau, toutes voiles dehors, et tout chargé des richesses du monde.

Toute chose belle nous remet ainsi debout, par ce modèle humain qu'elle nous impose, par cette autorité souveraine, et encore reconnue, et, bien mieux, adorée. Mais souvent l'œuvre éteint la pensée; c'est ce que l'on voit dans la danse ou dans la musique, qui ne disent mot. Les œuvres d'art font des allées de sphinx. Le corps y prend forme, mais non les pensées. Aussi je ne crois point que l'enfance puisse grandir et mûrir assez par les arts; je crois même que cette discipline détournerait de penser. Nous serions Égyptiens par ces sphinx. Ce remède puissant convient à l'âge mûr, lorsque, par l'usure aussi bien que par la perfide expérience, le corps ne sait plus marcher du même pas que l'esprit. Ces fortes œuvres, et muettes, répondent à la poésie; mais c'est la poésie qui doit parler d'abord. Il faut que l'esprit, tremblant sous ce poids du langage, qui n'est d'abord qu'énigmes, sache d'avance qu'il sait ce qu'il dit. Quelle joie à dire des suites humaines, comme un, deux, trois... Lundi, mardi... Janvier, février...! Toute la société humaine les renvoie en écho. Qui n'aimerait cette loi extérieure, ce chemin abstrait pour nos pensées? Qui ne se plaît à faire concorder les dix nombres et les dix doigts? C'est déjà raison. Mais le poète bâtit en ce vide des nombres; il y coule nos passions vivantes. Ce qu'il y a de mobile, d'insaisissable, cette fuite en nous de nos pensées à l'aventure, il en fait la plus belle fuite et la plus belle aventure; et l'imprévu même il le ramène, il l'annonce ensemble et le cache, comme un oracle ami. L'attente, le périlleux passage, l'oubli aussitôt, et le souvenir de loin ramené, tout est mis en ordre selon le nombre; et c'est bien autre chose que de mesurer la terre. Plus avant, qui mesurera la terre s'il ne s'est d'abord mesuré lui-même? Et que sert de retrouver le mètre constant si l'on se perd soi? Par cette vue l'on retrouve l'ordre vrai selon lequel il n'y a point de géomètre s'il n'est poète premièrement. Car il est vrai que l'homme est l'objet le plus trompeur pour l'homme et que ce monde humain est le lieu de toutes nos erreurs; mais enfin c'est notre premier objet. Et c'est de là, partant de cet univers politique où les faits sont des passions et nos passions mêmes, c'est de là et comme à travers ce voile d'Isis qu'il faut découvrir le monde des choses, maître enfin de sagesse. Mais, encore une fois, céder n'est point savoir; tomber n'est point savoir. Il y a trop loin des contes de nourrice à la libre aventure de Thalès, cherchant un puits dont le soleil éclairerait quelquefois le fond. Il y a bien des discours à soi avant celui-là. Et cet amour même de toutes choses, il faut que ce soit un amour consolé. Après tout le spectacle humain, les choses enfin nous attendent. Mais c'est aussi une très vieille idée, et de bon conseil, qu'il ne faut point aller aux choses sans une suffisante provision de signes. La légende de la forêt enchantée, dans le Tasse, enseigne que la force humaine ne peut rien contre les forces démesurées du monde. Non; mais la faible baguette d'or, le signe. Une vieille légende encore veut que la première épreuve de la sagesse soit une énigme à deviner. Sur son chemin donc, l'homme trouve des monstres qui sont des mots. Il faut ici la lyre d'Orphée, comme il faut la lyre d'Amphion pour bâtir les villes. Ce qui veut dire qu'il faut vaincre d'abord la difficulté de penser, qui jamais ne vient de l'objet, qui toujours vient des passions. Cet enfant, qui copie et récite de belles choses, que d'abord il ne comprend point, direz-vous qu'il perd son temps? C'est comme si vous disiez qu'il grandit mal par la danse, et qu'il grandirait mieux par le travail. Pauvre apprenti, petit bossu. Il est vrai que l'autre perd temps, croyez-vous, à faire le roi de tragédie. « Oui, c'est Agamemnon... » Mais que fera-t-il au monde s'il n'est roi?

LIVRE SIXIÈME

LES AMOURS

CHAPITRE PREMIER

LE PREMIER AMOUR

La piété filiale est première dans le temps. L'amour d'une mère est premier en perfection. De ces deux rassemblés nous devons faire notre premier modèle. C'est un moyen de ne jamais oublier ce tissu humain, de sang et de chair, que le plus pur amour traîne encore à l'autel, ce que l'agneau du sacrifice a toujours exprimé. Pressant aussi cette autre image vénérée de la Vierge Mère, par l'intercession de laquelle tout amour doit parvenir à sa plus haute fin, nous avons chance de penser humainement là-dessus, sans refuser de penser physiologiquement. Précaution d'importance en ce périlleux voyage, périlleux de plus d'une façon.

On cherche comment l'on passerait bien de l'amour de soi à l'amour d'autrui. Ce problème est abstrait. Nés comme nous sommes nés du tissu humain, d'abord bercés et nourris en lui, et toujours en lui, puisque l'homme ne se délivre point de l'homme, il est vraisemblable que nous ne savons pas nous aimer nous-mêmes sans aimer quelque autre. On voit assez que le misanthrope n'est pas content de lui ni heureux de lui, et qu'enfin aimer c'est toujours pardonner à soi. Mais ce sont de petites raisons. L'amour maternel, partout célébré, vénéré et protégé en toute foule humaine, adoré enfin jusque sur les autels, nous éclaire mieux. Car il est réel que la mère et l'enfant sont longtemps un seul et même être. L'enfant est modèle de toute grâce lorsqu'il revient là, et ce mouvement n'a point lassé les peintres. Mais la mère, qui a le privilège de réfléchir sur ce double amour, pourrait-elle dire ce qu'elle aime, et si c'est elle ou l'autre? Comment choisirait-elle entre la vieille enveloppe pour toujours déchirée, et le jeune être qui s'en délivre? Ce lien passe nos raisons; mais enfin il est de nature, et nous est commun avec les plus humbles animaux. Il faut que la pensée s'en arrange. Ce cercle est fermé d'abord. Toutes les religions humaines reposent sur le culte familial. Toutes y reviennent, comme en témoignent la Crèche, la Vierge Mère et cette métaphore du Père Éternel, plus résistante peut-être qu'aucune de nos pensées. Or c'est une chose digne de remarque que l'amour paternel soit toujours à l'imitation de la mère, de façon que le sauvage amour se purifie et déjà se civilise en cette amitié gouvernante. Cet échange est beau, et ne cesse point de se faire à mesure que les enfants grandissent. Car la mère aussi invoque le père et l'imite, faisant passer, en sa propre œuvre de nourrir et de couver, quelque chose de ce pouvoir qui n'est que la nécessité environnante, venant s'asseoir au foyer avec le faucheur ou le bûcheron. Ainsi l'enfant apprend à respecter en même temps qu'à vénérer; un peu de crainte se mêle à ses premiers sentiments. Lui-même, comme aîné, commande au nom du père. Et les parents eux-mêmes sont gouvernés par cette obéissance. Tous ensemble rendent grâce à la fois au travail masculin et à l'intercession féminine, unis à ne point les rompre, et bien visiblement en cet enfant, sensibles dans ses moindres gestes, texte de ses premières pensées, objets de ses premières réflexions et de toutes. La fraternité tiendra longtemps par la vénération commune, et cet amour qui ne choisit point sera encore, par une métaphore universellement comprise, le meilleur modèle de la justice.

L'amour maternel est donc le modèle de tous les amours. Et l'amour sauvage lui-même, terreur des mères, n'échappe point à cet auguste gouvernement. Il est beau de voir que les amants imitent à la fois et tous deux la maternité et l'enfance, et souvent dans le même geste de protéger et de s'abriter. Mais on peut traiter sobrement de ce que tous savent. Au contraire, il faut tirer au jour l'idée que presque tous oublient. L'amour veut choisir et croit choisir. La mère ne choisit point, éprouvant, en ce petit qui sort à peine d'elle, qu'il y a des conditions de nature qui se passent de permission, et dont il faut s'arranger, mais bien mieux qu'il s'agit d'aimer. Cette arrivée, cette naissance de choses à aimer, non toutes aimables, cette naissance d'après la naissance, la mère ne guette que cela, non pour savoir si cela lui plaît, mais en vue de faire au plus tôt, et de tout son courage, que cela lui plaise. Double travail, car les deux sont ensemble redressés. Mais l'idée de choisir et de refuser ne peut venir en cet amour modèle. D'où l'amoureux a quelque chose à apprendre, c'est qu'il y a choisir et choisir. Car on peut choisir ce qui plaît; mais cela n'est pas aimer; bien plus, cela n'est pas choisir, car la rencontre fait tout. Au contraire celui qui choisit d'aimer, que cela plaise ou non, choisit du fond de lui-même et à l'abri de tout destin. Grande idée, et trop peu connue, qui est que l'esprit n'est point libre en choisissant ceci ou cela, mais au contraire du fait de nature fera liberté, par ne vouloir point d'autre sort. Par quoi n'importe quel sort devient le meilleur qu'il peut être; au lieu que tout sort devient le pire par le regret. Ainsi l'enfant deviendrait le pire par le refus; mais, par l'amour, il devient aussi bon qu'il peut être. L'enfant pourrait-il jamais parler s'il ne trouvait ce crédit sans borne, qui donne un sens à tout? Ainsi la perfection de l'amour est de préférer ce qu'il a.

Cette règle est pour l'esprit. Mais il faut voir comment le corps aime en ce premier amour, et c'est Descartes qui l'a dit, premier encore aujourd'hui en beaucoup de choses, assurément premier là. Je trouve en son *Traité des Passions de l'Ame* que la passion de l'amour est bonne pour la santé, et la haine, au contraire, mauvaise. Idée peu connue, et qui risque même d'être méprisée, par prendre l'homme trop près de terre. Qui donc penserait être bon médecin de soi en conservant l'amour, en repoussant la haine? Le propre des hommes passionnés est de ne point croire un mot de ce qui est écrit sur les passions; et l'expérience directe n'instruit ici que celui qui croit. Il faut donc savoir par les causes, ce que l'on trouvera en Descartes aussi. Car, dit-il, quel est notre premier amour, notre plus ancien amour, sinon de ce sang enrichi de bonne nourriture, de cet air pur, de cette douce chaleur, enfin de tout ce qui fait croître le nourrisson? Le plus ancien langage de l'amour, d'abord de lui-même, consiste en ce mouvement, en cette flexion, en cet accueil intime, en ce délicieux accord des organes vitaux aspirant le bon lait. Tout à fait de la même manière la première approbation fut ce mouvement de tête qui dit oui à la bonne soupe; notre oui y ressemble encore; et encore mieux notre non ressemble à ce mouvement de la tête et de tout le corps de l'enfant quand il dit non à la soupe trop chaude. Ces signes extérieurs font un chemin vers des signes plus intimes; car l'estomac, le cœur, le corps entier disent non à tout aliment qui commence à nuire, et jusqu'à les rejeter par cette nausée qui reste la plus énergique et la plus ancienne expression du mépris, du blâme et de l'aversion. D'où Descartes dit, avec la force et la brièveté homérique, que la haine en tout homme est contraire à la bonne digestion.

C'est que tout nos signes viennent du fond de notre corps, et y retournent. Même si la coutume n'attachait pas étroitement le langage de l'homme aux premiers gestes de l'enfant, la structure expliquerait déjà que tout geste soit des entrailles. Même le sourire de société délivre les poumons et le cœur, et la grimace du dédain est répétée en l'estomac. On peut donc agrandir, on peut enfler cette admirable idée de Descartes; on ne la fatiguera point, on n'en trouvera point les limites. Le premier hymne d'amour fut cet hymne au lait maternel, chanté par tout le corps de l'enfant, accueillant, embrassant, écrémant de tous ses moyens la précieuse nourriture. Cet enthousiasme à téter est physiologiquement le premier modèle et le vrai modèle de tout enthousiasme au monde. Les mains jointes sont encore le signe de l'adoration et de l'applaudissement. Et qui ne voit que le premier exemple du baiser est dans le nourrisson? L'homme n'oublie jamais rien de cette piété première; il baise encore la croix. Eros enfant est donc un grand signe.

Je ne l'épuiserai point; mais je veux m'en instruire encore. Car l'enfant aimé rend plus encore qu'il ne reçoit; je dirais que, d'une certaine manière, il aime encore mieux. Je le vois infaillible en sa reconnaissance, car c'est sa croissance même qui dit merci. Qui lui demanderait autre chose que de croître et d'être heureux? Cela promet beaucoup et cela peut mener fort loin. Cela est mieux qu'une promesse de perfection, comme est le serment chevaleresque; c'est un effet de l'amour reçu. La foi pleine, qui est la fidélité, car ces deux mots sont parents, la foi, donc, de celui qui aime ne cesse de faire éclore en l'autre tout ce qui attend développement. Si l'on n'y comprend point cet héroïsme à mille formes qui purifie l'amour et qui va naturellement au sentiment céleste auquel le nom de Platon est attaché, on veut couper, le haut de l'homme de sa nature; et il est pourtant clair que c'est du mouvement du sang, des humeurs et des muscles que le héros fait courage et entreprise. Ainsi ce n'est point du tout par le bas que l'amour filial ressemble à tout amour. Ceux qui veulent penser, à la manière de Freud, qu'il y a quelque chose du désir sexuel dans le premier et le plus pur amour semblent penser à l'envers. Car, que le corps tout entier soit intéressé en tout amour, c'est ce qui est évident; c'est ce qu'il faut redire, et ne jamais oublier. Mais puisque notre objet est présentement de débrouiller quelque chose dans ces étonnants mélanges, n'est-il pas raisonnable de suivre l'ordre de nature, d'après lequel l'amour de pure grâce est le premier modèle et comme l'instituteur de tous les autres? Je sais assez, et j'expliquerai amplement, que rien n'est plus violent, plus irritant, plus brutal, plus oublieux que l'attrait sexuel, et qu'en l'homme, par le redoutable travail de la pensée attachée à ce cuisant aiguillon, cet instinct est bientôt perturbateur, craintif, triste, honteux et méchant. Mais aussi faut-il que cet amour sauvage se sauve en retrouvant la grâce première et la fidélité du plus ancien amour.

La plus constante, la plus droite, la plus humaine culture en témoignent. Les mots piété et culte sont liés; c'est de quoi il faut rendre compte. Et les sentiments ne sont ce qu'ils sont que par ce mouvement de se reconquérir et de se sauver tout. Il y a une mystique de l'amour. Et, puisque tout est naturel, la structure en doit finalement rendre compte. Or, on ne trouverait point ici d'obscurité insurmontable, si l'on pensait comme il faut à l'amour maternel et à la piété filiale, qui sont les modèles premiers. Ce n'est point refuser la nature; bien au contraire c'est l'accepter toute. Et la gratitude du nourrisson enferme déjà tout le généreux et tout l'héroïque du plus pur amour et s'étendra jusqu'au miracle humain, par la merveilleuse ambition de combler l'espérance maternelle. Faire toute sa croissance, ce n'est pas peu, dès que l'on est homme. Et payer l'amour de perfection, c'est toujours croissance, offrande de force, et grâce vraie, comme dans le modèle enfant. C'est parce que tout amour est tout l'amour que le passage de la passion au sentiment se fera par la subordination de l'amour sexuel au modèle supérieur, dont l'image de la maternité offre toujours le symbole vénérable. C'est bien ce que la mère attend; c'est bien ce que le nourrisson promet quand il puise de tout son corps à la source de lait, en vue de faire une belle vie.

CHAPITRE II

LE DÉSIR

L'HONNEUR est partout le même, en tous le même; c'est une prétention à se gouverner et une résolution de ne point céder. Tout esclavage fait honte en tous pays. Tout homme s'établit roi, et toute femme, reine, attentifs l'un et l'autre à exercer tout le pouvoir possible comme à repousser l'invasion étrangère. Les jeux en témoignent, qui sont des essais de pouvoir. Seulement, comme il a été expliqué, le jeu s'use en prenant de l'âge, se ramassant à consentir, et bientôt à supporter, devant les hommes et les choses, qui font sentir leur irrésistible pression. L'on se plaît d'abord à vaincre dans un univers clos où la victoire est possible; et puis à vaincre en champ ouvert, ce qui fait paraître des forces supérieures; et bientôt à se vaincre. Il ne faut point dire que se vaincre est le jeu du sage, homme rare. C'est le jeu de tous. On forme à peine l'idée d'un homme en qui les mouvements de la peur seraient aussitôt naïvement suivis, sans aucun genre de pudeur, sans aucune retenue. Un tel animal ne serait point debout et roi sur la planète, comme il est. Le modèle du héros est naturel et reconnu de tous. Le lâche est méprisé en tous pays; mais le plus lâche des hommes est encore bien au-dessus d'une vie qui suivrait absolument toutes les impulsions de la peur. C'est pourquoi nul ne se laisse soupçonner d'être tout à fait sans courage. L'insulte est la même pour tous et cuisante à tous, et c'est toujours l'attaque ouverte et sans précaution, dont le soufflet, coup de poing négligent, fut toujours le symbole. La vengeance vise toujours à produire la preuve du pouvoir et de l'audace. Ces principes rappelés, l'histoire se lit assez bien, et l'on découvre que les intérêts y sont de peu.

Mais je ne vais point par là. Notre affaire est de considérer ces conflits par le dedans ; et l'on y est conduit aussitôt par cette remarque qu'une force extérieure n'humilie point, pourvu qu'on n'en ait point peur. Aussi je crois que celui qui est maître de la peur n'est pas aisément insulté. Mais cet homme-là est-il quelque part ? La peur est ce qui gronde dans le courage ; la peur est ce qui pousse le courage au delà du but. Car l'homme ne pense qu'à cette victoire sur soi poltron, et ne la voit jamais gagnée, puisque l'homme peut avoir peur de ses propres actions, à seulement y penser, et même de son propre courage. C'est pourquoi il n'écoute point conseil. Je le vois plutôt qui tient conseil entre les parties de lui-même, méditant contre les conspirateurs et les traîtres, qui lui sont intimes et quelquefois impudemment. Qui n'a pas palpé sa propre peur, en vue de la démasquer, de la traîner nue, de l'injurier ?

Je descends pas à pas vers mon périlleux sujet, ayant passé, comme dirait Platon, le diaphragme. Toutefois je veux encore mettre en son jour une remarque que j'ai trouvée dans Platon seul. La colère, par où le cœur entre en jeu, et fort vite, en toutes ces séditions, est une sorte de sédition aussi, par l'emportement. Toutefois, en son commencement comme dans ses suites réglées, elle porte la marque de la puissance. D'elle plus tard. Toujours est-il qu'elle prête d'abord secours contre le ventre peureux. Contre la peur il faut courir aux armes. Mais je doute que le lecteur soit assez familier avec ces manières de dire s'il n'a pas bien lu *La République* de Platon. J'y renvoie. Ce philosophe est peut-être le seul qui ait assez mesuré les passions dont je traite maintenant. Voilà comment l'homme, à la première morsure de la peur, d'abord s'irrite, et prend sa colère pour alliée, parlant, comme dit Homère, à son propre cœur. Or, contre le plus humiliant des désirs, ce même mouvement n'est pas moins prompt. Je veux nommer amour sauvage cet amour armé. Nous avons donc fait maintenant provision et recensement de toutes nos forces, de cet esprit qui ne veut point servir et de cette vengeance en espoir, qui est comme la garde prétorienne du César soupçonneux.

Allons au désir, en observant premièrement qu'une certaine peur s'y mêle toujours, quand ce ne serait que par le voisinage de ce ventre vulnérable. La même parenté se retrouve entre croissance et reproduction. C'est une loi animale à laquelle nous sommes tous soumis, que la croissance achevée s'emploie aussitôt à une autre croissance qui produira de nous notre semblable. Et, par la séparation des sexes, cette fonction requiert un autre être, juste au même point de jeunesse, le plus fort en tous genres, le plus riche d'avenir, le plus parfait enfin qu'il se pourra. D'où naît, dès qu'on croit le reconnaître, une émotion non moins puissante que la peur, et peut-être encore plus scandaleuse aux yeux du souverain. Car par l'admiration, mêlée au mouvement de conquérir, et par le respect, qui veut consentement heureux, il est annoncé, sans ambiguïté aucune, que tout bonheur dépend aussitôt du bonheur de l'autre. Mais cette annonce de bonheur et de malheur, sous un gouvernement étranger, n'est point abstraite à la manière d'une proclamation; elle se fait au centre même de la vie, par des mouvements aussi involontaires que ceux de la peur ou de la faim, et qui changent, en même temps que nos pensées, la saveur même de la vie. Il s'élève de tout le corps une anxiété insupportable, par le seul fait d'une présence, par un souvenir qui toujours revient. Cette puissance aperçue en l'autre, avant même qu'il la connaisse, explique un mouvement de fuite vers le malheur. Redisons que, par réflexion, chacun a peur de la peur, non parce qu'elle est mauvaise à sentir, mais parce qu'elle est étrangère. Tout mouvement étranger nous fait peur. Il y a offense au souverain, en cette sédition qui bien clairement vise à rendre impossible ce qui était d'abord voulu. Toute la vie en est changée; tout l'avenir en est humilié; car il y a une promesse d'humiliation dans la peur. Encore bien mieux dans les premiers mouvements de l'amour, qui effacent naturellement les chers projets de l'adolescence, et qui en apportent d'autres d'après les décrets d'une volonté extérieure, aussitôt soupçonnée, qu'on voudrait vaincre, qu'on ne peut vaincre. Ainsi l'amour fait peur. L'esprit de vengeance n'est pas loin.

Je ne veux point trop suivre l'amoureux craintif en

sa solitude. Ici naissent tous les vices, et principalement ceux du mâle, par la volonté de se rendre maître du désir dès que l'on croit l'avoir reconnu. C'est vouloir s'en délivrer au commandement. C'est le provoquer, le mesurer, s'y essayer, comme pour la peur. C'est user le plaisir et l'asservir. C'est l'orner, et en imagination si on ne peut mieux, de cette parure de jeunesse, de beauté et de grâce, mais le rabaisser en même temps par tous les signes qui peuvent humilier l'orgueilleux pouvoir, de si loin reconnus. En ces formules, si l'on y fait attention, tiennent tous les vices, et même ceux qui semblent le moins explicables. Et chacun fera cette remarque que si le plaisir nous occupe alors, c'est moins par besoin d'en jouir que par l'orgueil d'en être maître. Aussi y a-t-il du mépris en ce culte, et finalement, par mille causes, un désespoir qui ne trouve paix que dans tous les genres de l'ivresse. Et il faut noter que l'ivresse de l'alcool a ce pouvoir de vaincre toutes les autres, ou plutôt de les rendre inutiles, par le silence de la partie orgueilleuse.

De toute façon ces victoires sont empoisonnées, car la nature nous punit. Il n'en est pas moins vrai qu'il faut toujours compter, et non point seulement chez les pires, sur quelque tentative ruineuse pour éluder la fonction reproductrice. Il faut donner grande attention en ce dangereux passage, où la pudeur, la culture, et même une assez haute idée des devoirs, ne sont pas toujours de suffisants secours. Je suppose que les filles sont moins armées contre l'amour, ce qui fait que leurs erreurs, quoique plus visibles, sont pourtant moins redoutables qu'un mauvais départ des garçons. Et, quoique je veuille me borner ici à décrire par les causes, laissant à chacun la morale qu'il en pourra tirer, j'écris néanmoins ces quelques lignes pour les mères, qui sont là-dessus fort ignorantes, afin qu'elles ne se croient pas quittes si elles veillent assez sur leurs filles.

CHAPITRE III

L'AMOUR

Laissons les fuyards. Quand on dit qu'un homme a du cœur, cela fait un sens plein et riche. Et, même pris en son sens féminin, le mot cœur nous élève aussitôt au-dessus du sentir, et jusqu'à la générosité qui ose et se risque; d'où l'épreuve reçoit tout son sens; car c'est l'épreuve voulue, choisie, cherchée, qui est vraiment l'épreuve. Mais, en serrant les notions de plus près, peut-être faudrait-il dire qu'on ne sent vraiment que par ce mouvement qui domine, reprend et met en forme. Il est connu que l'émotion qui emporte n'est plus émotion pour personne, comme l'extrême fureur et encore plus l'extrême peur le font voir. Qui dira « j'ai peur » si tout fuit? Il faut un recueillement, une retenue, un rappel, un ralliement de soi pour que l'on sache que l'on a peur, ou que l'on frappe, ou qu'on hait, ou qu'on aime. Le crime, le viol, la terreur panique, tous ces paroxysmes effacent la conscience; et le commun langage nous redresse encore ici par le sens qu'il donne au mot inconscient; ce sens ne fléchit point, quoique les demi-savants exercent ici leur pression à l'étourdie, et j'ose dire sans respect. Que gagne-t-on à décrire mal? Polyeucte est un homme; un homme qui peut-être a couru trop vite à l'assaut; mais ce mouvement de dépasser toujours l'amour subi, ce qui n'est qu'y penser, ce mouvement est juste, et tout homme est Polyeucte. Outre que le théâtre est un des meilleurs témoignages, par une éclatante publicité, chacun sentira que Polyeucte est homme et seulement homme, par une fureur d'insulter et de détruire les dieux inférieurs qu'il n'a pu déposer par le décret seul. Ce cœur est bien le muscle creux, téméraire contre la peur et contre le désir. Tout amour est au travail contre lui-même, et, puisqu'il a juré de ne désirer qu'autant qu'il veut, il faut donc mourir. C'est la condition du héros qu'il ne se prouve que par la mort, puisque, de toute vie, peur et désir renaissent ensemble. On dira que Polyeucte est surhumain; mais à ce compte le héros guerrier est surhumain aussi. Humain seulement l'un, à ce que je crois, et l'autre aussi. L'homme ne se pardonne point aisément d'avoir cédé à la peur. Mais Alceste non plus ne se pardonne point aisément d'aimer comme Célimène veut, et non comme lui-même veut. La tunique de Déjanire est une forte image. Le monde trembla des cris d'Hercule. Ou bien, alors, effacez les drames de l'amour, ces menaces, ces fureurs, ces crimes. L'homme n'a jamais peur que de lui-même. Et pourquoi aurait-il plus de peur de lui-même fuyant que de lui-même tuant et se tuant ? C'est pourquoi la première touche de l'amour annonce tous les drames. C'est comme le premier coup de canon. Si l'on ne se laisse pas fuir, il faut à ce moment-là se promettre quelque chose à soi-même. Juliette, ayant vu Roméo, dit à sa nourrice : « Si je n'épouse pas celui-là, je mourrai vierge. »

Ce mot est sublime. Mais il y a du sublime dans le sentir seulement, comme les poètes nous le font éprouver. Et pourquoi ? C'est que savoir qu'on sent c'est oser sentir. C'est prendre le gouvernement de cet être qui, des pieds à la tête, tremble et se défait, qui va fuir et se perdre lui-même. Ce tremblement est dans la strophe, mais elle ne se termine pas moins selon le décret. Ainsi Juliette assure d'abord la règle de son poème. Tout viendra s'y ranger. Un cœur humain n'hésite point là; et c'est un signe aussi de cette émotion transperçante qui va aux sources de la vie. La flèche de l'amour n'est pas une image de rencontre.

Tel est donc le jeu royal. Mais supposons un être moins neuf, moins sensible aux signes par l'usage même des signes, ainsi qui prend temps et ne veut point se jeter. C'est l'ordinaire. Toujours est-il que dès que l'on se risque et qu'on pense le risque, il faudra payer en menue monnaie, et jurer de soi en détail. Cette irrésolution est le plus grand des maux, comme Descartes l'a vu. La passion, si bien nommée, commence avec cette peur d'aimer et cette garde armée. Je crains ce pouvoir, dont j'ai vu les signes; ou plutôt je me crains, d'après les premiers effets. Je veux me donner et je veux me garder. La première précaution est de m'assurer sur l'autre un pouvoir égal à celui qu'il prend. Et, puisque je suis en doute, et que de là vient sa puissance, je veux le mettre en doute, et de là prendre puissance. D'où des signes trompeurs des deux côtés. Mais, autre risque, ne va-t-elle point trop m'en croire? D'où ces mouvements d'avancer et de reculer, de nouer et de dénouer, qui sont le texte des danses. Et, par ma propre duplicité, qui feint d'enlever l'espoir, je garde toujours espoir tant que les lumières du bal sont allumées. Le supplice commence en solitude, par ceci qu'il n'y a pas une seule des perfidies de l'autre dont on ne puisse s'accuser soi. D'où vient enfin ce parti de se déclarer et de jurer. C'est offrir justement ce qu'on veut recevoir. C'est donner tout pouvoir sous condition d'avoir tout pouvoir.

Toutefois, si les amitiés, le métier, les enfants n'occupent point assez pour civiliser l'amour sauvage, tout n'est point fini par le double serment. Car il peut rester le soupçon d'une contrainte, ou d'un calcul étranger à l'amour. Il reste un regret d'avoir trop donné, donné trop vite, imprudemment donné. On n'a donc pas fini d'interpréter les signes et de faire les comptes du cœur. On veut plaire, mais on veut aussi n'avoir point besoin de plaire. La vue juste, en ces drames auxquels on n'échappe jamais tout à fait, c'est qu'il faut craindre que, par un retour de l'inférieur, la grande affaire étant de se nourrir, de nourrir, de laver, d'élever, les forces cosmiques ne reviennent. L'humeur est donc un signe redoutable. D'autant que chacun ne peut ici compter que sur la partie la plus haute de l'autre, ce qui fait rechercher la liberté et les différences, et les aimer, bien plutôt que l'accord, dans les entretiens. C'est par là que l'amour participe à l'amitié et doit s'achever dans la plus parfaite amitié qui soit. Ainsi se fait l'union des âmes et le salut commun que Polyeucte cherchait hors de ce monde, et sans doute avant le temps, et que Platon cherchait en ce monde même, trop tôt aussi. L'un par mépris des plaisirs permis, tous les deux par une juste défiance à l'égard des aberrations toujours redoutables, et dont Platon, par la corruption des mœurs en son temps, voyait l'exemple cru. L'un et l'autre n'ont voulu voir dans la beauté qu'un reflet de l'esprit. Or, cela est profondément vrai, puisque l'homme le plus épris cherche aussitôt le libre, l'intime consentement, et le plus haut consentement, ne se reposant que là. Mais ce détour même, qui fait reposer sur les plus vives et les plus animales émotions la quête et le guet de l'esprit par l'esprit, mérite aussi attention. Il est sûr qu'en beaucoup, et presque en tous, comme Comte a osé le dire, l'esprit ne cherche guère, et que l'attrait du vrai, hors du métier et des rivalités, n'agit guère sur notre épaisse et terrestre nature. Aussi dans les élites, établies sur le succès politique, on ne trouve guère de respect, et même on trouve peu de vraie attention. Ce n'est souvent que travail servile et sans amour; mais il faut entendre ces derniers mots dans le sens le plus positif. Le génie de la langue appelle aussi attentions les politesses du cœur et ses grâces. Et le proverbe dit une grande chose en se jouant, c'est que l'amour donne de l'esprit aux filles. Penser est le premier effet de l'amour, mais peut-être est l'effet de l'amour seul; car c'est peut-être le seul cas où penser n'ait point pour fin de réfuter ni de vaincre; c'est peut-être le seul cas où la pensée s'orne de l'approbation en son travail intime, et cherche un accord sans ruse. Il y a toujours un peu de violence dans les preuves, enfin une pensée d'ordre et de domination. L'esprit juridique, tout chargé de choses jugées, corrompt peut-être tous ceux qui n'ont pas appris de l'amour la véritable méthode de penser. Comte a découvert trop tard le prix de la réelle persuasion, mais du moins il ne l'a pas méconnu. Il faut appeler persuasion un art de prouver plus délié, soucieux de n'enchaîner point et de ne diminuer point l'autre, mais au contraire de le grandir. La précaution de l'autre sexe, sa structure peut-être, qui le tient plus près de la nature commune, enfin cette borne du refus muet sans essai de preuve, donnent sans doute au sophiste masculin le plus énergique avertissement. Qui méprisera, s'il aime, ce non sibyllin? Et qui donc, hors de l'amour, fera sienne la pensée d'un autre, étrangère, et justement parce qu'elle est étrangère? C'est remuer toute sa pensée. Peu font tout ce chemin jusqu'à cette sagesse sans ruse qui est la plus douce chose en ce monde. Mais il nous manquerait le pain et le sel des pensées moyennes sans cette affectueuse réaction du conseil sur le commandement, que Comte a si bien aperçue, et qui fait du couple humain le seul penseur au monde, peut-être.

CHAPITRE IV

PASSIONS TRISTES

Il est connu que la mauvaise santé développe les passions tristes. D'où une première sagesse qui conduit à se demander, d'un homme qui tourne tout à mal, si c'est l'estomac ou le foie qui ne va point, ou s'il est fatigué d'être debout. Ce maniement de l'homme est connu des nourrices, qui ont trouvé ce remède aux pleurs, de tourner le nourrisson de toutes les manières, afin de découvrir celle qui présentement lui convient. Maniez donc vous aussi le nourrisson, quoique avec prudence, lui offrant le siège convenable, ou, au rebours, un peu de promenade, fraîcheur ou chaleur selon le cas, et des pantoufles si vous pouvez. Que si la cérémonie vous condamne à écouter des plaintes amères, prenez-les du moins comme grincements d'une machine fatiguée, ou mal disposée, ou gênée par quelque corps étranger. Mais gardez qu'il ne devine ce genre de jugement ou ce genre de soins; car cet être triste veut faire son malheur; il ne le veut point tout fait. Il cherche de quoi le faire, ajustant les raisons à son humeur selon une éloquence admirable. Ici paraît la sophistique, qui semble être d'esprit abstrait, et qui réellement est d'estomac. Les si et les mais, et tous les genres d'objections, sont des raisons que l'on veut trouver de n'être pas content. Interprétez ce regard noir, selon lequel rien ne va et rien n'ira. Esprit de construire contre manie de critiquer, c'est jeune ingénieur contre vieux, sang rouge contre sang noir. Il y a une profonde parenté entre l'objection et le refus de nourriture; cela paraît dans les gestes. Nous voilà renvoyés des raisons aux remèdes, et de l'épure aux sels de Vichy. Tout le monde sait cela, et la langue commune en témoigne, qui dit cholérique et atrabilaire. Toutefois les choses vont presque toujours comme si personne ne le savait. Car chacun est toujours atrabilaire un peu; tous aiment mieux supposer les hommes méchants, ignorants ou sots, que gastralgiques ou hypocondriaques, car c'est trouver d'honorables raisons de s'irriter. Ainsi la grammaire est souvent lacérée entre deux bilieux pendant que la jeunesse s'instruit comme elle peut. Qu'elle sache que ce n'est pas la grammaire qui lui est alors enseignée, mais quelque chose qui importe bien plus que la grammaire.

La nature se défend ici par le rire, et fort bien. Car le rire est directement contraire à cette forcenée attention à soi, qui est le fond du sérieux. Le rire secoue tout le corps comme un vêtement, laissant chaque partie s'ébattre à sa guise. Par essence le rire est un abandon de gouvernement, et le premier remède contre cet absurde gouvernement qui noue et paralyse. Le rire rétablit les échanges en déliant; il aère, nettoie et repose. Quoi de mieux? Mais le rire a ceci de mauvais qu'il attaque le sérieux en son centre et menace de le détrôner. Et c'est un scandale, pour celui qui s'est fait de belles raisons d'être triste, que toutes ces raisons se perdent soudain par cette négation de toute attitude qu'est le rire. « Ne prétendez point » se ramène à ceci : « ne tendez point ». Mais on veut prétendre. Ainsi le rire est comme une violence, et une tentative de vous faire sauter comme un nourrisson. Il faut toutes les précautions de l'art comique pour que le rire soit vainqueur. Mais aussi ce triomphe est beau.

J'aperçois une autre manière de détendre, par raison. Bien puissante; c'est cette idée, un peu plus cachée que l'autre, que la tristesse est contraire à la santé. Je renvoie ici à Descartes, et à ce qu'il a écrit de la joie et de l'amour, que j'ai ci-dessus rappelé. Puisque nous ne pouvons exprimer notre tristesse que par les mouvements de refuser l'air, la nourriture et jusqu'à ces voyages du sang qui à la fois apportent nourriture et emportent détritus et scories, il est clair que celui qui s'applique à être triste et en repasse et polit les raisons s'applique en même temps à se rendre malade. Nous sommes donc pris dans ce cercle qu'être malade nous rend plus malade encore, par le jeu des naïfs jugements et des mouvements expressifs qui les soutiennent. « Penser fait souffrir », a dit quelqu'un. Cette idée nous apparaît ici non point en l'air, mais juste au niveau de la souffrance. Et c'est pourquoi la maladie est le propre de l'homme. Personne n'osera faire la part de la maladie pensée dans la maladie réelle. On ne veut point suivre cette idée; elle est trop effrayante. L'idée seule de la maladie serait une annonce, un présage certain. Car qu'y puis-je? Et, en effet, je ne puis chasser l'idée par la méthode d'y penser. Mais penser par les causes nous jette aussitôt d'une idée à mille autres, et ce remède est le meilleur. Hors de cela il y a mille moyens de changer d'idée, par changer le corps, changer les objets, changer de lieu, aller aux affaires, au commerce, aux cérémonies, aux fêtes; et c'est ainsi que les hommes se sauvent d'eux-mêmes. Mais, comme Diderot le rappelait à Rousseau, malheur au solitaire!

Une chose encore est à dire, plus subtile, et qui approche mieux du présent sujet; c'est que l'humeur est toujours triste. Ici le langage nous instruit assez. Dire qu'on a de l'humeur, c'est assez dire. Mais il faut comprendre pourquoi. Supposez un homme qui s'observe lui-même, sans aucune idée de se changer, attentif seulement à savoir s'il est heureux. A la rigueur cela ne peut être; ce serait dormir. Mais si l'on se tient éveillé et attentif seulement à la couleur de sa propre vie, autant que faire se peut, il est inévitable que l'on soit mis en doute et en inquiétude, par le perpétuel changement, par l'incohérence, par l'ambiguïté de ce spectacle. Il naît des ombres de pensées, par des discours à soi inachevés; des passages inattendus, des vues qui occupent tout, aussitôt oubliées; au fond ce n'est que l'effet du monde autour, battant nos frontières; mais nous ne le reconnaissons point; et toutes les choses en nous confondues font énigme. Nous savons bien que tout y est, mais nous ne savons pas ce qui y est. C'est toujours un scandale pour l'homme, quand il veut penser à soi, de ne savoir point comment il est ni ce qu'il est. Et, de vrai, nul ne se connaît que par ce qu'il fait, et encore mieux en ses œuvres. Il ne faudrait point dire : « Que suis-je? » mais plutôt : « Que fais-je? » ce qui suppose l'action en train. Heureux celui qui est pour soi l'homme d'une œuvre, d'une entreprise ou d'un chantier. Mais aussi il ne l'est qu'en éclair. Malheureux celui qui veut se juger lui-même devant les possibles, toujours équivalents, et bientôt impossibles par la loi cachée de l'imagination, toujours portée, par les mouvements compensateurs, à effacer ce qu'elle esquisse. Dans ce vain travail, par lequel l'homme veut se décrire lui-même, il arrive inévitablement que lâcheté recouvre courage, et tristesse joie, et délibération résolution, jusqu'à une grisaille où tout est égal. Ainsi l'homme se perd dans le moment qu'il croit se trouver. Il ne se peut donc point que le spectateur soit content du spectacle, même si toutes les raisons font qu'il doive l'être, ce qui est rare. Et, pis, le spectateur trouble le spectacle et le gâte; car il n'est point deux, et l'impatience de s'interroger vainement passe aussitôt dans la réponse, mais diffuse. Telle est la toile de fond de l'ennui. L'homme ne s'en tient jamais là; il pense; il arrête ses pensées, il les suit, ou bien il les redresse; mais mollement, autant qu'il attend de soi au lieu de payer de soi, de prononcer, de se reprendre. C'est toujours, comme il a été dit, quelque serment qui sauve. Ce que j'ai voulu, ce que je veux encore, voilà ce que je suis. Telle est l'aurore en nos pensées. Mais au contraire la rêverie qui ne jure de rien ressemble à un crépuscule; tout s'y assombrit et s'y confond d'instant en instant.

Nous rapprochant de notre sujet, suivons la rêverie de l'homme qui se demande : « Est-ce que j'aime ? » Tout est remis en question. Toute manière d'être est ambiguë. Tout dépend des souvenirs qui se montrent; et faute de garde, les plus incohérents souvenirs viennent à la traverse. Cet ennui de penser n'est pas pour orner l'autre; cette lumière fausse trahit à la fois les deux amours. Ce n'est qu'un parti inébranlable qui fait paraître l'inébranlable, et il n'y a point de foi qui ne commence et ne tienne par la foi d'abord en soi-même; et l'on dit très bien foi jurée. Faute de cet éclatant courage, qui fait que l'on compte sur l'autre aussi, ornant son amour en lui de l'amour qu'on a pour lui, la jalousie paraît, sentiment perfide, dont beaucoup ont remarqué qu'il peut aller fort loin sans beaucoup d'amour. Mais c'est trop peu dire. C'est l'incertitude de soi qui donne incertitude de l'autre; et la mauvaise foi que nous supposons en l'autre est toujours d'abord en nous, par ce changement et cette ambiguïté de la rêverie non dirigée. Tel est donc, sur le fond gris de l'ennui, le décor le plus éloigné en quelque sorte, qui est comme la trame des pensées jalouses. On ne peut être fort que de son propre serment. Car, comme on choisit et comme on décrète alors dans ses pensées, ainsi dans l'image chérie et dans les souvenirs qui s'y rapportent, on choisit, on décrète, on compose. C'est ce que l'on appelle embellir ce qu'on aime. Mais si le premier effet de l'amour plein n'était pas d'aider l'autre à en être digne, et d'abord de le supposer digne, mieux, de le vouloir digne, l'amour serait traître toujours. Le soupçon est lui-même perfide, par ceci qu'il ouvre, par l'opinion, un crédit et un avenir à des sentiments assoupis ; c'est un avant-goût d'infidélité, un ennui d'aimer. Et parce que le soupçon est à lui-même son excuse, il vit de lui-même et fait des preuves de sa propre substance. Toute la puissance des pressentiments vient de ce qu'ils sont des sentiments. C'est en ce sens surtout que le soupçon est injurieux. De toute nécessité, si l'on veut être content de quelqu'un, il faut d'abord que l'on soit content de soi. Le jaloux Alceste, c'est un trait de génie de l'avoir nommé le misanthrope. C'est mettre l'accent sur cette humeur première, qui arme l'amour de sévérité. Et comment veut-on que le soupçon ne reçoive point perfidie, en un échange où la foi de l'autre est le trésor de chacun ? L'ironie alors joue de l'un à l'autre. « Voilà de vos soupçons. » « Voilà de vos singeries. » « Est-ce là cet amour généreux ? » « Voilà donc le secours que je trouve en vous ? Mon pire ennemi ne serait pas pire. » Ainsi Alceste ne sait pas aimer, et c'est Célimène qui a raison. Alceste le sait. Le pire de la jalousie est à elle-même une raison de désespérer. Ces remarques, où chacun reconnaîtra ses propres passions aussi sûrement, comme dit Balzac, que le minéralogiste reconnaît le fer de Suède, ces remarques sont pour faire entendre que les drames de l'amour, en l'animal pensant, sont bien plus compliqués et bien plus haut placés que les combats des cerfs devant la femelle. Et j'ai pu décrire assez avant la jalousie sans parler du tout du rival. Le rival est inventé ; il vient à point ; il est le mot de cette énigme. Il plairait presque. J'ai remarqué qu'on l'embellit. Et la fureur que l'on prend contre lui, quand enfin on le connaît, vient de ce qu'il ne soutient pas assez son rôle, et de ce que, étant indigne, il conduit à mépriser trop Célimène et soi. Encore une fois le refuge du jaloux serait de mettre Célimène assez haut, par un crédit magnifique, pour que le rival soit écarté des pensées. Et tel est bien le grand amour, grossi en don Quichotte, mais non défiguré. Il donne et ne demande pas.

CHAPITRE V

LE COUPLE

L'UNION des corps est une belle preuve. Mais toute preuve de fait est ambiguë devant les idées. Le couple n'échappe donc point aux querelles. Toutefois, il n'est pas non plus sans secours. Dans l'enfant, comme dit Hegel, l'union des époux, d'abord idéale, passe à l'existence; et cette nature mélangée réagit aussitôt sur les deux, renvoyant à chacun sa propre image, inséparable maintenant de celle de l'autre. Les sentiments trouvent ici un objet à leur mesure; il ne se peut donc point que la croissance de l'enfant ne développe à l'abri des téméraires suppositions, toutes les promesses de l'amour. Le divorce ne peut pas se faire dans l'enfant. En lui les époux se voient unis et entrelacés au-delà même de leur vie; et cette autre vie ramène tout à soi, par la faiblesse d'abord, et aussitôt par la force de croissance, source d'impérieux sentiments. L'enfant ne choisit pas et ne peut pas choisir. Quels que soient les effets d'une guerre privée, la réconciliation est toujours faite, présente et vivante, en cet enfant. Qui voudra développer ce grand sujet, de l'éducation des parents par les enfants? Cela commence par les cris de l'enfant témoin, qui aggravent les querelles de façon à les apaiser aussitôt; par les besoins de cette tendre nature, qui détournent des vaines pensées; par une discipline nécessaire, qui règle toute la maison; enfin par une politesse d'exemple, qui est de grande ressource contre les improvisations de l'humeur. Bien plus, il est beau de voir que le peuple enfant importe dans la famille, par cet envoyé de tous les jours, une autre discipline encore, et une humanité plus libre de chair. En son petit sac de cuir, l'enfant ramène des choses qui ne sont pas de peu. Les Humanités reviennent. Les cahiers et les livres font entrer à la maison un autre genre de sérieux, et d'abord le précieux silence. Sans compter qu'il n'est pas rare que les parents se remettent à l'école, et, revenant à ce qu'ils croient avoir dépassé, trouvent justement ce qui leur convient. Tels sont les cours d'adultes, selon la nature. Mais il est vrai aussi, et il faut toujours redire, que la nature ne suffit à rien en notre difficile existence. Aristote, le prince des philosophes, dit comme en passant que tout amour promptement tyrannise. Parole à méditer. Partout où est logé quelque grand amour, il faut attendre quelque grande colère. C'est ainsi que, par trop espérer, le père, et même la mère, sont souvent de violents instituteurs, et aussitôt impatients et divisés, devant cette puérile nature qui veut patience; d'où quelquefois un silence sur les études, mais non sans pensées. C'est pourquoi une famille sans travaux, sans coopérateurs, sans amis, sans les mille liens de politesse qui disciplinent l'humeur, est toujours livrée aux aventures. Et même il arrive que la société environnante, si puissante pour régler par le dessous, dérègle par le dessus, j'entends par les exemples, par de frivoles jugements, enfin par les idées qu'elle communique, et qui sont ici, chose remarquable, bien au-dessous du sujet, comme le font voir tant de malicieux dictons sur les hommes et les femmes.

Comte a dit là-dessus l'essentiel; mais il est seul. Hors ce deuxième volume de la *Politique Positive,* qui est la Bible des ménages, je n'ai lu là-dessus que des pauvretés. Je crois donc à propos d'éclairer à ma mode ce que cet auteur a dit du sexe actif et du sexe affectif, ainsi que des règles de leur société.

Il n'est pas mauvais de suivre d'abord cette idée que l'homme est naturellement fait pour conquérir les choses, les transformer, et se les approprier. Il y a de la destruction dans ce travail, de l'invention aussi, toujours violence et soumission mêlées, sans égards ni respect; ce qui paraît au coup de pioche et au coup de fouet. A quoi il prend des idées précises, et une rude sagesse. Rude et courte; car, se prenant ici lui-même comme instrument, telle est la dure loi du travail, il oublie, si l'on peut dire, sa propre forme, ou sa loi intérieure. Nécessité, dit-on, n'a point de loi. C'est pourquoi principes et maximes se déforment et s'usent encore plus vite que les outils, dans ce travail de guerre, de conquête, et de police. Tous les métiers masculins, y compris la politique, sont au dehors, dans le lieu du changement et des surprises. L'esprit masculin ne cesse pas de composer. Par quoi il redescend bien vite à la technique muette. Ainsi se forme l'exécutif, soit dans l'état, soit dans la famille, toujours opérant et coopérant, toujours obéissant afin de réaliser. Ce genre de pensée se fatigue et se repose en même temps que le corps ; et l'habitude de penser en agissant et, en quelque sorte, dans les jours et passages que l'action découvre, fait que la pensée masculine s'ennuie d'elle-même dans l'oisiveté. Voyez le bûcheron tourner autour de l'arbre ; voyez-le aussi jouer aux cartes.

Ces remarques mises au jour, et illustrées par des milliers d'exemples que chacun trouvera aisément, font déjà moins ridicule l'idée que la femme pense naturellement plus que l'homme. J'accorde que les femmes tombent aisément dans un bavardage vide ou faible ; d'abord parce qu'elles vivent d'égards et de politesses, qui sont des formes sans contenu ; aussi parce que le souci de l'inférieur, nourriture, propreté, repos, qui est leur lot, ramène souvent leurs pensées au niveau de l'animal. Mais il faut comprendre aussi qu'un certain genre de rêves ou de chimères accompagne naturellement le travail féminin, toujours recommençant et machinal. Je dis chimères en ce sens que ces pensées n'expriment point le monde en ses sévères exigences. Mais elles ne peuvent être étrangères à cette fonction féminine de conserver la forme humaine, de la protéger, comme aussi, ce qui en est la suite, de remettre toujours en forme cet intérieur de la maison, ce lieu des égards, de la sécurité, du sommeil. L'escalier, le lit, le fauteuil, la chaise, la table sont comme la forme humaine en creux. Les méditations errantes sont donc toujours ramenées à l'homme et à la forme de l'homme, au mépris des circonstances extérieures, où cette forme est toujours en péril. Au reste, il faut bien que l'enfant soit d'abord élevé selon le modèle humain, et non selon la nécessité extérieure. Cette pratique du gouvernement domestique, toujours réglé d'après des maximes, dispose au jugement moral, et à la contemplation de ce qui devrait être. Il ne faut pas oublier non plus que le pouvoir moral, toujours respectueux de la forme humaine, suppose un art de persuader et de deviner, d'où un genre de pénétration et de ruse qui ne ressemble nullement aux précautions et à la dextérité de l'artisan. Couper un arbre, scier une planche, creuser la roche, sont de l'homme ; risquer la forme humaine à cela, c'est maxime de guerre, et c'est maxime d'homme. C'est pourquoi la guerre est tellement étrangère à la femme que peut-être elle n'arrive jamais à en rien penser. Encore une fois disons que toutes les idées d'une femme sont réglées sur ce que la forme humaine exige; et ce n'est pas peu dire. Les idées féminines seraient des idées dans le sens plein du mot. Et l'on comprend que Comte ait eu raison de dire qu'en ce genre de pensée, qui est éminemment pensée, c'est l'affection qui prédomine, au lieu qu'il est clair que, dans la lutte contre les nécessités extérieures, le sentiment ne peut qu'égarer.

L'humain donc étant la province féminine, et l'inhumain la masculine, je veux que l'on apprécie équitablement ce droit de commander et cette nécessité d'obéir qui étonnent et bientôt scandalisent la femme et même l'homme, dès qu'ils s'abandonnent à des conceptions abstraites et sans différences. Ce pouvoir masculin est temporel, comme on dit, et toujours appuyé sur les nécessités extérieures. C'est la nécessité qui commande et non point lui. On reconnaît ici le langage de tout pouvoir exécutif. Ce sont les choses qui parlent net et fort, et non pas lui. Ce qu'il rapporte à la maison, c'est l'inflexible arrêt de l'ordre extérieur, soit cosmique, soit politique. Ce que l'homme exprime impérativement, c'est la nécessité d'obéir, parce qu'il est le premier à l'éprouver. Ce pouvoir semble tyrannique, parce qu'en effet il ne fléchit jamais. Et dès que la femme s'affranchit de l'homme, dès qu'elle travaille et conquiert au dehors, elle retrouve aussitôt cette même puissance invincible dont l'homme était seulement l'ambassadeur.

La puissance féminine est moins connue, quoique tous l'éprouvent; elle est moins redoutée, parce qu'elle est flexible d'abord, par la nécessité d'obéir commune à tous. Mais elle revient toujours aussi, et en un sens ne cède jamais, parce que, d'après ce qui a été dit ci-dessus, elle ne peut pas céder. La revendication au nom de l'humain reste toujours entière, et reconquiert le pouvoir masculin dès que la nécessité extérieure lâche un peu sa prise. Il faut obéir au pouvoir masculin, mais il faudrait écouter le conseil féminin. Tel est le thème de toutes les querelles de ménage; et l'on voit que tous les deux ont toujours raison; ce qui fait durer les querelles, tant qu'on l'éprouve seulement, mais ce qui les terminerait toutes, si l'on le comprenait bien.

CHAPITRE VI

LES AMITIÉS

« Qu'il est difficile, dit La Bruyère, d'être content de quelqu'un »! C'est pourquoi il n'y a point d'amour ni d'amitié qui tienne devant le regard du juge ou du marchand. Au reste, puisque examiner suppose que l'on se défie, le seul regard de l'observateur suffit à tuer l'amour ou l'amitié. On représente l'amour avec un bandeau sur les yeux; celui qui là-dessus blâme l'amoureux n'a pas encore compris tout à fait cet antique avertissement. Certes on sait quelque chose de la politesse quand on a appris à ne pas faire voir que l'on voit; ce n'est pourtant que le commencement. La politesse pleine est certainement à ne point voir; c'est pourquoi aucune contemplation des personnes n'est polie; et, en ce sens, l'admiration n'est certainement pas parfaitement polie. Au surplus, parce que l'œil cherche l'œil alors et le surveille, comme pour le détourner de voir, cet ordre muet, qui est propre aux rois et aux reines de société, est promptement compris; ou bien c'est querelle sans paroles, et bientôt insolence. Je sais que l'amitié veut se passer de politesse; je ne crois pourtant pas qu'elle s'en passe tout à fait. Il y a seulement une politesse propre à l'amitié, dont on peut dire qu'elle est moins stricte que l'autre, mais non pas qu'elle est moins attentive et fine; tout au contraire. Ce qu'on appelle esprit est sans doute une vivacité à comprendre les signes de ce genre, qui sont comme les signaux de l'amitié en péril, et même à les devancer. Il n'y a qu'à observer l'homme d'esprit en des circonstances difficiles, soit parce que le terrain lui est mal connu, soit parce qu'il connaît trop, au contraire, une chose dont on ne doit point parler, soit parce que quelqu'un dans le cercle a manqué à la politesse, pour entendre assez ce que je veux dire. Les nuances sont dans Stendhal, ou dans Balzac, ou dans quelque autre historien des mœurs. C'est là qu'il faut apprendre ces choses, si l'on a le malheur d'avoir à les apprendre.

L'amour n'est point poli; il interroge trop; il est perturbateur. La politesse veut qu'on le laisse seul devant son objet. Cette condition, qui rompt beaucoup d'amitiés, n'est pas favorable, comme on l'a dit. Et voilà sans doute la principale des raisons qui font que le passage de l'amitié à l'amour est difficile, et le retour plus difficile encore. Mais faites attention que c'est par la même raison qu'on ne revient pas d'un degré d'amitié à un degré moindre. Nul ne se laisse exiler de la confiance qui lui appartenait; on aime mieux laisser tout. Cependant il est évident que l'amour n'est pas un degré de l'amitié. La touche du désir est dans l'un, et n'est jamais dans l'autre. Même l'amour aberrant est encore l'amour, et n'est nullement une amitié. En l'amour on ne voit point de choix possible; la nature ayant tout décidé par son énergique impulsion, il ne reste qu'à sauver le haut de l'homme. Et, d'autant que dans l'amour on découvre et on se découvre, d'autant plus l'amour est héroïque à ne point voir, jusqu'à ne jamais penser à ne point voir. On ne voit point vieillir ce qu'on aime; mais on voit vieillir son ami.

Comment ne le verrait-on pas fatigué, triste, aigri, fantasque, faible, répétant? Mais il y a ici des degrés, et il reste que l'amour est un bon maître d'amitié, par cette grâce qu'il inspire. On sait gré à l'être aimé d'être tout ce qu'il est; on fait grâce d'avance à tout ce qu'il sera. Le serment est d'enthousiasme d'abord, et comme de luxe. N'y a-t-il point dans l'amitié un serment aussi, mais en quelque sorte diffus? Ou bien un serment après coup, qui n'empêche pas de voir ou de juger, mais qui fait aussi que l'on oublie d'avoir vu et jugé? Pardonner, dit le proverbe, n'est pas oublier. Si cela est, il y a plus que le pardon dans l'amitié. L'amitié efface. C'est un regard neuf que trouve l'ami. Un regard nettoyé. Un regard enfant. Ceux qui ne font grâce de rien peuvent aimer d'amour, la défiance se trouvant vaincue par l'impulsion de nature; mais en amitié ils sont pesants et difficiles. La disposition à l'amitié est ainsi d'enfance, et en tout âge elle est marque d'enfance. Au reste cet oubli, et de bonne grâce, est ce qui délivre l'intelligence; ceux qui retiennent tout ont trop à penser pour inventer jamais. C'est par cette voie indirecte, peut-être, que l'amitié cherche l'esprit; ce n'est pas qu'elle l'estime tant, mais c'est qu'elle en a besoin. Les sots veulent tout éclaircir. Et, selon l'usage commun du mot, l'explication demandée est une espèce d'injure. Il faut dire aussi que l'expérience des grandes affaires aiguise encore l'esprit là-dessus ; car la récrimination n'a jamais de lieu dans le mouvement des choses humaines. Ainsi avec l'âge on apprend encore mieux, si d'abord on l'a seulement senti, à ne point penser à ce qui est de peu.

Par ces remarques on voit que l'amitié se fortifie par la durée ; mais on voit aussi qu'elle est difficile en ses commencements, si elle est choisie. Car, comme il n'y a point du tout ici cette injonction de l'amour, ou cette sommation, on est toujours porté à attendre et à ajourner. Et quelquefois la haute idée que l'on se fait de l'amitié fait que l'on pense trop à juger ; il se peut bien aussi qu'un choix qui n'est point forcé ne se fasse jamais par des scrupules qui n'ont point de fin. Ainsi on voit que l'occasion de l'amitié est souvent manquée justement par ceux qui méritent le mieux de faire amitié. Qui sait continuer ne sait pas toujours commencer. Bien mieux, on a vu des amitiés toujours fortes, toujours vivantes, et comme rompues pendant des années par l'éloignement ou par le silence. J'ai entendu conter une histoire triste de deux amis qui vivaient comme deux frères par élection et par merveilleuse convenance, et qui, frappés en même temps, chacun en sa famille, d'un malheur pareil, n'eurent point le courage d'accroître le malheur de l'autre par le choc de la présence ; ou peut-être refusèrent-ils l'espoir même de la consolation ; cette sympathie redoutée fut ce qui les sépara ; et elle les sépare encore. On saisit ici le prix des commerces de tout genre, et des obligations de société, qui, parmi tant de rencontres de hasard, assurent du moins les rencontres d'amitié. La nature sociale, qui fait par force des voisins, des camarades d'école, des compagnons d'armes, des coopérateurs, des associés, se trouve donc être à l'amitié ce que la nature biologique est à l'amour. Peut-être ne choisirait-on jamais d'aimer sans cette bienfaisante contrainte qui termine les délibérations. L'école et l'armée surtout font des compagnons, non fardés, non flatteurs, et qu'il faut supporter. Cette nécessité ne fait pas les sentiments, mais elle les fortifie. Les anciens n'oublient point les mutuels services lorsqu'ils traitent de l'amitié. Cela choque d'abord, car chacun sent bien qu'une chaîne commune ne peut faire l'amitié, mais seulement une accoutumance où l'esprit n'est point. Mais, en revanche, on ne peut pas appeler amitié un sentiment qui se passe de présence. On pourrait bien dire que le sentiment se développe alors dans sa pureté, mais aussi qu'il périt faute d'obstacles. L'amitié se grossit aux obstacles, et la présence est un obstacle qui ne cesse pas de rabattre les hasards et de fortifier le serment. Tout homme sage voudra donc des coutumes, et des liens de société. L'amitié se trompe sur sa propre nature, si elle compte sur le désir. Supposons même une présence toujours plaisante et toujours recherchée; cela même, par réflexion, enlève le courage dans les moments où il en faudrait. Ce n'est pas, comme on sait, un grand compliment que de dire à quelqu'un qu'il est amusant. On veut bien amuser, mais on veut aussi être sûr de plaire sans amuser. Dans le fond, toute amitié, comme tout amour, veut vaincre encore sans plaire. D'où l'on va quelquefois jusqu'à un essai de déplaire. Cela est généreux, car c'est faire entendre que l'autre non plus n'a pas besoin de plaire. Enfin, pour tout dire, l'art des caresses, car il y en a de toute espèce, est toujours méprisé. Au reste, il est proverbial que c'est dans le malheur qu'on apprend à connaître ses amis. Ce n'est point qu'un malheureux éloigne par les services qu'il attend; les hommes aiment à rendre service; seulement ils n'aiment point les visages malheureux. C'est en ces passages que l'amuseur connaît les amertumes de son métier. L'amitié peut périr par des réflexions sur ce thème-là. De toute façon l'espèce qui pense a besoin de serments pour confirmer ses plaisirs; et c'est ainsi que je comprends l'aphorisme de Clotilde de Vaux: « Il faut, à notre espèce, des devoirs pour faire des sentiments. »

CHAPITRE VII

LA FIDÉLITÉ

L'INSTINCT populaire blâme ceux qui changent de métier, de condition, d'opinion, d'amour. Il faudrait plutôt les plaindre. Par l'appât d'un bonheur tout fait, qui toujours trompe, ils manquent le bonheur qu'ils auraient pu se faire par courage et constance. Car le bonheur de faire un métier n'est connu que de celui qui le fait bien; et, au contraire, n'importe quel métier est sévère d'abord à celui qui l'essaie. Ce qui promettait coule de nos doigts; les difficultés seules se montrent, exigeant, selon une loi universelle, que l'on donne avant de recevoir. Le peintre, le musicien, le poète, et tous les genres d'apprentis connaissent un désespoir qui vient de ce que le travail jette aussitôt dans l'oubli cette facilité du premier moment qui a fait d'abord le choix. C'est ainsi que l'on apprend à aimer de soi. Le violon est un rude maître. Il plaît de loin, par ce pouvoir sur les sons et par la gloire; mais il trompe l'impatient, qui cherche ailleurs, et bien vainement, un plaisir tout mûri et que l'on cueillerait comme un fruit. La même erreur se remarque dans cette ardeur de penser, qui va d'une opinion à l'autre, cherchant celle qui plaira. Mais ce qui plaît c'est de faire d'opinion vérité, de n'importe quelle opinion vérité. Par exemple l'apparence du soleil à deux cents pas nous trompe; mais ce n'est pas une raison pour s'en détourner; car en cette opinion est la vraie distance, seulement il faut l'en tirer. Toute la puissance d'un Thalès est de se tenir à cette opinion décevante, et enfin d'espérer de soi seulement, et de payer de soi. En n'importe quel amour, donc, se retrouve l'épreuve, que les chevaliers avaient si bien comprise d'après l'expérience de l'amour charnel. Au lieu donc de goûter l'objet, en quelque sorte, comme on goûte du sucre, ils essayaient et assuraient au contraire leur propre fidélité par l'épreuve. Ainsi, sur le point même de subir et de recevoir, ils surmontaient, se reprenaient, et donnaient d'eux-mêmes. C'est ainsi qu'ils découvraient le bonheur d'aimer. Ce détour fait d'abord rire, car on craint d'être dupe. On ne veut point croire ce que disait énigmatiquement Diogène, que c'est la peine qui est bonne. On ne veut point croire. Tout le problème humain se trouve ici rassemblé. Par divers chemins chacun en vient là. Quoi que l'on se promette, de jouer du violon, ou de conduire un avion, ou seulement de jouer aux cartes, il faut jurer, qui est littéralement promettre à soi; et ne point céder. L'épreuve nous instruit comme il faut et sans aucune ambiguïté; mais il faut se mettre à l'épreuve, et faire provision de courage. Car en tout travail, de chevaucher ou de penser, il y a un point de difficulté où périt l'espérance qui est devant nous, et qu'on ne passe que par l'espérance qui est derrière nous en quelque sorte, et qui est foi jurée. Or l'expérience fait voir aux courageux que le point de difficulté annonçait une victoire, et un bonheur propre. Mais c'est ce que ne peut point du tout comprendre celui qui n'a pas essayé, réellement essayé. Aristote nous a jeté au nez ce précieux secret, en des formules serrées, disant que la géométrie est agréable au géomètre, la musique au musicien, le combat à l'athlète, la tempérance au tempérant, et le courage au courageux. Et l'exemple se trouve ici avec la règle; car on ne tirera rien d'Aristote, si l'on ne jure par Aristote. Et ce rustique maître est plus difficile à aimer que Platon; mais ce n'est encore qu'une apparence, car Platon a bien vite fait de déplaire, et renvoie ses courtisans aussi vite qu'il les attire. Mais l'amour vrai se fortifie là. Fermant donc, par pieuse imitation, le cercle de ce difficile sujet, je dirais bien que la fidélité est agréable au fidèle.

Tenant donc toute l'idée, comme en un filet, je n'ai pas fini d'étaler les richesses dues à une longue, patiente, confiante chasse. Je puis du moins en donner le sommaire. Platon, Aristote et les Pères de l'Église y seront ensemble, et ce sera une preuve qu'on avance plus à affirmer qu'à nier.

Quand un homme doute au sujet de ses propres entreprises, il craint toujours trois choses ensemble, les autres hommes, la nécessité extérieure, et lui-même. Or c'est de lui-même qu'il doit s'assurer d'abord; car, qui doute s'il sautera le fossé, par ce seul doute il y tombe. Vouloir sans croire que l'on saura vouloir, sans se faire à soi-même un grand serment, sans prendre, comme dit Descartes, la résolution de ne jamais manquer de libre arbitre, ce n'est point vouloir. Qui se prévoit lui-même faible et inconstant, il l'est déjà. C'est se battre en vaincu. Quand on voit qu'un homme qui entreprend quelque chose doute déjà de réussir avant d'avoir essayé, on dit qu'il n'a pas la foi. Ainsi l'usage commun nous rappelle que la foi habite aussi cette terre, et que le plus humble travail l'enferme toute. Encore plus sublime sans promesse; au fond, toujours sans promesse. Car le parti de croire en soi n'enferme pas que tous les chemins s'ouvriront par la foi; mais il est sûr seulement que tous les chemins seront fermés et tous les bonheurs retranchés si vous n'avez pas d'abord la foi. C'est peu de dire qu'il faut se voir libre malgré les preuves; mais plutôt c'est ce monde, qui n'en promet rien, qui n'en peut rien dire, c'est ce monde sans secours qui nous ramène là. Ainsi la première vertu est foi.

La foi ne peut aller sans l'espérance. Quand les grimpeurs observent de loin la montagne, tout est obstacle; c'est en avançant qu'ils trouvent des passages. Mais ils n'avanceraient point s'ils n'espéraient pas de leur propre foi. En revanche, qui romprait sa propre espérance, toute de foi, romprait sa foi aussi. Essayer avec l'idée que la route est barrée, ce n'est pas essayer. Décider d'avance que les choses feront obstacle au vouloir, ce n'est pas vouloir. Aussi voit-on que les inventeurs, explorateurs, réformateurs sont des hommes qui ne croient pas à ce barrage imaginaire que fait la montagne de loin; mais plutôt ils ont le sentiment juste, et finalement vérifié, mais seulement pour ceux qui osent, que la variété des choses, qui est indifférente, n'est ni pour nous ni contre nous, d'où vient que l'on trouve toujours occasion et place pour le pied. Et cette vertu, d'essayer aussitôt et devant soi, est bien l'espérance.

Les hommes sont toujours dans le jeu. Que peut-on au monde sans la foi et l'espérance des autres ? Or souvent les hommes sont presque tout l'obstacle, et même tout. Par exemple la paix et la justice dépendent des hommes seulement. Mais aussi la misanthropie tue l'espérance et même la foi. Si je crois que les hommes sont ignorants, paresseux, malveillants, et sans remède, que puis-je tenter ? Tenterai-je seulement d'instruire un enfant si je le crois stupide ou frivole ? Mais ici notre immense idée parle haut. La haine est clairvoyante en ce sens qu'elle fait être ce qu'elle suppose, car ignorance, injustice, haine lui répondent aussitôt. L'amour trouvera toujours moins de preuves; car il n'est point promis qu'il suffise de vouloir l'autre attentif, bienveillant, généreux, pour qu'il le soit. Toutefois, par cela même, il est clair qu'il faut choisir d'aimer, et de jurer, et de ne jamais céder là, étant évident que la plus forte résistance ici ne peut être vaincue que par la promesse la plus généreuse. Il y a ainsi un certain genre d'espérance qui concerne nos semblables, qui dérive aussi de la foi, et dont le vrai nom est charité. Cette puissante idée, élaborée, comme les deux autres, par la révolution chrétienne, n'est pas encore entrée avec tout son sens dans le langage populaire, qui s'en tient ici aux effets extérieurs; signe que le devoir d'aimer ses semblables est encore faible et abstrait, faute d'avoir été ramené dans la sphère des devoirs envers soi-même. La pitié est laissée à l'estomac. Toutefois, par la force de la commune pensée, conservée par le commun langage, le mot charité se maintient dans le domaine des choses qu'il faut vouloir, et c'est ce qui importe. La charité, selon la puissante intuition de Polyeucte, éclairera l'amour. Alors la commune pensée apprendra aux philosophes étonnés que la foi, l'espérance et la charité sont des vertus. Mais la seule fidélité, toujours honorée, développera toujours à partir du serment d'aimer, ce triple contenu. On aperçoit aisément qu'il y a un amour sans charité, qui ne donne point secours assez à l'autre dans ce rôle pesant d'être aimable. Cet amour ne cesse de choisir, et par là effraie, et à chaque instant abandonne. C'est l'avenir humain, ici, qui fait peur aux deux. C'est l'avenir inhumain qui fait peur à l'autre amour triste, qui est l'amour sans espérance. Cet amour craint tout, croit tous oracles, et ose à peine vivre. Les souhaits, qui sont de politesse, réagissent sagement contre un genre d'inquiétude dont l'amour ne sait pas toujours se guérir. Si je nomme amour défiant l'amour sans charité, je dois nommer amour tremblant l'amour sans espérance. Quant à l'amour sans foi, il n'a pas besoin d'autre nom; il descend de lui-même au-dessous de tout nom. Faites sonner, par contraste, la belle expression de foi jurée. J'attends que cette dernière manière de dire relève l'amour de soi, lui donnant, par un double sens, son plein sens.

LIVRE SEPTIÈME

LES MÉTIERS

CHAPITRE PREMIER

L'ÂGE D'OR

QUE l'inférieur porte le supérieur, c'est une forte idée et qui toujours retentit. Comme disait Socrate, on n'entend que cela. « Sous peine de mort », ce refrain des règlements militaires, cela remonte dans toutes nos pensées comme un avertissement. Les solitaires de Port-Royal mangeaient plus d'une fois par jour. Et il me semble que j'entends M. de Sacy qui éternue sous les arbres, alors soudainement, et impérieusement, et ridiculement ramené des plus sublimes pensées à des pensées de mouchoir. D'où Pascal a écrit que l'éternuement occupe toute l'âme. Sans parler même de la fatigue, et de ce sommeil qu'il faut prier et supplier dès qu'on a tenté seulement de le mépriser, il est bon de mesurer ce que le héros mange en une journée, et cet amas de détritus qu'il laisse, ce que les écuries d'Augias représentent naïvement. Voilà le monstre qu'on ne tue point. Quand on prendrait l'hydre de Lerne au sens le plus relevé, ce qui se peut, puisque la dangereuse chasse aux monstres purge l'âme de plus d'un monstre en même temps, encore est-il évident, encore est-il signifié par l'expérience de chaque heure, qu'il n'y a ni savoir, ni pouvoir, ni sagesse, ni courage, ni résignation sur un tas d'ordures. Ainsi les purifications ou libations ne sont jamais métaphoriques tout à fait. Le geste de laver et de brûler se trouve dans tous les cultes, et la fumée qui monte représente toutes les victoires ensemble. Le balai serait donc dans les attributs d'Hercule.

Or cette situation humaine, et ces pieds dans l'argile originaire, tout nous l'apprend, tout nous le rappelle. Mais, chose digne de remarque, nous devons l'apprendre de nous-mêmes; nous devons l'apprendre par le haut; c'est à cette condition que cette sévère idée peut entrer dans nos idées. Il faut que nous l'ayons d'abord oubliée. L'enfance qui l'éprouve trop n'est point une enfance. Encore est-il vrai que le nourrisson vit joyeusement de la substance d'autrui; il est donc dieu pour commencer. L'extrême faiblesse se connaît d'abord comme extrême puissance. Cette idée est sauvée et fortifiée par les jeux. Ici les sentiments et les passions, l'amitié, la colère, l'admiration et même le désespoir se développent comme si la nature des choses était notre fidèle servante. Ainsi nous commençons tous par l'idée la plus fausse, ou, si l'on aime mieux, la plus chimérique. Tous les chercheurs, par un détour ou par un autre, sont enfin arrivés à dire que nos idées vraies sont des erreurs redressées. Les uns par dialectique abstraite, comme Hegel ou Hamelin, montrant que la première idée, la plus naturelle, la plus simple, la plus évidente, est de soi insuffisante aussi, essentiellement insuffisante, d'où la pensée commence sa course boiteuse, attentive à dépasser en conservant, ou, si l'on veut, à faire tenir tous ses trésors en sa première bourse. D'autres, plus près de terre, et Comte au premier rang, ont aperçu le mythe à l'origine de nos pensées, forme abstraite aussi, et insuffisante, mais, d'un autre côté, suffisante et plus que suffisante, par le contenu, qui dépasse d'abord le monde et toutes ses richesses, par un ordre aussi miraculeux, en cette variété; ce qui fait que le poème est le premier livre, et que la beauté est institutrice de tout savoir. Seulement, comme ici tout est donné ensemble premièrement, ce n'est plus la dialectique ailée, mais la lente politique qui développe le trésor humain.

Entre aller si vite et toujours attendre, l'enfant ne choisit point. Il est pris autrement, plus près de lui-même, plus familièrement, par ceci qu'on le laisse jouer longtemps, et se tromper avec bonheur, je dis même en jouant au sable devant l'Océan suspendu aux astres. Tous ses travaux le trompent, et même ceux qu'il invente. Étant vrai et évident qu'il faut d'abord vivre et ensuite philosopher, selon une maxime de carrefour, il est vrai et évident aussi que l'enfant ignore cela. Il ne peut donc que philosopher. Il se peut que toute sagesse soit un souvenir de cette sagesse, ou, pour mieux dire, il n'en peut être autrement. L'homme a toujours cherché ses meilleures pensées derrière lui, non devant lui. L'âge d'or est dans toutes les légendes, comme un réel et sensible souvenir d'un état meilleur où les idées gouvernaient le monde, où le modèle humain pliait toutes les choses à sa ressemblance, je ne dis même pas à ses besoins, car les besoins naissent par la blessure, et au point de résistance. Le paradis terrestre n'est sans doute autre chose que cet état d'enfance, multiplié par les rêves de cet âge, qui ne sont même point rêves; c'est quand la vie n'est plus un jeu que le rêve est rêve. Ainsi s'étend derrière nous tous une immense enfance qui n'est de personne, où les sources sont de lait, où les fruits attendent qu'on les cueille, où les bêtes sont domptées, obéissantes et même affectueuses. Or, puisque cela est strictement vrai, puisque cette expérience de l'âge d'or est la première de toutes, il faut qu'elle donne forme à toutes les autres, et que le mendiant se souvienne toujours du temps où il était roi. Mais aussi toutes ces légendes, si bien fondées, viennent à conclure, puisque nous sommes exilés de ce monde ami, que nous sommes punis pour quelque faute, à quoi l'innocence enfantine, qui baigne comme un air nos plus anciens souvenirs, donne encore une couleur de vérité. C'est ici qu'il nous faut rompre quelque chose, et reconnaître en ces deux états si éloignés la même nécessité toujours et le même monde. Nous passons dans l'enfance; nous n'y pouvons rester. Toutefois nous y voudrions rester. Beaucoup portent devant eux, et souvent bien au-delà de l'adolescence, cette idée puérile que le succès dépend d'une bonne chance; et c'est presque toujours ainsi, par un retour d'enfance, que l'on juge ceux avec qui on a grandi. Ici se montre l'envie, qui jamais ne tient compte des travaux; c'est juger des autres selon l'âge d'or, alors que l'on vit déjà soi-même selon l'âge de fer. C'est que la nécessité nous tient bien avant que nous sachions la regarder au visage. Pendant que l'adolescence choisit encore en ses pensées, et fait ses projets à la manière de Dieu, devant les possibles indifférents, l'amour vient comme un fait, choisit sans savoir, et a garde aussitôt d'une autre enfance hors de lui. Les idées alors prennent terre. Et la nécessité de se nourrir soi paraît sans masque par la nécessité de nourrir l'autre. C'est le temps où le romanesque promptement périt, par une mise en demeure de penser ce qui est, et non ce qui plaît. Dans le fait, il est aisé de vivre tant que l'on est seul; et c'est un jeu de gagner de quoi dormir au soleil; les vagabonds le savent bien. Mais, dès que l'on aime, et encore mieux par les suites, le métier a cessé d'être un jeu, ou plutôt le travail devient métier, soumis lui aussi à la loi sévère de ne point refaire choix sans cesse, et, au lieu de faire ce qui plaît, de se plaire à ce qu'on fait. Et comme l'enfant pousse vite, il faut que l'homme aussi mûrisse vite. De là vient cette allure pressée et qui a pris parti. Maintenant il faut faire tout trop vite, et manquer à chaque minute l'occasion de faire mieux. Maintenant il faut réussir avant de savoir, et de tout faire outil, et de tout outil faire idée. Maintenant manque le temps d'accorder l'idée au fait, en la gardant idée; bientôt manquera l'idée même qu'on aurait pu sauver l'idée; bientôt manquera l'idée même de l'idée. Car l'ironie peut bien un moment, et au premier contact, sauver encore le trésor d'enfance par le contraste, et même par l'injure. Mais l'injure ne nourrit point. C'est ainsi que le métier entre sans être invité, rude compagnon, et dispose toutes les choses selon un ordre nouveau, comme on voit entrer le chirurgien, ou le menuisier, ou le plâtrier.

L'opposition qu'on trouve dans la femme, qui de toute façon garde enfance, vient de ce qu'elle repousse cet autre ordre, qui fait désordre en ses pensées. On peut croire que l'opposition entre les pères et les enfants, si bien connue, et scandaleuse aux uns et aux autres, vient de ce long retard de nature entre naissance et maturité, encore plus irréparable par ceci que le métier est riche d'exemples et avare de paroles. Bref, il est assez clair que l'expérience ne s'enseigne point. Et c'est parce que Périclès fut promptement formé à la réelle politique qu'il se trouva moins capable qu'aucun autre de former son fils à sa propre image et ressemblance. Dont Socrate ne cesse point de s'étonner. L'enfant était laissé aux nourrices en ce temps-là, et l'idée de l'enfance aussi. L'enfant-Dieu n'était pas né.

CHAPITRES II

PROLÉTAIRES

L'ORDONNATEUR des Pompes Funèbres est un ministre des signes. Devant la mort, qui suspend l'action et même la pensée, cet homme qui ne fait qu'ordonner, et qui ne sait qu'ordonner, prend tout pouvoir par un morne consentement. Des choses il n'a point charge, ni des hommes; il ignore les uns et les autres; mais il a charge des signes, et du cortège, et de son visage, et des visages, et de son costume, et des costumes. Costume, coutume. Il vit métaphoriquement, et sa pensée se borne là. Cette image de l'extrême bourgeoisie vaut idée, et, par opposition, dessine le prolétaire pur, en sa marche insouciante. Qui fait l'allure du marchand de robinets, sinon la boîte qu'il porte? Voilà un homme qui se moque de l'opinion; il reste en lui du bourgeois qu'il parle à l'opinion et pour dire qu'il s'en moque, comme le fait entendre son air de mirliton, qu'on dirait volontairement faux. Il est clair que chanter juste c'est déjà politesse. Mais qu'est-ce qui soutient ce signe injurieux, si ce n'est un métier sans égards? Les robinets n'entendent point le beau langage.

Il reste un peu de bourgeoisie dès que l'on vend. C'est persuader. Mais il y a un degré de l'habileté manuelle qui dispense de persuader. Cela donne impudence. Chacun a connu de ces sculpteurs sur bois ou de ces cordonniers en fin, qui travaillent quand il leur plaît et se moquent de tout. L'homme redevient sauvage par cette puissance. L'artiste revient là, dès qu'il est assez fort pour se passer de précaution. Le Joseph Bridau de Balzac en montre quelque chose. Tout est prolétaire en son vêtement, en sa chevelure, et même en son visage. Au contraire Pierre Grassou est bourgeois jusque dans sa peinture, qui n'est que de précaution. Deux ordres donc, et deux manières de gagner sa vie; l'ordre des choses, qui ne promet rien, qui ne veut rien, qui ne trahit pas, ne favorise pas; l'ordre humain, flexible au contraire, et perfide; d'où deux sagesses, deux genres d'idées et d'opinions, deux vêtements, deux visages, deux classes. L'idée de Marx se montre ici, d'après laquelle les opinions et les mœurs d'un homme dépendent de la manière dont il gagne sa vie. Idée puissante, mais non encore assez développée, car elle expliquera le bourgeois aussi.

Le pur prolétaire n'est point ce sauvage qui s'essaie à ne point respecter : car l'impudence d'une certaine manière est marquée de respect; c'est plutôt celui qui n'a affaire qu'aux choses qu'il transforme, et qui laisse à d'autres le soin de les vendre. Et encore mieux s'il ne voit jamais le maître des salaires, et qu'il ne dépend que d'un surveillant souvent moins habile que lui, et prolétaire comme lui. Encore faut-il dire que le manœuvre, qui n'a que sa force de travail, dépend plus des hommes que l'ouvrier qualifié. Toujours est-il que l'un et l'autre diffèrent beaucoup du jardinier, qui a souci de plaire, et du menuisier de village, qui compte dans son art l'art de persuader, et, au besoin, de tromper. Voilà donc cette caste puissante, nombreuse et retranchée, qui ne parle jamais à visage humain, et qui ne persuade que par le refus. Ajoutez qu'elle n'a point d'égards, parce que le fer et le cuivre ne demandent point égard. Ajoutez que, par l'usine mécanique, elle est réglée inhumainement, de façon que, la famille étant rompue par l'appel de la sirène, la politesse est séparée du travail et toujours jointe au dérèglement du repos. Les fêtes sont donc sans règle. Finalement la pensée n'a point d'autre règle que la nécessité nue. Cela ne va pas sans rigueur, non plus sans vigueur. Mais regardons de près. Je décris ici un peuple étranger, que j'ai vu en voyageur.

Au temps des universités populaires, j'ai vécu en amitié avec l'élite du prolétariat. Ce genre de fraternité était sauvé par la volonté et l'humeur, non par la doctrine. Chose digne de remarque, la parole, signe vivant et aussitôt oublié, créait une confiance de haute qualité, dont le souvenir m'est bien précieux encore aujourd'hui. Mes plus saines réflexions sont nées de ces entretiens sans nuances; et j'évoque encore ces témoins incorruptibles, dès que je sens le moindre pli d'esclavage en mes pensées. Sauvage comme eux, je le veux; inflexible comme eux, je le voudrais. Mais enfin je n'écris nullement comme je leur parlais, et je crois qu'ils ne me liront guère. Ici se montre un exemple de plus de ce que je voulais expliquer, que la pensée d'un homme est la pensée de son métier. Il est vrai que j'aime naturellement tous les genres de métiers manuels, et que je suis un bon amateur de mécaniques; mais enfin je vis de persuader. Il se peut que, par cela seul, j'attache un peu trop de prix aux opinions adverses, et que j'en cherche peut-être souvent des raisons, quand elles n'ont d'autres raisons qu'une situation de fait, plus facile à changer qu'une opinion. Il n'est pas évident que le culte des belles-lettres ne coûte rien à la justice; toujours est-il qu'on en reçoit une coutume de se plaire aux mythes et de s'y attarder. Trop de détours sans doute, et trop de théologie, surmontée il me semble, mais aussi conservée. Tous les dieux courent avec ma plume. Je veux qu'ils fassent poids, s'ils ne font preuve, et métaphore à tout le moins. Le prolétaire méprise ces jeux et cette marche lente. Je crois comprendre pourquoi.

Comte signalait déjà comme un fait nouveau l'irréligion du prolétaire. Une pensée qui a pour constant objet l'industrie, la machine et la chose doit incliner vers un matérialisme simplificateur. Cela ne peut étonner. Proudhon disait que la pensée d'un homme en place c'est son traitement. C'est dire beaucoup, car cela enferme toutes les politesses. De même je dirais bien que la pensée d'un ouvrier c'est son outil, et cela enferme une brutalité mesurée. D'où je comprends cette prédilection, tant de fois, quoique sommairement, manifestée, par tout ouvrier un peu instruit, pour un fatalisme mécanique. Cette idée est comme la trame de la réflexion prolétarienne. Or cette précaution de méthode, qui est bonne pour tous, ne donne pas ici de grands fruits, par deux raisons. D'abord, la contemplation d'après le préjugé mécanique manque toujours alors du préambule mathématique. Le manieur d'outils est, il me semble, profondément étranger à cet esprit de subtilité qui marque jusqu'aux premières démarches d'Euclide. J'ai souvenir d'un ouvrier mécanicien, tête cartésienne qui raisonnait avec suite sur ce qu'il appelait les vocations logées dans le cerveau, mais qui repoussait presque violemment les premiers théorèmes sur la droite et le triangle. Or toutes réserves faites concernant un abus scolastique dont Descartes déjà se gardait, il faut reconnaître que la mathématique est l'instrument de toute physique constructive. En second lieu, le préjugé prolétarien enferme une ignorance profonde du monde humain et de ses liaisons flexibles; et cette idée explique assez l'autre, si l'on y fait attention. Ces dispositions expliquent aussi assez bien une morale abrupte et sans nuances, mais non sans force. Telle est, sommairement, la forme de l'esprit révolutionnaire. Quant à cette puissance d'oser et de changer, si aisément éveillée, et qui fait contradiction avec le préjugé fataliste, elle doit naître et renaître à la pointe de l'outil. L'outil règne et gouverne. La chose est continuellement attaquée et transformée. Le rail est scié par la patience. La maison s'élève. Le pont tend son arche métallique. Aucun préjugé de doctrine ne peut tenir contre cette preuve de tous les jours. L'ouvrier est certainement, de tous les hommes, celui qui a l'expérience la plus suivie et la connaissance la plus assurée de la puissance humaine. D'où il me semble que cette tête industrieuse est habitée par deux idées dominantes qui gouvernent tour à tour. L'une, qui règle les contemplations, et d'après laquelle ce qui est devait être; l'autre, qui inspire les actions, et qui porte à changer l'ordre humain sans plus attendre, dès qu'il n'est pas comme on voudrait. Comment ces amis difficiles, aux yeux de qui précaution est trahison, méprisent aussitôt les arrangements de la politique, c'est ce qu'il est bien aisé de comprendre. Comment leur pensée se fait pourtant politique d'une certaine manière par l'union, qui de toutes les manières leur est conseillée; comment leur attention est toujours ramenée aux conditions inférieures de la vie, et par la mesure même de leurs services, qui se compte par les choses faites et selon une loi de fer, c'est ce que l'on voit. Leur chance, qui est celle de tout esclave, est que toute injustice retentit d'abord sur eux et resserre aussitôt leur stricte part, de façon qu'en cette lutte pour le salaire, ils sont notre prudence et même notre raison; et c'est ce que l'on comprendra de mieux en mieux.

En attendant, l'on voit assez que les hommes de toute condition s'éloignent d'eux ou se rapprochent d'eux par les idées comme par les passions, selon la part de persuasion, de politesse, d'égard, de respect que le métier impose à chacun. Quiconque parle à l'homme et plaide pour soi éprouve la difficulté en même temps que la nécessité de plaire, et ainsi se range un peu à toute religion, le valet beaucoup plus que le cuisinier, et le médecin un peu plus que le chirurgien, le marchand de cravates plus que l'épicier, et ainsi du reste. On s'étonnerait moins que la religion aille si souvent avec l'esprit de politesse si l'on se rappelait que nos premières et naturelles idées sont théologiques, et qu'ainsi l'incrédule va directement contre un régime établi des opinions et même du langage, aussi bien en lui-même. Ainsi ne point croire ce que tous naturellement croient est une mauvaise condition, même dans les négociations les plus étrangères aux croyances communes; et la marque, sur un visage, d'une pensée qui ne respecte rien, nuira toujours à celui qui vend. La crainte de déplaire, autant que le métier l'impose, incline donc toujours vers le même genre d'opinions; et, puisque le costume est la première politesse, il faudrait dire que l'habit fait le moine. Toutefois l'habit n'est qu'un signe du métier, autre vêtement; et l'audace de contredire se mesure naturellement au besoin que l'on a d'être approuvé. Celui qui vend l'habit persuade; celui qui taille et coud ne se soucie point de persuader. La résistance aurait donc sa phalange, ses hoplites et ses auxiliaires, selon les productions et les échanges, et toute échoppe aurait son opinion comme son étalage. Mais il y a des transfuges, de la phalange même. C'est qu'en tout artiste et inventeur le souci de plaire s'efface en même temps que croît la puissance; ainsi tous les puissants esprits sont révolutionnaires un peu, et même l'esprit tout court, comme les plus prudents gardiens de l'ordre tel quel l'ont toujours senti. Même un grand seigneur peut être ainsi l'ennemi de ses propres privilèges, comme le siècle mathématicien, astronome et chimiste l'a fait voir chez nous. Voltaire a mis en forme cet esprit qui voudrait conserver, mais qui ne peut plus respecter. Ce mouvement règle encore maintenant la politique. Il serait bien aisé de montrer en quoi le grand mathématicien est prolétaire, et que le physicien l'est peut-être moins, par l'ambiguïté de ses preuves, mais le serait en revanche davantage par la nature de ses travaux. Le polytechnicien est remarquable en ce que la fonction s'y trouve en opposition avec l'esprit, ce qui, sans compter les inégalités de l'esprit même, fait paraître une belle variété sur un fond de mélancolie.

CHAPITRE III

PAYSANS ET MARINS

L'OPPOSITION entre le prolétaire et le paysan est de tous les temps. Nous ne pouvons point décider si la charrue fut inventée avant l'arc; mais il est clair que celui qui fabrique l'arc et fait voler la flèche s'instruit lui-même tout à fait autrement que celui qui confie une graine à la terre, ou qui soumet le bœuf, le cheval et le chien. L'arc est machine et instruit comme font les machines; l'expérience est claire et l'homme y retrouve sa propre faute. En un outil qui se rompt, l'ouvrier reconnaît la fissure ou fêlure, qu'il aurait pu deviner; et, si la faux ne mord point, c'est que tu ne l'as point assez battue ni affilée. Si l'homme obtenait tout ce qui lui est nécessaire par l'outil et la machine, comme on puise de l'eau et comme on extrait du charbon, la religion serait autre, et la politique aussi. Les terres, les eaux, les saisons, les plantes, les bêtes, instruisent autrement. Ce sont des moyens cachés; l'homme ne sait pas comment ils sont faits; ce n'est pas lui qui les a faits. L'homme qui se sert de ces choses est secret comme elles. L'arbre est tout d'une pièce avec le fruit, avec la terre, avec l'air. Ainsi le paysan est tout d'une pièce avec sa maison couleur de terre avec les champs et les chemins; avec les bois qui bordent les travaux et arrêtent la vue, avec les moutons, les bœufs, les chevaux, humbles esclaves, avec le loup ennemi et le chien allié. Sa pensée non plus n'est point par pièces. Le culte ne se distingue pas des travaux. Culte est le même mot que coultre. C'est que les essais ici veulent attente et patience. Si le bétail meurt, il faut attendre une saison avant d'essayer quelque changement et quelque remède. Plus clairement la récolte dépend du soleil et de la pluie, mais ce sont des choses sur lesquelles l'homme n'a point de prise, et qu'il ne peut même pas prévoir. Peut-être la moisson déjà mûre sera-t-elle foulée par la tempête; c'est ce que le semeur ne peut point du tout savoir. Aussi sème-t-il selon une année moyenne, qu'il ne verra jamais et que personne n'a vue. C'est la tradition qui le conduit, c'est-à-dire une somme d'expériences où les différences des années se perdent. Cette prudence n'est donc point réglée d'après des perceptions nettes. Le paysan suit la règle, mais ce n'est qu'après une longue série d'années qu'il saura qu'il avait raison de la suivre. L'archer peut juger promptement d'une nouvelle forme d'arc ou de flèche; déjà il essaie. Le paysan refuse d'abord ce qui est nouveau; c'est qu'il ne peut même pas assigner un nombre d'essais ni un compte d'années qui feraient preuve. Esprit fermé, visage fermé.

Autour du couple paysan la famille naturellement se rassemble; presque tous les âges ont leur emploi. Et, puisque l'expérience vient seulement avec les années, il n'arrive jamais que le savoir-faire se sépare du pouvoir patriarcal. L'homme se forme par obéir d'abord, et, plus tard, commander. Et parce qu'il n'y a pas de raisons à donner, ni de preuves promptes, le pouvoir veut respect. L'âge donne avantage contre l'expérience même, parce que la victoire d'un jour ne compte guère en ces travaux dont les fruits ne mûrissent quelquefois qu'après une longue suite de saisons. Le respect revient donc promptement du progrès à l'ordre, et de l'ordre matériel à l'ordre moral; et le pouvoir de supporter le malheur est naturellement plus estimé que le coup d'audace qui le détourne.

Une politique naît donc aux champs et s'y conserve, où l'âge est tout, et où les chefs sont les pères, comme à Rome. Aussi les Romains ont-ils conquis le monde ancien à peu près comme on défriche, mordant d'année en année sur la bordure de la forêt impénétrable. Mais, revenant aux parties les plus claires de ce sujet-ci, disons qu'aux yeux d'un paysan ce n'est pas une raison, parce que toutes les choses vont mal, de changer la moindre chose dans ce qu'on a toujours fait. L'esprit paysan est donc armé contre lui-même.

Quant aux passions, il reste à dire. Naturellement elles sont moins violentes et plus étendues dans la durée que celles du tireur d'arc, par cette longue suite de travaux, par cet enchaînement des uns et des autres, par ces instruments étranges qui sont les champs, et où le travail reste pris. L'avarice paysanne est peut-être la seule qui soit contemplative; car les autres avares ont hâte d'échanger, au lieu que le paysan n'a pas même l'idée de changer son champ pour un autre; tout son travail est enfermé là. La propriété est paysanne. Il faut, par la nature même des travaux agricoles, que le droit sur les produits s'étende à la terre, qui est elle-même un produit. Le pouvoir patriarcal, qui est de majesté et même de religion, se compose avec la passion principale qui se plaît à contempler, dans le présent même, une longue suite de travaux et un avenir sans fin. C'est par là que le fils, en sa croissance, est l'objet d'un culte secret et d'une sorte de respect. C'est par là que la mère, qui est appelée la mère, trouve les marques de la reconnaissance dans le maître dur qui commande au nom du soleil. Cette tyrannie serait donc jalouse, prudente, affectueuse aussi, enfin lente en toutes ses démarches. Mais il faut reconnaître que le gouvernement des bêtes change profondément le caractère du maître, et aussi celui des subalternes. Il faut patience dans le dressage, mais le fouet n'est jamais loin. La plus brutale colère peut être un moyen. Il est vrai que l'intérêt modère les redoutables passions du dompteur de chevaux; il est vrai aussi qu'il se forme entre l'homme et l'animal une sorte d'amitié. Mais il faut faire attention que l'humain est borné et même escarpé de ce côté-là. La poule, le mouton, le bœuf en sauraient quelque chose, si cette condition de moyen qui est la leur n'effaçait pas naturellement toute espèce de pensée. L'homme, non plus, ne pense guère dans cette direction; il ne saurait. Toujours est-il que ce pouvoir de vendre, de frapper, de mutiler, de tuer, parce qu'il est joint à une sorte d'amitié sans avenir, doit réagir un peu sur toutes les affections, et en quelque façon les durcir toutes. Il faut avouer que la situation humaine nous prend ici directement au cœur, et sans façon. Peut-être une existence purement urbaine doit-elle conduire à une sorte de peur diffuse, résultant d'une pitié mal réglée, ce qui peut expliquer par réaction, une brutalité sans aucun respect. Ce n'est sans doute que la vie paysanne qui peut nous apprendre à mesurer la pitié que nous devons à chaque être, et même à nous.

Il faudrait rassembler. Chacun sent bien qu'un paysage parle à l'esprit et impose immédiatement de fortes idées, j'entends autre chose que des projets et des passions. Mais c'est une sorte d'énigme aussi que la paix des champs. Peut-être la comprendrons-nous mieux par son contraire, par le péril remuant de la mer. Ici ce n'est plus le profond travail des saisons, ni le lent miracle du printemps, mais plutôt une vie continuellement brassée, sans saisons. Ici l'entreprise est d'une journée, ou même d'une heure, souvent d'un instant. Quand le passage est franchi, nul n'y songe plus. Chaque risée, chaque vague veulent une manœuvre prompte, exactement réglée sur l'événement. Mais aussi toutes les forces sont au jour. Les découpures du rivage et l'exacte bordure de l'eau représentent à chaque instant les limites et la loi de ces balancements sans mémoire. Deux pas de plus, et la mer ne peut rien; le port marque la fin de toute aventure. L'homme est donc jeté, de cette bordure, en des actions serrées et difficiles, mais qui ont un terme. Il met son butin en lieu sûr, et se retire de cette nature mouvante. L'escale est un temps de préparatifs, de réparation, de réflexion. La tempête d'aujourd'hui ne fait rien à la récolte de demain; l'homme est donc assez riche dès qu'il est sauf. D'où un genre de travail, un genre d'audace, un genre aussi de paresse. La famille se trouve associée à certains travaux, mais non aux plus rudes. L'étroite coque du bateau enferme une autre société, une politique d'égaux, et sans respect, sous l'autorité du plus habile. De toute façon l'homme de mer ose beaucoup, compte sur lui-même et n'accuse point les forces. Toujours au guet dans un monde mouvant, toujours rompant la coutume. Le sillon qu'il creuse se referme derrière lui. La mer est toujours jeune, toujours vierge, et tout est toujours à recommencer. Mais aussi on peut toujours recommencer. L'idée du mauvais sort, toujours naturelle à l'homme, doit périr sur ces rivages découpés où le risque s'étale et se développe assez, pour qu'on n'aille point supposer encore d'autres forces. L'homme connaît ici ses limites, mais sa puissance aussi. L'unité se montre, par la masse mouvante, et par la pesanteur qui a toujours raison. Cette immense balance est juste; elle pèse le navire à chaque instant; le pied du marin ne cesse pas de sentir, dans l'action, cette force redoutable, mais qui n'est jamais perfide. Et, comme on ne cesse de voir que cette masse fluide est divisée et hors d'elle-même, on ne la rassemble point en une âme imaginaire. La vague vient de loin, mais finalement se vide de son apparence en de petits ruisselets. L'immensité des causes n'empêche pas qu'on limite les effets et que l'on s'en garde. Aussi l'on peut penser que l'esprit d'oser et d'inventer, d'après la liaison, la continuité, le balancement de toutes choses, a pris terre par les anses et les criques, remontant les fleuves comme font les saumons. Celui qui voudra comparer l'immense et massive Asie à la petite Europe, presqu'île dentelée, comprendra bien des choses. Les Muses d'Ionie et de Sicile chantent pour toute la terre.

Il est plus aisé de comprendre le mouvement que de comprendre le repos. L'immobile est l'énigme. Le solide garde l'empreinte et la forme. En quoi il nous trompe, car tout s'use; mais cet imperceptible changement étonne sans instruire, à la manière des réactions chimiques. La physique est maritime, mais la chimie est paysanne. Les choses offrent alors en leur surface les propriétés préparées dans leur intérieur. Elles ne s'étalent point comme des vagues. Tout est muré et séparé. Chaque petit système, fossé, mur, colline, ravin, semble indépendant des autres. Les ruissellements du ciel glissent sur ces visages, mais ne les changent guère pendant une vie d'homme. Chaque partie du continent semble ignorer les autres, et exister pour soi et par soi. Toute chose cache d'autres choses et se cache elle-même, comme on voit dans un bois, où chaque pas découvre un monde nouveau, et recouvre celui qu'on tenait. L'homme ne sait jamais où il va. D'où le prix des signes humains, vestiges, sentiers, tisons éteints, ossements, tombeaux, qui sont comme une écriture; au lieu qu'on n'écrit rien sur la mer; il faut que l'homme s'y dirige d'après ses propres idées. N'importe quel marin qui rentre au port a les yeux fixés au loin, sur le clocher ou sur le phare, et méprise les signes plus proches et plus émouvants. Au contraire le terrien marche toujours dans les pas de l'homme et pense selon l'action d'autrui. Un chemin est une sorte de loi, d'âge en âge plus vénérable. L'antiquité ici fait preuve et le signe écrit est dieu. Par les signes, l'invisible habite la terre, et les éclipses des choses font paraître et disparaître en même temps tous les dieux agrestes. Ce n'est plus cette puissance neptunienne, énorme, mais réglée; bien plutôt ce sont des dieux, séparés, invisibles, capricieux, trompeurs comme l'écho, toujours réfugiés à l'approche dans ces formes de pierres, d'arbres et de sources, visages clos.

CHAPITRE IV

BOURGEOIS

EST bourgeois tout ce qui vit de persuader. Le mot convient à ce sens, puisqu'il exprime l'étroite société des villes, ainsi que les lois de coutume et de politesse qui gouvernent ces existences rapprochées. Au reste toute famille est bourgeoise en son dedans, et nous fûmes tous bourgeois par l'enfance, qui vit de persuader. Le vieillard vit de même. Ces deux bordures envahissent plus ou moins l'existence virile, et, dans le bourgeois achevé, comme prêtre, avocat, comédien, couvrent toute la vie. Enfin, puisque la famille nous tient presque toujours bien au-delà de l'enfance, il faut considérer l'existence prolétarienne comme le moment de l'audace, de la puissance et de la suffisance. Un certain degré de force, en tout métier, nous y porte. Un prédicateur même y peut toucher, dans le moment qu'il exerce comme un pouvoir de nature, non calculé, non mesuré; mais il reprend bourgeoisie en son couvent ou en son presbytère, et plus souvent en son discours même. Un général, un roi, un homme d'État peuvent oublier quelquefois ou souvent les façons de bourgeoisie. La plus haute noblesse ou l'extrême richesse permettent aussi beaucoup. D'où un mélange en presque tous; l'observateur saisira ces nuances dans les plis du visage et dans le son de la voix. Il n'est point d'homme qui flatte toujours; il n'est presque point d'homme qui ne flatte jamais.

Cette condition est ce qui étonne le prolétaire. Il sait très bien coopérer; l'entr'aide est de métier pour lui. Mais le travail associé n'implique nullement qu'il faille concéder quelque chose à celui qui se trompe; au contraire l'inflexible chose repousse énergiquement cette idée. Parce que le travail n'est nullement un jeu, les opinions fausses sont sévèrement redressées, avant même qu'elles produisent leur effet; le mouvement de contredire est donc sans aucune précaution à l'égard de l'homme; c'est pourquoi le premier mouvement de contredire, dans le prolétaire, n'est jamais poli. C'est que la première aide, en ces existences où l'erreur blesse, et sans aucune métaphore, est de détourner vivement l'idée fausse, et à proprement parler, de s'en défendre, et d'en défendre l'autre aussi. L'effet de la fraternité n'est donc nullement ici l'indulgence. Ainsi cet autre genre d'entr'aide, qui consiste à ne point choquer opinion contre opinion, et enfin à fonder une sorte d'amitié sur la précaution de ne pas penser témérairement, lui est naturellement incompréhensible. Coopération, en un sens, repousse société.

Cela ne va pas à dire que le prolétaire repousse société; il s'en faut de beaucoup qu'on puisse le dire. Mais le sociable s'entend en deux sens. On peut vouloir une société juste; cela conduit à chercher ses semblables et à s'étonner si on ne les trouve point tels qu'on veut qu'ils soient, et, par exemple si ce qu'on juge évident ne paraît point tel à d'autres. Une telle société est abstraite, et à chaque instant rompue; aisément renouée aussi. L'humeur y tend ses pièges; l'amitié y vit difficilement. On peut vouloir la société, juste ou non, soit parce qu'on s'y plaît, soit parce qu'on en vit, presque toujours par les deux raisons ensemble. C'est alors que l'on craint le premier mouvement, et que l'on reçoit les différences, sans les juger. C'est alors surtout qu'on les remarque, qu'on les mesure, et qu'on s'en accommode; le disputeur ne connaît point les hommes. On se fera, d'après ces remarques, une idée suffisante de la politesse, qui va premièrement à ne jamais déplaire, et aussitôt à prendre chacun comme il est, sans même marquer de l'étonnement. Puisqu'il est évident que la politesse est plus facile avec les gens polis, la politesse va donc à dissimuler soi-même la différence, et à se faire autant que possible semblable aux autres. Il est poli de ne point choquer, ni même étonner, par les cheveux ou la cravate. La mode est le refuge de l'homme poli.

Or l'esprit qui sort des mécaniques, qu'il soit praticien ou théoricien, ne peut ici ni respecter ni comprendre. Cette manière pleine d'égards, qui des actions remonte aux discours, et enfin aux pensées, fait scandale pour le raisonneur; et le moindre signe de ce sentiment dans le raisonneur fait injure. C'est une faute encore pardonnable de manquer à la politesse; mais la faute est sans pardon si l'on marque que l'on entend se passer de politesse; c'est promettre en quelque sorte d'être sans respect; cela noie toutes les pensées de l'autre sous une attente craintive et bientôt irritée. Socrate jouait ce jeu dangereux devant les hommes cultivés et polis, aux yeux de qui un certain genre de sérieux annonçait une sorte de guerre, sans politesse aucune. Insolente méthode. Non pas parce qu'elle réfute, mais parce que d'avance elle refuse respect. En ce cercle d'importances, où le costume est comme une arme, aussi bien contre soi, cette invitation à combattre nu est proprement indécente. Encore, en ces cercles d'hommes, tous savants en quelque chose, et formés par les disputes politiques, un jeu d'arguments pouvait-il aller fort loin. Mais dans nos cercles de bourgeoisie, où les femmes sont assises, où le timide trouve respect et asile, où la parenté, les intrigues, les intérêts tendent leurs invisibles fils, où la première loi n'est pas de plaire, mais bien de ne pas déplaire, on comprend que la prudence soit la règle constante de tous les discours, et que les pensées d'aventure soient ordinairement coulées à fond, même dans le secret de chacun, par le souci de n'en point montrer le moindre signe. En pensant donc à ces assemblées de timides, qui parlent comme on chante, attentifs à l'air et aux paroles, Stendhal a pu écrire ce terrible mot : « Tout bon raisonnement offense. » Raisonner est comme bousculer. C'est pourquoi l'ordinaire des hommes, même avec une solide instruction, arrive promptement au lieu commun, sans pensée aucune, et même sans changer les termes auxquels chacun est accoutumé, par cette crainte de déplaire qui est au fond de la politesse. Et l'on sent bien que le plus timide et le plus ignorant est celui qui donne le ton, par sa seule présence. Ce n'est pas qu'on le considère tant; encore moins est-on disposé à subir sa loi. Mais il s'agit ici d'un tact qui s'exerce sans qu'on y pense, et qui, comme celui de l'aveugle, sent l'obstacle avant le choc. Aussi ces visages défiants, et d'avance fermés à toute idée étrangère, apportent-ils tout à fait autre chose qu'une arrogance promptement punie de ridicule. Contre la commune attente, ils gouvernent aussitôt; ce n'est que sur la scène comique qu'ils sont ridicules. C'est ce qui fait que la pensée des cercles descend aussitôt au niveau le plus bas. D'où un noir ennui, auquel le jeu de cartes sert de remède. Il est même beau de voir que le besoin de combiner, d'improviser, de prendre parti, enfin de penser librement et d'oser, se jette tout là. Si l'on veut sentir le poids de l'homme et les liens de prudence, il suffit de retarder un peu l'ouverture du jeu par quelque conversation sur les mœurs, les caractères, et les passions. Quoique ces sujets éveillent tout homme, ou plutôt justement par cela même, vous verrez de l'impatience, et tous les yeux se porter vers les cartes et les jetons.

Supposant malgré tout un cercle où chacun soit connu, où il n'y ait rien de médiocre, et où l'on puisse enfin se promettre un beau jeu de pensées, il est aisé de deviner comment ils limiteront, rabattront et poliront comme un diamant ce beau mot d'esprit. Le bel esprit est encore moins; il porte au front ses règles, et annonce lourdement l'intention de plaire. La société polie dit esprit tout court, et dit bien plus, définissant par là ce que l'esprit peut montrer, comme aussi une manière de dire, d'écouter, de prouver, de se livrer, enfin d'inventer en parlant, qui est non point défendue, mais impossible. Ce jugement est sans appel; il ne blâme pas, il ne condamne pas, il exclut. Comme dans une foule de danseurs, certains mouvements sont non point défendus, mais impossibles. Il y a des lois physiques qui règlent les entretiens, surtout animés et vifs, et qu'on ne peut mépriser. Un orateur y serait ridicule, s'il n'oubliait pas qu'il est orateur; mais, d'un autre côté, dans l'entrecroisement des paroles, il est impossible qu'une idée nouvelle, qu'on n'attend point, qu'on ne peut deviner, soit seulement entendue; on trouve ici la même difficulté que si l'on parle à quelqu'un qui est un peu sourd; voilà qui tue les paradoxes. Ces choses étant connues par d'amères expériences, chacun s'y accorde et même les confirme par un air de n'attacher d'importance à rien, où se trouve le germe de la fatuité. Telle est la charte des conversations. L'art suprême y est d'être libre en ces contraintes, comme l'habile danseur, aussi de ne rien retenir ni refouler, car une finesse qui se montre telle est peut-être ce qu'il y a de plus inquiétant. On appelle bien tact ce sentiment de ce qu'il ne faut point dire ni même penser, et qui avertit bien avant la pensée. On appelle grâce cette libre allure de l'esprit ainsi gardé par les manières, et sans aucun retour sur soi. C'est déjà trop si un certain genre d'esprit a, comme dit Stendhal, besoin d'espace. Ne dirait-on pas un faiseur de tours qui étend son tapis? L'esprit passe, et brille un instant, refermant et terminant aussitôt le cercle de ses pensées, et de façon que la réflexion n'y puisse entrer. Le trait se ferme comme un bracelet; l'on n'y voit point d'ouverture. L'enchantement est dans le souvenir d'avoir compris. Un trait d'esprit efface son propre sens. Cela va loin et vous arrête net. Le sourire signifie que l'on dit adieu à une pensée; le plaisir de l'avoir eue n'est point gâté par la peine de la suivre. Cet art, en sa perfection, ne laisse donc point d'œuvres. Et c'est par là que le plus brillant esprit se perd en conversations.

Connaissez maintenant l'esprit conservateur, plein de richesses, ouvert un instant, aussitôt fermé. Connaissez ces forteresses d'opinions, de toutes parts gardées, sans qu'on voie seulement le guetteur. L'intérêt, certes, est impénétrable, et les esprits, comme les coffres, ont une serrure à secret. L'erreur serait de croire qu'il n'y a d'ainsi fermé que le sot. Celui qui sait suivre une idée, ayant appris de Platon et de Descartes l'art de penser, qui connaît aussi les poètes, les historiens, les politiques, celui-là connaît par cela même combien il est difficile de faire entrer une idée en quelqu'un, et que l'art de prouver, si bien qu'on le possède, veut des précautions à l'égard de tous, et même, à l'égard de presque tous, plus que des précautions. Il s'ajoute à cela que, par sa propre expérience, il connaît que la difficulté de découvrir des vérités est comme nulle à côté de la difficulté de faire tenir ensemble toutes les vérités prouvées; sans compter que les sentiments forts ne cèdent jamais devant des idées, mais qu'il faut bien plutôt les changer en idées, ce qui guérit de réfuter, par l'espoir, et même plus que l'espoir, de conserver. D'où il se trouve avoir jugé et dépassé presque toutes les preuves, ce qui le met, devant toute preuve, et surtout nouvelle, en cette attitude de précaution qui sera prise pour ennemie. Il faut convenir qu'à proportion qu'un homme est savant et pensant, la seule proposition d'une preuve est inconvenante, et la moindre tentative de forcer tout à fait impolie. Il juge enfin qu'une discussion qui ne ménage rien manque à toutes les conditions qui rendent possible la pensée, aux supérieures et aux inférieures. Il m'est arrivé, comme il n'est point rare, de rencontrer, en mes aventureuses recherches, des opinions politiques et religieuses comme des rocs, et qui m'étonnaient en de fortes têtes. Mais aussi je n'ai jamais pu compter ce qu'il y entrait de politesse à l'égard des autres et de précaution contre les indiscrets. Sans mépriser la preuve, il est naïf aussi d'en trop attendre. Essaierai-je de prouver à cet homme poli qu'il peut se passer de cravate ?

CHAPITRE V

MARCHANDS

On voudrait dire quelquefois, comme Calliclès en Platon, que les hommes ont convenu de se traiter en égaux, par un sage calcul des espérances et des risques. Chacun renonçait à conquérir et à nuire selon sa puissance, sous la condition d'être protégé contre l'abus de force. C'est par un tel arrangement que ce qui fut permis à l'un fut permis à tous, et que ce qui fut défendu à l'un fut défendu à tous. Ce n'était qu'un contrat d'assurance contre l'inégalité. Or c'est bien ainsi qu'il faut concevoir le droit; mais ce n'est pas ainsi qu'il est né. Bien plutôt le droit est né dans ces marchés publics pleins d'une rumeur tempérée, et par la double ruse du vendeur et de l'acheteur. Choses de nature, aussi anciennes que l'homme, et merveilleusement représentées par ce Mercure faux et vrai, par ce Mercure porteur de nouvelles; car il n'y a que fausses nouvelles, si l'on ne veut point attendre; mais, si l'on a patience, tout est su. Ainsi, dans les marchés publics, tout est bientôt clair par le double mensonge de ces marchands qui ne se disent point pressés de vendre, et de ces ménagères qui ne se disent point pressées d'acheter. Tous se réservant, et nul ne voulant dire son dernier mot, le dernier mot est bientôt dit, et c'est le juste prix. Quand le cours s'établit par les marchandages, qui sont comme des enchères diffuses où chacun limite prudemment les concessions, c'est comme si chacun prenait conseil de tous, et s'assurait d'avance d'être approuvé par tout homme raisonnable. Les frivoles s'y trompent toujours, voulant considérer comme une sorte de vol l'opération heureuse que tous espèrent. Mais ce facile développement ne saisit rien. Le vol et le voleur sont parfaitement définis par le fait de prendre le bien d'un homme sans qu'il y consente, soit qu'il ignore, soit qu'il soit forcé. Au contraire c'est le consentement qui fait le marché, et consentement enferme savoir et liberté. Dans l'ignorance, vendeur et acheteur attendent, lançant et recevant comme au jeu de raquette cette rumeur des marchés. Mais, sur le moindre essai de force, toutes les boutiques se ferment. Ainsi, dans les marchés publics, la liberté est d'abord exigée, l'égalité cherchée et bientôt trouvée, par la rumeur marchande, qui ne trompe pas longtemps. Cette rumeur sonne bien aux oreilles.

Ce n'est pas que l'imagination ne tende encore ses pièges, ici comme partout. Chacun connaît ces paniques qui poussent soit à vendre à tout prix, soit à acheter à tout prix; ces accidents, souvent décrits, ne doivent point faire oublier la stabilité des prix et la sécurité de chacun au sujet des prix, qui sont le régime ordinaire, aussi bien dans la Bagdad des contes. Un marché est le plus bel exemple de l'élaboration des opinions vraies dans une réunion d'hommes; c'en est même, à bien regarder, le seul exemple. C'est le parlement qui ne ment point. Car, dans les réunions qui n'ont pas pour objet le commerce, les opinions en chacun sont plutôt confirmées qu'éclairées, les passions jouant alors à la façon des éléments inhumains. La prudence socratique fait bien entendre les difficultés de l'investigation en commun, dès que les disputeurs sont plus de deux. Chacun tend ses préjugés comme des armes. Au lieu qu'on ne trouverait point d'exemple d'un marchand qui, pouvant s'instruire des prix, refuserait de le faire, par quelque préférence de sentiment. Si l'on veut expliquer d'où sont venues, dans notre espèce, les idées communes d'enquête, de doute, de critique, il vaut mieux regarder les marchés que les champs de Mars, et même que le prétoire, où quelque Pilate toujours se lave les mains. L'achat et la vente sont nos premiers maîtres de raison, et le prétoire s'honore d'une balance sculptée. Cette antique image conduit nos pensées comme il faut. Les modèles de la paix, de la justice et du droit sont dans ces heureux échanges, si communs et si peu remarqués, d'où le vendeur et l'acheteur s'en reviennent contents l'un de l'autre. Les assises de toute humanité sont économiques. Le juridique a pris là ses règles.

Quelles règles? D'abord que la force, ou seulement

la montre de force, efface la justice. On rirait d'un marché où le prix serait fixé par un combat. Au contraire l'échange s'achève dans le silence des forces, et cérémonieusement, après une sorte de recul où chacun s'assure qu'il est libre, et le fait publiquement connaître. Dans les marchandages paysans, les plus longs de tous, où jamais rien n'est affirmé, la liberté du moins est affirmée. Et ces délibérations, ces fausses ruptures, ces retours, qui feraient rire, sont en vérité de forme, comme faisant mieux paraître le libre consentement. On aperçoit même un beau contraste, et plein de sens, entre cette suite de démarches retenues et de gestes prudents, et l'acte de conclure en frappant de la main dans la main, dont nul n'essaie jamais de revenir. L'homme, si attentif d'abord à ne se point laisser lier, se lie alors lui-même. Ces coutumes dictent la loi. Tout échange forcé est vol. Ici donc, dans la société mercantile, toujours la même depuis tant de siècles, on trouve les racines de cette idée invincible d'après laquelle la plus grande force ne donne jamais et ne peut donner le plus petit commencement de droit. L'arbitre n'hésite jamais là-dessus. La contrainte, dès qu'elle paraît, annule tout contrat. Telle est la loi intérieure des marchés. Ce qu'il y a de remarquable, c'est que la force la plus orgueilleuse capitule ici, ayant fait promptement l'expérience que la contrainte fait disparaître tout ce qui était à vendre, et ralentit aussitôt transport, fabrication, production. Les armées les plus valeureuses mourraient donc de faim. Aussi le tyran achète et paie, et le conquérant de même, ce que signifie la belle fable du meunier sans souci. La force s'en remet à l'arbitre, d'après cette invincible relation qui subordonne le plus haut courage à la nécessité de manger. C'est pourquoi les hommes armés entourent les marchés, qui sont comme leur estomac et leur ventre, opposant force à force, non pas du tout pour décider des prix, mais pour empêcher que la force veuille décider des prix; ainsi pour protéger les personnes, non par un égard pour les personnes, tout à fait étranger aux coutumes de la force, mais par considération des choses utiles que ces personnes rassemblent, conservent, et offrent contre paiement. On s'étonne quelquefois de voir que dans les législations, le droit remonte toujours de la chose à l'homme; cela revient à dire que la sécurité de la production et des échanges est ce qui a conduit à reconnaître et à formuler le droit des personnes. Et tel est l'ordre naturel. L'inférieur porte le supérieur, et même le règle.

Voilà donc le marché, ce commun cerveau, bien protégé comme dans une boîte osseuse. A l'intérieur, les calculs se développent selon leur loi propre. Dès que la force n'entre point, il faut que l'esprit décide. Tout doit être clair, comme des piles d'écus. Tromper, c'est encore une manière de forcer; c'est pourquoi la tromperie est cachée et honteuse. La même probité se remarque ici que dans les jeux de cartes, où il n'est permis de tromper que si les moyens de savoir sont égaux des deux parts; autrement, c'est tricher. De même, dans le monde des marchands, un contrat ne vaut qu'entre des hommes également placés pour connaître l'incertain et le certain de la chose. Il se peut que l'on trompe un enfant, sur le prix ou sur la quantité, mais on ne l'avouerait point. C'est encore un abus de force si l'on prend avantage de ce que l'on sait devant celui qui n'est pas en situation de savoir. Si l'ignorance vient de paresse, ou d'insouciance, ou de frivolité en quelque sorte affichée, le scrupule se fait moins sentir. On trompe plus aisément le prodigue que l'enfant; mais c'est qu'il se moque d'être trompé; au reste ce genre de commerce est d'exception, et méprisé. Le gros des affaires se règle entre experts, c'est-à-dire entre égaux. Égaux absolument, cela ne se peut; mais l'égalité n'en est pas moins cherchée, comme la règle idéale des marchés. D'où la règle d'or, qui est que l'on puisse se mettre à la place de l'autre, et, sachant ce qu'il sait, juger encore que le marché est bon. Quand cette règle serait plus souvent invoquée qu'appliquée, elle n'en enferme pas moins l'idée d'une société véritable. « Mettez-vous à ma place », ce n'est que le plaidoyer de celui qui perd. « Je me mets à votre place », c'est le commencement de toute paix. Au-dessus de ceux qui voudraient que cette règle fût celle des autres, et de ceux aussi qui voudraient n'y avoir jamais manqué, on peut toujours citer dans chaque ville un marchand au moins qui n'y manque point, et qui est estimé universellement. Cette maxime est donc logée dans le haut des esprits. Mais il faut redescendre.

Le marchand est bourgeois par la vie domestique, réglée toujours par l'opinion, puisque la vie privée est l'indice de l'ordre, du gain et du crédit, et resserrée souvent par la collaboration de l'homme et de la femme, et par le souci de former les enfants selon les maximes du commerce. Le marchand est bourgeois aussi par la politesse commerciale, qui n'est pas toujours grimace, puisqu'il n'est pas rare que les relations d'affaires fondent des amitiés ; aussi par une attention aux opinions qui est de métier, et qui est quelque chose de plus que le respect de l'opinion. Le marchand ne cesse jamais de remonter de ce que dit l'autre à ce qu'il pense et c'est une très profonde politesse, celle-là toujours sans grimace. Celui-là n'est jamais vif, impatient, livré à l'humeur, qui cherche toujours la raison des paroles, par l'espoir de persuader après avoir deviné. Cette méthode est socratique sans le vouloir. Une certaine connaissance de l'homme est l'arme du marchand ; d'où une modération admirable devant les opinions qui l'étonnent le plus ; en cela il est diplomate. Mais, d'un autre côté, le marchand ressemble au prolétaire par ceci qu'il manie, compte, range et conserve des choses, toutefois sans les changer, et même en les remettant, si l'on peut dire, dans les mêmes plis, ce qui le réduit à considérer les rapports de position, de grandeur, et de nombre. Le drap n'entre pas dans les combinaisons du marchand de la même manière que dans celles du tailleur d'habits. Le marchand d'épices les tient séparées ; c'est le cuisinier qui les compose. D'où un esprit d'ordre, sans invention aucune, mais stimulé encore par la correspondance toujours cherchée entre les choses, les comptes et l'argent. Le comptable, qui ne fait attention qu'à cet ordre abstrait et inflexible, est sans doute le moins bourgeois parmi les marchands. Il parle toujours, quand il parle, au nom d'une nécessité inflexible ; l'arithmétique n'a point d'égards. Tous les genres d'éloquence sont sans prise sur les comptes. Toutefois ce demi-bourgeois n'a point cette audace du fabricant, qui compte aussi avec les choses, mais qui ne cesse pas de les changer. Une grande maison repose communément sur trois hommes. L'un, qui s'occupe de fabriquer ou de choisir les choses, est directement en rapport avec l'ordre extérieur ; le dur, le résistant, le lourd, le léger, le solide, le fragile sont ce qui l'occupe ; il est prolétaire en cela. On peut le connaître au costume, aux gestes, au ton du discours ; d'autant que les hommes qu'il manie, et où il trouve résistance, sont des prolétaires à proprement parler. A l'opposé l'homme qui vend se meut dans le monde humain et étale pour l'opinion de toute manière. Entre deux le comptable connaît un ordre abstrait, car le gain et la perte se comptent par la même arithmétique. Et, puisqu'il y a des trois dans tout marchand, cette espèce participe de tous les genres de sagesse, produisant et reproduisant les soutiens de l'ordre.

CHAPITRE VI

LES POUVOIRS

Voici un autre droit, une autre justice. Voici la force nue, et Hercule emmenant, comme dit Pindare, des bœufs qu'il n'a point achetés. Force acclamée, force célébrée. Ce beau mythe d'Hercule est pur et franc, voulant rappeler cette puissance de conquête et de destruction que l'homme exerce continuellement par ses fortes mains et par ses fortes mâchoires, autres mains. Voilà Calliclès, et l'ambition honteuse de rougir, l'ambition, si scrupuleusement récompensée, l'ambition qu'on remercie de prendre en lui donnant encore plus. En face, aussitôt, l'âme d'or, Socrate, dissolvant et recomposant en ce creuset du *Gorgias,* jusqu'à faire paraître, de la force même, son contraire; car deux hommes sont souvent plus forts qu'un, et mille hommes toujours plus forts qu'un. D'où la règle des marchands revient contre Hercule. Mais ce n'est qu'un moment, et le *Contre-Un* n'éclaire pas longtemps de sa pâle évidence. Car plus de mille fois l'ordre romain a vaincu, par les pieux du camp, vite plantés par le centurion et son cep de vigne, par le chef, tête et cœur du Léviathan à mille pattes. La force suit l'obéissance comme l'eau suit la pente; et cette force accumulée retentit vivement en celui qui en est partie et condition; ses mouvements, joints à d'autres selon une loi de fer, dispersent la foule anarchique, et bientôt la rangent, comme par un aimant, des deux côtés de la voie triomphale; d'où cet autre contrat, dont Jean-Jacques vainement se moquait : « Je promets de faire ce qu'il te plaira, et tu promets en échange de faire ce qu'il te plaira. » Alexandre, César, Napoléon paraissent, puissants par le consentement, jusqu'à forcer le consentement. Entre deux, Tibère méditant, et, par ne rien demander, obtenant tout. L'expérience une fois de plus amplement faite que beaucoup sont plus forts qu'un, les regards suppliants vont à la tête, l'adorant et la remerciant de ce qu'elle consent à être tête, et trop heureux du mal qu'elle ne fait point. Ici, comme une lumière sinistre, ces légions où un seul homme choisit un homme entre dix, et plus de dix fois, pour le faire tuer par les neuf autres. Et les neuf autres non point lâches, ni faibles, mais, par leur force au contraire, adhérant à la force qui se montre, et sacrifiant à leur propre essence selon la nécessité sans paroles. Ce drame ne cesse pas d'être joué. Nous honorons l'agent aux voitures de ce qu'il nous punit selon son jugement, non selon le nôtre. Ainsi les courtisans ne sont vils que parce qu'ils sont faibles. C'est au vrai la force qui signe ce contrat de force ; et le soldat est plus droit dans les rangs. Où l'on peut voir le calcul d'obéir, par l'espoir de commander. Mais non, c'est plutôt que le désordre fait horreur à l'homme le plus fort, par cette profonde parenté entre l'émeute et nos propres passions, sur quoi Platon, en sa *République,* ne se lasse point de réfléchir. Et comme Hercule lui-même s'épouvante de ne plus savoir ce qu'il va faire, ainsi la foule qui sort des prisons délivre en nous, par un juste mouvement, les fureurs emprisonnées. Les révolutions seraient moins redoutées si elles étaient moins aimées ; et l'homme fort ne craint peut-être au monde que sa propre colère. Par ce détour, l'ordre absout de la violence, et nous n'avons pas fini de l'apprendre.

C'est quelque chose d'être gardé quand on dort, et la crainte est plus difficile à apaiser que la faim, sans compter que la faim disperse, bien loin de rassembler. Voilà pourquoi la fonction économique n'est la première d'aucune façon. D'abord ne point craindre. Mais on peut craindre les rêves aussi, et ses propres pensées aussi. La persuasion, autre force. On ne peut dire qui fut le plus anciennement honoré, si c'est le chef, ou si c'est l'esprit fort, qui persuade par exorcisme ou malédiction, et que l'on nomme sorcier ou prêtre. L'imagination est peut-être la plus redoutable ennemie de l'homme pensant, par ceci qu'avoir peur fait croire, et croire qu'on a vu. En cette célèbre veillée dans la grange, du *Médecin de Campagne,* l'épopée napoléonienne ne vient qu'en second : ce qui vient en premier c'est l'histoire de la Bossue Courageuse, d'après quoi l'on peut comprendre que ce n'est point le plus vraisemblable qui est cru, mais le plus effrayant. Le conteur, qui veut faire paraître des choses absentes, y réussit bien mieux par le frisson de la peur que par une suite raisonnable de causes et d'effets ; les membres sanglants d'un homme, tombant par la cheminée dans la poêle à frire, cela se passe de preuves, par l'épouvante ; tout se trouve lié dans l'imagination par l'impression forte, dès que l'expérience réelle est impossible, ou n'est point faite. Ce qui est indifférent n'est jamais cru, si vraisemblable qu'il soit ; ce qui touche violemment est toujours cru, et l'absurde est bien loin d'y faire obstacle, puisque l'absurde lui-même épouvante. D'après cette étrange méthode, qui livrait le monde humain aux fous, la plus ancienne fonction de la pensée fut de régler, plutôt que d'expliquer. D'où nous voyons que la pensée a toujours régné et règne encore par la force, non par la preuve, et, dans le cercle le plus favorable, par la force d'âme, non par la preuve. L'enfance la mieux conseillée ne doit peut-être pas à la preuve une idée sur mille ; et encore faut-il entendre par preuve ce qui s'accorde à ce que l'on croit. Platon, esprit puissant entre tous, a seul osé reconnaître et représenter au vif ce que la réflexion doit à l'amitié, et qu'il y a à la rigueur des preuves de tout, de façon que les disputes n'ont point de fin. Au vrai le développement des pensées selon la liberté sera pour le moins aussi difficile que l'organisation des forces selon la paix. Comme on ne peut attendre, l'accord se fait sans le vrai, comme il se fait sans la justice. Ainsi le prêtre et le soldat sont profondément alliés ; ce sont les deux gardiens de l'ordre tel quel. Ensemble dans le même homme ; car on voit toujours que le soldat veut persuader comme le prêtre veut forcer. L'organisation de guerre, si promptement reformée toujours, fait toujours voir aussi alternativement la force qui raisonne et la raison qui force.

Tout cet ouvrage-ci est physiologique ; il a pour fin d'expliquer, nullement de condamner. Et il est clair qu'il faut commencer par là, quoique la royale impatience en chacun ne s'en accommode guère. Si l'homme était énigme absolument, en ses partis, en ses contradictions, en ses refus, qui ne voit que nous en serions réduits à chercher refuge en la plus haute force, en la moins contestée, par quelque mouvement pascalien ? Quoi de moins flexible que Pascal ? Il n'écoute même pas. Or toute l'élite est pascalienne, et non pas toujours sans le savoir. Ces âmes secrètes finissent par n'avoir plus de secret; tout y est clair à la manière des prisons, obscures devant l'imagination, mais si bien terminées en elles, et jusqu'au moindre verrou. Aussi ne peut-on les interroger, ni les prier; l'esprit répond alors par un genre de badinage qui ne remue rien, tel un rayon de lumière sur le verrou. C'est folie de penser que l'homme qui a pris sûreté contre sa propre pensée n'a point pris sûreté aussi contre la nôtre. C'est pourquoi la moindre amitié avec les puissants termine toujours quelque chose. L'esprit est toujours plus courtisan qu'il ne croit. Il faut donc prendre recul, et recomposer l'homme loin de l'homme, imitant à soi seul tous ces ajustements si serrés, mais sans le dernier tour de vis. Puisque obéir est non point difficile, mais facile, puisque croire est non point difficile, mais facile, je comprends et même j'éprouve, si je veux, que l'on termine par un coup de force les pénibles mouvements de la pensée. Descartes, en écrivant que l'irrésolution est le plus grand des maux, éclaire beaucoup l'homme. Mais, en cet homme qui se refusait presque violemment à toute politique, il est resté un doute assuré, on oserait dire même à l'égard de Dieu. Comte, moins défiant à l'égard de l'ordre humain, bientôt refermé sur l'imprudent, a senti certainement la règle de bois dur sur son épaule, comme en témoignent ses sévères maximes. « La pensée, écrit-il, n'est point destinée à régner, mais à servir. » « Pour décider, écrit-il, il faut de la force; la raison n'a jamais que de la lumière. » Ce sont des traits fulgurants. Mais il ne faut pas craindre. Sans doute faut-il rejeter tout pouvoir de soi, comme une armure qui assure, mais qui paralyse. Deux hommes l'ont su faire, Socrate et Descartes.

Platon se confiait aux mythes, qui laissent espérance. Et c'est sans doute la plus profonde ruse que l'on ait vue, de tout croire, afin de se garder de trop croire. Prenant pour modèle cette sagesse, à bon droit nommée divine, je remarque dans le mythe de Saint-Christophe, ou Christophore, dont le nom en français est Porte-Christ, une ample suffisance en ce grand sujet, où rien ne suffit. Car je le vois cherchant le maître le plus puissant, en sa quête de Dieu; mais que trouve-t-il enfin, sinon un enfant qui ne pèse guère, qui a grand besoin de lui, et qui est le dieu des dieux pourtant, comme l'atteste le bâton fleurissant? Cela laisse entendre que, de pouvoir en pouvoir, il faut en venir au pouvoir suprême, qu'on l'appelle Jehovah ou nécessité; et tous ceux qui ont aimé le pouvoir vont sur ce chemin, et quelquefois fort vite. Mais le pouvoir se nie lui-même par l'achèvement; car le dieu est soumis au destin. L'esprit tout-puissant n'est plus du tout esprit. D'où l'homme vient à servir le maître le plus faible au monde, celui qui a besoin de tous, et qui n'offre rien en échange; le dieu flagellé; le dieu trois fois renié; la petite lumière de l'esprit en chacun; ou bien ce mythe n'a pas de sens.

Je fais donc crédit à nos Christophores, dont le bâton de commandement n'a pas encore fleuri. Pensées attentives du moins à reconnaître le plus fort, ce qui explique assez la fidélité et l'infidélité ensemble, attributs de tout préfet de police. Ce genre d'homme ne trahit que ce qui est faible; et je devine ici une grande pensée, trop méconnue. Car ils veulent penser à partir de quelque ordre qui ne fléchisse point. Sous cette condition, ils pensent bien. Aussi dit-on beaucoup et assez d'un homme quand on dit qu'il pense bien. Ici se montre l'autre justice, qu'Aristote appelait distributive, irréprochable par la puissance, et qui ne pèche que par faiblesse. Comme on voit en cet esprit juridique, clairvoyant tant qu'il applique quelque principe hors de discussion, hors de là errant. Comme on voit en cet esprit administratif, si attentif aux règles et aux précédents, si habile tant qu'il est attentif aux règles et aux précédents, en revanche épouvanté de lui-même devant l'équitable tout nu. Le gardien de prison n'est point juge; c'est son honneur de n'être point juge. Apercevez maintenant tous les modèles de l'homme qui pense afin d'obéir. C'est quelque chose de plus que le bourgeois, et qui achève le bourgeois. Ce genre d'homme force l'estime, comme on dit; et cette manière de dire est pleine de sens, puisqu'il faut que le plus haut et le plus défiant de l'esprit cède encore là. Ponce Pilate a les mains propres. Mais il faut pourtant que je cite ici cette parole d'un libre juge, entendue il n'y a pas longtemps. « L'homme qui s'est trouvé complice d'un grand crime de l'ordre politique, comme guerre ou sauvage répression, a trop de puissance après cela. » Voyez luire, hors du faisceau, la hache des révolutions.

CHAPITRE VII

ÉSOPE

Tout homme, à ce qu'on dit, rêve de pouvoir, désire le plus haut pouvoir, et n'attend qu'occasion pour le vouloir et s'y pousser. Insatiable ambition. En quoi il y a de l'imaginaire à deux degrés. Car tout homme, et même Ésope, peut rêver qu'il est roi, et se consoler par là, ou se charmer lui-même, mais je ne suis pas assuré qu'il veuille être roi. De même le désir si commun d'être riche ne fait point qu'on veuille être riche; mais aussi le désir ne peut rester entre l'imaginaire et le réel; il retombe à l'imaginaire; c'est son mouvement propre. « Envier le sort du voisin, sans rien vouloir changer au sien »; ainsi parle l'homme dans *Liluli*. Je laisse donc ce nuage de pensées, bien trompeur; j'aime mieux saisir l'homme en ses possessions et propriétés. Léviathan, ce monstre, serait redoutable encore si chacun courait à ce qu'il désire; mais il serait moins fort, par cette continuelle sédition. Il vaut mieux, selon l'esprit de Spinoza, prononcer que chacun ne désire réellement que ce qu'il fait. L'avare amasse et désire amasser. L'amoureux possède et désire ce qu'il possède. L'ambitieux est un homme qui gouverne. Et l'ambition est de fait commune à tous, par ceci que chacun gouverne quelque province, grande ou petite. Gardons-nous de décrire des passions imaginaires, car elles ne font rien. Au contraire la force de l'ambition est toute en sa place, et invincible là. C'est pourquoi Léviathan fait voir cette forme constante et cette indivisible masse. Chacun désirant et pensant selon son métier ou sa fonction, toutes les volontés se répondent. Chacun obéit juste autant qu'il gouverne. Et, puisque la privation n'est rien, le pouvoir est fait de pouvoirs. Aussi les changements n'arrivent jamais que par la faiblesse des pouvoirs, devant laquelle toutes les ambitions, petites ou grandes, se sentent diminuées et offensées. Le régime des castes, tant de fois décrit, s'explique par ceci que chacun est bien plus attaché aux privilèges qu'il a qu'à ceux dont il n'a point fait l'expérience. Et, encore de nos jours, il est juste de remarquer que le plus ambitieux des paysans est celui-là à qui l'état de paysan suffit. D'où cette orgueilleuse obéissance, plus visible encore dans les plus hautes charges, et d'autant plus que les prérogatives en sont mieux assurées. Mais cela est vrai partout. Le bedeau, le suisse et le chantre n'ont pas moins de majesté que l'évêque. Ainsi le vrai pouvoir, en gardant tous les privilèges, aussi bien ceux des tueurs de bœufs, se garde lui-même. Tel est l'esprit de la justice distributive.

L'ambition, ainsi rassemblée en elle-même, n'est point bornée par cela; mais elle s'étend selon une autre dimension, sous le signe de la pensée. En ce repos et en cette incubation, toujours selon l'ordre et en raison de l'ordre, l'importance grandit partout, et se suffit à elle-même. Nul ne pense que soi. L'enfant veut être homme, mais non pas autre; le dauphin veut être roi, et le menin veut être chambellan, et le marmiton, cuisinier. Il se trouve dans l'envie, si l'on regarde bien, une grande part de blâme à l'égard de ceux qui sortent de leur état. Dans les maisons bien gouvernées, l'inégalité n'est point sentie, et toute majesté trouve à se développer sans fin dans la dimension qui lui est propre. Chamfort conte qu'au nouvel opéra un homme disait à la sortie que la voix n'y portait pas bien; on regarde; c'était un homme qui appelait les équipages.

L'importance étant ainsi l'objet pensé, toute pensée, à tout niveau, se trouve limitée à une sorte de technique de l'importance, bien plus resserrée que la technique des métiers, puisque l'ordre veut qu'on n'examine point. C'est pourquoi l'on trouve dans l'histoire autant de sociétés que l'on veut où l'esprit est absolument conservateur, ce qui rend compte, autant que cela se peut, d'une crédulité véritablement insondable, mais aussi sans profondeur aucune. Assurément le jeu de l'imagination, surtout hors de l'objet et des circonstances, et par la puissance des récits, rend compte des croyances les plus absurdes et des plus folles pratiques; mais elle les changerait aussi par l'instabilité qui lui est propre, si l'intérêt des pouvoirs grands et petits n'avait toujours orienté le jugement vers une critique étrange et un genre de raison trop peu considéré, qui ont pour fin de s'opposer à un changement quelconque. Et l'esprit s'emploie alors, non sans subtilité, à réduire et en quelque sorte digérer le miracle neuf, toujours suspect. Et ce genre de finesse se remarque encore chez les prêtres, si bien armés contre tous les genres de surnaturel. La raison se développe ainsi jusqu'à la subtilité, mais toujours dans un état subalterne, on pourrait même dire servile. L'astrologie, la clef des songes, les oracles, enfin tous les genres de magie sont partout régis par des lois strictes, qui n'étaient autres que les lois de l'État. On saisit par quel passage naturel la loi humaine s'étendit jusqu'aux phénomènes, et comment la technique gouvernementale régla seule les pensées. Encore maintenant tout pouvoir, grand ou petit, tout privilège, grand ou petit, aperçoit promptement si une opinion est ou non dangereuse, bien avant de se demander si elle est vraie ou fausse. Et c'est pourquoi la célèbre maxime de Proudhon, que la pensée d'un homme en place c'est son traitement, a de la portée. Mais il faut pourtant dire que le pouvoir, autant qu'il est pouvoir, ne reconnaît aucune opinion contraire à lui qu'autant qu'elle est nouvelle. Il craint même, comme on sait, ceux qui le soutiennent, si c'est par d'autres raisons que celles auxquelles on est accoutumé. D'après ces remarques, on se fera peut-être quelque idée de cette pensée gouvernante, qui étonne toujours par ses moindres démarches, quoiqu'il soit bien aisé de les prévoir.

Disons tout net que le pouvoir se paie de l'esprit. Disons-le sans nuances, parce que chacun ici espère qu'il gagnera un peu sur le marché. Vain espoir. Il n'y a pas une parcelle de pouvoir qui ne nous coûte un monde de savoir. L'aveugle technique le fait d'abord entendre, et les erreurs des grands noms en assureraient, si l'idée n'était un peu trop amère. Qui n'a rêvé de saisir un peu de pouvoir, seulement pour faire paraître un peu de raison ? Cela est beau au commencement. Mais Néron fait voir la fin après le commencement. Tout roi n'est pas Néron, ni tout adjudant; mais en tous je reconnais le mouvement de l'impatience, toujours trop bien servie. Quand tout ne réussirait pas, toujours est-il vrai que l'objet change sans cesse par les secousses du pouvoir. Tibère ne supportait point que les astres lui fussent contraires; le regard de Tibère changeait l'astrologie. Nul pouvoir ne regarde plus loin. Il se jette donc promptement à travers une nature brouillée et illisible. D'où l'on a tiré ce proverbe que Jupiter aveugle les puissants. L'amour, tant accusé, n'aveugle sans doute que par le pouvoir qu'il donne; mais c'est qu'alors il se change en ambition; nul n'a jamais observé que l'amour qui ne prétend point ait un bandeau sur les yeux. Le sublime Chesnel du *Cabinet des Antiques* s'est fait esclave; aussi gagne-t-il des batailles; non point pour lui. L'espace, littéralement, ne se creuse que devant celui qui délibère. Ainsi ordonner est ce qui ferme les perspectives, et servir est ce qui les ouvre. Sans compter que l'esclave dissimule plus que le maître, et qu'ainsi, dans le temps qu'il surmonte ses passions, il découvre celles d'autrui. C'est pourquoi la nature et l'homme ensemble se font opaques devant le pouvoir, et ensemble au contraire s'ouvrent devant le regard trompeur de l'esclave. Les signes de l'attention sont et seront toujours profondément ignorés. Erreur de maître, qui voudrait voir en l'esprit une puissance encore.

Peut-être fallait-il faire ce long détour pour comprendre à la fin quelque chose de ce regard oblique de la pensée, toujours prompte, dès son premier éveil, à se refuser à tous et à elle-même, toujours détournant et se détournant, comme on voit mieux du coin de l'œil les petites étoiles. Ce n'est pas seulement par une ruse des faibles que la pensée est énigme. L'énigme, la parabole, la fable sont sœurs, et toutes les trois repliées comme l'esclave; autant destinées à garder qu'à livrer; refusant puissance et même passage. Attendant. Il reste de ce jeu dans nos métaphores; et il nous semble que ce n'est qu'un jeu dans les fables. Il n'est pas sûr que ce ne soit qu'un jeu. Outre que l'âne a seul encore la permission de dire :

Notre ennemi, c'est notre maître,
Je vous le dis en bon français,

il n'y a peut-être que l'esprit naïf et dépouillé, sans projet aucun, qui soit capable de bien l'entendre.

LIVRE HUITIÈME

LE CULTE

CHAPITRE PREMIER

DES FÊTES

Plusieurs ont entrevu que des fêtes, cérémonies, et choses de ce genre sont venues la plupart de nos idées et peut-être toutes. On en serait mieux assuré si l'on remarquait que les anciennes idées nous viennent toutes revêtues de costumes de fête, qui sont métaphores. Je comprends ce que Descartes cherchait aux pèlerinages et couronnements. Au reste, il l'a dit, par un de ces sauts hardis de pensée qui lui sont propres ; il a dit expressément que l'union de l'âme et du corps ne se montrait nulle part aussi bien que dans les mouvements de société. Mille chemins de toutes parts conduisent à apercevoir cette puissante idée, si longtemps cachée. Celui qui aurait assez compris le rapport du signe à l'idée, viendrait naturellement à penser que l'idée commune, ou l'idée, car c'est tout un, ne peut naître hors de l'échange et de la confirmation des signes. Or en toute fête ou cérémonie je ne vois que des signes, et une foule qui se réjouit des signes. Mais comment diviser et composer cet immense sujet ? Il faudrait partir de la cérémonie immédiate, et sans aucune réflexion, où le signe est seulement renvoyé c'est-à-dire imité. La danse est la cérémonie immédiate. Il semble que la cérémonie proprement dite, qui fait spectacle, s'oppose à la danse. Enfin la fête, entendue selon le commun sens du mot, semble marquer un moment de réflexion, et comme une dissolution des deux autres choses, ce qui n'empêche pas qu'elle les conserve en un sens en les dépassant. C'est un signe favorable quand les notions s'ordonnent ainsi.

La danse est société. C'est une grave méprise de vouloir penser la danse devant une femme qui danse. A distance de vue, et comme spectacle, la danse est en quelque façon hors d'elle-même; elle passe dans un autre genre. Même prise comme société, la danse n'est nullement spectacle. Le sérieux du danseur fait énigme pour celui qui regarde danser. Quant à la danse solitaire, elle est comme dénuée; elle ne se suffit point; elle cherche quelque règle extérieure, sans la trouver jamais assez. Il manque quelque chose en ce spectacle, qui semble alors abstrait. Au contraire celui qui a observé quelque danse paysanne selon le modèle ancien, aperçoit la règle en même temps que la danse, et intérieure à la danse. Car il est évident qu'un danseur danse avec tous et selon tous, et eux selon lui, sans aucun centre. La masse réglée limite le mouvement de chacun. Et il ne faut point chercher d'autre règle ici que l'imitation même, c'est-à-dire un accord cherché, saisi et maintenu entre les mouvements que chacun fait et ceux qu'il perçoit près de lui et autour de lui. Parce que c'est mon semblable qui danse, il m'est possible de danser comme lui : donc autant que je danse comme lui, et lui comme moi, j'éprouve qu'il est mon semblable; et j'éprouve aussi qu'il l'éprouve, puisque l'expérience de la danse confirme à chaque instant qu'il m'imite comme je l'imite. Les entretiens de la mère et de l'enfant donnent une première idée de cet échange de société, puisque pendant que l'enfant imite autant qu'il peut les flexions du langage maternel, la mère en même temps imite le cri et le ramage de l'enfant.

Toutefois cette société-ci, qui est biologique, n'est pas absolument une société. L'égalité n'y est point; le semblable y est cherché plutôt que trouvé. La mère est modèle en son langage; l'enfant n'est point modèle. La règle est ainsi hors de l'enfant. La danse est aussi un langage, mais qui a sa règle absolument en lui-même. Les signes sont ici purement signes, non point signes d'autre chose. Les mouvements s'accordent aux mouvements, sans autre règle. D'où la règle de toute danse, qui est que jamais contrainte ne soit exercée, ni par l'un ni par l'autre, ce qui exige que la succession des mouvements soit naturelle, c'est-à-dire que tout y suive de la structure, qui est commune, et de la position. Ici à ce que je crois se trouve l'esprit de la musique. La musique y est déjà toute dans le bruit des pieds, qui avertit d'avance par des suites simples, et fait la place à l'élan retenu. Mais cet accord du bruit et du mouvement ne fait que traduire un autre accord où le corps humain trouve les attentes, les satisfactions, les compensations qui lui conviennent, selon une thérapeutique infaillible, Ici est la politesse essentielle, qui consiste à ne point surprendre, et dont l'avantage est que l'on ne soit jamais surpris. Tout au contraire de la lutte, qui, par la surprise, est lutte en chacun, cette paix entre tous est paix en chacun. Le fait est que ce concert de signes ne lasse point. Et cela ne peut manquer d'étonner le spectateur, parce qu'il ne sait pas assez par l'expérience, comme savent les danseurs, comment une suite de mouvements conformes au corps humain lui-même, et sans l'intrusion d'aucune autre cause, apaise à la fois les grandes passions et les petites. Descartes a pénétré fort avant quand il a dit que l'irrésolution est le pire des maux; oui, jusque dans le tissu de l'ennui. La danse nous fait retrouver le bonheur de vivre. C'est pourquoi on se tromperait beaucoup si l'on voulait dire que l'harmonie est sensible seulement à l'oreille.

Par opposition à la danse, qui n'est nullement spectacle, on conçoit aussitôt la cérémonie comme étant seulement spectacle, spectacle de tous, spectacle pour tous. La danse n'a point de centre, ou bien le centre est partout. La cérémonie a un centre, et toute place n'y convient pas à tous; au lieu que la loi de la danse est que tous passent enfin par toute place. Le plaisir de la cérémonie est en ceci que chacun se montre à sa place et voit les autres à leur place. Dans le commun langage, distance est respect; et il est vraisemblable que les signes de cérémonie ont tous rapport aux distances. Par exemple, on s'incline si l'on est près, afin de ne pas arrêter la vue. On comprend du reste aisément que les distances se compliquent de hauteurs, afin que la portée de la vue s'étende, et que les distances soient mieux appréciées. Il n'est donc point faux de dire que la plus ancienne réflexion sur l'espace vienne des cérémonies, et le mot forme a un double sens qui est beau. Le propre du rapport d'espace, en ces formes naïves, serait que chacun possède en propre une certaine place. Bien mieux, si l'on observait les cérémonies les plus simples, comme entre un chef et ceux qui lui doivent obéissance, on verrait se former naturellement le cercle; l'égalité du respect a peut-être tracé le cercle avant le compas. Au contraire, dans la danse apparaît de toute façon le rapport de temps, par cette loi que tous occupent successivement toutes les places et jamais n'y restent.

Il est clair que la musique règle la danse, et que le bruit des pieds, et bientôt le claquement des mains, font la plus ancienne musique. Il est moins clair que la sculpture fixe la danse, et l'architecture aussi en un sens, quoique l'architecture se rapporte évidemment à la cérémonie. Mais c'est proprement la peinture qui fixe la cérémonie; et peut-être la composition et le style, dans la peinture, sont-ils pris entièrement de la cérémonie. Le costume et l'attitude, dans les portraits, le feraient assez voir. Et l'essence de la cérémonie n'est-elle pas de faire spectacle pour un spectateur immobile? Les lois de l'apparence picturale y sont donc en quelque sorte enfermées. La majesté fait naturellement peinture. Quant à cette autre parenté, entre la danse et la sculpture, elle est un peu plus cachée. Il faudrait contempler longtemps la frise mobile de quelque danse paysanne, jusqu'à la voir mobile et immobile ensemble, toutes les positions des danseurs s'offrant en même temps. D'où sortirait un art de représenter le mouvement non point par une de ses positions, mais par tous ses repos et équilibres. On pourrait ainsi se risquer à dire que le style de la sculpture est inspiré des anciennes danses. Mais il faut venir à notre troisième terme.

La fête n'est ni danse ni cérémonie; plutôt elle enferme l'une et l'autre, et les dépasse de loin, et même les rompt, par un échange de signes qui ne sont que promesses de joie et invitation à choisir. La fête est d'égalité comme la danse; la fête est spectacle de tous pour tous comme la cérémonie; mais la fête est déliée. Chacun annonce qu'il va à ce qui lui plaît, et signifie ainsi que c'est fête; en sorte que l'effet de la fête est bien de rompre promptement danse et cérémonie, qui sont ainsi rabattues au rang de signes de la fête, au lieu d'être signes d'elles-mêmes, comme elles voudraient. Enfin il y a du désordre dans la fête. Ce qui est de fête, ce n'est point une règle pour tous, c'est plutôt ce sentiment commun qu'il n'y a plus de règle pour personne, comme le Carnaval l'exprime en traits grossis. Cela ne peut aller sans un effacement des passions tristes et des soucis; non plus sans une sorte de gouvernement de l'inférieur, dont le festin est un signe assez clair. Je ne crois point qu'aucun homme puisse former la notion de l'ordre social hors des cérémonies où il y participe; autrement l'idée sera abstraite et faible, parce que le corps humain ne sera point disposé selon l'idée. En revanche, je ne crois pas non plus que l'idée opposée, qui est celle de la liberté en chacun, ait jamais pu être pensée réellement hors des fêtes. Même chez les penseurs de vocation ou de métier, la pensée solitaire n'irait pas loin sans la société et le témoignage des poètes et de tous les genres d'écrivains. Nous ne réfléchissons naturellement que sur des signes. Il faut d'après ces remarques apprécier cet énergique langage de l'ordre commun, et par opposition, le langage du désordre offert en spectacle, hors duquel notre puissance de nier ne nous serait peut-être jamais connue. Le culte, dans son sens le plus étendu, n'est autre chose que cet art puissant qui a fixé les signes, et par là a donné forme à nos premières pensées, et peut-être les soutient toutes. Les mots culte et culture, en leurs divers sens, ne sont pas aisément compris, si comprendre est, comme je crois, rassembler en un tous les sens d'un mot.

Mais il faut, pour achever cette première esquisse, chercher quel est l'art qui convient aux fêtes, et exprime cette commune et éclatante négation de l'ordre et du sérieux. Le comique y a certainement rapport; mais le comique a des règles plus qu'aucun autre art peut-être; il veut application et réflexion; sa place n'est pas encore marquée dans le tableau de nos idées primitives. Je ne vois que les cloches en volée qui expriment le mouvement de la fête. Et que le son des cloches soit inconnu dans les anciennes sociétés, cela prouve que l'esprit des fêtes ne parvenait pas à s'y délivrer tout à fait. Il y a un rapport étonnant entre le son des cloches et l'esprit moderne, considéré en son premier éveil; il faut seulement redire que toute pensée s'endort et se réveille en chaque homme, et que hors du réveil il ne forme point de pensée du tout. La bonne nouvelle sonne donc en toute volée de cloches. Car les cloches font comme un tumulte figuré. Il faut remarquer que la matière de la cloche est fondue, et non point sculptée; cet art revient donc aux éléments, laissant d'abord agir les forces physiques et chimiques. Il faut remarquer encore que, dans une cloche, la matière se trouve en lutte avec elle-même, par le corps principal et le battant; aussi que la loi de pesanteur gouverne ce double mouvement, sans que l'impulsion humaine y puisse autre chose que l'entretenir. Au reste, déjà par les hasards de la fonte, l'oreille perçoit le désordre et comme le bruit d'une foule dans le son d'une seule cloche. Encore bien mieux, dans l'entrecroisement des sons et des chocs, où l'on ne peut jamais retrouver une loi quelconque, se traduit énergiquement l'indocilité des forces inférieures. Ici le rythme est nié, et l'harmonie. Aussi fort à propos on célébra l'armistice par les cloches. Ce bruit étonnant, cette musique continuellement défaite par la loi de pesanteur, annoncèrent qu'un ordre était rompu et défait. Cette même harmonie, qui nie l'harmonie, se retrouve dans l'usage que les musiciens font des cloches et même dans une certaine écriture des chœurs, comme on peut l'entendre dans la *Neuvième Symphonie,* où les voix font comme une volée de cloches à certains moments.

CHAPITRE II

LES COMMÉMORATIONS

La plus ancienne sépulture sans doute, et la plus simple est un tas de pierres; et c'est piété d'ajouter une pierre. Le bûcher efface encore mieux une image misérable. De toute façon le culte des morts exige que l'on oublie et d'abord que l'on efface tout ce qui les représente malades, faibles, vieux. Mais avant que l'âge extrême les ait rendus presque méconnaissables, ils se chargent assez d'eux-mêmes de ne se point montrer tels que nous les aimons. En vérité ceux que nous aimons ne se montrent guère, et bien plutôt ils se cachent, non pas seulement par les dehors de l'humeur, mais par une sorte de jeu redoutable. Surtout dans les rapports des parents aux enfants, cette sorte d'hypocrisie à rebours va souvent d'un côté jusqu'à un genre de tyrannie, de l'autre jusqu'à un genre de révolte. L'amour est partout le même, et toujours mène avec emportement ses téméraires expériences. Naturellement l'ambition d'être aimé pour soi-même conduit à ne point compter les vertus comme mérites, ni même aucun genre de mérite. L'orgueil rougit de mériter, et veut pardon, dans le sens plein de ce beau mot; et c'est ce qui explique presque tous les drames de l'amour. Sans compter que les années irritent encore l'ambition de plaire, par une involontaire diminution; en sorte que l'amour, qui estime d'abord déshonorant de plaire, le trouve enfin plus que difficile. Pendant que l'humeur se débat ainsi contre elle-même, il vient toujours un temps où, par la maladie et l'âge ensemble, l'être aimé se déforme et se diminue au-delà de ses craintes; et cela passe toute limite dans la mort. C'est pourquoi littéralement il faut ensevelir et purifier. D'où ce tas de pierres.

Le souvenir reste; mauvais souvenir d'abord, et injuste contre le vouloir. D'où cette idée universelle, et d'abord choquante, que les morts reviennent, et que ces apparences épouvantent. Certes jamais un consolant et bienfaisant souvenir, et paré des plus belles années, ne passe pour une apparition, car on ne le repousse pas de soi. Mais on comprend, d'après des évocations terrifiantes, que l'imagination veuille ajouter encore des pierres au tombeau. La perception du sépulcre intact, le souvenir ordonné des cérémonies, enfin le témoignage concordant des choses et des hommes, sont les seules ressources ici contre les tortures d'imagination. En suivant cette idée, on vient à comprendre l'antique tradition d'après laquelle les morts reviennent tourmenter les vivants jusqu'à ce que la sépulture soit ce qu'elle doit être. Voilà un exemple remarquable de cette mythologie vraie, qui est sans doute le fait humain le plus étonnant. Car c'est une injure aux morts que de mettre à découvert cette laide image, et pire que laide, qu'ils laissent finalement d'eux-mêmes; c'est se donner occasion de penser à eux fort mal, et comme ils ne voudraient point qu'on y pensât. Ainsi le soin d'une sépulture inviolable est le commencement d'un culte, parce qu'il enferme et termine, autant qu'il se peut, un genre de méditation abhorrée, mais aussi parce qu'il ouvre la voie à des méditations plus conformes à la piété. Ici commence l'autre sépulture, que l'amour fait.

Le jeu de l'imagination est évidemment impie, si l'on ne coule à fond les perceptions rebutantes. L'amour sent bien qu'il se manque à lui-même s'il ne fait la purification des morts par un culte intérieur et tout de pensée. Cela revient à les chercher en leur être, toujours en écartant ces causes extérieures à eux contraires, qui d'abord les déforment et finalement les détruisent. La biographie que l'amour cherche, et qu'enfin il trouve, n'est nullement l'histoire d'une mort, mais au contraire l'histoire d'une vie; et par là, à parler exactement, l'être que l'amour évoque ne peut nullement mourir. Spinoza a dit avec force, et l'on ne dira pas mieux que lui, que nul ne meurt par une conséquence de sa propre nature, et que, même quand un être semble s'être détruit lui-même, ce sont toujours des causes extérieures qui le chassent de l'existence. Que l'on me tourne par force, dit-il, son poignard contre sa propre poitrine, ou qu'il se frappe lui-même par l'ordre du tyran, ou qu'enfin il se détruise dans une sorte de délire, sans qu'on en comprenne la cause, c'est toujours quelque événement ennemi de lui qui pénètre en lui, trouble profondément sa loi propre et enfin le tue. Cette idée n'est pas immédiatement évidente; au contraire elle est repoussée naturellement par les passionnés et par les malades, parce que c'est bien en eux-mêmes qu'ils sentent l'invasion étrangère; or l'on serait déjà un peu guéri si l'on savait que l'on n'est point malade de soi. C'est donc une des ressources de la sagesse de suivre en Spinoza les préparations de doctrine qui conduisent à reconnaître en soi-même une santé parfaite et un pouvoir de durer sans fin, que l'événement seul peut troubler, et qu'enfin nous mourons tout vifs en un sens, comme des guerriers. Mais l'amour va droit à cette idée; nul n'accepte de tuer tant de fois encore en sa pensée celui qui est mort; mais au contraire l'amour sépare de cet être les coups injurieux du sort, comme étrangers, et ainsi l'amour célèbre le mort dans sa vie et non dans sa mort. Observez que dans le récit des morts illustres, c'est toujours une vie puissante qui est honorée; c'est une nature qui s'affirme jusqu'à ce point que les forces extérieures peuvent bien la chasser de l'existence, mais non point la déformer. C'est le sens de ce mot impérial : « Mourons debout ». Chacun recherche dans les vies précieuses de tels signes de force. C'est mieux encore que laver les blessures.

Mais puisque c'est le corps qui reçoit les étrivières, et en garde les cicatrices, on comprend que la vraie piété et la sépulture en esprit va toujours à séparer l'âme du corps, et y parvient tout à fait par le secours du culte public et de l'assemblée. Hercule, Jésus, les héros, n'ont bientôt plus qu'un corps glorieux. On remarquera, en cette expression, comment l'âme séparée conserve pourtant sa forme, autant que cette forme exprime la puissance d'agir, d'aimer, de penser, de vouloir. La flèche est seulement retirée de ce corps, la flèche, qui n'était pas de lui.

Les passions non plus n'étaient pas de lui; et c'est ce que représente, en la mort d'Hercule, cette tunique de Déjanire. Revenant de ces illustres morts à des exemples plus familiers, nous devons comprendre que l'image glorieuse n'est point menteuse; si nous ne le pouvons comprendre, c'est que nous ne savons pas bien ce que c'est qu'être méchant, injuste ou faible. Certes, dit encore Spinoza, ce n'est pas par ce qui lui manque qu'un être existe; ainsi disons que tout ce qui fut vice en lui était comme une blessure des choses autour. Donc c'est le tuer encore que le penser mourant, ignorant, irritable, brutal. Ce n'est point penser à ceux qui sont morts que penser à ce qui les a diminués et finalement détruits. Si c'était là leur être, ils seraient morts avant de naître; et, bref, la privation n'est rien. Formez donc cette idée sublime, vous qui ne savez pas pardonner aux morts. Il fallait, entendez-le bien, pardonner déjà aux vivants. Il n'y a que la pensée qui puisse réparer le mal qu'elle a fait. Tout homme désire une gloire après sa mort, et ne demande ainsi que ce qui lui est dû.

Communément l'amour se passe de cette métaphysique, qui est le vrai de toute théologie. Mais, allant droit et courageusement à se consoler, ce qui est honorer les morts, il ensevelit ce qui en eux était mortel, et qui n'est pas eux, assemblant et composant au contraire les mérites, les maximes, et enfin ce fond du visage que le génie du peintre découvre quelquefois dans le vivant même. L'amour ne cesse donc jamais de tuer l'histoire et de nourrir la légende. Et remarquez comme ce mot légende est beau et plein. La légende c'est ce qu'il faut dire et ce qui mérite d'être dit. Cette application à composer ce qu'on aime, à le découvrir, à le conserver, se remarque en tout amour. Il n'y a point d'écolier qui ne fasse un beau portrait de son ami. Il n'y a point de soldat qui n'embellisse l'image du chef, et souvent même contre ses propres souvenirs, car il faut rappeler aussi que la haine n'est pas aimée. Ce travail d'orner l'homme, qui est un beau côté de l'homme, est d'autant plus facile que l'on connaît moins l'homme dont on conte merveilles. Ces récits trouvent créance aussitôt; le mot créance, comme le mot crédit, ont eux aussi un sens bien riche. Ce qui faisait dire au vieux Pécaut que tout être humain, avant d'être bien connu, jouit naturellement d'un immense crédit, qu'il s'empresse presque toujours de dissiper follement. En suivant cette belle idée, je dirais qu'il n'y a que le héros lui-même qui travaille contre la légende. Et sans doute les plus amers sentiments en chacun viennent-ils de ce qu'ils ne peuvent porter, à ce qu'ils croient, la bonne opinion que l'on prend d'eux-mêmes; et il est vrai que les autres, aussi, ne répondent guère à l'admiration; ce qu'on voit grossi dans les enfants, qui, dès qu'ils sont sous l'attention d'un cercle, lancent aussitôt des apparences improvisées. Cette remarque fait comprendre encore mieux peut-être le prix des cérémonies et la difficulté de faire paraître l'homme. Dans la fureur du misanthrope, j'aperçois toujours cette idée que les hommes malicieusement cachent l'homme. Revenons à dire qu'il n'est point naturel de calomnier les morts, et que la commune morale demande aussitôt paix et pardon pour eux; et la raison de cela, c'est que les morts ont cessé de témoigner contre eux-mêmes. Le fait est que c'est une prétention étonnante aux vivants de ne point se croire dignes de l'amour que l'on a pour eux. Au reste il faut répéter, si on l'a déjà dit, qu'il y a bien de la prétention dans les vices, et bien de l'orgueil, comme dit le prêtre, dans les damnés. Sans doute comprendra-t-on après cela ce que c'est que prier pour les morts.

Il reste à dire, concernant les commémorations, qu'elles ensevelissent et purifient d'autant mieux que l'assemblée est moins instruite des petites choses; sans compter que le bonheur d'admirer se trouve fortifié par l'accord des signes. Ici nous voyons naître en quelque sorte l'idée commune, qui est idée parce qu'elle est commune, et qui en même temps, parce que l'objet est absent, est aussitôt type et modèle. L'idée du héros serait donc la première idée, et le modèle de toutes. Nous savons bien que la géométrie n'est point née des métiers qui mesurent; et cela ne serait qu'étonnant et incompréhensible, si l'on ne portait attention à l'œuvre de purification et d'adoration qui marque nos plus anciennes pensées et nos plus chères méditations. Ce n'est point dire autre chose que ce qu'a dit Comte, que le premier état de nos conceptions, quelles qu'elles soient, est théologique; mais c'est le dire autrement, et aussi près qu'il se peut de notre réelle enfance, toujours retrouvée dans les mouvements de la piété filiale. Le difficile n'est point par là; mais plutôt il faut essayer de comprendre comment cette naturelle abstraction s'enveloppe toujours des voiles de la fable, de la parabole et du mythe, ce qui est découvrir, jusqu'aux racines, l'imagination et le langage ensemble. Ici nous attendent des difficultés supérieures.

CHAPITRE III

LES SIGNES

Le signe c'est l'action de l'homme; et comprendre, c'est premièrement imiter. Tous fuient en suivant celui qui fuit. Le soldat se précipite et se colle à la terre d'après le mouvement de son compagnon. La voix, signe nocturne, est naturellement le plus puissant et le plus émouvant des signes, quoiqu'elle soit le plus ambigu de tous. En partant de là on peut tracer une histoire du langage humain, à laquelle il ne manque que la pensée. Imiter c'est agir, ce n'est point penser. Comprendre en ce sens-là, ce n'est point penser. Le langage humain ne se distingue pas alors du langage animal. Nous comprenons assez, si nous allons par là, que les animaux ne pensent point; mais nous ne comprenons pas que l'homme pense. Il faut se tenir ferme à la grande idée sociologique, amplement exposée par Comte, d'après laquelle premièrement il n'y a de société que l'humaine, et deuxièmement il n'y a de pensée qu'en société. On ne peut prouver cette idée, ni aucune idée, qu'en l'essayant.

Par la commémoration, la pensée commune a un objet commun, qui est type et modèle. Par la danse et la cérémonie, la pensée commune a un objet commun, qui est le corps humain lui-même, en son attitude composée, en ses mouvements rythmés. L'idée n'est donc point sans corps; elle est dans la perception même de cet ordre et de ces mouvements ordonnés, lesquels donc présentent et représentent l'idée. Mais avant de faire voir que ces signes invariables, comme danses imitatives, cortèges parlants, costumes, parures, emblèmes, sont les plus anciens éléments du langage proprement humain, il faut remarquer que par les fêtes, qui sont des célébrations, un autre objet commun, qui est et sera le plus ferme soutien de nos pensées, fait son entrée solennelle sous le couvert des signes; cet objet, c'est le monde. Aussi bien la commémoration ne peut être séparée de ces retours naturels, comme des lunes et des saisons, qui sont le soutien de toute mémoire. Mais, de plus, ces retours imposent la fête et la font naître littéralement, par les changements biologiques qui y répondent. Dès que la lune revient éclairer les nuits, une espérance renaît. Ce signe est bien puissant, surtout sous un ciel limpide; mais il est seul; il ne répond qu'au besoin de se diriger et de se garder pendant la nuit. Le retour du printemps agit par tous les signes de la terre et du ciel ensemble. Astres, plantes, animaux, torrents, sources, tout s'éveille et s'anime en même temps. La fête lunaire est propre aux climats chauds; au contraire, le miracle du printemps est d'autant plus adorable que l'hiver est plus long et plus sévère. D'où l'on viendrait à décrire deux espèces de religion; mais il ne faut pas oublier que les migrations liées sans doute à de plus longues périodes dans les changements de climats, ont brouillé tous les signes, ce qui fait que l'histoire réelle des cultes est presque impénétrable.

De même qu'il n'y a qu'une fête lunaire, qui comprend la terreur, les gémissements, le jeûne au temps où la lune est malade, de même, il n'y a sans doute qu'une fête saisonnière, qui est celle du printemps; car, d'un côté, les signes de l'hiver ne cessent presque point de se montrer, et déjà par les herbes sèches en canicule; en revanche les signes du printemps, surtout dans les climats tempérés, se montrent sous les débris mêmes de l'automne, et tout le long de l'hiver, par ces journées clémentes où la terre de nouveau s'amollit. En sorte que l'homme, autant qu'il suit la montée et la descente du soleil, ne cesse jamais de craindre et d'espérer, outre qu'il joint toujours, par ses travaux et ses projets, un printemps à l'autre. Ainsi il ne se peut point que les danses et cérémonies ne soient de célébration en même temps que de commémoration. Par quoi la mort et la renaissance du héros ou du dieu se trouvent liées au retour du printemps, comme les mythes l'expriment en tous pays. Ainsi, d'un côté, les grands changements de la nature sont représentés par des mouvements du corps humain; la mythologie est donc réelle et perçue avant d'être imaginaire; mais, d'un autre côté, et par une métaphore inverse, les émotions et passions se trouvent liées au spectacle de la nature, et déjà réglées selon l'ordre extérieur; tout cela ensemble, par les figures de la danse, et par cette peinture en action. Tel est vraisemblablement le plus ancien langage. Et il faut tenir l'attention là-dessus, si l'on veut comprendre comment les représentations collectives furent d'abord en même temps des perceptions. La condition du langage est que celui qui comprend imagine comme imagine celui qui exprime. Or ce qui fait que le langage naturel, j'entends purement biologique, périt dans l'action, c'est d'abord que l'émotion se produit convulsivement, selon la situation et la structure de chacun, et ne revient jamais dans la même suite de signes; c'est, ensuite, que l'action dévore le geste et se disperse aussitôt parmi les choses, chacun faisant ce qu'il peut et ce qui se trouve à faire. Et c'est ainsi qu'on voit que tous les corbeaux s'envolent quand l'un d'eux s'envole. Ce langage purement biologique n'est nullement un langage. Et enfin il y manquera toujours quelque objet qui fasse exister l'imaginaire. C'est ici qu'il faut regarder surtout.

Le paradoxe de l'imagination est en ceci que l'imaginaire n'est rien et ne paraît jamais. Le regard droit a fait mourir tous les dieux. L'imaginaire, dès qu'on y regarde, se résout en deux éléments dont l'un est le monde, qui est ce qu'il est, fidèle et pur, feuilles, nuages, ou bruit du vent; l'autre est seulement du corps humain, frémissant, agité, précipité et retenu; c'est l'orage de l'émotion, qui donne à la simple chose un visage tragique, et qui fait que l'on croit voir dans la chose perçue autre chose que ce que l'on voit. Il ne s'agit pas ici d'expliquer le doute, la réflexion, l'enquête, en un mot la conscience et la pensée; mais toujours est-il que l'on voit bien quelle condition manque, dans les effets du langage seulement biologique, pour que la réflexion se prenne à quelque chose. Ce qui est exprimé, qui est anticipation, n'est rien devant l'esprit. C'est ainsi que cette profondeur d'abîme, devant l'homme penché, n'est rien qu'on puisse saisir. Ce grand espace, qui n'est que possible, se résout d'un côté en des apparences toujours nettes et qui ne menacent point, couleurs et perspectives, et d'un autre côté en une terreur retenue qui n'est qu'attitude du corps, mouvements du corps, préparations, précautions, émotions enfin. L'attente du lion annoncé par signes est de même; car les herbes et les feuillages sont herbes et feuillages seulement; et la terreur n'est aussi que terreur; et, quoi qu'on veuille dire, quoi qu'on aime à dire, la terreur ne change point les apparences; le monde ne nous trompe point; il est ce qu'il paraît. L'apparence d'un cube, qui n'est point cubique, où l'on voit au contraire des faces inégales, de forme différente, et non point même toutes, est vraie par le cube et le corps humain ensemble, et nous donne d'abord une règle infaillible d'action, puisqu'elle nous représente à la fois le cube tel qu'il est et la position de notre corps par rapport à lui. La lune croissante et décroissante ne nous trompe point non plus, puisqu'elle nous fait connaître en toutes ses phases une position vraie du globe obscur, du soleil qui l'éclaire, et de l'observateur terrestre, qui finit par percevoir, en ces jeux de lumière, son propre mouvement, si longtemps ignoré. Les choses répondent dès qu'on les interroge; et c'est toujours par mépriser trop vite les apparences que nous nous trompons. Toute sérénité, toute sécurité, tout projet et toute entreprise suivent de ce regard droit aux choses, qui dépend de nous, et de ce spectacle qui nous attend toujours; bref les apparitions n'apparaissent point. Mais revenant tout près de notre sujet, nous comprenons aussi, d'après cela même, que l'imagination de l'homme touché par le signe ne trouve jamais la chose signifiée, mais seulement la chose perçue. Ainsi le langage biologique ne nous fait point penser, mais seulement agir, comme les corbeaux s'envolent.

Maintenant comprenons que dans la danse, au contraire, l'imagination trouve le seul objet qui lui donne existence, et qui est le mouvement du corps humain. Non point fuyant et divers, non point éparpillé, mais au contraire recueilli, réglé, mis en forme, ce qui règle l'émotion; mais, bien mieux, figuré aux yeux comme il est sensible à notre toucher intime, et retentissant encore aux oreilles par le seul bruit des pieds sur la terre. Ici l'imaginaire paraît; l'imaginaire est objet. La chose exprimée est en même temps perçue. Le signe est le signe du signe, et aussi longtemps qu'on veut, semblable à lui-même en ce miroir de la danse; aussi souvent répété qu'on le veut. L'anticipation, cette folle, est disciplinée et vérifiée par cette attente que le rythme éveille et aussitôt satisfait. Ce bonheur de société ne s'use point. Si l'on regarde des danseurs, on découvre avec étonnement que leur mouvement se plie à la règle et ne cherche rien d'autre, assez content de cette conversation sans ambiguïté aucune, par l'exact emboîtement de ce qui est exprimé et de ce qui est compris, par un accord qu'on se risque à perdre, dans l'assurance de le retrouver aussitôt. Une masse dansante étonne par la cohésion, par la prudence, par le sérieux, par l'attention, on ose dire par la pensée. La puissance de tous les arts, sans exception, est sans doute qu'ils donnent l'être à l'imaginaire. Mais il est vraisemblable aussi que la danse est le plus ancien des arts, et le premier des langages.

Si l'on rassemble maintenant ce qui a été expliqué non sans peine, on devine à peu près quel est l'état premier de toutes nos idées. Dès que je pense sur le signe, ce qui est proprement penser, le signe est naturellement le corps humain signifiant. Le signifié est pensé là, ou bien ne l'est point du tout. Mais ce n'est pas le corps humain en action, c'est le corps humain en danse, cortège, ou cérémonie. C'est la frise humaine qui est le premier langage, le premier récit, la première figure de rhétorique. Toutes nos pensées sont donc métaphoriques premièrement, et anthropomorphiques premièrement. Penser seulement le printemps par ses effets de nature, ce n'est pas encore penser; c'est attendre, se disposer, être heureux; et, faute de penser qu'on pense, on ne sait rien non plus de ce qu'on sent. Il faut penser par le signe, et le premier signe est l'homme réglé et réglant, c'est-à-dire l'homme dansant. C'est pourquoi le printemps fut toujours célébré, et non pas seulement constaté; célébré par des danses et par des récits dansés. Si l'on ne saisit pas bien la pensée commune ici et en sa naissance, on ne comprendra jamais bien ce bonheur qui ne s'use point, de figurer une chose par une autre, et d'abord les lois de la nature par des actions. Ici l'on voit naître les dieux à forme humaine. Toutefois l'ancienne hypothèse, d'après laquelle notre enfance prête des âmes à tout, se trouve ici dépassée de loin. Car, d'un côté, ce n'est pas par une âme que je trouve objet, mais par la perception du corps humain lui-même; et, d'un autre côté, ce n'est pas l'homme animal qui est écriture pour moi, et symbole de tout, signe de tout, mais c'est l'homme en société, en stricte société, en sensible société, ce qui explique que les relations humaines soient naturellement pensées comme la vérité des choses, et que les choses reçoivent parenté, classe, droit et pouvoir, bien avant que l'individu séparé et conscient de soi y cherche l'image de ses projets et de ses passions. L'anthro- pomorphisme est politique d'abord.

CHAPITRE IV

LES HUMANITÉS

COMPRENDRE comment tous les arts naissent de la danse, ce serait beau. On peut du moins se faire quelque idée de ce que serait cette dialectique, si on la pouvait conduire sans incertitude. Un terme nous renverrait à un autre, non pas par une exigence logique seulement, mais encore mieux par une exigence réelle et une sorte de compensation, d'après la commune structure de l'homme et les plus constantes conditions de ses moindres mouvements. C'est ainsi que la danse nous renverrait à la cérémonie, le cortège faisant le passage, et la fête enfin viendrait, reprenant, détruisant et conservant à la fois les deux termes et le passage. Mais ce n'est qu'une esquisse, et encore d'après un des exemples les plus faciles. L'architecture dépend de la danse et de la cérémonie ensemble, par la terre foulée et la place faite, comme on voit dans un récit de Kipling que la danse des éléphants fait une clairière dans la forêt, et une aire aplanie. La cérémonie explique passablement les séparations et les gradins, en même temps que la forme circulaire, qui est la plus naturelle dès qu'une assemblée se contemple elle-même en ordre. Ainsi il se peut bien, que l'escalier ait été scène avant d'être un instrument pour monter, vérité que l'art théâtral a récemment retrouvée. Mais, si l'architecture doit aux cérémonies l'amphithéâtre, qui est la pyramide renversée, ou presque, c'est au tombeau, signe ancien et naturel entre tous, qu'elle doit la pyramide, qui n'est qu'un grand tas de pierres équilibré par la seule pesanteur. La tour est née de l'art militaire, et le temple grec de la maison. Voilà donc trois chemins pour le moins au lieu d'un. Cette logique n'offre déjà plus que des tronçons, quoique la nécessité et la piété ensemble nous guident toujours dans ces chemins divergents. Si la sculpture, à son tour, tient plus de la cérémonie ou de la danse, c'est ce qu'on ne peut décider. Mais il faut convenir que cette double remarque éclaire assez bien les anciennes règles du style sculptural, soit dans le mouvement, soit dans le repos. Le théâtre, sans aucun doute, rassemble originairement la danse, la cérémonie, et l'architecture, mais, d'un côté, en les rabaissant au rang de pures apparences, et de l'autre en séparant hardiment le spectacle et les spectateurs, ce qui sans doute marque, dans l'histoire de nos pensées, le moment de la réflexion, comme le montre surtout la comédie, puisque l'apparence y est décidément jugée et surmontée. Ce mouvement hardi et délivré par lequel l'homme s'échappe hors de la cérémonie et de l'action et n'en considère plus que les dehors, a préparé sans doute l'art du peintre, comme les règles de la composition picturale le font voir; mais le dessin colorié a vraisemblablement encore d'autres origines. Bien loin de conclure de ces remarques que tout ici est incertain, je dirais plutôt qu'il se découvre à nous, dès le premier examen, un grand nombre de vérités qui ne se disposent point selon un système clos et orienté. Ce sont des morceaux qui sont loin d'être informes, mais que nous ne savons pas assembler.

Toujours est-il clair que cette écriture à grands caractères, de tombeaux, d'amphithéâtres, de tours, de temples, de statues, de tableaux, a formé et forme encore le plus puissant lien entre le passé et le présent, et enfin le principal objet de nos pensées réelles. Car de tels signes, comme chacun l'éprouve, ne se laissent point mépriser, mais au contraire nous arrêtent, et même nous disposent selon la piété, ce qui nous approche de les comprendre, mais en même temps nous y invite énergiquement. Devant ces lettres monumentales, il n'y a point d'illettrés. En revanche, il n'y a point de lettrés dans le plein sens du mot sans une méditation suffisante devant ces fortes images. Au reste on sait assez, au moins par les effets, que celui qui ne connaît que le plus récent état des pensées humaines, est aussi ignorant devant lui-même, je dirais même devant la nature, que l'animal en son infaillible instinct. Rassemblons ici encore une fois cette idée capitale, que la conscience ne va point sans mémoire, ou autrement dit sans une opposition ou division entre une apparence et ce que signifie l'apparence, ou encore entre un signe et un sens de ce signe. Ce miroir humain, qui fut d'abord, et qui est toujours, le premier appui de la pensée de soi à soi, à savoir la société solennellement présente à elle-même et composée devant elle-même, ce même miroir est comme brisé en toutes ces œuvres, et miroir encore en leurs débris. Par ce chemin aussi, et cette fois sans aucun risque de manquer l'idée, on comprend que la mythologie soit l'état premier de toutes nos pensées, vérité d'importance que Comte a mise en forme.

Les œuvres écrites n'ont pas moins de puissance, et chacun le sait bien. Ceux qui disent : « Qu'ai-je à faire d'Homère ? » c'est qu'ils ne l'ont point lu. Ce qu'il faut bien comprendre, et ce qu'on oublierait aisément, c'est que les œuvres écrites ont puissance, elles aussi, par un caractère monumental. J'entends monumental en trois sens, et je suis assuré qu'on y découvrirait d'autres sens encore, dans l'application que j'en fais ici. L'écriture est par elle-même monument. La lettre n'est autre chose, comme on sait, qu'un dessin dépouillé ; l'écriture chinoise en témoigne encore. Et toutes les écritures qui sont proches du dessin ont par elles-mêmes un style et une beauté. L'écriture qui ne représente plus des choses, mais des sons, est livrée à l'arbitraire ; et il me semble que, dans le fait, elle perdait autorité peu à peu lorsque l'invention de l'imprimerie a restitué aux écrits le caractère architectural. Cet objet est résistant, et se montre tel.

C'est sans doute par l'imprimerie que la prose a été consacrée. L'inscription seule, autrefois, lui donnait majesté.

La voix est le plus ambigu et le moins stable des signes. On sait que, faute d'œuvres résistantes, le langage parlé se décompose en dialectes, et se perdrait bientôt en un ramage presque animal. Mais la voix a trouvé fort anciennement le moyen de se faire objet, et vraisemblablement d'après les leçons de la danse. La poésie, comme on l'a dit souvent, est mnémotechnie. Pour présenter la même idée sous un autre aspect, je dirais que la poésie donne solidité à la voix, par l'impossibilité que le récitant y change quelque chose sans offenser l'oreille et le pied. Un texte ne pose l'esprit qu'à la condition qu'on veuille bien ne le point changer; si l'on ne peut le changer, c'est encore mieux. Comme la danse est monument déjà et frise déjà, par le rythme et la mesure, ainsi la voix elle-même est chose durable par la règle prosodique, par la coupe des vers, par l'assonance. L'esprit alors, bien loin de s'égarer dans un monologue, seulement réglé, si l'on peut dire, par les lois de précipitation et de compensation, l'esprit s'assure en un monologue invariable, et, faisant société avec l'immense cortège des récitants et des admirateurs, se conforme à l'humaine politesse, et ainsi se retrouve même dans la solitude. Auguste Comte dit, et il n'a rien dit de plus profond, que cette récitation solitaire est la prière essentielle. Prier, ce serait donc se parler à soi-même selon le modèle humain, et ainsi faire société de solitude.

En un autre sens encore la poésie est monumentale; et en ce troisième sens, la prose étudiée l'est aussi. Car le poète et l'écrivain rassemblent tous les arts en un, faisant paraître ensemble, sous la loi de la danse, plus ou moins rigoureuse, toutes les cérémonies, tous les cortèges, tous les monuments, la forme aussi des dieux, symbole des forces extérieures, et, par une métaphore inverse, les montagnes, les bois, la plaine, l'océan et le ciel, comme complices et raisons dernières de nos passions. Tout l'héritage humain nous est jeté ici, en une expression resserrée, qui émeut, qui signifie par elle-même, et exige d'abord respect, on oserait dire silence. Ainsi l'idée, quelle qu'elle soit, nous est apportée comme il faut; le vêtement seul nous l'annonce. Et cela encore

nous détourne de vouloir changer quelque chose. Tout est dit premièrement, et c'est à nous de nous en arranger. D'où nos sentiments se forment d'abord, en partant de l'émotion pieuse, et d'où finalement nos idées tirent cette forme humaine qui nous les fait juger idées et nôtres. Tout écrit fameux, et éminemment tout poème, est donc un miroir de l'âme. Nous ne pensons jamais que devant une parole immuable, y ajoutant ce qui est de nous, et découvrant aussitôt que nous n'y ajoutons rien. Cette découverte est ce qui achève toute pensée. Ce n'est pas moins vrai pour le sentiment, quoique ce soit un peu plus difficile à recevoir. Comte m'offre un exemple redoublé de l'un et de l'autre rapport, quand il remarque que l'on peut faire des découvertes dans son propre cœur en lisant un poète vieux de deux mille ans. N'oublions pas non plus de faire hommage au langage humain, déjà poésie et déjà règle de pensée, puisqu'il fait tenir la triple et même quadruple signification de tout grand livre dans le seul mot d'Humanités, invention commune comme le feu et le blé.

CHAPITRE V

LES IDÉES

Le sujet que ce titre annonce est de ceux qu'il est permis, et qu'il est peut-être même honorable de manquer. Les grands auteurs n'ont fait ici que jeter de ces lueurs qui aveuglent. La géométrie nous reçoit au seuil; mais qui ne voit qu'elle fait énigme par sa clarté, et que ses avenues lumineuses ne mènent à rien? Descartes nous offre ici ses célèbres règles, sur lesquelles on peut méditer sans fin. Mais il faut pourtant, si l'on ne prend ses natures simples comme des outils, faire revenir toute l'obscurité possible sur les premières définitions et même sur les axiomes. Platon nous avait bien avertis, lorsqu'il nous tirait hors de la caverne, que les lignes droites, les carrés et tant d'autres belles inventions n'offraient encore qu'un reflet des idées elles-mêmes, et que la raison n'était qu'une clarté lunaire devant le Bien, soleil des idées, qui non seulement les éclaire et les rend visibles, mais aussi

les fait être. Éclairé par les stoïciens et par Lagneau mon maître, j'ai pu comprendre assez vite, et peut-être trop vite, que c'est la volonté qui fait et porte les idées. Il est assez évident que si l'on veut penser la droite et non la grossière image d'une droite, il en faut jurer. Descartes l'avait dit en sa première règle et en sa troisième. « Ne comprendre rien de plus en mes jugements... »; « Supposant même de l'ordre entre les choses qui ne se précèdent point les unes les autres. » Ce sont de fortes résolutions. Descartes se propose, comme tout homme, de penser autant qu'il pourra selon la chose; mais, averti par cet ordre du simple au composé, qui n'est point dans les choses, et qui fut toujours le soutien de ses pensées, il jura de penser premièrement et toujours selon l'esprit; et c'est pourquoi il ajourne la politique, qui est pourtant donnée avec tout le reste dans la moindre expérience. Cette démarche héroïque, qui refuse beaucoup, et qui refuse d'abord tout, par le célèbre doute méthodique, n'a pas cessé depuis Descartes, de régler nos meilleures pensées. Mais les raisons de cette pratique, je dirais même de cette sorte de devoir à l'égard de nos pensées, il n'est pas facile de les découvrir. Il fallait refuser l'expérience, aussi longtemps que l'on pouvait, l'expérience, qui nous sert si bien, et qui sert encore mieux les bêtes. Mais pourquoi? Descartes assemble ici des nuages, semblant d'abord nous proposer l'idée de Dieu comme le modèle de toutes, mais aussitôt, sans imiter Platon, et du même mouvement que Platon, nous invitant à garder la perfection en nos idées d'après une perfection en nous, de bien plus haute valeur, qu'il appelle libre arbitre ou générosité selon l'occasion. La moindre pensée serait donc d'audace, ou si l'on veut de foi, étant entendu que la foi en Dieu n'est autre chose que la foi la plus assurée en notre propre pensée, non pensée pensée, mais pensée pensante. Pense librement et tu penseras vrai, voilà à peu près ce qu'il ose nous dire. Or ici nous scrutons en vain les preuves abstraites, qui nous gardent seulement de mal prendre ce qu'il dit. C'est l'intelligence en acte qui fait la preuve. Les cieux de Descartes célèbrent la gloire de Dieu.

M'avançant donc à mon tour sous ces grands arceaux, je voudrais en imiter la forme hardie dans une pensée et puis dans une autre, et lancer aussi des ponts sur des

abîmes, expliquant le coin, le clou et la roue selon la sévère méthode. Mais cet ouvrage-ci ne vise point là. Traçant plutôt, tant bien que mal, une histoire et comme une physiologie de nos pensées, je serais assez content si cette sorte de mythologie de la mythologie faisait paraître des formes qui imitent un peu la doctrine céleste. Or, pour commencer par l'extérieur, je vois déjà bien en quel sens l'humanité, en ses plus anciennes conceptions, refuse l'expérience. Et c'est là, selon mon opinion, le plus beau trait des Sauvages, tant cités, et si mal compris. Ces hommes ne pensent point sans précaution; ils ont le respect de leur pensée. Le traditionnel faiseur de pluie a son opinion faite sur la pluie, et attend patiemment que la pluie s'y accorde. Il est subtil comme un philosophe. « La pluie, dit-il, n'est pas venue à mon signe, comme elle devait. Mais ai-je bien fait le signe? Ai-je bien tout observé dans le jeûne et dans la préparation ascétique, faute desquels l'homme est tellement indigne des signes? » Je pense naturellement à Newton, qui revoyait ses calculs et ajournait même ses pensées là-dessus, plutôt que de changer l'hypothèse, pure fille de l'esprit en son fond, toute fille de l'esprit. Mais qui donc a assez médité sur la perfection de la sphère, forme évidente d'un assemblage fluide pour qui toutes les actions extérieures sont partout identiques, pour apercevoir que la célèbre loi est comme un axiome de soi à soi? Difficile. Mais on voit, du moins, assez bien sur cet exemple, que le propre d'une idée est de ne pas craindre l'expérience, mais bien plutôt de la faire être, par l'écart entre le calcul et l'observation, écart qui est par l'idée. Cet écart est ce que tous appellent un fait. Il n'y a point de fait qui vérifie tout à fait l'idée. Qui connaît le tout d'un fait? Mais inversement il n'y a de fait que par l'idée, autrement dit de perturbation que par la trajectoire pensée, qu'aucun astre ne suit. Pareillement, comme voulait Platon, c'est le droit qui est juge du courbe, et père du courbe; et toutes les lignes ensemble sont juges de ce qui est sans lignes. Et l'uniforme est juge du varié. La triangulation ne signifie pas que les choses mesurées par ce moyen sont triangulaires; sans doute faudrait-il dire aussi que l'ellipse de Newton ne signifie pas que les astres parcourent des ellipses. De même la sphère céleste nous instruit par ceci que, sachant qu'elle n'est pas, nous ne cessons point pour cela de la penser, et, par elle, de penser l'expérience. Peut-être mettrait-on un peu d'ordre en toutes les querelles des savants en décidant que nos idées ne sont que des références. Il resterait seulement à dire que la référence est pensée, correcte pensée, et que ce n'est pas peu; il y a bien de la différence entre les suppositions fantastiques, qui inventent des êtres inconnus en vue d'expliquer le connu, et les hypothèses, à proprement parler, telles que la droite, le cercle, le mouvement uniforme, l'inertie, la force, qui ne créent point de nouvelles choses dans le monde, mais qui sont destinées à faire apparaître celles qui y sont, et qui enfin tiennent par le jugement seul qui les construit selon l'ordre cartésien; car il est évident qu'il n'y a pas de lignes droites dans la nature, ni de nombre dans un tas d'osselets. Je me risque à ajouter que le rapport des idées aux faits est en ceci, que l'idée ne suffit jamais. Nous voilà loin du faiseur de pluie. Il est utile pourtant de remarquer que cette attitude de l'homme qui se trompe héroïquement, refusant de soumettre le signe à la chose, est justement ce que nous n'observons jamais chez les animaux, qui se plient à tout, et ainsi ne savent rien, ni des choses, ni d'eux-mêmes.

Le préjugé nous est donc vertébral, et la fidélité se montre comme la vertu de l'esprit. Non point autrefois. Le rapport des âges est le même en chacun de nous qu'il est dans l'espèce; et, bien mieux, tous nos âges se réveillent selon leur ordre chaque matin, et même dans la moindre pensée. Devant toute appartition nous ne cessons jamais d'élever des signes, comme dans les anciennes conjurations. Mais c'est trop peu, d'élever la droite et le triangle, quoique tant de géomètres sans foi souvent les renient, et essaient de courber d'abord l'idée comme on courbe l'arc. C'est peu, car l'existence n'attend pas, et les passions font leur toile. Chaque minute veut un jugement humain, non sans risque. La guerre, la paix, l'amour, l'amitié, la haine même tendent masques et grimaces. Les rôles jettent aux yeux leurs apparences. Encore une fois et encore mille fois tout est ensemble, comme disait Anaxagore, et l'esprit est sommé de mettre l'ordre, et non point de se prouver à lui-même qu'il est éveillé et mûr pour d'autres objets, mais de s'éveiller et de sortir d'enfance devant la nouvelle apparence. Certes Descartes osait beaucoup, même contre la fièvre lente dont souffrait la princesse Élisabeth, appliquant ici cette idée du *Traité des Passions,* que la tristesse n'est pas bonne pour la santé. Mais la tristesse n'est pas encore vaincue par là; il fallait démêler les apparences politiques; elles sont de chacun et renaissent pour chacun. Heureusement le trésor des Humanités enferme bien d'autres maximes, sans compter ces puissantes « histoires qui ne disent mot », selon l'expression de Montaigne. Et l'esprit se forme premièrement d'après ce préjugé du sentiment que tout ce qui est beau est vrai. L'homme cultivé passe le meilleur de son temps à retrouver le vrai sous l'apparence des maximes. En quoi il profite deux fois. Car il est vrai et vérifié d'âge en âge, et cela même fait maxime, que le beau d'un poème finit toujours par livrer le vrai de l'homme et le secret des passions. Mais aussi, comme l'apparence revient toujours, selon laquelle ces maximes sont d'un autre âge et mortes, à les forcer, creuser, secouer et sommer, à les défaire et refaire selon la piété, qui est attention véritable, on s'exerce justement comme il faut; car les passions sont des sphinx aussi. C'est donc une règle, mais bien cachée, de cette autre méthode, qu'on pourrait dire de précaution, de lire l'apparence ainsi qu'un texte sacré. C'est un grand art de se laisser d'abord tromper; car rien ne trompe, si ce n'est de refuser l'apparence. Tournez seulement la tête, et l'apparence reste en vous comme un mensonge. En vain vous y penserez loin de la chose; nul ne peut penser loin de la chose. Dès que le fait est de souvenir seulement, il n'y a plus rien à y découvrir. S'il était d'abord énigme, il sera toujours énigme, c'est-à-dire séparé du monde, explicable seulement par d'autres objets, qui sont aussi hors de l'expérience. Tout est miracle pour le penseur aux yeux fermés. Mais à qui regarde droit, et en pleine confiance, aucun dieu n'apparaît jamais. La première condition, pour former l'idée, est ainsi de ne point craindre; et comme nous ne sommes jamais sans passion, il faudrait donc aimer la première apparence de tout. Certes, la robuste doctrine de Spinoza n'y est pas inutile. « Il n'y a rien de positif dans les idées qui soit cause qu'on les dise fausses »; il faut donc que tout soit vrai finalement, même le soleil à deux cents pas, par la distance, par le brouillard, par le corps humain; et chacun comprend que l'apparence du bâton brisé fait voir la surface de l'eau. Mais ces exemples sont encore trop loin du bavard, du timide, du furieux, trop loin d'un marché, d'une armée, d'une émeute. Aussi la plupart des hommes ferment les yeux, et veulent penser en eux-mêmes par signes. Il faut nommer abstraites ces idées-là. Thalès regardait la pyramide et l'homme, et les deux ombres de ces choses, et le soleil témoin, lorsqu'il découvrit les figures semblables. Heureux qui regarde les apparences, même effrayantes, et ne les réfute point. Changer est la meilleure manière de réfuter; mais c'est se sauver de peur par l'action; ce n'est point penser. L'homme étant ce qu'il est, tremblant d'abord et bientôt emporté comme il est, je comprends qu'il ne pensa jamais qu'en cérémonie et religion, assuré par la société visible, retenu par la politesse et le respect, immobile devant l'immobile. C'est en adorant que l'on comprend. Le mot contempler signifie cela; un autre mot, considérer, où les astres *(sidera)* se trouvent enfermés, rappelle que le premier objet des sciences fut aussi celui qui est hors de nos prises.

CHAPITRE VI

L'ENTENDEMENT

L'HISTOIRE de la raison n'est rien d'autre que l'histoire de la foi. Les caractères en sont tracés partout sur la planète, et assez aisés à lire dès que l'ordre de la religion aux idées et aux sciences est assez compris. L'histoire de l'entendement est plus cachée, par les profondes ténèbres qui enveloppent toute la technique humaine. Chacun sent que l'histoire des idées ne peut être séparée de l'histoire des outils. Or, outre que l'histoire des outils n'a point laissé de documents jusqu'à l'époque où l'arc, le coin, le levier et la roue sont en usage partout, il faut dire que le progrès technique, même en notre temps, est par lui-même impénétrable, parce que la machine et le procédé sont toujours en forme avant que l'intelligence y ait vu clair. Par exemple les formes de l'avion, jusqu'au moindre détail, offrent un avant large et arrondi, et un arrière effilé, alors que l'on a peine encore à expliquer pourquoi le coupe-vent des locomotives est une erreur d'imagination. De même il n'est point vraisemblable que celui qui a tendu obliquement sa voile au vent ait connu l'analyse des forces, ni que le premier levier ait eu comme fin d'appliquer une définition du travail comme produit de la force par le chemin parcouru. La flèche a tracé d'abord sa trajectoire, avant que l'on eût entrevu l'inertie, le mouvement uniforme, l'accélération, la composition de deux mouvements en un, et les lois de chacun d'eux se retrouvant dans l'effet total. Mais n'est-il pas admirable que le plus puissant des effets de l'artillerie ait étonné et étonne encore même ceux qui l'inventèrent ? Chacun des miracles du génie humain, et même dans l'algèbre, offre cet aspect paradoxal qui fait dire, après le succès, qu'on aurait pu et qu'on aurait dû le prévoir, mais enfin qu'on ne l'a point prévu ; comme on voit que Fermat, en ses recherches sur les maxima et minima, tenait la dérivée au bout de sa plume, et s'en servait, sans savoir encore ce que c'était. D'un autre côté, il faut bien convenir que ce succès étonnant ne pouvait s'offrir qu'à un Fermat, et qu'il avait dû auparavant comprendre bien des choses, sans quoi il ne serait pas arrivé à ce résultat pour lui incompréhensible. De même, si l'on compare l'homme et l'animal, il est assez clair que l'invention de l'outil, si elle a toujours dépassé la réflexion, la suppose pourtant. Un singe peut se servir d'un bâton comme d'un levier ; je suis même assuré qu'il le fait dès qu'il se fraye un chemin parmi des branches rompues et amoncelées ; mais il ne le remarque point. D'où nous revenons à notre idée que remarquer, considérer, contempler ne sont point des fonctions explicables seulement par la biologie. Et les remarques de ce genre fournissent un commentaire imprévu à ce passage de l'*Imitation,* que Comte aime à citer. « L'entendement doit suivre la foi, non point la précéder, encore moins la rompre. » Au reste, d'après ce qui a été expliqué ci-dessus de la fidélité, cette maxime offre encore un autre sens, plus profond, si, pour connaître un objet quel qu'il soit, la première condition est de demeurer fidèle à l'esprit. Et c'est une occasion de remarquer que sans doute Gerson ne savait pas si bien dire. Mais comment décider ? Les sorcières thessaliennes qui mettaient au compte de la lune tant de changements en ce monde humain ne savaient pas si bien dire; car les marées changent les idées, les projets et les passions dans un petit port, bien au-delà des opinions d'une sorcière, quoique autrement.

De ce point on aperçoit les difficultés, la plupart supérieures à nos moyens; et ce n'est pas peu. Du moins on peut juger, sans aucun genre de terreur panique, le persuasif, précipité et tranchant Pragmatisme. Que les formes de la connaissance soient premièrement des formes de l'action, c'est ce que mille exemples font voir. Je considérerai seulement l'espace, parce que cet exemple est le meilleur de toute manière. Rien ne relève mieux l'entendement que la réflexion sur distances, directions, formes. D'un autre côté l'espace n'est rien qu'une règle d'action. Le loin et le près n'ont point de sens si ce n'est pas la relation de ce que nous touchons à ce que nous pouvons toucher. La distance n'est rien si elle ne dessine un mouvement à faire; elle n'est sensible que par la préparation et par l'esquisse de ce mouvement. Aussi ne savons-nous point définir la droite mieux que par le mouvement d'un point constamment dirigé vers un autre. Seulement on ne peut tracer une droite. Toute action est un sillage dont le détail est sans fin; on voit le sillage s'élargir derrière le navire et occuper toute la mer. Cette image est propre à nous avertir que toute action efface la règle d'action. L'homme qui court au but ne trace pas une droite. Le plus fin crayon ne trace pas une droite; ce n'est qu'une région de roches charbonneuses; petites ou grosses, il n'importe. Une droite tracée est une disposition nouvelle de toutes choses; par exemple la lumière est désormais brisée et renvoyée autrement. Le miracle est qu'Euclide, en cette chose, trouve le souvenir d'une pensée que l'action a dévorée, mais non pas toute. L'idée fut, mais avant. L'idée est toujours avant. En notre exemple, l'idée est celle d'une action possible, mais qu'on ne fait point. Ce genre d'arrêt et ce genre d'attention suppose, il me semble, un autre genre d'obstacle que ceux qui détournent l'oiseau ou le chien. Tant que la distance est dans les muscles tendus et ramassés, elle est chaos. Le désir aussi dévore l'idée. Le passage à l'idée suppose la retenue de corps, c'est-à-dire un apaisement à l'égard de ce que l'on pourrait faire, mais non pas cette indifférence animale, qui semble fermer autour d'elle toutes les portes de l'espace par lesquelles elle ne s'élance point; comprenez bien que l'animal, ainsi, les ferme toutes, et comment tout l'espace retombe alors en l'espace de son corps, espace pour nous, non pour lui. Aussi c'est à bon droit que l'entendement, soucieux de reprendre en notre imagerie ce qui répond au plus haut de l'esprit, qui est l'esprit tout court, cherche en toutes ses démarches l'idée insaisissable, l'idée qui n'est encore rien, dans le moment même où, suspendue, elle refuse encore l'existence. D'où cette idée vide et pleine, d'une fécondité prodigieuse, simple rapport, immédiat rapport entre un point et un autre, sans dimension, sans parties, indivisible.

Comme il est vraisemblable que la distance pensée fut de respect d'abord, il l'est aussi que le cercle fut une forme d'assemblée. Cette forme du cercle, qui est égale partout, n'est point commune dans les choses inertes; en revanche elle est naturellement dessinée par un animal qui se tourne de toutes les manières, comme le chien qui se fait une place dans l'herbe ou comme l'oiseau qui fait son nid. Mais, chose digne de remarque, un cercle perd aussitôt sa forme symétrique par la perspective. En revanche la sphère, qui peut s'offrir dans les formes de fruits, de calebasses, et de cailloux roulés, et qui n'est point déformée par la perspective, enferme en elle et cache en quelque sorte l'égalité en tous sens à partir d'un centre. Ici l'apparence instruirait, mais l'usage aussitôt détourne. Au contraire la distance pieusement gardée est une règle; et l'attention cérémonieuse se porte à la règle. Et l'on comprend assez que la marque d'un cercle autour du feu, trace humaine, ait passé au rang de signe vénérable, ce qui conduisait naturellement à scruter l'apparence. Le cercle serait donc magique avant d'être métrique, et beau avant d'être utile. Ou, pour mieux parler, ce n'est point parce qu'il était utile qu'il fut remarqué, mais plutôt parce qu'il n'était point permis de le franchir, ni de le tracer témérairement. La règle est par elle-même idée, et c'est la seule idée; certes il s'en faut que toute règle ait conduit à une idée d'avenir; observons seulement que l'interdiction est de toutes les règles la plus précise, et que, parmi les devoirs figurés, le cercle devait entraîner l'esprit vers la roue, miracle humain, source de toutes nos machines. Il n'est donc point faux de dire que le lieu des danses, cérémonies et assemblées, fut ce qui donna d'abord l'idée de l'espace. Mais il fallait mieux distinguer l'espace, lieu des actions, de l'espace, règle des cérémonies, d'après cette idée capitale que c'est toujours la piété qui soutient l'entendement.

L'idée de mouvement est partout présente en ces analyses; elle est propre à faire comprendre que faire un mouvement n'est pas du tout la même chose que le penser. Il faut même dire que l'un exclut l'autre, d'abord parce que dans l'exécution un moment du mouvement n'est que lui-même, d'où naquirent les fameux arguments de Zénon; mais encore mieux pourrait-on dire que dans l'exécution ce n'est pas un mouvement qui se réalise, mais mille et plus de mille, par la variété et la liaison de toutes choses. Par opposition, il faut décrire le mouvement comme idée, qui est un tout immobile et dont les parties n'ont de sens que par le tout. C'est assez dire qu'il n'y a point de mouvement pensé sans loi. Certes, c'est toujours la loi du carré qui est pensée dans le carré du géomètre; sans cette loi jurée, on tomberait à l'indétermination; mais enfin on peut percevoir le tracé, et le distinguer d'un autre tracé, comme serait celui d'un cercle ou d'un triangle, sans en appeler à la loi génératrice. Au lieu que pour le mouvement, comme on ne le peut percevoir et examiner que devant la trajectoire immobile, il n'y reste aussi de mouvement que par la pensée d'une relation entre des temps et des positions, ce qui revient à une relation entre des positions, exprimée par un discours ou par une écriture algébrique, qui fait entendre que la position en un temps détermine et en quelque sorte construit la position dans le temps qui suit. Par exemple les espaces parcourus seront en proportion des temps, ou en proportion des carrés des temps. Mais si aucune loi de ce genre, par une série pleine, n'est pensée devant la trajectoire, la trajectoire n'est plus trajectoire. Comme en un miroir, dans le mouvement immobile l'entendement se voit lui-même. Et les fameux arguments de Zénon ne peuvent être résolus que si le mouvement dépend de la loi, et non point de Diogène marchant. Les mouvements réels effacent donc l'idée; mais il y a des mouvements qui, au contraire, la confirment, par ceci qu'ils sont répétés, qu'ils se représentent, et que leur loi est en même temps énergiquement rappelée. Ici l'on ne peut errer. Le spectacle du ciel offre des mouvements lents; aussi veut-il mémoires et archives. Je ne vois que les évolutions des chœurs, ou des troupes armées, qui, par translations, rotations, changements des files, dispersion ordonnée et rassemblement, puissent conduire à penser le mouvement comme étant quelque chose.

Il faut faire maintenant la part de l'outil, qui n'est pas petite. Le cordeau, le coin, le clou, la roue, le levier, sont des objets de choix pour l'entendement. Il est remarquable que le monde animal ne fasse point voir la moindre trace d'une action par outil. Il est vrai aussi que les animaux n'ont point de monuments ni aucun genre d'écriture. Aucun langage véritable ne lie une génération à l'autre. Ils ne reçoivent en héritage que leur forme; aussi n'ont-ils d'autres instruments que leurs pattes et mandibules, ou, pour mieux dire, leur corps entier qui se fait place. Ils travaillent comme ils déchirent, mastiquent et digèrent, réduisant en pulpe tout ce qui se laisse broyer. Au contraire, l'outil est quelque chose qui résiste, et qui impose sa forme à la fois à l'action et à la chose faite. Par la seule faux, l'art de faucher est transmis du père à l'enfant. L'arc veut une position des bras et de tout le corps, et ne cède point. La scie de même; les dents de fer modèrent l'effort et règlent le mouvement; c'est tout à fait autre chose que de ronger. Tel est le premier aspect de l'outil. J'en aperçois un autre, qui est que l'outil est comme une armure. Car le corps vivant est aisément meurtri, et la douleur détourne; au lieu que l'outil oppose solide à solide, ce qui fait que le jeu des muscles perce enfin le bois, la roche, et le fer même. Le lion mord vainement l'épieu, le javelot, la flèche. Ainsi l'homme n'est plus à corps perdu dans ses actions mais il envoie l'outil à la découverte. Si le rocher en basculant retient la pioche ou le pic, ce n'est pas comme s'il serrait la main ou le bras. L'homme se retrouve intact, et la faute n'est point sans remède. D'où un genre de prudence où il n'y a point de peur. On comprend d'après ces remarques la puissance de l'outil. On y voit même une condition de la pensée, qui est l'essai sans risque. Nos instruments nous permettent de manier le feu; mais l'animal ne peut rien faire du feu.

Quant à l'invention même des outils, il est difficile de

faire la part du hasard et celle de l'attention. Toutefois, puisqu'il y a une attention animale, toute de peur et de besoin, et qui n'a rien produit qui ressemble à un outil, il faut dire qu'ici encore l'attention humaine est une attention de religion ou de sagesse. La baguette magique, qui se montre en tous les anciens contes, fait voir qu'on fit toujours plus attention à l'outil comme signe qu'à l'outil comme puissance. Et c'est sans doute parce que l'on crut à l'outil que l'on s'applique à s'en servir au mieux, à ne s'en servir que pour certains travaux, et toujours à se laisser conduire par la forme, ce que l'enfant est bien loin de faire, toujours frappant et bientôt s'irritant. Les métiers sont circonspects, et encore aujourd'hui engagent l'outil sans violence, comme s'ils cherchaient le geste qui fait miracle. Et l'apprenti y met toujours trop de force et de passion, comme on sait. Encore une fois remarquons qu'observer est de religion. Et ce n'est pas un petit progrès si, devant une résistance inattendue, on n'accuse pas l'outil, mais plutôt on s'accuse soi-même.

Le penseur est lui-même ouvrier, ou il n'est rien. Il n'est point non plus sans outils ni sans procédés. Les signes sont ses outils; toutes les pensées possibles y sont enfermées. La vertu propre au penseur est le respect des signes, et des règles aussi, selon lesquelles on groupe communément les signes. Reprenant tout ce qui fut dit, attentif à ce qui sonne le mieux; poussant et remuant avec précaution ce merveilleux héritage. En accord avec tous, sous l'inspiration des maîtres, éprouvant les signes selon la politesse, il fait sonner le commun usage tout contre la chose, et, suivant le double contour de l'homme et de la chose, il n'est qu'un ajusteur le plus souvent, toujours parcimonieux de force, toujours retenu et obéissant selon sa nature, d'après cette idée que, si l'accord humain n'est pas la seule condition du vrai, il en est du moins la première condition. Voilà comment le poète part à la chasse des idées; et le mathématicien de même, quoique souvent par d'autres signes.

CHAPITRE VII

LE DOUTE

On dit qu'un Stoïcien inconnu avait écrit « Contre ceux qui croient qu'il y a des idées vraies et des idées fausses. » Ce titre est plein de sens, pourvu que l'on sache bien que les Stoïciens étaient dogmatiques, et non point sceptiques. Nous savons aussi, par quelques débris de leur doctrine, mais en vérité presque suffisants, que « Le sage ne se trompe jamais »; c'est, expliquaient-ils, qu'il pense bien, et que penser bien dépend de volonté, et nullement des hasards. Un de leurs exemples nous est resté, un seul, mais lumineux. Un fou, disaient-ils, qui va criant en plein jour qu'il fait jour, n'est pourtant pas dans le vrai, ni vrai. Ici périt la conception trop simple de l'homme miroir, en qui le vrai se peint, comme les arbres sont reproduits dans l'étang. Partant de cette imagerie, l'esprit de dispute peut aller fort loin, disant que le miroir déforme l'image, et autres choses vraisemblables. Les anciens peuples étaient mieux inspirés lorsqu'ils soupçonnaient qu'un fou ou une Sibylle savent tout d'une certaine manière, et expriment tout, au lieu que le sage choisit d'ignorer beaucoup. Il ne faut point craindre cette immense idée. De même qu'il est vrai que des astres changent nos destins, et même une simple comète, par la faible impression sur les yeux humains, et par les passions qui en sont la suite, ce qui n'empêche pourtant pas que l'astronomie soit le vrai de l'astrologie, de même l'homme est miroir de tout selon sa forme, et plus fidèle en cela que s'il ne déformait rien, puisque lui-même est partie du tout. Ce que dit le fou est donc la vérité du monde et du fou ensemble. Et si le fou dit qu'il voit un fantôme dans des fumées, nous savons bien qu'il y a une raison de cela; seulement nous ne disons point qu'il a raison en cela. Et cette expression, avoir raison, est bien étonnante et bien forte. Nous voulons d'autres signes du vrai que l'événement. Et peut-être, quand nous écoutons l'homme, le principal de notre enquête est à chercher en lui d'autres preuves de raison que celles qu'il nous propose. Cette précaution devant la preuve nue est le premier signe de l'esprit. Stendhal a écrit que tout bon raisonnement offense, et cela nous avertit de parler d'abord et toujours selon la paix, non selon la guerre, enfin de ne jamais chercher querelle sous le couvert des preuves. Mais, bien mieux, toute précaution prise, j'ai observé que toute manière nouvelle de dire, quand elle ferait accord, fait d'abord rire; par quoi l'auditeur s'échappe fort loin. Ces feintes sont belles, quoiqu'elles fassent une sorte de désert autour du parleur. L'homme craint le vrai par de petites raisons; par de plus grandes raisons il s'en délivre. C'est qu'il en a sa charge, et déjà plus qu'il n'en voudrait. Qu'est-ce qui n'est pas vrai?

Il n'est pas vrai que deux et deux fassent cinq. Il n'est pas vrai que la somme des angles d'un triangle plan diffère de deux droits. Mais il faut remarquer aussi que ces idées, qui seraient fausses, ne sont rien du tout. L'esprit sceptique de Hume sait bien creuser là, et ne trouver que le vide. Car dire deux et deux c'est toujours dire quatre; et dire somme d'angles égale à deux droits c'est toujours dire triangle; on n'avance point. C'est que les objets réels ne sont ni des nombres, ni des triangles; aussi l'on soupçonne que l'esprit n'a égard ici qu'à lui-même, et qu'il défait le savoir du comptable et du tailleur de pierres, bien loin de le faire. Les sciences théoriques, en ces subtilités, tour à tour estimées et méprisées, perdent de vue leur fin véritable. Cela conduit à se demander comment de telles vérités sont prouvées et pourquoi elles le sont. Car, à n'en pas douter, à contempler ces quatre osselets on en sait par sentiment tout ce qu'on en peut savoir, et notamment qu'ils sont quatre; ce nombre si simple ne pourrait être changé, augmenté ou diminué, sans que le sentiment fût changé aussi; c'est pourquoi un homme inculte ne voit pas ici de difficulté. Pareillement devant un triangle tracé, ou découpé dans du bois, le sentiment fera connaître toute cette forme. La technique des parquets ou des marqueteries n'a nul besoin de la preuve d'Euclide. Mais c'est l'esprit qui en a besoin. Et ce qu'il cherche ici, ce n'est point tant l'accord avec l'objet que l'accord entre les signes. Aussi que de précautions, et qui semblent inutiles, surtout dans la première preuve, due à la prudence de Leibniz. Qu'appelez-vous deux? Qu'appelez-vous trois? Qu'appelez-vous quatre? De même dans la preuve euclidienne, convenons d'appeler triangle, angle, droite, ce que je définis encore par d'autres mots; convenons de substituer la définition au défini; convenons de ne rien penser que ce qui a été convenu. L'esprit, comme on sait, n'arrive pas ici, et n'arrive jamais, à réduire la preuve à un discours bien fait; il lui faut cette perception de un à côté de un, et cette parallèle extérieure au triangle. Il faut qu'il voie; mais en vérité toute son application est de voir le moins possible; tout l'art de penser va ici à accorder discours à discours. Où l'on saisit très bien un double effort, dont l'un est presque méprisé. On prétend bien percevoir, et cela est de peu; on prétend bien parler, et cela est presque tout. Marque que cet exercice ascétique, si justement estimé, a pour principal objet de nous ramener de l'accord avec l'objet à l'accord entre les hommes, en cette cérémonie de la démonstration, où la politesse paraît la première. La preuve, et surtout les demandes, ont pour fin de ne point du tout forcer la persuasion et d'inviter au doute en dépit de l'objet qui nous jette au premier coup d'œil toutes les connaissances possibles. C'est un grand art, et de grand respect, que de demander qu'il n'y ait qu'une droite d'un point à un autre, qu'une parallèle par un point, et ainsi du reste; c'est demander un décret, et convenir d'un décret, et jurer de l'observer, quand la nature répond si bien. Certes c'est déjà un art que de tracer la figure de façon que la nature n'hésite point; mais c'est art sur art de mépriser cette adhésion de l'homme à la chose, et de faire sonner dans l'homme le pouvoir de ne pas se fier à ce qu'il croit. Par ce moyen l'on n'acquiert point de vérité nouvelle. Dans le fait la technique tenait déjà, comme pour le levier, ce qu'il y a d'utile dans la preuve; au reste l'oiseau tient toute la physique de l'air quand il vole. Mais cela c'est la pâture de l'animal. Le maître à penser cherche autre chose que des idées vraies; il vise au-delà ou derrière, à reconnaître premièrement ce qu'il y a d'arbitraire et de décrété dans l'idée, et secondement le pouvoir de douter, sans lequel la question même ne se poserait pas. Ici l'homme se cherche, et ne cherche que lui; il s'éveille et se réveille à lui-même par un énergique refus, qui fait la séparation entre le sujet et l'objet, puis entre le sujet et l'idée, et ainsi sans fin. Tout jugement apparaît libre, et le respect de cérémonie trouve enfin son objet.

Or, afin de passer ici par-dessus des difficultés sans nombre, je remarque qu'aucun homme ne se contente d'un accord forcé. Alceste ne sera point content de savoir que Célimène ne peut faire autrement que de l'aimer. Cela seul, si l'on y fait attention, est injurieux. C'est, comme disait Rousseau, promettre qu'on sera le plus faible tant qu'en effet on le sera. Une telle pensée se détruit elle-même, car nous ne trouvons ici qu'une action. C'est la bataille nue; les forces armées avancent et reculent, tourbillonnent, gagnent ou perdent du terrain; tout est vrai et juste à chaque instant, ce qui fait que le vrai et le juste n'ont plus ici de sens. Le fait n'est ni vrai ni juste, parce qu'il n'est jamais ni faux ni injuste; c'est l'homme pensant qui est vrai et juste. Mais aussi il n'est point de l'homme d'observer comme une bataille ces combats en lui pour le vrai et le juste. Sentiments et pensées seraient donc sur le coupant de la balance, et chacun observerait ce qu'il va croire maintenant et ce qu'il va aimer maintenant. C'est sommeil, ce n'est point pensée; ce n'est point monnaie d'échange dans le monde des esprits; c'est monnaie d'échange dans le monde des corps. Et l'on comprend qu'en l'objet tout est vrai, sans la moindre erreur possible. Aussi Euclide ne nous demande jamais ce que nous en pensons, mais bien plutôt ce que nous en devons penser, de façon que l'objet soit presque muet. Kant a dit, et c'est l'âme même de sa forte doctrine, que cette autre manière de connaître, qui refuse autant qu'elle peut l'expérience, marque aussi dans l'histoire le premier éveil de la raison.

Or ce que je veux expliquer ici, c'est que de proche en proche cet étonnant pouvoir de douter est ce qui éclaire le monde. Car les vérités immédiates sont dans une profonde nuit. Qu'est-ce que voir, si l'on ne doute? Si l'on ne doute, la chose est nous. Je ne trouve plus dans la connaissance ce champ de refus qui est notre distance de vue, d'ouïe, de toucher, de goûter. Si je prends ce clocher pour ce qu'il a l'air absolument d'être, il n'est plus rien pour moi. En bref, il est vrai de dire avec Platon que le monde ne paraîtrait pas sans les idées. Mais il est vrai de dire avec les Stoïciens et Descartes ce que sans doute Platon savait, c'est que sans cette religion de liberté, qui est le fond de tout homme, il n'y aurait ni idées ni perceptions pour personne. C'est par ce côté que l'on peut comprendre cette indifférence animale, qui use des choses, mais ne s'en fait point d'idée.

L'idée est toujours niée, parce qu'elle est toujours dépassée. Celui-là qui, à l'exemple de Descartes, a su former l'idée, ne l'a su que parce qu'il pouvait aussi la défaire. Ainsi toute connaissance véritable est de réflexion, et encore une fois c'est cette lumière de la conscience en difficulté avec elle-même qui fait apparaître le monde et tous les arts. De ce débat du stoïcien, et de cet exercice de pensée qui voudrait déposer la chose, il reste encore assez d'esprit pour illuminer en retour toute l'humaine prudence. Ainsi le doute de Descartes, qui semble inhumain et d'un moment, est ce qui éclaire toutes les démarches du géomètre et du physicien. Un refus du vrai donné, et une attention constante au gouvernement de nos pensées, voilà ce qui fait qu'une preuve se tient debout; et la preuve des preuves, la preuve de Dieu en Descartes, est par cela même impénétrable, car elle revient à dire que l'âme des preuves est le dieu libre, non point démontré, mais démontrant. Ce scrupule est de religion; et je crois entendre que Platon, disant que le bien est le soleil des idées, disait encore la même chose. D'où je dirais que l'ancienne idée, que la moindre société suppose, à savoir que tout ce que l'on peut faire n'est pas permis, est aussi la première des idées, et le support de toutes. Ce que la profonde ambiguïté du mot loi, dont Montesquieu a senti le poids et le prix, fait assez entendre. Mais quand la loi naturelle revient sur la société et l'éclaire, ce qui est le moment de la politique positive, la nature nous rend ce que nous lui avons donné. Si la loi n'avait réglé la danse, il n'y aurait pas eu de Pythagore. Et je cite ce sage, parce que, saisissant tout de neuf le passage de la pureté à la perception droite, il a bien osé écrire que les belles inventions des géomètres, comme droite, perpendiculaire, carré, représentaient la vertu. Il faut seulement comprendre que ce qu'il y a de vrai dans la ligne droite est cette négation de l'idée, toujours renvoyée aux images. C'est ainsi que les religions ont laissé temples et statues sur leur chemin. La justice, par exemple, est ce doute sur le droit, qui sauve le droit.

LIVRE NEUVIÈME

LES NATURES

CHAPITRE PREMIER

L'ANIMAL HUMAIN

Un être humain nous jette d'abord au visage cette forme et cette couleur, ce jeu des mouvements, qui ne sont qu'à lui. Les marques de l'âge et du métier s'imprimeront sur cette écorce, mais sans la changer. Tel il est à douze ans, sur les bancs de l'école, tel il sera; pas un pli des cheveux n'en sera changé. La manière de s'asseoir, de prendre, de tourner la tête, de s'incliner, de se redresser, est dans cette forme pour toute la vie. Ce sont des signes constants, que l'individu ne cesse point de lancer, ni les autres d'observer et de reconnaître. Quelque puissance de persuasion que j'aie, que je sois puissant ou riche, ou flatteur, ou prometteur, je sais bien qu'il ne changera rien de ce front large ou étroit, de cette mâchoire, de ces mains, de ce dos, pas plus qu'il ne changera la couleur de ces yeux. Alexandre, César, Louis XIV, Napoléon, ne pouvaient rien sur ces différences. Aussi l'attention de tout homme se jette là, assurée de pouvoir compter sur cette forme si bien terminée, si bien assise sur elle-même, si parfaitement composée, où tout s'accorde et se soutient. On peut le tuer, on ne peut le changer. Là-dessus donc s'appuient d'abord tous nos projets et toutes nos alliances. Vainement l'homme tend un autre rideau de signes, ceux-là communs, qui sont costumes, politesses, phrases; tout cela ne brouille même pas un petit moment le ferme contour, la couleur, l'indivisible mouvement, le fond et le roc d'une nature. Ici est signifié quelque chose qui ne peut changer et qui ne peut tromper. Mais quoi ?

Descartes ne voulait pas qu'on supposât de l'esprit aux bêtes. Cette même vue éclaire l'homme aussi. Ce n'est pas que la forme humaine, le geste, le regard, la couleur du sang ne puissent exprimer beaucoup. Je regrette de n'avoir pas vu Descartes parlant; mais est-ce vrai que je le regrette ? Et, si je le regrette, est-ce raisonnable ? Dans le fait l'humanité vit de discours sans gestes, de discours sans yeux. Homère ne manque pas à ses poèmes, ni Descartes à ses œuvres. Il n'est pas sûr que Shakespeare et Molière aient mieux joué dans leurs propres œuvres que n'importe quel acteur de bonne mine et parlant clair. Les Grecs couvraient d'un masque le visage de l'acteur; et les grands acteurs, à ce que je crois, ont plus d'une manière de rabattre les signes de nature. Même dans la voix, le tragédien garde quelque chose d'impassible; et c'est à quoi la poésie l'invite. L'acteur comique aussi cherche le style en ses mouvements, en ses gestes, en son débit. On remarque la même simplification dans l'orateur véritable. Mais il est vrai aussi que les ressources de ces arts, et de tous les arts, sont bien cachées. Peu savent que l'expression obscurcit le discours. Au reste la politesse exige toujours une grande économie des signes, d'après une longue expérience des méprises qui sont l'effet ordinaire de l'expression naturelle. Peut-être n'y a-t-il rien de plus à comprendre dans les yeux d'un homme que dans ceux d'un chat. Nous savons très bien revenir des œuvres de Beethoven au regard que jette le portrait de Beethoven; mais le portrait est déjà composé; si Beethoven vivait, il ferait sans doute énigme. Toujours est-il que la démarche inverse, qui irait de la forme d'un homme aux pensées qu'il n'a pas encore dites et aux œuvres qu'il n'a pas encore faites, est tout à fait aventureuse. Au vrai ce n'est point le discours ou l'œuvre qui est éclairé par le visage, mais au contraire c'est le visage qui prend un sens par le discours et l'œuvre. Et cette formule même explique assez bien comment l'homme, en chacun, civilise l'animal. Car l'homme commence par signifier tout ensemble, et ces arabesques de signes, de même que ce ramage de nature, ne sont pas plus lisibles que le balancement des arbres ou le bruit du vent. De même il ne faut point dire qu'un chien est avare de signes ;

au contraire, il est prodigue de signes; j'en observais un qui ne cessait d'aboyer, avec fureur semblait-il, tout en remuant amicalement la queue. Fureur, ou peur, ou flatterie? Non. Ce n'est qu'agitation. Ce n'est qu'explosion. La force accumulée se délivre par des mouvements. Il n'y a pas loin de caresser à mordre. Nous voulons voir dans les mouvements des animaux les signes d'une sagesse humaine, ou plus qu'humaine, ou bien tout à fait étrangère à nous, mais encore sagesse. Si l'on observait plus froidement les mouvements de l'instinct, on y verrait plutôt une sorte de folie, par exemple en une fourmi qui traîne une bûchette en terrain difficile; ce sont des chutes, des écroulements; sur le dos elle court encore, et se retourne par aventure. On peut lire de la même manière le combat, tant célébré, de la fourmi et du fourmi-lion; on aperçoit alors des mouvements égarés et convulsifs; plus d'une fois la victime, dans le moment qu'elle roule au fond du cratère, est lancée au dehors en même temps que les grains de sable. Cette larve, au fond du trou, est en éruption, comme le volcan. Nous résistons à cette idée, par l'habitude d'interpréter les signes. Nous humanisons ce cheval. Dans le fait il est pris et ligoté entre deux brancards; il est douloureusement tenu par la mâchoire; il traîne cette machine sur roues, qui n'est pas également mobile dans tous les sens. En tous ces liens et sous le fouet, l'animal se débat et fait tous les mouvements qu'il peut faire. Nous disons qu'il trotte ou galope, qu'il a du courage, qu'il se révolte, ou qu'il veut l'écurie. Voilà un bel exemple d'une idée prise des rapports humains, et qui donne sens à ce que l'on observe, qui même, finalement, donne sens à ce qui la nie. Mais il s'en faut que le préjugé méthodique de Descartes soit encore assez compris.

Il est encore plus naturel, et mieux explicable, que l'anthropomorphisme soit appliqué à l'homme lui-même, et que l'on cherche un sens à tout. On veut que les convulsions de la Sibylle soient langage encore. Il est pourtant clair que l'enfant ne parlerait jamais si l'on se soumettait à ses premiers signes. On sait que les affections familiales contribuent à prolonger la première enfance, par l'adoption des signes enfantins. C'est pourquoi rien ne peut remplacer l'école; et la sévérité propre à l'école est qu'elle rabat tous les signes naturels. Si l'on observe bien, on trouvera que ces écoles de fantaisie où l'enfant va et vient, improvise, signifie selon son humeur, s'appliquent à étendre l'erreur familiale, ce qui fait des esprits balbutiants. Au contraire, la récitation est belle à l'école, lorsque le petit homme, tout droit et les bras croisés, se soumet aux signes vénérables. Je passerais même sur le chantonnement scolaire, qui est un bel effet de pudeur. Il ressemble à la mélopée du véritable acteur; quelquefois l'un y retrouve l'intonation des Proses à la messe, c'est-à-dire l'ancienne et solennelle éloquence. Cette recherche de la mesure vaut certes mieux que les vains efforts de la lecture dite expressive, où l'on voit revenir l'indéchiffrable agitation.

Nous comprenons ici l'intempérance, et tous les genres d'ivresse. Il se peut bien que tous les effets de la religion s'expliquent par une attention et soumission aux signes. Il n'y aurait de culte que du beau langage. Si l'on faisait attention à ceci, que le chant ou seulement la diction réglée suppose un régime musculaire et même viscéral directement contraire aux passions, on attendrait des miracles. Ici tous les arts se montrent, en leur ordre sévère, comme des inventions du savoir-vivre. Mais en tout homme, l'animalité dépasse la ligne humaine, et hérisse notre vie à chacun de cette multitude de signes qui ne signifient rien. La voix gronde, les mâchoires se serrent, le pied frappe la terre; ce sont des effets de l'équilibre et de la compensation dans le corps. Tel muscle oisif et trop bien nourri se décharge; ce qui a travaillé dort; d'où ces poses physiologiques, et cette mimique sans modèle, qui font que l'homme ressemble un peu au singe, et qui font dire que le singe ressemble à l'homme. Dans le fait ce ne sont, si l'on ose dire, que des manières de se gratter; au reste cela est contenu par l'admirable pudeur, dont je ne vois point que même les ivrognes soient dépouillés. De toute façon, il faut accepter ces soubresauts; mais je ne dis point qu'il faut les adorer. L'adoration des bêtes est un grand moment de notre espèce. On remarquera que l'adoration de la Sibylle, en ses transes, n'en est que la suite. Nous regrettons tous ces signes perdus et ce langage brouillé; nous y revenons; nous en cherchons la clef. Tel est le principe de l'humeur, qui est aussi une sorte de culte, mais égaré.

Tout homme est sibylle pour lui-même. De ses frémissements ou hérissements il fait religion. Comme les Romains donnaient à manger aux poulets sacrés, ainsi Argan se donne à manger à lui-même, et tire oracle de toutes les circonstances. Il est à croire que la coutume de manger en cérémonie vise à détourner l'attention d'Argan. Je dis Argan, pour faire entendre que la maladie d'imagination est la suite et comme la punition de l'humeur.

Mais, laissant pour le moment l'humeur pensée, qui nous approcherait trop vite du caractère, je veux décrire l'humeur nue. Variété sans fin, mais où l'on peut discerner certains régimes de mouvement, dont les effets sont bien connus, et dont les causes ne sont pas tellement cachées. C'est une règle de pratique de ne point faire mystère du corps vivant; c'est aussi la seule règle de méthode, dès que l'on ne veut pas adorer. Toute alerte en un corps vivant, par exemple dans un chien, se développe à partir de l'heureux état de somnolence, et jette aussitôt dans un mouvement sans mesure, qui est colère, emportement, ou comme on voudra dire. Après quoi, communément, l'animal connaît ou reconnaît, explore du nez et des yeux les environs, ce qui est éveil à proprement parler, ou curiosité. Après quoi, encore, au bout d'un temps variable, l'animal revient à l'heureuse somnolence, mais non sans sursauts, grognements, mouvements qui sont proprement d'imagination et qui peuvent durer plus ou moins. Tout être vivant a l'expérience de ces quatre régimes, mais ils ne recouvrent pas d'égales étendues dans l'histoire de toute vie. L'un est plutôt somnolent, l'autre emporté, l'autre curieux des choses, l'autre rêveur, curieux aussi celui-là, mais curieux aux yeux fermés. Les mélanges, suivant qu'un des régimes domine, ou deux, permettent une description passable de l'humeur en chacun, sans suppositions aventureuses. Et ces quatre régimes correspondent à peu près aux quatre tempéraments, invention justement célèbre, qu'aucun observateur de la nature humaine ne peut mépriser.

L'heureuse somnolence est un régime de repos où les fonctions de nutrition et d'élimination s'exercent presque seules, sans réveiller le troupeau des muscles au-delà de ce qu'exigent le brassage et l'aération; toute nature revient là, s'y nettoie et s'y refait. La mère pendant la gestation y est soumise, et le petit enfant aussi, par la nécessité de croître, qui suppose que l'accumulation l'emporte sur la dépense. Aussi toute croissance qui altère la forme est le signe que ce régime domine sur les autres. Un homme gros, et dont l'affaire est de digérer, offre une image suffisante de cette manière d'être, qui n'est point vive, ni violente, hors d'une pressante nécessité, qui n'est point non plus trop curieuse de percevoir, et qui ne rêve guère.

L'emportement paraît bientôt dans l'enfant. La force accumulée se dépense en colères, en convulsions, en jeux. La loi propre à l'emportement apparaît dans un cheval qui galope, et que son mouvement même fouette. Il se frotte violemment à lui-même et à mille choses, au sol, aux pierres, aux branches; et tout cela l'irrite, au sens propre du mot. Nul n'échappe tout à fait à l'emportement dès qu'il se heurte, et de là les rixes, événements admirables où l'on voit des hommes en paquet se heurter les uns aux autres, image de ce qui se passe en chacun d'eux. Sans idée aucune. Il n'est point nécessaire d'en supposer, si l'on comprend que la force est dans le muscle, et que toute excitation met le muscle en boule, non sans luttes intestines, non sans contractures; non sans resserrement des poumons, non sans grand travail du cœur, vers qui le sang est chassé avec plus de force par l'effet des muscles resserrés.

Le régime de la curiosité, ou de l'exploration, est tout autre. Le jeu des muscles y est continuellement modéré par ces excitations variées et sans violence qui viennent des sens en éveil, surtout de ceux qui sont sensibles aux faibles attouchements du parfum, du bruit, de la lumière. Le spectacle, alors, compose l'homme, entendez qu'il ne cesse point d'esquisser toutes sortes d'actions selon la variété des choses, mais sans se jeter jamais sur aucune. L'instabilité est donc, si l'on peut ainsi dire, le propre de ce régime. Une étoile, par un faible contact sur les yeux, détourne un moment cette heureuse vie.

L'autre régime est tout d'imagination. C'est un genre d'irritation, et quelquefois fort pénible, mais qui ne vient ni des objets extérieurs qui agissent sur les sens, ni des actions musculaires mêmes. Il reste que ce soient les mouvements mêmes de la vie qui excitent les sens, et peut-être aussi les muscles, par une altération des sécrétions, par un encrassement, par une obstruction, par une surcharge. C'est encore l'irritation, mais prise à son niveau le plus bas. C'est ainsi qu'une fatigue de l'œil y attire une sorte de petite fièvre, qui excite de mille manières les éléments sensibles. De même le sang bourdonne quelquefois aux oreilles, ou picote à l'extrémité des doigts. Ces petites misères sont le principal de nos rêves. Tout homme paie tribut à l'imagination. Mais ceux qui ont, comme dit Stendhal, leur imagination pour ennemie, sont assez heureusement nommés bilieux. En eux les sécrétions et excrétions s'attardent, et instituent une inquiétude de fond sur laquelle les passions brodent. Aussi n'y a-t-il de constants que les bilieux. La variété des objets et des occasions ne peut les détourner de leurs affections propres. Ils sont assez occupés d'eux-mêmes pour se soucier des autres; et, parce que c'est leur propre vie qui nourrit surtout leurs pensées, ils n'oublient point ce qui les a une fois touchés. Mais cette inquiétude sans action suppose, semble-t-il, un certain progrès de l'âge. Ainsi les quatre régimes paraîtraient et prendraient importance selon l'ordre même où on les trouve ici énumérés. Le texte de nos expériences serait donc tel : une somnolence, un emportement, une connaissance, une mélancolie; mais la somnolence et l'emportement se rétréciraient avec l'âge, laissant toujours plus de place à la connaissance et au souvenir; enfin l'expérience passée s'étendrait sur les yeux comme une ombre ou comme un brouillard. C'est ainsi que vieillissent toutes nos passions et même toutes nos pensées.

CHAPITRE II

LE CARACTÈRE

L'HOMME tient ferme sur des positions de hasard. Tel aime le boston et repousse le bridge. Ce n'est pas parce qu'un de ces jeux lui plaît ou que l'autre lui déplaît; au contraire l'un plaît par ce décret qu'on s'y plaira, et l'autre déplaît par décret aussi. La plus grande folie serait de croire que dès la naissance on avait goût et aptitude pour l'un, aversion pour l'autre. Pourtant on ne se prive pas de le dire, et on ne manque pas de le prouver. Il y a une manière de repousser les cartes qui est bien plaisante; dans le moment où l'on soupçonne qu'on pourrait s'y plaire, on se souvient qu'on a juré de ne pas s'y plaire. Nous gouvernons presque tous nos plaisirs. Mais cela ne sera pas cru aisément. En ce rôle qu'il a juré de tenir, l'homme est presque impénétrable. On l'entend, comme dit l'autre, gronder depuis l'escalier; la porte s'ouvre; c'est un acteur qui entre; visage composé et affilé. Chevelure est comme perruque, et toute barbe est fausse. Cravate, costume, jugement, l'homme pousse en même temps tous ces accessoires. Il y joint encore un air de négligence. C'est la nature même. O tragédien! O comédien!

Une des plus grandes scènes de l'histoire est cette rencontre du pape et de l'empereur, que le hasard a fixée en un moment éternel. Le prêtre fait arme de tout, se jette lui-même, et deux fois l'emporte sur l'adversaire le mieux gardé peut-être. Mais il l'a profondément oublié, aussitôt oublié; et l'autre aussi; ces choses n'instruisent que le témoin caché. Ce qui est caché ne figure point. La politesse exige que l'on cède aux menaces et aux promesses. Ainsi l'histoire s'est déroulée comme si ces mots n'avaient pas été dits. Tout ce qui pouvait arrêter l'offensive téméraire de Nivelle, en l'an dix-sept, tout cela fut dit; on n'ose ajouter que cela fut pensé; la pensée a besoin de lieu et d'efficace; or les troupes et les munitions étaient en place et en mouvement. Ce que l'opinion attend est toujours fait. La politique, en son va-et-vient, offre l'image grossie de ce rapport étrange, d'après lequel nul n'a d'autre opinion que celle-ci, qu'il faut suivre l'opinion.

Il faut appeler imaginaire ce genre de contrainte. Mais on n'a pas fini de décrire l'imaginaire; on n'épuisera point cet immense sujet. Je reviens aux frontières de l'individu, entre lesquelles sont renfermés ici les effets et les causes. Imaginer n'est point imaginaire; c'est quelque chose de très réel, comme on voit dans le vertige, où il est clair que le corps commence réellement à tomber. La pensée pure, comme d'une chute selon une accélération donnée et une impulsion donnée, serait libre; et toute pensée se fait libre autant qu'elle peut, par une manœuvre suivie et souvent fort rusée contre l'imagination. Mais l'opinion nous détermine, parce qu'elle est imagination. Penser c'est peser. Imaginer c'est tomber. La discipline de l'imagination dans la cérémonie a pour fin de remédier à cet entraînement; c'est pourquoi le caractère y est surmonté. L'homme jure alors, mais de sa place et de sa fonction, non plus de son humeur. La liberté commence donc à naître à l'intérieur du manteau de cérémonie. Mais aussi ce genre de formation vient trop tard pour presque tous, et manque pour beaucoup. C'est selon l'ordre des affections que le caractère se forme; c'est dans le cercle de la famille et des amitiés qu'il se fixe; par les jugements; cela se voit; cela saute aux yeux. On se demande si l'effet des reproches, et même leur fin, n'est pas de nous rappeler à notre caractère, et de nous mettre en demeure de faire exactement ce mélange de bien et de mal que l'on attend de nous. Votre jeu est de mentir, et je vous le rappelle en annonçant que je ne vais pas croire un mot de ce que vous direz. Mais l'autre, par sa manière de dire le vrai comme si c'était faux, me somme à son tour d'être défiant. On fuit le brutal; cela attire les coups, et en quelque façon les aspire, par ce vide promptement fait. Il est presque impossible que celui qui est réputé paresseux s'élance pour rendre service, car l'espace lui manque; tout est fermé autour de lui; nul n'attend rien de lui. Il ne trouve point passage. Il se heurte, il importune, dans le moment où il voudrait servir. « Toujours le même, dit-on de lui; les autres ne sont rien pour lui. » Il le croit, il se le prouve, par la peur de se l'entendre dire.

Les paroles et les gestes ne sont point le tout. La muette, l'immobile expression des visages attend la muette et immobile réplique. Il y a comme un vide, de visage à visage, tant que la réponse n'est pas modelée comme il faut. Ainsi les yeux, le nez, la bouche, le menton, le port de la tête, il faut que tout cela se conforme selon la place qui est laissée par le cercle des jugeurs; chacun a le visage qu'on lui permet d'avoir. Et c'est vainement que la pensée se retire; elle est trop jeune encore, trop peu exercée à cette négation de l'hypocrisie que l'on nomme souvent hypocrisie. Il faut que la pensée avec les affections garnisse ce visage tiré et forcé. Tant que l'équilibre familial ne s'est pas établi, par tous les vides bouchés, par les contacts rétablis partout, et bien appuyés, il se produit une gêne et une attente. Stendhal dit d'un petit roi qu'il était l'homme du monde qui souffrait le plus de voir ses prévisions démenties. Mais toute famille a un roi et des ministres. Et, parce qu'ici les affections règnent seules, il n'y a point de remède aux jugements. Un grand-père, chef d'une importante tribu, se mettait en colère une fois le jour; on attendait cette colère, on en guettait les premiers signes. Cette exigence est sentie de même dans les plus hautes fonctions de l'État. Louis XIV ne pouvait pas être indifférent à certaines choses; cela ne lui était pas permis. Dans l'entre-deux, et parmi les moyennes affaires, l'attention étant moins soutenue et les affections moins vives, il est permis quelquefois de se corriger.

Les hommes se disent souvent méconnus dans leur famille même. Au vrai ils ne le sont que là. Ce n'est pas qu'on les juge mal, mais c'est qu'on les termine. Cet enfant agité méritait le fouet; mais il ne méritait pas d'être consacré méchant pour toute sa vie. Nul ne mérite d'être ainsi jugé; je dirais presque que nul n'en est digne. L'humeur, quelle qu'elle soit, n'annonce ni bien ni mal, mais plutôt une certaine couleur du bien et du mal. Un vif mouvement, une menace des yeux, cela peut accomplir la plus noble action, ou aussi bien la plus vile. Un de ces invincibles refus, une de ces fuites devant les signes, une de ces surdités et absences plus fortes que la colère, peut refuser violence aussi bien que pitié. Être bègue, cela peut servir à toute fin. On reçoit mieux ce qui est d'humeur que ce qui est d'esprit. On passe à chacun sa nature, mais non ses opinions. D'où un art de persuader, par l'invincible enveloppe, qui est ce qui termine toutes les affaires. Humeur facile ou difficile, c'est tout un. Le jovial ne tyrannise pas moins que le bourru. Le « nous verrons cela » de Grandet était comme un pli du visage. Louis XIV disait : « C'est un cas. » Mais souvent l'homme a vaincu avant de savoir ce qu'il veut. La caprice des femmes, qui souvent porte au désespoir un homme bien épris, étonne par ce vide de l'esprit au dedans du signe. Le signe est partout souverain; mais presque toujours il y manque la pensée. L'enfant sait ce qu'il peut avant de savoir ce qu'il veut; et plus d'un diplomate aussi obtient beaucoup, sans savoir d'abord au juste quoi. L'idée de gouverner vient donc bien longtemps avant qu'on sache seulement se gouverner. D'où cette vie familiale, étonnante par ceci que l'on y méprise tous les signes de la pensée, et que l'on y respecte tous les signes de l'humeur. Argan, par ses opinions, est ridicule; mais son humeur fait loi. L'humeur est acceptée; on s'en arrange, comme de la marée et du vent.

On approche par ce chemin de comprendre un peu un paradoxe assez étonnant, c'est que ceux qui n'ont point un peu de tyrannie par l'humeur n'ont jamais non plus de puissance. Je soupçonne que Marc-Aurèle n'avait point assez d'humeur; c'est pourquoi sa femme et son fils se moquaient de ses sublimes idées. Mais nul ne se moquait de Gœthe. Lisez ce que dit Heine de ce regard fixe; certainement le grand homme en jouait, à la manière d'une coquette. C'est ainsi que l'esprit politique forge d'abord ses armes dans le cercle de la famille, avant de savoir ce qu'il en fera. Et il importe peu que l'on se laisse enfermer en un caractère, si l'on pense derrière les signes; cette réflexion abritée est un des moments de la puissance. C'est pourquoi aussitôt au-dessus de l'humeur définie se place l'humeur gouvernée. Ici est le chemin vers la liberté. J'admire ce mouvement de Calyste dans *Béatrix,* qui cache la ruse sous un emportement de joie tout à fait naturel; il entre, il tourne, il fait sonner le piano, il glisse son billet; Félicité elle-même y est trompée. Mais ce n'est qu'un éclair de finesse. C'était, comme on dit, avoir de l'esprit; mais, dans ces jeux de la forme et du mouvement, il faut avoir réussi bien des fois avant d'être capable d'entreprendre. Car nous ne nous voyons point nous-mêmes comme nous voyons les autres; nous nous sentons confusément. Aussi le réel effet des apparences que nous jetons par notre nature est d'abord pour nous incompréhensible. Il nous faut avoir appris ce que les autres attendent de nous, avant de faire passer, sous ce bouclier, aussi ce qu'ils n'attendent pas. La sottise ne vient point tant d'une sotte figure, que de n'avoir point trouvé quel est justement le genre d'esprit qui ne la démentira point. La société nous apprend surtout à tirer le meilleur parti de ce que nous sommes. Au contraire, dans la solitude, on échappe bien, d'un côté, à ces jugements tyranniques qui exigent et obtiennent enfin ce qu'ils attendent, mais, d'un autre côté, on se prive de l'art d'être ce qu'on veut être sous le couvert d'être ce que les autres veulent. « On peut tout acquérir, dit Stendhal, dans la solitude, excepté du caractère. »

Avoir du caractère n'est point le même qu'avoir un caractère. Mais le double sens de ce mot doit nous avertir. Avoir du caractère, c'est accepter sa propre apparence et s'en faire une arme. Comme de bégayer, ou d'avoir la vue basse, ou d'un grand nez faire commandement; aussi bien d'un petit. On fait autorité d'une voix forte, mais d'une voix faible aussi, d'un nasillement. Un boiteux peut être péremptoire; on attend qu'il le soit. Le ridicule n'est que l'absence d'une pensée derrière ces signes impérieux. Toutefois si l'on se trouvait pourvu d'équilibre, et de bel aspect, sans aucun ridicule, il ne faudrait pas encore désespérer. Socrate usait indiscrètement de ce nez camus; le beau Platon dut chercher d'autres moyens. Un orateur ne cache point ses défauts; il les jette devant lui. J'ai souvenir d'un avocat sifflotant, et tout à fait ridicule; mais il était redouté. Ses adversaires se moquaient de lui, et, par cela même, l'admiraient. On ne cite guère d'hommes puissants et libres qui n'aient conservé et composé ces mouvements de nature, de façon à s'ouvrir d'abord un chemin parmi les sots. Il n'y a qu'affectation au monde; et cela est ridicule si l'on imite; puissant au contraire, et respecté, et redouté, celui qui affecte selon sa nature. « Il t'est naturel d'être simple, disait quelqu'un, et tu affectes d'être simple. C'est très fort. »

CHAPITRE III

L'INDIVIDU

Le caractère nu retombe toujours à l'humeur nue. Cela vient de ce qu'il n'y a ni respect ni politesse dans le cercle des affections. On descend alors à se plaindre, ce qui est la plus basse manière d'aimer; et, parce que l'amour se plaît à obtenir pardon, cela mène loin. Tout amour proche a donc beaucoup à pardonner, sans même compter l'âge; ainsi il vieillit plus vite que le visage. Il vieillit selon l'approche, non selon le temps. C'est pourquoi chacun s'enfuit pour aimer. Absence compose, présence décompose. Le vrai pardon est à refaire la belle image, et ce n'est pas toujours facile. Le mot reconnaissance a ainsi deux côtés et deux sens admirables en un. Amour aveugle, comme on dit; mais plutôt amour clairvoyant, par ceci qu'il suppose toujours le mieux. Un être qui n'a pas crédit ne grandit point. Ici l'amour mystique développe tout son être, qui va à se réfugier dans la pensée seulement. Ici sont les épreuves, et les longs voyages des chevaliers; mais ce moyen héroïque n'est pas soutenu assez par la nature. Pour dire autrement, l'art d'admirer, qui est le ressort de notre espèce, ne se développe nullement dans les familles, où, au contraire, tout redescend au plus bas par mille causes. On se prend alors comme on est, ce qui est se prendre au-dessous. Heureusement, et par les nécessités de nature, l'ordre humain impose un métier, une fonction, des devoirs que l'on croit mépriser. Par ces rencontres il se forme des amitiés, toujours jugées fragiles, et qui demandent des égards. Les amitiés de politesse, où la forme sauve le fond, sont un précieux modèle pour l'amour, qui se corrompt, au contraire, par un mépris des formes. Aussi l'amour a bien de la peine à vieillir en solitude; et au contraire l'éclatant modèle d'une société parée, pourtant bien pauvre en comparaison, élève l'amour jusqu'à la pensée, par une religion des moindres signes. Les cours d'amour illustrent ces remarques; et toute cérémonie est cour d'amour. Peut-être ne voit-on l'homme vrai qu'en cérémonie; car l'humeur n'est point vraie. Ainsi jugé, de plus loin et mieux, en quelque sorte comme un portrait de lui-même, l'homme se sent mieux assuré de soi. Un roi, parce qu'il est presque toujours en vue et en spectacle, est mieux composé ainsi pour lui-même; aussi ce n'est pas par hasard que les amours des rois sont modèles en la tragédie. Je dis même en intensité, car il faut une mesure et des annonces pour que la violence soit sentie; enfin la musique n'est pas le cri. La pure violence est comme absente d'elle-même, faute de ce terme antagoniste. L'amour se connaît dans l'obstacle.

La fonction est une cérémonie continuée. Le métier aussi, quoique cela paraisse moins. Dès que l'homme est en place, comme on dit si bien, l'opinion autour ne cesse plus de le rappeler à lui-même. L'homme le plus simple et le plus borné, dès que l'on attend quelque chose de lui, il se hâte à le faire. L'attente de beaucoup d'hommes, et surtout dans une organisation divisée et serrée, fait le vide devant celui qu'on attend. Il est comme aspiré. Tous ces hommes dans la rue, c'est là qu'ils courent. Oui, fouettés par cette idée bienfaisante : « Si je n'y suis, qui le fera ? » Ainsi l'on se trouve défini, et obligé envers soi. L'ordre des travaux et le prix du temps, choses tyranniques en nos sociétés, est ce qui remplace l'ancien respect de religion, d'après lequel il fallait un homme qualifié pour faire la moindre chose. En des musiciens d'orchestre qui prennent place, on voit comme cela donne importance si l'on est attendu. L'héroïsme, quand la place est dangereuse, ne vient pas tout de là; mais il est certainement soutenu, non pas tant par le cercle humain des spectateurs, comme on dit, que par une organisation où toutes les places sont distribuées, et tous les rôles. La peur, en toutes circonstances, vient de ce que l'on n'a plus d'ordres. Le mot ordre a plusieurs sens, et est bien riche. Qui ne reçoit pas d'ordres et qui ne participe pas à un ordre agissant ne saura jamais ce qu'il peut. J'ai lu le récit d'un sauvetage en mer, dangereux et presque impossible, et qui commençait d'étonnante façon. Les marins du bateau de secours étaient au cabaret, occupés à chanter et à boire, bien loin de tout héroïsme. La porte s'ouvre; quelqu'un annonce qu'un bateau est en péril. Ils se lèvent, ils courent, et sont l'instant d'après à leur beau travail. C'est être assuré de soi. Le chirurgien ou le pompier, de même; vifs et prompts, sans aucun genre de doute. Heureux celui qui répond de même, vif et prompt, à l'amour ou à l'amitié. Mais cela n'est pas commun sans le pli du métier et le chemin du devoir, tracé par le savoir-faire. L'homme est trop intelligent, communément, pour savoir ce qu'il aime. « Il faut à notre espèce, disait Clotilde de Vaux, des devoirs pour faire des sentiments. »

En ces sommations du métier, le caractère s'apparaît à lui-même, mais surmonté, mais relevé, mais redressé. Le courage, dans le sens plein, naît de ces expériences. Car les apparences invitent fortement l'homme à redescendre; mais en revanche le métier le frappe tous les jours aux mêmes points; l'épreuve le consacre. Celui-là, quand il dit moi, dit quelque chose. Et, puisque la corrélation est évidente entre individu et société, il faut appeler individu le caractère élevé et mis en forme par le métier ou la fonction. D'où naissent non point des ressemblances, mais des différences, par cette rencontre de la nature et de la fonction. Les différences informes ne sont pas même des différences. C'est de la même manière que l'uniformité de la mode fait valoir les différences.

Je reçois donc l'empreinte de la société autour. Mais cela ne veut point dire qu'elle me déforme; au contraire, elle me forme; c'est bien ma nature qui ressort par cette pression; ce regard est bien de moi; mais ce qui le fait humain, c'est qu'il cherche dans l'ordre humain autour la réponse qui lui est due. Le roi a ce regard de roi, mais qui est bien pourtant le sien. Un regard fin, un sourire, expriment et cachent à la fois, devant mille témoins dont chacun occupe une place et prétend à quelque chose. Sans cette prudence du visage et du geste, toujours rappelée aussi par le costume, il n'y a point d'expression, si ce n'est de la vie nue, comme on voit en ces yeux d'animaux, qu'on veut dire beaux, qu'on ne peut dire beaux. Pareillement, il y a dans le sourire quelquefois une sorte d'emportement qui est viscéral, et qui défait un visage; on en verra quelque trace et peut-être trop en des sourires peints par Vinci. Ce sont des signes qui n'ont plus de sens; et, comme ils ne trouvent point réponse, mais portent le désarroi au contraire dans le cercle attentif, de tels sourires rompent la pensée. La finesse dans l'expression signifie surtout que l'on est assuré d'être compris. C'est par ce jeu savant que l'on se fait à soi-même un visage, et qu'en se montrant soi on est soi pour soi.

Non pas encore tout à fait soi. Presque tous les portraits sont achevés, et plutôt de souvenir que d'espérance, comme si la cérémonie terminait l'homme; mais l'homme s'élance toujours. Chacun suit intrépidement un modèle adoré. Cette belle pensée que l'homme est un dieu pour l'homme va bien plus loin qu'on ne croit, dès qu'on la presse et dès qu'on la serre. Ici se trouve un des plus puissants ressorts de cette belle espèce, qui voit grand et qui se voit grande. L'admiration est un sentiment commun, je dirais presque universel, qui témoigne pour la conscience, et qui en même temps la forme. La misanthropie s'explique assez par là; car, surtout dans la vie familiale, l'être admiré se montre et refoule le plus délicieux des sentiments; d'où l'on vient aisément à mépriser. Au contraire, le propre de l'existence politique c'est qu'on y juge les hommes d'après les actions, toujours très supérieures à nos confuses hésitations. Les hommes sont ordinaires, et leurs actions sont souvent héroïques. Cela vient de ce que l'imitation travaillée donne aux actions communes une précision, une sûreté, une intrépidité admirables, comme on voit quand la pompe et l'échelle arrivent au bord de l'incendie. Nos actions valent donc mieux que nous, et elles semblent plus belles encore dans le récit. Il est aisé d'admirer les types historiques et surtout légendaires, puisque c'est principalement l'admiration qui les a dessinés. Mais il faut dire que tout homme, dans les relations politiques, est légendaire. Plus grand que nature toujours. Dès que l'on se place à bonne distance, même les fautes prennent de la grandeur par cette irrésistible poésie.

Je suis étonné, quand j'y pense, de cette application à admirer. C'est le mouvement d'esprit naturel, surtout chez les jeunes. C'est le premier bonheur de l'enfant, et comme une revanche de cette faiblesse, de cette petitesse, de cette dépendance qui lui est propre. Mais à tout âge nous sommes toujours assez humiliés par ce qui nous est trop près pour vouloir chercher consolation en ce que nous voyons d'un peu loin. J'ai connu peu d'hommes et peu d'enfants qui fussent disposés à se vanter. La modestie, dans son sens plein, est plus naturelle qu'on ne dit. Julien admire les hussards; ce sont des héros; mais eux n'en pensent point si long; ils pensent à attacher leurs chevaux. Ce rapport humain est le plus beau; il soutient l'espèce. J'ai vu beaucoup d'enfants qui vantaient leur père, leur frère, leur ami, l'élève fort en version. Beaucoup d'hommes simples racontent merveilles d'un camarade, d'un chef. S'ils sont ridicules, c'est par là qu'ils le sont. En dépit de faciles déclamations, il est naturel à l'homme de ne point tant s'estimer lui-même, et d'estimer les autres très haut d'après les moindres signes. Il faut répéter ici que chacun de nous, lorsqu'il entre dans un cercle nouveau, reçoit en provision un capital de sympathie, d'estime et d'admiration qui ne lui est pas disputé; mais c'est lui-même qui le dissipe. Les gens sont malveillants parce qu'ils voient trop beau. C'est ainsi que les vertus d'un homme jeune, et même ses vices, viennent d'une admiration jurée. C'est à l'âge où il connaît fort mal les hommes, ainsi que les ressorts de leurs actions, qu'il se met à leur place, et les imite d'abord en ses pensées, ce qui transforme en maxime l'effet de l'occasion et de l'entraînement. Par quoi le jeune homme développe quelquefois une vie pire que celle qu'il imite, par une faiblesse, si l'on peut dire, résolue, et par des passions volontaires. Mais le plus souvent il se rend ainsi meilleur que les meilleurs, parce qu'il joint aux actions hardies l'intrépide résolution qui ne les accompagne pas toujours. Les vertus sont ainsi des copies dont on ne peut trouver l'original. Chacun imite un courage qui n'a jamais existé. Mais ce n'est point mensonge. Nous tirons de nous-mêmes le meilleur et le vrai de nous par ce moyen héroïque. Et l'admiration qui nous en revient ne contribue pas peu à nous soutenir. Non pas hors de nous-mêmes, car notre nature ne nous laisse jamais un moment; mais au contraire ces exhortations des héros imaginaires, et les applaudissements aussi des spectateurs éloignés, nous font creuser en nous-mêmes, en vue de soutenir et de réparer cette trop brillante surface. Il est bon de vouloir paraître; c'est un chemin vers être, et peut-être le seul.

CHAPITRE IV

L'HOMME

Le pouvoir de surmonter est tout l'homme. Cela paraît dans ses moindres pensées, car elles ne sont pensées que par là. Qui pense ce qui semble, comme il lui semble celui-là ne pense point du tout. Qui croit absolument ce qu'il croit ne croit même plus. Descartes, en son fameux doute, n'a rien fait que penser; et c'est en cela, en cette action même, qu'il a distingué l'âme du corps. Il a pensé en héros; il a laissé une plus grande distance entre ce qu'il croyait et ce qu'il voulait croire; il a pris plus de recul que le commun; ce refus est le plus grand refus qu'on ait vu. Mais le moindre de nous refuse; la plus simple pensée refuse; par exemple, que les colonnes du temple aillent en diminuant, comme elles semblent, il le refuse.

Voir, seulement voir, c'est croire et en même temps refuser de croire. Cette élasticité du vouloir est ce qui creuse le monde. Ainsi il n'y a point un état des choses que l'homme reçoive tel quel, ou bien il dort. Nos pensées mûrissent donc toutes par ce doute hyperbolique; elles ne sont pensées que par ce mouvement. Pareillement ce refus de s'approuver, de s'achever, de se signer, est ce qui achève l'homme. Vieillesse revient à l'enfance, par s'accepter comme elle est. Par le poids de nature, pensée adhère à croyance, et s'y perd, croyance adhère à action et s'y perd. La pensée de la taupe est au bout de ses griffes. Ainsi le vieillard le plus vieux cherche sa pensée au bout de ses mains. Au contraire le geste pensant refuse de prendre. Le penseur bondit en arrière, échappe, craint même la preuve.

Montaigne sait bien décroire, comme il dit; mais, attentif en même temps à tout croire, il trompe par là. Il est presque impossible de démêler ses pensées; toutefois il n'y a point doute sur ceci, qu'elles sont des pensées; c'est qu'aucune de ses pensées n'est sa dernière pensée. Son dernier mot peut-être, « Il n'en est rien », est profondément caché dans son œuvre. Cherchez-le, vous qui savez lire. Platon, avec bien plus d'art, assure et s'échappe encore mieux. Descartes, au rebours, tromperait par le solide de ce qu'on veut appeler quelquefois ses erreurs. Mais qu'elle étourdissante lumière en ces titres marginaux, à la troisième partie des *Principes :* « Qu'il n'est pas vraisemblable que les causes desquelles on peut déduire tous les phénomènes soient fausses. — Que je ne veux point toutefois assurer que celles que je propose sont vraies. — Que même, j'en supposerai ici quelques-unes que je crois fausses. » Voilà l'esprit.

Le cœur n'est pas autre. Ici même le commun admire et s'y retrouve. Il n'est point d'amour si l'on consent à aimer seulement comme on aime. Félicité des Touches, dans la *Béatrix* de Balzac, est un bon modèle de ce refus d'aimer en un sens, mais pour aimer mieux. Et le cri de Gœthe est connu : « Si je t'aime, que t'importe ? » Pourquoi citer encore Rodrigue et Polyeucte, tous deux assurés d'aimer justement quand ils renoncent, on devrait dire juste autant qu'ils renoncent ? Et le second même par doctrine; mais c'est l'homme qui a fait la doctrine selon les propres démarches de son cœur. Revenons de ces héros. Il n'est point d'amour si petit qui ne trouve assurance en la partie de lui-même qui est choisie, contre l'autre. Tout l'art d'aimer est en cette libre méditation qui conduit d'émotion à passion, et de passion à sentiment, par le même mouvement qui fait nos pensées. Qui se livre à l'émotion se perd dans l'action; qui se livre à la passion se perd dans l'émotion. C'est pourquoi j'oserais dire, après Descartes, que l'animal ne sait point souffrir. Cela revient à dire que hors de la plus haute conscience il n'y a point de conscience du tout. Napoléon fut grand lorsqu'il dit à son biographe, aux premières heures de la prison et de l'exil : « Vous voyez un homme qui ne regrette rien. » Mais, selon mon opinion, de même que la moindre vertèbre ressemble à l'animal entier, de même chaque épisode, et même le plus court, des pensées, des sentiments et des actions de ce grand homme, se termina de même, et fut puissant par ce recul; car le bon frondeur ne suit pas la pierre.

Voyez maintenant comme il s'élance à refuser. Je ne crois pas que l'enfant boudeur soit une petite chose. Grande chose au contraire. L'enfant prend ici sa mesure d'homme, et, selon cet orgueil d'homme non encore délivré, il choisit aussitôt le plus difficile. Il surmonte en choisissant d'être pire qu'il n'est. Cette obstination, se retrouvant d'âge en âge, est ce qui fera les démons; ils courent plus loin et plus vite qu'on ne les pousse, et cela est assez beau. Telle est en tout homme la part du crime et du désespoir. Mais s'il n'arrive à juger que cela même est de peu, et derrière lui, il ne grandira point. D'autres, par première réflexion, grandissent trop vite, en partant de ce point de l'adolescence où l'on juge que rien n'importe et que rien n'intéresse. D'où la guerre, qui les guette en leur état sublime, les précipite quelquefois. En quelques heures alors, ou peu s'en faut ils mûrissent au métier, et encore le dépassent, et même, quelquefois, ont le temps de vieillir jeunes avant de mourir. Ceux-là ont su promptement ce qui importe beaucoup et ce qui n'importe guère. Ceux que le hasard tire de là sont marqués d'indifférence contemplative, mais trop tôt. Entre eux, et en eux-mêmes aussi, je suppose, il se fait de véritables dialogues des morts, et une lumière élyséenne.

Même dans la paix l'action de guerre met ses marques sur l'homme, mais adoucies et mieux ménagées. L'amour, qui le repousserait au monastère, est justement ce qui le retient et l'engage dans les voies du travail. Car la femme, selon son génie propre, a fixé ce qu'il faut, bien avant de savoir ce que l'on peut, quand ce ne serait que par les enfants. Voilà donc l'homme engagé en tous commerces et apprenant à s'ennuyer sans y faire attention. Le romanesque, par cette opposition, trouve à vivre sur lui-même et sans se dépasser trop. L'action discipline les pensées selon les contours du métier. Ainsi elles ne se développent plus selon cette lumière de réflexion dont le cône s'étale sans rencontrer d'objets; au contraire, elles se projettent sur les choses et sur les hommes, et s'y diviseraient et réfracteraient en poussière de pensées; mais l'amour les éclaire toutes et les marque de souvenir. Chaque heure est donc ornée pour elle-même, comme la pierre par le maçon et la poutre par le charpentier. Toute pensée meurt à l'œuvre, et meurt jeune, comme on meurt à la guerre. C'est par là que la force de travail porte la société, comme la mer porte le navire, toujours menaçant et toujours retombant. Telle est l'expérience en sa poésie courte. Ce n'est toujours que renoncer; mais ce n'est pas peu de chose que de renoncer. Il faut que chacun y vienne, et jusque-là jeunesse méprise sans faire. Mais mépriser en faisant, c'est provision de courage. Et, en même temps que l'homme s'arrange de persévérer sans espoir, l'opinion lui revient, cette étonnante opinion qui se nourrit des œuvres, et toujours choisit pour louer le moment même où l'artisan se passe de louanges. Ainsi, à qui se résigne à vivre au-dessous de soi, le succès vient par des causes qu'il n'avait pas remarquées. C'est pourquoi il y a de la vanité dans la vanité même; car elle est feinte presque toujours, et de politesse, et cela n'est pas sans grandeur. Le mépris du mépris vaut bien récompense. Tous les travaux en ce monde humain, tous les échanges, et cet équilibre souple qui assure la vie commune un jour après l'autre, tout cela n'est possible que par l'attention des amours sans ailes. Quand on y regarde, il faut bien que l'on aime ces amours sans ailes. Mais cela est d'un autre âge.

L'épreuve donc est la même pour tous; en même temps qu'on accepte les autres et leur humeur, et ce caractère de l'époque, et cette marque d'individualité que les échanges et les travaux nous donnent, il faut, par les mêmes leçons, s'accepter soi; mais non point se limiter à soi. Certes il faut être Descartes pour ne point mépriser ce qu'on croit, et en même temps ne le point croire. Mais tout homme est Descartes un peu; c'est par là que Descartes est grand. D'après ce modèle chacun grandit par un refus de s'engager tout, mais par un serment aussi de se sauver tout. Seulement il faut le temps pour s'accoutumer à soi et se pardonner. Cette réconciliation est propre à l'âge mûr, et très naturellement par cette position de juge où vous renvoient les enfants de vos enfants. C'est alors que le contemplatif se montre dans les discours, ainsi que ces belles métaphores qui sont comme un sourire à l'enfance. Par ces mouvements l'enfance elle-même revient au visage. Et puisque toute vie pleine se confirme d'âge en âge par une économie et en quelque sorte par un solennel ajournement des pensées, il faut bien qu'enfin on les retrouve toutes, mais avec les ornements de l'humeur refoulée. On dit bien que l'expérience parle par la bouche des hommes d'âge; mais la meilleure expérience qu'ils puissent nous apporter est celle de leur jeunesse sauvée.

CHAPITRE V

VOULOIR

Tout choix est fait. Ici la nature nous devance, et jusque dans les moindres choses; car, lorsque j'écris, je ne choisis point les mots, mais plutôt je continue ce qui est commencé, attentif à délivrer le mouvement de nature, ce qui est plutôt sauver que changer. Ainsi je ne m'use point à choisir; ce serait vouloir hors de moi; mais par fidélité je fais que le choix, quel qu'il soit, soit bon. De même je ne choisis pas de penser ceci ou cela; le métier y pourvoit, ou le livre, ou l'objet, et en même temps l'humeur, réplique du petit monde au grand. Mais aussi il n'est point de pensée qui ne grandisse par la fidélité, comme il n'est point de pensée qui ne sèche pas le regret d'une autre. Ce sont des exemples d'écrivain. Revenons au commun métier d'homme. Nul ne choisit d'aimer, ni qui il aimera; la nature fait le choix. Mais il n'y a point d'amour au monde qui grandisse sans fidélité; il n'y a point d'amour qui ne périsse par l'idée funeste que le choix n'était point le meilleur. Je dis bien plus; l'idée que le choix était le meilleur peut tromper encore, si l'on ne se jette tout à soutenir le choix. Il n'y a pas de bonheur au monde si l'on attend au lieu de faire, et ce qui plaît sans peine ne plaît pas longtemps. Faire ce qu'on veut, ce n'est qu'une ombre. Être ce qu'on veut, ombre encore. Mais il faut vouloir ce qu'on fait. Il n'est pas un métier qui ne fasse regretter de l'avoir choisi, car lorsqu'on le choisissait on le voyait autre; aussi le monde humain est rempli de plaintes. N'employez point la volonté à bien choisir, mais à faire que tout choix soit bon.

Nul ne se choisit lui-même. Nul n'a choisi non plus ses parents; mais la sagesse commune dit bien qu'il faut aimer ses parents. Par le même chemin je dirais bien qu'il faut s'aimer soi-même, chose difficile et belle. En ceux que l'on dit égoïstes je n'ai jamais remarqué qu'ils fussent contents d'eux-mêmes; mais plutôt ils font sommation aux autres de les rendre contents d'eux-mêmes. Faites attention que, sous le gouvernement égoïste, ce sont toujours les passions tristes qui gouvernent. Pensez ici à un grand qui s'ennuie. Mais quelle vertu, en revanche, en ceux qui se plaisent avec eux-mêmes! Ils réchauffent le monde humain autour d'eux. Comme le beau feu; il brûlerait aussi bien seul, mais on s'y chauffe. C'est ce que le catholicisme exprime énergiquement et même durement par la doctrine du salut personnel; et Comte ne devait point reconnaître ici l'égoïsme. Nul ne peut rien de mieux pour les autres que de se sauver soi. Comme il est évident dès qu'on veut instruire les autres; il faut s'instruire soi, et toujours et encore s'instruire soi. Mais de ce chef égoïste auquel nous pensions, roi, ou père, ou époux, ou frère, qu'attendent et qu'espèrent, souvent en vain, ses sujets autour, sinon qu'il soit heureux de lui-même? Empruntant la métaphore théologique je dirais : « Si tu veux prier pour eux ne prie pas comme eux. » Ici est le monastère. J'ai connu que le seul pas d'un homme qui médite peut enseigner la sagesse.

Nous voilà ramenés chacun à nous aimer. C'est le plus beau, le plus rare et le plus difficile. « Ne sois point droit, mais redressé »; cette maxime des stoïciens étonne.

Beaucoup d'hommes ont en eux une partie haute et éclairée, qui ne fait rien. Ame séparée. Il semble, comme Comte l'a vu, que nos dispositions les plus éminentes manquent de sang, en quelque sorte, si elles ne le reçoivent de quelque fonction inférieure et voisine. Par exemple l'ardeur d'un avocat reçoit toute la force du sang; le désir de voir la justice régner sur toute la terre est naturellement anémique à côté. L'amour de la justice est ainsi en presque tous, qui se dépense à juger les autres, mais qui cède toujours devant l'intérêt et devant les passions. Cette justice n'est pas incorporée. Or je vais dire ici une chose qui étonnera. Je crois qu'une telle justice, qui est d'abord en idée, et hors de nature en quelque sorte, ne peut point du tout être incorporée. Les idées ne savent point descendre; elles ne peuvent que s'élever de la nature, et autant qu'elles élèvent la force de nature, elles sont efficaces. Pour mieux dire elles ne sont point idées sans cela. Chaque homme à tout instant se redresse, mais il me semble que la vraie sagesse se redresse moins vite, élevant alors tout l'homme. La nécessité d'être enfant d'abord nous tient assez. Mais aussi le sommeil, chaque jour de nouveau, nous plonge dans la première enfance; et l'heureux repos à chaque instant de même. D'où nous devrions comprendre que toute idée sort d'enfance et y retombe, et que la pensée d'un vieillard traverse tous les âges avant de s'offrir, si du moins elle est encore une pensée. Enfin il ne sert pas de savoir, si l'on n'a ignoré d'abord; et ignorer doit être quelque chose. Si notre idée vraie n'est pas le redressement d'une idée fausse, et tout près d'elle, je dirais même vêtue d'elle, l'idée vraie ne tiendra pas plus à moi qu'un chapeau ou qu'un vêtement. Laissant donc le nom du raisonnement, tant décrié, à la pensée qui va de haut en bas, disons que le jugement va de bas en haut toujours, et d'enfance à maturité à tout instant.

On appelle amateur celui pour qui la recherche du beau n'est point de métier, et ce mot n'est jamais pris favorablement. Aussi voyez-vous que l'amateur choisit, et que son goût va toujours descendant de ses idées à ses actions; mais la nature ne se laisse point conduire aisément par des idées étrangères. D'où vient que, par cette règle du goût prise au-dessus de soi, il ne peut jamais ajuster sa nature à son goût; d'où, quand l'humeur parle, des erreurs souvent étonnantes. L'artiste vise moins haut, mais il ne vise aussi qu'à ce qu'il fait. Bien loin que le goût veuille ici donner sa règle à la nature, c'est, tout au contraire, la nature qui donne la règle, et qui la donne par l'œuvre. L'amateur voudrait descendre de juger à faire, mais ce chemin va contre le cours des âges. Il ne manque pas non plus d'amateurs de justice, qui déraisonnent en leur propre cause. Et que peut l'humanité contre les passions guerrières ? Non point abolie certes, mais faible. Le haut de notre être est faible, trop loin de la terre. Il y a sans doute plus de justice dans un juge que dans un moraliste ; moins pure, il est vrai, mais plus efficace. Et l'humanité dans le médecin n'est plus cette grâce de luxe, sensible aux moindres souffrances ; mais le métier lui donne force et exigence ; car ce n'est point la pitié qui pousse le médecin à prendre sur ses repas et sur son sommeil ; c'est plutôt le savoir-faire. Enfin la bonne volonté ne manque point ; mais c'est la puissance qui manque, entendez la volonté enracinée. Comme la vertu d'une plante est en elle, et non pas empruntée, ainsi la vertu de l'homme.

Il est vrai aussi, comme disait fortement Platon, qu'il faut que l'âme se sépare du corps, entendez il faut que le jugement reste libre et non point pris dans la fonction ou le métier. Finalement la vraie personne doit être détachée, et prendre l'inférieur comme instrument. Rien de ce qui est dit moi n'est moi. Ce refus est la pensée. Mais aussi ce qui est refusé est objet, et il n'y a point de pensée sans objet. L'existence est ce qui est refusé, qui porte tout. Serait-il astronome, s'il ne voyait le soleil à deux cents pas comme vous et moi ? Notre richesse est donc d'erreurs déposées. Plus donc nous nous tenons près de nous-mêmes, plus nous nous revêtons de cette coquille de demi-vérités que nous rejetons sans cesse de nous, plus aussi nous développons notre vraie puissance, renvoyée à elle-même et concentrée par ces murailles du métier. Cela revient à dire que l'on ne peut vouloir que ce qu'on fait, et enfin que l'art de vouloir est à continuer quelque chose. Dans un avoué comme le Derville de Balzac, il y a un jugement libre à chaque démarche, et du sublime diffus. Ces petites réactions changent l'ordre humain plus qu'on ne croit. Souvent nous trouvons dans un homme la marque visible d'une puissance dont les effets échappent. Il ne faut donc point s'élancer hors de soi. Marc-Aurèle n'a pas abdiqué; c'est qu'il savait mépriser. Le défaut d'éducation, dans le sens ordinaire de ce mot, sens riche et plein, se fait voir par le mépris prématuré des liens sociaux et majestés sociales. Ce défaut apparaît en Rousseau, qui n'eut jamais, si ce n'est à Venise un court moment, une situation sociale assez près de lui quoique au-dessous. Aussi voit-on qu'il retombe toujours à l'humeur. Humeur trop loin de lui. Il faut que la politesse habille l'humeur et la présente à l'esprit roi. Que Rousseau s'élevât haut, cela était utile à d'autres, mais non pas à lui; et le haut de son âme n'a jamais pu rentrer assez dans ce corps misérable. Or, je crois savoir, d'après la vie qu'il eut à Venise, que la fonction eût discipliné l'humeur. Il est vrai que ce sage, travaillant alors plus près de lui, serait devenu quelque conseiller fort savant et fort prudent, utile en son temps et maintenant oublié. Heureux qui change en demeurant.

Ce que j'ai à dire maintenant de la modestie tiendra en peu de mots, comme il convient. Car c'est principalement un état des muscles; oui, un état aisé et délié, une amitié avec soi. Comme le maître d'escrime enseigne aux apprentis, qui ne le croient point, que le vrai moyen de frapper vite n'est pas de se tendre, mais de se détendre; comme le maître de violon enseigne à l'apprenti, qui ne le croit point, que la main ne doit point serrer l'archet, si l'on veut conduire, étendre, élargir le son; ainsi je veux enseigner à l'apprenti de n'importe quel savoir qu'il ne doit point se raidir ni s'étrangler par les signes de l'attention et du désir. Il ne me croira pas, et le maître non plus ne me croira point, lui qui serre la gorge, élève la voix, et bientôt crie, dès qu'il veut former une idée. C'est que ce n'est pas une petite science, ni facile, que de savoir vouloir, et presque tous commencent par serrer les dents. Au contraire c'est par gymnastique et musique comme voulait Platon, que je me dois accomplir.

Par opposition à l'attention étranglée, je veux appeler attention déliée cette simple, libre et puissante modestie que l'on remarque dans les bons écoliers. Aussi mon avertissement n'est point : « Faites attention, regardez-moi, serrez les poings et mordez-vous les lèvres », mais au contraire : « Ne prétendez point; laissez mûrir, nous avons le temps. Sourions. Ne courons point. L'idée s'enfuit; elle reviendra, et nous la verrons alors au visage. » Si j'étais maître de chant, je n'aurais même pas ce discours à faire; ce serait assez d'écouter; car la moindre envie de plaire fait une écorchure sur le son. Voilà par où j'ai compris pourquoi Platon prend la musique comme une gymnastique plus subtile et plus puissante. Une belle vie serait donc comme un beau chant. A travers les saisons et les âges, et sans jamais choisir un autre état que le sien, de l'ordre des choses, de l'ordre humain et de son petit monde, la modestie espère beaucoup et tout. Ainsi en son être réfugiée, prêtant sa forme libre aux vents de ce monde, au métier, aux fêtes, aux malheurs, elle pressent la plus grande idée peut-être que l'on ait dite, et qui est de Comte, c'est que les variations possibles sont toujours très petites par rapport à l'ordre, et qu'elles suffisent. De tes défauts et même de tes vices, fais donc une vertu qui y ressemble.

CHAPITRE VI

UN HOMME LIBRE

Ce qui étonne le plus la jeunesse, c'est de trouver dans le même homme, avec la foi jurée et même une complaisance à croire, une partie aussi de jugement qui est fort exacte sur les preuves, et une autre encore qui sait les renvoyer toutes, et reprendre toute question comme si elle était la première et neuve. Ce contraste se remarque en Platon, en Montaigne, en Descartes, en même temps qu'un tranquille et puissant équilibre entre la vie et la pensée. Toutefois cette paix de la personne n'est pas obtenue en chacun par les mêmes moyens. Ce qu'ils accordent à la coutume, aux nécessités politiques, enfin à leurs propres passions et à celles d'autrui, dépend de l'époque, de la situation, de la fonction et de l'humeur; et ce mélange est ce qui donne à leurs pensées sécurité et consistance, bien au-delà de ce que l'accord de la pensée avec l'objet peut promettre au plus savant. Une physiologie de la pensée doit rendre compte de ces solutions de fortune, d'après une juste appréciation des conditions et préparations qui portent la pensée. Les âges signifient qu'il faut croire avant de savoir; la structure signifie que tous les âges doivent vivre ensemble, et qu'enfin nos erreurs doivent être sauvées. L'union de l'âme et du corps est donc le chef-d'œuvre de la personne, et c'est en ce sens que chacun est juge du vrai. Il y a un ordre des vérités selon la preuve, qui est inhumain; il y a un ordre des vérités selon les âges et les natures. La preuve ne peut pas savoir si la place lui est faite comme il faut en celui qui l'écoute; de cela, c'est le sentiment qui nous avertit. Ainsi l'art de penser est double.

Pour tout dire, un homme qui pense fait attention non seulement à deux conditions, mais à trois. Car premièrement il veut s'accorder à l'objet; une part de la preuve vise toujours là; mais il ne faut point dire que l'objet nous presse tant. Outre qu'il est impossible de tout savoir, outre qu'il y a dans ce monde des milliers de vérités que l'on se passe très bien de savoir, et qu'enfin la curiosité, sans autre intérêt, n'est pas si impatiente qu'on le dit, il est encore vrai que chacun doit prendre parti d'agir avant de savoir; ainsi l'on peut remettre, et il est même sage de remettre toutes les fois que l'on se sent pressé. D'autre part, il y a des vérités qu'on ne cherche point et qu'on n'aime point, ou même qu'on repousse, comme on refuse certains aliments; et ce sentiment signifie quelque chose. Enfin tout homme qui pense veut s'accorder aux autres, et cette condition semble la plus importante. On ne s'instruit point si l'on refuse de s'accorder; on ne pense point en solitude sans faire comparaître des témoins éminents; dans le fait il n'y a point d'autre méthode de penser que de lire les penseurs. Or, puisqu'ils ne s'accordent pas à première vue, c'est encore une raison de ne se point jeter sur les opinions comme un affamé. Mais cette comparaison n'est point suffisante. Le sage connaît plus d'une manière de recevoir des pensées; il en peut faire le tour et même y pénétrer avant de prendre le parti de les faire siennes. Faute de cette prudence, on viendrait à un égarement et une instabilité insupportables, dont une ample culture peut seule nous garder. C'est sans doute par crainte de la précipitation, et des sottises sans mesure qui la punissent aussitôt, que l'homme tient ferme et par précaution à ce qu'il a toujours pensé, ou à ce que l'on a toujours pensé. Il faut redire ici qu'on n'estime pas communément beaucoup ceux qui changent aisément d'opinion et de parti. Ce sentiment est juste.

Telle est la prévention; mais ce n'est que l'écorce de l'âme. En dedans je ne crois point qu'il y ait de prévention, mais plutôt la résolution ferme de penser tout près de soi. Comme le courage est tout voisin de la colère, et ne s'en sépare point, la colère aussi est toute voisine de la peur; elle en garde la teinte, mais c'est trop peu dire, elle en garde tout. De même les vérités réelles sont des erreurs redressées, on voudrait dire conservées, on dirait mieux encore retrouvées. Peut-être n'ai-je pas exorcisé tout à fait le fantôme tant que je ne sais pas le faire revenir; c'est confirmer la croyance. Ce mouvement est bien caché. Peut-être ne se voit-il en clair que dans l'espèce, non pas seulement par ce passage de l'astrologie à l'astronomie, qui n'est qu'ingrat, mais par ce retour de réflexion qui est la piété de Comte, et qui retrouve la pensée dans le mythe. Sans doute c'est Hegel qui a le plus fortement renoué tous les âges, conduisant à maturité toute la jeunesse de l'espèce, et même toute son enfance. Car il est vrai, finalement, que les Titans, ces dieux de boue et de sang, donnèrent l'assaut à l'Olympe politique; il est vrai aussi que ces dieux vaincus ne furent rien autre chose après cela qu'un Etna fumant, force jugée. Il est vrai aussi que l'Olympe politique fit voir d'autres crimes de force, et appelait un autre juge, enfin que la forme athlétique devait être surmontée. D'où l'on comprend qu'il ne faut rien changer des mythes, si l'on veut les comprendre, et c'est ce que Platon déjà nous enseigne. Mais il faudrait presser encore une fois selon sa forme le mythe de la caverne, qui est le mythe des mythes, enfin l'imagination non plus réglée mais réglante. Nous sommes tous en cette caverne; nous ne voyons et ne verrons jamais que des ombres. Le sage se sauve d'abord de croire, par le détour mathématique; mais il reviendra à sa place d'homme; il y revient d'instant en instant; entendez qu'il ne la quitte point, les yeux fixés un moment ailleurs, mais revenant là. C'est un voyage d'esprit que Platon propose ici au captif; c'est l'attention seulement qui rompt les liens du corps, et qui s'exerce à penser selon un autre ordre; c'est dans la caverne même qu'elle s'élance, composant d'abord des ombres ébarbées, qui sont les figures mathématiques, et de là s'élevant aux modèles du bien penser, qui sont les idées, et enfin à la règle du bien penser, qui est la règle du bien. Dès lors, et semblable à celui qui a passé derrière le petit mur et qui a surpris le secret du montreur d'images, le sage sait revenir aux premières apparences, ouvrant tout grands ses yeux de chair; et de là il remonte aux formes véritables, que les ombres lui font voir, qu'elles font voir à tous, sans une erreur en elles, par une erreur en eux, qui est de ne point connaître assez leur propre loi. Les ombres sont toutes vraies, comme elles paraissent. Toutes les ombres d'un homme expliquent la forme de l'homme, et en même temps la caverne, le feu, et la place même de l'homme enchaîné. Je n'ai point cru que cette ombre arrondie et cette autre ombre dentelée fussent le signe de la même chose; je n'ai pu le croire; je devais pourtant le croire. Ainsi les affirmations et les négations sont ensemble pardonnées. Ensemble la révolte des Titans et les sévérités du dieu politique. Ensemble les passions, et la raison aveugle, et encore l'autre raison téméraire qui les jugea. Tout est vrai en sa place; et, par ce refus de refus, le monde existe, pur, fidèle, et tout vrai. Je veux donc conter comment une ombre, jusque-là incompréhensible, prit place parmi les choses de ce monde et les confirma.

C'était un administrateur éminent, fort réservé, d'antique politesse, savant, scrupuleux, et, autant que l'on pouvait voir, respectueux de tout. Il suivait la messe. Conservateur en tout, il ne montrait d'autre passion qu'une sorte d'impatience à l'égard des méditations sur la politique, qu'il jugeait inutiles et même dangereuses. Tous ses actes étaient marqués de modestie. Toutefois il joignait à une rare puissance de pensée, visible en quelques opuscules justement célèbres, une puissance pratique dont les ressorts ne se montraient point. Quoiqu'il vécût loin des intrigues, et qu'il eût des chefs sur lesquels l'intrigue pouvait tout, néanmoins il se montrait juste et inflexible en ses fonctions, sans égards pour personne, et ses volontés avaient valeur de décret royal. Je n'ai observé qu'une fois cette puissance sans appui visible. Mais il faut achever le contour de l'ombre. Sur la fin d'une longue vie, il monta quelques étages, portant son petit bagage d'écrits, afin d'être reçu dans l'Académie des sciences morales; non point à ce que je crois par ambition, mais plutôt pour ne point marquer de mépris à ces messieurs. Discret, secret, et bientôt replié et fermé devant la hardiesse juvénile qui parle avant de savoir. Je guettai plus d'une fois autour de ce royaume si bien gouverné, où je n'avais pas entrée. Un jour je pus deviner quelque chose de cette police intérieure, et je veux dire ce que j'en sais.

Deux ou trois sociologues avaient parlé sur la morale, disant que la société était le vrai dieu, et que toute conscience droite recevait, de l'ordre politique, par un sentiment puissant et immédiat, des ordres indiscutables. Ils montraient ainsi, et déjà mettaient en doctrine, cet appétit d'obéir que la guerre a fait éclater un peu plus tard en presque tous. Je connaissais le refrain, mais j'attendais l'avis de mon philosophe; car je le voyais écoutant ce jour-là avec une attention qui annonçait quelque chose. Il parla enfin, et à peu près ainsi : « J'avoue dit-il, que je suis bien éloigné d'entendre les choses de la religion et de la morale comme vous faites. Car je connais et j'éprouve ces contraintes extérieures de l'opinion, des mœurs, et des institutions; je m'y conforme pour l'ordinaire et dans tous les cas douteux, ayant le sentiment vif de ce que vaut l'ordre tel quel, et que les traditions enferment plus de sagesse encore qu'on ne peut dire; mais, avec tout cela, je ne puis dire pourtant que je me soumets à ces règles extérieures; bien plutôt il me semble que quelque chose en moi se refuse absolument à obéir et à se soumettre, mais au contraire se reconnaît le devoir de tout juger et le droit de tout refuser. Enfin il y a un autre ordre, de valeurs, que je ne puis changer. J'ai recours à l'esprit en son plus intime, toujours. Finalement le pouvoir de douter remet cet ordre de société à sa vraie place, qui n'est point la première; enfin il n'obtient jamais le dernier respect, que je garde à la seule autorité de l'esprit. Il se peut que la morale se place entre deux, subordonnant déjà le commandement extérieur à un autre. Mais, pour ce que j'appelle religion, je n'y trouve aucune espèce d'égard pour les puissances, quelques titres qu'elles montrent. Au contraire la prière est le mouvement intérieur qui écarte les puissances, ce qui en appelle à la vraie puissance, laquelle n'est connue et sentie que dans le plus secret de l'esprit. Cette solitude donc, et même dans le temple, c'est le moment de la religion. Vous voyez, ajouta-t-il en souriant, que nous ne sommes pas près de nous entendre. » Les autres montraient le visage du marchand qui ne vend pas. Mais pour moi, qui n'étais que spectateur, ce discours ne fut point perdu. A mesure que je le retournais de mille manières en mon esprit, et que j'en habillais de nouveau cette nature d'homme si étrangère à mon humeur et même à mes pensées, je comprenais mieux cette liberté cachée au centre de l'obéissance, gouvernant l'ordre inférieur au lieu de le troubler, et par ce moyen, que Descartes eût approuvé, remuant mieux la masse humaine, et l'élevant plus haut peut-être que ne peut faire cet esprit de révolte, toujours en risque de soulever les passions contre l'ordre, comme Platon craignait.

CHAPITRE VII

GŒTHE

Ce que vaut une idée dans le commun patrimoine, c'est la preuve qui le dira. Beaucoup d'hommes travaillent à cet ajustement; ainsi l'humanité apprend toujours, et nécessairement abrège. On conçoit un univers d'abrégés, qui est effrayant. Cependant n'importe quel enfant naît nu et sauvage. L'âge de pierre est mis en demeure de pousser d'étonnantes machines, et de penser des abrégés, autres machines. Chose digne de remarque, la peau des bêtes est encore le meilleur vêtement, et le plus recherché. La danse, la musique, la poésie, vêtues de peaux de bêtes, font leurs rondes au premier soleil; et, sous les porches en forme de cavernes, l'homme oublie les idées et se prend à penser. Il rime encore, comme rimaient les anciens proverbes; il applaudit encore en battant des mains; l'ode à la joie de Beethoven ressemble à l'acclamation immémoriale plus qu'on n'oserait dire. Les sources chantent au poète. Le chêne au vent est toujours l'oracle. L'homme repousse l'abrégé. Les combinateurs qui se jettent par là n'y retrouvent point leur musique. Mais je les retrouve, eux, au concert, comme à un repas, découvrant leurs dents. Il se fait donc un ciel d'idées, dont les idées ne redescendent point. Ce mouvement s'est fait en perfection au moins une fois, par le génie de Spinoza; mais on peut bien dire aussi que l'*Éthique* est le tombeau de Descartes. Les systèmes sont des vieillards; mais nous ne naissons point vieux. C'est pourquoi le progrès tant vanté ne retrouve audience que par la fatigue, et disons même par l'excès du malheur. La sagesse des forts, cependant, reste la même; elle s'étend seulement; elle est moins rare. Elle agira par un art de s'instruire et d'instruire qui aura plus d'égard à la machine d'os et de chair. Kant s'est tenu, en ses sévères recherches, tout près de l'expérience, et tout près aussi du corps humain; mais, toute précaution prise, les catégories n'en ont pas moins remonté au ciel des idées par leurs légèreté et pureté spécifiques. Et, en dépit de tous les efforts qu'il fit pour les faire redescendre, le schématisme, qui devait rendre les catégories applicables, resta profondément caché dans les replis de la nature humaine. C'est que, selon la loi des âges, il n'y a sans doute point de chemin pour revenir du savoir d'autrui à l'ignorance propre. La nature humaine ne peut recevoir l'idée, mais doit la produire de peur et de fureur, de danse, de chant et de prière. Oui, la moindre idée. Il faudrait donc inventer de nouveau la hache, le coin, le clou, la fronde, l'arc, et, du même mouvement, le courage, la tempérance, la justice et la sagesse, mais à notre mesure et selon notre forme. Ne pas user d'armes reçues. Quand c'est la pensée propre de chacun qui lui donne puissance, le méchant est subordonné. L'homme qui invente l'arc oublie vengeance un peu. Au lieu que le revolver donne la puissance de mille savants peut-être au premier fou. Non, mais que d'abord le fou danse et chante selon la mesure. En vue de quoi j'ai écrit cette genèse imparfaite de nos réelles idées. Mais il faut terminer l'esquisse selon l'humaine mesure. A quoi peut servir le plus savant sans doute des poètes, un des hommes qui surent le mieux se tromper selon l'esprit.

La majesté propre à Gœthe, sans aucun lien avec la puissance matérielle, et par cela même presque surhumaine, tenait à ce jugement solitaire et libre, chose rare, vénérée, redoutée. Quand un homme exerce ce pouvoir royal, il s'arrange sans peine du dessous, moins soucieux sans doute de le changer que de le tenir en subalterne position. Il ne descend point là. Les petitesses sont alors visibles, mais en leur place, comme de s'obstiner contre l'expérience du prisme, ou d'être homme de cour, ou de ne point supporter les gens à lunettes. Ces choses sont prises comme dans une masse solide, et au plus haut est la lumière, comme dans le phare : mais combien plus difficile est l'assiette et la fondation en ce mobile et sensible édifice humain! En ce modèle de précieuse qualité, il faut reconnaître cette sagesse terrestre qui s'accommode de l'ordre inférieur tel quel; cela détourne d'abord de l'adorer. Pourvu que l'on s'élève, c'est bien assez. Dans l'art de vivre est compris l'art d'accepter des travers, qui, par cette négligence, restent petits, au lieu que la vanité les compose toujours d'après un modèle extérieur. Comme dans un état où l'inférieur est trop composé et refait, par petits règlements; il est instable alors, de même que ces abstraites mécaniques qui, pour une petite cause, font un amas de ferraille. Bref, c'est la marque d'un grand jugement de savoir boiter si l'on a une jambe plus courte, par cette vue que deux jambes égales font encore une espèce de boiterie; car rien n'étant ici suffisant, il faut que tout soit suffisant.

Ce genre de pensée, donc, s'élève toujours et jamais ne redescend. Il faut sans doute appeler poésie ce mouvement de bas en haut qui appuie les pensées sur la nature, et ainsi de tout hasard fait beauté d'abord, et vérité finalement. Ce qui sauva Gœthe des vertus médiocres est certainement cette liberté tout près de la nature, qui fait marchepied de tout. Laissant donc Gœthe, qui se tient si bien de lui-même, il faut considérer enfin ces petits d'hommes qui sont des petits hommes déjà si l'on sait bien voir, plus pressés de se hausser que de se changer. Poésie et grâce en chacun; mais, ici comme ailleurs, ne raturez pas témérairement. A la place de ce que vous effacez, vous n'avez rien à mettre, songez-y bien. Exercez-vous donc sur cette idée, familière à tous les artistes, qu'il faut faire avec ce qu'on a. Chacun de ces petits d'hommes ne peut faire qu'avec ce qu'il a. Ne détruisez point, mais élevez. Comme l'alpiniste, qui ne fait pas des objections à chaque pierre, mais fait escalier et escalade de tout, ainsi, que chaque trait de nature, mais bien assuré et même confirmé, soit une marche pour cette ambition d'homme. Tout peut servir, pourvu que ce soit naturel et non emprunté; comme l'écriture le montre, qui résiste si bien, et compose la nature avec le modèle. C'est donc du griffonnage que vous ferez écriture, comme du mensonge pudeur, comme de la rencontre métaphore, comme de violence courage, comme de paresse modestie. Ainsi de rime le poète fait pensée. Conservant donc ces différences de nature, ces belles variétés qui sont tout mal en apparence et en réalité toute richesse. Au lieu de récriminer, constater et s'assurer de soi. Car tout ce qui est inférieur est matière; et c'est la forme qu'il faut trouver dans la matière même, comme ces génies rustiques qui sculptent les montagnes. Que l'homme donc soit l'enfant délivré, et la vertu le vice développé. Ne corrigez que ce qui est faute, et n'appelez faute que ce qui est du dehors et étranger. En toute œuvre, d'autrui et de soi, il faut deviner beaucoup; et le plus résistant n'est pas le pire. Le même Gœthe terminera ce chapitre et ce livre. « Il faut, disait-il, être vieux dans le métier pour s'entendre aux ratures. »

FIN

Dans l'*Histoire de mes Pensées,* Alain a parlé des pages qui suivent comme d'une partie de l'ouvrage : *les Idées et les Ages*. Il y est revenu dans une dédicace à Madame M.-L. qu'on a pu lire plus haut.

Elles avaient d'abord paru dans la Revue : *le Navire d'Argent* (numéro du 1er décembre 1925, où se trouve également la nouvelle de J. Schlumberger : *Au Bivouac* dont Alain parle dans la dédicace de *Souvenirs de guerre*). C'était la revue d'Adrienne Monnier, le secrétaire étant Jean Prévost.

Elles furent reprises en 1946 dans *Humanités* (Éditions du Méridien, collection Parentés, sous la direction d'André Daz).

HUMANITÉS

DE LA TECHNIQUE

J'APPELLE technique ce genre de pensée qui s'exerce sur l'action même, et s'instruit par de continuels essais et tâtonnements. Comme on voit qu'un homme même très ignorant à force d'user d'un mécanisme, de le toucher et pratiquer de toutes les manières et dans toutes les conditions, finit par le connaître d'une certaine manière, et tout à fait autrement que celui qui en aurait d'abord la science; et la grande différence entre ces deux hommes, c'est que le technicien ne distingue point l'essentiel de l'accidentel; tout est égal pour lui, et il n'y a que le succès qui compte. Ainsi un paysan peut se moquer d'un agronome; non que le paysan sache ou seulement soupçonne pourquoi l'engrais chimique, ou le nouvel assolement, ou un labourage plus profond n'ont point donné ce qu'on attendait; seulement, par une longue pratique, il a réglé toutes les actions de culture sur des petites différences qu'il ne connaît point mais dont pourtant il tient compte, et que l'agronome ne peut pas même soupçonner. Quel est donc le propre de cette pensée technicienne? C'est qu'elle essaie avec les mains au lieu de chercher par la réflexion. Le premier mouvement du téléphoniste, qui est de secouer l'appareil, est un mouvement de technicien. Et comme il y a une manière de secouer, qui est plus utile qu'une autre, il y viendra naturellement; le principal effort de la pensée est ici de remarquer le succès en même temps que les circonstances et les actions, sans rien omettre. J'ai observé chez les gens de métier une mémoire extrêmement tenace, et quasi anecdotique, de leurs moindres essais. Toutefois il me semble qu'on peut distinguer à ce sujet deux espèces de techniques; car il y a celle qui essaie sans dommage et constate aussitôt l'effet, comme il arrive dans les mécaniques; au contraire dans la pratique agricole les essais coûtent cher et le résultat se fait attendre longtemps. Entre les deux je mettrais le médecin, dont les essais sont toujours tâtonnants et prudents, mais qui peut presque toujours essayer sans grand risque. Il est clair que le technicien qui, de ces trois, réfléchit le moins, c'est le mécanicien, qui, à chaque embarras fait, en quelque sorte, la revue de ses moyens, et les essaie rapidement, souvent même avant d'avoir observé. Le médecin observe d'abord. Quant au paysan, il est plutôt ramené par la pratique de son métier à suivre une règle d'action bien des fois mise à l'épreuve. On pourrait appeler technique immédiate cette technique qui est aussitôt redressée par l'effet, comme on voit dans la mécanique, la physique et la chimie. C'est alors que l'on pense avec les mains et que des milliers d'essais conduisent bien plus loin que l'observation la plus sagace.

Mais il faut juger la technique pure, et dire quel genre d'esprit elle promet. Or il est clair que rien ne peut garder de la précipitation, dès que l'habileté technique est acquise; l'action va devant, et l'esprit ne travaille que sur les résultats, les mains sont prudentes mais l'esprit ne l'est point, assuré d'être redressé toujours par la chose. « On va bien voir », voilà un mot de mécanicien ou d'expert chimiste. Ce que je veux faire remarquer, c'est que la Mathématique, contemplative en ses premiers essais, devient décidément technique par l'usage du Calcul, et d'autant plus que les problèmes sont plus compliqués; je dis technique, même dans la découverte, comme on voit en Leibniz ou Euler, qui sont habiles à essayer, et réellement transforment une manière d'écrire comme d'autres arrivent à faire marcher un mécanisme rebelle. L'esprit mathématicien s'explique assez bien par des remarques de ce genre. On pourrait dire que le Mathématicien est plutôt un travailleur qu'un penseur. En tout technicien, de mathématique ou bien de chimie, on retrouvera toujours cette impatience qui exige l'action et ne sait point penser avant que l'objet réponde; et comme conséquence naturelle ce vide de l'esprit résultant de ce que l'idée est toujours ramenée au procédé, ce qui efface la notion même du vrai et du faux. Le technicien est sceptique avant d'avoir essayé; mais ce qui est remarquable, c'est qu'après l'essai il l'est encore plus, et après une longue suite de succès encore plus. C'est qu'on ne trouve jamais une idée; il faut la former.

BALTHAZAR CLAES

BALZAC a bien décrit en Balthazar Claes l'activité technique; et, sans tenir l'idée, mais par son génie infaillible, il a rassemblé les traits véritables du chimiste passionné. La vue continuelle de ces changements et passages d'une apparence à l'autre, si aisément produits et d'ailleurs inconcevables, ramènent le miracle, les folies d'imagination, et les espoirs puérils. On imagine si bien, alors, un corps à la place d'un autre; ce genre de science habitue l'esprit à des successions arbitraires. Plus on a vu dans ce genre, et moins on est disposé à limiter le possible; car toutes les combinaisons n'ont pu être essayées dans toutes les circonstances possibles. Aussi les grimoires et les traditions prennent puissance de faits. Qui a vu le verre naître du sable et l'aluminium naître de la terre ne peut plus se retenir d'imaginer; et dès que la chose n'est plus sous le regard, la réflexion, si l'on peut ainsi dire, est occupée à lier n'importe quoi à n'importe quoi; d'où un vide d'esprit qui touche à la démence, et que le romancier a peint en traits inoubliables, par ce pas de Balthazar dans l'escalier.

Tel est le roman de l'inventeur, toujours ramené à l'essai par cet inutile travail d'esprit. Aussi ne cherche-t-il pas à s'enrichir, pas plus que le joueur; ce n'est que l'excuse qu'ils se donnent. Le jeu de Balthazar est de chercher sa pensée dans l'expérience combinée. Et quelle science arrêtera cette main tracassière ? Quelle science imposera d'avance une limite à cette puissance de changer ? Le moteur à explosions fut amené à la perfection où nous le voyons par trois ans d'essais, entrepris par un ouvrier tout à fait ignorant qui se trouvait devant les cylindres et les bielles comme Balthazar devant le soufre et le mercure, ou comme Palissy devant les surprises du feu. L'agitation donne seule ce genre de patience, qui essaie cent fois sans aucune autre raison que le désir ; et le besoin d'agir si aisément satisfait est toujours comme un pressentiment. Il faut sans doute la force d'âme d'un Descartes pour retarder une expérience jusqu'au jour où on saura la comprendre. Mais nos essayeurs sont comme ces passionnés, qui essaient encore une fois cette clef qui n'est pas la clef, ou qui cherchent encore une fois la chose dans le tiroir où ils ont déjà fouillé. Supposez un tiroir où l'on trouve à chaque fois des choses nouvelles. Qui donc cessera d'y chercher, s'il a seulement commencé ? L'expérience aveugle est ainsi.

Un joueur ne se lasse point de tenter la chance, par cette seule idée qu'il a que le gain est possible. C'est ainsi que le hasard finit par occuper l'esprit du chimiste. Et comme il n'y a que le nombre des essais qui rapproche le possible et lui offre en quelque sorte un chemin pour être, il est impossible qu'un tel joueur prenne jamais du repos, et ainsi se prive volontairement de quelques chances. La fureur technique fait qu'on oublie de manger. Comment en effet résister à l'idée d'une combinaison non encore essayée ? Comment résister, puisque l'esprit est sans ressource contre l'expérience, et ne peut plus alors supporter de réfléchir sans faire !

Le stupide Lemulquinier est représenté en ce récit comme une image de Balthazar même, mais sans la vaine science qui est désormais soumise à l'espérance. Le serviteur n'a que l'espérance ; et rien ne peut lui enlever l'espérance. Finalement le miracle se fait dans le laboratoire fermé, sans qu'on sache comment ; et cela même n'est pas sans profondeur ; car ce qui détournerait Descartes d'essayer, ce ne serait pas un espoir trop faible, mais au contraire un espoir trop fort. Il faut craindre de réussir sans comprendre, tout autant que de gagner aux cartes,

PRAGMATISME

Ce nom barbare de Pragmatisme désigne seulement l'esprit technicien, qui prend pour régime de ne penser que son action et de ne recevoir comme preuve que les résultats. Le laboratoire a été divinisé; mais ce n'est qu'un effet de la tyrannie des techniciens, qui exigent que la machine parle. Et c'est presque une obligation de politesse que d'admirer la dernière machine, la plus puissante qui soit au monde; mais cette admiration ne conduit à rien; l'esprit reste là-devant comme stupide; le seul mouvement raisonnable est alors de faire marcher soi-même la machine; et ce plaisir même s'use aussitôt, parce que l'esprit ne trouve là aucun aliment; cet ennui remuant est une des causes de la guerre, précisément par ce besoin de construire une machine plus puissante, et surtout par cette fureur de l'essayer. Cet esprit est ravageur.

S'il y a quelque civilisation à espérer, et quelque culture, ce n'est point par là qu'il faut les chercher. L'Humanité y manque, de toutes les façons. Car d'un côté l'Humanité suppose ce mouvement de l'esprit qui contemple d'abord, et se prive de toucher et de changer; hors de cette discipline, il n'y a jamais de temps pour le respect; il est si facile d'essayer; et un essai conduit à l'autre; si habile qu'il soit, ce mouvement est toujours brutal et irrité; c'est le mouvement despotique. Et c'est la vraie raison de se défier des leçons de choses, si on les définit par leur caractère propre, qui est que l'activité technique y précède de loin l'activité mentale. Les enfants ont un goût marqué pour les expériences dans lesquelles l'objet est mis à la torture et sommé de répondre. L'enfant brise les choses et torture les animaux par cette fureur d'inventer sans penser; à cet abus de la force, si profondément lié à l'activité de croissance, répond cette froide cruauté des vivisecteurs, qui sacrifient des centaines d'animaux quand il suffirait de contempler et de réfléchir avec retenue pour obtenir la vraie réponse. Le chirurgien, comparé au médecin, est encore un de ces hommes emportés qui ne savent résoudre un problème qu'avec les mains. Cette méthode est la plus naturelle en tous, et la première. C'est par là que l'on fait la guerre par tous les moyens, dès qu'on la fait; et ainsi il y a de la guerre dans les moindres mouvements de l'industrie, surtout de celle qui fond, dissocie et combine; car pour celle qui utilise la matière telle quelle, comme la fibre du chanvre ou la planche de sapin, il y a toujours un moment contemplatif, ou d'arrêt, qui est beau. Mais le règne du fer s'étend à tous les métiers, et l'industrie papetière réduit d'abord l'arbre en bouillie. Ainsi tous nos maux se tiennent et s'enchaînent, selon la loi inflexible de ce qu'il faut appeler le délire technique.

L'Humanité manque aussi en ces recherches impatientes, encore en un autre sens, parce que l'esprit historique manque. Dans la technique il n'y a que le dernier outil qui compte. On se moque de l'antique charrue à soc de bois; et les musées d'industrie ne sont que pour apprendre le mépris. Par opposition, pensons au respect que méritent encore la géométrie d'Euclide et l'astronomie d'Hipparque, contemplatives, l'une par une discipline volontaire, et l'autre par la nécessité qui nous détourne absolument de vouloir changer les choses du ciel, si évidemment hors de nos prises. Ce sont alors des pensées, où l'on reconnaît l'Homme; et celui qui prétend aller plus vite qu'eux est bientôt humilié; au lieu qu'on se moque d'un ouvrier qui scie une barre de fer au lieu de l'attaquer au chalumeau. Mais en suivant cette idée on aperçoit le prix de la Culture dite littéraire, qui retrouve si bien tout l'homme dans les grandes œuvres. Aussi ces études sont bien appelées Humanités. Mais il y a aussi une histoire inhumaine, qui va au détail sans fin, et méprise les types les plus éminents; en quoi il faut reconnaître un des derniers effets, et des plus cachés, de l'activité technicienne. Car le travailleur d'archives se moquera de celui qui relit Homère. Cela n'est-il pas bien connu? Cette pensée aussi suit l'action; l'historien lit, analyse, classe, décompose les documents selon ses fiches, et propose fièrement quelque travail qui n'avait pas encore été fait; dont rit l'autre technicien, qui est bien assuré de trouver autre chose; un autre court au Thibet : mais il oubliera ou négligera certainement quelque chose; et quelque chose qui sera le plus important quand on le découvrira; ici encore c'est l'action qui va la première, et la pensée suit. Ainsi l'idée historique périt par la technique historique. Et ce délire technique est plus marqué en Allemagne que chez nous, parce que l'Allemagne est un pays d'industrie. Au fond c'est l'esprit agriculteur, toujours assez contemplatif, qui sauve la vraie culture; dont les *Géorgiques* de Virgile après le poème d'Hésiode sont un symbole assez fort.

DE LA SCOLASTIQUE

Il faut appeler scolastique cette élaboration et ce perfectionnement du savoir qui prend pour fin d'accorder les discours entre eux. Lorsqu'il n'y a point d'objet dans l'expérience qui puisse redresser nos jugements, la méthode scolastique est la seule; mais, même quand les objets attendent et pourraient répondre, la méthode scolastique est encore la première, parce que le monde le plus proche est toujours le monde humain, et que l'accord avec les humains est de première urgence, pour n'importe quel penseur. On peut même dire que toute idée est d'abord scolastique; car la technique qui, au rebours de la scolastique, cherche l'accord avec la chose, est naturellement muette, et se transmet par imitation et apprentissage. Et même quand ils pourraient le faire, grâce à d'amples provisions scolastiques, les techniciens ne discutent pas volontiers; ce sont leurs œuvres qui parlent.

Que l'accord soit premier, en toute idée, et que la dissidence se greffe sur l'accord, c'est ce qui est évident si l'on considère que l'acquisition des premières idées se fait en même temps que les premiers essais du langage. Laissant les origines historiques, qui sont livrées aux discussions, je dis seulement que tout enfant, pendant de longues années, pense avec ceux qui l'instruisent et que tout son travail est de s'accorder à eux. Nous sommes formés scolastiquement, comme le mot l'indique. Et la seule objection naturelle résulte alors d'une contradiction d'apparence entre ce qui a été dit et ce qui est dit. Aussi c'est ce que l'on demande d'abord à un auteur, de ne pas nier ce qu'il a dit. Car si je crois qu'il nie ce qu'il a dit, c'est comme si je ne pouvais m'accorder avec lui sans m'opposer à lui. Par exemple si ayant dit que les étoiles tournent il dit maintenant que la terre tourne, ou s'il dit que cette laine en ballot est plus lourde que ce plomb ou lingot, quoiqu'il accorde que le plomb est plus lourd que la laine, il s'agit réellement de mieux entendre les mots qu'il emploie; et l'accord sera bien plus difficile s'il dit que le droit de propriété est injuste, ou que Dieu éprouve ceux qu'il aime.

Mais enfin, quelle que soit la question, toute discussion remonte à un accord qui ne fait pas doute, et passe à un autre accord très voisin du premier, pour en venir à réconcilier les disputants. Platon joue ce jeu avec une patience qui étonne d'abord ceux qui ont coutume d'en venir au fait. Mais pourtant quel fait décidera s'il vaut mieux être juste ou injuste?

Il faut dire là-dessus, en franchissant de larges espaces, que nous sommes trop disposés à croire que l'expérience décide du vrai et du faux. Le célèbre pendule de Foucault veut prouver que la terre tourne; et si je vois ce pendule couper son propre chemin sur le sable, il me semble que je vois la terre tourner. Mais qui empêche de dire que ce qui tourne autour de la terre supposée immobile entraîne le pendule de Foucault, par attraction, par frottement ou autrement? Et, comme disait l'illustre Poincaré, si quelque triangle astronomique montrait une somme d'angles différente de deux droits, on aurait encore le choix entre deux partis dont l'un serait d'abandonner la géométrie d'Euclide, et l'autre de changer l'optique. En sorte qu'il ne faut point tant rire de la disposition théologique à ramener aux principes tous les faits nouveaux, par de subtiles interprétations. Nous lisons que certains sauvages pensent qu'une conjuration de prière amène la pluie mais que, si la pluie manque, ils n'hésitent pas à dire que la prière a été mal faite. Cela est donné comme étranger à nous, et presque risible. Mais je ris de celui qui rit. Ce mouvement d'esprit c'est notre scolastique en raccourci; et notre scolastique c'est notre pensée. L'un veut que la Bible suffise à tout. Pour moi, je lis Platon avec l'idée que Platon suffit à tout; et j'écoute tout homme parlant ma langue, avec l'idée qu'il dit vrai et qu'il a raison. Car que serait-ce qu'écouter? Et que serait-ce que lire? Et partant de cette idée qui est la mère de toutes les idées, je m'applique à vaincre les difficultés d'apparence. Penser c'est premièrement cela. Les leçons de choses redresseront les idées, si l'on a des idées; mais elles n'en donneront point.

DE L'ACQUISITION DES IDÉES

Que toutes les idées soient prises de l'expérience, c'est ce qu'il n'est pas utile d'établir. Il n'y a point de pensée qui n'ait un objet, quand ce ne serait qu'un livre; et ce n'est pas peu de chose qu'un livre, surtout ancien et réputé. Mais cet exemple fait voir qu'il y a deux expériences. Connaître une chose, c'est expérience; connaître un signe humain, c'est expérience. Et l'on peut citer d'innombrables erreurs qui viennent du signe humain et qui déforment l'autre expérience, comme visions, superstitions et préjugés; mais il faut remarquer aussi que nos connaissances les plus solides concernant le monde extérieur sont puissamment éclairées par les signes humains concordants. Il est impossible de savoir ce que c'est qu'une éclipse à soi tout seul, et même à plusieurs dans une vie humaine; et nous ne saurions pas qu'Arcturus s'éloigne de l'Ourse si Hipparque n'avait laissé un précieux catalogue d'étoiles; en sorte qu'on pourrait dire que nous ne formons jamais une seule idée, mais que toujours nous suivons une idée humaine et la redressons. Nous allons donc aux choses armés de signes; et les vieilles incantations magiques gardent un naïf souvenir de ce mouvement; car il est profondément vrai que nous devons vaincre les apparences par le signe humain. Ce n'est donc pas peu de chose, je dis pour l'expérience, de connaître les bons signes. Devant le feu follet, l'un dit âme des morts, et l'autre dit hydrogène sulfuré. Au souvenir d'un rêve, l'un dit message des dieux et l'autre dit perception incomplète d'après les mouvements du corps humain. Quant à l'homme de la nature, qui va tout seul à la chose, et sans connaître aucun signe, sans en essayer aucun, c'est un être fantastique, qui n'est jamais né.

L'homme réel est né d'une femme; vérité simple, mais de grande conséquence, et qui n'est jamais assez attentivement considérée. Tout homme fut enveloppé d'abord dans le tissu humain, et aussitôt après dans les bras humains; il n'a point d'expérience qui précède cette expérience de l'humain; tel est son premier monde, non pas monde de choses, mais monde humain, monde de signes, d'où sa frêle existence dépend. Ne demandez donc point comment un homme forme ses premières idées; il les reçoit avec les signes; et le premier éveil de sa pensée est certainement, sans aucun doute, pour comprendre un signe. Quel est donc l'enfant à qui on n'a pas montré les choses, et d'abord les hommes! Où est-il celui qui a appris seul la droite et la gauche, la semaine, les mois, l'année? J'ai grand'pitié de ces philosophes qui vont cherchant comment la première idée du temps a pu se former par réflexion solitaire. Etes-vous curieux de connaître les idées du premier homme, de l'homme qui n'est jamais né? Le développement, à la bonne heure; mais l'origine, non. Et justement je tiens ici une notion importante qui concerne le développement. Sans aucun doute tout homme a connu des signes avant de connaître des choses. Disons même plus; disons qu'il a usé des signes avant de les comprendre. L'enfant pleure et crie sans vouloir d'abord signifier; mais il est compris aussitôt par sa mère. Et quand il dit maman, ce qui n'est que le premier bruit des lèvres, et le plus facile, il ne comprend ce qu'il dit que par les effets, c'est-à-dire par les actions et les signes que sa mère lui renvoie aussitôt. « L'enfant, disait Aristote le Sagace, appelle d'abord tous les hommes papa. » C'est en essayant les signes qu'il arrive aux idées; et il est compris bien avant de comprendre; c'est dire qu'il parle avant de penser.

Le premier sens d'un signe, remarquez-le, c'est l'effet qu'il produit sur d'autres. L'enfant connaît donc premièrement le texte humain par mémoire purement mécanique, et puis il en déchiffre le sens sur le visage de son semblable. Un signe est expliqué par un autre. Et l'autre à son tour reçoit son propre signe renvoyé par un visage humain; chacun apprend donc de l'autre, et voilà une belle amitié. Quelle attention que celle de la mère, qui essaie de comprendre son petit, et de faire qu'il comprenne, et qui ainsi en instruisant s'instruit. En toute assemblée, même rapport; toute pensée est donc entre plusieurs, et objet d'échange. Apprendre à penser, c'est donc apprendre à s'accorder; apprendre à bien penser, c'est s'accorder avec les hommes les plus éminents, par les meilleurs signes. Vérifier les signes, sans aucun doute; voilà la part des choses. Mais connaître d'abord les signes en leur sens humain, voilà l'ordre. Leçons de choses, toujours prématurées; leçons de signes, lire, écrire, réciter, bien plus urgentes. Car, si ce ne sont point nos premières idées fausses que nous tirons peu à peu vers le vrai, nous pensons en vain. Comme il arrive pour les merveilles de la technique; tout l'esprit est dans la machine, et nous restons sots.

DES IDÉES GÉNÉRALES

Je ne donnerais pas une minute à un problème qui n'intéresserait que les disputeurs. Mais il y a des hommes, et j'en connais, qui croient avoir beaucoup gagné vers le vrai quand ils se sont élevés, comme ils disent, à une idée générale. Or, je n'ai jamais compris ce qu'ils allaient chercher par là; car ce qu'il y a à connaître c'est certainement le vrai de chaque chose, autant qu'on peut. Il me semble donc que le mouvement naturel de l'esprit est de descendre des idées aux faits et des espèces aux individus. J'avais remarqué aisément, outre cela, que presque toutes les erreurs du jugement consistent à penser un objet déterminé qui se présente d'après une idée commune à cet objet-là et à d'autres; comme si on croit que tous les Anglais s'ennuient et que toutes les femmes sont folles. Et enfin il m'a semblé que les théoriciens, dans les sciences les plus avancées, sont aussi ceux qui sont le mieux capables d'approcher de la nature particulière de chaque chose, ainsi que lord Kelvin expliqua des perturbations purement électriques dans les câbles sous-marins d'après la théorie purement algébriques des courants variés, tout cela m'aidait à comprendre que les cas particuliers et les individus ne sont pas donnés à la pensée, mais plutôt conquis par elle, et non pas complètement; et que, lorsqu'on dit que les enfants ou les ignorants en sont réduits à la connaissance des choses particulières, on parle très mal, car ils n'ont que des perceptions mal distinctes et ne voient pas bien les différences. Toujours est-il que, lorsque je m'approche d'un être pour l'observer, je le vois d'abord en gros, et de façon que je le confonde aisément avec beaucoup d'autres; je vois un animal, un homme, un cheval, un oiseau. Même souvent, j'essaie une idée, puis une autre, me servant d'abord d'un mot puis d'un autre, ce qui est bien exactement penser par le moyen d'idées générales, mais en cherchant toujours la perception particulière. De même les anciens astronomes ont pensé la loi d'abord, lorsqu'ils ont supposé que les astres décrivent des cercles; ensuite ils ont supposé l'ellipse, c'est-à-dire une courbe plus compliquée, d'après quoi ils approchent de la trajectoire réelle, qui est beaucoup plus compliquée encore.

Ces remarques sont pour rassurer le lecteur qui aurait le dessein de suivre les propositions du précédent chapitre concernant l'acquisition des idées; car il ira à renverser complètement les notions qu'il a lues partout, non pas chez les Grands, qu'on ne lit guère, mais chez les philosophes de cabinet. Sommairement voici le dessin abstrait de toute acquisition d'idées. Le premier signe qui soit compris désigne naturellement tout, sans distinction de parties ni de différences; et la première idée, jointe à ce premier signe, correspond à une idée très simple et très générale, comme Être, ou Quelque chose. Le premier progrès dans la connaissance consisterait à apercevoir et à désigner deux parts dans le Quelque chose, dont l'un serait par exemple Maman, et l'autre Papa, ou bien Lélé, ou bien Lolo. Je cite ces deux mots enfantins, parce que j'ai remarqué que les petits Normands appellent le lait lolo, comme l'eau, au lieu que les petits Bretons appellent l'eau lélé, comme le lait; et ces deux exemples font bien voir comment un mot sert d'abord pour beaucoup de choses, ce qui revient à dire que l'on va toujours d'un petit nombre d'idées très générales, à un plus grand nombre d'idées plus particulières. Les linguistes auraient à témoigner là-dessus, d'après ces racines que l'on retrouve modifiées mais toujours reconnaissables, en tant de mots différents, ce qui montre assez que le même mot a d'abord désigné beaucoup de choses, d'après les ressemblances les plus frappantes. Toujours est-il que les peuplades les plus arriérées étonnent les voyageurs par un usage qui se retrouve en toutes, de donner aisément le même nom à des êtres qui se ressemblent fort peu. Au reste l'ancien jeu des métamorphoses traduit assez bien une disposition à penser l'identique; disposition enfantine de l'esprit, toujours soutenue par les mots. Et sans doute les métaphores témoigneraient de même. Mais halte-là. Ce sujet des métaphores offre aussitôt, après de trop faciles remarques, des difficultés supérieures.

DES IDÉES UNIVERSELLES

Une idée est dite générale lorsqu'elle convient à plusieurs objets; mais quand on dit qu'une idée est universelle, on ne veut point dire du tout qu'elle convienne à tous les objets; car il n'y a que les idées de Possible ou d'Être qui soient dans ce cas, et elles sont bien abstraites et creuses. Et pour les idées d'Espace, de Temps, de Cause, qui sont évidemment des relations, on ne peut point dire qu'elles appartiennent à quelque objet; on dirait mieux qu'elles sont nécessaires, c'est-à-dire que toute pensée les forme, sans pouvoir les changer arbitrairement. Et puisqu'il y a des idées qui sont communes à tous les esprits, ce sont ces idées-là qui doivent être dites Universelles; et l'on ne fera que revenir au commun usage; car si l'on dit que quelque chose est généralement admis, cela veut dire que l'expérience y conduit la plupart des hommes, d'après des cas à peu près semblables. Au lieu que si l'on dit que quelque chose est universellement admis on veut exprimer que cela est clair et indéniable pour tout esprit qui entend la question.

Disons donc que ce n'est point parce qu'une idée est très générale qu'elle est universelle. L'idée sauvage de Mana, qui désigne une puissance invisible cachée dans tout visible, ou quelque chose comme cela, est aussi générale qu'une idée peut l'être; mais la critique ne l'a pas encore reçue comme universelle; entendez que nous n'apercevons pas de chemin assuré pour la comprendre. Mais l'idée de Cercle, qui ne convient pas à tous les objets, convient au contraire à tous les esprits, entendez qu'il y a des chemins pour amener n'importe quel pensant à former cette idée correctement; elle doit donc être dite universelle. Les techniciens considèrent le plus souvent les idées comme générales; ce sont alors des formules d'action qui sont bonnes aussi pour ceux qui ne les comprennent pas; par exemple une Table de Mortalité peut être utilisée par un homme qui ne serait nullement capable de l'établir; une Table de Logarithmes de même.

Mais il est clair que les idées prises ainsi ne sont plus des Idées à proprement parler. L'Idée véritable, dans ces cas-là, c'est la théorie démontrable, et qui s'impose à tout esprit convenablement préparé; ce n'est point parce qu'elle est générale qu'elle est idée, mais bien parce qu'elle est universelle. Quand il n'y aurait qu'un objet circulaire dans l'expérience humaine, le Cercle et le nombre Pi n'en seraient pas moins des idées universelles. Et du reste il n'y a point d'objet circulaire, à parler rigoureusement. Le cercle est un moyen parmi d'autres, qui permet d'approcher des formes réelles et de les déterminer de mieux en mieux. Peut-être pourrait-on dire qu'aucune idée n'est réellement générale, sinon pour l'usage et la commodité, mais que toute idée est toujours pensée comme universelle. Et si la première partie de cette formule est livrée aux discussions, la seconde ne reçoit pas la discussion. Autant que je pense, et quelque obscure et inexprimable que soit ma pensée, je pense pour tout esprit; et comme cette notion d'esprit hors de toute forme a quelque chose d'indéterminé, disons prudemment et avec sécurité que toute pensée est pensée pour l'esprit humain. C'est ainsi qu'un homme qui se croit injustement traité en appelle, dans la solitude, à quelque homme impartial, assuré qu'il est que si les hommes qui l'entourent ne s'accordent pas à son jugement, c'est qu'ils ne peuvent pas ou ne veulent pas le comprendre. Et telle est l'idée qui se cache dans la preuve populaire, toujours invoquée, toujours contestée, du Consentement Universel. Il n'existe sans doute aucune question sur laquelle tous les hommes s'entendent, même concernant les opérations simples sur les quatre premiers nombres; car il y a des fous et des idiots, sans compter ceux qu'on ne peut consulter. Cela n'empêche pas que ce soit pour la foule entière des hommes présents et à venir que l'on forme n'importe quelle pensée; et à mesure que les démonstrations trouvent accès auprès des hommes attentifs et assez préparés, l'idée devient humaine. On voit encore par là quel appui on trouve, pour penser comme il faut, dans l'accord des plus grands esprits des siècles passés; et que, de toute façon, il faut que cet accord se fasse, ou que l'on cherche ou aperçoive quelque moyen de le faire; car réfuter c'est se réfuter. Par cette raison les expressions en même temps puériles et fortes des auteurs les plus éloignés de nous, doivent finalement être reconnues comme faisant partie du bien commun, entendez de l'esprit commun. Si Platon déraisonne, ou Homère, ou l'Imitation, il n'y a plus d'esprit humain. Qui n'a pas su vaincre les différences, les métaphores, et les mythes, et enfin s'y retrouver, ne sait point penser. La Culture littéraire va donc bien plus loin qu'on ne croit.

DU LANGAGE

Un homme qui ne connaît que les choses est un homme sans idées. C'est dans le langage que se trouvent les idées. C'est pourquoi si on pouvait instituer une comparaison par les effets entre deux enfants, l'un qui ne ferait jamais attention qu'aux choses, et l'autre qui ne ferait jamais attention qu'aux mots, on trouverait que le dernier dépasserait l'autre à tous égards et de bien loin. Car il n'est pas difficile de retenir des expériences familières, et de joindre à chacune le mot qui la désigne dans l'usage; et le métier, là-dessus, conduit n'importe quel homme à une perfection étonnante; mais, pour les idées et les sentiments, qui importent le plus, l'homme de métier n'est toujours qu'un enfant. Au contraire, dans l'étude d'une langue réelle, chacun trouve toutes les idées humaines en système, et des lumières sur toute l'expérience, qui lui font faire aussitôt d'immenses progrès, parce que d'un côté il s'humanise, recevant en raccourci tout ce qui est acquis déjà, et que, d'un autre côté, suivant les mots en leurs différents âges, il trouve dans ce mouvement l'impulsion qui convient à une nature pensante que l'animalité et l'imagination occupent toujours puissamment. Il y a bien de la différence sous ce rapport entre les langues parfaites que l'on invente d'après la nature des objets, ampère, volt, ohm, et les langues populaires, qui ont bien plus d'égard à la nature humaine, c'est-à-dire aux difficultés réelles que rencontre tout homme qui s'interroge. Et remarquons que, même dans les langues techniques, il est rare que l'on trouve des mots sans ancêtres, comme sont justement ceux qui sont cités plus haut. Le mot Fonction, pris dans son sens mathématique, n'est pas détaché pour cela de la série politique. Équation, Intégrale, Convergence, Limite sont encore des mots humains, malgré l'effort du technicien, qui voudrait ici nous faire oublier tout autre sens que celui qui résulte de la définition. Et cette technique, comme toute technique, tend à effacer l'idée. Toutes les fois que l'on apprend une langue vivante par les voyages, le commerce et l'industrie, on l'apprend techniquement, c'est-à-dire en vue seulement de désigner un objet sans ambiguïté; et la trop célèbre méthode directe, qui montre l'objet en prononçant le mot, semble avoir pour fin, et a eu pour effet, de nous délivrer tout à fait de Culture.

C'est ainsi qu'on apprendrait une langue tout à fait conventionnelle, et qui n'aurait point de passé. Mais ce n'est pas du tout ainsi que l'on apprend une langue réelle; c'est par les mots alors qu'il faut comprendre les mots. Ici l'esprit est mis en demeure de penser. L'avantage décisif des langues mortes sur les langues vivantes, c'est que personne ne peut nous montrer l'objet. On apprend alors le sens par la racine et par les relations; et le plus savant est alors, comme on remarque au contact d'un véritable humaniste, celui qui cherche entre beaucoup de sens celui qui est exigé par les mots voisins, et de proche en proche, par la multitude des mots qui précèdent et qui suivent. Qui définira le mot raison? On dit que l'homme est doué de raison. On dit la raison du plus fort, la raison d'une progression, demander raison, rendre raison, en buvant fais-moi raison, livre de raison, raison sociale. Mais quelle richesse nouvelle quand on découvre ratio, d'où vient ration; ratus qui veut dire persuadé, reor qui veut dire croire, et ratification, qui en vérité rassemble presque toutes ces relations en une. Cette richesse est humaine, je dois m'y conformer; quand j'en ai fait en gros l'inventaire, je suis déjà bien riche. Il faut toujours citer, après Comte, le double sens du mot cœur, qui veut désigner amour et courage. Répondre explique Responsable; Spondere explique l'un et l'autre. Prudence, Prude et Prudhomme sont parents; courage et courroux de même; et choléra ressemble à colère. Grâce, Jugement, Droit, Juste, ont chacun des sens merveilleux. On dit les Humanités, le Peuple, la Propriété. Chacune de ces remarques découvre aussitôt une idée d'importance. Et que sera-ce s'il faut deviner la pensée d'un auteur vieux de mille ans d'après ces signes merveilleusement ambigus ? Encore bien mieux si la pensée s'affirme d'abord par une beauté irrécusable, immédiatement sentie et en même temps confirmée par des siècles d'admiration. Ici se prépare toute pensée, non seulement de Politique et de Morale, mais de physique aussi bien.

L'ESPRIT JUSTE

On dit un esprit juste, on ne dit pas un esprit injuste, mais ce sens est pourtant supposé par l'autre. La connaissance des choses n'est pas ce qu'il y a de plus difficile; et Socrate osait dire que ce n'est pas ce qu'il y a de plus pressant. Je puis remarquer aujourd'hui que depuis vingt ans les générations se sont adaptées à un esprit strictement positif, et dominent aisément ce genre de connaissances qui nous rend maîtres des choses. L'erreur serait de croire que cette formation suffit à faire un esprit juste. L'esprit est toujours juste à l'égard des choses dès qu'il les connaît; et ajoutons qu'il les connaît toujours dès que son métier l'y oblige; mais cette connaissance est bien loin d'épuiser le sens de ce beau mot, l'Esprit Juste. Il faut juger de l'humanité d'après d'autres principes. Voir les hommes sous l'idée de Nécessité, cela est court, cela n'est pas juste. D'autant qu'ils y descendent dès qu'ils se sentent pris ainsi. L'idée que les commerçants volent autant qu'ils peuvent les rend tous voleurs en effet; voleurs mais non point contents. Ce sont des poètes et des moralistes.

Quand on lit dans Marc-Aurèle : « Garder le génie intérieur exempt de souillure », on le croit bien loin du commun. Mais enfin c'était un homme, ce n'était qu'un homme. Non pas si loin du commun. Beaucoup de rois abdiquent sans y penser; mais l'abdication signifiée, personne n'y consent, ou presque personne; de là les guerres. L'idée de subir et de suivre la peur à la manière des animaux n'est pas supportée. Terribles redressements. Il est vrai que le Misanthrope et le Géomètre ne sont nullement éclairés par là, l'un disant que la férocité animale n'est qu'endormie, ce qui n'est même pas une demi-vérité, l'autre disant que la guerre est nécessaire, et au fond fatale, et que nulle volonté n'y peut rien.

Jugements profondément injustes, et qui font l'Esprit Faux. La guerre est plutôt une crise de peur, dominée en beaucoup par un sursaut de liberté. Ce sursaut dépasse seulement le but; il ne faudrait, pour assurer la paix, que croire ferme à l'héroïsme humain. Mais c'est ici comme dans la recherche technique, où l'homme aime mieux essayer que juger. Car le commencement de l'essai n'effraye point; au lieu que si on jure de soi, c'est autre chose. L'esprit faux est donc ici comme partout un esprit sans courage.

L'Objet se charge de nous apprendre la Nécessité; n'ayons crainte. Mais comment apprendre Foi, Espérance et Charité? Comment sinon par l'admiration et imitation des meilleurs types humains? L'enfant va droit là, fort de son ignorance; voilà le mouvement humain. La faute de Jugement est donc de ne pas croire à l'Humanité. Le plus beau mythe est celui d'Hercule; voilà le modèle que l'homme s'est donné; et ce compagnon rassure dans le sens plein du mot. Je dis donc qu'il faut de la Grandeur d'âme et même de la Hauteur pour bien juger. Non sans sévérité; j'ai remarqué que qui méprise beaucoup pardonne beaucoup; mais inversement qui estime beaucoup exige beaucoup; négligeant toutefois les choses de peu, et, pour les fautes d'importance, y cherchant toujours la vertu cachée et l'erreur explicable, ce qui est une manière d'être indulgent sans la moindre complaisance. Je ne parle ici que du jugement nu; je laisse les punitions, qui sont d'un autre ordre. Je puis appeler sévère en un sens l'homme qui condamne l'homme à rester ignorant, menteur et brutal par la nécessité de sa nature; mais beaucoup appelleront sévère en un tout autre sens, celui qui frappe toujours au sommet de l'âme et qui attend.

L'ESPRIT DE FINESSE

Les géomètres, considérant d'abord dans l'ordre extérieur les relations les plus simples et les plus abstraites, ont gagné de science en science jusqu'à la Biologie, toujours soutenus par la puissante méthode qui va du connu à l'inconnu. Ce genre de puissance doit être estimé très haut, non point seulement par la prise qu'il donne sur les choses, mais surtout par la discipline qu'il impose à notre esprit, naturellement agité, inquiet et livré aux rêves. Descartes est le héros de ce combat, où il faut savoir à propos attendre, douter, oser au fond, d'après ce principe de l'ordre moral que ce qui est pensé sans liberté est faux. Aussi a-t-il approché la physique jusqu'au voisinage de l'ordre humain dans son *Traité des Passions*. Travail d'ascète où il faut suivre un ordre et ne compter que sur soi.

Mais l'ordre humain n'attend pas. Nous y sommes plongés. L'aveugle empirisme des gouvernants de toute sorte, qu'ils instruisent, persuadent ou conseillent, y fait presque tout; et ce genre d'habileté, lorsqu'il est séparé de toute culture, est peut-être ce qui donne à l'esprit la plus mauvaise formation, que l'on doit appeler puérile, parce que la politique tâtonnante est toujours au fond celle de l'enfant, qui ne regarde qu'aux effets. L'inférieur portant le supérieur, les hommes sont facilement conduits par l'intérêt, la flatterie, les menaces, les promesses. Aussi voit-on que dans les affaires de banque, des hommes évidemment médiocres arrivent à la puissance des rois. Et c'est encore là une espèce de technique, mais non assez redressée par ce flexible ordre humain, qui répond si bien à nos opinions. L'homme est avide, crédule et fripon autant qu'on le suppose tel; et nos manouvriers de finance et de politique prennent leurs règles de sagesse dans cette mauvaise expérience, où, par le seul regard, l'objet change. Ce genre d'homme abonde; et c'est bien la Finesse, mais sans esprit.

Cette vulgarité est commune à l'ignorant et au géomètre, dès que, sans une réelle culture, ils sont entraînés à manier des hommes. L'ingénieur sous ce rapport ne vaut guère mieux que le banquier. Tout cela est assez connu, et les effets en sont assez visibles. Mais ce que l'on ne sait pas toujours comprendre, c'est que c'est l'éducation littéraire qui prépare ici le jugement d'une manière convenable, par le spectacle de l'Ordre Humain, qui n'est présenté comme il faut que dans les Œuvres Humaines les plus éminentes. Finesse est noblesse; et la vraie ruse est de supposer le mieux, afin de le faire être. Cette condition paraîtra moins étrange, si l'on a bien compris comment l'opinion répond à l'opinion, et qu'il suffit que l'on croie qu'un enfant est paresseux ou menteur pour qu'il le soit en effet. Agir sur un homme c'est le rappeler à lui-même. A vous donc d'éveiller plutôt les étages supérieurs; car tout dort.

Voici donc la loi suprême du jugement; dès que l'ordre humain est pris comme objet, c'est que c'est le meilleur qui éclaire tout. Découronnez l'homme, il retombe au plus bas. Vous-même d'abord. Jugez-vous animal, et vous êtes tel, déterminé, et vous êtes tel, timide, et vous êtes tel. Aussitôt. Mais pour les autres aussi bien. Ici il apparaît en clair pourquoi l'expérience non redressée nous trompe inévitablement. C'est donc le Meilleur qui nous instruit, et il faut gouverner, conseiller, instruire d'après les modèles. Rares et mélangés dans l'expérience directe; choisis au contraire et purifiés dans l'expérience littéraire, qu'il vaudrait mieux appeler esthétique, parce que la beauté de l'expression est ce qui nous enlève le désir et le moyen d'altérer les sentiments composés et les courageuses pensées d'un Socrate, d'un Marc-Aurèle, d'un Virgile. Car ce qui n'est point beau est livré aux médiocres qui le divisent et le recomposent à leur niveau. Mais ce qui est beau revient toujours le même, et intact; c'est l'objet qui convient si l'on veut penser la Nature Humaine, toujours humiliée sans ce secours. Les grands auteurs sont donc le seul miroir où l'homme puisse se voir homme. Et l'admiration est la stricte méthode pour la formation de l'Esprit.

DES IDÉES FAUSSES

Je veux bien accorder qu'il y a plus de vérité dans le Socialisme que dans l'Évangile; mais personne ne croira que le Socialisme serait ce qu'il est sans l'Évangile. Là-dessus un socialiste vient naturellement à penser que ce progrès est fait, et que c'est perdre temps que de le refaire; que ce qu'il y avait d'humain dans l'Évangile a passé dans le Socialisme, que le meilleur des anciens livres s'exprime assez dans le meilleur des nouveaux livres, et qu'enfin l'esprit humain, étant venu à maturité, n'a nullement besoin de faire l'enfant. C'est comme si l'on disait que l'homme n'a nullement besoin d'être enfant d'abord. Cet esprit sans enfance correspond à ce genre d'intelligence que l'activité technique peut développer. Et j'ai remarqué que le technicien, qui n'a besoin que de la dernière idée, arrive par cette économie de pensée à n'avoir plus d'idées du tout. C'est ce que je n'ai pas compris sans peine; et je ne l'expliquerai pas aisément en peu de mots. J'en veux pourtant dire quelque chose; car ces écoles techniques dont nous nous embarrassons nous préparent un genre d'hommes mal composé. Formule et fureur; j'ai connu de ces fanatiques qui ne sont sûrs de rien, si ce n'est que telle formule est la plus récente à la date du jour. Réellement une idée fausse n'est rien, et une idée vraie n'est rien non plus. Toutes les idées ont du vrai et du faux; mais toutes sont fausses dès qu'on s'y tient; c'est le mouvement à travers les idées qui fait le vrai de toutes. Non pas seulement de la dernière, qui approche le mieux de l'objet et donne mille prises, mais aussi de la première et de la plus ancienne, par laquelle l'enfance s'accorde à la maturité et en quelque façon la porte. Car l'inférieur, selon la célèbre formule, porte le supérieur, non pas autrefois seulement, mais maintenant et toujours; et c'est bien notre enfance qui vit en nous, et qui repousse tristesse et maladie, et qui cherche au-delà de ce qui est trouvé, et qui jouit de ce riche univers, qui met toujours en toute action et en toute pensée un peu plus de mouvement qu'il ne faut, enfin qui chante en travaillant. Qui est sorti tout à fait de l'enfance, il est bien sec; et avare et vieux; ce sont des morts qui se promènent. Et que ces morts sachent plus ou moins, il n'importe guère. Socialiste vieux, Démocrate vieux, ou Théocrate vieux, c'est toujours la même tête de Méduse, qui glace l'Espérance. Ils viennent tous à me terminer et achever; mais je veux marcher et me porter à d'autres idées par celles que j'ai. C'est ainsi qu'il faut vaincre l'âge. Je crains les vieillards. Mars est un homme vieux.

S'instruire c'est bien refaire le chemin qui va des premiers poèmes aux plus rigoureuses conceptions. Mais il ne faut pas l'entendre mal. Toute pensée, en tout homme est ce mouvement même, ou elle n'est rien. Celui qui aime la paix, et qui la veut de toutes ses forces, n'est pas loin de vouloir brûler l'*Iliade ;* ce n'est, dira-t-il, que fureur et barbarie. Mais c'est vouloir penser sans vivre. Car présentement toute l'*Iliade* bataille en mes rêves, en mes colères, en mes impatiences; mes pieds et mes mains s'agitent et me mènent, comme ceux d'Ajax; plus vite que ma pensée. Mais cette *Iliade* est mal composée; ce n'est que désordre indicible; ce sauvage ne sait point parler; je ne sais point lui parler. Au lieu que la vraie *Iliade* a forme humaine déjà; elle est pensée en son contour; élevée par l'expression; déjà idée. C'est pourquoi je m'y retrouve; le sentiment y passe dans l'idée; et il entraîne tout l'homme; le plus puéril de l'homme y prend forme, et appelle autre chose; l'*Iliade* appelle l'*Odyssée ;* l'une et l'autre appellent l'*Énéide,* où Hugo voulait voir déjà la couronne chrétienne; et la chevalerie, la papauté, les croisades dans le Tasse, comme l'Enfer du Dante, appellent autre chose; car dès qu'une idée est formée, il en faut sortir; ou plutôt, avec cette idée là il faut en faire une autre; et je dirai même que l'idée la moins suffisante, parce qu'elle est aussi la plus touchante, exige aussi le mieux une autre idée, et ainsi nous rappelle le mieux à la vraie pensée. Qu'on ne puisse s'en tenir à Homère, et qu'il ne soit qu'un commencement, quoiqu'il enferme tout en sa forme royale, c'est pour cela justement qu'il est bon à lire et à relire, comme une prière du matin.

DES STOÏCIENS

On ne connaît les Stoïciens que par leur morale, qui partage avec Platon la gloire d'avoir donné un adjectif à la langue commune. Mais leurs fortes maximes s'appuyaient sur des idées de réflexion qui vont, il me semble, aussi loin qu'on soit jamais allé dans la théorie même de la Pensée. Et, quoi que disent là-dessus les érudits, cette partie de leur doctrine, qu'ils appelaient logique, n'est pas moins fidèlement rapportée que l'autre; elle est seulement un peu plus difficile à entendre. Au vrai les Stoïciens terminent amplement l'élaboration Hellénique, jugeant enfin les Idées, au-dessus desquelles Platon voulait déjà poser quelque chose de plus éminent. Toutefois il est à juste titre considéré comme le philosophe des Idées; car son œuvre fut de montrer comment les apparences insaisissables d'Héraclite sont mises en ordre par de fermes affirmations, dont le nombre, la droite, le cercle sont les preuves les plus connues. La célèbre allégorie de la Caverne, et ce qui suit, qui distingue l'idée et le tracé dans l'objet des géomètres, expliquent encore aujourd'hui toute notre science.

Contre quoi Aristote s'est élevé avec force, après qu'il l'eut étudié vingt ans. Et ce second pas de la pensée n'est pas moins beau. Car certainement les Idées n'existent pas; ce qui existe c'est telle et telle chose particulière, qu'aucune idée n'égale; et c'est l'individuel qui porte tout; car ce n'est point le Grec qui est Musicien, mais c'est le même Socrate qui est à la fois Musicien et Grec. Et quand les idées n'ont même pas le pouvoir de s'accrocher les unes aux autres sans un secours étranger, il est encore bien moins permis de croire qu'elles se tiennent éternellement comme des modèles de toutes choses. C'est l'artisan qui fait un lit d'après le modèle du lit, mais la nature travaille au dedans; et dans toute nature, son propre modèle y est enfermé, et unique. Ce que le sévère philosophe exprime par deux mots, Forme Substantielle, disant d'une part Forme au lieu d'Idée en vue de rapprocher l'abstraction de la chose; et secondement voulant faire entendre que l'idée vraie de la chose est la chose même, intimement la chose même, ce qui l'a jeté dans la plus étourdissante métaphysique, qu'on trouvera mise en forme dans Leibniz. Notamment il fallait que le possible abstrait fût élevé au rang de Puissance, et qu'ainsi tout individuel eût sa perfection en lui-même, et ne pût changer qu'en la développant. D'où un Dieu tout en Acte, et vivant; thème éternel des théologiens. Mais cette philosophie quoique plus rustique était encore trop loin de terre. Les Stoïciens allèrent droit à la question.

Si l'individuel seul existe, aucune idée générale n'est vraie, mais il ne faut pas tirer de là que la pensée doive se perdre dans la perception telle quelle. L'idée vraie devra être une perception vraie; mais la condition d'une telle perception est double. Car d'un côté il faut que l'esprit la dessine d'après ses formes; et en ce sens tout le Platonisme est vrai; aussi les Stoïciens tenaient ferme pour la Raison Commune, comme on sait. Mais d'un autre côté il faut que la perception intelligente soit en même temps sensible c'est-à-dire saisisse à son tour l'individuel en ses différences; ce qui fait apparaître que l'idée n'est qu'un moyen et que le vrai est continuellement à découvrir, puisqu'il y a évidemment une variété sans fin entre tous les êtres et en chacun d'eux. Voilà donc la Pensée au travail et en action, toujours appliquant ses idées, et les compliquant selon la méthode et en même temps selon l'objet. Saisissable et saisissant, comme ils disaient en un seul mot, telle est la perception en acte; et la sagesse est en ce travail, et nullement dans la possession d'une idée. C'est pourquoi, sous-entendant qu'aucune idée n'est vraie, ils disaient aussi que le Sage ne se trompe jamais, parce que son mouvement d'esprit est selon le vrai; Cléanthe est sage dès qu'il apprend, quand il en serait aux éléments, car il va vers la chose, par les idées; c'est ce progrès qui est le vrai. Ils disaient aussi que c'est l'Esprit tendu qui est l'Esprit vrai; et qu'ainsi bien penser c'est inventer et non recevoir. En quoi Platon se reconnaîtrait tout; car il a tout dit en sa Caverne, puisque le sage doit finalement expliquer les Ombres. Mais le génie de Platon laissait sans doute trop à deviner; sans compter que le démon politique le portait à redresser au lieu de contempler, comme il arrive. Et sans doute il fallait le génie Aristotélicien, mieux planté en terre, pour que la logique fût surmontée et que les Stoïciens pussent dire finalement que toutes les fautes sont égales. Ce que Cicéron n'a jamais pu comprendre, ne soupçonnant point que toutes les erreurs sont aussi égales, comme filles de paresse et lâcheté.

DISCIPLINE DE L'IMAGINATION

Dès que l'on pense, le corps grimace, comme le fait voir un homme soucieux. Ces grimaces n'altèrent pas les additions, ni les recherches géométriques; et l'on appelle très bien abstraites ou séparées les connaissances qui se forment ainsi sans que les gestes soient disciplinés. Et les distractions, qui font souvent rire aux dépens d'hommes fort savants, sont signes que leurs idées sont bien loin de leur nature. La danse est à l'opposé, puisque le geste occupe alors tout l'esprit. Entre deux est le travail de la réflexion, qui porte toujours naturellement sur les problèmes les plus difficiles, comme la Paix, la Justice, le Destin. Aussi ne voit-on guère occupés à réfléchir que les hommes malheureux. Il n'est point de jour où l'on ne rencontre à Paris quelque homme décharné qui parle et gesticule pour lui-même; et dans ce cas-là, il est assez clair que la parole et le geste vont devant et que les idées suivent sans s'arrêter jamais, sans jamais se laisser prendre par l'attention. Il faut appeler intempérance cet emportement de l'homme sans culture; dont les plus prudents se préservent par le jeu de cartes ou les échanges de la politesse. C'est la preuve qu'une idée touchante ne peut jamais être suivie si l'imagination n'est pas disciplinée en même temps. C'est pourquoi il ne faut pas attendre beaucoup de ces idées positives et sans ornement que l'on offre à l'enfance, et qui feront, dans les cas les plus favorables, des singes calculateurs, dans le fond grossiers, mal tenus, et souvent méchants ou malheureux. Je voudrais qu'ils pensent plus près d'eux-mêmes, et que l'imagination soit prise déjà, en leurs premières idées; à quoi les contes réussissent assez bien; et que l'idée en soit souvent cachée, ce n'est point un mal, mais un bien. C'est une condition favorable, pour la réflexion, si la fantaisie est tellement jointe et comme entrelacée avec l'idée que la pensée tienne tout le corps attentif; c'est ce qui donnera au jeune singe une figure d'homme.

Comte a découvert une loi de grande conséquence, qu'il faut prendre pour guide en ces difficiles problèmes, c'est que toute idée commence par le fétichisme, qui est le simple jeu de l'Imagination, se perfectionne par la Théologie, ou si l'on veut un mot plus clair, la Mythologie, et enfin s'achève par l'expérience méthodique, qui la conduit à l'état Positif. Cela revient à dire que nous sommes enfants d'abord; je dirais même, en toute pensée et à tout âge, enfants d'abord; ce qui ne part point de ce commencement n'arrive jamais à une vraie maturité. C'est pourquoi il faut aller jusqu'à dire que la poésie seule donne réellement des idées. L'enseignement dit classique ne peut être compris que par là. L'enfant lit, apprend, récite, copie, traduit une quantité de beaux textes; entendez dans lesquels l'expression de l'idée est toujours illustrée par le jeu libre de l'imagination, et cela se reconnaît à ce signe, qu'ils plaisent d'abord. Ces textes sont naturellement obscurs, et au-dessus de l'enfant; mais une telle situation convient à notre nature; et c'est comme une précaution qu'il faut prendre, de laisser l'idée étroitement engagée dans l'expression; l'enfant n'arrivera pas toujours à former l'idée; mais s'il la forme ce sera une idée à lui et enracinée. Nul n'a d'idée réelle sans un peu de génie, c'est-à-dire sans une imagination polie et disciplinée qui devance l'entendement.

On ne peut expliquer autrement la puissance des mythes et des paraboles, qui se retrouvent toujours en métaphores dans le bon style. Platon parle par mythes, et Jésus par paraboles. Par là l'homme est touché en son centre, et c'est le corps pesant qui est d'abord éveillé, l'imagination étant disposée comme il faut par l'enchantement poétique. Mais, sagesse plus profonde, le maître nous laisse là, chargés de ces images pleines de sens; et c'est à nous de tirer l'idée de l'image, si nous pouvons. De telles idées ont alors une enfance, et une croissance, et une vraie maturité. Et je ne vois point qu'il y ait quelque autre méthode pour apprendre à penser. C'est une raison, mais assez cachée, de ne point expliquer trop tôt les poèmes, ni les contes, ni les fables; ce sont comme des semences que vous jetez dans l'esprit. Et si l'on se laisse entraîner à quelque commentaire, le meilleur exercice sera toujours de ramener à l'expression littérale par récitation répétée. La Bible donne ainsi à d'innombrables générations la Lettre avant l'Esprit; et cette méthode, due à la vénération, donne force à des idées assez ordinaires. Homère, par l'admiration, fut la Bible des Grecs.

DE L'ESPRIT HISTORIQUE

Les études classiques définissent peut-être l'esprit historique mieux que ne fait l'histoire elle-même. Le meilleur guide ici est le culte des morts, le plus ancien partout et partout subsistant. Or, il se fait dans l'esprit des survivants toujours une purification et comme un essai d'apothéose, par ce besoin d'admirer qui est la partie proprement humaine de l'amour. Même à l'égard d'un vivant un noble amour néglige et efface les choses de peu, et souvent même les fautes graves, cherchant toujours une raison de croire et d'espérer le mieux. Épreuve redoutable pour tout homme, qui se trouve ainsi toujours endetté de vertus, et va souvent de faillite en faillite. Mais les morts ne font plus aucune faute. Et comme c'est un juste mouvement de réflexion que de demander conseil à leur mémoire, ils se trouvent joints dans notre pensée à ce que nous trouvons en nous-mêmes de plus sérieux et raisonnable. La vénération suit donc le souvenir. Et par là certainement le préjugé de la noblesse donne secours à l'individu, puisqu'il se donne toujours un modèle plus grand que nature.

D'après ce modèle de l'esprit historique, il faudrait donc hardiment supprimer beaucoup et oublier beaucoup, de façon à offrir à l'enfance une sorte de légende vraie. C'est à quoi vont les belles-lettres, ne considérant jamais que le meilleur de ce qui reste. Et l'humanité ne peut se sauver que par ce moyen. C'est pourquoi l'érudition, qui diminue tout, est un jeu triste. Toujours est-il que pour l'éducation il n'y a point de doute; il faut une histoire héroïque, dont le mythe d'Hercule est le parfait modèle.

J'ai dit légende vraie. Car il est vrai que l'homme a triomphé d'animaux redoutables, et de tout ce qu'il y avait de simplement brutal et avide dans l'homme, comme il est vrai que l'homme a inventé le feu, la roue, le treuil, la terre cuite, le verre, et la massue, et l'arc, et tant d'outils et de machines; comme il est vrai aussi qu'il a inventé langage, écriture et algèbre; marchés, banques et coopératives; justice, courage et tempérance, toutes choses qui n'ont pas toujours été comme elles sont. Et quoiqu'il y ait de l'incertitude sur toutes les origines, il n'y a point tant d'incertitude sur les moyens. On ne sait pas de quelle plante sauvage est venu le blé, mais on sait que c'est par culture, tradition, choix des graines que le blé est devenu ce qu'il est; il en est de même pour le dressage des animaux, et pour toutes les inventions, qui supposent toujours un état de société et une transmission du savoir, en même temps que les patients essais et les ingénieuses remarques de l'individu. Et comme c'est la plus grande des fautes, dans l'éducation, d'oublier l'inférieur qui porte tout, et par exemple la lecture, qui porte la culture, ainsi ce serait quitter terre en quelque sorte que d'oublier dans l'histoire ce qui est le moins connu, mais ce qui peut être le plus aisément supposé, à savoir les inventions qui donnèrent d'abord puissance, provisions et loisir, sans quoi la vie supérieure ne serait nullement concevable. Sans compter que dans cette histoire supposée, tout l'homme se retrouve et se reconnaît, et plus grand en vérité que nature ; car la vie réelle n'offre jamais tant de suite, et la condition de l'homme est qu'il oublie aisément sa vraie puissance. C'est sans doute pour cette raison que l'histoire mieux connue des événements plus récents cache presque toujours le progrès sous l'incident. Aussi l'histoire supposée des premières inventions est-elle une bonne préparation à l'autre histoire ; et je voudrais qu'on cherchât dans l'histoire des supplices, des combats et des révolutions le même genre de vérité que réclame l'histoire du blé ou l'histoire du feu.

DES POÈTES

La langue est un instrument à penser. Les esprits que nous appelons paresseux, somnolents, inertes, sont vraisemblablement surtout incultes, et en ce sens qu'ils n'ont qu'un petit nombre de mots et d'expressions ; et c'est un trait de vulgarité bien frappant que l'emploi d'un mot à tout faire. Cette pauvreté est encore bien riche, comme les bavardages et les querelles le font voir ; toutefois la précipitation du débit et le retour des mêmes mots montrent bien que ce mécanisme n'est nullement dominé. L'expression « ne pas savoir ce qu'on dit » prend alors tout son sens. On observera ce bavardage dans tous les genres d'ivresse et de délire. Et je ne crois même point qu'il arrive à l'homme de déraisonner par d'autres causes ; l'emportement dans le discours fait de la folie avec des lieux communs. Aussi est-il vrai que le premier éclair de pensée, en tout homme et en tout enfant, est de trouver un sens à ce qu'il dit. Si étrange que cela soit, nous sommes dominés par la nécessité de parler sans savoir ce que nous allons dire ; et cet état sibyllin est originaire en chacun ; l'enfant parle naturellement avant de penser, et il est compris des autres bien avant qu'il se comprenne lui-même. Penser c'est donc parler à soi.

Certes c'est un beau moment, comme Comte l'a remarqué, que celui où l'homme, seul avec lui-même, se trouve à la fois avocat, et juge ; c'est le moment de la réflexion; c'est même le moment de la conscience; sans doute ne fait-on paraître le Soi qu'en parlant à Soi. Mais disons que dans ce bavardage solitaire il y a une inquiétude qui va à la manie. D'abord on ne peut conduire sa parole; car conduire sa parole, ce n'est qu'essayer tout bas et répéter tout haut; de moi à moi il faut que je me fie à ma parole et que je l'écoute; et la déception, qui est l'état ordinaire, irrite bientôt. On saisit ici le prix des maximes, par quoi le mécanisme participe de la sagesse. Et certainement il y a un plaisir sans mesure à répéter; c'est se reconnaître et reprendre le gouvernement de soi; c'est pourquoi les contes ne plaisent que dans une forme fixée.

Mais, contre ce besoin de reconnaître, il y a dans le langage comme mécanisme une exigence de changement qui est biologique, et à laquelle la musique, la poésie et l'éloquence doivent donner satisfaction. Car il faut que certaines parties se reposent et que d'autres se détendent après l'inaction. Et, faute d'une mémoire ornée de belles paroles, le bavard sans culture est jeté de discours en discours, sans pouvoir même répéter exactement ce qui offre au passage comme l'éclair d'une pensée.

Par opposition à cette misère intellectuelle, considérons qu'un beau vers est un merveilleux soutien pour la réflexion. Car d'un côté, comme on ne peut dire autrement sans manquer au rythme ou à la rime, on ne peut dériver; on s'arrête, on retrouve et on se retrouve. Mais surtout cet art de chanter sa propre pensée développe toujours dans la phrase rythmée la compensation après l'effort, soit pour les sons, soit pour les articulations, ce qui ramène au repos après un travail équilibré de l'appareil parleur; et l'on se trouve ainsi protégé contre le discours errant, au lieu qu'une phrase mal faite en appelle une autre. C'est pourquoi l'entretien avec soi n'est soutenu comme il faut que par les fortes sentences de la poésie. C'est donc par de telles œuvres que l'enfant commence à penser; il peut alors s'écouter lui-même, et reconnaître sa propre pensée dans l'œuvre humaine; mais le premier effet est esthétique; l'enfant est d'abord retenu ou saisi; ensuite il se reconnaît. Et ces remarques rassurent aussitôt le maître quant au choix des œuvres; car le principal est qu'elles soient belles et pleines de sens; mais il n'est point dans l'ordre que l'enfant les comprenne avant de les retenir. Et certes, il peut y avoir à comprendre dans les improvisations d'un enfant; mais le maître croit trop facilement que ce qui l'intéresse instruit l'enfant aussi; au contraire dans ce qu'il dit, l'enfant se perd; et c'est une raison décisive lorsqu'on se risque à provoquer des réponses libres, de les faire toujours écrire aussitôt, afin d'interroger de nouveau la réponse elle-même. Le langage commun appelle naturellement Pensées les formules que l'on retient et qui s'imposent à la mémoire, donnant ainsi un objet à la réflexion. Et quand je dis qu'un tel appui est nécessaire à l'enfant, je n'entends pas que l'esprit le plus ferme et le plus mûr puisse s'en passer; le défaut le plus commun est d'aller à la dérive, et de tomber d'une idée à l'autre selon les lois mécaniques de la chute. L'égarement est le vrai nom de cet état errant de l'esprit.

Auguste Comte a donc dit une grande chose, lorsqu'il a voulu appeler Prière la méditation sur un poème; car c'est interroger l'Humain en ce qu'il a de plus éminent; c'est frapper au rocher comme Moïse, et appeler le Miracle; se retrouver soi dans un poème qui date peut-être de mille ans; et tirer la plus profonde richesse, et sans fin, de cet objet immobile. Toute contemplation esthétique a bien ce caractère; mais le beau nom de Prière ne convient pas également à toutes; il convient le mieux lorsque je puis, en quelque lieu que ce soit, par une pieuse récitation, produire cet objet secourable. Et celui qui n'a point de culte ni de prière ignorera toujours l'attention vraie.

II

LES SENTIMENTS FAMILIAUX

ESSAI D'UNE SOCIOLOGIE DE LA FAMILLE

Cette étude est premièrement de métier. Le problème ici traité est maintenant classique, principalement dans l'enseignement destiné aux jeunes filles. Je veux montrer comment on peut surmonter des difficultés assez évidentes si l'on suit les directions d'Auguste Comte. Mais j'avertis d'abord que je me préoccupe moins de savoir exactement ce que Comte a pensé là-dessus que de pousser plus au détail d'après ses rigoureuses et touchantes leçons.

Toutefois il m'a paru aussi que les remarques que je propose dans ces pages seront bonnes à méditer pour tous, et renverront utilement plus d'un père et plus d'une mère à lire ce second volume de la *Politique Positive,* que j'appelle la Bible des familles. Une femme disait à Comte, au sujet du problème des droits et des devoirs de la femme, et de ceux de l'homme qui y sont corrélatifs : « Là-dessus, il n'y a que vous. » Je crois que cela est vrai encore aujourd'hui. Sans compter qu'en ce problème se trouve le point d'attache de la Sociologie à la Biologie.

On connaît la série des six sciences, impérissable; Mathématique, Astronomie, Physique, Chimie, Biologie, Sociologie. Parmi tant de belles remarques que l'on peut faire concernant cette suite, solide et pleine entre toutes, je retiendrai que la suivante dépend de la précédente, et reçoit d'elle ses hypothèses régulatrices. Cela équivaut à rappeler, avec notre philosophe, que la société est composée de familles, non d'individus, et que, si le fil conducteur pour toute étude positive de la société vient de biologie, c'est aussi par la famille qu'il faut faire le passage, puisque la famille est biologique premièrement. Ici les sentiments sociaux s'élaborent, se fortifient, se conservent. Et cela est bien connu, comme on dit; mais les choses bien connues sont souvent trop peu considérées. C'est assez de préliminaires.

LE COUPLE

LA société que forment la mère et l'enfant est première en importance, et modèle de toutes, comme on l'expliquera. De toute façon, le couple est premier dans le temps. Je choisis de traiter d'abord du couple humain, étant bien entendu que le couple, comme société, n'arrive à sa perfection que par l'exemple et la réaction du sentiment maternel. L'amour, par sa nature, est plutôt anarchique et perturbateur. Chacun voit bien qu'il rompt une famille et en détache un rameau. Il suffit de remarquer que l'amour, en sa gloire première et en son admirable suffisance, repousse l'idée même d'un devoir comme indigne de lui, cherchant au contraire le libre consentement, toujours défait, toujours renouvelé par les jeux immémoriaux de la coquetterie. Être choisi à chaque instant, et librement choisi, refuser pouvoir et pouvoir tout, telle est l'idée enivrante qui est la source des plus grands bonheurs et des plus grands malheurs en cette vie difficile. Il est vrai que le serment est naturel aux premières heures de l'amour; mais il est naturel aussi qu'on méprise le serment, qu'on en délie l'autre, et qu'enfin on essaie témérairement ce pouvoir qu'on ne veut pas exiger. Un tel sentiment, laissé à lui-même, vieillit mal. Outre que l'occasion et l'humeur conduisent souvent à provoquer des offenses que l'on ne peut pas toujours pardonner, les forces biologiques ne cessent de nous porter d'un âge à l'autre, et nous somment trop tard de passer de l'amour à la plus belle amitié. Si l'on veut voir en une émouvante peinture, comment finissent les amours qui se retirent, du monde humain pour vivre sur leur propre substance, il faut lire les *Mémoires de deux jeunes mariées* de Balzac; on y trouvera, en regard de la tragique aventure de Louise de Chaulieu, où le romanesque périt par ses propres décrets, le sage mariage de Renée de Maucombe, mariage de raison vivifié par les enfants, étalé de toutes parts par l'ordre social qui l'a d'abord consacré. C'est dire que la sagesse des parents, orientée dès le principe vers la destinée des enfants et la transmission des biens, exige un serment irrévocable, que l'amour peut bien mépriser mais qu'il ne peut refuser sans injure. Tout s'accorde donc pour que la société réelle transforme le couple amoureux en une société à son image, qui a son gouvernement, ses lois et ses usages. D'où le problème du droit des époux.

L'amour, comme on l'a compris, est profondément étranger à l'idée du droit. Il faut même dire que le rapport de deux libertés, qui est le rapport de personne à personne, est toujours profondément troublé, pour ne pas dire offensé, par les contrats publics que la société impose. Il faut comprendre ici que le droit n'est point né de la dignité des personnes, mais bien plutôt de la valeur des choses et des règles de l'échange. C'est de là qu'il remonte aux personnes, comme il est naturel; car la nécessité des échanges n'est point d'ordre plus élevé que la nécessité nue, mais elle est en revanche fort pressante, et ne permet point qu'on l'oublie. Ici encore la loi biologique se montre, et règle aussitôt les fonctions supérieures, car il faut premièrement vivre, comme on dit. Et c'est certainement le souci pressant de protéger les marchés qui a conduit à protéger aussi les marchands. De même, comme on l'a remarqué bien des fois, c'est un souci de régler l'accroissement des fortunes, leur transmission, la portée des engagements, l'appui du crédit, les droits des tiers enfin, qui régit premièrement nos mariages. Et cela est naturel à la fois et choquant, comme il est naturel et choquant à la fois que les prix et les échanges ne soient point fixés selon l'amitié. Ici se montre l'ordre, qui agit toujours de bas en haut, nous ramenant toujours de nos plus sublimes pensées à la nécessité d'obéir. Comme cette idée ne plaît jamais, et que trop souvent, on en cherche la principale cause dans quelque usurpation du semblable, il n'est pas mauvais d'aller maintenant jusqu'aux racines. Nous ne cessons d'obéir; par exemple à la pesanteur il faut obéir; à la faim, à la soif, au sommeil, il faut obéir. Une pierre veut obéissance. La nécessité naturelle passe, et nous écraserait; mais, bien avant de nous écraser, elle nous saisit par la douleur, éloquent rappel, et fort brutal.

L'inférieur porte le supérieur, comme Comte le rappelle sans cesse. Il faut obéir à la mer. Le grand mécanisme des choses est comme une mer qui nous porte; et il ne sert point de se plaindre. L'exécutif peut bien croire qu'il ordonnera ce qu'il veut; mais toujours est-il qu'il n'en a point le temps, assez occupé d'annoncer ce qu'il faut. Nul n'obéit plus qu'un roi.

Cette idée, même sommairement rappelée, éclaire assez le gouvernement domestique, pourvu que l'on comprenne bien les puissances et les aptitudes de l'un et de l'autre sexe. Comte nous rappelle que le sexe masculin est le sexe actif, et que le sexe féminin est le sexe affectif. Il ne s'agit que de bien comprendre ce qu'il a voulu dire. Par la structure même, et par les fonctions biologiques, le rôle du mâle est évidemment de poursuivre ce travail de destruction, de conquête, d'aménagement sans lequel notre existence serait aussitôt impossible. Chasser, pêcher, défricher, transporter, construire, c'est travail d'homme. En quoi l'homme ne cesse jamais d'obéir. Le torrent, l'orage, l'arbre, le lion, le serpent, ce sont des forces qu'il faut d'abord reconnaître, et exactement estimer. Nous voulons oublier l'état sauvage, et croire que la nécessité nous presse moins vivement; mais il n'en est rien. Franklin disait que « la faim regarde par la fenêtre du travailleur, mais n'ose pas entrer ». On ne peut dire mieux. La nécessité n'est jamais loin. Indirectement même elle ne cesse pas plus de peser sur nous et de nous sommer que la pesanteur ne cesse de nous tirer vers la terre. L'homme revient donc toujours de ce combat et aussitôt y retourne. D'où l'on comprend que la pensée masculine est puissante et courte, toujours cherchant outil, toujours au coupant de l'outil. Si c'est bien ou mal, cela est ajourné; si les choses ne seraient point mieux autrement, cela n'occupe guère la pensée masculine; il y rêve, il n'y pense point. C'est de sa faiblesse qu'il fait de telles idées, non de sa force. Et telle est la source du commandement; car ce qui commande, ce n'est pas l'homme, c'est la chose, c'est la situation réelle et présente. Le gouvernement du mâle ressemble à tout gouvernement; ses arrêts sont toujours fondés sur un état de fait qui n'a point égard, et dont il faut tenir compte, que cela plaise ou non. Il faut ici déblayer beaucoup et rabattre beaucoup. D'après la fonction naturelle du sexe actif, qui est celle d'Hercule, son rôle est d'annoncer la nécessité extérieure, et de mettre fin à d'agréables rêveries. Lorsque la femme se soustrait au pouvoir masculin, aussitôt elle se trouve en présence des forces réelles, et n'a pas changé de maître.

Il n'y a point de difficulté là-dessus. On hésite un peu plus quand il s'agit de caractériser la pensée féminine, ou, si l'on veut, le génie féminin. Ici encore il faut simplifier hardiment, et regarder seulement les nécessités biologiques, qui ne fléchissent jamais. Si la fonction de former d'abord l'enfant, par une convergence physiologique, et selon l'harmonie propre à l'espèce, était sans relation avec les pensées; si les soins qui suivent la naissance, et qui continuent la gestation par un massage continuel et par la mimique la plus persuasive que l'on connaisse, devaient être rapportés à un instinct séparé, sans lien avec la réflexion, il faudrait nier alors la relation de la pensée au corps vivant, idée directrice tant de fois vérifiée; il faudrait nier, bien plus, ce qui est d'expérience directe, c'est que toutes nos pensées ont la forme de nos gestes, de nos signes, de nos attitudes. Et, bref, si la physiologie n'est point le chemin qui conduit à expliquer un peu la pensée féminine, quel est alors le chemin? Va-t-on rechercher ce que les femmes disent ou écrivent d'elles-mêmes, quand il est évident, par mille causes, que les confidences masculines sont déjà trompeuses et affectées, et que celles des femmes doivent l'être encore plus, par des causes presque toutes honorables, comme sont la modestie et la pudeur? Il faut donc oser beaucoup, et se risquer au commencement. Dans la suite, et si l'on tient ferme l'idée directrice contre de faibles objections, tout s'éclairera.

Que la femme, selon la nature, soit assez occupée à porter l'enfant, à l'élever, à disposer toutes choses autour à l'intérieur de l'abri pour cette fin, qu'ainsi elle soit séparée, quant à ses pensées, de la nécessité extérieure qui est la province masculine, c'est une première vue, et qui conduit déjà assez loin. Cette science qui obéit toujours, et qui ne se repose que dans la contemplation d'un mécanisme tout à fait indifférent à nos fins, toutefois maniable et modifiable aussi, non pas sans peine, non pas sans limites, mais du moins sans égards, ce savoir audacieux, mécanicien et impie n'est pas naturel à la femme. Non qu'elle ne puisse le comprendre; les règles abstraites, la méthode, les preuves sont les mêmes pour tout esprit; mais la nature n'y est pas chez tous également disposée; et l'on comprend que les vues de physique, toujours tournées vers la conquête de l'univers antagoniste, ne seront jamais pour la femme l'objet d'une méditation suivie et aimée. Ses plus chères pensées, ses plus naturelles pensées devront revenir au contraire, à cette forme humaine que ses gestes, et même intérieurs, ne cessent jamais d'envelopper et de protéger. L'homme a dû, comme on sait, et non sans peine, rejeter de ses pensées industrieuses cette forme humaine, anciennement et toujours adorée. L'anthropomorphisme n'est pas pour cela sans usage, il s'en faut bien. Il est de grand prix au contraire, et même du plus haut prix, que l'homme n'oublie point sa propre forme. Car il y a deux manières d'agir; la physicienne se plie aux choses, et risque aisément la forme humaine, entendez cette règle par laquelle l'homme se conserve homme; et l'autre manière, qui dépend de la morale, est dominée premièrement par ce que l'homme se doit à lui-même. On aperçoit ici que le thème de la pensée féminine n'est point ce qui est hors de nous, qui souvent nous blesse, toujours nous menace, et souvent nous déforme, mais plutôt ce qui doit être, ce qu'il faut pour que l'homme soit homme et reste homme. L'ordre moral, ou de la perfection, serait donc l'objet naturel de la contemplation féminine. Mais je veux ramener cette idée trop étendue à la mesure des objets familiers.

L'ordre industriel est remarquable par le changement, par une lutte, par des bruits ennemis, par une opposition entre la forme humaine et les inhumaines machines. Un chantier, une usine, un atelier représentent ce travail de rompre, de broyer, de façonner la matière, de la fondre, de la forger, de la limer, de l'ajuster, selon nos besoins toujours, mais premièrement selon la matière même et selon les forces hostiles, pesanteur, pluie, chaleur, froid. En ce sens la maison, œuvre d'industrie, œuvre masculine, reçoit sa forme des éléments inhumains. Les murs, les poutres, la voûte sont selon la pesanteur; les fenêtres selon le soleil; le toit selon la pluie, la neige et le vent. La plus simple des tentes, qui est comme un toit posé par terre, est de forme inhumaine. Un château fort, par son extérieur, nie aussi la forme humaine puisqu'il a pour fin de l'écarter. Le navire est fait premièrement selon la mer, non selon l'homme. En toutes ces inventions se lit le mot pressant : « Il faut », qui toujours nous rappelle des forces étrangères et ennemies. A l'intérieur, au contraire, de ce qui est si bien nommé la demeure, le même mot « il faut » prend, un tout autre sens; car le lit, le fauteuil, la table, l'escalier sont faits pour l'homme; la forme humaine s'y moule en creux; elle y règne autant que cela se peut. Dans un bateau de pêche, dans un avion, dans un sous-marin, même dans un paquebot, la nécessité extérieure réduit la place de l'homme; la pensée virile y règle tout. Par opposition comprenez comment la pensée féminine dispose toutes choses et les conserve selon la forme humaine autant qu'elle peut, d'après ce refrain de l'ordre moral, puissant par la constance : « Il faudrait ».

Puisque l'inférieur porte le supérieur, puisque l'homme est d'abord enfant, puisqu'il faut d'abord manger, il se peut qu'une telle pensée reste au niveau des besoins animaux, et sans doute elle y est souvent ramenée. Mais elle peut aussi remonter de là, plus aisément peut-être que la pensée masculine ne remonte de ses travaux propres, car il n'y a pas loin de la forme humaine adorée à l'esprit humain adoré; cependant, comme il est naturel à la mère d'attendre avec foi et d'épier à chaque minute quelque perfection qui n'est pas encore, cette religion de l'esprit n'est aussi jamais abstraite; et comme le jugement est sentiment d'abord, et que c'est là qu'il trouve ses raisons, les pensées ne se séparent jamais non plus de l'être vivant qui les portera, et qui est l'objet de l'idée. L'anticipation est humaine; l'expérience est humaine; l'humanité est l'objet constant des méditations féminines. Cette philosophie est positive en ce sens, comme Comte l'a vu; mais, de même que plus d'un disciple a résisté devant ce qu'il appelait la seconde philosophie de Comte, qu'il jugeait ajoutée, de même la pensée féminine se heurte naturellement aux projets et aux preuves du sexe actif, et, bien pis, se trouve déchue; car elle ne peut que régner.

Cette position est celle du pouvoir spirituel. On sait que le jugement moral n'a jamais de lieu dans l'emportement des affaires. La guerre en est le plus grand exemple; et sans doute l'esprit de guerre est profondément étranger à la pensée féminine. Toutefois il faut ici regarder de près, car il n'est pas rare que le tribunal des femmes acclame la force. Mais cela est ambigu. D'un côté la forme humaine, entendue en son plein sens, est hasardée dans la guerre et de plus d'une façon; ce ne sont pas les corps seulement qui y sont mutilés. L'ennemi agit comme la nécessité même; il est passé au rang d'objet. Cette action est masculine; la femme n'y peut penser que pour la nier d'aussi près que possible, se préparant à refaire ce que la guerre défait. Mais, d'un autre côté, la guerre est le moment d'admirer et d'aimer, puisqu'en ce péril, comme en tout autre péril, l'homme dépasse l'espérance. C'est pourquoi ici l'opinion féminine est communément impénétrable. Mais l'histoire de l'espèce nous éclaire mieux. Car il est évident que, par les cours d'amour, l'institution chevaleresque était ramenée à rechercher l'épreuve, bien plutôt que la victoire de force. Ainsi l'esprit guerrier fut tiré en quelque sorte hors de la guerre, et subordonné à la plus profonde justice, qui toujours revient à un généreux gouvernement de soi. Cette grande idée apportait la paix. Il était réservé à l'époque industrielle, contre les prévisions de Comte, de transformer la guerre en une sorte de travail d'usine, ce qui fait que le bonheur d'admirer est réduit à refuser, avec une sorte de violence, toute lumière réelle sur les causes et les moyens. C'est une des raisons par lesquelles le jugement féminin se referme sur lui-même au lieu de se développer.

Il faut voir sur quoi l'on dispute. La femme exerce un pouvoir de fait que beaucoup jugerait démesuré. Mais d'un autre côté on s'étonne que ce pouvoir, en droit strict, soit comme nul. Remarquons qu'il est tel justement dans la situation d'épouse et de mère, qui est celle où il s'exerce le plus, et que la femme ne revendique communément l'autre pouvoir, qui est de droit et masculin, qu'autant qu'elle n'est pas en situation d'exercer son pouvoir propre. Ces remarques étonnent sans éclairer, tant que l'on n'a pas assez considéré le pouvoir spirituel, qui échappe, par sa nature, à toutes les formules du droit. Comte aime à comparer le pouvoir des femmes à ce pouvoir politique, qui est impondérable, et que l'on nomme l'opinion; et convenons qu'il ne manque jamais à l'opinion que de savoir ce qu'elle veut et ne veut pas; sans aucun pouvoir défini, elle fera fléchir tous les pouvoirs jusqu'aux limites marquées par la nécessité inhumaine; et il est clair que presque personne n'ose espérer jusque-là. Les prolétaires se trouveraient aussi, selon notre philosophie, et par le seul pouvoir de refus, dans la situation d'opposer à toute tyrannie une invincible résistance et aussitôt efficace, pourvu qu'ils ne tentent pas de saisir le pouvoir de force; car ils se trouveront alors déchus du pouvoir spirituel, et au contraire soumis à la nécessité extérieure et soupçonnés à leur tour de l'estimer trop haut. Ces idées sont bonnes à suivre, et encore neuves. L'Église en sa puissance propre, qui n'est pas petite, offre un meilleur exemple de cette fonction de juger, toujours moins efficace à mesure qu'elle cherche l'appui de la force. Ce paradoxe s'explique par de petites raisons, par exemple que la puissance de convertir se perd toute par la contrainte, qui revient ici à l'absurde idée d'être aimé par force. Mais la vraie raison est que la pensée qui contemple ne peut regarder au même point que la pensée qui réalise. L'action déforme toujours la pensée, et même plus qu'il ne faudrait, plus même qu'on ne peut le craindre; et c'est par là que le pouvoir de forcer annule aussitôt la fonction de persuader. L'esprit ne peut forcer. Or si, plutôt que de nous perdre dans l'esprit pur, nous définissons la pensée féminine par la fonction de conserver la forme humaine, livrée naturellement aux aventures, si nous considérons assez cette fonction conservatrice, toujours ajournée, mais que nul ne peut mépriser, nous comprendrons que le pouvoir féminin n'est absolument pas formulable en droit et ne le sera jamais.

Ce qui exige attention sans aucune menace, sans aucune montre de force, est objet de respect et de culte. Cette nuance du sentiment n'est pas d'abord visible dans les jeux de l'amour, parce qu'il se fait au commencement un échange de grâce, qui rassemble en l'homme toute la résolution d'obéir, et dans la femme toute la disposition à approuver. Il est proverbial de dire que cet heureux état ne dure pas plus d'une lunaison. Chacun sent bien qu'il faut que l'amour se transforme peu à peu par l'effet de l'âge; mais c'est trop peu dire; l'amour doit changer du tout au tout, et fort vite; car la touche de la nécessité n'est nullement discrète. D'un côté il faudra que la femme se retire de ces jeux masculins et de cette imitation héroïque, pour répondre à la première annonce de l'enfant; c'est le commencement d'un long travail sur elle-même et autour d'elle-même, dans l'abri commun, loin des travaux qui soumettent et transforment la nature inanimée ou animale; loin même de cette matière humaine, inhumaine, que la société fait sentir par son poids et son étendue. Comme la femme représentera maintenant les besoins, pris dans le sens le plus étendu, l'homme aura le gouvernement des moyens. Il faut redire ici que nul ne commande, et qu'il n'y a que la nécessité extérieure qui commande; aussi c'est l'homme qui est naturellement le messager de cette puissance sourde et muette. Rôle ingrat, qui est celui de tout gouvernement. Double ignorance ici. D'un côté la femme est sujette à ignorer les vrais moyens de vivre et de parvenir, croyant toujours trop qu'on obtient les biens extérieurs de la même manière qu'une femme aimée obtient le consentement de celui qui l'aime. Les expériences de l'enfance, qui obtient tout par prière, font que cette idée règne plus ou moins sur tous; mais l'homme s'en délivre par la pression des affaires et la loi des échanges. La dépendance où l'homme se trouve, et enfin la nécessité de payer de toutes les manières, est ce qui étonne le plus la femme; et souvent la nécessité d'obéir la touche plus vivement en l'homme qu'en elle-même. En revanche l'homme ignore plus profondément encore le vrai ressort des pensées, qui se trouve dans une foi inébranlable, qui toujours cède, mais toujours revient. Il n'est naturellement certain que de l'incertain; tel est le fond du sérieux masculin, fort devant la chose, faible devant lui-même. Pessimisme et scepticisme sont des maladies masculines. En la femme l'espèce fait mieux que se rassembler et croire en soi; elle se refait et se renouvelle.

Il est hors de doute que chacun des deux sexes s'entend merveilleusement à la tâche qui lui est propre, c'est ce qui rend l'espèce invincible et admirable. L'amour se renouvelle communément par cette mutuelle admiration. Et, parce qu'il n'y a point de contradiction au fond entre ces deux pouvoirs, l'harmonie s'établit et se conserve souvent dans l'existence immédiate. Les romanciers ne l'ont point méconnu, comme on voit par l'exemple de M. de Rênal et de César Birotteau; le premier voudrait encore consulter sa femme, dans le moment même qu'il se défie d'elle; l'autre aurait bien dû croire la sienne. Seulement, dès que la réflexion s'éveille, il n'est pas sans inconvénient que chacun des sexes admire l'autre sans le comprendre, comme il ferait d'un ingénieux animal, étranger par la structure et par le dessous des pensées. L'enseignement encyclopédique, que Comte veut le même pour les deux, a le double avantage d'éclairer mieux chacun sur ses propres démarches, l'homme par les sciences, la femme par l'étude suivie des poètes et des moralistes, et en même temps de les aider l'un et l'autre, par un effet inverse, à recomposer un seul esprit. Mais, comme la nature, jointe à l'expérience, ne manque jamais de confirmer chacun des deux sexes en ses travaux propres et en ses pensées propres, je crois qu'il faut surtout porter l'attention sur ce que la nature soutient moins, et conduire la femme, par les sciences, principalement à comprendre cette nécessité extérieure, qui est la province masculine, pendant qu'on ramènera l'homme, d'après la grâce des poètes, à mieux comprendre, et plus humainement, les exigences de l'esprit. Les deux se tiennent et s'accordent. Ce n'est point le lieu d'expliquer comment Comte a découvert, en partant des sciences positives, le domaine entier des Humanités et le secret des religions. Au reste, il y a d'autres chemins. Mais peut-être est-il plus naturel à l'esprit féminin de suivre la marche inverse. Je me borne à remarquer que le problème humain, qui est d'accorder la mystique avec la science, ou, comme on dit à l'École, la liberté avec le déterminisme, est le même que celui de l'union conjugale. En dépit des trompeuses promesses de l'amour enfant, il est clair qu'une vraie conversation, et continuée, entre l'homme et la femme, suppose toute la sagesse humaine; tant d'essais téméraires, tant de vaines recherches en vue de comprendre et d'être compris, tant de drames nés de réflexion courte, et même le silence du couple souvent, le prouvent assez. Il faut dire et redire que l'application suivie à comprendre l'autre, quand un mouvement inverse y répond assez, donne l'exemple le plus achevé de la pensée, et peut-être le seul. Il n'est point d'homme qui n'ait besoin de l'avertissement féminin; il n'est point de femme qui ne doive régler ses rêveries d'après l'ordre extérieur dont l'homme est le ministre. Finalement, c'est le couple qui sauvera l'esprit, comme la société polie, en ses tâtonnements, l'a toujours pressenti, subordonnant, sans bien entendre pourquoi, la perfection masculine au jugement du tribunal féminin.

LA MÈRE ET L'ENFANT

Voici à présent le vrai couple, et le modèle de toute société. D'abord par ceci que l'enfant est véritablement, sans aucune métaphore, l'union des époux qui est descendue des régions de l'idée, et qui est arrivée à l'existence. L'existence se passe de raisons; ainsi, quelque divisés que soient le père et la mère, et toujours par des raisons, puisque toute querelle a des raisons, il n'en est pas moins vrai que les deux natures s'accordent en cet enfant, et par cette union retrouvent provision de vie. Cette forte harmonie de l'enfant, où chacun des deux reconnaît l'autre mêlé à soi, les deux inséparables, ne conseille point seulement l'accord, elle le montre fait et en développement, en sorte que la délibération, s'il faut continuer ou non, est rompue par la nécessité, qui développe de jour en jour au lieu de délibérer. L'attention du couple initial se trouve ainsi déplacée, et leur commune volonté est à l'œuvre; d'où une urgence de la suivre et en quelque sorte de la piloter, embarquée qu'elle est sans retour possible, ce que la croissance de l'enfant représente, recouvrant chaque jour d'oubli et de pardon les expériences de la veille.

Toute œuvre en développement, comme une usine, un commerce, un domaine paysan, a ce privilège d'éteindre les stériles délibérations sur ce qui aurait pu être, et même sur ce qui est. Car l'existence n'attend pas. Et la volonté trouve enfin sa vraie prise par une impossibilité de choisir et une sommation de continuer. Toute œuvre réalise donc le développement de celui qui la fait, et le révèle à lui-même tout à fait autrement que ne peut faire la méditation sur soi, toujours ambiguë, toujours récriminant. C'est ce qu'on observe en l'œuvre de l'artiste; car, écartant d'autres inventions, elle sollicite la vraie invention, qui sauve ce qui est fait. Toutefois l'œuvre d'art quelquefois est corrigée trop vite, et quelquefois détruite, ce que l'on saisit dans le travail de la glaise; le marbre du statuaire se défend mieux, et le ramène mieux à lui-même; l'édifice encore mieux. Plus l'artiste est artisan, mieux il se sauve. Plus aussi l'œuvre est prise dans la nature, les travaux, les contrats, les saisons, mieux elle soutient le vouloir. Toutes les grandes œuvres, d'industrie, de commerce, de défrichement, ont ainsi formé de grands caractères, par l'obligation de persévérer. Il suffit de ces remarques abrégées pour faire comprendre que l'enfant est l'œuvre par excellence, et bienfaisante entre toutes par cette merveilleuse croissance qui n'attend point. Les pensées réelles du couple reviennent toujours à cet objet, par cette expérience en train, et que l'on ne peut refuser. L'amour conjugal est maintenant un fait; la vie commune est un vivant. L'union des cœurs n'est indissoluble que si on le veut; mais l'union réelle, par l'enfant, est indissoluble; de cela du moins il faut prendre son parti. Le mariage est fait; il ne peut être défait que par la destruction des deux natures mêlées. Par l'enfant le divorce est jugé, et il est jugé impossible. Chacun le sent bien par les effets; mais la vérité cachée dans ces effets est que les époux ne peuvent point ici partager les apports, ni retirer chacun de l'enfant ce qu'ils y ont mis. C'est un fait; et c'est quelque chose qu'un fait. Le mariage sans enfants n'est pas encore un fait; il n'est qu'une idée, qu'il faut sauver par le serment. Et qu'est-ce que le serment, sinon le plus bel effort humain pour transformer l'idée en fait, et soutenir le sentiment par l'irrévocable? S'il est vrai de dire que le serment seul développe l'amour, par l'obligation de comprendre, de pardonner, d'élever et de s'élever, combien plus évidemment l'existence de l'enfant, qui est hors de délibération, fait-elle trouver à chacun des époux ces raisons de persévérer, qui sont, en tout être humain, le meilleur de lui, et le seul moyen de découvrir ce qui est vrai de lui! Ici se montre la réaction de l'enfant sur le couple; idée immense, qu'on ne peut assez développer. Mais il faut d'abord mettre au jour l'autre relation, la merveille humaine, le modèle et la source ensemble de tous les sentiments humains.

L'amour maternel, et cette grâce par laquelle l'enfant y répond d'abord, est le seul amour qui soit pleinement de nature, parce que les deux êtres n'en font d'abord qu'un. La vie strictement et intimement commune, la lente formation de l'un au sein même de l'autre, enfin ces conditions premièrement animales, font ici une société incomparable, qui ne va point à se former de deux êtres en un, mais au contraire d'un seul en deux. L'attachement à soi ne se distingue pas d'abord de l'amour que l'on a pour l'autre. Comte a dit là-dessus l'essentiel. D'abord que l'amour de soi, qui est à peine amour, est un sentiment fort, et si profondément naturel qu'on ne le peut refuser sans refuser de vivre. Ensuite que l'amour d'autrui, pris abstraitement comme un devoir universellement reconnu, comme une perfection partout honorée, est naturel aussi, comme la société est naturelle, mais est aussi toujours plus faible qu'on ne voudrait l'avouer, en comparaison de ce puissant instinct qui nous attache à notre propre être, et nous somme si violemment de le conserver. Heureusement nature nous montre un chemin qui conduit de s'aimer soi à aimer son semblable. Déjà l'amour conjugal, disons simplement amour, offre ce caractère biologique que, par les répercussions du désir dans l'animal pensant, le bonheur de l'un dépend aussitôt du bonheur de l'autre, et même ne s'en peut plus séparer dès que les signes magiques ont volé comme des flèches entre l'un et l'autre. L'égoïsme ici communique à l'amour cette force du sang dont la sublime idée se trouve d'abord dépourvue. Nous devons apprendre à aimer; et l'expérience de l'amour nous prend au corps, ce qui donne nourriture aux plus généreuses pensées. Mais cette préparation n'est pas encore assez près de nous. L'amour maternel ouvre une communication plus directe entre le sauvage amour de soi et le sublime amour qui ne choisit point et qui n'a jamais à pardonner.

Ici les idées se pressent. On ne peut épuiser cet immense sujet. Du moins il se trouve tout rassemblé en ce mythe de la Vierge Mère et de l'Enfant Dieu, en ce culte spontané bien plus clairvoyant que toute théologie, en ces innombrables images où les peintres et les sculpteurs ont représenté sans se lasser cette attention de la mère, qui est adoration, et cette confiance enfantine qui du mouvement le plus libre qui soit, se rejette à son propre être et s'y cache. Ici toutes les perfections de l'amour; car il ne choisit point et ne songe même pas à choisir, mais plutôt il espère et il attend; bien mieux il aide; il ne cesse d'aider; et cet autre don dont on ne sait ce qu'il sera, de sa substance il le nourrit tout, se réjouissant des moindres progrès, adorant les moindres signes de liberté et de puissance, assez récompensé de voir grandir l'autre et de le voir heureux. Certes ce ne sont que des moments; l'humeur toujours gronde, et la nature ne suffit jamais; du moins en aucun cas elle n'est aussi près de suffire; en aucun cas elle ne seconde mieux la bonne volonté. Aussi y a-t-il quelque chose de maternel en tout amour féminin, et, par imitation, en tout amour; par souvenir aussi, puisque c'est de la mère que nous apprenons tous à aimer premièrement.

L'enfant reçoit d'abord et toujours plus qu'il ne donne. Mais cette condition ne rabaisse point la piété filiale; car l'homme étant ainsi fait qu'il aime mieux donner que recevoir, c'est une grande partie de l'éducation du cœur que d'apprendre à recevoir; et cette autre générosité, dont nous avons fait la vertu de reconnaissance, importe encore plus que la première en toute société. L'enfant apprend d'abord la plus parfaite reconnaissance; car c'est d'abord par être prospère et heureux, c'est d'abord par être fort, qu'il dit merci; la reconnaissance à sa source nie l'humiliation. D'où nous tirerons des leçons sans fin, pour notre existence difficile. Le livre *Des Bienfaits,* qu'il faudrait encore écrire et de nouveau écrire, devrait commencer et recommencer par une physiologie de l'enfant assis au creux du bras maternel; par où l'on verrait que la faute de l'ingrat est toujours et seulement de n'être pas heureux, et que la perfection du bienfait est de rendre celui qui le reçoit plus libre, plus puissant, moins dépendant qu'il n'était. Les moindres mouvements de l'enfant, tant de fois représentés par les plus grands peintres expriment ces idées et mille autres; d'où je ne veux retenir que celle-ci, parce qu'elle est souvent oubliée, c'est qu'il n'y a point de meilleure façon de répondre à tout amour comme à toute amitié, ni même d'autre façon, que d'être heureux; et telle est la nuance qui, dans la grâce s'ajoute à la reconnaissance.

La mère et son fils sont la perfection de cette société naturelle; nos mythes ici expriment tout, et on voudrait dire plus que tout, par cette image hardie de l'Enfant Dieu, et cette nuance de respect dans la mère qui fait résonner l'autre amour avec celui-là, ramenant comme au centre du conseil ce qui en fait l'invincible force, et qui est la volonté d'obéissance. Le petit homme est déjà celui qui aura la lourde charge d'être fort, ce qui est de toute façon commander en obéissant. D'avance le cœur féminin lui pardonne toutes ces guerres qu'il mènera, et même le coup de canon de trop, par quoi la force signe. Il y a d'autres nuances dans la société d'une mère et de sa fille; moins de ménagements peut-être, par une familiarité des devoirs et des épreuves; en revanche une entente de finesse, une plus intime alliance, et un gouvernement aussi plus assuré.

LE PÈRE

DIEU le Père, c'est premièrement une étonnante métaphore. Le père c'est la puissance enchaînée par soi, mieux, par son étendue; c'est l'ensemble des choses pesantes, et une sévérité des faits accomplis. Tout l'intérieur, la mère, les enfants, les choses mêmes, expriment les coutumes et les affections, le recommencement, la suffisance; tout annonce que demain ressemblera à aujourd'hui. Mais le père, qu'il soit ministre, voiturier, ou bûcheron, a fait son sillage dans le monde, sillage qui est sa journée, où il a rencontré et changé mille actions, sans compter les choses qui n'étaient point dans sa volonté. Ce grand frottement est ce qui fait le poids du travail et le prix du temps. Il n'y a que retards dans le monde des travaux, encombrements et tumulte, comme on voit aux carrefours des grandes villes; et quels carrefours que ceux dont un ministre a la garde! Mais cette paix des champs aussi est bien trompeuse, puisqu'il faut toujours attendre, dans cette marche serrée des causes qui ne se pressent point. Au vrai, chaque petite cause traîne le monde entier; ainsi il faut attendre que cette grande pluie soit séchée. Le monde ne se gouverne point comme cette maison nette, si bien fermée. Ici le travail est réglé selon l'homme, et chacun sait bientôt ce qu'il a à faire; ainsi le gouvernement y est facile. L'autre gouvernement, qui vient s'asseoir à la table familiale, est comme étranger et revêtu de nécessité. Ce regard se porte au loin et à travers les murs, refusant toujours de considérer ce qui plaît. L'enfant, dont la situation est d'obtenir tout par prière, croit naturellement que si on lui refuse quelque chose, c'eſt qu'on ne l'aime point assez; cette politique puérile eſt sans doute ce que l'homme comprend le moins au monde. Il reſte un peu de cette puérilité dans la femme, par ceci qu'en son gouvernement propre elle accuse toujours, et à bon droit, la négligence et la mauvaise volonté. Cette offrande, cette promesse, ces espérances, l'homme n'y peut répondre; sa politique propre eſt de n'y jamais répondre; sa mission n'eſt pas de plaire. S'il l'ignore, c'eſt qu'il eſt reſté enfant; cela se peut rencontrer dans le cas où l'exiſtence eſt assurée sans travail, ou dépend seulement de faveur; mais ce sont des cas rares, et même abſtraits, non durables. Une des causes, alors, qui font que l'esprit familial se perd en de faibles jugements et en de folles espérances, c'eſt toujours que le travail et les services, dans le frottement du monde, sont trop peu comptés, et que les succès et les revers sont attribués uniquement à des préférences de cœur ou d'humeur, selon la méthode des enfants. Dans les cas ordinaires, le père eſt comme le pilote qui regarde au loin et qui ne se soucie point des bavardages. Il faut appeler bavardage ce genre de conversation vide et agréable, où les sympathies, les antipathies, les mouvements du cœur humain, les singularités du caractère et de l'humeur, sont l'objet principal. Il a ainsi deux histoires; l'une qui eſt féminine et anecdotique, où tout dépend finalement de plaire ou déplaire; l'autre, qui eſt masculine, où tout dépend des travaux et des services. L'hiſtorien s'y trompe aisément s'il fait métier de flatter. Mais l'homme du commun, qu'il soit placé haut ou bas, vit nécessairement dans les travaux et par les travaux; il supporte difficilement les plans et projets qui n'ont point de lieu. Peut-être s'irrite-t-il d'une revendication juſte, et qui ne veut être que juſte, plus que de toute autre chose; car il eſt pénible de refuser ce que l'on voudrait accorder. Enfin il eſt gouvernement par tous ces traits; il eſt le pouvoir. Il exerce cette ingrate fonction, toujours mal comprise, qui n'a point le droit d'aimer, ni de plaire, et qui porte la charge de vouloir toujours sans jamais choisir. Par cette opposition de nature entre le gouvernement et l'opinion, la paix du ménage serait souvent menacée, et l'eſt en effet toujours un peu. Heureusement l'expérience fait voir que l'amour vrai fait miracle ici. D'un côté l'homme donne aisément audience aux raisonnements féminins, qui, il est vrai, sont toujours un peu à côté des vraies causes, mais qui, en revanche, égaient le travail masculin par de piquantes remarques sur les caractères; et c'est par là que l'homme s'intéresse à l'homme. D'un autre côté la femme se donne d'abord comme un respect de religion pour le travail masculin, et, souvent, parvient à démêler quelque chose des intérêts réels et des difficultés réelles. Cet échange du romanesque et du positif, dans une confiance pleine, et où chacun sait découvrir des marques d'amour en chaque mot, explique des entretiens interminables et délicieux, et l'heureux passage de l'amour sauvage à la plus belle amitié.

Cette aisance ne se trouve point la même dans les rapports du père au fils. L'enfant se trouve plus éloigné du père que de la mère par les pensées; sans compter que le sentiment naturel est ici moins direct, moins fort, moins soutenu par cette harmonie des mouvements qui est la suite d'une existence biologique d'abord rigoureusement indivisible. Il faut dire aussi que les travaux du père l'éloignent de l'enfant de toute façon, au lieu que le travail propre de la mère la rapproche de l'enfant, d'abord matériellement, ce qui est beaucoup; aussi en esprit, puisque la première attention de la mère est à deviner ce que veut exprimer le nourrisson. Le père se trouve donc un peu étranger à ses enfants. Il l'est sans doute plus encore à l'égard des enfants mâles à mesure qu'ils grandissent; car la loi de l'homme, par la nécessité du travail, est qu'il oublie et efface continuellement sa propre enfance. Même, autant qu'il en a le souvenir, il pensera naturellement à toutes ces erreurs de l'esprit romanesque, concernant la faveur, l'occasion, la chance, et voudra que son fils s'en détourne. Mais la marche des âges ne dépend point des volontés, et l'expérience de l'âge mûr ne peut être comprise par l'adolescence. Un des traits du père est qu'il voudrait son fils aussi exact, aussi sérieux, aussi positif que lui-même.

Cette remarque explique déjà un paradoxe assez fort, qui consiste en ceci que le père ne sait pas instruire le fils. Toutefois pour éclairer un peu mieux cette difficile question, il faut faire la part des sentiments vifs, qui aisément tyrannisent, comme dit Aristote. Les espérances d'un père sont belles et touchantes; il se revoit en son fils, de nouveau riche de jeunesse et d'avenir; ce qu'il n'a point su faire, son fils le fera. Il veut donc gagner temps sur l'âge; il ne comprend point la faute, parce qu'il compare son fils à lui-même, non aux jeunes gens de même âge. Le maître d'école a sur le père cet avantage qu'il juge des fautes par comparaison avec beaucoup d'autres enfants et jeunes gens; il sait ce qu'on peut exiger, attendre, espérer de chaque âge. Il attend sans impatience ces progrès soudains et miraculeux que la nature prépare, en cette croissance rapide. Mais le maître d'école à tous degrés a encore un autre avantage, qui est qu'il n'aime point ses élèves, à beaucoup près, comme il aimerait ses propres enfants; ainsi, n'attendant point non plus beaucoup de leur cœur, il ne donne point à la légèreté de l'âge les noires couleurs de l'ingratitude; or c'est ce que le père ne manque jamais de faire, prenant tout travail, toute attention, comme mesure de l'affection, ce qui fait des drames, et des réconciliations encore plus nuisibles aux études.

Le fils, de son côté, ne manque jamais d'appliquer, en présence du pouvoir paternel, la politique des affections, cherchant toujours les preuves du cœur, ce qui conduit souvent à observer jusqu'à quel point on peut déplaire. Parce qu'il aime, parce qu'il se sent aimé, il veut vaincre la sévérité par d'autres moyens que le travail; s'il n'y réussit point, il s'irrite, et tombe bientôt dans un désespoir vrai, dont les marques sont naturellement ambiguës. Ce n'est qu'à l'école que les travaux sont patients, sans passions vives, et que les fautes sont pesées selon l'âge et sans colère vraie. Cette opposition entre l'école et la famille fait un grand sujet, et assez neuf. Je voulais montrer seulement par quelques remarques que les liens de sentiment entre le père et les enfants ne se forment pas aisément sans l'intercession de la mère. Et il faut ici remarquer une double imitation. Le père imite naturellement les sentiments de la mère en ce que le bonheur de la mère est aussi le sien propre. Il vient donc, selon l'amour qu'il sent pour elle, à admirer quand elle admire, à pardonner quand elle pardonne, et c'est par là que d'abord il apprend à aimer ses enfants comme il faut et selon la vraie charité, supposant toujours le mieux, et, par cette attente, le faisant être. Non qu'il arrive jamais à cet art de couver qui est l'art des mères, et qui, par une patience et une confiance incomparables, élève le nourrisson jusqu'au langage, jusqu'aux premières idées, jusqu'aux premières vertus. Maintenant il faut que je cite une des plus belles formules de Comte, et des moins connues : « En reprochant à l'amour d'être souvent aveugle, on oublie que la haine l'est bien davantage, et à un degré bien plus funeste. » Le fait que les moralistes masculins n'ont pas su dominer ici un lieu commun assez faible montre bien que l'esprit de l'homme trouverait bientôt ses limites devant l'enfance, si l'exemple et la contagion de l'amour maternel ne venaient l'éclairer. Mais insuffisante lumière, comme je disais, si le sentiment se borne à agir, sans s'exprimer jamais.

D'autre part le fils limite naturellement les sentiments de la mère, surtout dans le premier âge; et, autant que la mère fait preuve de respect, d'obéissance, d'amour à l'égard du chef temporel, l'enfant forme des sentiments du même genre, qui se composent ensuite avec l'ambition qu'il a d'être homme, formant un beau mélange, et une admiration que rien ne peut détourner. Toutefois, si ce sentiment manquait de force, on devrait penser que l'amour conjugal en manquait aussi. Au reste les sentiments s'entrelacent et réagissent les uns sur les autres de mille manières; car il arrive que la mère soit plus attentive à marquer du respect au père, par l'idée de former les enfants à l'obéissance; et la ruse, que trouve la mère de commander toujours au nom du père, est plus qu'habile, elle est belle.

Il faut remarquer, au sujet de la piété filiale, qu'elle est le ressort de toute vertu et pour toute une vie, par cette religion naturelle que l'on nomme commémoration; mais je dois me borner à esquisser seulement cette grande idée. Dans le fait, par la différence des âges, par cette situation de chef temporel, toujours ingrate, puisque l'on commande alors selon la nécessité, non selon les sentiments, et enfin d'après cette sévérité impatiente qui est propre au père, le fils ne se trouve point souvent en état d'admirer comme il voudrait. Les faiblesses de l'âge contribuent encore à déformer cette belle image que l'enfant se fait d'abord de son père. La mort a le privilège de remettre tous les sentiments en leur premier état. Hegel dit que par la mort commence la vie de l'esprit; cela peut s'entendre en plus d'un sens; du moins j'aperçois ici comment par la piété se forme l'idée. L'image misérable étant effacée, l'ancien sentiment de vénération, par lequel l'enfant a grandi, retrouve enfin son objet, et fait entrer l'idée dans l'existence par des récits, ou souvenirs composés, qui sont proprement légendaires. Par ce beau travail, le fils rend à ses parents cet immense crédit qu'il en a reçu. De même qu'ils supposaient en l'enfant toutes les puissances, et en guettaient les signes, toutefois sans être assez les maîtres de cette existence en développement pour n'être point déçus, ou tout au moins ramenés, de même l'enfant devenu homme entreprend lui aussi un culte, mais qui réussit pleinement par la mort du dieu. On dit que le temps c'est l'irréparable; cela est vrai du temps prochain et qui vient de passer; cela est vrai quand la cause pèse encore sur nos affaires; cela est vrai, tant qu'on lit le passé immédiat dans ses effets; mais quand on lit dans son propre esprit le passé déjà lointain, quand l'existence a déjà recouvert les anciens faits comme d'une marée, alors il faut dire au contraire que le passé est réparable selon le sentiment, en sorte qu'il n'est pas au monde de fils ou de fille qui ne se représente enfin ses parents plus dignes, plus intègres, plus héros qu'ils n'ont été. D'où est venu, par le concert de l'histoire, ce préjugé des familles illustres, et ce poids du nom, toujours difficile à porter. Nous ne voulons jamais croire que nos prédécesseurs ont été serfs, incohérents, médiocres et toujours manquant l'idée, comme nous sommes en notre secret. Ce préjugé n'est jamais si fort que lorsqu'il est soutenu par la piété filiale, et surtout à partir du moment où elle regrette en vain de ne s'être pas mieux soutenue. Ces modèles que nous formons sont nos plus naturelles idées, et peut-être les seules. Les effets de ce culte sont profondément cachés en chacun. Ce qui se montre dans les communs discours concerne les grands hommes, et se trouve purifié, mais abstrait et moins efficace. Comment chacun interprète des souvenirs nets et ineffaçables, comment des traits de jugement, de fermeté, de finesse, de grandeur d'âme sont dessinés à la fin, d'après des témoignages médiocres et pis que médiocres, cela est rarement su; toujours est-il qu'en tout homme ces idées à contour humain sont ses dieux domestiques; sa pensée réelle n'est que prière à eux et invocation à eux; je dis même le fils de l'usurier, peut-être usurier lui-même;

néanmoins, il suivra quelque humble règle au-dessus de l'événement, et quelque prudence de religion. Le jour où Eugénie Grandet, son père mort, dit à son tour et du même ton que lui : « Nous verrons cela », quelque chose de l'avarice était sauvé, quelque chose de net et de fort, qui commença alors à exister, une vertu sans nom, toute proche de la nature, et propre à la régler. C'est en ce sens que Comte entend ce mot célèbre et souvent mal pris, que les morts gouvernent les vivants. Ce n'est pas ici l'hérédité de nature; bien plutôt c'en est le remède.

LA FAMILLE

On ne trouvera ici qu'une esquisse. Mais c'est assez pour faire voir qu'on peut aller fort loin pourvu que l'on n'oublie pas les conditions inférieures, qui sont comme les racines de l'idée. C'est encore une idée de Comte, souvent rappelée, trop peu suivie, que la sociologie dépend de la biologie, et, par la biologie, des sciences physiques et chimiques. Reprenant cette double idée, et la tenant aussi près que possible de mon sujet, j'ai été attentif à dessiner les contours de la famille, cette société élémentaire, d'après la double contrainte de la nature animale et de la nécessité extérieure. Cette double condition est ce qui spécifie les rapports d'époux à époux, de mère à fils, de père à fils, trop souvent considérés au contraire d'après les lois abstraites de la société des esprits. Il reste à considérer sommairement cette société des corps, qui est la famille, en son tout, en y rassemblant les grands-parents, les parents, les enfants de tout âge, les serviteurs, enfin tout ce qui est réuni d'humain dans la maison; en y joignant encore, comme dans une pénombre, les beaux-frères et belles-sœurs, les oncles et les tantes, les cousins, les amis assidus, enfin tous ceux qui se rassemblent aux jours de fête. Tout cela ensemble rend un certain son, et produit un genre d'idées inimitable, qui le distingue de toute autre assemblée. Or si l'on veut ici échapper à la fantaisie et à l'anecdote, il faut regarder sans cesse aux conditions inférieures, celles qui ne fléchissent jamais.

Il faut dire d'abord que les liens de famille ne sont

pas choisis. L'amour ôte premièrement le temps de choisir; il faut en prendre son parti, et régler les idées sur les affections. Ce caractère se marque de plus en plus à mesure que les enfants naissent. On n'a pas des enfants quand on veut, ni les enfants qu'on voudrait. Le seul mélange des parents assurerait déjà qu'on ne peut ici prévoir, ni vouloir, et qu'il faut accepter. Il y a bien plus; une foule d'ancêtres, souvent inconnus ou mal connus, revivent dans l'enfant, et l'effet ordinaire de ces influences entrecroisées est le retour à un type moyen, ce qui fait une individualité invincible, sans précédent, souvent rebelle. Que l'enfant soit inférieur ou supérieur à ses parents, ou qu'il montre d'autres aptitudes, de toute façon l'esprit est humilié, puisqu'il faut aimer ce qu'on n'aurait pas choisi. La fonction de penser se trouve donc ici hors de lieu. L'idée de faire ce qu'on veut est renvoyée au dehors, au-delà des murs. Ce ne sont point des volontés qui s'opposent ici aux volontés, ce sont des êtres. C'est pourquoi, selon la logique propre aux familles, l'argument est aussitôt rapporté au caractère; ainsi le droit d'exister, qui ne fait pas question, annule le droit de penser. Chacun accepte l'humeur de l'autre, ce qui n'est que lui faire place; d'où cette grande injure, qui est de règle dans les familles, c'est de prendre une opinion comme un mouvement d'humeur. On aperçoit pourquoi la pensée et tous les genres d'invention ne peuvent trouver ici que solitude, sans aucun écho. Ce n'est point qu'un homme y soit jamais trop peu estimé; mais il l'est de telle façon qu'il entende bien que sa propre valeur n'y est pour rien. C'est une grande flatterie du sentiment que de sous-entendre : « Quand tu serais sot, infirme, mutilé, méconnaissable »; c'est une grande flatterie, mais qui va promptement à une sorte de mépris, effrayant par l'assurance. La contre-partie de cette sorte d'héroïsme est la vanité, qui va ici jusqu'à juger tout succès d'après les marques extérieures, même quand il est le mieux mérité; en sorte que, passé cette frontière de la tribu, et au dedans d'elle, toutes les valeurs tombent; l'un est intelligent comme l'autre est boiteux. Cette puissance d'égaliser est biologique; elle ressemble à cet amour de basse qualité, mais inébranlable, que chacun porte à son propre corps; ou, encore mieux, à cette sorte d'amour qu'on pourrait imaginer qu'une jambe a pour l'autre. La famille ne peut donc porter le génie; si elle ne le méconnaît, elle l'humilie encore par une manière de l'honorer. On verra quelque chose de ce conflit dans *La maison du Chat qui pelote*. On trouve aussi dans Saint-Simon, et peintes au vif, de ces familles qui se poussent toutes, sans aucun discernement, comme chacun pousse son corps tel quel dans une assemblée. Ce n'est pas que l'on croie que le fils vaille autant que le père; c'est bien pis; c'est qu'on ne croit point à la valeur d'aucun homme. L'amour a toujours grand'peine à ne point se perdre par l'héroïsme de tout accepter.

D'après cette vue, on comprend cette politique du parlement familial, qui descend d'elle-même au plus bas, par une sorte d'ironie sans aucune réflexion. Alors que, dans la société des marchands, des fabricants et des gouvernants, tout est pesé d'après les réels services, il semble naturellement à la famille assemblée que la faveur et la chance gouvernent l'avancement, la réputation, et même la gloire; et les esprits faibles portent toute leur vie dans le dehors des hommes cette infatuation sans estime aucune de soi qui espère tout, qui demande tout, qui envie tout, qui n'obtient jamais que des places d'aumône, et pour qui même on en crée. Ce genre de mécontents emplit toutes les avenues et ralentit tout. J'ai même voulu penser que cet amour aveugle et exigeant est ce qui colore de faveur et de reconnaissance les rapports politiques, qu'on voudrait un peu plus froids et calculés, et qu'enfin beaucoup aiment leur patrie comme ils savent aimer, d'où un genre de dévouement redoutable. Il est bien clair que la patrie n'est pas exactement une famille, de même qu'un roi n'est pas exactement un père, et qu'une analyse spécifique de cette notion de la patrie, d'après les connexions réelles, serait le plus utile travail.

Un autre trait de la famille est que je n'y vois point d'égaux, si ce n'est dans les parties extérieures et annexées. La différence des âges entre les enfants, l'extrême faiblesse et dépendance de tous en leurs premières années, la croissance rapide, et même par bonds, qui change sans cesse et beaucoup la situation de chacun, tout exclut l'idée d'un droit réciproque, sans compter que cette idée est énergiquement niée par le sentiment; d'où un régime communiste, qui est ici de nature, qui est le premier et sans doute le seul régime du cœur, mais qui, vraisemblablement, ne convient pas à des sociétés où l'aveugle sentiment ne peut régler assez les fonctions. Encore une fois il faut dire que la patrie n'est pas une famille, et que les hommes d'une même nation ne sont pas réellement frères. Il manque ici le lien biologique, qui n'est surtout fort d'un frère à l'autre que par une commune dépendance à l'égard des parents, et encore par l'intercession de la mère, de la substance de laquelle ils ont été faits. Une métaphore ne peut remplacer cette unité du tissu originel. Peut-être trouverait-on plus de lumières, si, au lieu de penser par les ressemblances, ce qui est la méthode paresseuse, on dessinait premièrement toutes les oppositions possibles entre la famille et la société. Nous en tenons une ici, qui est que la famille nie énergiquement le droit, ce qui se retrouve jusque dans ces querelles d'héritiers, dans le moment même où la famille cesse d'être un fait. Les vives passions qui s'élèvent alors ne viennent pas du tout d'un vif sentiment du droit, mais au contraire de ce que la revendication de droit est prise comme une injure au sentiment.

Il faut marquer une autre opposition encore, quelque difficulté que l'on trouve à l'éclairer assez en toutes ses parties. Dans un cercle d'êtres humains, où les émotions, et, par réaction, la politesse, jouent de visage à visage, tout veut descendre déjà au plus bas, car il est humain que l'on règle ce qu'on dit sur la puissance du plus ignorant ou du plus sot, comme aussi qu'on règle ce qu'on ose d'après les signes du plus timide. En dépit de tous les efforts, et après de courts succès, il faut que toute conversation descende. Cet effet est bien plus remarquable encore dans la famille, non pas par l'effet de la politesse, qui au contraire manque toujours trop par la tyrannie des sentiments, mais plutôt parce que l'inférieur ici règle tout, par les humbles soins de la vie, nourriture, élevage, nettoyage. On a déjà expliqué comment l'humeur y est mieux acceptée que l'opinion; nous en saisissons maintenant la cause profonde, qui est biologique; car les besoins d'un malade, d'un nourrisson, d'une accouchée, règlent ici les propos et les actions; et ces besoins se traduisent par l'humeur, cris de l'enfant, plaintes du malade. Cet impérieux gouvernement se continue, même hors des crises, d'après une police des visages, qui toujours annoncent l'objection par les signes de la migraine ou de la nausée. Ainsi chacun est autant faible pour proposer qu'il est fort pour refuser. D'où un silence souvent, et un néant d'idées. Or, quoi qu'il soit presque impossible d'en expliquer les causes, ce n'est certainement point là que tendent les pensées, dans les sociétés plus étendues. J'y remarque, même au plus bas degré, une ardeur d'admirer, d'embellir, de simplifier, qui explique le succès des romans vulgaires, où la vie supérieure, de sentiment et de pensée, est si bien coupée des nécessités biologiques. Ajoutons, en remontant, que les bons écrivains sont plus lus qu'on ne le croit, et que les écrivains médiocres en communiquent toujours quelque chose. Surtout le culte des grands hommes, des saints, des héros se développe, et même sans aucune tempérance, par cette grande distance d'où on les voit, et par un bonheur d'oublier le poids du corps pour nous comme pour eux, et de séparer l'âme. Cette célébration produit à peu près les mêmes effets dans les sociétés que la commémoration dans les familles. Mais il y a cette différence que la commémoration va toujours au mieux, tandis que la célébration, toujours mêlée aux dissentiments de politique, ne va presque jamais sans une sorte d'exécration, injuste par l'ignorance. Toujours est-il que la vie publique est le lieu du plaidoyer et du jugement. Tout ce qui plaide, prêche, ou raconte nous donne des modèles d'idées. Les statues et les temples persuadent encore mieux. Toutefois la véritable école des pensées est l'école, autre société, intermédiaire, qui s'oppose aussi bien à la société politique qu'à la société familiale, par cette vénération à distance de vue qui lui est propre, et par l'autorité du beau langage. Disons en bref que la famille, toujours un peu sauvage, est civilisée de deux côtés, soit par le commerce et la passion politique du chef, soit par les Humanités, qui ressortent des cahiers de l'enfant, se mêlant aux dieux lares; et telle est la véritable école du soir.

Le langage ne contribue pas peu à relever nos pensées; au rebours il les corrompt par l'abréviation, par la chute de la syntaxe, par l'allusion enfin, qui finit par se passer de sens. Et qui entend bien les signes vocaux, dans une famille un peu renfermée, retrouve quelque chose du langage primitif. Le langage des anciennes amours, les surnoms dont l'origine est souvent oubliée, se mêlent aux articulation du nourrisson, au patois de la nourrice, à l'accent de la parenté paysanne. Et ce langage paraîtrait au visiteur tout à fait incompréhensible et étranger, comme il est, si l'on s'en servait pour signifier quelque chose; mais ce patois familial ressemble à toutes les langues d'usage, toujours trop admirées en ce qu'il n'exprime rien de plus que ne font les gestes et les actions; un sourd n'y perdrait guère. Le langage familial, comme tout langage, n'est maintenu et relevé au-dessus de l'animalité que par les poèmes et les prières; ce sont des statues sonores. Et c'est par ce langage imposé que nous formons nos idées quelles qu'elles soient. Entendre est un mot très relevé.

L'expression de société polie dit aussi plus qu'elle ne veut. La politesse va promptement du dehors au dedans, parce qu'elle modère les émotions et même les passions; elle prépare même aux idées, par cette condition évidente de bien savoir ce qu'on dit. L'imprudence propre à tout amour est qu'il refuse la politesse comme une sorte d'injure; d'où l'on viendrait à une espèce de ramage qui n'exprimerait plus que des émotions; ainsi l'amour a grand besoin des poètes. Par les mêmes causes, les sentiments familiaux ne s'expriment guère; et, au contraire, l'humeur qui est naturellement mauvaise comme l'usage du mot le montre assez, est l'objet constant des échanges, ce qui fait une vie aigre et même souvent brutale, dès que les travaux et le commerce, mot bien fort, se trouvent séparés de la famille. De là vient que la famille paysanne, où l'autorité des choses règle le respect, est ordinairement plus civilisée que la famille ouvrière, encore séparée du travail par le régime de l'usine. D'où l'on peut prévoir de grandes conséquences pour la religion et les mœurs, si, comme on doit supposer en toute étude de physiologie, c'est la règle qui fait le dieu. Toute famille est civilisée aussi par les amis; mais souvent ceux qu'on aime le mieux se trouvent comme dévorés par la tribu sauvage, d'après cette ruse des sentiments vrais, qui méprisent par système la précaution. Une famille de commerçants ou de politiques est mieux réglée par un genre d'amis nécessaires, qu'on n'aime point tant.

Mais la réaction, sur la famille, de la société politique et de l'humanité aussi par les grandes œuvres, forme un immense sujet dans lequel je ne puis entrer. Il suffit que l'on comprenne que la famille ne peut se régler elle-même, ce qui revient à dire que les sentiments les plus naturels et les plus forts ne suffisent à rien. La sécurité même du sentiment fait qu'il s'exprime souvent sous des apparences difficiles à vaincre. Comme on espère beaucoup, la déception prend souvent le visage de la haine; c'est ainsi que l'amour paternel tourne quelquefois à une sévérité sans mesure; et, en réponse, il arrive que l'enfant fait voir les signes d'une haine armée. Et, parce que chacun sait bien que la réconciliation n'est pas loin, et même qu'elle est déjà faite, le mal n'en est que plus grand. On se demande si l'assurance d'aimer ne se donne pas de plus grandes permissions encore que l'assurance d'être aimé. Comme l'orgueil suit l'emportement de ces querelles, il ne se peut point que la tendre effusion répare jamais tout à fait les maux de la colère. Par l'expérience de ces crises, on vient à un silence qui est lui-même injurieux, sans compter l'ennui. Puisqu'on ne découvre ici qu'une erreur de forme, on peut penser que le beau langage suffirait presque à tout, et que la lecture en commun des poètes, à défaut des prières, rappellerait utilement à tous que l'improvisation la plus sincère n'est pas toujours la plus vraie. Au reste le sens des mots importe ici moins que cette soumission de tout le corps qui accompagne l'attentive récitation. Il est clair qu'une prière qui ne demande que modestie, résignation, pardon aux autres, pardon à soi, obtient par cela seul qu'elle demande. La *Bible* est un étrange mélange; souvent rude et inhumaine, impénétrable presque partout, elle n'en a pas moins laissé une empreinte bienfaisante en des milliers de familles, par la coutume de lire et de réciter. C'est quelque chose d'achever, et il se peut bien que l'allusion gâte toutes nos idées, et même tous nos sentiments.

Ces réflexions sont bien aisées à suivre. Il est seulement utile de les orienter encore une fois d'après la profonde idée de Comte, qui prend la famille comme l'école des sentiments humains. Il faut redire après lui, premièrement que les sentiments biologiques ne sont pas étrangers à l'amour d'autrui, ce que l'analyse du sentiment maternel suffit à mettre hors de doute; car l'amour de soi est ici tellement mélangé à l'amour de l'autre, que le dévouement y est aussi spontané que la peur ou la colère. Les sentiments familiaux font voir tous à quelque degré cette violence caractéristique, qui est comme de chair et de sang. Au contraire, les sentiments moraux, que l'homme étend si aisément jusqu'à l'humanité entière, sont presque toujours moins efficaces contre les passions inférieures, parce que, n'y étant point si intimement mêlés, ils n'en reçoivent point cette force animale, seule capable d'accomplir. C'est pourquoi les plus hautes vertus, quoique fort communes et partout honorées, ne produisent que des vœux sans aucun changement réel. Pour employer les termes mêmes de notre philosophe, nous sommes soumis à cette condition que nos sentiments les plus éminents sont aussi naturellement les moins efficaces. L'éducation des sentiments consiste donc dans une sorte de transfusion du sang, par le passage graduel des sentiments familiaux aux sentiments sociaux, et enfin humains. En ce sens la famille est le modèle de toute société, et même de l'humaine et universelle société.

En revanche la famille, dès qu'elle se referme sur elle-même, revient aisément à une sorte de sauvagerie, par des causes dont j'ai voulu expliquer quelques-unes. Toutes les formes de la coopération la civilisent. Toutefois la patrie, qui se montre si propre à étendre le dévouement réel sans l'affaiblir, ne nous offre point du tout ce facile passage à l'humanité que Comte espérait d'elle, et même voyait déjà fait dès le milieu du précédent siècle. Dont les causes sont mêlées et obscures. Toutefois Pierrefeu, dans un livre de première importance, *G. Q. G. Secteur* 1, a remarqué que le principal, dans ce sentiment national qui va si naturellement au sublime, pourrait bien être l'attachement de chair qui joint chaque famille à ceux qui, par la nécessité, sont jetés dans le terrible jeu de la guerre. Autant que cette idée si simple, et pourtant neuve, suffit ici, elle expliquerait un genre de violence que les gouvernants savent très bien mettre en action, mais qu'ils ne savent pas régler. Quelque difficile que soit une telle analyse, il est permis de remarquer que nous retrouvons aisément dans le sentiment national, quoique déformée, cette négation du droit qui, dans la famille, résulte de la puissance même du sentiment. Ainsi la guerre ressemble aux querelles fratricides, par l'aveuglement et la tyrannie des passions qui la nourrissent; mais elle en diffère par ceci, qu'en dépit d'une ambitieuse métaphore, on ne trouve point entre les hommes des différents pays cette forte et naturelle affection qui, dans les familles, est presque toujours un remède suffisant aux rivalités. Il en est de la fraternité des peuples comme des sentiments paternels que l'on veut supposer dans le monarque; ces sentiments métaphoriques exigent et ne paient pas. Par exemple, dans la famille, les redoutables mouvements de l'orgueil paternel sont modérés d'abord par le lien de nature et de présence, et aussi par l'intercession de la mère; d'un autre côté, la révolte d'un enfant qui se croit opprimé est tempérée par les mêmes causes, sans compter l'espoir très assuré d'une délivrance par l'effet de l'âge. On ne voit rien de tel dans l'état monarchique, où l'on comprend, d'après ces remarques et par tant d'expériences, que les sentiments ne suffisent pas. C'est qu'ils sont trop séparés de la nature biologique. Par des causes du même genre, quoique plus composées encore, on a lieu de craindre que les sentiments suffisent encore moins entre les nations. Redisons ici, pour éveiller l'attention des chercheurs, que l'attachement des familles aux enfants, qui porte le sentiment patriotique jusqu'à la plus farouche exaltation, ne trouve pas un frein suffisant dans les sentiments d'humanité, éminents certes, mais comparativement très faibles. Ainsi la série : Famille, Patrie, Humanité ne permet pas un développement continu. Il y manque un terme, qui est l'École; et l'École suffira peut-être à sa fonction de civiliser, sous la condition qu'elle soit universelle en tous les sens du mot, c'est-à-dire qu'elle distribue amplement et librement à tous le trésor des humanités.

III

LES AVENTURES DU CŒUR

CHAPITRE PREMIER

EXPLICATION DU TITRE

J'entends par aventures du cœur ce qui arrive à la plupart, à la suite d'une première impression et d'un premier jugement sur soi qui font dire : « J'aime, je n'aime pas, je pourrais aimer, je hais, je méprise, j'estime, je désire ceci, j'ai horreur de cela » et choses de ce genre. Car ces premières vues, quand elles ne seraient que d'humeur, sont bientôt développées selon des conséquences inévitables, selon que l'on s'y abandonne, ou que l'on prétend s'en détourner. Cette entreprise, qui transforme nos émotions en passions et quelquefois, en sentiments nous entraîne toujours fort loin de ce que nous pouvions prévoir de nous-mêmes, et change toutes nos coutumes et ce qu'il est permis d'appeler notre culte, en donnant à ce mot le sens le plus étendu. C'est ainsi qu'une expérience d'un plaisir vif embarque un homme pour une vie qui se croit frivole, et qui est aisément féroce, au lieu qu'un autre, partant des mêmes commencements, se trouvera conduit jusqu'au cloître, avant même de savoir s'il croit en Dieu ; il y a mille autres partis, dont le mariage est un ; mais il y a aussi mille mariages et bien plus, et il n'en est pas un qui ne soit une aventure ; je veux dire que l'esprit le plus obtus y découvre toujours ce à quoi il ne s'attendait point, comme un avare qui devient philanthrope, ou comme un désespéré qui s'intéresse aux tableaux modernes. La variété de ces exemples ne donne point encore une idée suffisante des ruses de l'amour. Elle avertit du moins que je prétends parcourir ce sujet dans toute son étendue, en me conformant scrupuleusement à l'usage de la langue, qui veut qu'on dise : « Il aime Dieu, il n'aime pas les parfums, il aime le beau, il aime les vieux meubles, il aime la vérité, etc. » ; sans compter les diverses haines, qui sont l'envers des amours ;

mais que toutes ces notions restent dans l'indéterminé. Je ne voudrais pas d'un tableau, ni d'un système; je voudrais commencer par une multitude de remarques, quand elles seraient incohérentes, et qui attaqueront de tous côtés ce cœur humain à triple cuirasse. Il n'y a point d'homme, jeune ou vieux, ni de femme, qui ne suive de l'œil quelque rêverie, quelque souvenir préféré, quelque sublime d'ange ou de diable. Tout cela, ou presque, fut chanté. Mais qui donc y verrait clair ? Et c'est pourtant ce que tout homme voudrait.

CHAPITRE II

PREMIÈRE DIFFICULTÉ, SUR LE VRAI

CETTE idée, où je viens d'être conduit si naturellement, s'étend fort loin dès qu'on y pense; elle s'étend même à tout. Car il n'est pas d'être humain qui ne cherche le vrai de ses affections. On entend bien ne pas se tromper sur Dieu, ni sur une personne aimée, ni sur le beau, ni sur les vieilles médailles. Et même, il me semble que la véritable affection se reconnaît à la vérité qu'elle poursuit toujours, et à une sorte d'attention qui ne se lasse jamais. En ce sens il n'y a point du tout de vanité dans les affections; au lieu qu'il y en a beaucoup dans les simples coutumes. En ce sens tous les hommes aiment la vérité par-dessus toute chose, et exactement aiment la vérité de la chose aimée par-dessus cette chose même, si l'on peut ainsi dire. Toutefois il est possible d'expliquer assez toutes les subtilités, si l'on veut bien ne pas courir et considérer au contraire combien les hommes sont sérieux et méritent d'êtres pris sérieusement. Et voilà comment j'ai pu comprendre que les hommes aiment la vérité. Car je sais qu'un avare aime la vérité sur les écus et les diamants, ou bien sur la législation d'un pays où il a des affaires. Et Alceste veut la vérité de Célimène, et s'irrite de ne la point trouver. Le tyran ne cesse de poursuivre la vérité du tyran, c'est-à-dire ce qui en est de lui-même, et non pas ce qu'il en semble. Et c'est dans ce même sens que le physicien aime la vérité de la physique : c'est comme si l'on disait qu'il aime son propre pouvoir et sa propre gloire. Et, en revanche, il n'est point d'homme qui ne soit indifférent à un prodigieux nombre de vérités. Personne n'est curieux de savoir combien il y a de grains de blé dans un champ de blé mûr, ni combien il y a de mésanges dans l'Ile-de-France. Et la question de savoir combien le roi Aménophis avait de femmes n'intéresse que celui qui en fait gloire, profit ou système. Je n'aimerais donc pas que l'on fît de la vérité totale une sorte d'objet abstrait, dont on aimerait également toutes les parties. En me servant d'autres mots, je dirai que la haine du mensonge, si souvent mise en avant, ne regarde jamais que les vérités qui concernent nos affections; et c'est pourquoi l'on voit qu'un homme scrupuleux, par exemple, sur son propre honneur, mentira sans hésiter sur des circonstances qui ne le touchent pas. Un homme peut être léger sur presque toutes les vérités et plein de précaution sur d'autres. Il se peut bien aussi qu'un homme amoureux, si l'on peut dire, d'une vérité, soit entraîné jusqu'à les aimer toutes, par le lien qu'il découvre entre elles. Et cela même définit les plus belles aventures du cœur. Comme il se peut aussi que celui qui est assuré de douter de tout, par exemple en amour, s'intéresse de tout son être, pour finir, à cette universelle vérité, qui est qu'on ne peut savoir le vrai de rien. Et cela ouvre des perspectives sur d'autres aventures du cœur, bien funestes. Toujours est-il que l'amour de la vérité en soi me paraît, jusqu'à nouvelle réflexion, un simple jeu de paroles. Auguste Comte voulait dire que cet amour est naturellement très faible, et destiné à être vaincu le plus souvent par d'autres affections. Je me promets d'éviter autant que je pourrai, ce jeu entre des affections supposées contraires, d'après cet axiome que l'homme n'a qu'un cœur. Ainsi, par exemple, je ne dirai jamais qu'un homme qui aime quoi que ce soit ne se soucie point de la vérité; il s'en soucie toujours comme le général se soucie du vrai d'un marais ou d'un gué; en sorte que, dans un sens, l'amour de la vérité serait la moelle de n'importe quel amour. Il me vient à l'esprit que la jalousie des amoureux consiste principalement dans une scrupuleuse recherche des moindres vérités qui concernent leur cher objet; en cela ils sont peu compris. Le cher objet ne s'intéresse nullement à ce qu'il a fait entre deux heures et quatre heures; mais, pour l'autre, c'est toute sa vie qui est en jeu, simplement parce qu'il veut penser que la vie du cher objet s'est continuée pendant ce temps-là. Et croyez-vous que le tyran n'est pas curieux de savoir si tel garde lui est véritablement dévoué? Au lieu que le garde lui-même ne s'intéresse pas à cela; c'est pour lui un métier, comme de faire un mur ou une porte.

CHAPITRE III

AUTRE DIFFICULTÉ, SUR LE BEAU

Je ne crois pas non plus aisément que l'amour du beau soit une sorte de haut amour séparé des vulgaires amours. Il me paraît qu'un homme qui est très heureux de voir une belle chose vit bien aisément sans la revoir, et au milieu de choses médiocres auxquelles il ne fait pas attention. Je croirais que l'amour du beau est amour d'autre chose que du beau, et que souvent le beau réveille un autre amour, comme serait l'amour de Dieu se rallumant au spectacle de la nature, ou bien l'amour le plus vulgaire se relevant par la contemplation de belles œuvres. Et c'est dans des exemples de ce genre que l'on peut comprendre qu'il n'y a point dans l'homme deux amours qui quelquefois s'accorderaient, ou plus souvent se contrarieraient. Le même amour qui se porte à une personne ou à Dieu se porte aussi, par là même, au beau comme au vrai. Et de là on arrive à concevoir la profonde indifférence de presque tous les hommes à l'égard du beau, ce qui n'empêche pas qu'ils soient sincères à aimer un objet beau par rencontre ou occasion; et ces sentiments sont bien plus sûrs que tant d'autres qui prétendent viser un nombre indéterminé d'objets. Il me semble qu'il est d'expérience que l'heureux état devant une œuvre connue n'est pas toujours facile à retrouver. Comme dit Stendhal, il y a des jours où l'on n'est pas disposé pour Raphaël. Je crois par précaution que, lorsqu'on aime le beau, entendez telle œuvre belle, c'est tout l'amour dont on est capable qui fait alors quelque progrès enivrant. Mais je ne dirai pas pour cela que le vrai aimé dans ce beau moment, est plutôt la femme aimée que l'objet beau, car je n'en sais rien; ou plutôt il me semble que cela ne se divise point, pas plus que le plaisir de manger et de boire ne se divise du plaisir d'admirer la belle ordonnance de la table et le rare cercle d'amis qui est autour. La *Cène* exprime en même temps un des plus hauts amours et un des plus bas plaisirs; m'est avis qu'ils y gagnent tous les deux. Je remarque sur ce sujet qu'il est commun qu'un marchand de tableaux, et bien résolu à n'être que marchand, se prenne de passion pour un genre d'œuvres, comme l'Élie Magus de Balzac (*Le Cousin Pons*). Cet exemple en éclaire d'autres; et, dans tous, il est impossible de diviser l'amour du gain de l'amour du beau, quoique cette commode division et même opposition donne lieu à des développements sans fin. Peut-être y a-t-il une fausse analyse des affections, et sans doute Hercule n'est jamais hésitant entre le vice et la vertu. Tout homme passe l'eau avec toute sa charge. Et qui peut dire que l'avarice d'Élie Magus est étrangère à la profonde connaissance qu'il a des tableaux authentiques et des faux? Toute passion fait des comptes admirables. Et je soupçonne ce qu'il y a de vrai en quelques moralistes, dont Descartes, qui disent qu'il y a un bon usage de toutes les passions, et point du tout de grandes actions ni de grandes pensées sans les passions. Certes, ce n'est pas la passion toute seule qui est belle, mais ce n'est pas non plus la *Vierge à la Chaise* qui est belle. Vraisemblablement c'est une rencontre des deux qui est belle, et qui transfigure les deux. Et j'aime à supposer que l'œuvre d'art est celle qui fait le salut de l'âme au moins un petit instant. J'irais même jusqu'à dire que celui qui n'a pas de grandes passions, qui sont de grandes menaces pour lui, n'a que faire des Beaux-Arts. Que me fait la musique si je n'ai point de remords à surmonter, ou bien de grandes peines? Au reste, qui n'a peines ni remords? Je vois mieux par ce côté-là comment l'homme et la cathédrale s'accrochent l'un à l'autre au tournant de la rue. Et, pour tout mettre dans ce paquet, j'entrevois qu'il n'y a point du tout un sentiment du beau supérieur aux autres sentiments, mais bien plutôt que tout sentiment d'une façon ou d'une autre s'élève par l'objet beau, qui se trouve ainsi objet de culte à proprement parler, et même recéleur d'une belle superstition, qui sauve la superstition. On dit communément que le beau fut autrefois cela même, c'est-à-dire centre de miracles; je vois qu'il l'est toujours. Je conclus trop vite; mais cette conclusion donne l'idée du chemin neuf que je veux suivre. Neuf, entendez qu'il est battu des mille pieds de l'homme, comme le sentier.

CHAPITRE IV

AUTRE DIFFICULTÉ, SUR LE BIEN

Quand on me propose, comme fin suprême de la vie, d'aimer un idéal du Bien qui est aussi le Beau absolu et le Vrai absolu, j'avoue que je comprends trop aisément, sans trouver en moi-même seulement une étincelle de cet amour, qu'on nomme amour de Dieu. Cela n'empêche pas que je sois capable de raisonner sur l'amour que Dieu me peut rendre, ou sur la liberté divine, ou sur la justice divine, ou sur la bonté divine. Tous ces pâles êtres que je forme de mots, me semblent en effet estimables; et je suis disposé à juger supérieure une vie qui ne contemple que cela et qui s'y règle autant qu'elle peut. Toutefois je me détourne de cette religion maigre. Ceux qui baisent les pieds de Jésus, comme on dit que font les Espagnols, me paraissent engagés dans un meilleur chemin, parce qu'au lieu d'imiter une idée, ils imitent une forme d'homme qui a été soumise aux passions et à la mort comme eux-mêmes. J'avoue que je sens vivement cette expression métaphorique, pour dire les horreurs de la guerre : « Jésus souffre mille fois sa Passion ». Cela veut dire que l'homme souffre par l'homme; cela veut dire qu'il pourrait ne pas souffrir; aussi qu'il ne le veut point, si les hommes n'en sont point meilleurs, exactement si lui-même n'en est pas meilleur. Et voici une manière forte de dire : « Tant que je n'échappe que par rencontre, je ne veux pas échapper »; ce qui évidemment multiplie les croix. Et tel est le sens de l'homme crucifié; un des sens. Je ne me hâte point de saisir la religion de plus près; je tiens même beaucoup à m'en approcher toujours, sans jamais y arriver. C'est que je ne crois point du tout à une vertu de l'objet de religion, par laquelle l'homme serait sauvé sans le mouvement intérieur qui sauve; et je suis assuré que toute religion se passe dans l'homme, et par un changement intime des sentiments qu'il a, non par l'acquisition d'un sentiment qu'il n'avait pas. Dans le fait, celui qui va au monastère veut accomplir un certain sentiment qu'il a, et qui s'est tourné en désespoir. Il se peut que ce changement ressemble beaucoup à celui qui se fait dans le poète véritable, quand il s'enchante sur la fuite du temps et sur tous les morts. Cette parenté me rendrait compte de l'accent religieux de tous les poèmes, je dis même des moindres, comme d'Horace à Pyrrha. Et que la Bible soit premièrement un poème énorme, qui console par la rencontre de l'inconsolable, c'est ce que le lecteur sent d'abord et ensuite. Au reste, le fanatisme est un moment des passions sauvées; c'est le coup de glaive de l'ange avant qu'il remonte; et la sévérité de Dieu est une prière des hommes. Je tiens beaucoup à faire ressentir que le drame religieux se joue tout dans la vapeur de la terre et dans la fumée du sacrifice. Il n'y a qu'absence dans le ciel, et c'est beaucoup.

Je veux dire encore autrement que le bien est le bien de nos affections; car nous devons les conduire; et ce devoir est en elles comme leur âme. Par exemple aimer sans se soucier de la liberté ni de la grandeur de l'objet aimé, ce n'est pas tant défendu qu'impossible; et si l'on ne s'élève pas par là, il faut alors redescendre bien plus bas. Le bien est un salut de nos affections, salut que nous accomplissons par le scrupule de ces affections mêmes; et c'est en cela que le bien est d'obligation absolue, comme on l'a dit. Mais on peut l'entendre aussi comme attachement à son propre être, c'est-à-dire comme le suprême utile, à la manière de Spinoza. Aristote disait que le bien d'un homme lui est propre, et difficile à arracher de lui. Imitant maintenant Aristote, je dirai que le bien du géomètre est d'être géomètre, ou mieux de se faire géomètre, et le bien de l'avare de se faire avare, et le bien de l'ambitieux de se faire ambitieux. J'aime aussi le mot de Marc-Aurèle, que je ne sépare point de l'heureuse traduction de mon ami Charles Navarre : « Creuse dedans; c'est dedans qu'est la source du bien; et toutes les fois qu'on creuse, ça jaillit toutes les fois ». Oui, toutes les fois que l'on veut sauver en soi les choses terrestres et basses, et non point s'en séparer, mais aller vers elles, au contraire, et jurer, comme sur le navire, de ne se sauver qu'avec son coffret, toutes ces fois-là, qui sont des moments de courage, il vient un secours de la fidélité même; et pour ma part je sauverais l'avare qui aime mieux se noyer avec son trésor; car l'autre légende, qui lui demande au contraire de se sauver nu, tend à nous arracher de nous-même et de cette vie de piastres et de travaux. Je vois bien que ces propositions devront être reprises; je vois bien qu'il faudra sauver aussi le tyran; et au reste je ne suis point Dieu ni envoyé de Dieu. Mais j'ai fini par sentir la haine elle-même, cet enthousiasme, comme un amour humain presque sublime par l'obstacle et le courage. Pour parler autrement, je crois et même je sais que si l'on prolonge la courbe des sentiments naturels, on s'en sauve par un excès qui est le bien de chacun. Ce sublime tient à la poésie, car rien ne se laisse diviser, et, comme la poésie, il a beaucoup d'air dessous *(Multa Dyrceum levat aura cycnum)*. C'est ainsi que je me réjouis de la magnificence humaine; et le mendiant poète aux yeux fermés me semble célébrer tout l'extrême de l'homme. Cette assurance est le bien. Ou, pour mieux dire déjà, en ce premier et sommaire examen, le bien est ce sublime d'un moment, et ce sublime d'une chose de peu, de quoi l'on retombe aussitôt; et cette chute et rechute a passé dans les légendes, avec la lumière d'en haut qui y est attachée. Il suffit de penser là-dessus que ces grâces et disgrâces sont toujours recommencées, comme on relit l'*Iliade*.

Plus simplement, et plus près des querelles d'école, je voudrais dire qu'il n'y a point de sentiments moraux, c'est-à-dire qui auraient pour objet quelque bien supérieur aux biens, mais plutôt que tous les sentiments sont moraux, par rapport à des degrés d'où ils s'élèvent, et qu'il faudra décrire. Le mot de passion nous avertit fortement ici, car il désigne un esclavage et un malheur; l'affection, l'émotion, le désir sont encore au-dessous, et près de la naïve enfance, qui est toujours et à chaque instant notre départ. C'est dire qu'on passe d'aimer tendrement à aimer tragiquement, et que le Bien est au-delà; et que ce n'est pas moins vrai de l'amour des richesses que de l'amour des personnes; et qu'enfin la vanité même, qui s'étend toujours plus loin qu'on ne voudrait, est aussi une voie de salut, sans qu'on la renie, mais bien plutôt parce qu'on l'affirme. C'est ainsi peut-être que le sceptique est heureux de ce qui vous désespère à le lire. C'est que lui a jugé réellement que tout est vain, au lieu que vous, vous craignez seulement de voir tomber vos idoles. Or les idoles, il faut être au-dessous ou au-dessus. A leur niveau même, on n'y peut rester. Voilà assez d'énigmes ; toutefois je prie qu'on y pense.

CHAPITRE V

DE QUELQUES DIVISIONS TROP COMMODES

L'Amoureux, l'Ambitieux et l'Avare font trois espèces d'hommes. On en trouve qui sont amoureux toute leur vie, ce qui correspond à une physiologie, à un ordre de plaisirs et de désirs, à un genre d'entreprises, à une sorte aussi d'enchantement et de rêverie, à des caprices de commandement et d'obéissance, à une sécurité et à une inquiétude, à une jalousie d'admirer qui cherche le désert, enfin à la belle vieillesse de Philémon et Baucis ; à des peines aussi, à des drames, à un prompt changement de l'amour en haine, à des regrets, à des reproches à soi sur les reproches, à un comble de malheur quelquefois, comme le monastère, qui est pourtant encore une manière d'aimer. Les hommes qui marchent sous Vénus ne voient point de fin à ces aventures, et meurent en prononçant quelque nom.

Ceux qui sont ambitieux sont autrement faits et autrement nés. Ils ont d'autres puissances, et leurs humeurs, comme on dit si bien, les portent plus à la violence qu'à un besoin de douceur et de confiance. « Qu'ils me haïssent, pourvu qu'ils me craignent ! » c'est bien un mot d'ambitieux. Il y a souvent du mépris dans l'ambition, ce qui détourne de chercher à pouvoir sur un petit nombre. L'ambitieux en vient toujours à chercher la foule, comme si la puissance démesurée faisait oublier la faiblesse, l'ignorance et la légèreté des individus. L'audace est le moyen de l'ambition jeune ; mais en prenant de l'âge, elle se soucie plus de fonder ; elle institue un ordre, et des sergents; elle vieillit par la ruse et le silence. Toutefois il se peut que la récompense de l'ambition ce soit l'amitié, quoique l'ambitieux soit jaloux de domination, vif, fait pour étonner, et violent jusque dans l'extrême vieillesse.

L'avare semble être à l'opposé de ces deux hommes, qui ont en commun un certain besoin de dépenser. La physiologie de l'avare est économe de mouvement à tout âge, et porte à une sagesse prématurée, on dirait presque à une vieillesse précoce. L'avare est tout dans le geste qui ne s'éloigne point du corps et dans un mouvement de se ramener sur soi. La peur est l'âme de l'avarice; les provisions et trésors sont des précautions, l'ordre est un moyen d'en faire revue; et la crainte du prodigue y est peut-être plus naturelle que la crainte des voleurs. L'avare craint le bruit et le changement; c'est qu'il craint la fatigue; et, dans le fond, il craint de s'intéresser. Je suppose qu'il craint aussi d'aimer. Aussi ne donne-t-il qu'un doigt. En revanche il aime l'avare, quoiqu'il n'espère pas en tirer beaucoup. Balzac a représenté une société d'avares au café Minerve *(Les Employés)*. On ne s'attend pas à des mouvements ni à des cris. La voix est un souffle, et le rire une sorte de fumée sortant des plis du visage.

Cette division brille au théâtre, au roman, et dans les conversations; j'en veux bien user. Mais je veux aussi la défaire, d'abord par cette remarque que ces trois passions correspondent aux trois âges d'un même homme, ce qui nous met en garde contre les espèces et les caractères. Si l'on néglige les extrêmes, qui sont si naturellement comédiens et préfaciers d'eux-mêmes, on voit que tout amour vieillit en ambition, et que les enfants conduisent là; car la conduite, à l'égard des enfants, si elle est ambitieuse pour eux, est d'abord ambitieuse par soi. Le fait est qu'avant d'instruire les enfants pour eux, il faut les discipliner pour soi, ce qui fait paraître une nuance de l'ambition. Et, de plus, l'idée de préparer des carrières et des alliances conduit à suivre les lignes de pouvoir plutôt que les lignes d'amour; sans compter que l'amour paternel est toujours la plus noble ambition. Comme de père on devient grand-père, ainsi l'ambition fleurit en avarice, et souvent en avarice généreuse, généreuse mais non prodigue. Ces changements correspondent à ceux de l'âge, car le plus naturel vieillissement se marque par des crises de colère, qui s'apaiseront ensuite si elles ne tuent. Ainsi le même homme passera d'une espèce à l'autre; et cette remarque réduit l'espèce à un instrument d'observation. Tel est le bon usage des idées.

Mais encore mieux, si les idées éclairent tous les êtres à tous les âges, comme je l'ai remarqué il y a longtemps pour la monarchie, la démocratie, la tyrannie et autres espèces, qui se trouvent ensemble en tout État, mais plus ou moins visibles selon le lieu, le moment et l'histoire, de même je voudrais dire qu'il y a toujours de l'ambition dans l'amour, car l'amour veut pouvoir; et de l'avarice aussi dans l'amour, car il craint toujours le mouvement et le bruit. Pareillement il y a de l'amour dans l'ambition, et souvent plus qu'elle ne voudrait; car il est humiliant de se fier; mais on ne peut pas toujours menacer, car il faut dormir. Dormir, qui est le triomphe de l'amour. Et de l'avarice aussi dans l'ambition, au moins par amour de l'ordre, qui est une économie et une épargne de moyens. Quant à l'avarice, elle enferme une ambition plus sûre d'elle-même; car on tient mieux les hommes par les choses que par les hommes. Les ambitieux savent que l'argent aide toutes les affaires, et contribue en un sens à la sincérité des opinions. Il est vrai aussi qu'en cherchant l'amour dans l'avarice on trouve des espèces d'avares auxquelles on n'aurait pas pensé, l'avare conquérant, l'avare prodigue, aussi l'avare philanthrope. Ces remarques sur le mélange de l'avarice avec toutes les autres passions éclairent un peu le jaloux, personnage trop connu par l'expérience de tous, personnage qui a de la profondeur, et une sorte de perfection, dont il fait arme. Peut-être le jaloux ne craint-il pas premièrement, ni même principalement, d'être privé du bonheur qu'il espère, par l'ambition ou l'amour qu'il remarque en un autre. Mais plutôt il est offensé d'un mouvement qu'il n'a pas prévu; il se voit forcé de découvrir ou de livrer quelque chose de lui-même. Il est convié, et très instamment, à un genre de prodigalité. L'avare est jaloux de son secret, l'ambitieux aussi. On est jaloux quelquefois de ce qu'on n'envie nullement. L'envieux est extérieur aux biens qu'il envie; le jaloux est jaloux des biens qu'il a; il veut être seul à les connaître; il craint par-dessus tout ceux qui ne sauront pas les comprendre. Un amateur de tableaux est jaloux en ce sens qu'il ne veut point livrer à la foule un chef-d'œuvre que lui seul sait aimer.

Mais peut-être ne veut-il point du tout d'aventure et de légèreté autour du chef-d'œuvre ; par exemple il sera jaloux si l'on regarde peu, si l'on parle d'autre chose. Ce qui fait la jalousie, c'est peut-être la frivolité même que l'on remarque dans le monde, et qui en effet danse sur tout et rit de tout ; telle est peut-être l'ennemie de toutes les passions, et pire ennemie encore par l'innocence. Et ces remarques me confirment dans l'idée qu'il faut ruser et s'embusquer si l'on veut surprendre l'homme.

CHAPITRE VI

LA FRIVOLITÉ

La frivolité est tendue comme un rideau léger devant presque tous nos sentiments, moins souvent peut-être devant nos passions, toujours devant nos émotions jeunes. Et peut-être en ce dernier cas n'est-elle qu'un mouvement contraire et qui repose, comme le frisson après l'immobilité. Le rire est lui-même un très grand signe, involontaire quelquefois, mais alors souvent voulu tel. La frivolité n'est pas convulsive comme le rire ; elle est légère et sur la pointe du pied ; elle ne s'annonce point ; elle ne se souvient point ; elle est l'oubli même et la seconde naissance. Semblable à un pas de danse qui efface le précédent, et toutefois sans règle aucune. C'est pourquoi je ne dirais pas que la frivolité est une passion et même un sentiment, quoiqu'on semble quelquefois en jurer. Mais ce que je crois, c'est que la frivolité est un changement volontaire des passions obtenu par un mouvement vif, comme de tourner la tête. Ce n'est pas tout à fait politesse ; la politesse prépare de loin tous les changements de l'attention. La frivolité rompt l'attention. Et ce n'est pas un signe que l'on s'ennuie et que l'on cherche ailleurs ; bien au contraire, c'est le signe qu'on va s'intéresser plus qu'on ne voudrait. « Vous avez de l'humeur, dit la marquise de La Mole à sa fille ; c'est de mauvaise grâce au bal » ; et Mathilde de danser aussitôt comme on danse.

Les mouvements de la danse exigent attention, changent les perceptions, changent même les couples, ce qui est de profonde sagesse. « Attends, ne choisis pas encore; tu es au bal; à demain les pensées. » On sait que les conventions du bal empêchent choix et préférence. On ne peut cependant concevoir l'ivresse du bal, et cette sorte d'emportement joyeux de toute une saison, sans une curiosité du bonheur, et l'on ose même dire un essai des émotions. Il est prévu que les émotions sont trop fortes; elles sont toutes trop fortes; et la surprise, même agréable, donne de l'humeur. Le petit enfant doit apprendre à ne pas être offensé d'un visage nouveau. Il y a pourtant de quoi. A plus juste titre au bal on peut sentir et on pourrait ressentir l'antipathie et la sympathie; mais cela n'est point permis. Il faut moudre tous les sentiments à leur naissance dans ce mouvement endiablé. Ce dernier mot dit beaucoup. C'est qu'il faut épuiser aussi le plaisir de légèreté, on dirait même de trahison; il faut résister au sérieux et à la fidélité, qui se jetteraient sur le malheur. Aussi la frivolité est enseignée en même temps que la politesse. La politesse serait dangereuse sans la variété et le mouvement; il faut en avertir par le sourire.

La frivolité n'est pas précisément le sens du comique. Le comique défait les passions et même les sentiments; la frivolité les guette à leur naissance et les dissout dans son tourbillon. Elle refuse de nouer; elle dénoue en action; rien n'étonne davantage le timide; mais s'il s'y forme, il est alors guéri de son humeur malheureuse. Les misanthropes recherchent l'entretien dans la solitude; cette sauvagerie est un des visages du jaloux. Sans doute faut-il penser qu'un sentiment ne peut naître ni se développer dans l'oppression du sérieux. Dire pourquoi, c'est l'affaire de beaucoup de chapitres. Peut-être faut-il se déprendre afin de librement revenir. C'est une sauvage coutume d'enfermer les femmes; c'est faire redescendre beaucoup la vie du cœur. Or il y a de ces prisons invisibles dans tout ce monde-ci; il faut savoir que le geôlier n'est jamais content. Mais on peut voir plus loin, et qu'il n'y a plus, alors, de passage vers les sublimes amours. D'après ce pressentiment, la frivolité sourit encore sur les cimes. Regardez que c'est une grande frivolité que de chanter juste, et que l'ornement pur exprime cela même. Stendhal était plus ému à l'*Opera Buffa* qu'au sérieux allemand. Je suppose que la passion bien noire est un état où l'on ne sait plus si l'on aime; la fureur en décide, et c'est le serment du diable. C'est une règle bien connue et souvent pratiquée de savoir par le doute. Et j'admire à ce propos comme les humains pensent bien; non pas en astronomie, car ils s'en moquent, mais, sur le sujet de leurs chères affections, ils ne manquent même pas de s'en retirer un peu afin d'en juger. Une gaieté donc éclaire nos affections; sans elle se perdent les différences, et tout est noir.

CHAPITRE VII

LE THÉATRE

Aristote disait bien que la tragédie, en excitant la terreur et la pitié, purifiait en même temps ces passions. Seulement il y a bien plus à dire; car les spectateurs, par cela qu'ils tiennent et mesurent leur terreur et leur pitié, au lieu d'être tenus, *imitent* alors toutes les passions des personnages, par exemple l'amour, l'ambition, la jalousie, l'envie, la haine, et apprennent ainsi à les ressentir. C'est dire que les spectateurs apprennent de toutes façons la frivolité, sans laquelle les passions ne se développeraient guère; ce seraient des fureurs, des folies, des paroxysmes, oubliés faute de préparation. Il s'agit, dans la présente étude, moins des actions que des sentiments et ressentiments, le second mot ne faisant qu'expliquer le premier. Ce que je ne sais pas redire à moi-même, et retenir, et composer, je ne le sens point et ne le ressens point. Or le théâtre premièrement se prive tout à fait d'actions. Je décris autant que je puis le théâtre pur. Toute l'action, peut-on dire, y consiste en des paroles, qui sont ensuite retenues et reprochées; et les paroles à soi ne sont pas celles qui importent le moins; d'où le monologue, si naturel au théâtre, et si fugitif dans la vie de chacun. Aussi, ce n'est pas peu si l'on apprend à jouer. Mais qu'est-ce que jouer?

L'acteur n'est pas le personnage, on le sait bien. Le spectateur, comme on cligne des yeux, se donne l'illusion qu'il voit Néron lui-même, et se l'ôte à la seconde, admirant alors le jeu. L'acteur, de son côté, ne se prive pas de paraître et de disparaître, moissonnant ainsi deux gloires. Mais enfin il joue; c'est-à-dire qu'il produit des signes volontaires, mouvements, gestes, paroles, qu'il sait rendre involontaires pour un court moment, par une sorte d'élan qu'il leur imprime, et qu'il contrarie aussitôt par l'arrêt. En quoi il faut distinguer l'immobilité et le silence, deux manœuvres liées, quoiqu'elles n'aillent jamais simultanément, et qui chacune donnent le branle aux signes involontaires, comme tremblement, sanglot, rougeur, pâleur. Ces essais sont imités et multipliés; mais le temps, si bien réglé par les entrées, les sorties, les répliques, et encore mieux par le poème, efface à mesure ces mouvements du sang, retire de nous le drame et le rejette sur l'acteur, qui le porte alors avec l'aisance d'un athlète. Cette force si réelle figure assez bien le sublime. Le personnage serait accablé et réellement incapable de parler et de marcher. Tous les drames réels se perdent dans l'extrême fatigue, quand ce n'est pas la maladie et la mort. Au lieu que c'est l'art de l'acteur de ne pas mourir, ou bien de mourir comme on ne meurt pas. Par ces secours, nous arrivons à nous donner représentation de ce que nous éprouvons pour notre compte. Il y a certainement de l'art dans tout sentiment, et même dans toute passion, car elle n'est passion que si l'on y revient. Autrement toute tragédie se perd dans le crime, qui ne se sait pas lui-même.

La Comédie est au-delà de la Tragédie; mais convenons, d'après les remarques précédentes, qu'elle est dans la tragédie même et que c'est elle qui tient le drame un peu soulevé et retenu. L'art du tragédien est aussi d'éviter le ridicule; c'est pourquoi le même tragédien, et bon tragédien, sera un bon comique quand il voudra. L'amour de comédie en témoigne comme il faut; car, de ce qu'il écarte davantage tout le tragique, il n'est pas moins émouvant; d'aucuns diront qu'il l'est plus. Et quant aux vieillards, ils seraient aisément tragiques, s'ils ne révélaient par le jeu qu'ils ne sauraient plus l'être; seulement l'acteur nous préserve ici d'une autre pitié. L'avarice, sans cette précaution, serait toute gelée. Il suffit de ces vues sommaires pour qu'on entrevoie que les spectateurs apprennent à sentir. Au lieu que, si le feu prend, comme ils n'ont point joué cette peur-là, la peur n'est alors que le mouvement sans souvenir. Ce n'est plus peur; et le viol non plus n'est pas l'amour; et le crime n'est pas la colère. Le théâtre est ce qui nous apprend à sentir sans nous jeter, ce qui est manier et remanier la partie imaginaire de nos malheurs.

CHAPITRE VIII

LES ARTS

Le théâtre nous offre le semblable, qui est le seul miroir où nous puissions nous connaître. Et c'est l'acteur qui assure la communication, en nous faisant éprouver que le plus bas, au moins dans nos affections représentées, est à notre niveau comme au sien. Il n'est donc pas vain de rabaisser l'acteur; il importe beaucoup de le reconnaître dans l'empereur. L'acteur assure un genre d'égalité. La poésie est moins puissante que le théâtre, car elle n'a point ce bas interprète; seulement elle nous fait nous-même acteur; nous soufflons humainement dans ses tuyaux de douze pieds ou de huit, participant ainsi tour à tour à l'épopée et au chant funèbre. La musique, encore autrement, nous élève par le corps, et nous revêt aussi d'une sorte de rôle. Et par ces moyens le sublime nous tient au corps; peut-être faudra-t-il dire qu'il nous est annoncé par un certain déliement des émotions, et littéralement par une délivrance du cœur. Mais il faudra du temps pour que l'âme soit rejointe au corps.

Des arts plastiques, que faut-il dire? L'architecture est comme un manteau; elle ne ressemble pas plus au corps humain qu'un manteau, mais c'est encore beaucoup. C'est beaucoup si les colonnes représentent le passage et les détours d'une foule, et si les entrecoupements nous rendent sensible la place du voisin. Voilà, disent-ils, ce qu'il voyait, que vous ne pouvez voir deux ensemble. Cela fait une solitude animée et une sorte de prière dans la foule. Le temple chrétien enseigne ainsi le principal, car la plus riche vie est au dedans. Au contraire le temple ancien laissait au dehors les festons de la foule, et les précieuses différences, et au dedans peu de perspectives, plus de nudité et d'unité. C'est dire que l'édifice nous meut et nous arrête selon sa loi. Et je ne puis quitter l'arc de triomphe, qui de lui-même meut des armées. Quelle autre éloquence, à présent, dans le jardin, dans l'escalier, dans la maison! Ce sont des creux à la dimension de l'homme. Il s'y replie ou déplie tout à fait autrement que dans les temples. Il y ajourne, peut-être, un achèvement ou une perfection. Ce qu'il faut seulement savoir à présent, c'est que nos émotions se développent et se tempèrent d'après la place qui est laissée ou proposée à nos mouvements.

La statuaire nous présente notre propre être, toutefois sans mouvement ni parole, et sans aucun des attributs de la vie. Même on aura occasion de remarquer que les couleurs de la vie font horreur dans une statue; et cela est un grand avertissement. La statue est le contraire de l'acteur, peut-être; elle nous représente le moment où l'homme refuse de jouer et d'exprimer. C'est un moment de mort volontaire, ou de marbre volontaire, qui suspend les drames. L'insensibilité est une partie de nos passions qui importe, et même de nos sentiments. C'est faire taire l'acteur, vider le théâtre, et finir la société. Ce genre de secours, et ce monastère d'un instant, convient à toutes nos passions et les change toutes, mais n'en crée point de nouvelles. Et cela est à dire de tous les arts. Il n'y a point de sentiments de théâtre, mais un moment de théâtre convenable à tous nos sentiments, j'entends qui les réfléchit, les humanise, et nous en soulage. Et nul n'admire une belle statue, sinon en ce sens qu'il soumet un peu ses drames particuliers à cet autre arbitre qui ne dit jamais rien. Il ne dit rien, et c'est sa réponse. Mais qui ne s'est arrondi et durci de toutes parts en forme de statue?

Les subtilités viendraient trop tôt. Le cœur humain a encore bien d'autres défenses. Et maintenant que dire de la peinture? C'est le plus vif des arts, et l'on voudrait croire qu'il en est le plus vain. Le plus vain, car il fixe une apparence qui ne doit ni ne peut durer; il fait immobiles tous les signes fugitifs, regard, esprit du regard, rougeur, pâleur. Toutefois rien ne ressemble moins à la mort; et c'est peut-être la vie toute pure que nous contemplons dans les célèbres portraits, qui, à bien dire, font toute la peinture. Car jamais on ne saurait dire à quoi ils pensent, ni quels projets ils ont. Peut-être savent-ils nous dire que vivre est beau et suffisant. Et comment dire ? Ils exprimeraient donc le sublime, mais par le sang sous la peau et au fond des yeux. Cela eﬆ sans doute encore un autre moment, une autre pulsation de nos sentiments, une autre occasion de les reposer, et sur leur image la plus chérie. Car il nous faut redevenir contents. Notre deﬆin n'eﬆ-il pas d'aimer un être qui ne pense qu'à soi, et de le remercier de cela même ? C'eﬆ ce que la réflexion disputante ne reçoit point comme juﬆe ; or, c'eﬆ bien plus que juﬆe, et la peinture nous en avertit. Toutes ces leçons du sentir sont sans preuves.

CHAPITRE IX

LA NATURE

Tous les hommes éprouvent, un jour ou l'autre, qu'il y a dans la nature même une beauté qui dépasse et défie tous les arts. Oui, une beauté, non seulement des beaux jours, mais de toutes les saisons. Une beauté d'exiﬆence, de pure exiﬆence, peut-être. Ce qui me fait penser cela, c'eﬆ que la nature eﬆ belle d'autant plus qu'elle semble nous ignorer. La mer, le désert, le glacier sont beaux à un moment par l'indifférence. Nous sommes donc abandonnés ! Tel eﬆ le sentiment qui nous remet droits. Mais entendez bien que ce sentiment eﬆ notre sentiment même, d'amour, d'ambition, ou d'avarice, seulement redressé ; redressé par cette pensée que rien ne nous contient, et que cet univers ne nous a rien promis. Ce sentiment eﬆ le sublime même. Car il n'eﬆ pas explicable que l'homme accepte d'enthousiasme cette vie toujours menacée d'écrasement, s'il ne découvre en lui-même une générosité qui passe toute cette puissance assez pour la juger belle. On reconnaît aisément l'ivresse d'être au monde, qui nous vient lorsque, reconnaissant l'exiﬆence et encore l'exiﬆence, et la bordure qui eﬆ un centre, et la limite qui a toujours deux côtés, nous nous disons : « Il y a d'autres mondes, et encore d'autres ». Et de là vient, pour dire sommairement, que, plus la vie eﬆ belle, moins nous craignons de la perdre. Là-dessus la foule des hommes émerveillés répond presque unanimement, contre quelques triﬆes par serment. Ils luttent contre le sentiment le plus fort peut-être; et ils en tirent encore une sorte de bonheur. C'est le fond de nous, qu'au-delà de tout accepter il y ait encore le pouvoir de tout refuser. Ce dernier moment est chrétien, et l'autre est païen. Peut-être jugera-t-on que le salut de nos affections se fait à peu près de même sorte par ces deux chemins.

Mais il faut juger de plus près les sentiments d'un homme accroupi sous le toit du monde, afin de mesurer mieux les nouvelles dimensions de son cœur. Que tout ce spectacle soit grand et beau, cela veut dire que nos sentiments nous sont remis à nous-mêmes. Mais ce recueillement ne nous étrangle pas. Et il est très vrai que notre âme, cet intérieur si intime, s'étend alors au-delà des mondes, de façon qu'en cette étrangeté et inhumanité du monde nous sommes pourtant chez nous. Car quoi de plus intime que ce bleu du ciel, ou cet horizon qui si évidemment n'est horizon que pour notre âme? Et, à dire vrai, cette immensité n'est autre que ce qui plaît jusqu'à l'ivresse dans le monde; ce sont des signes de distance et de variété; les signes douloureux seraient au dedans de nos frontières; et convenons que notre joie franchit nos frontières. Comment ne pas avancer avec sécurité dans ce monde qui n'annonce qu'une existence après l'autre, ici l'herbe, là le rocher, l'eau plus loin, et l'abîme lui-même présent par des couleurs qui ne blessent point? C'est par ce côté d'existence que nos aventures enfin se posent en nous sous la forme merveilleuse du récit. Nous cessons de les vouloir autres, mais nous attendons quelque belle suite, ouverte à notre choix comme ces chemins. Qu'est-ce que le monde, sinon des chemins, et des carrefours partout? Le monde en représentation, c'est notre puissance à nous représentée. Il n'y a pas une perception qui ne nous porte quelque part. Le dur rocher nous peut heurter, mais aussi bien porter; comme ennemi il entre en notre corps; mais c'est toujours comme ami que je le perçois. Je le longe et je l'explore; je n'ai de lui que ce que je veux. Telle est la remise en place de l'homme. Exactement, percevoir, c'est savoir où l'on est, où l'on sera tout à l'heure si l'on veut. Lagneau disait bien de l'espace qu'il est l'image de ma puissance. Et le temps, ajoutait-il, de mon impuissance. Car pour arriver au lendemain il ne s'agit nullement de le vouloir; il ne faut qu'attendre; et même en dormant l'on y sera comme les compagnons. Aussi n'y a-t-il point de perception du temps, et la nature nous le fait oublier, nous présentant seulement ce qui dépend de nous et ce qui est à notre service, comme jardins, champs et routes, et même les maisons, qui sont encore de nature. L'homme aux yeux ouverts ne cesse de faire son destin; il lui plaît de penser à cette partie de ses sentiments, qui n'est que chemin et annonce retrouvée. Ce souvenir du monde s'oppose au souvenir de l'âme elle-même, comme le volontaire s'oppose au fatal. Quel bonheur aussi de nos pas, qui tous annoncent quelque chose de neuf. Et, si tu tombes, n'en accuse personne. Ainsi est faite, si je puis ainsi dire, la partie militaire de notre résignation, je veux dire la partie imprudente et éclairée.

CHAPITRE X

LE TRAVAIL

Du travail on a fait supplice et punition; mais c'est qu'on le sépare du spectacle du monde. Et peut-être n'accepterons-nous plus que le travail en plein air, lorsque nous nous aviserons d'en avoir le choix. Car il y a trop de distance du bûcheron au mineur. Quel beau champ de travaux que la terre devant nos pas étendue! Il n'est pas d'hommes qui ne l'aime en voyant les champs, les jardins, le village et le clocher, tous ces signes de travaux; car la cloche rappelle et le clocher montre la route. N'essayons pas encore de dire comment l'amour de Dieu est l'amour de toutes ces choses, quoique la face des travaux sur la terre soit bien celle d'une Providence impassible. Mais, plus près de nous, disons que le travail est l'essai des lois et la connaissance de l'ordre; et, hors du travail sur la terre, du travail, qui, dans un regard jeté, juge son passé et son avenir, hors de ce travail il n'y a point du tout d'expérience des lois ni d'expérience de l'ordre. Faire fondre du sucre dans l'eau, ou bien souffler l'oxygène sur l'hydrogène, ce n'est nullement éprouver l'ordre; c'est plutôt éprouver le désordre, qui donne pouvoir sur le travail d'autrui. C'est le raffineur que tu mets en expérience, et le mineur, et le chauffeur, et le pompeur; tu fais des essais sur l'homme, qui tourneront contre l'homme, et c'est bien fait pour lui et pour toi.

Le vrai travail est avec l'homme; c'est le travail des champs et des jardins, les heureux échanges formés sous le regard, et la division du travail, mais non point poussée jusqu'à la division des hommes. Et c'est par là seulement que le grand univers ne se perd pas en un rêve. Nos travaux sont la préface, devant nos pieds, de l'existence sans limites. Ce qui résiste existe; ce qui garde nos travaux, nos chemins, nos champs, nos bornes, nos chênes à faire des poutres, cela c'est le monde fidèle et pur, étranger à nos passions. Mais quel effet, aussi, sur nos sentiments! En fait, même l'amour religieux se multiplie par le travail; les moines l'ont su, s'ils ne l'ont pas toujours pratiqué. Regardons de près.

Il plaît d'abord de moissonner des hommes, j'entends de faire d'eux ce qu'on veut, et pour leur bien. Il se trouve pourtant que ce mauvais travail donne mépris de l'homme; car l'homme se venge de croire l'homme; et aussi les effets sont tellement imprévus quand on tend l'homme comme un arc! Dangereuse matière. Et d'aucune façon il n'est permis de prendre l'homme comme matière et instrument. Le plus sublime amour vient mourir là, car, en ce métier de moissonneur d'hommes, je n'ai plus de semblables; et je hais déjà cette capricieuse matière. Cette vue misanthropique ne nourrit pas l'amour, ni même l'ambition, ni même l'avarice; cette dernière passion ne veut pas se fier aux semblables, et c'est elle pourtant qui en dépend le plus. Mais venons au travail de la terre. Il est sain pour nos pensées, il est sain pour nos affections. Ce sillon d'hier nous est un exemple; ce passé reste; cette constance ferait honte à notre naturelle frivolité. L'échec de la contemplation se trouve dans la rêverie, qui nous rassasie de possible et d'impossible. Il faut une grande attention pour considérer selon la nécessité les choses qui échappent à nos prises. Mais, quand on y arriverait, je ne sais s'il est tout à fait juste de dire que nos passions sont apaisées par là. Spinoza montre trop de colère contre Descartes, pour que je me fie tout à fait à Spinoza. Nécessité est une idée de savant; nous avons tort de croire que le savant est un homme. Nous n'avons pas encore l'expérience de l'homme qui pense selon son travail au-delà de son travail. Les schèmes du travail n'ont été essayés que sous le préjugé pragmatiste, le plus lâche de tous; c'est exactement vouloir que le travail persuade l'homme de ne jamais penser au-delà de son travail; c'est prendre le travail à l'envers. Le travail cependant prouve quelque chose, c'est que le monde peut être autre, et encore autre, selon que nous l'aménageons et gouvernons. Cette idée échappe dans l'industrie, qui invente sur invention; cette idée éclate dans l'agriculture, où l'on invente en partant de la nature. En bref, le travail nous communique la générosité; mais plutôt il la réveille en nous; et la générosité est le nom que veut donner Descartes au sentiment de notre liberté; car là se trouve notre noblesse. Disons en raccourci qu'il n'y a de noblesse qu'aux champs. Concevons pour commencer que l'autre pensée, celle de la nécessité, est vile. C'est refuser l'espoir à soi et aux autres, et disons même l'amour. A bien comprendre, il n'y a pas de passions de l'amour, mais plutôt des actions de l'amour, qui sauvent l'amour. Cela veut réflexion avant explication; car nous marchons sur des cendres.

Telle est la première vertu du travail; et remarquez que je n'ai aucune peine ici à faire tenir en un tous les sens du mot vertu. Or je trouve dans le travail encore une autre vertu qui est autant au-dessous de nous que l'autre est au-dessus. On aura à dire dans la suite que nous ne nous défions jamais assez de l'humeur; et l'humeur, sommairement, consiste en des mouvements de nos fluides, secrètement poussés par des contractions de nos muscles; et c'est ce qui fait que la seule attente d'une action nous irrite. Et, en revanche, il est d'expérience que l'action guérit cette sorte d'humeur, que nous appelons, selon les cas, impatience, timidité ou peur. C'est ainsi qu'à notre insu le travail nous guérit de la partie inférieure et presque mécanique de nos passions; ce n'est pas peu. Les mains d'Othello étaient inoccupées lorsqu'il s'imagina d'étrangler quelqu'un.

CHAPITRE XI

L'ENNUI

L'ENNUI fait un grand royaume, et étend ses conquêtes à mesure que l'on pense purement. L'ennui est si constamment le compagnon des pensées, que cette remarque même me fait admirer que la pensée soit si commune. Un enragé penseur que j'ai connu, et qui en effet pensait noir, ne pouvait souffrir en sa présence les travaux des dames, qui leur rendent si bien la méditation supportable. Il aimait deux choses que je n'aime guère, la promenade et la conversation ; il est vrai aussi qu'il n'y a que les ennuyés qui m'ennuient. On dira là-dessus que les passions sont un remède à l'ennui, comme on voit par la redoutable Mathilde du *Rouge et Noir*. Mais il faut remarquer que Julien passe tout de suite aux actions. Pendant qu'il dresse l'échelle, Mathilde nous dit comment elle pense : « Je suis vos mouvements depuis une heure ». Et cette fille si fière forme la seule idée qui puisse l'élever au sentiment vrai. Gare à lui, pense-t-elle, s'il manque de courage. Nous sommes loin de mon ami le Moulin à Pensées.

L'ennui est ce qui montre que nous ne pensons volontiers que nos passions. Mais aussi, cette sorte de spectacle tourne aisément à l'aigre, par la hauteur naturelle de l'esprit. On peut remarquer comme l'humeur est dédaigneuse ; c'est une preuve de ce qu'on ne consent point à sauver de tels mouvements. On ne sait point gré à ceux qui font rire ; ce n'est qu'un pouvoir démesuré sur nous. Non plus à ceux qui nous émeuvent un petit moment. On demande de grands titres. En revanche, l'amitié triomphe de l'ennui à jamais. L'ennui s'est laissé surprendre. Toutefois personne ne s'avise que l'ennui est décrété de haut. Personne ne prévoit que les moyens bas n'y pourront rien. Qui veut des amuseurs les méprise, telle est pourtant la loi. Et le secret d'amuser est de ne pas penser à amuser. C'est peut-être au fond de savoir que tout être est un prodige, et d'aimer les moindres émotions comme des signes suffisants. J'ai remarqué, entre des personnes cultivées et rares, des conversations aussitôt folles, et sans aucun souci du sérieux; mais plutôt allant tout de suite au massacre du sérieux; telle est l'offrande à l'esprit. Mais malheur si l'on s'y trompe, et si l'on cherche des pensées. On dirait que le destin moyen effraie l'homme, et que cette région doit être franchie d'un bond et par surprise. Il n'y a peut-être rien de pis qu'une pensée qui n'est pas sublime. Le rire fou serait donc sublime par la confiance. D'où l'on conclut trop vite que l'esprit se moque de tout. Il ne se moque point; mais plutôt il se délivre. De quoi? Peut-être de tout devoir. Peut-être de haïr; peut-être d'aimer. L'ennui, qui est d'esprit, ne sait plus où se prendre. Chacun de nous a besoin d'être surpris d'absurde façon. Peut-être faut-il dire qu'on ne s'amuse que de la véritable sottise, qui est très rare et très précieuse. La verve résulte d'un pari impossible; elle ne compte que sur le hasard et réussit encore mieux que le pédant; l'honneur du pédant, c'est qu'il se met à faire le fou. En bref, il faudrait dire que tous les mots d'esprit sont manqués; au lieu que l'ennui compose péniblement les siens. D'où je comprends que peut-être la condition inférieure n'est pas assez estimée, sans doute parce qu'on ne voit pas la victoire tout de suite remportée. L'esprit naît de nature, et renaît de nature; et c'est pourquoi souvent la seconde édition d'une pensée n'intéresse plus; on ne sait plus secouer le sac où sont les sorts. Remarquez que la poésie fait de hasard pensée. Il faudrait être bien sérieux pour extraire d'un poème les pensées et les conserver en prose. Toute la vie des pensées en serait perdue. L'ennui fait ainsi ses comptes et s'étonne d'un petit tas de cendres. Or il n'y a point d'affection qui ne périsse si l'ennui s'y met. Et la poésie dans le sens plein est ce qui sauve nos affections. Le plus grand signe d'amour est une gaieté d'enfance; tel est peut-être aussi le signe de l'ambition, car on secoue alors la gloire moyenne. Il faut remarquer aussi que l'avarice n'a pas de vanité; elle se moque de ce qu'on dira; aussi n'est-elle pas sans esprit; toujours est-il qu'elle ignore l'ennui. Mais il n'est pas plus facile d'arriver à l'avarice véritable que d'éprouver l'amour véritable; et l'ennui est comme un barrage de vide dans la région moyenne des passions. Il n'est pas un sentiment qui n'ait traversé l'ennui. Et toujours est-il vain de compter sur le semblable et de lui traîner un semblable à désennuyer.

Cette vue glace les courages. Non, c'est de soi qu'il faut être heureux. Et la seule crainte de ne l'être pas assez est un grand malheur. Toutefois le plus grand malheur de notre condition moyenne est la résolution de ne pas être heureux; c'est une précaution hautaine.

CHAPITRE XII

DEGRÉS DE NOS AFFECTIONS

Je nommerai affection, selon l'usage, tout ce qui nous intéresse par quelque degré de plaisir ou de peine. Et, en tout ce que j'ai voulu expliquer dans les préparations que l'on a lues plus haut, je me suis référé à des degrés des affections. J'en veux maintenant nommer quelques-uns. La passion est un degré moyen, où peut-être on ne reste pas; par exemple la passion religieuse est un état violent où l'on ne sait plus régler l'amour, la haine, la crainte, l'espoir, ni même les pensées qui en sont l'accompagnement. La passion est toujours malheureuse; elle ne se repose qu'au degré inférieur, ou bien au supérieur. Le degré inférieur est sans pensées; il consiste dans des mouvements, ou des transes, ou seulement des frissons, ou seulement une inquiétude qui va à l'anxiété, et qui résultent directement d'un événement ou d'une situation. Souvent c'est une secousse, quelquefois une insinuation de tristesse ou même de bonheur; dans tous les cas nous nous sentons déportés de notre être ordinaire, et l'émotion est le mot qui désigne le mieux ces événements de nous-mêmes. Sur quoi la passion se forme, dès que nous nous avisons de nous souvenir, de prévoir, et, en un mot, de penser à nos émotions. C'est ainsi que de la peur on passera à la crainte et à l'espoir, qui ne consistent peut-être qu'en une prévision de la peur et en hésitations sur les remèdes. Et je veux que l'on porte grande attention à cette peur de la peur, qui est assurément dans toutes les passions, et le principal dans beaucoup. Il y faudra revenir. Quant au degré supérieur, où nous nous sauvons de passion, et où nous recherchons, réglons et offrons nos émotions, il le faut nommer sentiment; mais cette forte expression veut être expliquée.

On dit que l'on perd le sentiment, lorsqu'on ne sait plus que l'on existe; et cela nous avertit que le sentiment est un état qu'on risque de perdre; mais c'est aussi l'état d'où l'on juge les degrés inférieurs, qui d'eux-mêmes retombent si bas qu'on n'en sait plus rien. La simple peur des spectres fait non seulement qu'on ne voit pas les spectres, mais aussi qu'on ne se connaît pas soi-même; ce n'est qu'épouvante et fuite; et cet état n'est connu et reconnu que par des récits, lesquels supposent un très haut jugement sur des fautes, sur des châtiments, ce qui enferme une sécurité du narrateur, qui se trouve en complicité avec Dieu. C'est par l'intercession du récit que l'auditeur imagine ses profondes peurs, et ces peurs de peurs qui retombent toujours à la peur; autrement, on se réveille d'un rêve terrible dont on ne sait rien. C'est une raison de ceci, que les événements religieux, punitions, damnations, conversions, n'ont jamais lieu à la manière des événements communs, mais toujours dans un récit. Ce sont des choses qu'on jurerait arrivées à soi, mais dont aussi on se sent protégé par un sentiment supérieur, où il se trouve beaucoup d'incrédulité à l'égard des spectres et apparitions. Cette incrédulité est la foi, au sens où tout le monde l'entend, mais cette importante notion n'est pas près d'être assez expliquée.

Poussant un peu plus avant l'exemple qui m'est venu, je dirai que la crédulité est un degré en opposition avec la foi. Aussi ne citerez-vous pas un saint qui ne prie pour être délivré des spectres et visions; cela se nomme exorciser; et de là vient une idée fort obscure, mais puissante, qui rapporte à l'esprit du mal, disons à l'esprit d'erreur, tous les prodiges et miracles considérés comme objets d'épouvante, ce qu'ils sont d'abord. Et, d'un autre côté, ces visions ou ces peurs sont la matière religieuse, si l'on peut ainsi dire. Et si l'on voulait nommer l'émotion religieuse à l'état de simplicité première, il faudrait dire horreur; car, par le redoublement qui est la pensée, et qui peut seul éclairer ces noirs moments, il est prescrit que l'on ait horreur de ces horreurs, et qu'on prie pour les écarter. Je donnerai en exemple l'horreur de Rancé devant un cadavre aimé; situation impossible et dont il faut se sauver comme par un bond; c'est alors que par souvenir (et remarquez ici une loi du souvenir, car c'est une chose dont on est délivré), par souvenir donc on entreverra les abîmes de passion où l'on a bien failli tomber. Toutes les subtilités des passions dépendent de cette condition qu'on ne les connaît qu'autant qu'on les dépasse, et à l'état de souvenirs légendaires, si l'on ose dire. Et le fanatisme, au contraire, est l'impossible de la passion religieuse, se traduisant alors en mouvements. Finalement, si l'on use des mouvements du fanatisme pour définir la foi, on se trompe beaucoup. C'est comme si l'on jugeait de l'amour par le crime. Ce qui est criminel, c'est l'amour manqué.

CHAPITRE XIII

AUTRES EXEMPLES DES DEGRÉS

L'émotion qui annonce l'amour est une sorte d'ivresse où se trouvent mêlés la crainte et l'espoir du plaisir. Il y a certainement de la peur dans le premier mouvement d'affection; et cela est vrai de toute affection. La peur de l'émotion est une peur; la crainte et l'espoir en sont les remèdes, mais instables, comme on peut voir dans les passions de l'amour, où la crainte va quelquefois jusqu'à une sorte de haine; mais, encore une fois, il faut dire que c'est seulement l'éclair du bonheur qui fait paraître ces degrés entre l'enfer et le paradis. L'enfer pur, si l'on peut dire, est l'ivresse toute seule, qui descend on ne sait jusqu'où. Et le pur paradis ne mérite point mal son nom; car c'est une manière d'aimer qui fait sentiment; et qui purifie tout soudain les émotions, si indiscrètement animales, par lesquelles se manifeste la vocation d'amour. Et sans doute faudra-t-il dire que le paradis est l'amour sauvé, ce que le mythe de la pure réunion exprime très bien. Ce qu'il y a de redoutable dans l'émotion d'amour, et même dans la passion, c'est que l'on n'est nullement assuré que l'objet en soit une personne, ni même un certain être, en sorte qu'il faut supporter de dépendre des hasards, quoiqu'on le supporte très mal. Quand on souffre par les passions de l'amour c'est que l'on regrette un ravissement, et qu'on doute qu'une personne soit digne de l'inspirer. Le désespoir d'être injuste, et même justement injuste, est un des supplices du jaloux, ce personnage détestable et absurde, que chacun a joué comme par ressorts. Mais cette sorte de méchanceté n'est éclairée que par une admirable ambition d'admirer, qui, si elle n'est toute généreuse, est une insupportable charge pour l'autre. On voit que le sentiment d'amour, qui est l'amour, doit être conquis sur la passion. Un autre exemple de ces degrés est dans le fait de manquer de nourriture, ou bien de chaleur, ou bien de force, ce qui revient à peu près au même. Cette froide émotion est presque toute sommeil; mais les passions qui en résultent sont fort vives, et toujours combattues par elles-mêmes, puisque le désir lui-même épuise les provisions; sans compter que l'excès fait peur; et certainement les émotions de cet ordre ont beaucoup de rapport aux inquiétudes qui se rapportent à la santé. Le refus d'aliment, qui est aussi refus de dépense, est le parti pris de l'avare, ou d'un certain genre d'avare, qui comprend un bon nombre de saints. On comprend qu'il faut alors prononcer sur l'appétit et la diète, jusqu'à vouloir plutôt mourir qu'être gras. Ce sentiment qui va au-devant de la vieillesse, n'est pourtant pas sans chaleur; mais il s'indigne souvent de chaleur dépensée, en quoi il est passion.

CHAPITRE XIV

LES DEGRÉS DE L'AMBITION

La première ambition, et la plus commune, est sans doute dans ce mouvement de dévorer qui fait passer dans le mangeur, et qui transforme à son image, la substance des autres êtres. Cela ne peut être évité; même le végétarien se nourrit de vivants; et voyez par quelle action, et dans quelle méditation; il détruit le chou et la carotte pour en faire de l'homme! Quelle conscience alors, de bien faire! Quelle résolution d'élever le céleri-rave à la dignité de penseur! Je remarque une manière de manger qui annonce l'esprit de gouvernement. Ce conquérant regarde devant lui et autour, vers les olives et les radis. « Patience, se dit-il; j'ai bien l'intention de civiliser aussi ceux-là. »

Il y a bien de la différence entre l'émotion avaricieuse, qui serre sa provision, et l'émotion ambitieuse qui se porte mains ouvertes et bouche prête, vers tout ce qui est comestible. Je ne sais s'il faut nommer désir le resserrement avaricieux; peut-être est-ce une nuance de l'avarice que de craindre son propre désir; et peut-être la contemplation de l'or, qui est comme le culte de l'avare, se repose-t-elle sur ceci que l'or n'est nullement consommable. L'avare est bien plaisant, lorsqu'il est invité à une bonne table; car il est partagé entre l'occasion de profiter sans qu'il en coûte et la peur qu'il a de son propre appétit, au lieu que le gourmand célèbre son désir même; et je comprends Louis XIV disant : « Qui travaille bien mange bien ».

C'est ici l'occasion de remarquer comme nous imitons nos gestes en nos pensées. Car l'amoureux ne cessera jamais de donner la vie à d'autres; il les voudra libres et courant autour de lui; au lieu que l'ambitieux dévorera toujours les autres, s'instruisant d'eux plus qu'il ne les instruit, et les ramenant tous à sa propre structure, comme s'il les digérait et assimilait. Que peuvent-ils mieux, se dit-il, que de me ressembler? Le fanatique, qui est l'ambitieux passionné, ne peut comprendre que l'on soit autre que lui, ni qu'on se résigne à ne pas lui ressembler. Et la contradiction propre au fanatique, c'est qu'il veut persuader et ne peut persuader; il ne peut, parce qu'il annonce que, s'il ne persuade pas, il forcera. Cette force, à quoi il arrive toujours, lui laisse un doute sur la persuasion, d'où un désir de tuer; entendez de tuer celui qui, à un moment, a eu le malheur de ne pas penser comme lui. Car pourquoi serait-il guéri? Le fanatique se fie enfin à la race, parce qu'il veut imaginer que l'accord est de tout temps et depuis la naissance, par la disposition physiologique. Il ne peut, hélas, aimer que ses semblables! Tels sont les drames de cette passion.

Le fanatique ne se connaît pas lui-même; il ne peut être éclairé que par le sentiment, qui est bien près de la générosité, et qui peut-être y mène, par le parti qu'il prend de chercher le semblable en tous. Et toutefois, on voit souvent revenir le fanatique en Denys ou en Frédéric, lorsque Platon ou Voltaire, ces hommes d'esprit, s'amusent à chercher le point sensible. On aperçoit peut-être, sur cet exemple, que la passion n'est qu'un passage, où l'on ne peut rester, car alors il faut redescendre, et que le sentiment est lui-même toujours menacé s'il ne s'élève pas jusqu'à ses véritables fins. J'aperçois ici des ruses, par exemple dans l'ambition d'un pape, quand il croit qu'on le croit infaillible; c'est ce que le général voudrait bien croire; toutefois il ne s'y fie jamais, ce qui le conduit à mépriser ceux dont il tire sa gloire. Platon est un des hommes rares que l'on peut citer, pour avoir juré de ne jamais persuader, ce qui revient à craindre d'avoir raison trop vite. Merveilleux respect de l'homme pour l'homme!

CHAPITRE XV

LE DÉSIR

D'APRÈS ces exemples, on peut juger le désir, qui est, à ce que je crois, un très petit personnage. Il n'y a rien de plus commun que de désirer être un grand peintre, ou un évêque, ou un général. Ou bien l'on désire d'être aimé d'une belle fille. Ce n'est que rêverie, et sans aucun développement; les désirs ne font rien. Vous feriez rire l'avare en lui disant qu'il désire la richesse. « Tout le monde désire la richesse; moi je la veux, je la gagne, je l'ai, je la garde. J'invente mille moyens et je les mets en œuvre. Déjà plus de trois fois j'ai tout perdu, ou bien on m'a tout volé. Bah! Le temps que je désespérais, j'avais déjà les mains pleines de choses que je pouvais revendre. » Je pense à l'*Histoire d'un Juif*, de Stendhal, où il représente un homme toujours en train de gagner. D'autres sont en train de peindre, et c'est bien autre chose que de désirer être peintre. J'irais même jusqu'à dire qu'à désirer on se prive de faire. En sorte que, quand l'homme se plaint de n'avoir jamais eu ce qu'il désirait, il dit vrai.

C'est pourquoi je ne vois point de place pour le désir parmi les passions, ni même parmi les émotions. Le besoin, oui, parce que le besoin nous met en quête et nous embarque. « J'avais besoin de marcher », dit l'homme qui marche. Le désir ne nous embarque point. De désirer une femme, on ne vient pas à la conquérir; mais de la vouloir, on vient quelquefois à l'aimer. Il en est ainsi de l'argent; car j'ai remarqué qu'on n'aime point l'argent trouvé ou reçu; on le dépense sans regret, et, au contraire, l'argent gagné, on finit par savoir qu'on l'aime. Or le désir de recevoir un bienfait, on peut l'avoir; cela ne fait pas remuer un doigt. Désir est paresseux. Offrez à quelqu'un le moyen d'acquérir ce qu'il désire, et vous verrez comme il part mal. Ce n'est pas au désir qu'on connaît les passions. La passion du jeu vient de jouer; elle ne peut venir d'aucun désir, sans quoi elle serait tempérée par la crainte. Et il est clair que le jeu emmène le joueur bien au-delà des désirs et des craintes. Toutefois regardons de près. Le moteur, ici, c'est la crainte; le jeu est un moyen de vaincre la crainte et d'abord de l'éprouver. On l'a au commandement, et la réponse vient aussitôt. S'il gagne, ce n'est qu'une occasion de plus. Il y a peu d'espoir dans le jeu, mais un essai de liberté. Le désir, je ne le vois point. Qui désire gagner désire aussi ne pas perdre, et il est ridicule d'observer le désir au spectacle du jeu. Ce sont des gains ou des pertes sans conséquence. Ne confondez pas le besoin de jouer avec le désir de gagner.

Mon dessein n'est pas maintenant de suivre la passion du jeu, si secrète, si violente, et qui est cachée dans toute ambition, mais seulement de trouver la place du désir; et je l'aperçois au voisinage de la velléité, et au-dessous du vouloir. Peut-être est-il une partie des vanités, où se trouve aussi l'envie; ce sont, il me semble, d'autres passions. L'envieux n'est pas le jaloux. Il y a dans l'envieux quelque chose qui est aussi dans le désir, et c'est le refus de vouloir.

Le désir est bien au-dessous de l'amour; mais peut-être n'est-il pas même le chemin de l'amour. L'amour commence avec le sentiment d'une puissance heureuse qui s'accorde avec un autre bonheur sans lui rien coûter. Cette sorte d'expérience, où gouverner et être gouverné sont précisément la même chose, ne plaît que commencée; on ne contemple point cette fin; on ne se dit pas qu'on y arrivera; mais, bien plutôt, on est emporté vers elle par un mouvement proprement incroyable. Ce qu'on arrive à faire, on s'avise de le vouloir. Le désirer, c'est tout à fait autre chose. Je l'imagine, cette femme si fière, à mes pieds; je l'imagine sans apercevoir le plus petit moyen, ni le moindre commencement. Au contraire, celui qui aime s'en va à grands pas pour essayer une fois de plus le mélange merveilleux. Je ne sais si on parle bien en disant que l'amour est timide; je l'ai toujours vu bavard et dévorant les heures; suffisant et plus que suffisant. N'importe quel désir y est contraire, comme si l'on espérait régler de soi ce que l'autre dira; non pas, mais tout ce qu'il dira sera bien. Une conversation peut être plus désirable qu'une autre; mais, à l'amour, rien n'est plus désirable qu'autre chose; le beau temps, la pluie, le badinage, le sérieux, tout est égal. Aussi le désir est toujours une offense. C'est l'intention de faire servir l'autre à soi. Ce chemin conduit à mépriser. Au lieu que la belle entreprise d'aimer conduit à estimer l'autre personne et à la vouloir libre, heureuse et puissante; je dis vouloir et non désirer; il y a une immense différence entre l'attente d'une perfection et l'action qui l'enlève et la met en place. Mais je m'aperçois que je suppose ici trop de choses à la fois. Ce que je voulais m'expliquer à moi-même, c'est qu'il n'y a pas de générosité dans le désir.

CHAPITRE XVI

L'ENVIE

L'envieux n'est pas le jaloux; il est même fort loin d'y ressembler; on irait jusqu'à penser que l'envie est tout au contraire de la jalousie. Car la jalousie trouve sa joie aux perfections de ce qu'elle aime, et sa plus grande tristesse de ce que ces perfections sont salies ou bien méconnues. L'envieux au contraire souffre de la perfection de quelqu'un et s'efforce de l'imaginer amoindrie. Ce n'est pas que l'envieux désire une telle perfection pour lui-même; mais il désire plutôt les effets extérieurs et l'opinion, ce qui est proprement désirer et non pas vouloir. Mais il faut ici regarder de près. Je n'ai jamais vu un envieux faire le moindre effort pour conquérir une perfection réelle. Il croit que son style tel quel vaut bien n'importe quel style, et ses idées n'importe quelles idées. Aussi l'envieux est-il coupé par le pied et desséché sur place, et profondément incapable d'un travail même médiocre. Et c'est là qu'il s'irrite, lorsqu'il entend dire que les uns méritent et les autres non. Il se persuade au contraire que les succès dans l'opinion sont dus au hasard. Mais il devrait pourtant entreprendre encore les démarches de politesse par lesquelles on aide le hasard. Mais c'est ce qu'on ne voit point non plus. C'est que le véritable objet de l'envie est ce qui arrive par pure chance; et c'est en cela que l'envie est une sorte de vanité; mais c'est encore une vanité imaginaire. Il se figure dans une place brillante et admirée, et par pur bonheur. Je crois que l'idée seule d'un travail en vue de parvenir humilie l'envieux. Peut-être est-il assuré dans le fond qu'il ne réussirait pas par ces moyens-là; au reste, il se lasse à la première démarche, quand il voit qu'on ne se jette pas à lui pour lui plaire et lui donner tout. Ici est le creux de l'envie; car l'envieux ne s'est jamais avisé de vouloir et de faire; il ne voit donc pas le chemin entre le désir et le résultat. S'il voyait ce chemin, il se mettrait en marche, et mesurerait lui-même ses progrès, sans se comparer à d'autres. Mais il y a plus de portée dans l'envieux; il ne croit pas que le travail ait un sens; il ne croit qu'au génie pur, car il désire l'avoir, mais sans travail. Aussi va-t-il prouvant que tout travail produit industriellement. Par exemple les vers, ce n'est que difficile et ennuyeux à faire; mais on ne peut manquer d'y arriver. Le métier de critique, qui égalise en distribuant des prix de travail, est donc le métier de l'envieux. Il lui manque d'admirer; aussi ne vois-je point qu'il s'admire lui-même. Simplement, il se croit capable de faire aussi bien que les autres. C'est pourquoi il a attendu la chance, et vainement.

L'envie serait donc un certain moment de toutes les passions, et qui les rabaisserait toutes. Il y a un envieux de richesses, qui n'est nullement l'avare, et un envieux d'amour, qui n'est nullement l'amoureux. J'ai voulu montrer que l'envieux n'est pas l'ambitieux, et qu'il va au contraire à rabattre toute ambition. Aussi à rabattre tout amour. On n'a pas encore inventé de mettre en loterie les grands postes et les belles femmes; il se jouerait alors une comédie qui serait celle de l'envieux démasqué. On n'a mis en loterie que l'état d'avare, et il est bien plaisant de remarquer qu'une telle loterie réduit au pur désir; car la question de savoir si l'on a su mériter ce million ne doit pas être posée, elle ne peut l'être. Et la vanité joue ici toute seule. C'est se vanter de l'injustice totale, exactement de l'injustice érigée en système. On ne saurait point faire figure de chef d'armée, si l'on gagnait une telle place comme un lot. Saurait-on faire figure d'amoureux, si l'on gagnait la plus belle femme de l'époque? Mais on pressent qu'il y a des vengeances, et qu'on peut devenir envieux par le succès. Quant au rôle de millionnaire, chacun se croit capable de le jouer. En quoi peut-être tous se trompent. Aperçoit-on maintenant que les passions sont sans vanité?

CHAPITRE XVII

LA VANITÉ

Il faut donc traiter de la vanité, quoique le sujet risque de fondre dans les mains. Toutefois la vanité prend de la consistance par cette remarque de Comte, que la vanité est le plus humble des sentiments altruistes. Tirer vanité de ce que l'on ressemble à un homme connu, c'est sacrifier tout à l'opinion; tirer vanité de ce qu'on a le même nom qu'un homme riche, c'est sacrifier beaucoup à l'opinion; tirer vanité d'un ruban presque rouge, c'est vivre de signes; tirer vanité d'un ouvrage que l'on n'a point écrit, cela n'est pas tout à fait creux, à moins que l'on n'estime nullement cet ouvrage ni aucun ouvrage. Au rebours, un auteur qui ne cherche point de lecteurs est une sorte de monstre; et quant à l'homme qui mépriserait tous les signes, ce serait à peine un homme. Il y a donc dans la vanité un peu de ce respect humain, si bien nommé, et qui fait une partie des bonnes mœurs; car les mœurs consistent dans la puissance de l'opinion de tous sur la conduite de chacun. Auguste Comte est le plus illustre de ceux qui veulent que l'on vive au grand jour, et qui prennent pour mauvais ce que l'on voudrait cacher. On pourrait donc décrire amplement toutes les nuances de la vanité sans se moquer jamais de l'homme. Ce serait la partie la plus habitable du présent travail. Et certes, je ne méprise pas une conversation où chacun fait illusion, et à lui-même aussi;

ce jeu devient noble au théâtre, où le masque fait passer le traître; ce masque laisse passer alors des aveux. Mais il est vrai que le vaniteux ne peut faire vivre cinq actes; il y faut la passion, toute au présent et comme solitaire. Quelle vanité y aurait-il dans le monologue ? Ce vrai que cherchent les passions, et auquel elles aboient seulement d'après l'odeur, c'est ce que je veux premièrement considérer. Mais il n'est pas inutile d'estimer d'une vue le grand paysage des vanités, qui est l'équivalent des véritables vertus et des véritables vices, et le manteau d'arlequin de tous et de toutes. La probité, par exemple, a deux aspects, selon que l'honnête marchand tient compte de l'opinion de ses pairs, ou de la sienne propre. Même dans le voleur et l'assassin, il se trouve un peu du personnage de théâtre et un honneur de corporation. Toute la morale peut être écrite en langage de vanité. Mais je m'occupe principalement ici des passions et des sentiments, qui n'échappent peut-être jamais tout à fait à l'hypocrisie, mais qui certainement donnent de la tête pour s'en tirer ou s'en retirer, soit en traversant, soit en renonçant, et c'est ce qui fait les destins d'un amoureux, d'un ambitieux, d'un avare; car souvent, et parce qu'il aperçoit la vanité de toute monnaie, de tout pouvoir et de tout attachement, il se retire tout de suite des signes et cherche la vérité en deçà, dans les plus naïves émotions; et cette existence, qui enferme tous les excès et tout le cynisme, est encore une partie d'esprit et de noblesse, dont l'ivrognerie est l'image insupportable. Ou bien, au contraire, poussant jusqu'au vrai des prétentions, il se fait une raison de ses folies, ce qui est l'autre voie royale et le soutien des pensées. En ces démarches, la vanité, cette habilleuse, nous suit toujours tenant le cothurne, la toge et la perruque. C'est une bonne femme à qui l'on parle volontiers; elle fait briller l'avantage des passions qui ne sont pas vraies. Elle est l'entremetteuse, qui, par une bienveillance gaie et tout à fait sincère, finit quelquefois par vous offrir cela même que vous aimez. C'est alors le drame le plus violent des passions; et rien ne fait mieux voir que l'amoureux cherche l'amour vrai, et l'ambitieux le vrai pouvoir, et l'avare la vraie richesse. Ces éclairs sont redoutés; il n'y a peut-être que la vanité qui appelle les choses par leur nom. « J'ai, dit lady Dudley, dans ma seigneurie le meilleur des prédicateurs;

il te prêchera mieux que je ne saurais faire. » La vanité ne nous laisse que l'os. Cette terreur harcèle toutes les passions.

CHAPITRE XVIII

L'HONNEUR

Nous voici à la notion la plus vaine, mais la plus commune aussi, et la plus positive si on la suit en sa dialectique propre. L'honneur, c'est l'opinion; telle est l'ombre qui s'offre d'abord; d'où tant de déclamations. N'empêche qu'il y a l'honneur des soldats, l'honneur des commerçants, l'honneur des femmes, l'honneur des hommes les plus vils. Sur cette revue sommaire des jugements, on ne peut s'empêcher de faire les remarques suivantes. D'abord qu'il n'appartient pas à n'importe qui de blesser d'honneur, mais seulement à ceux qui sont réputés avoir eux-mêmes de l'honneur; et pourtant un simple bruit peut blesser l'honneur; mais c'est encore une société d'honneur qui est juge de ce qu'on doit à l'opinion basse, ou bien à l'opinion ignorante. De toute façon, le jugement d'honneur appartient à des personnes qui sont réputées avoir de l'honneur. Bref, le malheureux homme qui se voit déshonoré, ou bien qui espère se refaire un honneur, est par cela même à la recherche de l'honneur vrai, et il cherche conseil et secours. Considérez l'exemple d'un homme jeune et vigoureux, qui aura traversé le temps d'une longue guerre sans être jamais au danger; ou bien celui qui se trouve accusé de s'être rendu prisonnier trop aisément; ces hommes se jugeront peut-être eux-mêmes; mais ils devront toujours plaider devant quelqu'un; car l'honneur doit être reconnu. Un tribunal d'honneur pourra leur rendre la paix intérieure, et plus aisément le respect de leurs égaux. Finalement, la sentence d'honneur pourra interdire d'avance toute querelle en la jugeant elle-même déshonorante. C'est ainsi que le tribunal décidera qu'il est déshonorant de compter le jugement d'un homme sans honneur. Et il n'est point de société qui n'ait de ces institutions et de ces jugements, même les hommes vils qui vivent des femmes. Et le double caractère de l'honneur est qu'il est purement extérieur en un sens, mais que chacun en juge pourtant dans le silence de la conscience; et l'honneur positif consiste dans l'accord entre ces jugements secrets et le jugement public. Essayez d'après cela d'examiner quelques problèmes pratiques. Régulus était-il obligé d'honneur à retourner chez les ennemis ? Pourquoi ? Turenne était-il obligé d'honneur à tenir un serment fait aux voleurs ? Pourquoi ? Un espion est-il déshonoré ? Quand ? Pourquoi ?

Afin de découvrir le ressort caché, il faut examiner le cas où un homme absous par tous se juge encore déshonoré. C'est qu'il sait des circonstances intimes que les autres ne peuvent savoir. Par exemple, il s'est rendu prisonnier, et il se souvient d'avoir eu tellement peur qu'il souhaitait cette occasion. Ou bien il sait que son courage l'a abandonné à un moment du combat. Mais est-on déshonoré par le seul fait d'éprouver la peur ? Tous les héros disent que non. Et, même si l'on a fui, on peut toujours se réhabiliter par une action dangereuse et délibérément voulue. Tel est le sens du duel, où, en l'absence d'occasion, c'est l'accusateur qui fournit l'occasion. Cette logique est sans faute; car on dit : « Quand vous vous serez fait tuer par un bretteur, qu'est-ce que cela prouvera ? » Mais la réponse est facile : « Cela prouvera que vous étiez capable de surmonter la peur devant le danger le plus évident, et encore quand tout dépendait de votre volonté. »

L'honneur des femmes semble plus caché. Toutefois il est clair qu'une femme est sans honneur si elle cède, contre sa volonté, aux impulsions les plus animales; et, au contraire, autant qu'on croit qu'elle cède à quelque sentiment généreux, on jugera que l'honneur est sauf; je voudrais qu'on dise seulement que le sentiment généreux est lui-même volontaire, ce qui revient à distinguer, pour marquer d'abord les grands contrastes, entre les fautes qui viennent d'un manque de courage, ou de fierté, ou d'orgueil, ou comme on voudra dire, et les fautes qui viennent d'un excès de courage. Mais il faudra examiner de plus près les nuances réelles des jugements, par exemple rechercher s'il est plus vil, d'une femme, de céder au besoin d'argent, ou de céder à l'ivresse des sens. L'analyse de tous ces cas-là est fort difficile, et suppose un détail d'autres notions. Mais il apparaît déjà que l'honneur de la femme ressemble beaucoup à l'honneur viril. Il s'agit toujours de prouver par des actions parlantes, que l'on sait vouloir contre la tentation de l'argent, et contre tous les mouvements animaux, comme sont la peur ou la convoitise. Par exemple, un homme n'est pas déshonoré parce qu'il change d'opinion; mais il l'est autant que l'on peut prouver que ce changement s'est fait par le besoin d'argent, ou par les séductions d'une femme; mais encore faut-il distinguer la puissance d'une femme elle-même libre et sincère, de celle d'une femme d'intrigue et tout à fait à vendre. L'homme ainsi détourné de lui-même doit compte, semble-t-il, des sociétés plus ou moins ignobles qui ont pris empire sur lui. Mais plus ou moins ignobles, qu'est-ce, sinon plus ou moins vénal, ou plus ou moins livré aux excès du plaisir? On retrouve toujours la même notion, et aussi cette idée que l'homme n'est juge au fond que de lui-même; ce qui n'empêche pas que les jugements extérieurs, s'ils se trompent sur les motifs secrets, ne se trompent pas du moins sur les principes. Un homme conduit par une femme aux plus scandaleuses trahisons est déshonoré autant que l'on croit qu'il cède à des manœuvres seulement physiques; mais s'il agit évidemment par admiration pour le génie supérieur d'une femme qu'il adore, en ce cas il n'est point déshonoré; et ce genre de faiblesse est pardonné aisément.

CHAPITRE XIX

LES VICES

Les vices sont peut-être de mon sujet; car il n'est point dit que les aventures du cœur tourneront toujours bien. Celui qui concourt à ses passions par des démarches hardies, disons même nobles, ne sait pas où il sera ramené. Je veux remarquer à présent dans les vices une sorte de défi à l'honneur; et je vois trois vices principaux, l'ivresse, la débauche et la cruauté; je ne compte pas qu'ils vont correspondre aux trois passions que j'ai nommées; toujours est-il que la débauche est la catastrophe de l'amour, et la cruauté celle peut-être de l'ambition; quant à l'ivresse, je l'entends comme un produit de diverses drogues, dont l'alcool est la plus connue; et l'effet de l'ivresse est d'abolir les scrupules du sentiment; mais on marche à l'ivresse par une légèreté et frivolité étudiées qui anticipent et jouent le rôle; et ce moment n'est pas sans grandeur; ce serait un certain contraire de l'avarice, ou une abjuration de prudence; mais plus encore une démission de l'homme quand il est fatigué de grandeur. L'ivresse irait donc contre tous les sentiments, par une vue peut-être trop perçante de ce que les passions promettent. Il est vrai aussi que la débauche et la cruauté sont des espèces d'ivresse; car on y pressent un excès que l'on ne saurait vouloir, mais que l'on peut provoquer par une mimique appliquée. La colère peut être prise comme une ivresse, en ce sens qu'on se plaît à s'y jeter par un semblant, en comptant bien qu'elle dépassera ce semblant. De la colère à la cruauté, il y a certainement un passage, mais qui n'est pas tellement facile qu'on puisse le faire sans en avoir juré. On remarquera que je trouve en tous les vices quelque volonté enragée, et non pas seulement une disposition du corps. Et ce qui me détourne de croire ici à quelque structure déterminante, c'est que je suis persuadé que tous les vices, et leurs excès les plus scandaleux, sont à la portée de chacun. Les excès de l'ancien Mexique, où l'on voyait en une seule fête dix mille captifs décapités, ne sont pas immensément loin de ces spectacles de tortures où venaient les gens du peuple et les grands. Jamais l'horreur ne cessera de tenter l'homme; et ce sera une manière d'essayer ses forces, et de voir comment la nature répondra à la volonté. Il y a certainement une affinité entre le pouvoir d'affronter ces spectacles et le pouvoir de braver la souffrance. La guerre est redoutable par l'ivresse que l'on trouve à s'en approcher. Et c'est encore la lutte contre un genre de crainte qui explique les monstrueuses fureurs. Par ce côté la pitié est redoutable.

L'ivresse et la cruauté sont donc sacrilèges, en ce qu'elles essaient le plus grand crime. La débauche ne l'est pas moins explicitement, car elle s'enivre à déshonorer et à se déshonorer. Ici encore la nature répond au vouloir par une sorte de frénésie qui tente parce qu'elle entraîne. Et ce chemin n'est pas celui des passions de l'amour, qui toujours cherchent le consentement et les plus hautes joies. Cela est à considérer de près. J'ai voulu seulement effacer une sotte image des vices, qui ne seraient que des maladies honteuses, alors qu'ils consistent en de glorieux excès, je veux dire publics et acclamés. Les défis des buveurs, l'ivrogne, et Bacchus même, expliquent assez ces mouvements de l'homme, à l'égard desquels l'hypocrise est quelquefois honorable.

CHAPITRE XX

LA PASSION DU JEU

Je ne sais si la passion du jeu est une passion; je sais du moins qu'elle est fort commune. Dans la plus petite province, il se trouve un cercle, où il est facile de pénétrer, où le plus grand plaisir est de se ruiner. Je fus amené au jeu par des camarades de l'École et j'eus aussitôt occasion d'observer le joueur. C'est d'abord un homme qui ne veut pas s'émouvoir de ce qu'il risque de tout perdre et de ce qu'il sait qu'il ne s'arrêtera point; même il sait qu'il se précipitera. Le joueur ne veut pas calculer son propre jeu, par exemple noter les séries. Le joueur ne veut pas un système. Son allure est de décider hardiment et de ne jamais rien redresser. Le joueur est parfaitement heureux sur sa chaise. Il aime l'anxiété, il se défend de l'éprouver.

Je connus par mon expérience que le jeu prend aussitôt l'homme tout entier. Mais je vis encore mieux. Un ami vint un jour nous regarder. Il prit place et risqua très raisonnablement quelque dix francs. Résultat : après deux jours il avait perdu tout son argent et toute la caisse d'une œuvre dont il était le président. Il ne fit qu'en rire, mais fut très étonné de lui-même. Je devais réfléchir sur cette absurdité à froid. Je compris que l'expérience du jeu était le contraire de l'expérience ordinaire. Dans l'ordinaire, on se risque, on interroge, et rien ne répond; dans le jeu, la réponse arrive aussitôt. Dans la vie, un malheur détermine d'autres malheurs. Dans le jeu, le coup qui vient ne dépend nullement du précédent. On peut se retirer du jeu par simple abstention; on ne peut se retirer de la vie. On est emporté par la vie; on se jette dans le jeu. Sans compter que le jeu remédie à l'ennui. Dans Kipling, l'empereur Maxime, en convenant qu'il entreprend quelque chose de hasardeux, dit négligemment : « Il faut toujours qu'on expose sa fortune, sa vie, enfin quelque petite chose comme cela. » Ce grand exemple, quoique imaginaire, valut autant à mes yeux que l'exemple réel de mon ami. Et pensons-y; dans le jeu, le succès, même gigantesque, est toujours aisément possible, et par des moyens très clairs à l'esprit; il suffisait d'un as; or cette carte n'est pas plus difficile à tenir qu'une autre. La nature ne répond jamais ainsi; il y a toujours de l'ambigu dans la chance. L'idée même de chance est éliminée par le jeu. Tout peut changer en un instant. Jouer à la Bourse, cela a des raisons. Mais ce n'est pas enivrant comme les cartes ou la roulette. Il y a du probable à la Bourse, et non pas au baccarat. On trouve donc là un ennemi nouveau, et un courage tout nu. L'habileté n'y fait rien. La sagesse y est ridicule. J'ai raconté qu'un bon mathématicien se moquait fort d'un jeune naïf, qui attendait pour jouer noir que le rouge eût passé huit fois. « La probabilité est la même partout; celle de neuf noires est la même que celle de huit noires et une rouge. » Et, du reste, redisons que le coup suivant ne dépend nullement du précédent. Voilà ce que j'appris au jeu. Je dois dire que j'ai beaucoup joué, sans jamais avoir éprouvé ce qu'on appelle la passion du jeu.

CHAPITRE XXI

SI LA PASSION DU JEU EST UNE PASSION

Dans le jeu tout est clair; il ne s'y trouve point d'illusion. On ne peut croire que la nature nous obéit en nous donnant l'as désiré. Et pourtant on se trouve fier de gagner. Aucune puissance ne nous semble égaler celle-là. Mais, dira-t-on, elle est toujours en risque. C'est en cela qu'elle vit. Il n'y a point d'ivresse égale à celle d'un homme qui a gagné un million et qui se prépare à le perdre. Celui qui arrivera à cette ataraxie en mouvement peut se vanter d'être au-dessus du sort. Il n'y a pas ici ce nuage qui fait le fond des passions. C'est moi qui fais tout; c'est moi qui choisis. Assurément, c'est un triomphe de l'orgueil, et qui a besoin de ma volonté. C'est pourquoi il n'y a rien de plus simple que d'être délivré du jeu. Il suffit que les joueurs se séparent. Cela était toute notre vie. Eh bien, on n'y pense plus. L'homme qui a passé ce point a épuisé le bonheur du risque. Il est tout préparé à cultiver la terre. On pourrait dire que l'homme n'est pas deux fois roi de la presse ou roi de la banque. Il le fut, il y pense avec douceur. Comme un homme qui s'est tant battu que cela ne l'intéresse plus; car il a réellement épuisé la joie d'organiser. Il se dit que c'était dans une autre existence. Il est une sorte d'ange pour son prochain. Heureux encore de donner un bon conseil, comme fait Maxime de Trailles à La Palférine, à la fin de *Béatrix*. Ce mauvais ange est aimé. Il est peut-être le seul aimé. J'ai connu un sage qui disait : « Autrefois j'ai compris telle chose. Mais je ne m'en souviens plus précisément. » Il n'y a donc plus de passion pour le joueur éprouvé. C'est pour lui que l'or est sans valeur. Les vicissitudes du change ne le touchent plus. Il n'a même plus d'ironie. Il est vieux et sociable. Souvent il aime les arts, qui lui représentent la vie enivrée. C'est un bonheur d'être gouverné par lui. Il n'y a que cette aventure qui le réchauffe. Il faut bien admettre cette ambition sans passion; c'est celle de Mosca à la fin de la *Chartreuse*.

CHAPITRE XXII

LES MOUVEMENTS DU CORPS HUMAIN

Il faut distinguer les actions ordinaires ou extraordinaires par lesquelles nous sauvons notre vie, comme marcher en terrain difficile, franchir une barrière, courir, grimper, et les actions de métier, par lesquelles nous imprimons quelque changement aux choses qui nous entourent, comme faire un mur, planter un arbre, faucher le blé; et ces actions de métier reviennent à transporter les choses d'un lieu à un autre, par le secours d'outils et d'instruments. Ces diverses actions conduisent au sommeil par la fatigue, et l'action de dormir, de se mettre à dormir, de vouloir dormir correspond à un sentiment de soi qui est très vif et très agréable. Un tel régime consiste en ceci que les mouvements de la vie sont amplifiés, au lieu que les actions sont toutes défaites en leurs préparations, ce qui exclut toute tension et toute précaution. A dire vrai, les mouvements qui préparent au sommeil sont des précautions contre la précaution. Les mouvements qui réveillent sont, au contraire, des alertes et des défenses, qui troublent aussitôt le travail de la vie, premièrement par l'usure et la fatigue, qui vont alors plus vite que la réfection et le repos; deuxièmement par le ralentissement des fonctions de nettoyage et de réparation. Ce sentiment de soi est pénible; mais on ne l'éprouve point dans les alertes véritables, où l'on est tout occupé à percevoir et à répondre. Ce qui est surtout pénible, c'est ce qu'on pourrait nommer le monologue d'action, où nous essayons d'agir dans le repos même. Et ce qui me paraît digne d'être remarqué, c'est que la volonté, entendez l'action au moins commencée, ne cesse jamais d'aller au-devant des mouvements involontaires, qui sont seuls à répondre, et c'est ainsi que l'on se donne les deux principales émotions, qui sont l'irritation et la peur. Au fond, je ne crois pas qu'on les éprouve jamais sans les aller chercher. Autrement, elles se traduisent en actions et sont dévorées par les actions. D'un autre côté, l'expérience fait voir que, lorsqu'on n'interroge rien de soi, on vient naturellement au sommeil, ou bien à l'état heureux de paresse.

On comprend que l'émotion de repos soit à peine nommée et n'inquiète personne; ici viennent périr les émotions et les passions; c'est un moment de grandeur. Au contraire, les émotions de peur et d'irritation ont ce caractère qu'elles s'augmentent par elles-mêmes et annoncent une sorte de folie. Peut-être n'y a-t-il jamais au commencement que le mouvement de la peur, et l'émotion qui est peur de la peur. Toutefois, il y a deux genres d'irradiation. Ce que Broussais nommait irritation se forme autour d'une lésion et s'étend de proche en proche; et toutes nos actions nous irritent en ce sens-là, car toutes offensent certaines surfaces. L'émotion de la peur court du centre où elle remonte d'abord à la périphérie, changeant aussitôt le régime du sang et de la respiration. L'angoisse est une nuance de la peur. La peur viendrait toute d'actions involontaires qui nous envahiraient. L'irritation serait plutôt la suite d'une douleur que le mouvement calmerait et promptement aggraverait. Il y a de la témérité dans l'une et dans l'autre, et même une sorte de fanatisme convulsif. Il y a une part de volonté dans l'expression, qui ne va jamais non plus sans un secret soulagement, qui vient de l'action explicite ; et l'art du comédien, qui dépasse bien le théâtre, consisterait à changer les signes en actions, mais en gardant aux actions le caractère de signes. Il s'y mêle alors imperceptiblement des retours volontaires au sommeil comme sont l'étirement, le bâillement, l'inspiration profonde, et, en général, une compensation des signes.

CHAPITRE XXIII

L'HUMEUR

L'HUMEUR est bien nommée, car ce sont nos humeurs balancées, avec tout ce qu'elles charrient, selon ce qu'elles lavent, ou obstruent, ou irritent, ce sont nos humeurs qui nous font instables en dépit de nos résolutions. Toutefois, l'humeur dépend aussi des muscles locomoteurs, par lesquels nous ne cessons guère d'essayer au moins nos volontés. Par exemple, nous changeons d'attitude, nous étendons les mains, nous jouons secrètement des jambes, ce qui revient à interroger et exactement à palper l'humeur. Car chacun des muscles locomoteurs a quelque chose de la fonction du cœur, toutefois moins réglée. La contracture chasse le sang, le relâchement l'appelle, et le travail suivi ne manque pas de faire rougir la partie qui travaille. Cela va jusqu'à ce point, disent les physiologistes, que l'on ne peut faire attention à une partie du corps sans que le sang s'y porte ; et en effet l'attention à une partie ne peut consister qu'à exercer préalablement certains muscles locomoteurs. On demandera, selon une vieille querelle, si l'attention se porte où le sang se porte, ou si au contraire ; mais il faut recevoir les deux ensemble, et comprendre que le vouloir ne cesse jamais de s'assurer de ses moyens, ni d'explorer ce sensible corps humain qui toujours réagit étrangement, et autrement qu'on ne voudrait. C'est ainsi qu'un homme qui semble seulement marcher dans sa chambre cherche en réalité de quelle humeur il va se montrer; il joue ordinairement ce qu'il jouera le mieux. Les enfants se jettent plus naïvement dans leur propre humeur. Tout le monde sait que l'humeur des enfants se développe selon son propre thème, mais promptement se lasse. Il en est de même des personnes formées par une longue expérience de leurs rôles. Elles ne cessent de vouloir même leurs mouvements involontaires, comme elles composent leur toux, leur enrouement, et la mèche de leurs cheveux; et cependant elles sont soumises à répéter les mêmes choses, parce que tout dans l'attitude est préparé pour cela. Et d'autre part la fatigue les force à changer de pied, c'est-à-dire à changer d'humeur; or, celui qui sait vivre en prend occasion pour exprimer quelque autre vue. Le balourd ne sait pas accorder l'humeur, le ton et le sens; il attriste ses idées gaies, ou bien il égaie sa tristesse, comme on voit que certains se mettent à rire aux choses sérieuses sans avoir assez averti. Une des difficultés de la conversation est de passer au sublime aussi vite que l'humeur le voudrait. Je pense au sublime parce que le rire et les larmes, qui sont des sursauts de l'humeur, se présentent ici comme des exemples presque violents, et que les larmes sont le signe d'une grande anxiété, mais surmontée, ce qui est le sublime. Le rire résout à peu près la même situation, mais autrement et par secousses, comme si l'on se mettait en garde contre un excès de sérieux; l'art de penser et de converser est fait de ces contrastes. Chacun règle son sourire, et même son rire, même la partie involontaire de son rire. On règle moins les larmes; toutefois on peut les prévoir de loin, et détourner cette puissante marée des larmes. L'homme sait couler à fond ses émotions; il sait moins les ressusciter à son commandement, mais il a musique et poésie à son commandement, et sa voix même, qu'il ne cesse de préparer à l'éloquence ou à la moquerie, ou à l'indifférence du récit. Il sait tendre sa voix invariable par-dessus les abîmes, ce qui va contre l'instable humeur; il sait même tresser un ornement au point du sublime, ce qui marque volonté, serment, fidélité. Au contraire un chant qui suit de trop près le sens exprime que l'âme cherche des prétextes. J'anticipe. Je voulais seulement rappeler en quel sens les émotions sont volontaires, et comment nous avons pouvoir pour les changer. La danse et la musique sont les arts qui correspondent à l'universelle pratique de régler l'impression par l'expression.

CHAPITRE XXIV

LE LANGAGE

L'IMPRESSION est un mot qui signifie assez bien l'émotion avant toute pensée; le saisissement exprime un plus haut degré de violence exercée sur notre corps par l'impression et la réaction même du corps. Le mot choc exprime mieux encore que notre vie est menacée par un événement qui ne détruit pourtant que notre équilibre. Contre de telles perturbations, qui consistent surtout en rougeur, pâleur, tremblement, qui sont les effets du dérèglement du cœur, nous n'avons que des moyens d'action indirects, dont l'un consiste en des mouvements locomoteurs contraires à la crispation, à la contracture, au spasme, et l'autre dans l'exercice volontaire de l'inspiration et de l'expiration. Ces deux moyens couvrent le domaine entier du langage. Et l'expression consiste à ajourner le sentir, à le distribuer, à le préparer, à le grandir, à le diminuer, d'après le geste et la voix. Cette puissance de l'éloquence sur le cœur, cet organe si loin de notre portée, a dû passer pour magique tant que l'on n'eut pas compris comment l'étirement des muscles et la discipline du souffle peuvent régler les battements du cœur. Le chant, la poésie, l'éloquence contribuent à cet aménagement du malheur; mais cette vertu doit être étendue aux mots eux-mêmes, qui sont aussi des solennités. Si le mot ne règle que l'action, il revient toujours à un abrégé très sauvage. Au contraire, si l'on développe tout le tissu sonore des mots, c'est déjà récitation et poésie. La poésie ne fait que regarder de plus près encore aux sonorités, ce qui se fait par le nombre et la rime. Ces moyens me semblent très opposés à l'accent, qui est déjà l'abrégé et le commandement; au lieu que, par le nombre et la rime, il s'établit une égalité de valeurs qui ne va pas sans une égalité d'humeur. Je nomme sentir ce pressentir. Mais pourquoi ces subtilités? C'est à seule fin de faire entendre, au sujet des degrés que je disais, une sorte de théorème du sentir, mais fort caché, d'après lequel il n'y a point d'émotion, ni même de passion, si ce n'est par le sentiment sublime du récitant. C'est que la conscience n'est pas une petite chose, ni une somme de petites choses; c'est une totalité de pensée, d'avance pour tous les lieux et pour tous les temps; et c'est cette immense ouverture qui donne passage en nos pensées à la simple peur. Je ne vois pas autrement comment une peur serait ma peur. L'expression se trouve donc entourée d'espérance et de pressentiment; et cela va au sublime par le vide même. Telle est la place pour les passions; mais on ne pourrait dire le nid des passions, car ce grand lieu plein de souffles les aspire et les refoule. Tel est littéralement l'état du récitant. Il s'essaie à mourir pour revivre. Tout poème va toujours à une fin sereine, et quand ce ne serait qu'un vers. Les difficiles passages n'y sont qu'à l'état de passé. C'est pourquoi les émotions sont de si grandes choses.

Je crains Dieu, cher Abner, et n'ai point d'autre crainte.

telle est la crainte. Dire : Je crains, c'est dire : moi qui ne crains pas, c'est dire beaucoup et tout. Au reste l'émotion par le mot est tout ce qu'il nous est donné de sentir. On ne sent pas deux fois; on ne sent qu'au conflit de l'âme et du corps; tel est le secret des poèmes; aussi n'y a-t-il point de petits poèmes. On est obligé, pour ressentir, d'aller chercher la mer, les saisons, les âges, et tout cela est étendu sur quelques mots. Finalement, il faut dire qu'il y a du religieux dans les mots, dès qu'on les prend comme des matières qui ne doivent pas être altérées. Pris comme des formes, au contraire, on les change. Pourquoi non? Le langage du sot est toujours au-dessous de ce qu'il veut dire; mais le langage du sage est toujours au-dessus, par exemple dans un proverbe. Je sais qu'il ne faut point changer, mais répéter. La poésie, qui est une sorte de perfection du proverbe, donne ainsi à ressentir, par sa loi en forme de conque.

CHAPITRE XXV

L'EXPRESSION

DARWIN a traité comme il faut de l'expression des émotions; il voulait dire les signes avant-coureurs des actions, par exemple le mouvement des oreilles et de la queue du cheval, ou bien du chien. Ce genre d'expression est involontaire. Il s'exerce dans chaque espèce et entre les espèces. D'où l'on conclut trop vite que les animaux parlent; on conclut aussi trop vite que les animaux font société. Le langage véritable est de soi à soi; et en même temps il est efficace parce qu'il nous déroule notre propre vie comme une chose composée et assurée. La mesure et le rythme ne s'ajoutent pas au langage comme un ornement; ils sont essentiels dans le langage à soi, et en même temps ils assurent une société. On pourrait dire que le langage ne cesse de préluder, ce qui est annoncer que l'on peut attendre; c'est ce qui fait l'auditeur. Les bavardages sont des préludes où l'on essaie toutes les cordes; aussi ils délient les passions; bien différents, en cela, des rumeurs, qui, au contraire, communiquent sans réflexion ni retenue; alors nul ne parle à soi; la condition animale est retrouvée; chacun est ému sans le savoir; nul ne prend la mesure de son être; nul ne se dit : « Je vais donc être ému si je le veux bien. » Dès que ce contrat est passé, on trouve une qualité de silence et une absence de curiosité; on trouve assez de bonheur à vivre selon les signes. Toute l'humanité se plaît à des pensées effrayantes, ruines, fantômes, malédictions, mort, pourvu qu'elles soient rangées et explorables, au lieu de nous attaquer à l'improviste. Dans les récits les plus terrifiants, il y a toujours une tranquillité de la voix qui sert de base aux changements et qui refuse les excès. On peut remarquer la même chose dans la musique, qui n'est jamais si émouvante que dans les mouvements lents. On voit donc que l'expression exprime d'abord le pouvoir de s'émouvoir soi-même, ce qui implique l'essai continuel de retenir et d'ajourner. On voit par là que l'ornement n'est pas accessoire dans le langage. L'ornement signifie qu'il y a du volontaire dans le sentir.

Ces remarques sont pour faire entendre qu'il n'y a point d'autre sentiment que l'émotion, et que c'est bien l'émotion qui est volontaire; elle est volontaire comme un son musical est volontaire, quoiqu'il faille violon ou mandore; mais au contraire c'est parce qu'il faut violon ou mandore que les sons sont volontaires. De même, nous pouvons jouer à coup sûr sur le langage, dès que nous choisissons d'en jouer; et tout l'ordre des sentiments est commandé par cette condition de vouloir éprouver, ce qui est toujours dépasser peu ou beaucoup la limite qu'on s'est fixée. Il n'y aurait pas de passions, même malheureuses, sans ce plaisir de penser à soi et d'essayer ses puissances. Le beau des sentiments est qu'ils sont héroïques; mais les passions ne sont passions que parce qu'elles visent là sans y atteindre; c'est comme si l'on tirait de soi des sons discordants. L'expression est donc la même chose que le sentiment. C'est dire qu'il y a des modèles du sentiment, par rapport auxquels nous pensons. Le sentiment peut être défini provisoirement comme une émotion rendue communicable.

Toutefois, il n'est pas plus en notre pouvoir de faire rendre à notre être une émotion sublime et purifiée, que de changer un mauvais violon en Stradivarius. Seulement l'harmonie ne dépend pas tant de la structure du corps humain que des incidents qui le traversent et des répercussions imprévues. Les émotions se propagent d'après les étranglements du sang et du souffle. Nous vibrons spontanément. Néanmoins on peut toujours tirer de soi un peu d'ampleur sublime, quand ce ne serait que pour une colère ou une peur; et c'est ce que l'acteur devrait nous apprendre. Les passions ne font pas les folles au théâtre; elles ne le font même pas dans le privé, où même les excès et les erreurs les plus énormes sont voulues et calculées, quoiqu'on n'en soit pas tout à fait maître.

CHAPITRE XXVI

LES ÉMOTIONS DE L'AMOUR

Le désir animal, s'il intervient dans un entretien, l'interrompt aussitôt et enlève toute confiance, pour ne laisser plus qu'un combat rusé et très déplaisant. On est alors à cent lieues de l'amour. Les émotions de l'amour excluent d'abord le désir, et, au contraire, rendent tout gai et facile, et donnent prix aux moindres paroles. Descartes a raison d'imaginer de telles émotions d'après ce qui se passe en l'enfant quand il reçoit une bonne nourriture; c'est ainsi que l'on respire, que l'on rougit, que l'on sourit, que l'on fleurit dans l'amour, tout mouvement de défiance étant exclu, et tout projet, tout jugement sur les personnes. Simplement, on est heureux, et l'on croit à toutes les perfections. Par exemple, dans les entrevues où deux couples s'entendent pour ravir un peu de bonheur aux méchants, il est ordinaire qu'un des amants embellisse aussi bien l'autre bien-aimée, et voie l'autre amour tout sublime comme il voit le sien. On peut même remarquer que tous les couples d'amants sont aimés par chaque couple, et qu'on plaint sincèrement ceux qui n'aiment point. Or, il n'y a que la pureté qui permette cette merveilleuse confiance en l'amour, qui a fait un dieu de l'amour. Car, autrement, ce serait une corvée redoutable, où l'honneur commanderait, où le ridicule menacerait; car le désir prend aussitôt la forme de la haine la plus vive. S'il y a des désirs dans la rêverie de l'absence, on pourrait dire que la présence efface aussitôt cette imagination entreprenante. Et il reste vrai que l'épreuve de la volupté est la plus dangereuse, la plus redoutée, la plus troublante aux yeux de l'amour vrai, qui d'abord éprouve son pouvoir et sa liberté, et qui tire son bonheur de paroles toutes simples et d'attitudes sans perfidie. J'aime, cela veut dire que j'exerce un pouvoir sans aucune contrainte et que je me plais en même temps à une obéissance heureuse, en sorte que l'harmonie des émotions forme une sorte de poème aux prodigieuses pulsations. Ce qui réduit le plaisir à une fonction subordonnée, non redoutée, dont on ne s'inquiète point. Ce poème est comme tous les poèmes; il n'est pas écrit sans volonté. On doit comparer le bonheur d'obéir au bonheur de chanter avec d'autres, et d'appuyer sa voix sur d'autres voix; cela suppose une attention merveilleuse; de même, il faut vouloir l'ivresse involontaire; et la partie de passion, en ce sentiment adoré, c'est le dépassement de l'effet, qui nous ravit dans un bonheur inimaginable. Et ce que j'ai voulu d'abord remarquer, parce que les ravageurs et pillards ne pensent même pas que ce soit possible, c'est que, même dans l'émotion corporelle portée au comble par deux mains qui se rencontrent, l'amour est déjà platonique, ou, si l'on veut, musicien.

CHAPITRE XXVII

LES ÉMOTIONS DANS L'AMBITION

Les autres passions n'ont pas de lien avec une fonction ni avec un organe; elles n'en sont pas moins violentes; elles n'en sont pas moins la suite d'un état du corps humain qui a tous les caractères d'une courte maladie; et c'est ce qui porte à croire que les plus dramatiques développements de l'amour dépendent fort peu du besoin, de la satisfaction ou de la volupté. Mais, comme cette thèse est contraire à tout ce qu'on dit, et comme la vanité s'occupe beaucoup du plaisir animal, il faut examiner de très près le corps de l'ambition, où évidemment ce genre de plaisir n'est rien. Et quel est donc le corps de l'ambition? C'est la première réaction de l'homme devant son semblable, dès qu'il s'agit d'obéir ou de commander; ce qui prend plusieurs aspects. Enchaîné ou forcé, poussé du pied en quelque sorte par l'homme, j'éprouve la colère impuissante et l'humiliation; et, toutes les fois que je m'en souviens, la même réaction revient m'enchaîner, me paralyser et m'humilier; il se peut aussi que la simple vue du tyran, sans qu'il pense seulement à moi, me jette dans le même état. D'où, en y pensant, je formerai une sorte de colère et de haine qui peut avoir place dans l'ambition; peut-être infligeraije au tyran et à ceux qui lui ressemblent les plus affreux supplices; nulle vengeance ne me semblera assez cruelle. Ainsi, les réactions de l'ambition iront aisément à la même violence que ces rivalités amoureuses, qu'on prétend expliquer par une ressemblance avec les cerfs ou avec les chiens. Cela revient à dire que l'amour platonique peut être violent jusqu'à vouloir tuer et tuer, puisque l'ambition, sans plaisir en perspective, sans besoin correspondant, suffirait à ensanglanter la terre.

Mais je ne décris ici que la vengeance, résultat d'un supplice ou de la peur d'un supplice. Il y a autre chose dans la rivalité d'ambition, et qui tient à l'esprit, quoiqu'il s'exprime par le corps; c'est le bonheur de persuader, qui naît de ce que l'on entend les raisons d'un homme, et que par cela seul on se croit maître de son esprit. Je dis que cela est corporel, en ce sens qu'il faut bien que mes signes bouchent l'horizon, sans quoi l'autre serait capable de ne pas seulement les voir. L'importance est une manière de se grossir, par la poitrine, par les épaules, par la voix; et ce mouvement est très bien figuré par la grenouille de la fable, qui voulait égaler le bœuf. C'est pourquoi il y a toujours dans l'ambition au moins un reste d'essoufflement; la respiration courte et poussée des lèvres signifiant que l'on veut compter et qu'on s'étonne de l'ignorance de l'autre, qui semble sourd et aveugle. D'où l'on voit que l'ambitieux veut être écouté et regardé, et qu'il ne supporte pas que l'attention se tourne ailleurs, quand ce serait sur un singe musicien ou tout autre être incapable de rivaliser. Cette passion de l'ambition trouve des obstacles grands et petits; aussi il arrive qu'elle se développe en imagination dans la solitude. On prévoit qu'elle sera en conflit avec la timidité; la timidité est alors la colère que l'on ressent lorsque l'on voit que les moyens improvisés ne suffisent pas. Et je remarque à ce sujet que l'ambitieux n'aime pas tant avoir raison, ni l'emporter par industrie et talent; il veut pouvoir dire n'importe quoi, mériter d'être ridicule, et pourtant être admiré. Cette prétention, inouïe semble-t-il, en réalité fort commune, nous débarrasse à jamais des bas ambitieux, qui se rengorgent dans leur coin, et expriment leur déception par un léger tambourinage des doigts. Oui; mais ce même détour d'ambition explique pourquoi les grands sont presque tous des sots; car c'est leur étude d'être sots, afin de rendre l'administration plus agréable. Je ne prétends pas décrire encore l'ambitieux; simplement, je veux rappeler une démarche, un gonflement, un éclat des joues et des yeux, qui sont bien plus que des signes, et qui sont bien plutôt la matière de l'ambition.

On ne manquera pas d'ajouter, peut-être pour se moquer du naturaliste, que l'ambitieux est souvent un grand mangeur, qui fait d'autres êtres sa substance, et qui leur impose sa loi; et qu'il est dans l'ordre que l'ambitieux promène un réel embonpoint, et occupe réellement la place de deux. Cela est à dire, mais en place subordonnée; le meilleur signe, le plus puissant, le plus éclairant est celui qu'on fait et refait, par exemple gonfler les joues plutôt qu'avoir de grosses joues, et marcher comme un gros homme sans être gros. L'ambitieux maigre est quelque chose.

Mais quel est donc le premier mouvement de l'ambition? Peut-être de courir aux frontières, de craindre le choc, le froissement, la pression; mais non pas à la manière des peureux, qui cachent leur sang dans leurs cavernes, mais tout au contraire en marchant au péril et en se mettant dans le cas d'être irrité. Brave et querelleur, tel est l'ambitieux en ses commencements; son trait physique est qu'il occupe beaucoup de place et est aisément insulté. On passera souvent son temps à ne pas heurter l'ambitieux. Souvent on lui laisse la place, et l'on est à la fin gouverné par un homme dont on s'est toujours moqué, sans se résoudre à s'ennuyer d'une querelle avec lui. Voilà une esquisse du tissu et de la fonction qui font la nature et le dessous de l'ambitieux. Il manque à cette description d'avoir trouvé l'ordre et l'origine. Toutefois il semble que l'enfant, qui grossit les signes jusqu'à occuper tout le monde de soi, est bien l'ambitieux précoce, qui ne sait pas encore ce qu'il veut, mais qui fait retentir le monde de son propre bruit. Chacun a remarqué de folles colères lorsque les signes ne sont pas entendus, et un étrange effort pour punir les parents ou la nourrice. Les ambitieux, à tout âge, iront jusqu'à se rendre malades et jusqu'à se tuer, plutôt que d'abdiquer leur droit à l'attention d'autrui.

CHAPITRE XXVIII

LES ÉMOTIONS DANS L'AVARICE

L'AVARICE veut tout garder et ne rien manger; elle amasse, elle ne consomme pas. De même qu'on pourrait décrire la physiologie de l'ambition comme une préparation de tout le corps à un grand repas, de même on peut décrire le corps avare en diminuant toutes les fonctions de consommation et de dépense. Respiration retenue, volume diminué, sternum concave, sécrétions nulles, attention refusée, mains fermées, bras repliés, corps replié et ramassé, enfin tout le contraire d'un chat qui fait le gros dos. Il y a de l'humilité dans l'avare; et le secret de cette humilité, c'est le refus d'humiliation. Donc, une demi-place, tout au plus; et un silence, et une maigreur voulue, qui se traduiront par une faiblesse réelle. Mais je ne fais attention présentement qu'à cette fuite immobile de l'être, qui ne veut point du tout persuader ni communiquer, et qui ne se fie donc qu'à l'intérêt bien entendu. Cette passion est celle où il entre le moins de vanité; on ne peut lui plaire en lui obéissant sans la comprendre; c'est pourquoi l'avare ne gagne qu'avec terreur sur le prodigue; il n'estime que la société des autres avares. On aperçoit que l'éloquence est tout à fait ennemie de l'avare; il n'aime même pas le bruit; il rit sans bruit. Une fumée rousse sort des rides de Gobseck; c'est ainsi qu'il rit. L'avare est secret; et non pas seulement par peur d'être volé, mais par l'horreur de tout mouvement du dedans au dehors. Un vrai avare doit faire le sourd et le muet; faire le muet est ce qui noue cette bouche comme une bourse. Par exemple, l'avare ne dira jamais son prix; mais ce n'est pas seulement par l'intérêt d'obtenir peut-être un meilleur prix de l'autre; c'est premièrement parce que son prix est son secret, et que dire son prix c'est donner quelque chose. L'avare peut avoir intérêt à manger et même à boire; mais il n'en semble pas moins sucer ses propres joues et jusqu'aux signes du plaisir. On devine que l'avare marchera sans mouvements inutiles, et se glissera entre les personnes. Métiers préférés de l'avare, typographe, horloger, graveur, scribe; écriture de l'avare, serrée, régulière, sans blancs, sans ornements, sans traits superflus. Un vieillard risque de devenir un peu avare, par économie de mouvement, et par sobriété. Toute existence sans vanité est avare en cela. Inversement, l'avare ne donnera jamais son prix à l'opinion; il refusera les coûteuses affiches; au lieu que l'ambitieux sera heureux de lire son nom sur les murs, même si sa moutarde ne lui rapporte pas plus de profits. Au fond, les actions de l'ambitieux tiennent à sa manière de marcher; celles de l'avare aussi. Quelle est donc l'attitude de l'amour? Sans doute de dépenser et donner son être, dont le sourire de bienvenue est une très belle marque; car l'ambitieux ne sait pas sourire sans signifier qu'il va dévorer. Mais en voilà assez pour faire comprendre ce que c'est qu'émotion.

En ce qui concerne l'avarice, on peut remarquer que la difficulté de payer est la même que celle de donner, et qu'un échange, même avantageux, ne donne pas du jeu aux doigts, ni de commodité à l'ouverture de la bourse. J'ai remarqué que l'avare véritable fait bien plus aisément un paiement par autrui, sur un bien en gérance, que de ses propres deniers. Aussi que la prédilection de l'avare pour les pièces précieuses a pour fin de rendre le paiement plus pénible. L'étourderie est donc ce que l'avare craint le plus. Aussi faut-il dire que ceux qui mènent à grands risques de grandes affaires sont plutôt des ambitieux que des avares; mais plutôt encore des joueurs attirés à la fois par l'énormité du gain et la probabilité d'une catastrophe. En ceux-là, bien loin de l'avarice, ce qui domine, c'est le goût de dépenser et de jeter. La disposition à gouverner par l'argent se trouve dans l'avare comme dans l'ambitieux; mais c'est la manière qui fait la différence. Ainsi, l'émotion d'avarice est mieux discernable que la passion d'avarice. M. de Rênal fronçait le sourcil à la seule mention de l'argent; tout se fermait en lui; et certainement ses mains, si on les avait vues; mais l'avare ne laisse pas traîner ses mains; tout se fermait donc à l'approche d'un paiement ou d'un prix. On voit en quel sens l'avare peut et sait voler. Il sait refuser de payer; il sait oublier de payer; il sait remettre au lendemain; il sait garder ce qu'il a trouvé; mais escroquer par promesses, faire briller des discours, escamoter vivement la muscade, il ne le peut; cette légèreté et ce bavardage le choquent et lui répugnent. En revanche, payer avec le crocodile et la tiare antique, ou bien avec des écus rognés, c'est son bonheur. Mais encore est-il plus d'une nuance; et le risque ne plaît jamais à l'avare. Ce qui lui convient, c'est une chance de gagner, sans aucun risque, sans aucune invention, sans entreprise, sans mouvement. Tel est l'état de mendiant au porche de l'église. Cette immobilité peint la passion en traits de feu. Il se peut aussi que cette discrétion à recevoir plaise à l'avare qui donne; en ce cas, la main qui s'ouvre en confidence dans le creux de l'autre et la referme est un assez beau spectacle.

CHAPITRE XXIX

DIALECTIQUE

J'AI lu dans Retz un trait du cardinal de Richelieu qui fait bien voir comment nos gestes nous entraînent à des pensées souvent fort subtiles. Retz était en rivalité, pour le premier rang des thèses de Sorbonne, avec l'abbé de La Mothe-Houdancourt, parent et protégé du cardinal. Notre Retz saisit cette occasion de faire sa cour, et fait dire à Richelieu qu'il s'effacera volontiers par respect pour la gloire du cardinal. Mais Richelieu fut très mécontent, disant qu'il comptait bien que La Mothe-Houdancourt l'emporterait par son mérite. Retz se piqua, eut le premier rang, et se fit un ennemi. Mais examinons seulement les pensées du cardinal. Je pousse mon protégé, se dit-il; c'est comme si je me poussais moi-même; un échec de lui est une offense à moi; je me redresse, je me gonfle, je fais peur. Maintenant, dois-je penser qu'il y a plus d'honneur à faire parvenir un sot? Peut-être. Toutefois, s'il s'agissait de moi, je n'aimerais pas triompher par sottise; mon être en serait diminué. Je paraîtrais au lieu d'être. Quand il s'agit d'un homme à moi, j'aime mieux passer pour un homme qui donne le mérite que pour un homme qui en donne les effets seulement. Il est vrai qu'alors je peux croire, moi, qu'il a réussi par ses seuls moyens et sans moi. Cependant, l'autre étourdi décide de tout; car ne vient-il pas me rendre service parce qu'il lui plaît ainsi ? Je dépends donc de lui. On voit que le premier geste, le geste du tyran qui n'admet pas la résistance, n'était pas facile à continuer; et aussi que Richelieu a frappé juste en reconnaissant aussitôt le rival. Ce doute de l'ambitieux reviendra toutes les fois qu'il aura séduit quelque sot; car, pensera-t-il, ce n'est pas une grande conquête, et n'importe qui le trompera demain; j'aimerais mieux un homme de vrai mérite; oui, mais celui-là m'a jugé; juger, c'est égaler; celui-là me prend comme moyen de sa fortune. L'imbécile me trahira peut-être demain, mais l'homme de mérite me trahit depuis hier. Puisqu'il décide de suivre ma fortune, ayant jugé mon mérite, cela veut dire qu'il suivrait un génie supérieur, et que déjà il le cherche; il croit l'être. Mais que faire d'un sot ? Ce raisonnement se fait aussi sur le courage. Cet homme a peur de moi. Le brave serviteur que voilà! Cet homme n'a pas peur de moi; oh l'insolent serviteur!

Le joueur raisonne de même. Il accuse la chance; mais il accuserait aussi l'enchanteur qui lui donnerait le moyen de toujours gagner. Et pourtant que peut-il désirer d'autre que de gagner ? Il entrevoit, à ce détour, qu'il désire aussi perdre; cela l'éclaire étrangement sur ce qu'il poursuit. Il découvrira qu'il poursuit le destin et le défie, et qu'il se plaît à oser dans l'incertitude. Le pouvoir de l'ambitieux ne peut aller plus loin que de jeter un million au destin; il prouve ainsi deux fois son pouvoir, pouvoir de dépenser et pouvoir d'oser. C'est ainsi qu'il réveille l'émotion d'orgueil. Toutefois, il veut oser contre le pur hasard; et encore sans attendre. C'est ce qu'il n'aurait point en jouant sur quelque pacotille envoyée chez les sauvages. Lui, il veut réponse tout de suite, comme le téméraire qui veut savoir si c'est le temps de mourir. C'est ainsi qu'une passion se développe, se heurte, se change, et vient au désespoir clairvoyant. Si je suis sûr de l'embrocher, où est l'intérêt ? Ce qui fait voir que l'intérêt n'est pas de tuer, mais d'imposer sa propre loi. Cela suppose que l'espoir est ouvert à un plus habile. Tenir ce pouvoir-là, c'est ne rien tenir. Régner sur des ignorants, ce n'est plus régner. On viserait donc à quelque supériorité absolue ? Cela a-t-il un sens ?

Les mêmes contradictions se rencontrent dans l'ambition paternelle, qui devrait craindre quelquefois d'être trop éclipsée par l'enfant; elle le devrait craindre, mais elle ne peut ni ne veut. Et il est vrai de dire, d'après cela, que cette ambition est un amour; mais toujours est-il que cet amour ne peut emprisonner ce qu'il aime dans ses bras; bien plutôt il veut délivrer ce qu'il aime, et heureux alors de le voir s'envoler bien loin; ce qui n'empêche pas qu'on veut pourtant être aimé, et non pas méprisé. Mais ces conditions sont dans tout amour, et posent d'étranges problèmes. Quelque Richelieu pourra bien se demander s'il préfère être aimé pour ses vertus, ou si, au contraire, il préfère d'être aimé sans être connu, et sans avoir mis au jeu ses principaux avantages. Ou bien, quand il pense à pousser ce qu'il aime, s'il aime mieux le voir voler de ses propres ailes, ou soutenu par lui son protecteur. Ce qui revient à demander : « Est-ce que je veux qu'il existe par lui-même, ou bien par moi ? » Problème de tout amour, que l'amour maternel pose et résout.

CHAPITRE XXX

L'AMBITION DANS L'AMOUR

Très certainement il y a de l'ambition dans l'amour. Le désir de se nourrir de la substance de l'autre se mêle souvent à l'amour, et contrarie le geste de donner, par exemple si j'élève un enfant selon moi, non selon lui. L'élever selon moi, c'est chercher ma gloire, non la sienne; c'est penser que ses perfections serviront à ma louange; c'est le grandir pour le dévorer. On retrouvera cet égarement dans l'amitié ambitieuse, qui en effet ne veut qu'un admirateur de plus. Ce n'est pas aimer, sinon comme on aime une bonne nourriture, à qui l'on réserve l'honneur de se transformer en notre être. Contre quoi il faut dire que le geste naturel de l'amour n'est pas de dévorer, c'est-à-dire de ramener à soi, mais au contraire de créer un autre centre de l'amour de soi, centre auquel on rapporte toute ambition. Ainsi, aimer ce serait avoir de l'ambition pour un autre, et penser plutôt à ses perfections qu'aux nôtres propres. C'est donc vouloir qu'il soit admiré, servi, aidé. Mais, comme on se veut au premier rang de ceux qui le servent, l'aident et l'admirent, on peut dire que le bonheur d'admirer est le fond de l'amour, et le principe même de ce genre d'ambition. N'oublions pas que l'admiration grandit celui qui l'éprouve, et qu'elle le révèle à lui-même; toutefois ce n'est pas suffisant pour donner à de telles affections toute la chaleur de l'amour. Il faut qu'on ne puisse séparer de soi l'objet aimé; il faut qu'on l'ait soi-même fait et presque inventé, ce qui se retrouve dans la maternité, mais ne manque jamais tout à fait dans l'amour véritable. Il faut que toute perfection soit couvée, jusqu'à ce point qu'on la voie s'étioler dès qu'elle oublie la poche marsupiale. Aussi, rien ne plaît plus qu'une fidélité triomphante, si ce n'est une infidélité punie, lorsque le médiocre s'épanouit par les soins d'une rivale. On comprend ici les tourments de la jalousie, qui s'indigne alors de voir l'objet aimé courir à sa perte; et en même temps, on conçoit les mouvements d'une jalousie plus noble, qui voit que la protection d'une autre, plus digne, développe de nouvelles vertus; c'est un cas remarquable, où les perfections de l'objet aimé sont source de tristesse; et encore peut-il se faire que l'on remercie cette autre personne, que d'ailleurs on admire, pourvu qu'elle-même rende hommage à la souveraine légitime. Être mère, avoir élevé, avoir admiré avant tous, avoir prévu ou pressenti seule entre tous, ce sont des avantages qui restent. Et tel est donc le jeu des rivalités.

Le véritable amour se nourrit dans la solitude. L'émotion qui lui est propre est un bonheur qui ne dépend point des actions, mais qui s'arrange de toutes. Et la plus sérieuse épreuve est celle qui résulte de l'intimité; c'est en ce sens qu'un accord organique est une des conditions de l'amour; mais c'est l'accord des plaisirs, des actions et des pensées qui est la première parure de l'amour et qui fait que l'amour n'est pas tué par l'acte d'amour. La force d'un grand amour se reconnaît à ceci qu'il n'a pas à craindre les voluptés ni les satiétés. Le bonheur emporte aussi ces conditions inférieures, et joyeusement les surmonte. C'est pourquoi tout ce qu'on dit de l'amour physique est faux de l'amour vrai; par exemple, qu'on se lasse, qu'on se fatigue, qu'on prend la monotonie en dégoût, que l'on médite de nouvelles épreuves, et ainsi du reste. Ce qui est le plus vivace en amour, c'est la résolution que rien n'affaiblira l'amour, c'est le serment qu'on en fait, et la joie de tenir son serment; c'est le bonheur facile et léger de l'autre, et la certitude qu'il en a, et qui est la seule perfection que l'on estime en lui. En sorte que l'amour sans ambition se nourrit de bonheur inépuisable. Sans se représenter de nouvelles perfections; et, au contraire, on cesse de désirer celles qui ne se montrent pas. La vie sociale se trouve simplifiée. On désire une chaumière et la paix. Voyez à ce sujet le bonheur de Jean-Jacques aux Charmettes; tout était occasion de bonheur. N'importe quelle occupation semblait la plus belle et la plus utile. Cet heureux état a l'inconvénient de porter souvent à des travaux inutiles, et de faire qu'on rie indifféremment de tous. Pourquoi Rousseau a-t-il appris la musique? Pourquoi l'a-t-il apprise dans des conditions telles qu'il ne put presque point en faire usage? Le mérite personnel est comme nul, tant que c'est l'amour qui en est juge. Et tout moyen de plaire est frappé de faiblesse par ceci qu'il a réussi toujours. Ces perfections ne sont pas communicables; et cela même juge l'amour quand il est tout à fait sans ambition.

CHAPITRE XXXI

L'AMOUR GÉNÉREUX

On peut aimer une autre personne plus que soi-même. Le geste premier est alors de se jeter en avant pour recevoir le coup. Orner et parer ont le même sens. Car la beauté est alors un signe puissant par lequel, s'affirme une adaptation merveilleuse. La mer et le ciel se reflètent dans les yeux, et les courbes du corps se plaisent à la nécessité. Cet air de bonheur et de réussite exprime une victoire à chaque instant. L'amour généreux ne cesse de glorifier cette gloire, et telle est à peu près l'existence de celui qui aime une reine de théâtre, et la suit, et la sert, et la célèbre. Ce n'est pas qu'il juge qu'elle ait tant besoin de ses services; mais c'est plutôt parce qu'il voit qu'elle peut les mépriser. « Qu'elle m'oublie, semble-t-il dire, pourvu qu'elle règne! » C'est la même chose que se faire tuer sur les marches. Et tel est bien le dévouement absolu; il ne voit que la victoire; il sacrifie son être propre. Cette justice est celle que nous rendons à Dieu. « A toi la gloire, non pas à nous. »

C'est ainsi qu'un père pousse son fils dans le monde, et l'admire de loin, sans jamais cesser de craindre. La beauté rayonne alors comme le bonheur. On se range pour l'acclamer. Toutefois, au repos et dans sa négligence elle brille encore plus. La beauté, a dit quelqu'un, est promesse de bonheur; il faut entendre bonheur pour elle, ce qui est beauté continuée. Par exemple, la marche annonce la danse, et la joue annonce le chant. En ce sens, celui qui aime annonce à tous le bonheur de ce qu'il aime. C'est lui qui en connaît les présages; c'est lui qui court devant et fait faire la place; c'est lui le précurseur. Qui admire, s'honore à ses yeux; il aime ceux qui aiment ce qu'il aime; il aime ceux à qui sa chère beauté sourit. En revanche, il hait ceux qui n'acclament point; il voudrait les effacer de la terre; et voilà une jalousie noble.

On dirait quelquefois que celui qui aime se glisse sous la brillante enveloppe et jouit des acclamations. C'est s'insinuer comme une âme dans un corps; c'est être ce que l'autre paraît. Être heureux à sa place, et presque profiter de son absence pour animer ce beau cadavre. Car on le veut insensible et presque absent; on aurait honte, s'il montrait trop de plaisir; et voilà une autre jalousie. On aime que Sémiramis ne dise pas merci. C'est vouloir que la beauté suffise; c'est la décharger du déshonneur d'être menacée. On prend pour soi les risques de l'idée, on accommode la perfection au masque, et l'on pardonne tout à la chère apparence. C'est ainsi qu'il y a de l'idolâtrie dans le culte, et une sorte de flatterie dans le vrai fidèle. Il faut convenir que la beauté est comme absente d'elle-même, jusqu'à mépriser de plaire. Cette hauteur est aimée comme une nouvelle perfection. Bref, la sagesse ne se pardonne pas de ne pas égaler la beauté. C'est une jalousie très subtile que celle qui s'indigne d'avoir à se montrer comme au niveau des vils admirateurs. Toutes ces nuances de l'orgueil sont adorées. Et certes ce n'est pas peu que prétendre être aimé pour ses vrais mérites, et non pour une forme qui a la gloire d'être inanimée. Aimer, c'est se faire l'âme d'un corps triomphal.

Celui qui aime généreusement se fie premièrement à la beauté, qui est signe de puissance; et ensuite à la louange, qui est puissance reconnue; il ne connaît d'autre jalousie que de devoir louer moins. Il n'en est que plus attentif au développement véritable de son héroïne, qu'il veut libre et au-dessus des séductions, et seulement assurée de son intime nature. En cela toutes les preuves de liberté sont reçues avec bonheur, et l'audace passe de bien loin la prudence, en sorte que le succès ne soit même pas le principal signe. Telle est la vraie gloire, la secrète.

CHAPITRE XXXII

COMMENT LE SENTIMENT CHANGE LES PENSÉES

Il y a plus d'une manière d'entendre ce titre. On sait que souvent un sentiment purifié change des opinions ou pensées qui n'y ont guère de rapport. Un peintre, qui désespérait de la peinture, devient amoureux et reprend avec courage ses pinceaux. Ce n'est point en ce sens, assez connu, que je développerai le présent chapitre, et je me tiendrai bien plus près du sujet. Par exemple, un grand amour m'amène à former des pensées auxquelles je ne pensais plus. Je ne savais plus penser à l'immortalité, je n'y croyais pas. Mais à présent que je crois à l'éternité d'une âme, maintenant que je pense avec bonheur à ses perfections qui lui donnent un droit d'être toujours, je trouverais que le doute, concernant cette durée, serait une sorte d'infidélité; cela n'est plus dans le climat de mon âme. Bref, autant que j'aime, autant je crois à mon éternité; car ce n'est que ma fidélité, que j'ai jurée. On voudra dire que cela ne me donne pas de garanties; mais je n'en veux point; ce que je veux, c'est n'en avoir pas besoin. Que de fois, après un entretien délicieux, ai-je en quelque façon défié le grand Destructeur, le Temps, d'annuler ma prière.

O Temps ! suspends ton vol !

Aussi je ne cessais pas d'attendre les moindres circonstances favorables. Mais pourquoi? Parce que tout se tient dans ce que je nomme mon Esprit; ou, pour mieux dire, parce que le constant attribut de l'Esprit est justement l'unité; non pourtant en fait et *a posteriori,* mais en essence et *a priori.* On dira que je m'enfuis dans la philosophie, mais je dis que cette philosophie m'a appris à considérer que l'Esprit, artisan d'unité, est commun à tous les êtres qui sentent et qui pensent. Je me répète : *cogito ergo sum* et *cogitat ergo est.* Mon semblable pense et aime, aussi je sais qu'il pense et je conquiers ces premières notions parce que je m'assure d'aimer toujours. Je jure de ne point dépendre de la matière. Mais examinons; je ne jure jamais de me soumettre à la nécessité. Tout au contraire, ce que je jure, c'est de ne pas me soumettre. Que l'on fasse attention que jurer, c'est jurer d'être libre, et, comme dit Descartes, de ne point manquer de libre arbitre. Le cher serment de tout amour est ainsi fait. Convenez qu'il serait bien ridicule de dire : « Je jure que j'aimerai si la saison, si le lac le dit ». Ce serait à peu près comme si l'amant disait : « Hélas, je vous aime; je n'en suis que trop sûr; ma faiblesse vous répond de moi. Vous êtes ma nécessité et mon destin ». On ne s'aperçoit pas que ces désolations sont fort impertinentes. Une opinion de vanité fait que l'on se croit bien fier d'avoir un esclave. Ces pensées sont toutes simples et forment la pensée de tout amour. Comme j'ai déjà dit, l'avare veut emporter son trésor dans la tombe, et en cela il fait voir de la générosité.

CHAPITRE XXXIII

LA BONNE FOI

Ces pensées arrivent souvent à la stabilité. Dans les moments de tristesse, on aime retrouver ses pensées intactes. Il n'y a point d'autre manière de se consoler. Cette stabilité aimée, c'est la bonne foi. Bonne parce qu'elle console. Foi parce qu'elle jure d'elle-même et qu'elle est au-dessus des événements.

C'est ainsi qu'il entre dans l'amour un certain repos actif. Il ne s'agit nullement de pensées qui passent et repassent. Valéry dit avec raison : « Méprise tes pensées comme elles passent et repassent ». Ce mépris est un élément de la grandeur. Il ne s'agit pas d'un état d'âme, mais plutôt d'une nouvelle âme qui se forme d'amour; c'est une sorte de religion, car il faut un soutien à l'espérance, qui, autrement, est tout à fait instable. C'est une dissolution, et un écroulement qui fait le désespoir, c'est-à-dire l'isolement psychologique. On se sauve par un redoublement d'activité; et c'est alors que les preuves reviennent. Si l'on y réfléchit, on verra que c'est ce qu'on entend en disant que le sentiment porte les preuves; mais il ne faut pas oublier que l'âme est tout entière dans le sentiment. C'est toute l'âme qui porte les preuves, et l'on ne trouvera point un amour heureux joint à une attaque de scepticisme et de misanthropie. Il est remarquable que l'amour heureux porte à aimer les hommes par cela seul qu'ils sont soupçonnés de pouvoir aimer. Mon semblable m'est agréable à contempler; tel est le contenu de l'immortalité. Vous voyez ici apparaître le paradis. Cette entreprise de restaurer les religions commence par là; car il faut des témoins. Cette preuve de l'âme est la vraie; mais aussi c'est une grande âme, à laquelle on participe.

CHAPITRE XXXIV

DE LA PENTECÔTE

Je me souviens d'un jour où j'expliquai la Pentecôte; oui, et les langues de flamme. Qu'est-ce que c'était que ce nouvel esprit? Je reprends des choses que j'ai déjà dites. Il y a premièrement l'esprit du père, qui est la loi même de la nature; il ne sauve point, car il ne donne que l'appui de la matière, c'est-à-dire de l'inertie. Ce n'est pas qu'il n'y ait par là ni justice ni puissance; pour la puissance, c'est bien clair; mais pour la justice non moins. Les hommes appellent justice immanente cet enchaînement des effets qui assure nos vertus et nos crimes. Telle est la nature divinisée; seulement, elle nous paraît sans âme. Elle diminue Dieu; ce qui est clair dans le culte de l'animal, qui est une suite du panthéisme. Un tel fétichisme est assez commun. Tel est le culte de la nature. Je l'ai observé chez d'honnêtes gens qui ne cessaient de plaindre les oiseaux et les arbres, déplorant les destructions de l'esprit industrieux.

Il faut critiquer ce fonds commun. L'esprit industrieux dépend de théorèmes; vous serez bien étonné si vous faites le compte des certitudes d'un marchand de sommiers ou d'un filateur. Voilà une mauvaise foi qui mérite bien son nom. L'ensemble de cette barbare humanité forme une divinité sans grâce et obscurcit le paradis, qui n'est plus alors qu'une idée de correction et une réforme du culte. Tout ce monde panthéistique retrace la nécessité de Dieu abandonnée à elle-même. Et certainement la Bonne Nouvelle, l'Évangile, apportée par le Fils, c'est que ce fonds de Nécessité n'est que ce qui reste à l'homme sans foi. Cette seconde marche du salut est assez connue; elle conduit à notre temps. Or, c'est l'Évangile même qui nous avertit qu'un troisième Esprit est en marche et que, si on le méconnaît, on méconnaît du même coup l'Esprit du Fils.

Ce troisième Esprit m'étonna par une sorte de frivolité. Il touche, il réchauffe; il est déjà parti. On ne peut méconnaître ici ce que l'homme moderne nomme l'esprit. L'esprit est léger; il enlève le poids du sérieux; il nous précipite dans la confiance en nous, qui est comme un abîme de ciel. Cependant, la Nécessité de Dieu nous tient toujours; et même la grâce du Fils, qui est une volonté de nous sauver de la nécessité par l'industrie. Voilà donc sommairement l'inventaire de nos richesses. On voit que c'est se tromper beaucoup que d'oublier l'Esprit Saint, qui est l'esprit égal pour tous, et le miracle du Rire. Devant qui l'industrie est bien petite de ses preuves et bien inquiète de ses monuments. Encore une fois nous prenons la mesure de l'insuffisance de nos pensées et nous nous reposons sur le sentiment. Mais qui l'eût cru, que le sentiment, assuré de soi, accomplît la légèreté de l'âme et un heureux amour de Dieu? Voilà donc ce qu'il faut croire; et Spinoza, par une sorte de répercussion de sa très sévère nécessité, vient à recommander, dans un scholie de méditation, la joie de vivre et le salut par la joie. Platon n'était pas triste. Lagneau disait un jour que nous avions oublié le sourire de Platon. Nous arrivons à une plage ouverte sur un océan immense. Nous retrouvons le courage avec des ailes. Voilà le thème de toute méditation sérieuse. La grande Berthe d'ici, que j'ai nommée *Soldat de Dieu,* avait coutume de dire que, lorsqu'on avait reconnu la volonté de Dieu, il ne s'agissait que de la faire plus vite que lui. Voilà comment elle retournait la nécessité, comme on fane le foin. Telle est bien la saison de Pentecôte. Si la joie que Dieu nous envoie est en contradiction avec le sérieux hébraïque, c'est à Dieu de s'en arranger. La bonne foi nous revient couronnée d'épis. La bénédiction de Noël nous reprend au fond du malheur même. *Bruma iners.* Les saisons sont comme des éclats de Pâques et de Pentecôte. Pensons en agriculteurs; c'est le vrai de l'homme.

CHAPITRE XXXV

TOUTE LA VÉRITÉ

Il importe que nous pensions à la permanence de la vérité. Tous les logarithmes soutiennent celui qui sert. Toutes les sciences soutiennent la moindre science et font encore plafond au-dessus. Cette masse immense ne cesse pourtant pas d'être pensée, et voilà l'immortalité jusqu'au détail et en éléments. Il ne se peut pas que penser soit une petite chose toute seule; elle serait bien malheureuse, et on y courrait comme au feu. Mais on s'y repose au contraire, et c'est cette immensité de pensées qu'on retrouve en Spinoza. Que ce soit perception, théorème ou essence, je m'assure qu'on y pense sans moi. Cet ensemble de vérités, c'est, en quelque sorte, le fait de l'homme. *Homo homini deus.* On peut nier tout cela; c'est revenir aux châteaux de cartes et aux amours fluentes. Autant qu'on sait, Spinoza n'a point cherché le bonheur par l'amour. Il ne voulait que penser. Ainsi, au lieu de partir du sentiment, il y arrive, et toujours soutenu par la nécessité. Même ses expériences sont des pensées et partagent le sort des pensées. Les trois fameux degrés finissent par s'annuler; et sans cela, le pauvre ignorant serait donc perdu? A quoi répond le monde suffisamment. On a dit que le monde manquait dans Spinoza, dont le système serait un acosmisme. Mais c'est qu'on n'a pas fait attention que l'existence suppose l'essence. En sorte que Dieu est construit par la pensée, d'abord comme la perfection de l'Être. Et c'est ainsi qu'il se communique au monde, et fonde l'existence. On a bien raison d'appuyer l'église sur ses piliers, car elle est l'image de Dieu. On n'en peut rester à deux choses, d'un côté Dieu *(substantiam dico)* qui n'a besoin d'aucun être pour être conçu *(nulli alia re indiget, qua concipiatur)*, et, de l'autre, l'apparence du monde, qui donc ne serait point et ne pourrait recevoir de remède. *Sentimus experimurque nos aeternos esse.* Voilà le grand aveu! Voilà la philosophie, si nous tirons les conséquences. L'homme pense. Il ne peut penser qu'en Dieu et dans le Tout, réduit à une petite et invincible unité. Tel est l'esprit de ce grand système, qui pousse Descartes à fond, qui fait le paradoxe de Malebranche, et l'indignation de Bossuet en trois mots : *Pulchra, Nova, Falsa!* Cela exclut de l'Église simplement toute la pensée, par exemple Thomas et Augustin. Mais la pensée ne se laisse point chasser et le Jansénisme est législateur du monde! Lagneau dit que Spinoza cherchait une méthode expérimentale, et il le fallait bien si on ne voulait mériter le nom de songe-creux. C'est ainsi que circule le Spinozisme par-dessous la Théologie. Faute de cette vue, on méconnaîtrait le sérieux profond du laïque personnage trop peu compris. Voyez Saint-Cyran et Jansénius à cheval et revenant vers le peuple. Cela est la seule crise religieuse et le dernier effet de Descartes, qui, chose remarquable, fut toujours suspect aux curés. Ces persécutions refont l'unité corporelle des églises. La profondeur d'Arnauld, de Lagneau, de Desjardins revient à apercevoir dans une pensée une terrible responsabilité et le soin du monument Ecclésiastique, finalement le refus de signer, qui est bel et bien un refus d'hérésie. On isole le Janséniste; on veut l'empêcher de communiquer. Or lui seul communique.

CHAPITRE XXXVI

L'IVRESSE

L'IVRESSE est un mot mal connu. L'ivresse est certainement une émotion. J'y vois une frivolité emportée. Qu'est donc le bonheur s'il n'est pas en l'air? S'il n'est pas éblouissant ? S'il n'est pas un rêve ? L'ivresse a tous ces caractères. L'ivresse de vin n'en est qu'une petite partie. Évidemment il y a une ivresse de colère. Il y a une ivresse d'espérance. Une ivresse de malheur. Une ivresse de désespoir. Dans tous les cas, l'ivresse est un fait d'irritation, laquelle est cette réaction par laquelle l'émotion s'entretient. L'émotion nous émeut, voilà le fait de l'homme sensible, et la peur, loi première du cœur. On n'ose pas penser, ni même sentir : et voilà l'inconscient, qui n'est donc pas un rien. Il faut accepter la pensée, cet état d'ivresse, qui bat toujours avec le sentiment, et en est elle-même battue. Voilà pourquoi la foi fait peur. Et comment autrement, quand nous sommes lancés dans un espace inconnu ? La religion est une terreur de la religion ; et la crainte, comme on dit, commence la sagesse. Les hommes ont horreur de penser ; ils ont moins que confiance dans leur pensée ; ils fuient leur moi ; cette ivresse est une déroute. On se fait un caractère de ne jamais rien penser ; alors on se raidit peu à peu jusqu'au cadavre ; on repousse les paroles qui risquent d'émouvoir. On repousse l'amour. On déteste d'avoir aimé ; on vit fanatiquement, comme on voit que l'enfant nie et s'exaspère de nier et n'a plus rien du tout dans sa pensée. Méditation de pierre, tombeau pour la vie. Cela ne peut être, en aucun sens, l'approche de l'immortalité. L'enfer, c'est le refus de la vie, qui refuse aussi la vie éternelle. Le colonel Chabert ne voulait pas être appelé Chabert, mais bien Hippolyte. C'était désormais un mort vivant. Le refus du souvenir est une des profondeurs de la pensée.

Souvenir, ô bûcher dont le vent d'or m'affronte.

A mes yeux, cette flamme est ce qui a cuit le visage de Valéry. Et contre ce danger du bûcher, la nature nous donne l'ivresse, c'est-à-dire le vin, l'opium, l'immense refus de tout. Car enfin, il se peut bien que toute pensée soit un souvenir déguisé. N'avouez jamais ! dit une sorte de proverbe. Autrement dit, ne vous permettez pas de vivre ! D'où est venue cette pensée théologienne, que le diable a refusé la vie. Certes, il ne s'en repentira pas ; donc, l'éternité des peines est un entêtement.

CHAPITRE XXXVII

PEUPLES

Quand on veut juger du réel, il faut tenir compte des effets. Si l'on considère des hommes parmi les plus civilisés, on s'aperçoit que la patrie agit aussi fort en eux que leurs mains au bout de leurs bras. Cela nous donne une image de ce qu'est l'amour. Pour ceux qui ont l'âme sèche, l'amour, le peuple, c'est-à-dire la patrie et la nation, sont des abstraits qui n'agissent point. On décrit mal si on ne dépeint, par les effets, la passe de sentiments, d'enthousiasme, de fanatisme, qui, pour chacun, fait son destin. Même les Huns furent des fanatiques, des conquérants par la pensée. Demandons-nous maintenant si l'idée du paradis, des récompenses, des punitions, enfin l'éternité de vie, n'est pas aussi réelle que l'Afrique ou l'Espagne. La pensée religieuse se meut dans ce genre d'être, et promène partout d'invincibles idées qui retombent sur la terre et y marquent des frontières, des routes, des forteresses. Il faut décrire le monde tel qu'il est, sans oublier, certes, la nécessité invisible. Mais quoi ? La nécessité n'est-elle pas toujours invisible ? Le Dieu est invisible et le monde sans Dieu est sans réalité. En sorte qu'il ne faut point dire que l'immortalité, par exemple, n'est qu'une idée ! Sans doute l'immortalité est aussi un réel invisible. L'invisible suppose l'esprit. Et par la multitude des invisibles se réalise la longue Pentecôte et le troisième règne, qui est celui des Apôtres. Finalement, on trouve que les Aventures du cœur font des créations selon la foi et que l'Humanité est l'invisible esprit survivant, étincelant et fulgurant. On demande : « Où allons-nous ? » L'Esprit répond que nous allons où nous sommes ; et il n'y a pas d'autre notion de l'avenir que celle-là. À celui qui se donnera la peine de penser au temps, tout ce long tableau sera évident.

CHAPITRE XXXVIII

ÉTERNEL

Le temps est uni à toutes nos pensées. L'erreur que l'on peut faire, à ce sujet, consiste à croire que le temps s'enfuit. Où donc s'enfuirait-il ? Nous savons bien qu'il ne cesse jamais de couler. N'allons pas imaginer une immensité de temps immobile. Immobile, donc passé ? Il reste encore le présent et le futur. Et de tous ces temps, l'essence est qu'ils fuient en effet, sans jamais échapper. Celui qui aura assez réfléchi à cette situation de toutes nos pensées et donc de notre âme, aura l'idée d'une idée, c'est-à-dire d'un être qui ne cesse de devenir, d'un être qui ne peut s'échapper à lui-même, ni bondir sans sophisme dans le temps où il n'était pas ou bien dans le temps où il sera. Les mondes font la patrie de celui qui pense. Nous cherchons quelquefois à penser ce que personne n'a pensé. Toutefois ce n'est qu'imagination. Notre être nous est cousu : et il n'est point matière! On en discute comme si ce développement de l'esprit dépendait d'une discussion. Mais il n'en est rien. Nous sommes liés à un temps qui nous portera partout, et que nos rêves porteront partout. L'histoire est un grand présent, et non pas seulement un passé. Il n'y a rien de neuf sous le soleil, dit le proverbe. Et les anciens sages disaient bien que ce qui n'est en aucune manière ne sera jamais. D'autres ont dit que ce qui arrive n'est qu'un développement de ce qui était déjà. Si l'on veut penser, il faut donc faire tenir ensemble ce qui fut, est et sera. Cela apparaît en un moment comme le sentiment qui porte tout. Spinoza disait avec raison que nous nous sentons éternels. Voilà ce qui sauve l'homme. Voilà la pensée commune et la réelle consolation. Ce n'est pas plus étonnant que cette voûte d'étoiles que nous essayons de déchiffrer. Il vient un moment où l'apparence s'accorde avec l'être. Les planètes et les mondes sont l'image de notre repos et de l'état de nos âmes. « L'éternel est mon rocher », dit le Psaume. Mais qu'est-ce qu'un rocher ? Il faut avouer que le rocher s'use depuis un temps infini.

Ainsi cette dispute sur le devenir nous ramène toujours au tout du temps. Par là Dieu est l'objet nécessaire de nos pensées, qui ne cessent pas pour cela de se jeter au changement d'Héraclite. Tenez les pensées des philosophes comme une apparence qui se recommence toujours. Ainsi est la vraie foi et le vrai culte, et le sentiment que j'ai de moi-même. Tous finissent par se rassembler en cette grande doctrine que le vieillard fait lire comme un Livre à l'impatient jeune homme. Seulement, il faut se jurer par réflexion de ramener toujours les apparences à cette même substance. *Substantiam dico...*

Le Vésinet — Juillet 1943.

IV

SOUVENIRS DE GUERRE

QUAND on remonte de Toul vers le Nord-Ouest, le paysage n'est pas sans grandeur. Ce sont de larges creux boisés; et la vue découvre à vingt ou trente kilomètres quelque crête plus sévère. Le canon grondait en avant de nous, comme un orage lointain; nous entendions cela depuis Toul; ce n'était pour moi qu'une sorte d'éloquence. Nul parmi nous ne savait rien de la guerre; nous étions une demi-douzaine de volontaires; les autres étaient des meneurs de chevaux qui n'iraient pas au-delà des premières écuries, ceux-là mêmes qui rapportaient périodiquement au quartier de Joigny les plus absurdes nouvelles. C'était le commencement d'octobre de l'an quatorze; les lignes venaient de se fixer dans cette région-là après un combat où nous avions eu l'avantage, et où nous poussions vers l'Ouest; mais nous n'en avions nulle idée. Simplement Gontier me disait, en montrant le terrain à droite et à gauche de la route : « Il paraît que nos batteries sont quelque part par là. » Nous imaginions donc l'ennemi derrière une crête lointaine ornée de beaux arbres alignés dans lesquels on voyait une grande brèche, et par la brèche se montrait un ballon en forme de cigare. Je guettais cette sorte d'embrasure sinistre; or nous nous trompions de beaucoup. Ce menaçant horizon, nous l'eûmes sous les pieds pendant de longs mois. J'avais encore du chemin à faire, avec quatre chevaux en main, avant de sentir l'odeur de la guerre. Il y eut la halte à midi, et le repas, dans un village où je remarquai une quantité incroyable de cartouches jetées partout. C'est là que j'appris que notre fusil lançait une balle couleur de cuivre, pointue à l'avant, et légèrement amincie à l'arrière. Cette pointe me semblait ridicule, et puérilement imitée des anciens poignards. D'où nous commençâmes, avec Gontier, qui était des Ponts-et-Chaussées, une discussion sans fin sur la forme convenable aux projectiles. J'étais moi-même un amateur de mécanique et de physique, et j'avais conçu, il y avait bien dix ans de cela, des obus hémisphériques à l'avant, avec une queue effilée. Je m'étais moqué autrefois dans mes petites feuilles des locomotives à coupe-vent; mais en revanche je m'étais fait moquer de moi, à un déjeuner de pédants, par un polytechnicien à qui je m'avisai de parler obus. « Comme si toutes ces circonstances, me dit-il, n'avaient pas été étudiées de très près, soit par l'analyse, soit par l'expérience; et que savez-vous de la résistance de l'air devant de telles vitesses... ? etc. » Ces souvenirs me revenaient comme je retournais entre mes doigts cette balle qui essayait timidement d'être un peu pointue à l'arrière. D'après cet exemple et quelques autres j'avais peu d'admiration pour les polytechniciens et gens de cette espèce; cette position est difficile à tenir; et je la tenais témérairement, comme je fis pour d'autres positions, parce que je sentais que ce savoir qui ne sait point douter est ce qui renouvelle l'antique esclavage, et le partage du monde humain entre rois et sujets. J'avais raison sur l'obus; il n'y a plus de doute maintenant; j'avais raison aussi, à ce que je crois, sur la politique; mais ici les passions brouillent l'expérience. Gontier ne se fiait guère aux grands brevetés, comme il est naturel à un homme qui, de dix-huit à vingt ans, a construit des chemins de fer de montagne. Il jugeait vite et sans préjugés. Il m'écouta sans faveur et avec une entière confiance, ainsi qu'ont toujours fait les hommes de son âge, et, je suppose, d'après cette idée évidente que je ne considérais absolument que le vrai de la chose, comme quelqu'un qui réfléchit sur un problème d'échecs. Il vit bien, au reste, que je ne faisais aucune différence entre une vérité encore ignorée et une vérité passée dans l'usage; dans les deux cas, et par la manière, j'étais seul de mon avis. Cela prouve, comme nous l'avons dit cent fois, que j'étais né simple soldat. Et j'arrivais justement aux épreuves réelles de mon état. Cela me remplissait de joie. Je repris la route en tenant mes quatre chevaux par la corde, cherchant le polytechnicien qui allait être désormais mon despote oriental.

Ce récit sera surchargé de réflexions, je le crains. Qu'on n'attende pas une sorte de confession; j'ai cela en horreur. Je ne crois pas utile de raconter toutes les fautes de ma vie; je fus en lutte, comme beaucoup, avec de vives passions, et je me préservai de malheurs irréparables par ruse de raison; ce qui est bon à savoir là-dessus, pour quelque autre homme en difficulté, c'est que j'ai toujours fourbi mes raisons comme des armes et pour ma sûreté; et c'est surtout que ces parties de raison, aussi sincères qu'une cuirasse, m'ont sauvé plus d'une fois; mais les fautes sont vouées à l'oubli, et c'est tout ce qu'elles méritent, à l'exception des fautes de raison. A la guerre, dans ce métier où toute la vie est étalée et publique, je fus jugé favorablement; mais il m'arriva plus d'une fois de faire, à mes yeux, le vrai visage d'un sot. C'est ainsi que j'appris à mieux juger les pouvoirs. Sur cette crête sinistre dont je parlais, j'écrivis tous les chapitres de *Mars*; je ne vois rien à y reprendre, après seize ou dix-sept ans d'expériences nouvelles. Mais j'ai à dire maintenant les choses de plus près, moins strictement, moins sévèrement, dans le mouvement du récit, et premièrement pour mon plaisir.

La route était longue, et ma première curiosité s'engourdit. A peine, dans une halte où se terminait la mission des meneurs de chevaux, je pus remarquer que les gradés qui faisaient le tri des hommes et des chevaux avaient grand-peur des lieux où ils nous envoyaient. Cette peur que l'on a de loin, et que j'ai éprouvée quelquefois dans la suite, diffère beaucoup de la vraie peur, mais elle n'est pas moins pénible. D'autant qu'on y cède naturellement puisqu'elle ne s'oppose pas aux actions. Tel homme, comme j'ai pu voir, dresse témérairement des chevaux, sans cesser un seul moment de craindre qu'on le dépose un peu plus près du canon; et cette crainte du second cercle explique plus d'une chose; ce cercle est le lieu des jugements sommaires et des punitions impitoyables. Ici je ne vis que des hommes fort occupés de chevaux, de foin, et des autres genres de ravitaillement; tout cela exactement fait, et sous la pression de cette continuelle peur. A quoi je reconnus ce genre de souci et cette constante pensée, je ne puis le dire exactement; mais j'avais les yeux en attente; je guettais les premiers hommes de la guerre et les premiers signes de la guerre. Il me semble que je vis dans les regards quelque chose de neuf, que les militaires ne montrent guère à l'ordinaire; peut-être une sorte de pitié pour nous, qui était une pitié pour eux-mêmes; j'appris dans la suite à mieux connaître le militaire qui est à portée du bruit et non à portée des coups. Il admire plus qu'on ne croirait ceux qui vont plus loin; il les prend aisément pour des héros; peut-être il les envie. J'ai senti ailleurs les signes de cette bonté muette et qui s'excuse. On la reconnaît un peu plus loin, et autre, chez les hommes de l'attelage, qui se trouvent sur le bord, et sont menacés à des moments. Ces sentiments enferment de l'honneur, mais de l'honneur qui va aux autres. Cependant, par un retour de peur, les mêmes hommes sont disposés à mépriser celui que l'on accuse d'avoir fui. Ces zones du sentiment, disposées autour de la guerre réelle, font comme un grand livre où on lirait tout homme.

Au point où j'arrivais, je voyais commencer une sorte d'hospitalité grave. Il est vrai que je cherchais déjà l'occasion d'admirer; toutefois j'ai appris que dans cette situation on est plutôt éclairé que trompé. Toujours est-il que mes pensées prirent dans ce village une teinte de sérieux qui ne m'était pas connue. Peut-être par contagion je fus de ce moment moins tranquille. Nous recommençâmes à descendre dans le brouillard et le noir. D'autres chefs nous pressaient; le terrain était inégal et bourbeux; les chevaux se faisaient tirer. Comme dans un rêve, et fort vite, nous traversâmes le bourg de Mandres, à demi ruiné, qui sentait l'incendie et la pourriture, et nous fîmes un crochet vers les bois; en ce passage quelqu'un nous avertit de nous abriter derrière les chevaux; ce fut un petit moment de terreur. Huit jours après j'étais en situation de trouver cette recommandation bien ridicule.

Après cette alerte, je vécus comme dans un conte fantastique. Un campement à la bordure d'une forêt, et éclairé par quelques bougies, donne d'étranges apparences; je crus voir une falaise et des cavernes; je revis ce lieu plus d'une fois; jamais je n'y pus reconnaître ma première impression; d'où vient sans doute que, même en plein jour, je m'y crus toujours égaré, quoique, pour l'ordinaire, je m'oriente bien. Peut-être tout dépend-il de la première entrée, et, ce soir-là, je perdis le fil. Je perdis aussi un peu de mon courage par un épisode humiliant. Un brigadier barbu m'emmena, sans doute d'après mes épaules, pour porter l'avoine. Or je puis bien porter un sac d'avoine, et j'ai porté des choses plus lourdes. Mais la simple tentative de charger un sac d'avoine sur ses épaules est de celles qui font que l'on juge d'un homme en deux secondes. Ce fut le brigadier qui porta le sac; et je me crus impropre à la guerre, comme je l'avais cru déjà lorsque l'adjudant de Joigny me disait : « Le cheval n'eśt pas votre affaire. » J'appris dans la suite que l'adminiśtration militaire sait parfaitement faire servir l'homme; et c'eśt ainsi que je fis cinq ou six métiers pour lesquels j'étais très bon.

J'eus deux jours de vie sauvage et libre. J'allais chercher du bois mort pour les cuisines, et je commençai avec Gontier deux ou trois cabanes couvertes de roseaux. Les lettres n'arrivaient point; et, par cela même, on oubliait tout. Je ne lisais que les caractères écrits sur la terre et sur les arbres, et ma pensée n'allait pas plus loin. Comment irait-elle plus loin? L'homme n'eśt pas bâti pour penser sans percevoir. Mais je savais bien lire, et je lus très aisément un caractère assez nouveau pour moi. C'était un morceau d'obus, tout propre encore et bien coupant, long comme la moitié du bras et fort lourd. En cherchant d'où cette chose avait pu tomber, je compris alors une sorte de hurlement d'oiseau sauvage qui m'avait réveillé la nuit d'avant; je conçus très bien la vitesse de cette chose et l'effet qu'elle pouvait produire en rencontrant le corps humain. Ce fut la première idée précise et non abśtraite que je formai de la guerre. Le soir même, comme je sortais par hasard de la masse des arbres, je vis une crête tout enflammée et des ruines informes; on me dit : « C'eśt Beaumont qui brûle. » Le lendemain je me trouvai devant le commandant M., un beau cavalier tout à fait semblable aux images populaires. Il parut content de me trouver là, et me désigna, avec l'enfant de W., un des autres volontaires, pour être téléphoniśte. « C'eśt là-haut à Beaumont, sur la crête; vous m'y trouverez à cinq heures. » Au grand désespoir de Gontier, volontaire aussi, qui, en sa qualité de brigadier, reśtait au bois avec les chevaux, nous dîmes adieu aux cabanes de roseaux et à la vie de Robinson. Nous partîmes tout droit à travers champs, moi, de W., et un troisième qui se nommait Richard, grand diable maigre à la voix chantante. Ce Richard apparut soudain; tout le monde connaissait son nom, et personne ne l'avait vu. C'était l'absent. Au quartier, quand on le nommait sur les rangs, quelqu'un répondait « Blanchisserie » ou choses de ce genre. Il fut sur la liśte des volontaires, appelé toujours, absent toujours. On le cherchait dans le train militaire, parmi les chevaux et les bottes de foin, vainement; il manqua à Toul; dans les bois il ne fut qu'un nom et qu'un écho. Maintenant il arrivait à l'existence. Il commença la conversation sur un ton de politesse et de bonne humeur, comme quelqu'un que tous connaissent. Il admira bientôt des trous d'obus encore frais; il regarda en l'air et conclut qu'il pourrait bien nous en tomber d'autres. Tout à fait comme un Parisien à la mer. C'était en effet un Parisien, ouvrier en bois, et, comme il le conta, clarinettiste au temps des musiques militaires. Je le revis à intervalles, et notre entretien consistait à exécuter *Poète et Paysan, Faust,* et autres morceaux de concert, lui faisant la clarinette et moi, la basse. Il continua à exercer le métier d'absent, car il passa des mois dans un observatoire isolé et assez dangereux où il fit merveille, en compagnie d'un nommé Bijard, ouvrier comme lui; et Bijard lui disait ordinairement : « Es-tu marié, Richard ? » Et l'autre disant oui, Bijard ajoutait : « Si tu es marié, tu es cocu. » Ils finissaient par se battre. Je les vis une fois ou deux dans leur ermitage, et ils m'offrirent un merveilleux bouillon de légumes; car ils cultivaient leur jardin; et, comme disait Richard, c'était très agréable, la nuit naturellement. Le lieu s'appelait Marvoisin, et se trouvait au delà du sinistre Rû de Mad, à la gauche extrême de nos opérations. Il n'y eut jamais d'officier à cet observatoire, où les balles sifflaient; mais il faut dire aussi que ce coin fut de plus en plus oublié; cette gauche allait vers Commercy et Saint-Mihiel; et nos canons, d'abord dirigés vers l'Ouest, ce qui était le sens de l'ancienne bataille, se tournèrent insensiblement vers le Nord. Le centre de notre guerre et son point de feu et de fumée, c'était Flirey, juste à l'angle rentrant, comme il était naturel. Ce Richard, donc, assez avancé sur l'autre flanc, voyait des choses intéressantes, dont on ne tenait aucun compte. Trois mois après il fut renvoyé aux ateliers. C'était une sorte de polytechnicien de l'école primaire, et il avait le courage de son état. « Comme c'est plus agréable, disait-il, de passer tout droit par les champs ! Et pourquoi n'enterre-t-on pas ces malheureux à pantalons rouges, qui sont parmi les gerbiers ? Mais l'ennui c'est qu'on est vu; et ils envoient quelques obus. » Je n'ai pas vu d'homme plus tranquille. Si on lui avait parlé de gouvernement, d'alliances, de communiqué, de victoires, il aurait été très surpris, mais toujours très poli, et désireux de s'instruire. Ce que je remarque, c'est que l'idée de lui parler de ces choses ne me vint jamais; c'était toujours *Faust,* ou bien *Poète et Paysan.* Il faut peu de chose à l'homme qui a juré d'être heureux.

J'ai voulu finir avec celui-là, et je me moque de l'ordre chronologique, n'ayant d'ailleurs aucune note qui puisse me rappeler la suite des jours. Ainsi je m'expose, sans aucun souci, aux foudres de Norton Cru, dont l'énorme et patient travail a d'ailleurs eu d'utiles effets. Qu'importe pour ce que je veux faire? Je n'ai rien à raconter qui soit horrible et incroyable. J'ai fait la guerre du téléphoniste d'artillerie; j'ai couru les risques du métier, qui m'a donné un peu l'idée de ce qu'était la guerre au temps de Descartes ou de Turenne, j'entends quant aux risques, et aux longs quartiers d'hiver. J'ai vu un bon nombre de Français dans cette guerre, et je veux dire comment je les ai vus. Je suis très assuré de ne rien inventer. Et d'ailleurs j'abandonne toute idée de pamphlet et même de jugement moral. Mon pamphlet est fait; il est séparé de tout récit, comme j'ai voulu. Et maintenant voici le récit sans aucune intention de pamphlet. J'écris ces pages en 1931. Je crois qu'en se battant contre la guerre on vise à côté. Il y aura quelque chose d'autre, mais non pas la guerre, par la seule raison que rien jamais ne se recommence. Ce que je raconte est au passé; il faut quelques années de recul, et peut-être même d'oubli, pour bien comprendre ce temps-là.

***

Je reviens à Beaumont, ou plutôt j'y arrive, et je me trouve seul avec le commandant M. à la droite du village, c'est-à-dire au Nord, au carrefour de notre route de Toul et d'une grande route qui va à Metz, comme l'indique un écriteau pendant. Il se trouve là deux maisons moins ruinées que les autres et qui se font face. Le commandant est abrité derrière celle qui est du côté de l'ennemi; il me garde là un bon moment. « Vous travaillerez en face, me dit-il; mais à cette heure-ci ce n'est pas sain. » Il me dit des choses sensées, où je ne reconnais nulle trace de commandement, ni même d'inégalité. « Je comprends bien, dit-il, qu'un homme comme vous ait eu la curiosité de venir jusqu'à la ligne de feu. » Il me dit aussi qu'il était incommodé de rhumatismes; je sais ce que c'est. Et il ajouta : « Quant à ce qui peut nous arriver de l'ennemi, il n'y faut pas penser », ce qui était le plus sage conseil. Je n'ai plus connu cet homme qu'au bout du fil, et encore peu de temps. Il fut bientôt colonel, et il passait pour un chef dur et détesté. Le visage était beau et froid, les yeux clairs, l'air martial; mais toujours est-il qu'il ne me traita jamais en soldat. Il faut dire que c'était le temps de la guerre citoyenne. L'ordre n'était pas rétabli. Le pouvoir lointain ne savait pas encore gouverner, et je devais m'assurer bientôt que le téléphone ne portait pas loin. Chacun faisait la guerre pour son compte, et les formes étaient méprisées. Cela dura trois ou quatre mois; le citoyen volontaire y trouvait aisément sa place selon la bonne volonté et le bon sens. Mais aussi cette petite guerre pouvait durer toujours. C'était le temps, comme je sus bientôt, où nos 95 et les 120, et les 155, étaient tirés des forteresses et mis sur roues; nous avions ainsi à notre disposition un immense approvisionnement d'obus et d'ancienne poudre, et nous rendions deux coups pour un. Toutefois je n'appris ces choses que par rencontre.

Ce soir-là, et pendant cette conversation sérieuse et tranquille, je pris ma première leçon d'artillerie. Je connus, à un bruit étrange, croissant, entièrement nouveau, que des projectiles arrivaient, tels des oiseaux criards; je sus, je ne sais comment, mais très clairement, qu'ils étaient quatre; l'instant d'après ils plongeaient au-dessus de notre toit et éclataient comme à notre nez, criblant l'autre maison et le carrefour. Pas un homme en vue. Après quoi, comme on fait après la pluie, nous allâmes à nos affaires. C'était simple. De W. et moi, nous avions charge de téléphoner à l'infanterie, aux batteries, au commandement, à tour de rôle, jour et nuit, chose qui, après un mois, apparut comme supérieure à nos forces. Les appareils étaient mauvais; l'un de nous dormait pendant que l'autre criait. Et il advint ceci que, la fatigue croissant, les périodes se faisaient plus courtes, et que nous arrivions à dormir une heure, à veiller une heure, et à ressembler à deux spectres, lorsque enfin l'on nous donna du renfort.

De W. était un demi-bachelier assez paresseux, mais de bonne éducation et même de grande maison. Tels que nous étions, nous nous trouvions les meilleurs pour ce métier difficile, où il s'agit de reconnaître des mots parmi les plus confus grincements. Plus tard je vis un vigneron, devenu pourtant habile, se dévorer de désespoir à cause du mot « Coordonnées » qui faisait alors son apparition; c'est qu'il ne l'avait jamais entendu. Notre affaire, à nous deux, était de transmettre des ordres en style militaire, c'est-à-dire en langage choisi; il y fallait une certaine habitude de société polie et de lecture; moyennant quoi nous fîmes des miracles. Nous pouvions compter sur deux bombardements de nuit; et toujours de W., avant de prendre le cornet, ouvrait l'armoire à glace de l'institutrice, dont la porte faisait protection. Nous n'eûmes d'autre mal que la peur.

Cependant les nouveaux pouvoirs s'installaient. Les deux capitaines des batteries se débarrassèrent des fantassins, qui tenaient l'arrière de la maison d'école mieux abrité, firent leurs lits dans la cave, et dressèrent une sorte de salle à manger à côté du tableau noir devant lequel nous étions maintenant assis. Ils jetèrent les yeux sur les deux téléphonistes et les trouvèrent abrutis de fatigue et hors d'usage; d'où nous eûmes un après-midi pour nous promener. Nous ne connaissions que téléphones, et lieux abstraits, comme Seicheprey, Flirey, Rambucourt. Nous voilà partis par la route de Metz, aussi unie qu'une allée de sable. Beaumont est sur cette route, et tout en longueur, le long d'une crête qui domine comme un balcon un immense pays bordé par les Hauts de Meuse et tout occupé par l'ennemi. Au bas de la pente se trouvaient les tranchées, le long de petits bois aux noms sinistres, Remières, La Sonnard, Mort-Mare. La route allait parmi des vignes à échalas. Bidons, fusils, cartouches, boîtes de singe, on trouvait de tout, et de noirs cadavres laissés là. De W. était jeune; il était attiré par les cadavres, comme l'homme de Platon. J'avais et j'eus toujours la sagesse de ne pas regarder ces choses de près. Je me défiais de mon imagination, lui non. « Régale-toi, lui dis-je, de ce beau spectacle. » Il m'a avoué depuis qu'il en avait perdu le sommeil. Mais il y avait bien d'autres choses à voir; des obus entiers, de grands saucissons de fil de fer, hauts d'un mètre, de pauvres tranchées comme des fossés de route, des chevaux crevés, toutes les marques de la force, et pas un homme vivant; là-dessus un assez beau ciel. C'étaient nos vacances. Comme nous approchions de Flirey, toujours allant, les choses se gâtèrent. Je ne sais quelle alerte mit les artilleries en action; nos batteries tiraient par-dessus nous; l'ennemi bombardait le bois de Remières. Aplatis promptement contre un talus nous pouvions voir et entendre les obus bûcherons, qui faisaient voler de grosses branches comme des brindilles, après une lueur verdâtre et des explosions déchirantes. Devant nous, en contre-bas, parut une compagnie de soutien, vêtue de bleu foncé, avec le béret; j'eus tout loisir de considérer les marques de la peur en ces hommes qui attendaient le moment de descendre au bois terrible. Dans la suite, au temps des permissions, je retrouvai les mêmes marques presque imperceptibles autour des yeux; l'espèce combattante m'était aussi distincte qu'une race de chiens ou de chats. Moi-même je croyais porter ces marques comme des lunettes. Ce jour-là je ne sais quel visage nous pouvions montrer. Mais notre situation était supportable, en somme. Nous disposions de nous-mêmes, et nous n'avions qu'à pourvoir à notre propre sûreté, ce que nous fîmes, acquérant promptement la prudence du soldat et la connaissance des moindres plis de terrain, ainsi que l'art de se coller promptement au sol. Le tumulte cessa comme nous rentrions, et nous n'en sûmes pas plus.

Cette journée marqua la fin d'une période d'anarchie, où j'exerçais sur mon camarade un pouvoir absolu, et où nous nous trouvions tous deux au service de deux puissances invisibles, les commandants M. et B. Le second était une sorte d'amateur de la lourde, qui, d'un point appelé Bernécourt, exerçait un pouvoir mal défini. Je remarquai aisément que nos deux capitaines se moquaient de lui et que j'étais son homme de confiance. Je supposai que c'était un civil comme moi; son affaire était de harceler l'ennemi; au lieu que les officiers de métier s'intéressaient peu à un porteur de soupe qui traversait un pré. Bien plutôt ils rangeaient leurs cantines et faisaient les comptes de leurs batteries, travail dont je n'appréciai pas tout de suite l'importance et la difficulté. En attendant je faisais du zèle et j'étais ridicule, mais non pas aux yeux du commandant B. qui vint enfin me voir comme une sorte de héros du téléphone, et me fit nommer d'abord premier soldat, puis brigadier. Ce commandant était un petit Napoléon botté, plein de feu, qui montrait du zèle aussi, et fut promptement éteint par une organisation nouvelle du pouvoir. Je fus éteint aussi; mais ce fut plus long, car les deux capitaines avaient des égards pour moi. Peut-être me prenaient-ils pour un espion du commandant, ou, mieux encore, pour un envoyé secret du parti radical; car ce bruit courut. Pourtant je ne veux pas être injuste. Ils savaient rire de ces bruits de cuisine. Ni l'un ni l'autre n'eurent jamais à mon égard cette peur de n'être pas obéi qui rend les chefs méchants; ils me sentaient fidèle et ils n'avaient pas tort. Dans la suite j'acquis quelque chose de la ruse du soldat, par la défiance très injuste d'autres chefs. Mais tout compte fait je ressentis plutôt l'esclavage des autres que le mien propre, qui ne fut qu'en des bagatelles.

Un mot ici du capitaine B., que nous n'eûmes pas longtemps. Je l'avais entrevu dans les bois, mince, leste, élégant, à longues moustaches blondes, à grand manteau; l'image même du héros. Or c'était un des hommes les plus poltrons; tout le monde riait de ses précautions, de ses peurs, de ses fuites. C'était au point que l'autre capitaine lui dit un jour devant moi : « Si pourtant vous étiez dans l'infanterie, que feriez-vous ? » A quoi le capitaine B. répondit : « Je suppose que dans ce cas je me mettrais au cran de combat. Mais ici quoi de plus bête et de plus inutile que de se faire tuer ? » Cette réponse n'était pas sans portée. Il faut sans doute ne plus rien espérer pour être tout à fait brave; et j'ai vu de ces lieutenants et sous-lieutenants d'infanterie qui semblaient avoir mis le point final à leur vie; leur gaîté me faisait peur. En cela j'étais de l'arrière; on est toujours à l'arrière de quelqu'un. Pour revenir à notre poltron, on voit qu'il n'était pas sans esprit; toutefois une inévitable honte avait détruit en lui jusqu'à cet esprit du commandement qu'on voyait qu'il avait su. Ce n'était rien de manier un tel homme, et je jouais très bien mon rôle dans la bouffonnerie militaire que je découvrais seulement maintenant. Nous n'avions que des bougies. Je fis acheter par le chef une lampe à pétrole et un bidon, et me voilà bien fier. Mais ce capitaine me dit : « D'où vient cette lampe ? » Sur ma réponse, il me dit très sérieusement : « Je ne puis admettre que vous fassiez les frais de l'éclairage militaire; éteignez cette lampe. » Je trouvai l'argument; car cela c'est mon métier et je sais mon métier. « Mon capitaine, dis-je, je ne me sers point de cette lampe pour le téléphone militaire, mais seulement pour ma correspondance privée. » Remarquez que je faisais les deux en même temps. Je gardai donc ma lampe. Cependant je ne crus point pour cela que son bel œil plein de finesse fût tout à fait trompeur. Dans le fait c'était un polytechnicien; ce genre d'homme, comme je l'appris, connaît très bien l'art de motiver. Je crois qu'il me sut gré de mon argument subtil; plus d'une fois je lui vis de la grâce, et il se trouvait comme égaré parmi nous. Il a fini à l'arrière. Il n'avait pas son pareil pour faire le compte de ce qui manquait à sa batterie en fait de timons et de roues de rechange.

Un autre polytechnicien, tout frais pondu, se dressait devant lui comme un petit coq. Celui-là c'était un guerrier, du nom de Le Barbu, évidemment breton, teint clair, poil roux, très dur aux hommes, mais honoré de tous par un courage non douteux. Nous étions amis. Un de nos plaisirs était d'étudier la règle à calcul, et de raisonner au tableau noir pendant mes temps de repos; mais, autant que je pus remarquer, ces développements d'artillerie géométrique ne produisirent aucun effet sur nos maîtres. Leur grande affaire, comme j'ai compris à la fin, était de conserver et d'étendre leur pouvoir; et, même quant aux effets sur la guerre, cela avait peut-être plus d'importance qu'un transport de tir et autres opérations. Comme disait Gontier, grand expert formé aux observatoires, quelques soins que prenne l'artilleur il tire toujours à côté. Toutefois on peut dire que B. abusait de la permission. Le Barbu me disait : « La septième batterie aurait bien pu rester à Joigny. »

Ce propos subversif, qui me revient en mémoire, me rappelle la route de Metz où il fut tenu avec beaucoup d'autres. Nous étions gais comme des collégiens, et un peu essoufflés. C'était un jour de neige; les gros projectiles faisaient là-haut le bruit d'un train sur un pont de fer. « Sur quoi tirent-ils, demandait Le Barbu, car ils ne voient rien, et cet énorme frottement contre la neige dans le haut de l'air ne peut manquer de raccourcir la trajectoire. » Et autres propos, après avoir bien couru.

Nous avions pris occasion de cette neige qui bouchait la vue pour explorer des lieux interdits. Sur un coteau qui dominait le village de Saint-Baussans, alors invisible, nous allions, devisant, jusqu'au moment où Gontier, observateur oisif en son trou, se leva comme une alouette, tout content de nous voir. Il nous décrivit le paysage, et, par une sorte de magie, les choses commençaient à apparaître à mesure qu'il les décrivait; des maisons, des rues, et même des hommes qui ne se cachaient pas plus que nous; c'était une éclaircie, mais nous pensâmes trop tard que celui qui voit peut être vu. Gontier plongea dans son trou, et nous fîmes, Le Barbu et moi, une retraite au pas accéléré; presque aussitôt les 77 nous poursuivirent. D'ailleurs ils nous manquaient de loin; mais l'idée qu'on est visé personnellement trouble les plus braves. Le Barbu était un modèle suffisant pour moi, et je courais à sa suite comme un lapin. Après quoi nous philosophions. Ce jeune héros fut célèbre dans l'aviation; on l'appelait : « Sans mollesse ». Il voulut m'entraîner dans la suite aux aventures de l'air, mais je fis le sourd. C'est une des circonstances où je pris comme règle d'exécuter seulement les ordres et de ne point chercher le danger. Après tout, que m'étais-je promis à moi-même aux temps lointains où le changement de la loi militaire me mit en demeure de choisir? J'avais reculé devant un métier ennuyeux; j'avais choisi l'engagement universitaire qui, après dix ans, me laissait libre de tout; et, si une guerre survient, me disais-je, je m'engagerai. En août 14, voulant tenir cette promesse faite à moi-même, et écarté de l'infanterie par mon poids (il s'agissait de la Légion, j'en tremble encore), je me laissai conduire par ma chance et fis honnêtement mon métier. La part faite au serment à soi, et aussi à la curiosité, ce que je puis dire de mieux là-dessus est que je n'aurais pas supporté la vie civile pendant les temps tragiques, et que, vraisemblablement, entre les vils lieux communs et la révolte, j'aurais pris une route non moins dangereuse que celle de l'artilleur.

L'élégant capitaine B. ne manquait jamais, chaque dimanche, d'aller à la messe dans les bois; et de W., mon jeune camarade, ne manquait jamais de se brosser à peu près et d'accompagner le capitaine; ce qui ne me plaisait point. De W. ne croyait à rien, mais il avait été élevé selon la politesse. Or n'est-ce point croire à la politesse? Où le croire commence et finit, il n'est pas facile de le savoir. Y a-t-il plus, dans la foi de la plupart, qu'un respect pour ceux qui semblent croire? Ce problème m'a intéressé depuis, et j'y ai découvert des profondeurs. Mais, en cette tragédie où nous étions, je n'étais pas disposé à tenir compte des nuances. J'avais horreur de voir que la religion du Christ travaillait aussi avec zèle à pousser les hommes dans la guerre. Me voilà aux aumôniers militaires; et la première fois que j'en vis un, avec le bonnet de police à trois galons, je courus à l'autre capitaine, le seul que je trouvai. Je lui dis que, dans les instructions sur les grades et les signes du respect, je n'avais jamais entendu parler d'aumônier à trois galons. Devais-je le salut? Ce capitaine, avec qui je devais avoir des rapports presque intimes, tantôt agréables, tantôt difficiles, était une sorte d'artiste, avec une humeur redoutable, de l'esprit, l'art de gouverner, et un courage suffisant; il n'avait point trace de religion. Il me dit : « Je ne connais pas ce grade; et faites comme vous voudrez. » Deux jours après je me donnai le plaisir d'être insolent. C'était déjà dans la seconde période de ma guerre; j'avais plus de loisirs, et je vivais plus humainement dans les ruines de la maison d'en face, faisant société et table avec quelques sous-officiers jeunes et tout simples. Je présidais dans un fauteuil Voltaire, et on m'appelait Général. C'est dans cette assemblée que vint un homme hautain et froid, moitié prêtre et moitié capitaine, pour une question de tombes militaires. Il fit grande attention à ne parler qu'aux gradés : « Dites, Maréchal des logis »; mais ces enfants, par un mouvement naturel, car les âges sont partout respectés, se tournaient vers moi, attendant la réponse du président de table. Je m'entends à la moquerie et je fus féroce; encore aujourd'hui je m'en félicite. Et pourquoi? Cela affligera les bonnes âmes. Mais ne savais-je pas bien que les tyrans de tout genre allaient reprendre espoir dans ces jours de malheur où l'obéissance passive était restaurée? Pouvais-je hésiter devant cette monstrueuse alliance de l'esprit et de la force? Cette double infatuation, si assurée de sa victoire, si bien dessinée sur un fond de misère commune, c'était plus que je n'en pouvais supporter. Là j'étais brave sans mélange aucun, et assurément indomptable. Mes jeunes amis furent ravis; et l'autre, le Monsignore, se retira promptement et prudemment. En revanche quels égards pour un petit prêtre, téléphoniste crotté et fantassin, obligeant et résigné, sans aucune participation à la puissance visible! Même un jour, à propos de cet homme de Dieu si crotté, j'essayai de ma raillerie contre le capitaine B. qui venait de recevoir avec hauteur un message de ce téléphoniste sans galons. Je dis au capitaine : « Savez-vous ce qu'est cet homme-là? Non sans doute. » Il dit de son air grand seigneur : « Mais qu'est-il donc? » — « C'est un prêtre », lui dis-je. « Ah oui, je sais », répondit-il; et j'ajoutai : « Un vrai prêtre; un homme qui a le pouvoir de faire descendre Dieu sur l'autel. » Mon projectile n'eut aucun effet. Je devais bien le prévoir. Dieu est avec le commandement, et ces choses-là ne font pas question. Je ne puis même pas me vanter d'avoir été une sorte d'énigme pour le capitaine B. Du moment que je ne voulais pas comprendre le grand jeu, pourquoi m'aurait-il tendu la main? L'ordre ne manque pas de serviteurs; l'intelligence y a sa place, très belle et très honorée; si elle refuse sa place, nul ne la remarque plus. Il faudra pourtant, si je ne me trompe, que les pouvoirs comptent de plus en plus avec ce mauvais esprit, qui ne veut pas pouvoir.

***

Je touche ici à de graves questions. Je ne les cherchais point; elles venaient me trouver, et il fallait prendre parti. Je veux régler, sans plus attendre, le compte des aumôniers militaires, et on verra qu'ils ne perdront pas tout. Beaucoup plus tard, dans l'année 16, je me trouvai, à la pointe brûlante de notre guerre, à Flirey, maître absolu d'une jeune équipe vive comme la poudre. L'aumônier divisionnaire qui entra un soir dans mon poste, apportant cigares et cigarettes, se nommait Harel, de son métier professeur libre, et qui avait, comme je sus ensuite, une grande estime pour mes grades et diplômes. Ce soir-là il m'apparut assez boueux, sans aucun galon, et aussi simple qu'on peut l'être. Alors je me crus à la comédie, devant un aumônier de journal, jovial, buvant sec, et allant jusqu'aux jurons par permission spéciale. « Vous êtes de ceux, lui dis-je, qui ont permission de jurer le nom de Dieu, mais aussi de ceux qui ont à se faire tuer; car, comme parle l'évêque, il nous faut des morts. » Cette formule, dont j'ai gardé le souvenir, donne une faible idée des railleries dont je criblai l'envoyé de Dieu. C'était de mauvais goût, certes; mais je voyais trop bien à quelles horreurs nous allions, par le bon goût et la politesse; et je crois encore aujourd'hui que si on ne rompt pas brutalement avec les grâces d'académie, toute liberté est perdue, en bas et en haut. Le libre jugement, seule ressource contre la boue et le sang, ne peut se sauver qu'en se perdant selon le monde; c'est ainsi que j'appliquais encore l'Évangile à ma manière; mais je reconnais que c'est une étrange manière, que les doctrinaires rouges n'aiment pas plus que ne l'aiment les marquis et les esthètes. Serai-je toujours un général sans armée? Il se peut. Je pense qu'il faut labourer brutalement la première fois, et encore la seconde; enfin couper les racines du savoir élégant. A tous risques. Mais quel risque approche de cette guerre absurde, fruit d'algèbre et de littérature? Ma petite armée de Flirey tint bon; ces enfants riaient de bon cœur. Je me demande encore une fois qui croit et qu'est-ce qu'on croit. Je n'ai pas vu un homme, en ces jours difficiles, qui craignît, de la mort et de la souffrance, autre chose que ce qu'il en voyait à chaque tournant. Et cet Harel lui-même n'était à mes yeux qu'un homme riche de courage et d'amitié. Riche et fort, donc, de cette monnaie qui a cours partout, il se secoua gaiement, comme sous l'averse, et ne raisonna point, ni ne prêcha. Il gardait pour moi deux sermons qui un peu plus tard me mirent à bas, sans témoins, entre nous deux. « Non, mais, s'il vous plaît, me dit-il un autre jour, où sont mes galons? Les voyez-vous? Où est mon pouvoir? Je suis un homme, et tout ce qui est bon pour un homme est bon pour moi. Mon logement, quand nous cantonnons, est n'importe où. Ces messieurs me réservent toujours un bon logement, et souvent un lit. Si vous m'y trouvez, alors moquez-vous de moi. L'étable me va. J'y dors de bon cœur. » C'était vrai. Je ne crois jamais un discours; mais je vis souvent cet homme couché comme une bête, et plus fantassin que moi. Très bien. Les saints ne me font pas peur. Mais, pour parler fantassin, il me posséda encore une autre fois, et mieux. « Ce que vous faites ici, me dit-il, je le comprends d'autant mieux que je le fais moi-même. Au milieu de ces hommes malheureux, c'est votre place d'homme; et toute autre place vous ferait honte. Mais alors c'est avec les fantassins que vous devriez être. Avec moi, si vous voulez; demain si vous voulez. » Je lui dis ce que je pensais et ce que je pense encore, c'est que ce sont là des décisions que l'on prend une fois et sans bien savoir; et vouloir ce qu'on a voulu une fois, je savais ce que c'est. Toutefois que mon courage s'arrêtait au bord de cet autre cercle d'enfer, que je connaissais trop. Le fait est que, dans les premiers mois, sans abri et sans prudence, je croyais que j'y laisserais mes os; mais, dans la suite, avec l'industrie de l'artilleur, avait grandi l'idée que je pourrais m'en tirer, à condition de regarder et d'écouter avant de sortir. Bref le courage s'use à la guerre, comme toute autre arme. On s'en remet alors à la nécessité, gardant la liberté pour l'exécution. Par ces réflexions, qui ne sont pas agréables à l'esprit romanesque, je compris ce jeune héros de Tolstoï, c'est, je crois, Nicolas Rostow, qui est envoyé à l'arrière pour acheter des chevaux, et qui ne querelle point le sort.

Encore un peu plus tard, et après trois mois d'hôpital, je me trouvai dans un dépôt d'éclopés avec un répit de trois jours; là régnait la peur muette; nous étions tous sur le chemin de Verdun, et l'imagination travaillait. Or j'eus comme voisin de lit un aumônier du genre fier et silencieux, qui s'équipait en musulman pour les tirailleurs marocains. Le croissant sur son calot était un beau sujet de plaisanterie; mais les yeux noirs, pleins de résolution et peut-être de désespoir, me détournèrent de toute fantaisie. Je savais ce qu'il faisait, et peut-être mieux que lui; la muette tragédie n'en était que plus émouvante. C'était un homme de petite santé. J'admirais ses habits neufs et son courage neuf, me demandant ce qu'il en resterait après quinze jours. Peut-être étais-je dupe, en lui supposant la témérité de mon ami Harel. C'était de l'abbé Harel, cette définition : « Le front commence au dernier gendarme. » Peut-être cet inconnu n'a-t-il pas dépassé le dernier gendarme. Mais, autant que je sais, la résolution de partir est plus difficile que partout ailleurs dans un dépôt d'éclopés, c'est-à-dire de guéris, où chacun est seul, où nul ne reste, où l'on entend chaque matin l'appel des détachements, où nulle amitié n'aide, ni aucune action difficile. Cet homme, qui s'habillait en tirailleur marocain, s'entourait en même temps d'un destin irrévocable, du moins il le croyait, et par sa propre volonté, cela il le savait. Il est remarquable que la partie fière de l'âme, soit qu'elle rêve un grand pouvoir, soit qu'elle méprise tout, soit qu'elle s'honore comme immortelle, soit qu'elle s'honore comme mortelle seulement, tire toujours vers les mêmes lieux de difficulté et de risque. Le plus humble et le plus fier trouvent alors les mêmes raisons, et tremblent de les voir si faibles à l'approche. Quelque chose de cela sonnait dans cette voix qui me fit cinq ou six phrases tout au plus. Prise de voile, il me sembla. Je fais la part belle à tous; et comment autrement? L'universelle peur n'explique rien d'une guerre. Car qui empêche, je vous le demande, que tous ces hommes s'enfuient ensemble aussi loin qu'alla le plus résolu de nos moralistes. Je m'excuse de ce mouvement de mépris; il faut bien que la partie basse se venge aussi.

***

Je dois revenir très loin en arrière, car seul le fil du temps relève les souvenirs, et des idées plus adhérentes à la chose même, ce que je cherche à présent. Nous vivions en misérables, et l'estomac repoussait la viande rose et filandreuse noyée dans un liquide gras. Un grand changement survint pour moi lorsque apparurent les estafettes du général commandant le 31e corps. Ils vinrent à tour de rôle occuper pour la journée et quelquefois pour la nuit, le plus bel observatoire du secteur, qui était un grenier de l'autre côté de la rue. Ces sous-officiers de cavalerie, hommes de cheval, riches, et de grande vie, apportèrent dans leur auto des choses oubliées, comme des œufs, du vin, du cognac. Je retrouvai l'usage de l'argent. C'est alors que nous bouchâmes les trous et finîmes par installer une étrange tablée, garnie de deux bancs d'église et d'un fauteuil Voltaire. Landry, colonial et artilleur, fut le principal artisan de ces choses. C'était un homme brun, et qui riait diaboliquement. Dans les ruines du village, il trouvait tout ce qu'on voulait. Son premier commerce fut d'apporter à ces jeunes gens, assez neufs, des éclats d'obus encore tout chauds; réellement chauds, à brûler la main; mais c'est qu'il en conservait derrière le poêle. A chaque explosion proche il courait et revenait. Un jour, un des élégants observateurs parlait de jeunes sangliers qu'on disait avoir été pris dans les bois, ajoutant qu'il donnerait quelque chose pour en avoir un. « Donnez-vous dix francs ? dit Landry. Marché conclu ; et le lendemain un petit sanglier était embarqué dans l'auto. Les hommes de l'échelon, paysans ou bûcherons, savaient très bien cerner à plusieurs le troupeau sauvage, et tomber de tout leur poids sur la jeune bête ; quant à la redoutable laie, il n'en fut jamais question. Ainsi l'État-Major s'amusa de plusieurs petits sangliers, aussi familiers que des chiens. Je commençai à comprendre que l'homme est réellement le roi des animaux.

Je ne voyais pas souvent les hommes des bois ; mais j'avais des amis parmi eux, et cela me rappelle une heureuse journée de bûcheron. Nous brûlions ordinairement des perches à houblon que nous allions prendre le soir sur le versant interdit ; aussi des poteaux de clôture, des débris de barriques ou d'armoires, enfin tout ce que nous pouvions piller. Le capitaine T., qui faisait volontiers le sage, m'expliqua qu'une perche à houblon valait vingt francs, que nous étions des maraudeurs, et que cela allait finir. « Vous irez chercher du bois à la forêt. Il y a une charrette abandonnée en avant et à gauche de l'observatoire ; allez la reconnaître ; vous aurez deux chevaux et un conducteur ce soir, et demain vous serez bûcheron. » Il se plaisait à me faire courir, et il avait raison. Le Barbu, qui aimait l'exploration, vint avec moi reconnaître la charrette. Nous eûmes quelques obus, comme il fallait prévoir ; mais notre équipe de deux était bien commandée. Je choisis un chemin ; à la nuit j'avais la voiture, et le lendemain j'allai trouver les hommes sauvages, leur montrant un flacon de rhum, élixir très bon, leur dis-je, pour couper les arbres. Ce genre de plaisanterie est militaire ; mais je lui trouve un air antique et presque Ésopique ; l'esclavage produit partout les mêmes fleurs maigres. Après cette belle journée, pendant laquelle nous n'entendîmes pas une fois la voix du maître, je me trouvai sur la route, escortant une pleine charrette de bois ; et c'est en vue de Mandres-aux-Quatre-Tours que ma charrette se sépara en deux. Il s'agissait d'aller chercher une autre voiture ; car j'ai de l'obstination. Je passe sur les incidents ; je me souviens seulement que le conducteur des chevaux montrait de l'humeur, et même une résistance ouverte; car je n'étais pas encore brigadier. C'est alors que j'improvisai un discours qui revint plus d'une fois dans la suite : « Ah! vous pensez que votre soupe sera froide, et que cette guerre est bien ennuyeuse. Mais dites-moi, qui donc a voulu reprendre l'Alsace-Lorraine? Qui donc a applaudi les gens qui parlaient là-dessus? Qui donc a injurié le redoutable voisin? Ce n'est toujours pas moi. Et je sais bien que c'est vous. C'était agréable d'applaudir et de renchérir; on était approuvé. Et maintenant c'est moi qui fais la guerre que je n'ai pas voulue, et sans me plaindre; et vous, qui l'avez voulue, vous m'assommez ici de vos plaintes. Vous avez cru sans doute que la guerre se passerait en chansons; eh bien! la route de Metz est là-haut; allez à Metz; c'est le moment. » Je résume; mais le ton et le vocabulaire rappelaient assez bien Démosthène, qui n'était pas un orateur élégant et fleuri. Je gagnai cette fois-là et les autres fois. J'eus mon bois, et j'eus aussi quelque temps la marque des troncs sur l'épaule. En attendant, j'étais encore tout échauffé de mon discours; d'autant que je n'étais pas sans reproche autant que je le disais; car enfin je n'avais pas applaudi, mais je n'avais pas sifflé. Avais-je même tout à fait jugé et méprisé les comédiens du genre Barrès? Et ma rhétorique avait-elle secouru assez les paysans et les ouvriers? Aussi pouvais-je prévoir que les académiciens, les politiques, les publicistes seraient si tranquillement lâches, et si impunément? J'avoue que le terrain était libre pour mes discours. Enfin tardivement la vérité de la guerre apparaisait; elle était aussi claire et aussi nécessaire que ces vols de cigognes qui passaient au-dessus de nous.

Je reprends ici et je rassemble encore d'autres discours, qui ne passaient pas toujours aussi aisément, car les lieux communs que je secouais semblent d'abord irréfutables. Un moraliste plein de feu se sauve jusqu'en Provence; un publiciste enragé va seulement jusqu'à Tours; le chef du gouvernement se retranche à Bordeaux. Dont ils donnent des raisons que les jeunes et les vigoureux sont disposés à trouver bonnes. L'un se tient à peine sur ses jambes; l'autre est trop lourd pour faire une marche; le troisième est hors d'âge. Mais ce sont de mauvaises excuses. Paris supposé assiégé, pris ou occupé, il y avait des risques, sans compter même les obus. Le rôle d'otage ne prête pas à rire; et j'ai le récit d'un homme d'âge, en pays occupé, qui, chaque semaine à son tour, passait vingt-quatre heures en prison, avec la perspective d'être fusillé si besoin était. Le plus honoré est justement choisi comme otage, et voilà une manière de combattre qui n'exige ni santé ni force. J'ajoute que si tout civil, en présence de l'ennemi, et otage ou non, tuait son homme, ce qu'on peut toujours, c'est alors qu'on saurait qu'un pays est réellement invincible. L'ami dont je parlais s'est trouvé une fois ou deux en situation de pouvoir tuer Guillaume lui-même; il n'y a seulement pas pensé. Le civil, même s'il a son fils aux armées, considère que la guerre est un métier, absolument comme au temps des mercenaires. Ces idées ne sont qu'un rêve confus dans la tête de l'Ésope fantassin; si elles venaient en forme, et si elles entraient dans la morale civique, je ne dis pas que la paix serait absolument; car il n'y a pas de raison de penser que le père serait moins courageux que le fils, dès qu'il serait seulement forcé par ses propres discours; mais du moins les guerres auraient un sens, et quelquefois le père mourrait avant le fils, ce qui est dans l'ordre.

Vous me soupçonnerez de n'avoir écrit mon histoire de bûcheron que pour en venir à ce discours-là. Il se peut bien. Je n'ai aucune raison de dissimuler mes réflexions de soldat. J'ai trouvé aux armées la plus grande liberté de propos, tempérée par les marques de respect, qui ne vident l'esprit qu'au moment même, et qui sont suivies d'une réaction naturelle. La guerre étant présente et pressante, l'esprit jaillissait souvent, et j'apprenais une nouvelle manière de mettre les idées en ordre. Un sous-officier de la lourde, qui s'appelait, je crois, Victor, et qui observait au-dessus de nous, sous les tuiles, pour les 155 de Rambucourt, écoutait des histoires de désertion, d'où il résultait seulement que déserter était difficile, et qu'on était souvent pris. Là-dessus il dit très tranquillement : « Passe pour cette guerre-ci, puisque j'y suis; mais à la prochaine ils ne m'auront pas. » L'homme qui parlait ainsi était le même qui resta une fois seul sous les tuiles, guettant les coups d'une terrible pièce de 130 qui couvrait d'éclats la septième batterie, cachée dans un ravin un peu en avant. Comme il s'écoulait environ 15 secondes entre la fumée du canon et l'arrivée du projectile, il téléphonait à chaque fois : « Abritez-vous. » On fait beaucoup de choses en 15 secondes; mais lui restait, se fiant, comme j'ai vu faire plus d'une fois, à la régularité étonnante du tir ennemi; un coup un peu long aurait fait voler les tuiles. Gontier, qui n'avait rien lui non plus d'un guerrier mystique, fit la même chose en avant d'une batterie qui répondait coup pour coup à une pièce de 150. De tels exemples m'ont fait comprendre un peu ce mot que j'ai trouvé dans Claudel : « Le devoir est des choses prochaines sur lesquelles il n'y a point doute »; tel est bien le sens, si ce n'est la lettre. Et, plus près encore de l'homme, je soupçonnai que ce qui requiert le courage, et d'ailleurs l'obtient, ce n'est pas un vague devoir envers la Patrie, qui sert à toutes fins, mais un devoir déterminé, lié à une fonction, devoir envers des camarades en péril qu'il s'agit d'aider tout de suite et efficacement; sans compter le devoir envers soi, si subtil, si profondément dissimulé par une belle pudeur, et qui met l'homme en demeure d'essayer jusqu'où il ira dans le difficile, et contre la déshonorante peur. On m'a dit que des infirmières restaient très bien auprès des blessés non transportables, et dans un danger évident, car plusieurs furent tuées. J'ai toutes raisons de croire cela, et je n'ai nulle peine à le croire. J'ai remarqué qu'un mouvement de prudence très naturel, et même très raisonnable, devient méprisable si la peur commence à mordre. Nuances fines, qui se devinent d'après les actions. Je dois mettre ici ce qu'on m'a conté de Guynemer, revenant à son combat de chasseur après une blessure et un temps de convalescence, et se laissant mitrailler en l'air au lieu d'attaquer le premier, comme il avait coutume. A ceux qui l'observaient d'en bas, et qui ensuite s'étonnèrent, il répondit : « Je voulais voir si je serais bien peureux après cette blessure. » Ce trait à la Plutarque est légendaire, faux et vrai comme sont les légendes; semblable à une idée, il éclaire nos confus mouvements. De tels sentiments relèvent le héros, mais non tout à fait comme le voudrait la morale des pouvoirs, aux yeux de qui le devoir d'obéir à de plus sages que soi, ou réputés tels, suffit à tout. Je mets en forme ce discours, qui naquit péniblement en des discussions souvent confuses, toujours libres.

***

Il y avait aussi des moments gais, comme d'enfance. Et plus d'une scène m'a éclairé sur la grande comédie. Voici une histoire de photographe. Gontier était artiste en photographie. Un brigadier du 14e régiment d'artillerie de Tarbes, qui fut toujours notre voisin, vint naïvement faire tirer son portrait, pour sa fiancée, disait-il. Gontier eut une idée; il montra Landry, l'homme qui savait tout, excepté l'art du photographe; et il dit au brigadier : « Je ne suis qu'un amateur; mais celui-là est un véritable artiste, et un homme du métier; si vous arrivez à l'intéresser, vous aurez le plus beau portrait. » Landry avait bien entendu. Ce furent des discours sans fin, car le brigadier revenait. « Veux-tu, disait Landry, que je fasse ton portrait par ce temps noir ? Tu seras nègre. Ta fiancée n'est pas amoureuse d'un nègre ? » L'autre s'enfuyait. On le revoyait par un jour de soleil. « Trop de lumière, disait Landry; tu seras pâle comme un mort. Veux-tu la faire pleurer ? » Il fallut pourtant venir aux actions. Gontier donna au prétendu photographe un petit appareil sans obturateur et un morceau de drap. « Il n'y a qu'à faire clic clic, ne bougez plus, et autres bruits photographiques. » Landry s'en alla opérer du côté du château; mais il revint la figure longue. « Ce n'est pas, dit-il, le brigadier qui m'inquiète, il a posé de face et de profil et il est content. Mais c'est cet officier d'infanterie qui m'a vu opérer et qui m'a demandé de le prendre aussi, promettant de payer. « Ne bougez plus, et clic clic; mais j'en avais chaud. » Ce fut un jeu qui dura quelque temps que de dire à Landry : « J'ai vu par là un officier d'infanterie qui te cherche. » Nous ne revîmes depuis ni brigadier ni officier. Ce même Landry trouva moyen de monter un alambic et de faire de l'eau-de-vie avec les prunes qui trempaient en quantité dans les caves; cela du côté de l'ennemi, et au prix de quelques salves, afin d'être tranquille, disait-il. J'eus l'honneur du premier verre, qui était pour renverser un homme. Je sus, ce jour-là et dans la suite, que l'alcool guérit de la peur.

Cette vie semblera peu militaire. Mais il y avait l'ordinaire des bombardements, et la salve accoutumée de cinq heures au carrefour; dont les fantassins se gardaient moins que nous; ils se croyaient, je suppose, sur la place de l'Opéra. Il y eut des accidents par-ci par-là et deux ou trois grands massacres dans des granges pleines d'hommes. Ces horreurs ne relevaient pas le courage du téléphoniste. D'autant qu'on nous avait relégués au premier étage, derrière des cloisons minces et à côté d'un grenier tout crevé. C'est là que je connus au naturel un nouveau commandant, vieillard aux yeux pâles, d'une simplicité sans égale, et qui semblait indifférent à tout, excepté à son salut éternel. Quand il nous vit installés dans ce lieu dangereux, il s'y établit aussi. Comme je lui donnais une feuille à signer, le grenier retentit d'explosion et d'éclats, notre porte craqua, une violente fumée nous fut jetée. Je ne sais si je sautai; mais lui, qui était au milieu de sa signature, aussi maigre et janséniste que lui, la finit sans interruption ni crochet. Dans la suite nous fûmes presque amis. C'est lui qui me fit remarquer l'immense douille de notre 75, comparée à celle d'un 77 allemand. « Nous avons, dit-il, cherché la poudre sans fumée, et nous l'avons trouvée; mais aux dépens de la puissance. » Le fait est que les pièces de l'ennemi, même à six kilomètres, étaient comparables à des fumeurs qui lancent leur bouffée. Seulement, comme disait Gontier, c'est une grave erreur que de croire que quand on sait où se trouve une pièce, c'est un jeu de la démolir. J'ajoute puisque je suis sur ce sujet, que la fumée a cet avantage de masquer les feux, qui sont des signes très précis, la nuit et même le jour. Notre capitaine eut l'idée de se servir pour les tirs de nuit de notre vieille poudre noire; le jour il transportait une pièce dans un vallon hors de vue, et réglait son tir à la poudre noire; la nuit il transportait le tir d'après ce réglage. C'était ingénieux; mais il y a une partie du travail d'artilleur qui fut toujours négligée chez nous et, je crois, ailleurs, et qui consiste à aller voir de près où les obus tombent. Sur ces réglages de loin, et souvent interminables, auxquels je participais quelquefois, j'eus une idée, mais qui ne fut point reçue. On tire un coup, on observe la chute, on raccourcit si c'est long, on allonge si c'est court; cela peut durer sans fin par les hasards, qui font qu'un coup long est peut-être bien pointé. Il faudrait tirer au moins six coups sans changer le pointage, et régler d'après un point de chute moyen, bien facile à construire géométriquement. C'est ce qu'on ne fera sans doute jamais. On espère le coup juste; et, quand on l'a trouvé, on dit : « Le réglage est terminé. » Mais que prouve un coup? Je me demande à quoi sert l'École Polytechnique. Sont-ils fatigués, après ces sévères études, au point de ne plus jamais former une idée ? Ou plutôt sont-ils entièrement pris par l'art du commandement et les ruses de l'obéissance, où j'ai vu qu'ils étaient passés maîtres ? J'en reviens à la même conclusion à laquelle j'étais tout à l'heure. On nous parle de défense nationale, et l'on se moque de nous. Il s'agit, au vrai, de l'antique guerre entre maîtres et esclaves, où les maîtres ne font point de fautes.

Ce même commandant janséniste est celui qui me dit un jour, alors que je venais de faire passer un avis aux batteries de 75 : « Alors vous croyez que, parce qu'on les avise qu'ils tirent trop long, ils vont changer quelque chose ? » A quoi je répondis : « J'oubliais que vous ne croyez qu'aux choses incertaines. » C'était d'un pédant; et il pouvait bien me répondre qu'il n'y a d'espérances que celles que l'on porte par sa seule volonté. Il ne répondit rien, et parut ensuite plus froid. D'ailleurs il nous quitta bientôt après. J'ai parlé de ce chef si simple; toutefois il ne faut pas oublier que la simplicité permise à un commandant ne l'est peut-être pas à un capitaine, lequel décide de presque tout et répond de presque tout. C'est de la même manière qu'au quartier un colonel est paternel quelquefois, et un général toujours. Mais de colonels et de généraux il n'était guère question parmi nous.

Cela me rappelle une visite de lieutenant-colonel, qui réveille en moi une idée à laquelle je tiens beaucoup. Je ne me garde pas assez du pamphlet, et tant pis. Je te conduis naturellement, lecteur, à travers mes expériences de soldat citoyen; il faut que la fable ait une morale. Je fus donc appelé un jour, et je trouvai au carrefour un lieutenant-colonel qui m'attendait; les officiers étaient massés un peu plus loin, et observaient l'entretien secret. Ils purent faire d'étranges suppositions; mais voici tout ce qui fut dit. D'abord il me parla de Bergson, sur qui je répondis je ne sais quoi. Je n'aime pas parler de Bergson; il y a rivalité d'atelier entre les Bergsoniens et nous. En second lieu il me demanda ce que je pensais de la violation de la neutralité belge; je lui répondis, ce que je crois encore, que c'était une belle manœuvre militaire, d'ailleurs annoncée depuis vingt ans dans tous les cours de stratégie. Là-dessus il me remercia fort honnêtement des services que je rendais, et ce fut tout. Peut-être comptait-on un peu sur moi pour prêcher la guerre sainte. D'un mouvement naturel je coupai d'abord tous liens avec le service de la propagande; et je m'en félicite aujourd'hui plus que jamais. Car nous savons maintenant, par documents, que quelques années avant la guerre, nos diplomates, d'accord avec nos militaires, préparaient une offensive de précaution par la Belgique, pour le cas où les dispositions des armées allemandes auraient rendu ce mouvement nécessaire. J'aurais vraiment lieu d'être fier maintenant si j'avais protesté en ce temps-là, au nom de la morale outragée, contre une manœuvre de force évidemment utile! Mais, sans mesurer déjà ce qu'il faut appeler l'hypocrisie de gouvernement, je savais du moins que la guerre outrage la morale de toute façon, et qu'il serait bien enfant de s'en étonner. Toutefois j'eus le temps de réfléchir dans ma tanière, et d'apercevoir que la pensée remord celui qui s'en sert sans précaution. La remarque que je viens de faire ne termine nullement la question. Et j'ai fabriqué pour mon instruction un chef d'état-major imaginaire qui discute très bien. « Je ne vois pas, me dit-il un jour, pourquoi vous méprisez les opinions utiles. S'il est permis contre l'ennemi de violer les traités, il est permis aussi de mentir, et de blâmer en ses actions ce qu'on ferait très bien soi-même sans scrupule. Il s'agit seulement de savoir si le mensonge est utile, et si le mensonge le plus impudent n'est pas le plus utile. Par exemple il est utile que l'on sache que nous ne massacrons pas les prisonniers, parce que nous cultivons ainsi dans nos ennemis l'idée qu'ils peuvent se rendre pour sauver leur vie. Mais il serait utile de faire croire que l'ennemi massacre les prisonniers, car nos compagnies encerclées vendraient alors chèrement leur vie, ce que nous devons souhaiter. Et puisque vous tuez pour la patrie, je ne vois pas par quel scrupule vous rougiriez de mentir pour la patrie. » Celui qui n'a pas conduit ses pensées jusque-là, je le soupçonne d'appeler pensée ce qui lui plaît. La guerre met l'homme tout nu; il revient péniblement aux pensées d'Ésope. Socrate fut condamné très exactement parce qu'il refusait de soumettre aussi ses pensées au pouvoir. Nous n'avons peut-être pas avancé du tout depuis Socrate. Ne pas craindre, rester sobre, ne rien croire, trois ressources contre le tyran. Quelques centaines d'hommes ainsi disposés feraient un esprit public, et suffisant. Les maux humains comme guerre, abus de pouvoir, absurde concentration des richesses, ne sont possibles que par l'incroyable aveuglement de ceux qui passent pour instruits. Il s'agit de former son jugement par un massacre de pensées. Il n'y a pas d'autre sagesse.

Revenons au récit. Au moment où nous sommes, qui est le commencement de l'an quinze, il y eut des histoires d'espions, et je connus que le soupçon est une maladie dont il est difficile de se garder. On raconta qu'un officier allemand, déguisé en lieutenant d'infanterie, explorait nos lignes; on ne savait qu'une chose de lui, c'est qu'il n'avait pas de numéro à son képi. Un jour d'hiver j'étais de service à l'observatoire du bois du Jury, lieu redouté des artilleurs. Il fallait un téléphoniste, et naturellement il prenait la faction à son tour; en sorte que tous apprirent à observer, et tous apprirent à téléphoner. Ces situations de guerre, que nul n'avait prévues, s'organisaient tant bien que mal. Le lieutenant Le Barbu était au balcon, et moi dans le boyau devant l'abri, quand un officier sauta du talus demandant : « Est-ce ici un observatoire de 75, et de quelles batteries ? » Je savais qu'on ne doit jamais répondre à ces questions-là. Il fut sec et pressant, et moi bien tranquille. Je m'amusais toujours un peu de ces petits incidents-là. Seulement, en levant les yeux, j'aperçus un képi sans numéro. L'esprit est sans force contre ces rencontres. J'avoue que, considérant une hache appuyée non loin de là, je délibérai, comme dans Homère, si j'allais lui fendre la tête. Cependant, comme je le renvoyais à l'officier, et lui montrais le chemin, soudain il disparut à l'opposé, ce qui ne pouvait que confirmer mes soupçons. Je gardai cette histoire pour moi et je fis bien. Le lendemain je voyais courir en avant de Beaumont une patrouille d'infanterie, et tout le monde en émoi; on poursuivait l'espion; on le tenait. On le prit en effet, et il se fit connaître; c'était un lieutenant de notre infanterie, et même fils de général à ce qu'on dit alors. Mais j'ai trouvé cet axiome, que tout ce qu'on dit est faux.

Dans le haut des bois, loin derrière nous, il fut lancé quelquefois des fusées; j'eus même la mission de noter l'heure et autant que possible le lieu au moyen d'un alignement de bâtons; ces travaux précis et de patience m'allaient bien. Enquête faite, il s'agissait d'essais, dans la région de ceux que j'appelais les Invisibles, parce qu'un jour allant chercher des piles au Corps d'Armée, j'avais trouvé tous ces guerriers vêtus de bleu horizon. Nous autres nous étions noirs ou bleu foncé; et cette situation paradoxale dura jusqu'à l'été. Je constatai même un jour que ces couleurs pouvaient avoir de l'importance, en remarquant un prisonnier allemand qui s'éloignait entre deux soldats noirs; à moins de mille mètres il s'effaça; les deux autres semblaient l'avoir perdu. J'avais donc cessé de chercher mystère vers l'arrière, du côté des Invisibles. Mais il y eut d'autres récits. Il restait à Beaumont trois civils, un grand-père toujours couché, une grand-mère qui le soignait, et leur petite-fille, âgée de douze ans tout au plus. Or les canonniers dirent qu'ils voyaient de nuit un grand vieillard à barbe qui explorait les batteries en contre-bas. Quelques tirs mieux dirigés affolèrent les imaginations. Le paralytique pouvait être un faux paralytique; et la position de la maison permettait de faire des signaux à l'ennemi au moyen d'une lampe. L'affaire fut prise au sérieux, et me voilà espion des espions, ce qui se fit tout naturellement, car quelques-uns de l'équipe logeaient là; une vache y restait; j'y allai seulement un peu plus; je connus le café au lait et les parties de cartes; je m'assurai que le paralytique ne quittait pas son lit, et qu'aucune lumière ne brillait aux fenêtres. Bientôt il arriva un fourgon qui emmena grands-parents et petite-fille, non sans larmes, et leur maison finit par être mise au pillage comme les autres. Le fait est que les obus ne la touchaient jamais; et ce hasard aussi faisait preuve. Comment se défendre de croire ce qu'on ne voit pas?

Gontier s'émut à son tour; mais la chose resta entre nous deux, et en effet c'était grave. Il avait remarqué qu'un adjudant de notre troisième batterie attirait les obus, non pas sur lui, mais après lui, à chacun des observatoires par lesquels il passait. Cet adjudant n'était pas de nos camarades, et il était bien en cour. Nous nous entretenions de la chose, Gontier et moi, en nous gardant bien de trop de sérieux, jusqu'à nous moquer de nous-mêmes. Mais encore une fois le hasard fut bon dramaturge. Un après-midi je vois arriver derrière ma chaise de téléphoniste tout ce qu'il y avait d'officiers ; on hésita un moment sur moi ; et puis on ferma très soigneusement la porte, et le commandant me dit : « Pas un mot jamais de ce que vous allez entendre. » Promesse que j'ai tenue fidèlement et que je tiendrai encore ici ; mais je vis bien qu'il s'agissait de secrets d'importance. Seulement il arriva ceci que, à peine la discussion commencée, quelqu'un secoua la porte, se la fit ouvrir, insista, à ce qu'il me sembla, et se fit accepter ; c'était l'adjudant en question. Je fis en moi-même là-dessus quelques réflexions assez folles. Et puis cette troisième batterie quitta le groupe pour toujours, et je ne pensai plus à mon roman.

Raisonnant un jour avec le capitaine T. sur toutes les histoires d'espions j'arrivai enfin à une idée précise et satisfaisante. Nous avions à ce bout du village un observatoire excellent, sous un toit, et sans doute peu visible de l'ennemi. C'était un précieux secret pour un espion ; or cet observatoire ne fut ni démoli ni, autant que nous pûmes savoir, visé. Et au contraire l'ennemi visait le clocher, où il n'y eut jamais aucun observateur. Des remarques de ce genre terminent toutes les histoires d'espions. Je crois qu'il y a des espions ; j'ai lu des récits d'espions. Leurs méthodes sont très ingénieuses, et intéressent ; mais ce n'est qu'un jeu d'esprit. Les choses importantes, comme la surprise allemande au Chemin des Dames et l'attaque de tanks anglais sur Cambrai, ils ne les surent pas. On assure qu'ils découvrirent d'autres secrets ; je ne le crois pas trop.

Ces souvenirs se rapportent au premier hiver de la guerre. C'est en hiver aussi, et par la neige, que je fis connaissance avec le bois du Jury. On suivait la route de Metz vers Flirey et on descendait à gauche vers la masse des bois inférieurs ; on trouvait d'abord le 339 et ses cuisines, et puis un bois de jeunes taillis, avec quelques arbres, plein de tranchées caillouteuses et de fils de fer ; c'étaient de grands treillages dressés, comme d'un parc à volailles, et quelquefois je m'y suis vu perdu et cherchant abri. Le bombardement dans un bois sonne comme un travail de bûcheron ; le téléphoniste y est souvent seul, suivant le fil et cherchant la coupure. Nul renfort de courage ; aussi l'abri des artilleurs apparaît comme un paradis. A raisonner, cet abri n'abritait de rien ; ce n'était qu'un peu de terre sur des branches ; on y brûlait du coke dans un réchaud comme ceux qu'on voit à Paris par les grands froids. A dix mètres de là on arrivait par un boyau à une sorte de balcon découvert, à la lisière du bois, d'où l'on voyait, au-dessous et à trois cents mètres environ, un pré entre Remières, Français, et La Sonnard, Allemand, bois sinistres; dans ce pré allaient les deux lignes de tranchées, et entre deux, une ligne de nos fantassins couchés, tombés dans le sens de la course. Autant qu'on pouvait compter ces cadavres, je jugeai qu'il y en avait bien deux cents. D'étranges réflexions me vinrent trouver là, pendant les deux heures de guet. Comment amener ces jeunes gens à tenter de traverser ce pré? Il faut qu'ils aient bien de l'honneur; et le fait est que les Suisses d'autrefois, au service de n'importe quel prince, en faisaient tout autant. Il y a un esprit de corps, une imitation des anciens, une crainte de ne pas faire ce qu'il faut, qui sont plus forts que la peur dans les moments critiques. Depuis j'ai trouvé ces sentiments bien représentés dans une nouvelle de Schlumberger qui a pour titre *Au bivouac,* et dans *Le Guerrier Appliqué* de Paulhan; si j'ai eu quelquefois une âme de guerrier, ce qui m'a fait penser qu'on a toujours le courage qu'exige une action bien déterminée, on trouvera mon vrai portrait dans ces deux œuvres, et non ailleurs, autant que je sais; et je suis assez informé de cette littérature, comme tous ceux qui ont lu ligne par ligne l'énorme compilation de Norton Cru. Mais il se peut aussi que ces sentiments ingénus dont je parle soient ignorés de presque tous ceux qui les éprouvent; on pense plutôt par souvenir aux moments de terreur et d'horreur, qui sont ceux où l'on attend sans faire; et la peur règne alors, comme elle régnait sur moi lorsque, cherchant refuge, je me heurtais aux grillages comme un faisan ou un poulet. Ces émotions tout à fait animales n'expliquent rien de la guerre. A ces heures de solitude je composais les chapitres de *Mars,* passant tout à fait sur l'anecdote, et jugeant plus important de ramener l'attention des hommes sur leur propre courage, cause principale de l'esclavage militaire et des horreurs sans mesure qui en sont la suite. Il est bien clair qu'à ce balcon, avec un pare-balles à droite, et sans m'occuper beaucoup des sifflements et claquements, je ne pensais qu'à bien faire mon métier de guetteur. Et quel plaisir, j'ose le dire, lorsque je voyais s'allumer les quatre points de feu de la batterie de Mézeray, sur quoi je dirigeais aussitôt notre appareil de mesure angulaire. J'avais ensuite une douzaine de secondes pour m'adosser à l'abri du parapet et écouter l'approche des quatre oiseaux hurleurs; ils passaient au-dessus et éclataient en l'air dans le bois. Le Barbu disait que c'était là le beau moment de l'artilleur. On se voyait alors en mesure d'amener nos propres obus juste sur cette batterie; du moins on le croyait. Une erreur de cent mètres est comme rien à cette distance; et, au contraire, pour celui qui est supposé recevoir les coups, c'est la sécurité, entendez imaginaire, car les plus étranges coups du hasard finissent par arriver. J'ai entendu au bout du fil, à Flirey, un hasard de ce genre; et il s'agissait d'un observatoire blindé, avec une rainure entre deux rails pour l'observation. Je ne connus d'abord qu'un appel indistinct du téléphoniste, lui-même blessé. J'appris bientôt ceci. Des travailleurs avaient été vus passant devant l'observatoire, et on leur avait envoyé de là-bas les quatre fusants ordinaires; un de ces fusants, au lieu d'éclater en l'air, avait passé juste par la rainure, enlevant la lunette double à ciseaux, la tête de l'observateur, et éclatant dans l'abri. A Verdun on a conté qu'un pilote d'avion ramena son observateur sans tête; et, d'après lui, c'était un de nos obus voyageant dans l'air, qu'ils avaient rencontré. On se fait une idée des discussions à ce sujet, avec Gontier ou d'autres ingénieurs, sur le probable et l'improbable. Je disais ceci, qui ne répond guère à nos sentiments, et qui n'avait aucun succès, c'est que le passage d'un obus à un mètre de ma tête précisément, ou à cent mètres cinquante centimètres, ou à toute autre distance déterminée, était juste aussi improbable, ou aussi probable, que le passage par ma tête exactement. En somme, concluais-je, il n'arrive que des coups parfaitement improbables, et il en arrive continuellement. Quelle probabilité que trois amis se rencontrent sans se chercher, juste sur le pont de la Concorde? Oui. Mais ces trois amis, où qu'ils soient, et à chaque moment de leur vie, forment toujours un certain triangle, unique par ses angles et ses côtés. Quelle probabilité pour ce triangle? Cette idée mène loin, notamment à ceci que les degrés de probabilité ne sont que dans notre imagination. Ce qui pourra conduire quelque apprenti physicien jusqu'à rire un peu de ses maîtres. Mais quelle chance, pour reprendre le langage vulgaire, quelle faible chance, que ces pages soient lues attentivement par un esprit un peu plus qu'ingénieux, ou ingénieur, c'est le même mot? Cette chance est pourtant ma vraie chance; et, si je puis quelque chose, c'est de redresser l'esprit abstrait et constructeur, toujours trop porté à croire et à persuader. C'est par cet étrange chemin, si détourné, que j'arriverai à donner à mes idées polémiques, dans les meilleurs, le poids qu'elles ont en moi. Deux ou trois disciples sans respect, c'est tout ce que j'espère; et au fond je n'espère rien du tout. Ce que je pouvais être, je le suis; et tout est bien. Voilà une vraie pensée d'observatoire.

C'est là, à ce balcon, qu'un soir je connus que le commandant B. n'avait pas de patience. Il était au bout du fil, fort satisfait de me trouver là; car, me dit-il, il allait proprement incendier la ville d'Essei. Je savais où regarder. J'entendis passer les projectiles; et je ne me souciais guère des gens que nous allions faire rôtir, parmi lesquels des Français; ce genre de remarque ne frappe pas le soldat. Simplement j'attendais les flammes, et je ne vis rien. « Savez-vous bien où est Essei ? » Il expliquait d'après sa carte, il ne tarda pas à me demander un peu vivement ce que j'avais dans les yeux. Enfin il fit appeler le lieutenant, qui lui non plus ne vit rien, et certainement se défendit mieux que moi. Ce commandant B. ne venait jamais aux observatoires. Je demande pourquoi. Et je demande aussi pourquoi, n'y venant pas, il prétendait savoir ce qu'on y voyait. Toute la guerre s'est faite ainsi, par des chefs non éclairés, et qui croyaient savoir. Je vois ici plus d'infatuation que de peur. Chacun croit ce qu'il désire, et le commandant B. en était un exemple. C'est ainsi que pour lui plaire il fallait lui dire qu'à chaque coup de notre Bertha, qui était un bon gros de 220 portant péniblement à 5 kilomètres, on voyait sauter des bras et des jambes. On le lui disait. Par les mêmes causes, le brigadier régleur avait intérêt, au lieu de répondre « non vu », ce qui exaspère le chef, à dire comme le célèbre méridional, qui ne savait dire autre chose : « En pleing dedang, mon capitaine. » Voilà comment tirait l'artillerie, et comme disait Gontier, c'était encore très dangereux pour l'ennemi. Sur ce sujet je veux mettre ici une chose que les officiers ne savent pas. Dans les tirs de nuit, la dernière salve est toujours pointée à toute hausse, c'est-à-dire au-delà de toute distance prévue; et les hommes appellent cela : « le coup du vétérinaire ». Je parle de nos batteries. Ai-je dit que c'étaient des pièces de 95, très solides, et assurément plus précises que les 75, et portant à 9000 mètres? Ces pièces, comme celles de 120 et de 155, étaient redoutables par l'obus allongé, invention de je ne sais qui, chambre d'acier mince toute bourrée de mélinite. Ce procédé fut imité plus tard par l'ennemi. L'explosion de la mélinite communique aux morceaux d'acier une vitesse bien supérieure à celle de n'importe quel projectile, et cette mitraille est terriblement efficace. Nous rîmes plus d'une fois de la commune méthode des artilleurs, emplissant leurs projectiles de balles bien rangées dans des galettes de plomb; ces shrapnells n'avaient jamais que la vitesse de l'obus, et la perdaient vite; les résultats étaient ridicules en tir fusant, et nuls en tir percutant; on trouvait quelquefois les balles au fond du cône d'explosion; et cela était bien facile à prévoir. Mais des hommes qui mettent un coupe-vent à une locomotive sont capables de tout.

C'est dans cet abri du bois du Jury que je commençai à connaître Jeannin, homme de guerre remarquable, et fossoyeur de son métier. Je l'avais déjà aperçu; j'avais remarqué que le capitaine le traitait sans douceur. Il était célèbre par une obstination admirable à apprendre à écrire et à lire; le résultat ne fut pas étonnant; il faut croire qu'il est bien difficile d'apprendre à lire; c'est lui qui répondait à la question : « Jeannin, qu'y a-t-il dans le journal? » — « Je ne sais pas; je lis. » Il lisait comme on fend du bois. Cet illettré connaissait mieux que personne les batteries ennemies, les avions, les zones dangereuses, l'heure et la durée des tirs; il faisait la lessive dans les trous d'obus, et vous apportait une chemise blanchie comme à Paris. Sorti des hasards de la guerre, il s'est tué en auto quelque temps après la paix. Je puis donc parler de lui tout à fait librement. C'était un homme assez grand, bâti en terrassier, et d'ailleurs artiste en terrasse, avec une forte tête rousse, des yeux bleus sans tendresse mais non sans gaîté, et un front bosselé on eût dit par des pensées; cependant la violence dominait en tous ces signes; et il me fit toujours penser au Michu de Balzac, et à ce cou où on cherchait le fil rouge des prédestinés. A l'ordinaire, tranquille dans le danger comme un vrai Breton qu'il était. Imaginez maintenant ce sauvage assis par terre près du brasier, et rassemblant comme il pouvait ses loques militaires. A côté, Le Barbu et moi. Un autre guetteur était au balcon. Nous étions bien tranquilles là; et les deux étudiants, le jeune et le vieux, racontaient des chahuts d'école. C'est alors que Jeannin interpella avec une sorte de colère ces bourgeois frivoles. « C'est malheureux, dit-il, d'entendre ça. Moi qui ne sais rien, pas seulement lire, et qui aurais tant voulu apprendre, comme j'aurais travaillé à votre place, au lieu de faire des bêtises! » Le Barbu était Breton aussi, roux aussi, un peu plus petit que l'autre, non pas plus doux. Je me réjouissais entre ces deux héros. Je n'ai pas sur le front ces bosses redoutables qu'ils portaient tous deux; aussi mes pensées se délivrent toujours, et mes colères sont trahies par ma tête; je le regrettais; il faut passer une nuit d'hiver dans un trou à lapins pour avoir ces pensées-là. J'ai cette consolation que ni l'un ni l'autre ne me méprisèrent. Remarquons que j'approchais de mes quarante-sept ans, et qu'ils auraient pu être mes fils. Nous étions là trois égaux par la force de la situation. Mais ceux que je rencontrais pour la première fois me rappelaient à mon âge; c'était leur première remarque : « Que fais-tu ici à l'âge que tu as? » Je n'avais pas l'air spécialement vieux; mais il faut croire qu'on porte toujours son âge, et les gens qui disent que vous ne portez pas votre âge corrigent ainsi une première appréciation qui est la vraie. Ajoutons, puisque je touche à cette question de l'âge, qu'il fut toujours scandaleux aux yeux des hommes de troupe que l'on pût supposer que j'étais là volontairement, et pouvant être ailleurs; ils ne le crurent jamais. Gontier entendit un jour cette remarque à mon sujet : « Tu vois ce vieux-là, qui n'est même pas brigadier; il paraît que c'est un adjudant de la coloniale qui a été cassé. »

Jeannin est le seul camarade de guerre, avec de W., que j'aie tutoyé; je ne compte pas quelques mauvaises têtes du quartier, que je n'ai plus revues. C'était un essai d'égalité; je pensais bien qu'ils me tutoieraient aussi, mais ils ne le firent jamais, et cela termina mes tentatives d'avoir vingt ans comme eux. L'âge est respecté partout, et très exactement, dès que le pouvoir ne déshonore pas l'âge.

Jeannin s'établit donc élève et serviteur, et j'acceptai cette situation. Cela n'allait pas toujours sans mélange. Vers l'été il y eut une terrible dispute. Et voici comment. Il nous était arrivé un aspirant qui faisait table avec nous, et qui se trouvait chef responsable de cette petite bande de soldats très irréguliers. Cet aspirant était un jeune bourgeois poli, brave, appliqué, qui sortait de l'École Centrale. Je veillais à ce que son pouvoir ne fût pas méprisé. Jeannin était joueur et même tricheur, entraîné à cela par un autre; et insensiblement ils se mirent à tenir tripot, entendez qu'ils attiraient des inconnus à la table de nuit; on passait du tarot au baccara pendant que nous dormions, et les étrangers étaient plumés. Nous le sûmes. J'interdis cela, et l'aspirant fit de même. Alors ils arrivèrent à cette ruse de parler tarot et de jouer baccara; ruse que je surpris. Il fallut agir. Jeannin et l'autre furent chassés de chez nous; il y eut de la résistance et je me mis en colère. J'étais déjà brigadier; je n'y pensais guère; mais je connus ce que c'est que l'obéissance forcée. Jeannin forma une colère froide, passa des nuits à l'arrière de chez nous, inhabité, avec une lumière, afin d'attirer les obus; démonta le tuyau du poêle à la hauteur du grenier à foin, afin de nous incendier. Ces choses me parurent parfaitement méritées. Je ne suis jamais fier lorsque j'impose la morale aux autres, et de là est venue cette maxime tant de fois enseignée : « La morale n'est nullement pour le voisin. » Tout était donc pardonné; mais le vrai pouvoir se trouva saisi. Jeannin fut déporté parmi les chevaux et persécuté par l'adjudant. Je vis dans la suite qu'il m'avait pardonné aussi. Il m'arriva deux ou trois fois de donner un ordre à quelque homme qui ne pensait nullement à mes galons de laine; et du reste un brigadier ne compte guère. Mais alors jamais je ne cédai. Il y eut quelquefois des menaces du subalterne, et ce n'était pas le moyen de me rendre bon. J'eus des regrets, et en somme j'arrivai à réparer tout. D'où j'ai tiré encore une autre maxime : « Ne soyez pas chef. » Cette idée a de l'avenir. Le jour où un bon nombre de têtes solides et instruites seront et resteront parmi les esclaves, il n'y aura plus d'esclaves. Mais cela c'est un texte pour C., auquel je viendrai. Jeannin n'en pensait pas si long; je l'ai toujours vu parfaitement indifférent à la politique; il ne connaissait que ce qu'il voyait. C'est lui qui demandait : « Alors cette Italie qui se met avec nous, c'est un pays du côté de l'Angleterre ? » Il fallut dessiner une carte. Mais la lecture d'une carte marque un degré de l'intelligence; est-ce même vers la perfection ?

Jeannin lisait à livre ouvert dans le champ de bataille. Sa politique était d'être brave, et de demander, en dernier recours, à aller joindre son frère dans l'infanterie. On gardait Jeannin parce que c'était le compagnon rêvé pour toute expédition difficile, comme d'aller vers l'infanterie afin de régler le tir des canons. La destinée de Jeannin dépendait ainsi de ces ordres redoutés qui arrivaient du corps d'armée. Alors Jeannin était l'homme nécessaire, celui qui vous sauve la vie par bien regarder et écouter, sans jamais sauter de peur. A la suite de ces expéditions avec le capitaine, Jeannin était nommé observateur des batteries et des avions, et se promenait plein d'orgueil avec des bandes bien brossées et une trompette en bandoulière. Sa manière était de faire à ses amis des visites de cérémonie, les coudes sur les genoux, et imitant, et très bien, le langage le plus poli. Son défaut était d'envoyer au diable le sous-officier de service, et une fois même à coups de poing. De nouveau il était exilé avec les chevaux, désormais sale et humilié, pareil à un loup des bois. J'avais des moyens cachés de l'aider et de le faire rappeler aux honneurs de la batterie de tir (car c'est ainsi qu'on dit); mais je craignais l'irréparable; il n'y eut rien de grave.

***

Mes moyens cachés tiennent à ma politique à l'égard du capitaine T., dont Jeannin dépendait, et moi aussi. Cette politique ne peut être appelée amitié; j'y trouvai pourtant des moments agréables. Ce capitaine était, lui, un Saint-Cyrien passé dans l'artillerie un peu avant la guerre, artilleur médiocre, mais qui savait le commandement. C'est lui qui, me racontant les terribles brimades de l'école, disait : « C'est ainsi qu'on arrive à être impitoyable. » C'était un artiste plein d'esprit, amoureux de peinture, de dessin, de livres et de conversations. Son plus grand plaisir était de m'inviter le soir à boire son cognac et à fumer son tabac; lui était gastralgique et sobre. Nous étions alors comme dans une turne d'étudiants. Il connaissait tous les lieux communs de l'esthétique; mais il n'en était pas satisfait, et en tout cas j'étais là pour le secouer. Comme exemples nous avions des cartes postales de Vinci, Michel-Ange, Raphaël, que l'on m'envoyait; il me dépassait en enthousiasme, mais, par ce moyen, il me faisait faire attention à diverses choses; jusque-là je n'avais pensé sérieusement qu'à la musique. C'est dans ces entretiens souterrains que j'essayai les principales thèses du *Système des Beaux-Arts*. Sans moi il s'ennuyait. Or quelquefois je le piquais au point sensible du commandement. Par exemple : « Que font vos hommes, demandait-il, quand ils ne sont pas de faction au téléphone ? » — « Ils font, répondis-je, ce que vous faites toute la journée. » Alors il ne m'épargnait point; et dans le fond je lui donnais raison; mais je le laissais macérer dans l'ennui; il revenait; à ces moments-là je pouvais le conduire, et adoucir un peu cet homme qui pouvait tout.

Ceux qui ne connaissent pas la guerre concevront mal qu'un simple capitaine ait autant de pouvoir qu'un despote oriental. On comprendra par un exemple les suites d'un ordre tout simple. Il y avait à l'arrière de la batterie un jeune boucher du nom de Bernard, qui exerçait là son métier, dans un village encore habité, où il avait un lit et une table. Son métier était de découper les bœufs, et d'envelopper de linge fin les meilleurs morceaux, destinés, par ordre de puissance, au capitaine, au lieutenant, à l'adjudant. Il était heureux; mais c'était un bel homme et il fit une faute contre le mariage, d'où plainte au capitaine, et ordre tout simple : « Le canonnier Bernard partira demain avec son sac et se rendra à l'observatoire du bois du Jury; un guide l'attendra sur la route de Metz à six heures. » Ce n'était pas une punition; c'était une mutation. C'est ainsi que par rencontre je vis arriver un Bernard épouvanté, sautant à chaque salve, et maudissant les hommes, les femmes et les dieux. Ce Bernard devint un de nos braves; et le destin lui fit bonne part. Il lui arriva à Verdun, relevant un blessé et le portant à bras, d'avoir ce blessé tué d'une autre explosion; lui-même échappa. C'était un troupier de bonne humeur. Cet exemple montre deux choses; la première est qu'un simple capitaine exerce un pouvoir absolu, par les moyens les plus simples; la seconde est qu'il ne faut point juger d'un homme d'après sa première peur, ni même d'après aucune peur; car les plus braves ont peur à des moments.

Ce sujet de la peur me ramène à Jeannin. Il n'était pas peureux; mais un jour je le vis inquiet. C'était dans notre paradis de Beaumont, qui ce jour-là était évacué et secoué d'importance. Je me préparais, quand commença l'avalanche, à lire sur mon foin un roman qui avait pour titre *Le Squelette aux mains liées*. J'eus de l'humeur, je ne sais pourquoi, et je m'obstinai là. Jeannin me voyant impossible à remuer resta aussi; cependant il sautait, il comptait les arrivées. J'avais juré de lire mon roman, et je tournai les pages; mais je n'en compris pas un seul mot. On s'émerveilla de nous retrouver entiers. Je connus plus d'une fois que c'est un genre de prudence de rester où l'on se trouve. De W. fut tué à Verdun en voulant se sauver. Se sauver où? Je n'ai jamais su me sauver; en revanche, quand il s'agissait de sortir, je manquais tout à fait d'ardeur; et je me souviens de moments honteux, où je me disais : « L'ordre le plus pressant, je ne l'exécuterais pas maintenant. » Il est vrai qu'à ces moments il n'y avait point d'ordres, ni rien à faire; dans ces occasions la peur est comme une maladie.

Il me reste à dire comment je contribuai à sauver la vie d'un autre résistant, bien différent de Jeannin, et lui encore vivant, et précieux ami. Celui-là avait pas mal de vertus; je lui vis pratiquer plus d'une fois la maxime chrétienne, qui ordonne de prendre le fardeau du voisin quand ce fardeau est lourd. Les phrases vertueuses ne m'intéressent pas, mais la vertu en action m'intéresse. C'est pourquoi, déjà au quartier, je me liai avec ce garçon de la classe quatorze, que rien ne fatiguait et n'effrayait. Il fit partie de notre petit groupe de volontaires, tomba à la batterie du capitaine T., fut chargé des plus pénibles tâches, tout boueux, ses habits percés, et injurié encore en plus. C'était aussi un Breton, mais bâti en taureau, l'air mauvais quelquefois. Encore bon catholique en ce temps-là, ayant lu des choses, volontiers raisonneur et discoureur. Seulement il était vif; et ayant eu affaire au médecin pour une colique, il se vit traiter de simulateur. Alors il lâcha tout ce qu'il pouvait. « Vous me faites ... », dit-il (très improprement); et cela avec geste violent qui pouvait passer pour menace, car il jeta son bonnet par terre. C'était se livrer au peloton. Je ne savais rien de cela quand le capitaine T. me demanda fort sérieusement si je connaissais C. Je n'eus aucun effort à faire pour louer le canonnier infatigable et sans peur. Alors le capitaine me lut le rapport du médecin, et je vis aussitôt que si C. était envoyé à l'arrière, avec ce rapport collé au dos, il était perdu. Il fallait rompre le sérieux, ce que je fis habilement. Il y avait de l'emphase dans le rapport, et un capitaine, comme je savais, est disposé à juger ridicule un médecin-major. J'insistai sur l'impropriété grave de l'exclamation qui avait échappé à C.; car c'était plutôt le contraire qu'il devait dire; et je conclus que jeter son bonnet par terre, ce qui est dégrader volontairement ses effets militaires, est une grande faute, etc. Je faisais ce que je pouvais; mais je fis rire le juge; et je dois dire aussi qu'il n'était pas d'abord porté à l'extrême sévérité; seulement il n'avait qu'à laisser courir l'affaire. Le commandant était un homme doux. Le rapport fut déchiré. Le capitaine s'intéressa à C. et l'envoya aux observatoires; si c'était une punition, elle ne pouvait déplaire à un homme qui connaissait déjà la guerre. D'observateur et signaleur, C., qui n'apprenait guère moins vite que Jeannin et qui savait bien plus, arriva à l'alphabet Morse et à l'écouteur de T.S.F. où il fut supérieur. Il n'en espérait pas tant. Et plus tard je l'entendis qui philosophait là-dessus. « C'est bizarre, disait-il; et pourtant j'en ai vu dans mon enfance, au temps où j'usais la route. C'est bizarre. Quand j'étais à la batterie je faisais tout ce qu'on m'ordonnait et bien, et je n'avais que des injures. Mais, du jour où je dis au major : « Vous me faites... », tout changea; le capitaine s'intéressa à moi, j'appris la T.S.F., et me voilà favori ou presque. » C'est là un morceau de *Zadig* ou de *Candide* que je ne veux pas laisser perdre.

***

Tous ces souvenirs se rapportent au premier hiver, et c'est la couleur de la saison qui me permet de les dater à peu près. Notre guerre d'artilleurs consistait surtout en tirs de défi, de riposte ou de punition. Voici un exemple que par hasard je jugeai en spectateur. Il y avait, en lisière d'un bois, dit de Gargantua, environ à six kilomètres de nous, quatre obusiers de 105 visibles par leurs fumées, et qui nous bombardaient à peu près tous les jours. Nous sûmes qu'on allait les détruire, et j'eus loisir d'observer l'opération. Je me trouvais un peu derrière une section de 75, qui se mit à tirer comme on lance des pierres. Le temps que met un homme à se baisser, à se relever, à lancer, le coup partait. Je reconnaissais l'explosion de l'obus à un genre de fumée; et je puis dire qu'ils tombaient dans les bois ici et là, et fort loin du but. A quoi sert de tirer vite? En revanche les coups des grosses pièces, et les salves de nos deux batteries se rassemblaient merveilleusement au point même où nous savions qu'était la batterie visée. Elle restait muette et comme morte. Nous l'imaginions en cadavres et débris. Quand nous cessâmes de tirer, il y eut un beau silence. Et puis nous vîmes de nouveau les quatre grosses fumées, nous entendîmes les quatre projectiles; il fallut faire retraite. D'autres batteries s'y mirent, et, aux yeux des artilleurs ennemis, Beaumont fut un volcan, un enfer inhabitable. C'est ainsi qu'on en juge à six kilomètres. Dans le fait, nos mouvements furent gênés pendant une heure, et il y eut un cheval tué.

Les fantassins n'étaient pour nous que des spectres boueux, entrevus à l'heure de la relève, c'est-à-dire au demi-jour. L'artillerie, alors, était priée de se taire. On voyait quelquefois ces pâles colonnes traverser la route en silence, redescendre, et bientôt s'effacer comme des visions. Ceux qui remontaient passaient à nuit noire; quelquefois, au premier printemps, qui fut chaud et puant tout d'un coup, nous tirions de l'eau de nos puits; un troupeau invisible se pressait autour de nous; j'entendis une voix qui disait : « Sur les mains! sur les mains! » Nous avions grand-pitié de nos frères. Le capitaine, une ou deux fois, fit préparer du thé dans une lessiveuse. Il y eut des bruits de gosier et des grognements de bonheur; cela dans une nuit d'encre.

Il y eut aussi quelques attaques manquées; voici ce qu'elles furent pour nous; et il n'y a pas grand inconvénient si je les rassemble en une. Nous étions mis en alerte par Bernécourt, c'est-à-dire par le commandant B. qui assurait autant qu'il pouvait les liaisons; et ce n'était pas facile. Chose étrange, nos officiers ne prenaient aucune part à ces opérations; les batteries avaient leurs objectifs, nous passions les ordres; et souvent il fallait courir à la cave de l'infanterie, les fils se trouvant coupés ou brouillés. Dès que la canonnade préludait, nous courions et sautions, de W. et moi, saisis d'un enthousiasme incroyable, sans peur aucune; ces deux émotions ne peuvent aller ensemble, et cela par la raison qu'elles intéressent les mêmes organes, et se ressemblent plus qu'on ne croirait. Fuir ou attaquer, c'est toujours courir. Tout finissait par un ordre conçu à un peu près en ces termes : « Ralentir progressivement le tir. » L'enthousiasme tombait à plat. Je vis une fois les suites, ou plutôt je les entendis. Après l'attaque manquée, ce qu'il fallut, comme toujours, comprendre à demi-mot, je transmis à l'infanterie un message ainsi conçu : « On a aperçu, des observatoires, une certaine confusion dans les combattants, et une sorte d'interruption du combat. Rendez compte de cet incident. » La réponse m'étonne encore à y penser; mais je la reproduis exactement; on ne peut oublier ces choses-là. La brigade répondit ceci : « Une trêve à un moment fut conclue pour l'enlèvement des blessés; une salve d'honneur annonça la reprise du combat. » Je cite maintenant la réponse du haut commandement, parce qu'elle est bien militaire : « Il est impossible que les choses se soient passées ainsi que vous le dites, et j'attends des explications plus satisfaisantes. » En suite de quoi je transmis un rapport plus convenable, en effet, mais fort confus, où l'on rendait compte d'un arrêt momentané du combat, par la boue incroyable qui immobilisait les hommes et les armes. Je devais entendre un récit plus confus encore et plus tragique. A la nuit entrèrent dans notre salle du téléphone, où nos officiers étaient à table, deux lieutenants aussi boueux de la tête aux pieds que furent jamais mes souliers. Ces hommes étaient fous, et bondissaient entre les murs, jetant, comme en débris incohérents, des accusations qui étaient pourtant très claires. Les hommes enlisés dans la boue jusqu'aux cuisses, et tirés comme à la foire. Une attaque évidemment impossible, et même absurde, sans suites concevables, et qui n'avait même pas commencé. On ne pouvait courir, ni même marcher. « Qu'ils y viennent donc voir! Ils ne croient rien et restent assis là-bas. Mais nous allons tout dire. » Ils se calmèrent et se refirent. Un peu plus tard je fus leur guide jusqu'à l'auto qui les attendait; j'entendis les dernières explosions de la colère.

« C'est bien heureux, dit finalement le capitaine T., qu'ils aient trouvé à se soulager ici; ils étaient dans le cas de se faire fusiller. »

Ce que je retiens de cette période d'hiver, c'est un incroyable désordre, l'absence d'instructions coordonnées; une guerre d'enfants. Les sous-officiers de nos batteries recevaient nos ordres; le commandant B. ignorait nos capitaines et semblait ne se fier qu'à nous. On racontait que les canonniers bondissaient comme des diables, embrassaient tendrement les obus allongés avant de les loger dans la culasse; et même, quand j'envoyais quelque beau message pour les réchauffer, et j'y croyais, il me semblait entendre une chaude acclamation qui venait en rumeur par le fil. Tout pouvoir est jaloux. Cela explique que nos officiers restassent dans leurs caves. Ils venaient ensuite aux nouvelles, quand c'était fini. J'étais indigné; je ne pouvais comprendre. Ces folies prirent fin avec l'offensive d'avril 1915. On se mit à compter les projectiles et à préparer quelque chose.

Tout commença par un plan d'instruction qui nous troubla dans nos habitudes, et que nous jugeâmes ridicule. Il fallait pourtant commencer; et l'instruction, à bien regarder, est le triomphe des militaires, qui sont des instituteurs étonnants. Nous eûmes à nous transporter par équipes, jusqu'à des villages habitables où l'on nous apprit à tendre des fils sur des perches et à faire des épissures, ce que nous savions très bien. Ainsi qu'il arriva plus d'une fois, on me laissa d'abord au service ordinaire; et, dans le fait, je n'assistai jamais à aucune leçon. Mais un matin il fallut partir; il resta un invalide. Et, en route, un ordre nouveau nous fit faire un crochet vers Bernécourt et Flirey. Il ne s'agissait plus d'instruction. Je fis connaissance avec le village nègre, formé dans une carrière, très bien abrité, et à cinq cents mètres des lignes. Je dormis insoucieusement sur des planches et je fus réveillé par des shrapnells; j'en vis rouler sur cette route qui devait m'être si familière, et que j'appris plus tard à considérer comme dangereuse. Ce jour-là, et dans un lieu nouveau, nous avions le courage des recrues. Il fallut attendre le soir; et un officier d'état-major nous conduisit sur une grande plaine penchée; à gauche l'infanterie, à droite un bois, où l'observatoire était marqué par un certain arbre; une ligne à dérouler de la carrière à l'infanterie, une autre de la carrière à l'observatoire, une autre de l'observatoire à l'infanterie; matériel neuf et surabondant; n'opérer qu'à nuit noire. Deux équipes. Le sous-officier, Dujardin, prit la tâche la plus dangereuse, comme il faisait toujours. Je rends hommage en passant à cet homme de guerre, grand diable gai et résolu, qui devint officier et n'en fut pas plus fier. J'eus pour moi, comme brigadier, le côté de l'observatoire. Nous voilà attendant l'heure; et le soir était bruyant et agité. Je vis arriver les Rimailho, canons de 155 à tir rapide; j'admirai ces ingénieuses mécaniques; j'eus ensuite occasion de comprendre que le tir rapide, comme la poudre sans fumée, sont des idées de cabinet. Le tir rapide fait qu'on manque bientôt d'obus; mais surtout il échauffe les pièces et les met hors d'usage. Et j'ajoute que le Rimailho avait une portée ridiculement courte; c'est pourquoi il fallait bien le rapprocher des lignes. Les gros obusiers allemands portaient à douze kilomètres; ainsi ils se tenaient à peu près hors d'atteinte; il fallait une très bonne oreille pour entendre leur coup de départ. Je puis dire dès maintenant que cette offensive fut sans effet; et, par hasard, à quelque temps de là, j'en sus le pourquoi de la bouche même du commandant M. Le quart de nos 75 avait sauté. Effet du tir rapide, ou de munitions mal calibrées? L'un et l'autre peut-être. Mais on juge de la terreur, et d'une sorte de paralysie de nos pièces légères; car nul ne reste à côté d'une pièce qui va peut-être s'en aller en morceaux. On tirait le coup d'un trou, et par une longue ficelle. La confiance revint peu à peu, quand on eut pris pour règle de faire tirer deux coups à la minute, quel que fût le cas, aux pièces de 75, aussi bien qu'aux nôtres, qui reculaient à la vieille mode et que l'on ramenait à bras.

Je reviens à cette étrange nuit, qui fut comme un rêve. Les balles ne cessèrent pas de siffler, sans que je puisse comprendre qu'aucun de nous n'ait été atteint. Je suppose qu'elles passaient très haut. Toutefois, dans la période d'attente, et au demi-jour, j'observai beaucoup de petites éruptions dans le terrain sablonneux, et quelqu'un me dit que c'étaient des balles; j'ai peine à le croire; il y avait là des chevaux et des hommes qui en auraient su quelque chose par les effets. Cette nuit fut pour moi la nuit des simulacres. Les batteries tonnaient; les projectiles ronflaient au-dessus de nos têtes; les balles sifflaient; des lueurs éclairaient le ciel; et pourtant la nuit sur l'étroite vallée, sur les petits buissons, sur les champs indéfinis, était noire et tranquille. Il s'agissait de transporter et de dérouler de lourdes bobines de fil; nous étions soutenus par une sorte d'espérance et aussi par un flacon de kirsch. J'étais surtout attentif à ne pas perdre la route et à retrouver l'arbre que j'avais reconnu avant la nuit sur la lisière du bois. Je me souviens que je rencontrai un réseau de barbelés au ras du sol, et que j'y fus brutalement couché tout de mon long, sans mal; je mis du temps à m'en tirer. C'était déjà l'aurore quand je reconnus le bois et l'arbre; une alouette chantait; j'étais parfaitement heureux. Au talus je vis un artilleur qui observait nos mouvements et reçut le bout du fil. C'était Gontier. Joyeuse surprise. Il avait un bon feu et du lait chaud. Après ce doux moment, il s'agissait de revenir au village nègre, et à découvert; nous allions ingénument; mais il fallut courir et s'aplatir. Le soir je retrouvai Beaumont comme on retrouve sa patrie. Cette offensive-là se fit un peu sur notre droite. On disait que les chevaux étaient attelés aux caissons et que nous allions avancer de dix kilomètres. En une matinée tout fut réglé; ce ne fut pour nous que bruit et puis silence. Il y eut ensuite d'étranges rumeurs, et mes jeunes compagnons croyaient tout. J'ai dit plus haut ce que je sus un peu plus tard d'une des véritables causes. Si l'on veut démêler les rumeurs, il faut deviner les passions. De cela je donnerai un exemple qui se rapporte à une autre offensive. Je revenais dans l'auto des estafettes, portant des piles et d'autres accessoires lorsque nous offrîmes une place à une sorte d'ambulancier, qui sentait l'auxiliaire et le séminariste. Il nous entretint d'une attaque manquée, accusant un régiment de Limoges, pourri de socialistes, disait-il. Je demandai ce qu'avait fait l'autre régiment, celui-là réputé : « Oh, dit-il, il n'a pas pu sortir; le feu était trop violent. » Je lui fis entendre, sans douceur, que cette raison-là valait bien aussi pour les socialistes. Ce fut comme s'il avait vu le diable. Il sauta sur la route et s'en alla vers ces régions intermédiaires où l'on juge sans appel. Il y a de l'affinité entre l'esprit militaire et l'esprit religieux, non pas seulement par le jeu des intérêts, mais par une politesse du jugement. Mes amis les estafettes étaient aussi parmi les bien-pensants; je connus plus d'une fois, par des silences, que les opinions radicales ne sont pas agréables à soutenir. Même le simple peuple en est choqué; il leur faut un dogme ou un autre. Il faut dire aussi qu'ils étaient bien jeunes, et peut-être seulement timides devant une idée nouvelle comme on est devant une action nouvelle; car, avec un air de me désapprouver, ils me gardèrent confiance et même respect. Je suis accoutumé par mon métier à ce genre de résistance; mais ici, redevenu à peu près sauvage, je n'essayais même pas de persuader. J'excellais à la grosse plaisanterie et à musiquer sans prétention. Le capitaine T. me disait quelquefois que j'étais aussi troupier que les autres.

***

Avec le bel été qui suivit, commença pour moi une autre période de guerre. Dujardin s'en alla à Fontainebleau; Gontier fut maréchal des logis, et devint mon chef. J'étais à ce moment-là brigadier; on m'offrit le grade supérieur; je refusai, par un mouvement d'instinct; je ne voulais pas me laisser attirer de ce côté-là. On me laissa libre; et plus d'une fois ainsi on consulta au lieu d'ordonner. C'est l'occasion de reconnaître que le commandement eut toujours des égards. Je dois dire que si j'avais eu le pouvoir, j'aurais commandé autrement. En ces jours, nous fûmes délivrés du capitaine B. qui avait si peur. Son remplaçant me reconnut comme son ancien professeur de Lorient. Il fut cordial; mais, dans les rares occasions où je dépendis de lui, il fut dur et même brutal, et je l'approuvai. C'était un Breton, il est vrai toujours soutenu de cognac ou de kirsch, mais exact dans le service et sans peur. Il faisait la guerre et fut tué. Avec des chefs de ce genre-là je n'aurais jamais eu à choisir; et c'était ce qu'il me fallait.

En cet heureux été, Gontier, usant fraternellement de son pouvoir, me sépara autant qu'il put des officiers. Nous laissâmes le téléphone à l'homme de troupe et nous nous fîmes ingénieurs du réseau. Travail utile et jusque-là trop négligé. A trois heures du matin nous étions en route, dans la brume et dans la rosée, souvent emportant la sardine et le gruyère qui sont d'institution; jusqu'au soir nous étions nos maîtres. Suivre le fil, vérifier les connexions, recouvrir de toile goudronnée les parties dénudées par le frottement; couper une perche ou deux dans les bois afin d'élever le fil au-dessus des pistes; en même temps observer les trous d'obus, faire passer le fil par les zones tranquilles, au prix même d'un long détour, tendre quelquefois un fils de remplacement dans les passages dangereux, tel était notre travail; nous profitions de cette trêve du matin, bien connue de tous ceux qui ont fait la guerre. En ces promenades nous découvrîmes la batterie. Secrète, ainsi nommée, disait-on, du nom de son premier capitaine, et qui fut en effet secrète toujours, quoique peu éloignée des lignes et très redoutable. Dans un petit bois tout parfumé nous vîmes paraître les deux longs tubes de 155, les gros affûts, et les plans inclinés sur lesquels reculaient ces pièces rustiques. Je ne crois pas qu'elles aient jamais reçu un obus. On comprend bien que nous coulâmes par là un de nos fils secrets. Nous apprenions le métier. Il est très pénible de courir pendant le feu pour rattacher un fil coupé; c'est aller exactement sous le tir; il est pénible d'une autre manière d'y envoyer les autres; et de toute façon ce travail est mal fait. Nos lignes étaient rarement coupées, et quand elles l'étaient, quelque fil secret et détourné faisait l'affaire, en attendant l'accalmie. Stendhal dit quelque part que le soldat ne craint pas la mort, parce qu'il espère bien l'éviter par son industrie; cela s'appliquait tout à fait à ce genre de guerre que nous faisions. Ces heures tranquilles et ce travail facile étaient ainsi doublement agréables.

Aux environs de huit heures les choses commençaient à aller moins bien. Aux premiers sifflements d'obus, Gontier avait une manière assez comique de dire très sérieusement : « Comme c'est désagréable! » C'était le moment de descendre en quelque abri d'observatoire, d'essayer les lignes, de changer les prises de terre, ordinairement faites d'une baïonnette, et insuffisantes. Là-dessus nous étions abondants en discours, et méticuleux dans la pratique. Voici pourquoi. Un peu auparavant, et encore au temps de Dujardin, les téléphones qui se trouvaient voisins avaient chacun leur terre, et les communications se mêlaient par la terre; comment cela se pouvait faire, je ne me l'étais jamais demandé; je ne connaissais du téléphone que l'écouteur et le microphone, cette petite boîte remplie de grains de charbon, dans laquelle on parle. Mais il vint de Rambucourt un officier polytechnicien qui avait charge d'inspecter les postes. Dujardin vint me consulter. « Il exige que les baïonnettes de prise de terre soient éloignées les unes des autres de cinquante mètres, le fil me manque; que faut-il faire? » Je demandai dix minutes pour la réflexion et je lui dis : « Vous allez rassembler toutes les terres en une seule bonne terre tout à côté, seulement bien creusée et bourrée de treillages métalliques; il n'y aura plus aucun mélange par la terre. » Dujardin ouvrit de grands yeux, se fit répéter la chose, l'exécuta, et se moqua agréablement du polytechnicien. J'avais découvert une pratique qui était bien connue de tous les gens de métier, mais que j'ignorais tout à fait. Toutefois, j'avais réfléchi sur les choses électriques avant la guerre, lentement et à la mode. Au temps de l'Université Populaire de Montmartre, j'avais, pendant tout un hiver, refait les expériences principales sur les courants, les aimants, les dynamos et les moteurs devant un auditoire composé surtout d'étudiants; un seul ouvrier tint jusqu'au bout; je m'étais surtout instruit moi-même et par des raisonnements assez terreux. Mais de terre, au sens propre, il n'avait pas été question; j'avais toujours mon fil de retour. Reprenant mes pensées de ce temps-là, je me représentai que ce téléphone que je tenais lançait des signaux variés comme par des coups de pompe agissant sur une canalisation, d'eau ou de n'importe quel fluide; c'était toujours le signal du mineur par coups frappés. Or, si je supposais un fil de retour, je pouvais faire courir le fluide plus ou moins dans ce circuit; au contraire avec un fil isolé aux deux bouts, ma pompe, c'est-à-dire ma pile, n'agissait plus; c'était pomper sans réservoir et dans un tuyau fermé. Que signifiait alors la terre et le retour par la terre? Non pas tant, me disais-je, un gros fil de retour, qu'un réservoir immense, où l'on pouvait prendre tout le fluide que l'on voulait, et refouler tout le fluide que l'on voulait. Et que représentaient ces prises de terre imparfaites et communiquant, sinon de petits réservoirs reliés par des fissures ou tuyaux de hasard, et tels qu'on n'y pouvait puiser et refouler sans changer le niveau des réservoirs voisins, ce qui revenait à envoyer aussi un message par la terre à tous les postes d'alentour. Mais ayons une vraie terre, c'est-à-dire un réservoir comme infini et commun à tous les manieurs de pompe, alors mes coups de pompe ne pourront troubler la pompe voisine. Ce raisonnement n'est pas nettoyé; mais c'est ainsi que se font les découvertes. Et j'écris ce fragment de ce qu'il faut appeler l'histoire d'une intelligence pour qu'on sache que j'ai plus d'une fois raisonné à la manière d'Archimède et de Galilée, ce qui expliquera un peu certains jugements d'apparence téméraire. Il faut comprendre que, par une polémique d'abord purement politique, j'ai été entraîné à parler de tout. Que les Grands Prêtres me renvoient à la littérature, cela ne m'occupe guère; mais à mes amis inconnus, je dois quelques éclaircissements. Si j'arrivais à relever le bon sens et à lui inspirer du courage, j'aurais fait beaucoup pour la liberté.

Établi dans mes propres idées, conduisant mes recherches selon les méthodes de l'âge de pierre, et négligeant de porter en affiche ce que j'ai lu et appris, je devais être humilié et je le fus. Un peu plus tard, me trouvant en relation pour quelques heures avec un lieutenant d'artillerie dont je n'ai jamais su le nom, pour une transmission de service, je dis, en regardant son poste principal : « Vous avez la terre unique, naturellement. » Il répondit : « On le fait partout, et cela réussit; du diable si on comprend pourquoi. » Il parlait pour lui-même, et je répondis pour moi-même : « Il me semble que la théorie conduit là. » J'avais marché sur un polytechnicien. Je renonce à donner l'idée du mépris qu'il me témoigna aussitôt, et dans les termes les plus vifs. « Qu'est-ce que la théorie a à voir ici, et qu'est-ce que vous en savez ? » Je rentrai sous terre; mais j'aurais aimé à reprendre cette discussion à la paix, dans des conditions meilleures. Que de fois j'ai souhaité cela! Et je ne suis pas le seul. Seulement on n'a jamais de ces revanches; et encore est-il probable que l'invective changerait simplement de côté. Le pouvoir corrompt le maître et l'esclave; toutefois un peu moins l'esclave.

Cet été fut sans histoire. Nous échappions à nos tyrans, et nous nous abritions quand il fallait. Il n'y eut que la fameuse pièce de marine, qui faillit nous faire beaucoup plus de mal qu'elle n'en fit à l'ennemi. J'ai dit que, de la crête de Beaumont, on découvrait une grande étendue de pays. Au fond d'une large cuvette, bordée à l'horizon par les Hauts de Meuse, on voyait très bien Vigneulles, et la gare allemande où des locomotives manœuvraient, amenant troupes et munitions. Seize kilomètres c'était trop pour nos meilleures pièces. Il vint des canonniers de marine, qui firent entre Beaumont et Flirey un abri admirable. C'est là que je vis l'élégante pièce, de 130 de calibre ou à peu près, tournant sur un pivot gradué, dans un réduit semblable aux tourelles marines. Nous eûmes grand espoir. Dans le fait les projectiles allaient peut-être au but, mais comme ils n'éclataient presque jamais, nous ne sûmes rien, et le trafic de la gare de Vigneulles continua comme toujours. Toutefois nous reçûmes un tir de punition, qui me fit connaître pour la première fois de près les gros projectiles de 210. Par la porte d'une cave où nous étions entassés je voyais monter des mottes de terre grosses comme une table à manger. Un blessé saignait et geignait. L'officier de marine était là avec le matelot téléphoniste; et je me souviens très bien de l'ordre donné : « Allons, sors! Va réparer la ligne. » Le matelot n'y alla point, et l'officier non plus. Cela me parut naturel. Au reste nous étions tous stupides de peur, et je ne vois pas à quoi pouvait servir un téléphone, quand l'observateur était dans la cave. Gontier se trouvait ce jour-là à Minorville avec les chevaux, et observait les effets; il nous crut tous morts.

Par contraste j'ai souvenir de soirées merveilleuses. Plus d'une fois, l'aspirant G., Gontier et moi, nous sûmes que les villages de la ligne ennemie seraient bombardés; une riposte était à attendre, et, comme nous étions libres de tout service, nous descendions vers Richemont, dans la région intermédiaire entre l'infanterie et l'artillerie. Les reines-marguerites couvraient le terrain à perte de vue; la route était à peu près invisible par l'envahissement des herbes. Ayant passé les fils barbelés nous étions dans un grand vallon redevenu sauvage, sous le ciel de juin, couchés, aussi tranquilles qu'à Tours ou à Châteauroux. Les projectiles passaient en deux sens au-dessus de nous. Cela nous semblait aussi naturel que la lune et les étoiles. Beaumont fumait et éclairait comme un volcan. Une heure après nous allions nous coucher dans ce lieu terrible, où nous trouvions seulement des ruines un peu plus près de terre. Les extrémités d'un village qui s'offre par le travers, comme c'était le cas, n'ont à craindre que des coups de hasard, surtout la nuit.

***

En septembre arriva un ordre de départ. Il y eut quelques incidents, seulement risibles. L'ingénieux Dujardin avait fait aménager une voiture à fourrage pour le transport de nos outils, instruments, fils, échelles; car nous n'avions qu'un caisson ridiculement petit. Notre brave homme de commandant, nommé R., qui venait d'un atelier de voitures, fit remarquer que notre équipage n'était pas réglementaire; il fallut tout débarquer, et laisser presque tout; et lui, très tranquillement, fit mettre ses malles et bagages dans notre voiture si bien aménagée. Oui. Mais à la traversée des bois, la nuit, et dans une boue incroyable qui arrivait au ventre des chevaux, la voiture à nous volée se rompit en deux. Cette même nuit, par un cahot, nous fûmes, deux ou trois, jetés de notre caisson dans cette même boue, où on aurait plutôt nagé que marché; j'y perdis une guirlande de petits paquets bien précieux. Mais je n'y pensai pas longtemps; au petit jour nous étions dans un bourg comme tous les bourgs, où l'on voyait des femmes et des boutiques de charcutier, choses oubliées. J'étais fou. Je promenai partout une capote qui n'était que boue à demi séchée, et j'achetai de quoi nourrir une vingtaine d'hommes. De bourg en bourg, autour de Toul, toujours marchant la nuit et dormant le jour, et non encore civilisés, nous nous trouvâmes finalement dans un train; nos canons boueux faisaient l'admiration des gamins; et nous, nous faisions figure de héros imperturbables, chacun à son tour assis les jambes pendantes à la porte des wagons à bestiaux; les chevaux bien rangés et nourris à la main, car le voyage les attriste. Ces voyages durent longtemps, et nul n'est pressé d'arriver. Où nous allions? Les officiers eux-mêmes ne le savaient pas. Je lisais des noms de gare comme Joinville. Mais où diable est Joinville? Je ne le sais pas encore bien.

Nous allions en Champagne. Et, quand ce fut assez clair, les langues marchèrent. On avait des nouvelles merveilleuses de cette offensive, où l'on disait que la cavalerie avait percé les lignes. On croit ces choses. Et pourquoi non? Tout est possible à la guerre. Le fait est que ce n'était pas vrai; et, avant peu, nous allions le savoir, et le nez dessus, puis-je dire. Nous voilà débarqués à Saint-Hilaire, et logés dans les granges, parmi une multitude d'hommes. Quel changement de la grasse

Woëvre à ce pays misérable! La poussière de craie donnait soif et cet automne était chaud. Je me souviens d'avoir bu un jour peut-être dix quarts de bouillon brûlant pris à la cuisine roulante. Les hommes avaient soif et refusaient le bouillon; mais ils finirent par suivre mon exemple. C. m'a dit depuis qu'il avait admiré beaucoup cet exemple de résignation que je donnais. Mais il n'y avait point l'ombre de vertu dans cette action; je savais et je sais que rien ne vaut, même pour le plaisir, le bouillon chaud quand on a soif.

Nous admirions des choses nouvelles, les autobus parisiens porteurs de viande, et les camions porteurs de fantassins. Des cavaliers à burnous flottant galopaient sur des chevaux merveilleux. Nous vîmes aussi des milliers de fantassins qui portaient un grand carré blanc cousu sur le dos; cela c'était moins gai. Les vagues d'assaut se trouvaient ainsi marquées pour l'artillerie, qui risquait moins de tirer dessus. Mais nous savions bien, nous, qu'il ne suffit pas de savoir où l'on veut tirer pour tirer là précisément. Ces hommes marqués dans le dos ne semblaient point en penser long; ils allaient de cabaret en cabaret et semblaient mus par mécanique. Le canon grondait mais encore assez loin. Il y eut des journées perdues; nous devinions déjà que l'armée de poursuite piétinait, et c'était vrai. Nous ne nous sentions pas aspirés en avant; au contraire nous étions derrière une foule arrêtée, et nous haussant vainement pour voir. D'où une inertie dont s'arrangeait très bien notre paresse militaire. On trouvait ce qu'on voulait pour de l'argent; nous nous lavions dans un petit ruisseau; l'herbe était fraîche sur les bords. Pendant ces quelques jours les chefs nous laissèrent tranquilles. La craie nous nettoya de la boue. Quand on a vu des fantassins marqués dans le dos, on est heureux de peu.

Enfin nous nous mîmes en marche de nuit et sur route. Pays plat, avec quelques bouquets de pins; c'était le camp de Châlons; mais nous ne savions rien de rien. Il y avait, comme toujours, des arrêts aux carrefours, et d'interminables files de voitures; alors on dormait sur le talus. Un brouillard se leva, et je crus rêver jusqu'au matin, tantôt somnolant sur le caisson, tantôt marchant à côté. Je me souviens que le capitaine T. vint dormir sur le caisson. Vers la fin de la nuit il y eut de l'agitation au passage d'un ruisseau sur des poutres branlantes; et je crus bien, quelque temps après, que nous le traversions une seconde fois; il est probable que nous avons tourné en rond dans le brouillard. Gontier, envoyé en éclaireur, tomba dans une tranchée avec sa jument, et n'en sortit qu'au matin. Une grosse pièce tirait; mais toute direction était perdue; le monde avait la dimension d'un caisson avec son attelage. Les bougies que l'on allumait de temps en temps éclairaient une caverne nébuleuse. Mais le réveil fut beau. Le monde se trouva nettoyé en un instant; nous débouchions sur une grande pente assez douce bordée de pins. Par-dessus nous les 155 tiraient à grand vacarme; en avant, un bruit plus épais, dont tout le pays tremblait. Des files de petits blessés, presque tous Marocains, commencèrent à revenir; notre médecin en pansait quelques-uns au passage. Je vis parmi nous des visages qui tournaient au vert. C'étaient des hommes qui vivaient d'ordinaire avec les chevaux. Je compris alors cette peur à la canonnade, dont parlent les livres; mais je ne l'éprouvai point du tout. Notre équipe semblait bien aguerrie. Pour moi, je me sentais sans peur et bondissant; je compris Austerlitz et l'épopée. Faute de mieux j'enroulais des hectomètres de fil abandonné; après quoi je dormis longtemps sur un lit de branches de pin. Tout le mouvement s'apaisa, et de nouveau nous sentîmes très bien un arrêt; nous le sentîmes physiquement. Cette grande pente me figurait le plan incliné de la victoire, comme dit de Maistre; mais nous ne glissions plus. Je suppose que les armées en action reçoivent de tels messages sur la face, et que c'est par de telles causes qu'elles avancent, s'arrêtent ou reculent. Le fait est que la dernière attaque d'ensemble était bloquée. Nos pièces furent abritées sous les pins. Il y eut un massacre de chevaux un peu en avant de nous; nous eûmes des biftecks de cheval, et j'appris alors que la viande d'un cheval blanc n'est pas comestible. Est-ce vrai? Nul depuis n'a pu m'instruire là-dessus. On coucha dans le boyau, branches de pin dessous et dessus. On disait que les positions que nous devions occuper étaient assez mauvaises; on parlait de Souain comme d'un lieu terrible. Les États-Majors refluaient; nos chevaux furent reportés en arrière; le commandant souffrait d'une extinction de voix; cela représentait assez bien notre énergie refroidie. Là-dessus notre équipe eut mission d'aller à Souain pour préparer les liaisons téléphoniques; et nous voilà partis six sur notre caisson, menés par Jeannin, toujours imperturbable et tout heureux de nous retrouver. Une demi-heure après nous étions sur le terrain volcanique et comme lunaire tant de fois décrit, et réellement indescriptible. Des coups de pouce d'un sculpteur gigantesque dans la glaise séchée, ou bien cet aspect des nids de guêpes, gris et feuilletés. Mais, du point de vue de l'artilleur, qui a surtout à se cacher, le terrain ne manquait pas d'abris; ce n'étaient que trous et plissements, avec abondance de grenades et d'obus non éclatés. Le commandant inconnu que nous vîmes à Souain, et que nous relevions, nous recommanda de veiller à notre sûreté; il n'avait pas tort. Mais nous étions libres de nos mouvements et déjà formés. Il ne nous arriva rien de mal, et nous fîmes, Gontier et moi, les autres portant seulement les fils, un joli travail. Car il y avait abondance de fils coupés qui traversaient les bosses du terrain; le difficile était de tenir les deux bouts d'un même fil; nos lampes de poche servirent très bien pour ce genre de recherches, et nous étions justement fiers quand nous revînmes le soir au campement, poudreux, fatigués, affamés, altérés; mais on nous traita bien; et la peur d'imagination, encore un coup, nous prit pour des héros. Je couchai sous la tente, pour la première et la dernière fois de toute ma guerre.

Le lendemain, derrière les batteries enfin installées, nous téléphonions dans un abri allemand taillé à pleine craie, soutenu par des troncs de pin, et fort bien aménagé. Nous couchions dans une chambre inférieure, qui ne craignait rien. Je me crus chez Aladin, car les troncs de soutien étaient tous phosphorescents; nous aurions très bien dormi à cette clarté de veilleuse, sans deux inconvénients qui étaient liés. Le premier était que les couchettes consistaient en des treillages d'acier qui sonnaient comme des pianos au moindre mouvement; nous baptisâmes ce système Le Silencieux. Le second inconvénient, qui justement nous tenait en mouvement et musique, c'étaient les poux. Je soupçonne que la Champagne où nous étions a été fort exactement nommée pouilleuse, car j'ai observé dans les boyaux crayeux plus d'une colonie de poux, comme on voit ailleurs des fourmis. Est-ce de là que les poux gagnèrent toute l'armée? Je ne sais.

En ce mois de Champagne, je fus beaucoup dehors. Gontier fut tout d'abord criblé de pierres, et se mit dans la tête qu'il serait tué s'il se séparait de moi. Ces pressentiments effraient. D'ailleurs mon métier de brigadier ne s'accordait pas avec les longues factions à l'écouteur. Plus d'une fois je reçus du pouvoir supérieur des ordres difficiles à exécuter. Ce pouvoir supérieur était représenté par une figure d'un genre nouveau, le lieutenant J., adjoint au commandant, et chargé spécialement du téléphone et de l'antenne de T.S.F., choses inséparables. J'avais vu arriver, vers la fin de Beaumont, ce visage élégant, d'expression flatteuse, presque toujours doux et poli, mais qui était formé selon la nouvelle armée, qui pensait à sa carrière et connaissait très bien le commandement. Je n'y fis pas d'abord attention, et je commençai mal, lui donnant à traduire un communiqué allemand, comme j'aurais fait à un subalterne. Il se conduisit en bon élève, mais il sut très bien se reprendre et me reprendre. Sa méthode était de chercher toujours quelque travail pour nous, et de n'ordonner jamais que par l'intermédiaire des gradés, notamment du brigadier. On comprend que je ne demandais qu'à me donner de l'air; je puis dire que cet homme doucereux m'a empoisonné la guerre.

Je veux en finir avec l'épisode le plus désagréable, et, d'une certaine manière, le plus dangereux; mais le danger venait seulement de moi-même. Un après-midi nous prîmes part à un réglage par avion. Nous connaissions le métier; notre opérateur de sans-fil était un artiste dans son genre. Il s'agit de transmettre à la batterie les ordres reçus de l'avion, et, en réponse, de parler à l'avion au moyen de panneaux étalés de diverses manières sur le sol. Tout aurait marché convenablement sans le lieutenant J. qui blâmait tout, criait près du téléphone, ce qui était pris pour un ordre à l'autre bout du fil; et la batterie tirait trop tôt; l'aviateur ne commande le feu que quand il se trouve placé favorablement pour observer. Bref, moi qui avais coutume de conduire cette manœuvre, je secouai le lieutenant en termes vigoureux; il le prit très mal et exigea des excuses; je les fis de mauvaise grâce, et il s'en contenta. Mais, dans le petit moment avant les excuses, je délibérai de lui sauter dessus, et cela se vit; car l'ami C. qui était là comme signaleur, et qui, sur le moment, fit comme les autres et ne marqua rien, m'a dit depuis : « Quand vous avez été sur le point d'empoigner le lieutenant, et cela ne tenait qu'à un fil, j'ai bien regardé, et je me suis dit qu'il n'y aurait pas un seul témoin contre vous. » D'où l'on peut voir que j'étais resté homme de troupe et qu'ils me comptaient comme l'un d'eux. Mais surtout j'ai voulu citer cette réflexion de l'esclave, toujours attentif à observer les positions de l'ennemi. Cette réflexion, parce qu'elle me paraît naturelle et paraîtra telle à tous les plébéiens de l'armée, sera affligeante pour nos beaux Messieurs s'ils me lisent. On voudrait ignorer que la guerre entre les maîtres et les esclaves ne cesse jamais de border l'autre guerre et d'en accompagner tous les mouvements. Remarquez que cela explique assez la prompte colère et l'extrême sévérité des chefs; ce que je ne blâme nullement. Et certes, si j'étais général, et si je m'étais juré de faire ce métier, je n'aurais aucune pitié des hommes. J'admets qu'on veuille la guerre; mais il faut savoir ce qu'on veut.

Voici comment on échappait. J'ai là-dessus beaucoup d'exemples; un seul suffira. Nous étions à peine installés dans notre trou, et je me rasais, mon miroir posé sur un gabion, quand le lieutenant J. me donna l'ordre de partir aussitôt avec l'équipe et de conduire un fil jusqu'à un groupe de 75 en avant de nous; il me montra la direction, c'est-à-dire une sorte d'éruption à un kilomètre. De quoi faire peur; mais j'avais déjà un peu de cette sagesse qui faisait dire à un fantassin : « On n'a plus peur, on n'a plus que des transes. » On n'a point de transes à un kilomètre. Je rassemblai l'équipe et nous voilà partis. La ligne fut déroulée et essayée; je trouvai au retour un homme fort ému. « Comment avez-vous fait? En voyant que ce bombardement ne cessait point j'ai envoyé un homme pour vous rappeler et vous dire d'attendre; mais il ne vous a point trouvés. » Je répondis avec la simplicité du héros; je suppose que l'homme ne nous avait pas beaucoup cherchés. Et nous, dès que les pierres commencèrent à rouler en avant de nous, nous nous fourrâmes dans un trou et nous attendîmes la fin de l'orage. Après quoi lestement nous fîmes le travail. Le retour pouvait être dangereux à la nuit, sur un terrain semé de grenades; nous suivions les pistes, laissant le reste aux Dieux, comme dit le poète. Ces expéditions sont soutenues par un genre d'excitation qui exclut les pensées tristes, mais qui n'exclut pas la prudence.

Le manque d'eau était un inconvénient. J'ai vu les oreilles de Gontier aussi noires qu'auraient dû être mes souliers. Avec cela il tenait beaucoup à sa raie de cheveux, et je la lui faisais le matin en crachant dessus. L'eau n'était pas rare; il restait une très bonne pompe à Souain; mais le lieu était malsain et le chemin aussi; chacun y allait à son tour, et connaissait le prix de l'eau. Je vis alors sur les mains ce vernis brillant et écailleux, aussi naturel à la peau de l'homme sauvage que sont les plumes à l'oiseau.

J'eus très peur un jour sur l'abri même, et par irrésolution. On creusait en bas, et la craie était remontée par paniers. J'avais le poste le plus facile, assis sur le talus, recevant le panier et le versant autour de moi. Assez loin les gros projectiles chantaient et ronflaient, et ici et là on voyait s'élever des gerbes de terre hautes comme une maison et semblables à de l'eau jaillissante. Or ce tir vint se promener de mon côté, assez près pour m'inquiéter, non pas assez près pour me faire plonger comme une grenouille; à chaque sifflement, que mon oreille prenait à son petit commencement jusqu'au coup de fouet terrible, j'avais une belle peur, et assez naturelle; mais je ne voyais pas de raison de sauter dans mon trou; et en effet il n'y en avait pas. L'irrésolution est un des plus grands maux.

J'ai souvenir de deux expéditions vers les fantassins, plus dangereuses que ce travail de craie, mais qui peut-être m'effrayèrent moins. Nos équipes se trouvaient spécialement chargées des relations avec l'infanterie par cette raison que les hommes du 75 étaient mal reçus là-haut. Il est inutile de dire pourquoi, si l'on écrit pour ceux qui ont fait la guerre. Mais les autres doivent savoir que le 75 a tiré sur nos premières lignes, par suite d'écarts de tir, chose que l'on aurait dû connaître, et j'interromps mon récit pour raconter un dialogue qui eut lieu entre un commandant des 75, qui la veille avait eu des tirs malheureux, et le commandant de nos 95. Le premier pressait le second, sur qui il avait autorité comme chef de secteur, de tirer sur les tranchées allemandes, fort proches des nôtres. Et notre commandant résistait, alléguant un écart de tir inévitable, et finalement n'obéit pas. Nous eûmes naturellement l'idée que l'homme des 75 essayait de donner le même tort aux 95. L'homme de troupe est malicieux. Toujours est-il que, par la colère non dissimulée des fantassins, nous eûmes le soin de tous les observatoires avancés. C'est ainsi qu'un matin nous allâmes à un lieu nommé le Bois-Guillaume. Je fis connaissance avec les faces marocaines, maigres, menaçantes, vrais visages de guerriers. Je vis pour la première fois une pièce allemande de 77, plus courte, plus massive que notre 75 ; et je pensai de nouveau à la différence des poudres ; réflexions entrecoupées, car il fallait se garer souvent. Là-haut, dans une sorte de lande avec quelques pins, je passai à côté d'un monceau incroyable de chevaux ; je ne puis dire s'il y en avait moins de cent ou plus ; l'odeur était effroyable ; je n'ai jamais su si ces chevaux étaient d'artillerie ou de cavalerie ; mais c'était bien la région de la fameuse percée. Au point où nous montâmes l'appareil, derrière un petit talus de terre, commençait une plaine un peu montante parsemée de cadavres. Et au retour, en déroulant le fil, j'aperçus des corps morts en toutes positions et qui semblaient des Noirs ; on se trompe toujours là-dessus. Gontier me les montrait et moi je m'appliquais surtout à ne pas les voir. Le lieu était d'ailleurs assez tranquille ce matin-là ; un peu en arrière c'était plus dangereux ; mais au total j'eus l'image d'une sorte de guerre morte. Je remarquai que nos batteries étaient les unes sur les autres ; même à Verdun je ne vis pas mieux.

L'autre expédition nous mena jusqu'à la vue proche de l'ennemi. Le lieu se nommait P 15, et était situé au delà de la célèbre ferme de Navarin. Nous suivions un boyau à peine creusé, et nous profitions de la trêve du matin. Terrain ravagé, sans forme. Un avion abattu marquait notre route. Çà et là un homme nous renseignait. Après une longue marche nous arrivâmes à une espèce de broussaille, à des boyaux un peu plus creusés, et à un abri de capitaine, qui n'était guère solide. Là nous eûmes un guide, et c'était bien nécessaire, car les tranchées tournaient et revenaient de façon qu'on ne savait plus où était l'ennemi. Enfin, une tranchée sinueuse et caillouteuse, peu profonde, protégée d'un petit talus ; je vis d'abord un fantassin qui faisait griller un hareng saur, sans se soucier de la fumée, et puis un sergent, le fusil à la main qui guettait par-dessus le talus. Il fit feu; et, regardant moi aussi, je vis au-dessus d'un autre fossé, et à une douzaine de mètres, une pelle agitée de droite à gauche et de gauche à droite; c'est le signal universel pour dire que la balle n'a pas atteint la cible. Je ne vis de l'ennemi que cette pelle, et ce geste de moquerie. Cela me paraît maintenant incroyable; mais il n'y a pas apparence que j'aie inventé cela. Il y eut ensuite un cri d'alerte; je ne compris pas le cri, mais aussitôt je fus à plat, comme tous; une grenade fit explosion. L'arrivée d'une salve de 75 m'effraya bien plus; les obus éclataient en avant de nous et fort près. Sans doute nos tirailleurs avaient l'ordre de tirer sur la tranchée ennemie; ils pouvaient aussi bien, et avec toute l'attention possible, tirer sur les nôtres. L'artillerie allemande plus sagement s'abstenait. Nous quittâmes promptement ces régions insalubres, en déroulant notre fil. Nous suivions le boyau, poursuivis à un moment par une mitrailleuse, quand soudain éclata le grand barrage, à quoi nos batteries répondaient. La terre tremblait et nous heurtait comme une charrette cahotant. Nous nous tenions accroupis, Gontier et moi, à un détour du boyau. Il essayait de bondir comme un lièvre; mais je le tenais ferme, ayant pour règle de remuer le moins possible. Seulement, comme je vis à deux pas de nous un dépôt de grenades en forme de pomme de pin, je consentis à aller un peu plus loin; et je retins là mon jeune compagnon, qui, d'ailleurs, eut bientôt usé sa force en soubresauts; il s'endormit dans le vacarme, et je fumai une pipe, sans penser beaucoup. Ce moment fut long. Une attaque sur Tahure, à notre droite, était la cause de ce tumulte, comme nous sûmes ensuite. Le tir cessa, comme cesse une pluie; nous vîmes sortir d'une autre cachette nos deux compagnons; nous voilà de nouveau déroulant le fil et nous rapprochant de la région des batteries. Avant de raccorder notre fil à un autre nous eûmes encore des difficultés; le fil s'embrouillait; nous manquions de patience; d'autant que de gros projectiles tombaient à intervalles; mais j'arrêtai toute déroute par cette remarque de l'âge mûr : « Où se sauver? Serons-nous mieux là qu'ici? » Le travail fini, notre courage se trouva épuisé aussi, et nous courûmes comme des lapins, nous jetant à plat à chaque sifflement; jamais je n'ai mieux couru. Sur le rapport de Gontier, les deux hommes qui nous accompagnaient eurent la croix de guerre. Quant à nous, nous aurions bien pu ne l'avoir jamais, à moins de nous proposer nous-mêmes. Mais cela ne nous importait guère. Nous l'eûmes pourtant tous les deux plus tard, lui comme officier, et moi au vague titre d'engagé volontaire. Une citation est toujours glorieuse mais, comme dit mon ami l'aviateur, quelle citation vaudra la plus humble et la plus simple de toutes, que l'on lisait quelquefois dans le journal des Armées. « Militaire dévoué. A toujours apporté beaucoup de courage et de conscience dans l'exécution des ordres qui lui étaient donnés. Sept fois blessé. » Le même aviateur définit ainsi l'homme libre : « C'est un homme en veston, qui n'est pas décoré. » Le glaive, à la fin, a frappé l'armée. Ces réflexions ne sont pas ici à leur place; elles furent faites après l'armistice. Pour le moment nous n'en pensions pas si long; chacun se grattait, et cela, comme dirait Pascal, occupe toute l'âme,

***

Après un petit mois les caissons vinrent chercher les pièces. Le moment où l'on s'éloigne de l'ennemi est agréable; les chevaux eux-mêmes ont de l'allégresse. Ceux qui ont vocation d'adjudant rappellent les bonnes vieilles règles, les traits tendus à la descente, la tête du cheval tenue en main vers le milieu de la route, à la pause. Tout cela est très raisonnable. La théorie militaire ne vous dit pas seulement de faire un nœud, elle vous décrit la manière, et il n'y en a point de meilleure. L'enseignement militaire est le seul qui ait patience, et qui répète pour le plus ignorant; les esprits prompts ne s'en trouvent pas mal. Mais cette sage pédagogie suppose un pouvoir absolu; l'instituteur est obligé d'intéresser son auditoire; d'où il résulte que les meilleurs apprennent l'éloquence, et que les médiocres n'apprennent rien. Je suppose qu'à ces agréables heures de nuit, chacun pensait à son métier, comme moi-même. Nous croisions de noirs artilleurs, avec l'ancien manteau; cela était martial; mais ce n'étaient que des trains de munitions.

Nous trouvâmes dans le camp de Châlons des baraques dont la plupart n'avaient pas de toit. Il pleuvait fin et il faisait froid. Nous brûlions des pins entiers en de grands bûchers, autour desquels chacun épluchait son linge. Ces moments sont éternels, et je pensais aux héros d'Homère. Il y eut un peu de relâchement. C. vint me trouver avec deux seaux, disant : « Il y a du champagne à sept sous ; combien faut-il en prendre ? » Je lui répondis : « Prenez-en trente litres. » J'étais généreux à peu de frais. Ce vin était en effet du champagne naturel, qui cassait les têtes. Je vis toutefois à quelques signes que le pouvoir n'était pas mort. Les sous-officiers furent traités durement, et Gontier en sut quelque chose. Le haut pouvoir gouverne par les capitaines, qu'il rend responsables. Les capitaines gouvernent par les sous-officiers, qu'ils rendent responsables ; le brigadier porte tout et les hommes, qui le traitent en camarade, ne veulent pas lui donner d'ennuis. C'est ainsi que tout finit par se faire. A peu près nettoyés nous reprîmes en sens inverse les mêmes chemins. Une couronne de pain frais me donna un des plus vifs plaisirs que j'aie connus. Finalement nous fûmes établis dans un village en avant de Toul, appelé La Neuveville, étroite vallée ouverte sur notre ancien champ de bataille, et d'où nous eûmes bientôt reconnu Beaumont, le village édenté. Le cantonnement est une chose odieuse. Les gradés n'y ont point de repos. On répond à l'appel, on forme le cercle ; on entend le discours du capitaine. Le capitaine T. trouvait le moyen d'être amusant, sans cesser d'être inflexible. Pansage, promenade des chevaux, marches d'exercice avec les caissons et les pièces, nous eûmes tous les plaisirs. Gontier fut dirigé vers un centre d'instruction afin d'apprendre à faire la guerre, et de gens qui ne la faisaient point. Je restais chargé de sa petite troupe. Mais heureusement on me trouva un autre métier, et qui me convenait parfaitement. Au temps de la paix, je m'étais amusé à écouter la Tour Eiffel, et je savais assez bien l'alphabet Morse. J'eus à l'apprendre à un groupe d'hommes choisis dans toute la division, et parmi lesquels était C. Tout de suite, je leur appris à lire au son, en dictant au moyen d'un sifflet ; et j'en étais à ne plus pouvoir les gagner de vitesse, lorsque le lieutenant J. s'en mêla. Il ne savait pas le Morse et ne le sut jamais ; mais il en était à admirer une méthode stupide pour retenir les lettres ; as, beau, coco, dia, etc. ; ces mots magiques représentaient un trait par une consonne, un point par une voyelle; nous étions tous bien loin de cette lente méthode. Je le fis remarquer; le lieutenant ne m'écouta même pas, et dit seulement : « Je vous donne l'ordre d'employer cette méthode. » Les hommes durent retenir cette suite de mots qui leur était tout à fait inutile; le lieutenant fut satisfait, et nous laissa tranquilles. J'eus le plaisir de former très vite une demi-douzaine d'artistes véritables, qui brillèrent dans la T.S.F. sans compter une vingtaine de signaleurs imperturbables, qui savaient aussi envoyer et recevoir les lettres par signaux lumineux. Avec deux séances par jour et pendant deux mois on arrive à tout. Les marins de la timonerie apprennent bien d'autres choses. Et je connus, en cette circonstance, que savoir suppose répétition, familiarité, rapidité. C'est vrai pour le latin comme pour les mathématiques; mais il faut d'abord vaincre l'ennui; et il n'y a que le militaire qui sache vaincre l'ennui.

Ces travaux interrompirent mes essais d'équitation, depuis longtemps interrompus, et cette fois repris, mais qui n'allèrent jamais bien loin. Je sais seulement que j'arrivai à ne pas tomber, à la fin d'une promenade de chevaux, où les bêtes descendaient en glissant à peu près sur la croupe, un chemin rapide et couvert de glace et que je fus très fier ce jour-là. Je n'allais pas moins être obligé de me séparer bientôt de mon cheval gris. Une fois de plus l'autorité militaire sut m'employer selon mes aptitudes; et cela arriva encore dans la suite.

Jusqu'en janvier 16 nous devions habiter La Neuveville, et puis Trondes. Il y eut des manœuvres, choses détestables et ridicules. Le lieutenant J. m'appela deux ou trois fois pendant chaque repas, pour me répéter et me faire répéter ce que je savais très bien. Mais nous apprîmes l'art, Gontier et moi, de porter le fil dès la veille au soir au point que nous devions occuper le lendemain après notre victoire, ce qui valut des félicitations au commandant. D'ailleurs tous les mouvements d'assaut étaient absurdes, nous le savions; le haut commandement ne le savait pas. Les fantassins entraient dans l'eau jusqu'à la ceinture, sous un feu imaginaire. Et, à quelques kilomètres de nous, nous entendions la vraie guerre; par temps clair nous en pouvions voir les fumées, épaisses sur les villages, en nuages roses dans le ciel des avions.

Il y eut une sorte d'expédition réelle, qui ne fut pas beaucoup moins ridicule. Nous allâmes prendre position devant Commercy, sur les hauts bois d'Apremont, en vue d'écraser d'un tir massif une certaine briqueterie. L'aventure était sans risque, l'ennemi n'ayant pas le temps de connaître nos positions. Les bois étaient fort beaux, munis d'abris profonds et d'un observatoire vraiment confortable, avec des rainures vitrées. C'est là, tout en tenant mon téléphone, que je fus témoin d'une scène de réglage qui fut tout à l'honneur du commandant. C'était un homme naïf. Il regardait de tous ses yeux un brouillard qui cachait les arbres à cinquante pas. Il attendait une éclaircie, et bien vainement. Arrivèrent les derniers messages : « Votre réglage est fait ? » — « Mais nous ne voyons rien. » — « Comment ? Toutes les batteries ont réglé leur tir, nous n'attendons plus que vous. A quoi pensez-vous donc ? etc. » Il y eut une assez belle délibération. Le capitaine T. annonça qu'il tirerait fort loin, afin de ne pas faire de malheur; l'autre capitaine entreprit de régler sur carte; mais les cartes de tir n'existaient pas encore; je le vis interrogeant longtemps la carte d'État-Major, et fatiguant les canonniers. Enfin, le réglage étant supposé fait, tout le tonnerre éclata à l'heure dite, et la briqueterie fut supposée anéantie. Le lendemain les observateurs la retrouvèrent intacte. Nous étions déjà partis.

J'ai gardé bon souvenir d'un abri profond, chauffé comme un four par un brasier de grosses branches. J'y fis une partie de ma nuit, et l'autre dans un grenier à trois lieues de là. Ce genre de guerre est supportable.

***

Au mois de janvier de l'année 16, nous reprîmes position près de Beaumont, mais plus à droite, nos batteries étant de part et d'autre de Flirey, et dans des plis de terrain où elles furent assez tranquilles. Mais le commandant se tint à Minorville, assez gros bourg, au-delà des bombardements. Des vaches, du lait, de vraies écuries, et presque des lits; quelques courses le long des lignes téléphoniques. J'eus une chambre et, sur un sommier, deux matelas, c'est-à-dire que j'eus le temps de les admirer. Un lieutenant que je connaissais bien, et qui n'était pas des plus terribles, fut attiré par les matelas.

« Je ne vous cache pas, me dit-il, que je vais vous en prendre un, et même le meilleur. » Et le voilà à choisir. Mais je lui dis : « Prenez donc les deux. Le sommier sera bien assez bon. Je ne sais plus dormir sur un matelas. » Le fait est qu'il fit emporter les deux. Je me moquais d'un matelas; toutefois je fus un peu gêné pour lui; il avait bien quinze ans de moins que moi. C'est dans ce village que je me trouvai un jour fatigué à mort, ou, comme ils disent bien, raide comme une trique, à ne pouvoir bouger du lit de foin où je m'étais couché. C'était la suite d'un exercice particulier. J'avais d'admirables bottes d'aviateur, et je me risquai dans la boue jusqu'aux cuisses; mais l'effort de retirer la jambe, quand on le fait toute une matinée, intéresse des muscles trop peu exercés. Là-dessus, par rencontre, j'eus une dizaine de kilomètres à faire à pied, et pour arriver devant un officier de coloniale qui ne se souciait nullement de moi, et qui me tint trois heures debout à côté d'une table, lui assis. Après quoi, en compensation, je trouvai un bon dîner à la cuisine des coloniaux, et même je gagnai du fromage et une fine par une remarque que je fis, et qui enthousiasma les cuisiniers. Comme l'un d'eux disait : « On les aura », je demandai : « Et quand on les aura, qu'est-ce qu'on en fera ? » Aujourd'hui, en ce mois d'août de l'année 31, et après lecture des journaux, je trouve que cette question ne manquait pas de sens. Après ce triomphe de l'esprit sur la matière, j'allai sur le foin et je connus la grande fatigue. Le lendemain soir, comme j'avançais péniblement en traînant les pieds, le lieutenant J. qui venait d'arriver, me faisait déjà chercher. Je le maudis, je maudis le cantonnement, et cela me renvoya plus près de la guerre, comme il est juste. Quelques jours après, j'eus à aller prendre des appareils à la division; un autre lieutenant, adjoint au colonel, et très cordial, voulait savoir si j'étais content; je dis, après quelques mots de la vie de cantonnement : « Je ne suis pas venu à la guerre pour voir ça. » Il dit seulement : « On peut trouver autre chose. » Le jour même le commandant me demanda si j'aimerais à diriger le poste de Flirey, où j'aurais grands pouvoirs et beaucoup de travail. Il ajouta quelques compliments. Je répondis que j'avais pour règle de ne rien préférer et de ne rien choisir, et que j'exécuterais ses ordres. Quelques jours auparavant il m'avait proposé deux choses en une, le grade de sous-officier et le poste de secrétaire auprès du colonel Targe, au corps d'armée. Là j'avais refusé net; et qu'aurais-je fait dans les bureaux? Je n'y vaux rien. Cette fois-ci je ne refusais pas; il me nomma. C'est ainsi que le destin avance et recule la main; on a beau ne pas vouloir choisir, il faut toujours choisir.

Avant de transporter dans mon nouveau poste mon sac d'artilleur, qui était une sorte de sac à blé, je veux conter deux histoires où le commandement se montrera comme il est. On y comprendra assez bien la vie de cantonnement, qui est à peu près celle de la caserne, quoique la nécessité et l'urgence s'y fassent mieux sentir. En ces temps-là on remplaça nos mousquetons, qui étaient plus utiles aux mitrailleurs, par une arme de même calibre, américaine disait-on, et tout à fait différente de culasse. Il fallut démonter, nettoyer, remonter, et d'abord trouver l'ordre à suivre, problème qui revient en toutes les mécaniques. Il fallait se hâter, car on nous annonça une revue d'armes pour le lendemain. Ce genre de travail me plaît; mes camarades y étaient habiles. Et, bref, nous fûmes en mesure d'étaler, dans un grenier, et sur des mouchoirs nets, les pièces en ordre, brillantes, et sans trace de graisse; car telle est la règle; et on ne sait pas comme il est difficile d'appliquer la règle dans la poussière d'un grenier. Aussi fier qu'un rengagé, j'attendais l'officier, qui faisait le terrible. Mais, après avoir vu et tempêté un peu partout, il regarda notre échelle, me vit en haut, sourit et s'en alla. J'ai cru deviner qu'une des règles du pouvoir, semblable en cela à la haute fatuité, est de ne jamais faire ce qu'on attend. J'en eus une preuve dans une autre circonstance, où le redouté capitaine Le G., passant une revue de harnachement assez bien préparée, s'amusa à chercher aux boucles et aux ardillons les petits défauts du cuir, et fit tout recommencer jusqu'à trois fois. C'était à pleurer. Mais les hommes rassemblèrent leur courage et leur savoir-faire, et, à la quatrième fois, tout était comme neuf. Orgueil et espérance, ce qui n'est pas loin d'une sorte d'amour. Mais il ne vint pas, et fit dire que c'était bien. Il n'avait rien d'autre à faire, nous le savions; il resta à se tourner les pouces, pendant que les hommes remettaient aux écuries leur chef-d'œuvre méprisé. Mais, comme dit Stendhal, il régnait.

Le point de Flirey était piquant et brûlant; il le devint encore plus dans cette période, où l'on cherchait diversion à l'attaque de Verdun. Mais je trouvai là tout ce que pouvait souhaiter un combattant qui n'a pas l'esprit militaire. Promptement installé dans mes meubles, comme disait le lieutenant adjoint au colonel, qui était venu exprès, je me donnai quelques jours pour observer le travail, sans rien dire du tout. J'étais dans un bureau de carton bitumé, très bien abrité par une roche penchée. Là se trouvait un appareil à trente-deux lignes, qui était l'intermédiaire entre l'artillerie divisionnaire et l'infanterie de ce secteur. Chaque batterie avait son fil, l'infanterie aussi, la division aussi. Deux parleurs suffisaient tout juste à la besogne. De petits volets, tombant à chaque sonnerie, indiquaient l'origine de l'appel; des fiches permettaient toutes les variétés de connexions. Cela était nouveau pour moi; mais du moins j'avais l'oreille faite, et je connaissais le courant de la guerre, vue, si l'on peut dire, du téléphone. Deviner est alors la moitié d'entendre. Huit jours après je pouvais tenir honorablement le poste aux heures ordinaires; et après quinze jours j'égalai le plus agile; cependant celui-là, un chimiste de caractère assez pointu, qui, aux grands moments, mettait son calot à l'envers comme un bonnet d'évêque, celui-là je ne pus jamais le surpasser. Le travail, dès les premiers symptômes d'agitation, consistait à répondre à cinq ou six appels simultanés, à joindre les uns aux autres les appelants, selon le grade et selon l'urgence, à reprendre les fiches dès qu'ils avaient terminé, à tenir les autres en patience, et à répondre autant que possible sur tout sans déranger le colonel, qui avait son fil aussi, mais dans l'abri duquel nous arrivions promptement en quelques coups de talon, par un sentier tournant. Il n'y avait d'autre difficulté ici que la vitesse; et réellement le travail excluait toute hésitation du geste et tout mot inutile. Par exemple, quand l'infanterie demandait un barrage, ce qui se fit souvent comme exercice, et quelquefois dans les crises, j'arrivai à ne pas tolérer plus de trente secondes entre l'appel et le passage des projectiles qui ronflaient par-dessus nous. Ce fut du beau travail, je puis le dire; mais d'abord je trouvai les choses en confusion. Les équipes venaient à tour de rôle des différentes batteries; l'officier adjoint changeait souvent, et le colonel était mal servi. Ce colonel reconnut en moi au premier coup d'œil l'espèce du bon serviteur, en quoi il ne se trompait pas. Et aussitôt il me donna pleins pouvoirs, de façon que je ne dépendisse que de lui. « Et pour la composition de l'équipe, le service, les repos, faites ce que vous voudrez et ne m'embarrassez pas de questions. » Ainsi fut fait. Je choisis les téléphonistes, je choisis les réparateurs de lignes, éliminant tout ce qui rechignait et lanternait. Ma petite troupe fut admirable par le savoir-faire et la bonne humeur. Quand les choses se gâtaient, de nuit ou de jour, et que l'unique opérateur commençait à désirer trois bras et deux têtes, on voyait sortir des lits en étage le plus reposé, qui entrait dans la ronde sans rompre du tout le mouvement. Jamais un ordre ne fut donné. Je m'appliquais à bien placer des pancartes ou croquis pour aider la mémoire, et de façon qu'on n'eût même pas à tourner la tête pour les consulter. Un changement de batterie pour tel barrage était une chose à préparer; à telle heure précisément, une pancarte en remplaçait une autre; mais encore fallait-il, dix minutes avant, s'assurer que tout était en alerte à la batterie nouvelle; et quelquefois l'on tombait sur un téléphoniste nouveau qui ne comprenait rien; d'où appel à l'officier; et je traitais tout ce monde sans égards, parlant toujours au nom du colonel, qui avait cette vertu d'être parfaitement indifférent à tous ces détails; très justement il voulait les ignorer. Et notre beau jeu n'était pas un jeu. Le secteur avait la fièvre; coups de main, bombardements nocturnes, barrages soudains, et toujours à l'improviste, nous devions tout attendre. Je me souviens qu'un jour je fus soulevé de mon banc par un tremblement de terre; quinze mines avaient sauté, je le sus ensuite. Le plus pressé était de mettre en alerte toutes les batteries; une minute après les barrages passaient en sifflant; le résultat fut parfait; l'ennemi n'avança pas d'un mètre. Sur le moment je ne savais rien. Un colonel d'infanterie arriva en courant : « Il faudrait faire donner tous les barrages. » Je lui montrai le ciel : « Ils passent! » Ces manières ne plaisaient qu'à demi; mais mon propre colonel me servait de rempart.

Il ne venait pas toujours, et bientôt il se fit remplacer par des commandants, qui restaient six jours. Ainsi je revis mon commandant, et le lieutenant J. son adjoint

Le pli était pris. J'avais mes habitudes et je tenais ferme. Le seul nom du colonel les mettait en déroute. Et tout allait si bien! Toutefois je ne devais pas oublier les formes et je les oubliais quelquefois. Un jour qu'un lieutenant inconnu m'interrogeait sur un retard de barrage, retard prétendu car il y avait erreur de montres, comme on sut plus tard, je dis, parlant à moi-même et d'un air mécontent : « Je suis étonné »; ce mot était au-dessus de ma position; lui me redressa avec majesté : « C'est moi qui suis étonné. » Je compris Louis XIV. Mais, semblable aux valets bleus dont parle Saint-Simon, à la condition de garder les formes, je faisais comme je voulais. Un jour pourtant le colonel lui-même posa sur moi un regard royal. On demandait un tir du 75 sur Nonsard; je savais que Nonsard était hors de portée; je répondis en trois mots et j'allai rendre compte au colonel, d'abord de la demande. Il prit son décimètre et consulta la carte; ce n'est pas savoir. Après quoi il me dit de répondre et quoi répondre. J'eus le tort de dire : « C'est fait. » Je vis que notre pacte était rompu; mais, vers ces temps-là, son abri fut un peu défoncé, et son chauffeur blessé; il ne revint plus. Les commandants étaient sans prise sur un travail compliqué; ils n'avaient pas le temps en six jours d'apprendre le métier. Ils perdaient tout sommeil dans le tintamarre. Le fait est que nos lits en dansaient toute la nuit; mais nous avions appris à dormir, et c'est un art que je n'ai pas perdu.

J'étais naturellement ingénieur du réseau à cinq cents mètres autour. J'eus à débrouiller les lignes, et souvent à les réparer au voisinage du poste. Je connus bientôt les tirs de l'ennemi, admirablement réguliers; il y avait des zones tranquilles, et d'autres très dangereuses; et encore y avait-il quelques coins parfaitement abrités, comme notre poste. A quatre mètres de là il n'y avait point de sécurité. Un fusant de 105 éclatait souvent au-dessus de notre porte; mais il ne tombait là que quelques débris inoffensifs; les éclats ne reviennent pas. Il fallait se garer; et presque toujours on le pouvait. Dans les secteurs de ce genre ce sont les nouveaux venus et les passagers qui se font tuer; nous en avions des exemples tous les jours. Exemples racontés. Au moindre sifflement on est à plat ventre, et on ne voit rien. Pour mes tournées on comprend que je choisissais l'heure du matin où tout est silence. Dans ces travaux autour du poste j'opérais souvent de concert avec un lieutenant d'infanterie qui fut tué quelques mois après. C'était un spécialiste de l'industrie électrique; toutefois pour les choses du téléphone il en était au même point que moi. Celui-là m'appela toujours Monsieur, et il n'était point question de grade. Notre travail le plus difficile consistait à retrouver nos fils coupés et perdus dans un trou d'obus, à les essayer au moyen de notre appareil portatif, et à refaire les connexions. C'était un brave, mais qui ne se jetait pas moins à plat dans une boue immonde, lorsque les obus arrivaient. Moi aussi j'embrassais la boue. La seule différence entre nous est qu'alors, et dans cette position humiliée, il ne cessait d'injurier l'ennemi; moi je ne disais rien. Cet homme charmant me fut toujours agréable à voir; il m'aurait emmené Dieu sait où; bien heureusement le métier me tenait serré. A son poste principal, tout voisin du mien, l'appareil se mit à sonner sans cause apparente; nous cherchâmes de concert, et vainement. Mais j'appris ainsi à connaître ce genre d'appareil, qui était le même dans nos deux postes. Nous ne pouvions voir à l'intérieur; il fallait explorer des deux mains et travailler les bras en l'air. On ne peut imaginer cette fatigue; nous nous y mettions à tour de rôle, chacun deux ou trois minutes. Dans son poste aussi je trouvais un tonnelet de l'eau des braves, qu'on appelait gnole; j'y venais remplir notre bouteille. Et ainsi aucun genre de courage ne nous manquait.

Notre vie ressemblait à celle d'un petit équipage; le pouvoir de chacun dépendait exactement de ce qu'il savait faire; et la bonne volonté faisait une justice sans faute. Le Sans-Filiste, artiste en son métier, était gai comme un merle, et aidait à tout. Chacun à son tour allait passer un jour sur deux avec les chevaux de sa batterie. Ils revenaient quand ils voulaient. Je leur signais gravement des permissions indéterminées; l'un d'eux, muni de mon papier, alla jusqu'à Nancy où était sa famille; il revint assez tard et dormit beaucoup; après cela il fit travail double, sans que personne lui demandât rien. Je ne sais jusqu'à quel point on peut compter sur cette manière de gouverner; c'est évidemment un modèle pour les temps futurs; seulement cette liberté réelle suppose le savoir-faire et un travail qui plaise; et il ne faut pas oublier qu'elle s'exerçait sous une contrainte générale et inflexible. J'avais choisi cette équipe, mais parmi des hommes d'abord rassemblés par force, et soumis, comme j'étais moi-même, à un pouvoir redoutable. Si la nature agissait ainsi sur les hommes par une sorte de continuelle tempête, on verrait une république d'hommes libres. C'est par ce détour que l'on comprend que les climats trop favorables produisent le despotisme comme une sorte de fruit naturel. Ces pensées me venaient naturellement alors, parce que j'avais sous les yeux un chef d'une espèce rare. C'était un capitaine de vaisseau du nom de Mellon, venu sur sa demande à l'artillerie de terre, et célèbre par ses postes d'observation, qu'il occupait lui-même, infatigable et téméraire. On disait, d'après des récits de prisonniers, que les Allemands l'avaient surnommé le Diable Noir; on voit par là qu'il avait gardé l'uniforme sombre. Lui-même était grave, avare de paroles, et parfaitement poli avec tous, comme ils sont dans la marine; et jamais je ne le vis montrer le moindre signe de peur, par exemple rentrer le cou au sifflement. Dans l'équipe de terrassiers qu'il avait rassemblée je retrouvai Jeannin, virtuose de la pelle; et Jeannin, de nouveau content et cérémonieux, me faisait ses visites de politesse; c'est qu'il avait promptement fini son travail de la journée; et le chef n'en profitait pas pour le faire travailler double. Ce qui fait que le travail militaire est lent et négligent, c'est qu'on sait trop qu'après un travail il y en a un autre; et la nécessité presque toujours explique qu'on ne puisse agir autrement. Toutefois ceux qui savent laisser un peu de jour pour respirer obtiennent peut-être, tout compte fait, autant de travail, et du travail vif et ingénieux. Toute industrie devrait méditer là-dessus. Mais l'industrie de guerre est souvent bousculée.

Je fis bientôt l'épreuve d'un autre genre de travail. L'ordre vint d'étudier l'emplacement et les dimensions d'un abri à creuser pour les sans-filistes. J'avais appris aussi ce métier d'architecte, et je fis un bon projet. Ensuite il nous fut annoncé que notre équipe bâtirait l'abri par ses seuls moyens; j'essayai de raisonner, mais on ne m'écouta même pas. Les délais étaient courts; et promptement on vit arriver des chargements de rondins; il fallut les transporter promptement, et à trois, dans nos dangereux sentiers, et par la nuit la plus noire. Je fis ma part de travail; il me semble que j'en ai encore le souvenir dans l'épaule droite. J'ai remarqué à ce propos que, comme il n'est pas question alors de se jeter à terre, ni de se protéger d'aucune manière, les mouvements de la peur sont presque annulés. Je revois en souvenir les éclatements bien connus, à notre gauche, et comme nous montions à coups d'épaule, à la manière des mulets, nous étions presque insensibles. Ce travail fait, il fallut creuser; on trouva bientôt le roc; on usa la pointe des pics, et je retrouvai les lois du chantier militaire. Après les avoir réunis, piochant moi-même, je courais mettre au net quelque rapport sur les tirs du jour; quand je revenais, je ne trouvais que les outils; il fallait chercher autour, dans les abris étrangers; ma présence muette suffisait; mais je me sentais alors brigadier. Le fait est que l'abri fut creusé et couvert; et c'est en y montant des fils que je reçus le plus beau soufflet de mélinite. Comme j'étais le dos à la pente, regardant le paysage connu et les bois en face, un 105 m'éclata au nez; les éclats ne reculent pas; mais je sentis la vibration et la claque de l'air; sans en penser plus long, je m'étendis sur un des lits de treillage et j'y dormis longtemps. L'ahurissement dura jusqu'au soir. Je sus que ce coup avait été malheureux; il tua deux hommes sur l'abri du colonel d'infanterie, où ils étalaient des branches. Je ne fus que secoué un peu trop vivement. La même chose m'était arrivée à Beaumont, et je m'étais cru alors abruti de peur; mais je suppose, d'après cette autre expérience, que ce régime de mouvement est bien au-dessous de la peur. L'effet est une sorte d'indifférence, et une pâleur des idées; quelques-uns en sont restés idiots pour la vie. Je trouve place ici pour une observation qui m'a été contée de Paissy, village de l'Aisne où j'avais une maison, mais où je ne connus pas la guerre. Les villageois y restèrent longtemps, abrités dans les creutes profondes de ce pays-là; et il naquit des enfants, dont aucun ne vécut; le médecin expliquait cela par la force des explosions, qui comprimait et déformait ces tendres cœurs.

Je reviens à cet autre village dont par rencontre j'étais l'habitant. En ce lieu commença à tourner autour de moi un génie bienfaisant. C'était un petit capitaine du 14e d'artillerie, qui venait quelquefois aux ordres; très brave, très gai, qui me donna tout de suite du Monsieur; c'était pourtant un officier de métier, camarade d'école du capitaine T.; et c'est par là qu'il sut qui j'étais et me trouva. Je connus par lui son lieutenant, officier de complément, ordinairement vêtu d'un pantalon à carreaux et d'un chapeau de paille; d'ailleurs très bon et très hardi observateur. Ce régiment était de Tarbes; l'accent du midi chantait en tous ces hommes; j'en avais deux dans mon équipe, dont l'un, qui se nommait Fortuné, était bien le plus pauvre diable. Quant au petit capitaine, il transportait dans nos cailloux et dans notre boue les manières de la cour. Il m'invita une fois à déjeuner en son observatoire, lieu très peu agréable; mais surtout le voyage n'était pas sans émotions. Il y avait un boyau; néanmoins l'usage était de marcher à côté du boyau, dans un bois très riant et fleurissant, où je vis un arbre tout récemment cueilli, lancé à quelque distance de la souche, et frais comme un bouquet; ces choses donnaient envie de sauter dans le boyau, mais je craignais le ridicule. Je trouvai au repas l'aumônier Harel, dont j'ai parlé ailleurs. Le jeu de société consistait à troubler cet homme modeste et timide, qui craignait mon jugement; je le traitais comme on doit traiter un héros; cependant ce n'était pas cela qui l'intéressait; il aurait voulu ne pas passer pour un sot. C'est qu'il était professeur aussi; on n'imagine pas quel est le prestige de l'Université aux yeux d'un professeur libre. Je n'en étais plus à penser à ces choses; mais le capitaine et le lieutenant lui faisaient des contes, et ce héros mourait de peur. On devine ce que fut ce salon littéraire. *L'Otage* de Claudel était et est encore un de mes livres; le capitaine vit la pièce à une permission, et me rapporta du même auteur un poème de guerre qui me fit horreur. Ce livre, *L'Otage,* me rappelle un mot de fatuité littéraire que j'eus à Beaumont. J'avais le livre sous le bras quand il y eut une alerte et des sifflements. Je dis à Gontier : « Rentrons vite; tué avec *L'Otage* sous le bras, si Barrès le savait, ce serait le déshonneur. » Ce mot correspond pourtant à un sentiment vrai, c'est pourquoi je le cite. Et tel était le ton de ce salon d'artilleurs, où il fut convenu que je verrais le professeur Masson, universitaire aussi, officier d'infanterie par là. Mais il fut tué quelques jours après; j'entendis très bien, cette nuit-là, les deux salves de 77 dont la première le tira de son abri, et la seconde le tua. Les journaux dirent qu'il avait été tué en Argonne, d'où une boutade de Gontier : « Un homme de lettres ne peut être tué en Woëvre; l'Argonne fait bien mieux. Vous n'êtes pas ici à votre place. »

J'avais Gontier au bout du fil tous les jours; nous nous plaisions à constater que la voix sonnait profondément dans l'appareil, résultat de notre excellente terre unique. Je le vis deux ou trois fois dans l'abri de la carrière, et deux ou trois fois à Minorville, soit pour un repos d'un jour, soit en partant ou revenant de permission.

***

Je parlerai peu des permissions. Je pris la première après dix-sept mois passés sans avoir dormi dans des draps; et le premier jour je dormis tout habillé sur mon lit, comme Jean Valjean chez l'évêque. L'esprit était aussi sauvage que le corps. Heureusement je ne sus rien du Paris frivole; je ne vis que des gens affligés, et qui souhaitaient la paix. Je puis dire que la perspective du départ gâtait tout. Les travaux de la guerre pouvaient seuls me consoler de la guerre. Hors de l'action, j'étais bien près du désespoir. Et je ne veux pas écrire l'histoire d'un citoyen en révolte; de telles pensées sont sans lien, sans règles, et sans limites; je ne les aime point. Au contraire, dans les difficultés et les dangers de la guerre, j'avais plutôt l'humeur égale; l'imagination se trouvait bornée par le fait.

Ce printemps-là Jupiter tonnait beaucoup, et ce tonnerre de dieu semblait ridicule. Je me souviens d'un coup qui brûla une de nos lignes, et d'une petite explosion électrique dans le poste; personne n'en fut ému; j'eus seulement à remplacer une vingtaine de plombs de sûreté qui avaient fondu. Je me souviens avec plaisir de ces orages; l'artillerie se tenait tranquille un moment. Je profitai au moins une fois d'un de ces orages noirs pour franchir la zone sinistre. Je ne sais plus si j'allais au repos ou si je partais en permission. La zone dangereuse je la voyais; j'avais chaque jour le spectacle de ces bois sonores, où les éclats enlevaient de grosses branches; j'en avais de tragiques récits; aussi de la route où, à peu près chaque jour, un homme était tué. Peut-être ne peut-on pas être brave lorsqu'on s'en va. Un jour donc je me glissai sous les feux et la pluie d'un orage; le vacarme du ciel m'empêchait de prêter l'oreille à d'autres bruits; j'étais toujours assuré de n'être pas vu. Ces départs sans gloire m'ont fait connaître la peur qui fuit, différente de la peur qui attend; en cette fuite l'irrésolution est presque toute la peur. Car il ne manquait pas d'abris, et marqués même par des écriteaux; mais il est souvent plus facile de ne pas sauter dans le trou que d'en sortir; et je ne sentais point dans ce cas-là cette excitation qui accompagne l'action difficile. Ce furent de mauvais moments.

Toutefois le pire peut-être fut à un de mes retours. J'étais sous la toile d'une voiture de ravitaillement. La soirée était agitée et bruyante; le conducteur avait peur, quoiqu'il se fût imbibé d'alcool. Les chevaux avaient peur. Sous le noir de la toile, j'entendais des sifflements et des éclatements; je voyais d'effrayants reflets par les fentes; le mal est alors qu'on délibère si l'on sautera et si l'on finira la route à pied. Je ne me sentais pas héros du tout. Comme les croyants font leur prière, je m'occupai à un éloge de Descartes, que j'ai écrit tel quel ensuite, qui est dans les *Quatre-Vingt-Un Chapitres,* et qui me plaît. J'y sens encore la poudre, mais je n'y sens plus la peur. Quel bonheur après cela de retrouver l'abri sous le rocher et la soupe fumante! Là j'étais chez moi; je savais écouter les obus et saisir le moment favorable; et c'était toujours pour rattacher un fil, porter un message, ou choses de ce genre.

J'étais muni d'une hache, et j'avais l'ordre de détruire les appareils en cas de repli. Quand je voyais cette hache, je pensais à l'état de captif. Car, à la moindre attaque de l'ennemi un peu poussée, on pouvait compter plus de cinq cents mètres d'avance, et j'étais pris dans une souricière. Mais l'ennemi n'avait rien à gagner par là; c'est nous qui avions intérêt à avancer en ce creux de l'ennemi, et nous n'y pûmes arriver. Toutefois, la vue de cette hache me rendait pensif. Je n'aimais pas non plus les pulvérisateurs, les masques, et les bouteilles d'hyposulfite. Un sergent, nommé tout naturellement Hyposulfite, inspectait souvent nos défenses. Nous n'eûmes les gaz qu'une fois, et ils flottèrent en nappe verdâtre derrière nous, dans le dessous. Tous avaient le masque, mais je pus rester le visage nu et répondre à l'appareil; à peine y eut-il une vague odeur de noyau de pêche, il me semble. Les pensées sinistres étaient plus difficiles à éviter. Quel bonheur alors d'avoir à explorer un téléphone, de mettre tout au dehors et étalé, et de rechercher l'avarie. On m'en apportait de tous systèmes, comme à une consultation de médecin, et je m'y entendais aussi bien que Gontier; ce n'est pas peu dire. L'expérience ne peut conduire à rien dans de telles recherches; il faut savoir que tout téléphone a les mêmes organes principaux et les mêmes commutateurs, mais disposés de mille manières, et deux ou trois maladies seulement. Je faisais ces recherches aidé de Méanas, qui, de son métier, était pitre forain, et qui, comme forain, savait tout faire; il avait cette politesse un peu précieuse commune à tous les comédiens, et qui vient de régler par métier le geste et la voix; il était habile de ses doigts et avait l'oreille fine. Pour moi j'appliquais l'Entendement, et je connus que c'est un très bon outil. Ces recherches effaçaient les idées sinistres. Quelquefois aussi l'aide sans-filiste nous donnait une tyrolienne; il ne savait faire que cela, et il le savait bien, ayant appris même la position des bras et des mains, un peu comme le photographe nous dispose, mais plus utilement.

Les réglages par avion nous occupaient aussi; toutefois c'étaient presque toujours promesses, et je connus la difficulté d'attendre. J'allais aux panneaux avec Fortuné, et c'est là que je connus les enfants de Fortuné et ses projets d'avenir pour eux, sur quoi il me consultait, et il avait raison; lui n'était rien en tout cela qu'un homme ignorant et oublieux de soi. J'étais honoré de ces entretiens. Mais l'endroit était dangereux; c'était un gazon ras, sans le moindre trou, enfin un emplacement convenable pour parler à un avion par panneaux blancs. Cependant l'avion ne venait pas, et les 210 tiraient sur la pièce de marine au voisinage; nous entendions ronfler les énormes culots; c'est un bruit effrayant et qui semble venir de partout. « Croyez-moi, dit Fortuné, car je suis un vieux rossignol, nous ne sommes pas plus mal ici qu'à côté. » Cette fois-là nous restâmes assis trois heures de temps, attendant vainement l'avion annoncé. Les enfants de Fortuné étaient ainsi instruits, poussés, guidés, élevés au-dessus de leur départ, et pourtant notre position à nous n'était pas devenue meilleure. Mais quel spectacle qu'un homme simple et qui pense au-dessus de lui! En diversion nous vîmes deux ou trois fois les obus fusants arriver par-dessus notre abri téléphonique; nous avions ce spectacle par le travers; et la petite fumée de la fusée faisait une courbe visible avant l'éclatement; on croyait voir les projectiles. Tout ce qu'il y avait d'hommes en vue dans le creux plongeait à chaque fois. Après ce curieux spectacle, nous reprenions l'entretien. Le courage par imitation, que l'on devrait appeler courage d'amitié, est sans limites; et sans doute nous ne courions pas de grands risques; mais la peur se mesure aux signes; et la peur oisive est la plus redoutable.

Nous fûmes relevés vers le mois de mai. Un beau soir toute l'équipe monta dans une voiture de ravitaillement; mais la joie fut mêlée. Un tir, par hasard, nous suivait sur la route; nous pouvions voir l'éclatement comme un météore, avant d'entendre le bruit. Les chevaux allaient bon train. Nous fûmes bientôt hors d'atteinte, et le coucher fut à Royaumeix, dans un grenier où je dormis comme un roi. Le lendemain fut jour de vin et de charcuterie. Je voyageai avec un conducteur dans un cabriolet peint en gris militaire, conquête de la division. Le lieutenant m'avait confié ce poste d'orateur : « Car, disait-il, il se peut qu'un général remarque ce véhicule non réglementaire et vous interpelle; mais vous saurez bien répondre. » Je préparais ma réponse, tout en mangeant le cervelas. Et en effet j'aurais expliqué que j'étais moi-même très peu militaire, et autres choses de ce genre. Il ne faut pas croire que les militaires soient insensibles à un discours bien fait. Toutefois je n'eus pas besoin d'éloquence. A un détour parut le colonel, qui trouva à critiquer dans notre petite colonne; mais il me connaissait et il connaissait le cabriolet. Je saluai debout et non sans élégance, sur mon char d'Achille. Les jours qui suivirent furent sommeil et festins. La Meuse était riante; je n'avais rien à faire; la division me traitait en invité. Il fallut pourtant bien rejoindre les batteries. Je passais sous le commandement de mon ancien élève, le capitaine Le G., si rigoureux sur tout. Il n'y en eut pas moins un déjeuner de collégiens, chez le petit capitaine du 14e, avec le capitaine T. qui, n'étant plus mon chef, était tout aimable. C'est là que je connus, très peu mais encore trop, un pasteur avec deux galons et la croix blanche au calot. Pédant et discoureur, il fit marcher tous les lieux communs. Il eût gâté notre déjeuner; heureusement il n'y fut point. Le petit capitaine nous montra ses chevaux qui couraient librement dans la prairie le long de la Meuse. Sur quoi le capitaine T., de notre groupe, dit : « Tu as de la chance. Si je laissais courir mes chevaux, ils se casseraient les pattes ou bien ils se noieraient. » C'est le passage de l'esclavage à la liberté qui est difficile, répondit son camarade. En gais propos, le temps passa vite. Au retour, le capitaine Le G. me fit dire qu'il savait très bien où j'avais passé l'après-midi, et que j'aurais des ennuis si je m'absentais ainsi sans permission. C'est la seule marque de faveur qu'il m'ait montrée; il me devait bien cela.

Nous allions de village en village, toujours plus loin de la guerre; mais nous supposions que nous allions à Verdun; tout le monde y allait à son tour. C'était vrai. Je manquai le départ par un accident de route. J'avais fait presque toute l'étape sur l'ancien cheval du commandant, qui était devenu le mien; j'étais fier sur cette bête docile; mais l'équitation, même tranquille, fatigue toujours au commencement. Je pris place sur le caisson; un cahot nous versa à demi dans une haie, et comme les chevaux nous tiraient de là, j'eus le pied pris dans la roue et je crus la jambe rompue. Toutefois je me souviens très bien d'une idée qui brilla sur la douleur même, et comme je me renversais, à demi pâmé : « La guerre est finie pour moi. » J'en eus une joie incroyable. Cette joie-là est bien menteuse, car elle guérit tout ce qui peut être guéri; et ainsi l'espérance est souvent trompée. Je me souviens d'un Sampic, modèle de fantassin, comme il était heureux d'avoir enfin la fièvre! Et il l'avait véritablement, aussi était-il heureux véritablement, cela se passait dans mon poste à l'entrée de Flirey; or je voyais que ce bonheur le guérissait à mesure qu'il se découvrait malade. Pour moi le bonheur d'être hors du jeu me fit supporter aisément les douleurs d'une entorse admirable, qui faisait envie aux fantassins. J'anticipe. Présentement je me trouvais dans le même cabriolet, sur les routes de Lorraine, en quête d'un hôpital; c'est ainsi que, sur le soir, j'arrivai à Tantonville où je fus déposé comme un colis. L'hôpital était dans la brasserie bien connue; ce n'était qu'un petit hôpital d'éclopés, compris administrativement dans la zone de combat. Ces choses ont leur importance. Dans un hôpital d'intérieur il est aisé de n'être pas guéri; mais chez les éclopés il s'agit de guérison, et prompte. Nous étions là deux entorses, un coup de hache, un accident d'auto, une hernie, deux ou trois furoncles, un rhumatisme, et d'autres petites choses. Tout cela pouvait courir plus ou moins, à l'exception des deux entorses. L'autre entorse jouait aux échecs; ce fut le bonheur. Cet Italien, qui se nommait Mattéi, était venu d'Argentine à l'appel des armes pour s'engager dans l'armée anglaise; il était présentement chauffeur d'une automobile d'ambulance au front de Lorraine, et immobilisé par le pied. L'été s'annonçait bien; tout l'hôpital, malades, infirmières, et médecins, s'en allait aux champs, à l'exception de nous deux. C'est dans ces conditions que nous reçûmes très convenablement un médecin inspecteur qui avait grade de général, et qui resta stupide devant nous; c'était bien son tour. Mattéi, tout à sa partie d'échecs, proféra quelques gloussements italiens ou peut-être anglais, et moi, entraîné par la situation, je fis l'idiot admirablement. Je ne sais qui avait battu les buissons; on vit revenir malades, médecins, infirmières, et la voix de l'inspecteur fit retentir la salle : « Qu'est-ce que je trouve? Une espèce d'Anglais, et cet autre qui est idiot, ou illettré, ou quoi? » Les infirmières pensèrent mourir de rire; car on respectait mon stylo, mon carnet de notes, et deux romans que je traînais dans mon sac, *Le lys dans la vallée* et *La chartreuse de Parme*. Les infirmières s'en tinrent au respect. Mais Mattéi, avec quelques secours, découvrit Balzac. Ma préface au *Lys* fut courte, et ainsi faite : « C'est l'histoire d'un château de Touraine pendant les Cent-Jours. » Ce n'était pas si mal. Mattéi, qui avait du sens, remarqua que, quoiqu'il lût beaucoup de français, et assez facilement, il ignorait le vocabulaire balzacien, choses d'agriculture, disait-il, qui n'appartiennent pas au langage littéraire; il conclut en me demandant si ce Balzac était un auteur connu, ajoutant qu'il méritait de l'être. Par quoi il me semble que la gloire se trouve représentée sous ses divers aspects. Mattéi était guéri quand je commençai à traîner mon pied sur le plancher. Ce fut fini des échecs.

J'ai enseigné le jeu d'échecs à un bon nombre de camarades, pendant cette guerre. Et j'ai remarqué une erreur assez commune, c'est que, quand ils avaient compris les règles du jeu, ils se disaient sûrs de n'être plus jamais battus. Ces jeunes gens avaient une haute idée de l'esprit. Ce qui est à remarquer dans le jeu d'échecs, c'est que, comme il n'y a que combinaison, sans aucun événement, tout devrait être prévu et calculé; mais la complication des rapports fait aussitôt une sorte d'Univers, quoique fermé, où les surprises abondent; c'est comme un hasard de main d'homme, et il n'en est que plus émouvant. Sans aucun doute les joueurs qui calculent tout, s'il y en a, perdent le plaisir du jeu. Pour moi, et devant mes naïfs adversaires, je créais des paniques et des surprises; je jouais sur les passions. Toutefois avec Mattéi, comme avec deux ou trois autres, j'apprenais que la force d'âme ne répare point les fautes. En ce juste milieu entre la témérité et le calcul, j'ai tiré de ce jeu les plus vifs plaisirs peut-être qu'il peut donner. Pris ainsi et moyennement, il est bien l'image de la guerre.

Que faire à l'hôpital si l'on ne pense? J'avais commencé à écrire, à mon poste téléphonique, une sorte de Manuel qui pût initier à la philosophie des philosophes, et non pas seulement à celle des professeurs. La première idée m'en vint d'une question d'un bachelier. Il demandait pour Locke une formule qui fût pour cette philosophie ce qu'est le « Je pense, donc je suis » de Descartes. Je répondis par un horrible calembour. « Je penche, donc je suis »; mais la question fit son chemin. Ce bachelier savait l'allemand; il se chargeait de traduire le communiqué de Nauen, que notre sans-filiste prenait lettre à lettre. Ce fantassin ayant quitté les lieux, je commençai à passer le communiqué aux officiers du secteur, qui l'attendaient chaque jour, en allemand. Il y eut de vives protestations. A la suite de quoi, aidé du chimiste, qui ne savait guère plus d'allemand que moi, je lançai dans la circulation d'étranges traductions, je le crains; car le sens des mots techniques ne nous apparaissait qu'après un long temps. Après ce détour, je reviens au Manuel, qui fut fini à l'hôpital, et qui devait paraître avant la fin de la guerre sous le titre : *Quatre-Vingt-Un Chapitres sur l'Esprit et les Passions*. Il me semble que ce livre ne sent pas trop le professeur; la guerre avait passé par là.

Les vraies questions sont posées partout où les hommes sont à l'épreuve. Cet hôpital était plein de la guerre; même les chansons y avaient une sonorité redoutable. Il passait des régiments fatigués; on voyait les conscrits plier sous le sac. Il me semble que j'entends encore les clairons poussifs qui pressaient le rythme; cette jeunesse avait quelque chose de vieux. Sur nos lits on voyait pendant un jour ou deux quelque fantassin qui pensait à Verdun. Le petit major les traitait bien; il cherchait le rhumatisme, et souvent le trouvait; ainsi il les gardait huit jours et plus. Mais les paroles étaient tristes et les silences pires. Et voilà pour le temporel. Dieu était parmi nous sous la forme d'un prêtre qui balayait, et même balayait très mal. Il s'en tira en nous passant le balai, et en nous apportant en échange, sous sa capote, une sorte de vin de messe qui nous réchauffait le cœur. Ce pauvre homme n'avait pas une idée. Je lui voyais un effrayant geste d'imbécile quand on lisait aux journaux quelque grand massacre; il riait comme peut rire un cheval. Mais attendez. Un dimanche, nous regardions passer une sinistre procession de guerre, en interminables files de femmes et d'enfants; le deuil était sur tous; d'après l'époque, je suppose que c'était la Fête-Dieu. On a toujours respect d'une foule rangée. Mais à la fin que vîmes-nous? Notre idiot d'infirmier revêtu d'or, sous un dais, et qui portait Dieu. Les jeunes commencèrent de ce jour-là à le considérer, quoique je ne visse aucune trace de piété en eux, ni de prière. On voit que les pensées me venaient trouver par les fenêtres.

Mattéi était libre-penseur; ce seul mot m'impose plus que toute une profession. Toutefois je redoutais des discours faibles. Il ne m'en fit qu'un là-dessus, racontant son dialogue avec une infirmière-major de Nancy. Il refusait d'aller à la messe et de communier. La dame lui représenta seulement qu'il était bien libre de vivre et de mourir comme un chien. Là-dessus Mattéi fut Socrate sans le savoir. « Vivre comme un chien? dit-il. Je comprends ce que c'est. Car je vois que les chiens se dressent, sautent, enfin font n'importe quoi pour avoir du sucre. N'est-ce pas ainsi? Très bien. Mais alors si j'allais à la messe, et à confesse, et tout le reste pour avoir les faveurs, café au lait, et autres choses, que vous réservez à mes pauvres camarades qui font ce que vous voulez, c'est alors, il me semble, que je vivrais en chien et mourrais de même. Ne croyez-vous pas ? » Il y avait de quoi éclairer l'esprit de cette femme, et de quoi, par un détour, la ramener à l'esprit de paix et de pitié. Mais une infirmière-major n'est qu'une idole peinte.

Nos infirmières étaient d'autre style, formées dans les ambulances terribles, et au repos chez nous. J'admirais leur manière de dresser un lit en trois mouvements. Je les devinais admirables dans les instants critiques. D'ailleurs quand elles s'échauffaient en dispute, elles se donnaient tous les noms. Elles soutinrent mes premiers pas au dehors, parmi les roses et les coquelicots. Elles chantaient tout ce qu'on chantait. Le dimanche nous avions chacun un cruchon de bière fraîche; je connus ce que c'est que la bière fraîche. Nous fûmes dispersés de ce paradis par un ange exterminateur; c'était un nouveau médecin, qui évidemment avait des ordres, et des ordres qui convenaient à sa nature. Il fut entendu que nous étions tous guéris; et même mon entorse, encore toute rose, dut prendre le train, et avec sept jours de permission seulement, au lieu de vingt jours qu'on m'avait promis. Je me raidis en mes principes, et ne marquai rien; mais au dedans je sus que la force morale était entamée. J'avais des lettres de Gontier, qui n'étaient pas réconfortantes; les batteries étaient à Verdun et les obus y faisaient des massacres. En Champagne, m'écrivait-il, les obus tombaient à côté, et cela nous semblait tout naturel; pourquoi ici tombent-ils juste sur les pièces et sur les abris ? Je connus un peu après que l'aviation de réglage expliquait tout. En effet à Verdun l'aviation ennemie ne cessa jamais de régler le tir de ses pièces, ce qu'en Champagne elle n'avait pu faire; nos avions l'en empêchaient; ils étaient maîtres du ciel.

***

Me voilà donc, après une permission assez lugubre, tirant le pied vers le dépôt d'éclopés d'Arc-les-Gray. J'ai déjà dit quelque chose de ce que j'y vis. Mais vais-je parler des médecins ? Sur cette question j'ai fait une longue pause, c'est-à-dire environ deux semaines de réflexion; non pas de réflexion continue, ce n'est pas ma manière, mais de réflexion par éclairs, tout en lisant quelque revue marxiste qui me prenait, très cordialement, pour sceptique, et absolument séparé de tout esprit vraiment révolutionnaire. Ces choses me font rire. Mais cela me ramenait à mes médecins galonnés, et réveillait en moi, en même temps que des souvenirs, des sentiments très vifs que je n'ai jamais cachés, que je n'ai aucune raison de cacher, et que les lecteurs amis savent très bien retrouver dans une prose très retenue. Je me donne ici plus de liberté. Pourquoi n'exposerais-je pas, sous une forme plus personnelle, des sentiments que je sais fort communs, je ne dis pas seulement dans mon pays, mais partout, et qui permettent de lire la politique, qui, par ses propres notations, est tout à fait trompeuse? Selon moi, vraisemblablement dans tout pays, mais à coup sûr en France, nous sommes opposés et dressés, à peu près homme contre homme, d'où il résulte une sorte d'équilibre, les révoltés d'un côté et les tyrans grands et petits de l'autre. Et cette sourde lutte ne correspond qu'imparfaitement aux luttes ouvertes. Ainsi j'entends bien essayer maintenant, plus librement et plus amplement qu'ailleurs, une analyse politique, étrangère aux divisions que les tyrans aiment à prendre pour exactes, parce qu'ainsi ils trouvent des alliés dans tous les camps. Ces remarques préliminaires seront plus claires par un exemple qui me touche de très près.

Je sors d'un département, l'Orne, qui est celui où l'on trouva le plus de réfractaires sous le premier Empire; et ceux qui connaissent ce pays fourré et isolé comprendront que l'esprit de Chouannerie y est éternel. Mais un ami à moi, qui a parcouru ce pays à pied, fut bien surpris d'y retrouver des exemplaires de moi-même autant qu'il en voulut, principalement dans les régions d'Alençon et de Mortagne. C'est dire que ce n'est pas par rencontre que je suis de ce pays-là; je suis ce pays-là. Or mes frères en structure et en démarche, ce sont les électeurs de Dugné de la Fauconnerie, de Lévis-Mirepoix, en dernier lieu de Millerand. C'est dire que l'opposition aux pouvoirs est là-bas infatigable; et le roi aurait bien de l'embarras avec ces royalistes-là. L'éducation n'a fait qu'ajouter à la nature. Il y a toujours, dans l'imagination d'un gamin de quinze ans, quelque modèle dont il imite jusqu'à la voix. Or ce modèle à moi, qui m'a prêté les premiers livres, et avec qui j'eus d'innombrables entretiens, était un avocat, royaliste par préférence, bonapartiste faute de mieux, et important Boulangiste par occasion; il allait donc jusqu'à conspirer. Or je m'entendis très bien avec lui quant à la critique des pouvoirs existants, et jamais je ne lui accordais rien quant aux pouvoirs qu'il jugeait désirables; et je voyais qu'il me comprenait. A votre tour comprenez le sauvage, qui vint à Paris comme boursier, et gagna sa vie à enseigner la Libre Pensée. Ici comme en tout, et les lieux communs déblayés, je me trouvai appuyé par la moitié de ceux qui me connaissaient et combattu par l'autre moitié; en ces deux moitiés se trouvaient dispersés les gens les plus divers, parents, hommes politiques, collègues, chefs, inspecteurs. Directement donc, et comme par contact, je fis l'analyse entre la position officielle et la position réelle, comme je la fais encore maintenant. Et, alors comme maintenant, je remarquai que l'armée ennemie était faite de couards, contre lesquels il suffisait de marcher sans peur. Et pourquoi? C'est qu'ils étaient aussi craintifs qu'ambitieux. Ces faciles victoires, tout esprit libre les connaît. Je ne raconterai pas l'espèce de lutte politique que je menai à Lorient et à Rouen, et qui correspond à l'affaire Dreyfus et aux mouvements qui en furent la suite. On devine que j'eus parfois d'étranges alliés et que quelquefois ces Messieurs de la Police me firent un public favorable, et des applaudissements un peu marqués. Je me lavai aisément de cette petite honte. Dès que je parlais, que la réunion fût petite ou grande, je voyais aussitôt que j'avais pour moi la moitié hardie, et contre moi la moitié peureuse; aussi quelquefois m'arriva-t-il d'avoir pour moi la moitié libre d'un homme, et contre moi l'autre moitié, la policière. Tous cherchaient l'ambition en moi, et à la fin me jugèrent un peu sphinx quant aux projets. Il n'y avait point d'ambition, ni de projet; il n'y avait qu'un homme du peuple qui luttait pour son propre compte contre les tyrans de toute espèce. On comprend bien que je n'étais pas seul; l'Université a fourni plus d'un oiseau de cette même plume. Et il est clair que la guerre fut la confirmation éclatante de notre défaite. Mais patience. Il n'est pas encore dit qu'on ne se délivrera d'un maître qu'en s'en donnant un autre. On comprend pourquoi je refusai un avenir politique tout ouvert. Mais je veux en donner ici la raison principale, et, en tout cas suffisante, qui est physiologique. J'éprouvai qu'une bataille politique un peu suivie me réduisait promptement à un état de fatigue où je ne pouvais plus que répéter. Aucun homme politique n'a surmonté cette difficulté; cela est visible dans Lénine et dans les Allemands; les Anglais eux-mêmes, si habiles à se reposer, tombent maintenant aussi dans la fébrilité politique, en cette année 31 où j'écris. Bien certainement, et à tout prix, il faut éviter d'en venir là.

Vous me croyez bien loin de mes médecins militaires; j'y vais tout droit. Là je fus vaincu sans combat, et par des pédants. La première fois, ce fut à Beaumont, et par le médecin des batteries, avec qui je n'ai pas échangé une parole, et qui d'ailleurs se montra courageux et dévoué; les vertus d'un tyran ne le font que plus redoutable. Il jura de me vacciner contre la typhoïde, et il le fit. J'étais dispensé par l'âge; et tout allait de soi sans une incartade du capitaine T. dont une moitié au moins m'aimait bien. Il se plut à me demander conseil tout haut, car il était, par son grade, libre devant le vaccin : « Par mon âge, lui dis-je, je suis dispensé; mais si j'étais libre je m'abstiendrais. » Il se peut que j'aie ajouté quelque discours sur les médecins. La réponse vint quelques jours après, car tout se sait, sous la forme d'un ordre écrit; je devais me mettre en marche aussitôt vers l'échelon, c'est-à-dire la forêt, afin d'être vacciné. L'autre capitaine me communiqua l'ordre. J'invoquai mes droits, à quoi il répondit très raisonnablement que le médecin était seul juge de ces choses. Je partis en compagnie d'un retardataire; et nous fûmes bientôt dans les bois au bord de l'étang. C'était la plus belle saison et la plus belle promenade. Je n'avais pas l'esprit à discuter, et d'ailleurs il me paraissait absurde de ne pas braver une injection d'eau sale dès qu'on avait résolu de faire face à d'autres dangers. L'injection fut faite d'une main impérieuse, et dans un beau silence. Au retour nous nous trouvâmes deux sur une route que le bombardement défonçait très bien à cinq cents mètres. Nous partîmes du pied gauche, et un fantassin dit : « Ils n'ont pas peur, les artilleurs. » Le vrai, c'est que les fantassins considéraient les obus comme une chose inépuisable et d'origine mystérieuse, au lieu que les artilleurs savaient qu'un bombardement est une chose administrative, qui finit à un moment donné. Les détonations se faisaient entendre depuis quelque temps; c'était un tir sur carte, et non pas un réglage. Le tir cessa comme nous allions consulter la prudence. Ainsi encore une fois nous eûmes l'air d'intrépides qui passent à travers le feu. A cinq cents mètres on ne peut déjà plus juger le courage. Quant au vaccin, les hommes avaient trouvé ce remède de boire à mort et de dormir vingt-quatre heures. Je suivis à peu près ce traitement, et il ne fut plus question de l'eau sale.

Il y a, comme on comprend bien, des médecins qui sont de l'autre parti. J'ai déjà parlé du major de Tantonville, qui semblait n'avoir d'autre souci que de ménager aux fantassins quelques jours de vie. Au point où j'en étais de mon récit, je rencontrai des médecins qui avaient le parti de renvoyer les hommes à la guerre. Le premier, qui était celui du dépôt, avait l'air borné et méchant; et de plus nous étions tout nus, ce qui met peut-être hors d'état de raisonner. Or il avait trouvé un raisonnement et ne s'en lassait point : « Quand on va en permission c'est qu'on est guéri; vous êtes allé en permission, donc vous êtes guéri. » Il fermait tout espoir. Mais j'avais préparé un discours bien fait : « Je n'ai aucune réclamation à formuler; je me demande seulement si je suis en état de reprendre le service, et c'est à vous de décider. » Il me renvoya à de plus savants, qui opéraient dans la gare de Gray. Remarquez que mon discours n'était pas absolument sincère; Verdun faisait peur, et c'était bien naturel. A la gare de Gray, on ne mit à nu que mon pied, et j'attendis, en observant un fantassin dont le buste portait de monstrueuses cicatrices. Le major, qui était une tête de laboratoire, explorait la peau au moyen du compas à pointes mousses, et par ce moyen il obtenait des réponses contradictoires, où il voyait des mensonges. On sait qu'il est difficile de dire, par le toucher seul, si un contact est double ou simple. C'est là que je connus le compas à pointes mousses comme instrument oratoire. Le fantassin renonça dans cette lutte inégale. Quant à moi, on me fit seulement marcher pieds nus sur un sol charbonneux. On voudra bien croire que j'avais les pieds lavés du matin, et même tout le corps. Or je fus transféré aussitôt aux mains d'un radiologue et mon pied malade fut exposé aux étincelles. L'homme à lunettes était un petit bilieux, sans doute las de son métier, qui trouva d'abord à me dire ceci : « Vous vous lavez les pieds quelquefois ? » Je répondis : « Oui, quelquefois. » Comment peut-on être assez lâche pour se moquer d'un homme qui n'a pas le droit de répondre sur le même ton ? Ce petit misérable est de ceux que j'aurais aimé retrouver, à quelque dîner d'amis. Je veux citer ici un autre exemple du même genre, où je n'étais que témoin. C'était sur la fin de mon service, en 17, au camp d'aviation de Dugny. L'homme de troupe était un universitaire, naturaliste de première force, sans égal pour le savoir et la patience; il avait charge notamment de transmettre en chiffres secrets nos bulletins de météorologie aux Anglais; mais il faisait tout parfaitement bien. Or il se chargea de faire une réclamation au sujet de la nourriture, et le fit en bons termes, devant notre cercle, à un lieutenant qui avait charge du ravitaillement dans le camp. Il se plaignit donc de la quantité et de la préparation; à quoi le lieutenant dit : « Monsieur est sans doute cuisinier ? » L'homme dévoué rougit, prit un visage d'assassin que je vois encore, et ne dit mot. Sur quoi l'apprenti tyran dira que ce n'est pas grand-chose; et j'entends bien que lui-même en a avalé d'autres, avec l'espoir de tyranniser à son tour. On ne tient jamais compte des hommes qui ne veulent point être tyrannisés, ni tyranniser; c'est pourtant la moitié au moins des hommes, et ce n'est pas la pire. Ce petit incident se produisit juste au temps des mutineries; il nous les expliquait. L'honneur se pique encore mieux aux petites choses qu'aux grandes, car il ne considère alors que l'intention d'humilier.

J'eus encore d'autres mésaventures avec les médecins, dans ce même camp de Dugny, où on ne prenait permission qu'après une visite sanitaire. Une fois, pour une minute de retard, je subis injures et menaces de la part d'un tout jeune homme; mais, somme toute, et quoique j'eusse une très bonne excuse, j'étais en faute. J'eus honte pour lui. Mais une autre fois j'eus honte pour moi. Je me trouvai en présence d'un visage stupide, encore jeune, hérissé de barbe, et orné d'un costume tout neuf. Celui-là avait de la bonhomie : « Eh! dit-il, c'est un pépère. » Et il me fit un discours sur les risques de contagion à Paris. Quelques questions appelaient des réponses, qui furent niaises, et exactement de l'homme pour qui il me prenait; que l'on veuille bien penser à la position honteuse que l'on a à une telle visite. Je me sentis homme du peuple et illettré; c'est la seule fois où j'éprouvai cet étrange effet de la tyrannie; je ne l'oublierai jamais. Je demeure persuadé qu'il faut refuser tout pouvoir; c'est l'attitude la plus efficace contre les pouvoirs, et, comme on l'a dit, la plus offensante. Les chemins de la liberté sont encore mal connus.

J'en étais au moment où l'insolent médecin de la gare de Gray examinait les os de mon pied. Ne pouvant lui répondre comme j'aurais voulu, je ne dis plus une parole, et mon pied fut considéré comme guéri. Une fois de plus l'insolence produisait un effet utile. L'insolence réveille l'orgueil, qui est le vrai ressort des guerres, et ressort muet. C'est par d'autres moyens, et indirects, que je devais être renvoyé à l'arrière, après encore quelques épreuves. Mais, afin d'en finir avec les petites humiliations que je viens de raconter, il faut que j'avoue que la faute en était à moi. Partout où l'on savait qui j'étais, c'est-à-dire un professeur connu honorablement dans son métier, dispensé de tout service par son emploi et par son âge, et volontaire aux armées, j'étais traité avec faveur; dans les cas où j'étais inconnu, je n'avais qu'à me présenter; et j'aurais bien su le faire, n'étant ni timide ni maladroit en discours. Et, même sans parler de soi, il y a une manière académique de parler de tout qui efface aussitôt les grades. J'avais bien remarqué que notre sans-filiste, qui était très habile et qui méprisait les hommes de troupe, se trouvait bientôt comme un homme du monde avec n'importe quel lieutenant; c'était un effet de conversation. Par exemple, ce polytechnicien lieutenant qui ne me connaissait nullement, au lieu de le contredire sur sa physique, je n'avais qu'à le faire parler un peu, à citer Poincaré (le grand) et la doctrine pragmatiste des hypothèses, sans appuyer sur aucune idée; il aurait été ravi de cette rencontre, et n'aurait pas manqué de dire à son capitaine : « Nous avons ici un homme très remarquable »; et ce même capitaine ne m'aurait pas traité comme un chien cinq minutes après. Mais ce n'était pas mon idée. Ce genre de respect, accordé à moi, ne me plaisait pas; c'est comme homme que je voulais être respecté, seulement comme homme, supposé simple et ignorant. C'est ainsi que je conçois l'égalité; c'est ainsi que je l'essaie. Je n'apporte point de références dans la conversation, ni non plus dans mes écrits. Je veux bien avoir l'air d'ignorer, et cela me conduit même à oublier que je sais; ce qui fait que, même à ceux qui me connaissent un peu, je parais au-dessous de ce qu'ils attendent; et souvent ils se jettent sur moi comme sur une proie facile. Il n'y a que quelques amis et un bon nombre d'élèves qui aient appris à connaître cette sorte de ruse redoutable. Cette ruse m'est naturelle; car je fais la bête aussi bien avec moi-même; c'est ma manière de refuser le premier moment de l'intelligence; cela me donne du champ et une prise neuve; et, bref, je n'attends d'avantage que de l'invention présente; j'y galope, et je triomphe toujours. Il n'y a que le militaire qui sache arrêter tout net cette sorte de sédition si bien armée. Et cela ne m'humilie point du tout. Mais je vois dans ce moyen, toujours employé, souvent bien caché, sensible à moi comme par un instinct, la source unique des injustices de tout genre. C'est pourquoi il faut tuer d'abord, en soi-même et en tout homme, le colonel, qui est celui qui parle le premier. Telle est cette autre guerre que j'appelle paix.

***

Imaginez quelque discours de ce genre avec moi-même, pendant que je lace mes souliers, et que je me sépare pour toujours de ce méchant singe radiologiste. Je retombai aux mains du sergent-major. Le haut de l'esprit était en très bon état, mais le diaphragme fléchissait. Le problème du courage se pose en termes simples quand on connaît la question. Le terrain ravagé signifie que des morceaux de fer qu'on ne voit point, mais qu'on entend, circulent à grande vitesse dans l'espace que vous avez à traverser. Les jambes refusent de vous conduire par là. Sur de telles jambes j'entendis un matin ou deux les notes sinistres du clairon, et l'appel des détachements mis en marche. Mon tour vint, et, comme brigadier, je me trouvai à la tête d'un artilleur et d'une demi-douzaine de fantassins. Nous commençâmes un de ces voyages militaires qui n'en finissent pas et qu'on trouve trop courts. Les fantassins disparurent les uns après les autres, me laissant sacs et fusils. Ne les voyant pas revenir, je portai ces dépouilles à quelque commandant de gare, ou plutôt à quelque sergent qui ne parut point étonné et qui me dit : « Ils reviendront. Où voulez-vous qu'ils aillent ? » L'autre artilleur et moi nous nous laissâmes traîner par le Système impitoyable. Pour finir, un petit train sans lumières ni vitres, et bourré d'hommes muets, nous débarqua, au matin, dans un pays de gendarmes, couvert de baraques, rayé et creusé par les convois. Je reconnus cette terre usée par les passages d'hommes et de chevaux. Toute la journée, tirant le pied, je descendis en de petites vallées, je remontai sur des croupes toutes pareilles et de même hauteur, ne voyant que des buissons bordés de boue, et trouvant à grand-peine quelque triangle d'herbe où me coucher. J'étais pourvu de nourriture et de vin. Les gendarmes ne s'occupaient guère de moi. J'approchais du point où l'on n'est plus poussé par l'arrière, mais tiré en avant; je parcourus quelques kilomètres en promeneur, dans une sorte de zone d'indifférence. Les gendarmes avaient disparu. Réduit aux renseignements que Gontier m'avait donnés, j'aperçus en travers de ma route une ligne de chemin de fer sur pont de briques. Par là étaient ma place et les amis; j'y courus tout boitant. Un fourrier que je reconnus chargea mon bagage sur sa selle, et nous voilà par chemins forestiers dans le bois dit Des Clairs Chênes. Là je trouvai des baraques de carton, ouvertes à tous vents; nous n'étions encore qu'à septembre. J'entrevis des files de chevaux sous les arbres. Par hasard je rencontrai le commandant et le capitaine T. Ils me parurent sérieux et fatigués. Je sus que j'étais désormais aux ordres du capitaine T. Je le trouvai sans raideur militaire, et évidemment avide de conversation. Il me nomma brigadier de tir, ce qui était une manière de m'attacher à sa personne. Pour le moment j'étais boiteux, et cette journée de marche fit que je montrai le lendemain au major un pied d'invalide. J'eus donc un grand mois de repos dans ces bois qui n'étaient que boue. Je revis de temps en temps ceux de la batterie, Gontier entre autres, dont les récits étaient effrayants. Un jeune lieutenant, qui passait pour ne rien craindre, se montra à moi sans courage, et me dit même qu'il enviait ma tranquillité imperturbable, bien connue de tous. Cet éloge me fit trembler. J'éprouvais, en ces temps-là, la plus abjecte peur d'imagination. Ce n'est pas cela certes qui fit que la gelure du pied s'ajouta à mon mal; toutefois on ne se trouve jamais bien d'être sans courage. C'est vers ce temps que le capitaine T. eut à désigner les hommes propres au travail de la Météorologie. Il me dit : « Je vous ai désigné sans vous consulter; il s'agit d'employer rationnellement les forces dont nous disposons; vous boitez toujours; et vous conviendrez en cet emploi. » Je signai donc ma demande; et, par un espoir que je n'avouais pas, je me trouvai soulagé, et bientôt après plus leste.

Le charmant capitaine du 14e avait sa cabane de l'autre côté du vallon. Entre nous deux, il n'y avait qu'un fleuve de boue; mais le lecteur se fera-t-il l'idée d'une boue qui touchait le ventre des chevaux? Une boue continuellement battue et comme mousseuse; la crème fouettée en donnerait peut-être quelque notion. Aussi ceux qui connaissaient la terre disaient qu'on serait bien longtemps avant de pouvoir cultiver cela; le fait est qu'aux endroits où cette boue séchait, elle faisait une sorte de pierre. La terre végétale est un produit de l'industrie humaine qui n'est ni boue, ni sable, ni fumier. La boue des charrois annonçait un désert; et je comprenais alors ce qu'on disait d'Attila, que l'herbe ne poussait plus où ses chevaux avaient passé. Les chevaux du 14e se trouvaient donc sur l'autre pente; et le soir on entendait les Béarnais qui chantaient en chœur *Montagnes des Pyrénées* ou bien *Santa Lucia;* choses communes; mais ces voix-là n'étaient pas communes. Les sons se portaient les uns les autres selon une amitié mystique; et le ténor bondissait de moment en moment, comme élevé par les autres, et lancé jusqu'au ciel des sons. Cette fraternité s'entend aussi dans les chœurs russes. On pense bien que le charmant capitaine m'invitait souvent. Un soir je vis arriver un homme boueux jusqu'au visage et portant une lanterne; il portait aussi un petit billet. Le lendemain je dis au charmant capitaine : « Si vous envoyez encore quelque messager à de telles heures, je ne viendrai plus. » Mais le capitaine ne s'émut pas. « Comment? dit-il; c'est un poltron qui est trop content d'être aux cuisines. » On devine que le ton de ces déjeuners était assez frivole, et même mondain. Le lieutenant voulait me faire lire un livre de Francis Jammes, qui était son ami; il aurait voulu savoir ce que j'en pensais; je lui demandai ce qu'il en pensait lui-même. « Moi? Vous ne croyez pas que je vais lire ces bêtises-là! »

Le livre resta orphelin. L'abbé Harel imitait comme il pouvait cette élégance; et moi je brillais comme un convive de choix; je ne suis que trop doué pour ce genre de badinage. Mais la vérité cynique s'y montrait quelquefois. Le capitaine, qui s'était marié quelques mois avant la guerre, disait à un retour de permission : « J'ai épousé une femme que je ne connais pas. » Un autre jour : « Vous avez remarqué que je suis petit et que j'ai un grand cheval. Eh bien, j'ai peur de tomber de cheval; être blessé ainsi serait le comble du ridicule. » Un peu plus tard, et quand j'étais remonté aux batteries, le capitaine fut blessé à la tête, et revint après un petit mois d'hôpital. « Je fus blessé, me dit-il, par ma bêtise. Je sors au matin de mon abri, portant ma cuvette. Il y avait un tir sur la batterie à côté; quelques éclats volaient jusqu'à moi; je remportai ma cuvette; mais alors je me dis que je subissais la volonté de l'ennemi, ce qui est se reconnaître vaincu. Je sortis de nouveau, portant ma cuvette, et c'est alors que j'eus ce coup sur la tête. Vous qui écrivez sur le courage, retenez cela. » On parlait des chefs sans aucun respect. « L'ennemi ne me gêne pas, disait le capitaine; il fait son métier, et même très bien; ce sont mes chefs qui me gênent. » Chacun avait une histoire à raconter. On a une idée des miennes; mais il m'en revient une que je n'ai pas mise en son lieu. C'était en Champagne; le commandant sautait devant le téléphone comme une vieille poule, gémissant : « Ils me donnent des ordres contradictoires et ils sont tous les deux colonels. « Je dis : « Il faut chercher dans l'Annuaire quel est le plus ancien. » Ce qui fut fait; et c'était la solution militaire.

En ces entretiens le charmant capitaine conta des histoires de secteur tranquille. Celle d'un général, chose peu commune, qui vint jusqu'à l'artillerie, mais déguisé en simple fantassin, de peur d'être reconnu. La batterie s'amusa bien. Dans ce même secteur, le capitaine voyait obliquement et d'enfilade une rue où les Allemands se promenaient comme chez eux; mais ce n'était point son secteur. On proposa pourtant de tirer quelques obus. La guerre, en ce moment-là, était administrée selon les principes; et, en principe, on ne doit pas tirer dans la cible réservée au voisin. Il fallut donc délibérer et consulter. Et savez-vous ce que l'on fit? On prit une douzaine d'obus dans le secteur intéressé, et les canons du capitaine eurent permission de les lancer. Un artilleur tire devant soi.

Cela me rappela une remarque que j'avais faite à Flirey, en un temps où le secteur de Mortmart était un enfer. Un chemin, dit chemin forestier, limitait le secteur à droite. Au-delà de ce chemin tout était tranquille, d'un côté comme de l'autre. Le fait est, qu'en ce même secteur, notre carrière, si sévèrement bombardée et si bien abritée, pouvait être pilonnée à fond par une pièce de 150 du secteur de gauche. Comme je le faisais remarquer un officier dit : « Voulez-vous bien vous taire. Un artilleur n'a jamais de ces idées-là. » Je me borne à ces exemples ; on saisit assez ce genre d'ironie, qui d'ailleurs ne mène à rien. J'étais plutôt disposé à admirer la machine administrative, qui comptait si bien les choux, le pinard, les obus et les charges ; car, avec tout le courage du monde, une armée ne pourrait rien sans cet ordre des bureaux. Mais ce capitaine, d'ailleurs excellent artilleur, ne respectait rien ; il était téméraire en ses propos comme en ses actions.

Au fond j'aimais peut-être mieux le capitaine T., quoiqu'il fût moins aimable. Il m'invitait aussi, quand il venait prendre repos dans notre bois, et, quoiqu'il fût mon chef, il oubliait tout à fait les rangs ; mais il estimait plus justement les parties d'ordre et d'obéissance. Un peu plus tard, je l'ai vu fort exact sur les comptes d'obus, quoique nous eussions dans nos casemates une réserve cachée, à nous transmise par nos prédécesseurs, et dont le commandant, grand faiseur d'additions, ne connaissait rien. Le capitaine T. prenait ces choses simplement et sérieusement ; et puis il n'y pensait plus. Je suppose que, depuis la paix, il a avancé beaucoup plus vite que son ironique camarade. C'était un artiste. Une simple carte postale que j'avais reçue le faisait rêver pendant des heures, et bavarder sans fin sur le dessin et la peinture. J'admirais la confusion, si ordinaire en ces divagations d'artiste, et j'apercevais, en cherchant la réplique juste, la ligne d'un système d'esthétique. Ces heures heureuses nous transportaient à cent lieues de la guerre. Et quoi de mieux ? Il ne se passait presque pas de jours où le fourgon de ravitaillement ne rapportât quelque cadavre, souvent d'un camarade avec qui j'avais dîné la veille. Gontier fut épargné ; mais la menace continuelle eut raison de ses fermes résolutions. Un peu après mon retour il accepta d'aller à Fontainebleau et de devenir officier. Quant à de W. il avait été tué dans un village voisin, à Vignéville, pendant mon absence. Il n'était pas agréable de penser à soi.

En dehors de ces sortes de réceptions je vivais à peu près comme un charbonnier ou un bûcheron. Imaginez quatre piquets soutenant un toit de carton, une table et des bancs; c'est là que je jouais aux échecs jusqu'à la fin de notre bougie; la lueur dansante éclairait un ou deux troncs et le commencement d'un sentier boueux. Ce décor évoque pour moi deux scènes. Voici la première. Un bûcheron habillé en canonnier, et que je n'ai vu que ce soir-là, lisait dans les mains. Je ne lui montrai pas les miennes, car, sur ce sujet-là, j'ai une règle à laquelle je ne manque jamais :

Tu ne quæsieris, scire nefas...

« Ne cherche pas à connaître ton avenir; c'est défendu. » Mais j'entendis le devin; j'admirai son langage grave, précis, mesuré. Quelquefois il disait : « Ne sera pas tué à la guerre. » A un autre : « Accident grave prochainement, mais non mortel. » Et je le vois rejetant négligemment la main d'un sous-officier, en disant : « Quant au jugement, n'en a point; n'en eut jamais. » Rien de plus vrai. Quant à l'autre prédiction elle se trouva vérifiée; celui qu'elle concernait reçut une ruade dans la poitrine, s'en guérit péniblement, et finit ainsi la guerre. Je ne décide point là-dessus; il y aurait trop à dire. Je me borne à remarquer l'harmonie entre notre genre de vie, le sauvage décor, et ces prédictions. Une messe m'aurait choqué. Je suppose que le sentiment d'une telle harmonie est tout ce que l'on appelle la croyance, et qu'il ne s'agit pas de supprimer la croyance, mais d'avoir encore beaucoup d'autres pensées. C'est à peu près ce que Spinoza dit des passions. Ainsi je considérais que ces pensées de l'avenir par les mains convenaient à ce bûcheron, à son auditoire, et à la partie bûcheronne de moi-même.

L'autre souvenir est de musique. Nous vîmes apparaître un soir, dans le cercle de notre bougie, deux ou trois camarades de l'autre batterie; l'un portait un violon emprunté au 18e d'artillerie et dont la chanterelle était remplacée par un fil d'acier. Je pris le violon comme Paganini aurait fait, et je jouai du violon pour la première et la dernière fois de ma vie; car autrement je ne sais que racler. Toutes les romances connues y passèrent. Ils écoutaient comme au théâtre. C'est alors que le sentier boueux nous apporta un ivrogne, inconnu de tous, et habillé de boue, qui se cramponna d'une main à l'un de nos piquets, et de l'autre dirigea le concert, donnant le titre des morceaux, ou les premières notes, et battant la mesure en véritable amateur. Soudainement la bougie s'éteignit et termina tout. L'ivrogne fut effacé; personne ne sut jamais d'où il venait ni où il allait.

Ainsi se déroulait ma vie bûcheronne; et je boitais toujours; mais, comme disait le vaguemestre, « dans cette existence on n'est jamais sûr de rien ». Un jour, sur l'heure de midi, j'eus un billet du chef : « Ordre du capitaine; le brigadier C. montera à la batterie avec le ravitaillement. » Un ordre termine les pensées. Au soir tombant, et paquets faits, j'étais sur le fourgon découvert, en compagnie d'un de nos pointeurs, et nous étions occupés à maintenir du pied le baril d'eau potable qui roulait sur nous. On distinguait à l'avant deux postillons et quatre chevaux; et tout cela avançait en cahotant, sur des routes montantes et descendantes, d'abord passables, et bientôt à peu près impraticables. La voiture penchait, le tonneau roulait. Plus d'une fois, en ces nuits impénétrables, un chargement d'obus fut versé; il fallut redresser la voiture et refaire le chargement. Le capitaine T. m'a dit souvent qu'il admirait ce travail du ravitaillement, et qu'il se gardait bien de jamais le surveiller, car il le jugeait impossible. Les conducteurs racontent qu'ils lâchent alors la bride, et que le cheval s'en va le nez par terre explorant les trous et tirant avec art. Le passager ne voit rien de tout cela; mais il entend d'autres choses et voit d'autres choses. Je ne pense pas que ceux qui ont remonté à Verdun la nuit oublient jamais ce ciel, qui semblait refléter une fournaise; et, quant au bruit, lorsque le grand barrage marche, il dépasse toute imagination. Ce soir-là le bruit était moyen, mais les nuages semblaient de feu.

Les deux batteries occupaient un creux dans les Bois-Bourrus, juste derrière le fort de ce nom. Ce creux était encore assez haut; il fallait grimper pour y arriver. C'est en cette montée que les bruits se firent menaçants. Les explosions étaient vers le fort, d'après l'estimation de mon camarade le pointeur; mais on entendait ronfler les éclats; on n'est pas brave en voiture. L'autre artilleur prit le parti de sauter à terre et de se fier à des chemins de lui connus. Je restai seul, en proie à l'irrésolution, et luttant du pied contre le tonneau. Enfin nous vîmes une lanterne, et comme nous arrêtions devant la cuisine, parut Jeannin, propre et poli comme toujours, qui me salua, prit mon bagage, et me pria de le suivre, tout comme un portier d'hôtel. En un instant je fus aussi tranquille que lui, occupé seulement de ce sentier dans la nuit noire. Cinq minutes après nous descendions dans un abri taillé tout net, très sec, et bien éclairé. J'avais là mon logement, en compagnie des observateurs. Nous étions sur le haut ou presque, à gauche de la cuvette où étaient nos batteries. Nous avions une étonnante cheminée munie d'un tablier en tôle. Le bois, exactement haché par les obus, nous fournissait des bûches fendillées qui brûlaient bien. En ce lieu, et quoique la croûte de terre ne fût pas bien épaisse, nous étions tranquilles, si ce n'est que les explosions extérieures éteignaient souvent la bougie. Jouer aux cartes, manger, dormir, ainsi nous passions le temps. Le service laissait de grands intervalles, et encore plus à moi. Mais quand j'eus parcouru les environs, j'eus une impression sinistre et une peur bien naturelle d'être dehors. Les distances n'étaient pas grandes; en cinq minutes j'étais à l'observatoire, en dix minutes dans l'abri du capitaine. A l'observatoire je regardais tomber nos obus, tantôt en deçà, tantôt au-delà d'une tranchée ennemie nommée la Cédille; je voyais le célèbre Bois des Corbeaux, encore mieux déchiqueté que le nôtre; et à droite, par une échappée, j'apercevais une boucle de la Meuse, et le village de Brabant au-delà. La nuit je prenais la faction à mon tour. Il y avait des heures calmes; à peine une pièce de surveillance envoyait quelques fusants espacés; on n'entendait plus cette fusillade continuelle des anciennes nuits. Le bruit renaissait par orages; mais alors c'était assourdissant et terrible.

Presque tous les soirs le capitaine m'invitait à boire sa gnôle; c'était sa formule; car lui ne pouvait point boire; et il avait dû se faire un courage par d'autres moyens. Maupeou, son trompette et son cuisinier, vieil ami à moi, me dit tout de suite que le capitaine était bien changé, qu'il était plus doux, et qu'il ne descendait guère dans la sape. Je pus voir qu'il s'était exercé à oublier la guerre, et qu'il y arrivait; nous étions là comme dans un atelier de Montmartre; aussi mes réflexions sur l'esthétique commencèrent à mûrir. Si quelqu'un parlait métier, c'était moi. Je ne me consolais pas des écarts de tir que j'observais; je les attribuais au vent, qui soufflait quelquefois en tempête; le capitaine ne croyait pas que le vent eût un effet notable sur une petite masse d'acier. Il n'avait pas l'esprit mécanicien, ni géomètre. Je voulais savoir à quelle hauteur montaient nos obus quand nous tirions à neuf kilomètres; lui disait mille mètres et croyait beaucoup dire; pour moi je jugeais impossible une trajectoire dessinée d'après cette supposition; je conjecturais trois mille, et je me croyais encore au-dessous de la vérité. J'écrivis à Gontier, qui était alors à Fontainebleau, et qui m'envoya la formule d'usage, qui, sans doute, écrivait-il, était fausse. Fausse peut-être, mais du moins vraisemblable. Je vis que je ne m'étais pas grossièrement trompé. Maintenant je me trouvais en face de cette question : quel est le vent à trois mille mètres ? Sans le savoir, et par mes recherches errantes, je tombais dans le problème d'artillerie qui allait occuper les esprits jusqu'à la fin de la guerre, et qui conduisit à la Bertha, si connue des Parisiens. Depuis quelque temps le vent nous apportait des lignes ennemies, déjà à Flirey, des ballons rouges et bleus un peu plus gros que ceux dont les enfants s'amusent. Nul n'avait pu me dire à quoi servaient ces ballons. A l'intérieur on commençait à en savoir plus long; on apprenait à mesurer le vent aux diverses altitudes en observant un ballon au moyen d'un théodolite; on calculait les tables qui permettaient une interprétation rapide, et en même temps d'autres tables de correction pour le tir de l'artillerie. Nous ne fîmes aucun usage de ces tables pendant le temps que je passai en batterie; mais seulement un mois plus tard, je recevais tous les jours, avec les prévisions météorologiques, la vitesse et la direction du vent aux différentes hauteurs. Cela fit le sujet de bien des conversations. J'avais fini par imaginer un ballon amarré à un long fil; l'angle du fil pouvait donner une idée de l'effort exercé par le vent. A la fin, quand je fus météorologiste, j'appris la méthode et le métier.

Je parlais tout à l'heure de la Bertha, chose imprévisible et même incroyable pour nos artilleurs. Je ne sais rien de cette prodigieuse invention; mais je suppose que l'attention fut attirée sur la hauteur étonnante des trajectoires, qui allaient déjà à six kilomètres en l'air pour le tir des grosses pièces. On dut se demander ce qui se passait là-haut, dans un air raréfié, où la trajectoire devait déjà se raccourcir beaucoup moins. Je suppose que les artilleurs ennemis essayèrent en tir courbe, ou tirs de mortiers, leurs plus puissantes pièces longues, et obtinrent des résultats stupéfiants. D'où ils vinrent à bombarder Paris à cent vingt kilomètres; et le plus étonnant, en cette affaire, est qu'on ait à peine trouvé, après l'armistice, le point d'où tirait la pièce, et pas du tout la pièce elle-même, qui n'était pourtant pas facile à cacher. Quant à l'invention elle-même, elle ne m'étonna pas trop, pas plus que les autres triomphes du genre mécanique. Je conçois aisément la puissance de plusieurs pièces réunies en une seule; et tous ces effets mécaniques ne sont jamais qu'un problème de travail accumulé, ou une question d'argent, si l'on veut. Nos artilleurs m'ont paru assez peu géomètres, tirant de tout leur cœur, et jugeant des effets lointains d'après le bruit proche, ce qui est le premier mouvement.

Assez tard dans la nuit je m'en retournais, soit à l'observatoire, soit à mon abri; c'était un mauvais moment; le lieu était creusé et bouleversé; souvent j'entendais sonner quelque fusant comme une cloche, et les éclats faisaient leur bruit sec sur les pierres. L'ami Maupeou, à l'oreille exercée, observait les bruits et m'indiquait le moment favorable.

***

Vers ces temps Douaumont fut repris; cela fit que l'ennemi n'eut plus de vues sur les pentes du fort de Marre à notre droite; et le capitaine eut à reconnaître les positions de batterie possibles en cette région; je l'accompagnai, portant les instruments légers qui permettent d'estimer les angles, et une carte à grande échelle. Ce fut l'affaire d'une demi-journée et sans grands risques.

Je me rappelle toutefois un passage où nous sentions passer les redoutables 130 qui bombardaient une ferme dans les fonds, à notre droite. A chaque souffle, le capitaine rentrait la tête et je faisais comme lui. Le plaisant c'est qu'à nous deux, et notre carte déployée, nous retrouvâmes et notâmes tous les points remarquables, après quoi, arrivant à un ancien dépôt de munitions qui était un point de contrôle, nous nous aperçûmes que nous nous étions trompés sur tout. C'est ce qui ne serait pas arrivé à Gontier, parce que le rapport du plan à la chose était de métier pour lui. Finalement le travail fut fait et bien fait. Nous revînmes de bonne humeur, et le capitaine m'annonça comme probable une meilleure position, et, pour moi, un métier de rentier. Il ne cherchait plus à m'employer, et il avait une raison, qu'il me dit un peu plus tard, comme je partais en permission. Il parla vivement contre les civils hors d'âge, qui ne trouvaient que de faciles paroles, alors qu'ils pouvaient payer d'exemple. « Vous le voyez vous-même, le métier peut être dangereux, mais il n'est pas dur; et la présence de volontaires ferait beaucoup pour relever les courages. Nos hommes ont grand besoin de tels exemples. Et dites-leur bien qu'ils peuvent venir, quand ils auraient 80 ans; on les portera! » Je crois qu'il jugeait bien; et je compris à ce moment-là qu'il espérait me garder, même avec un pied cassé. Dès ce temps-là il méditait de m'employer à quelques causeries sur les indiscrétions, sur le service des renseignements et choses de ce genre. Les hommes, malgré les défenses, ne se privaient pas d'écrire ni de dire où ils étaient. Un vaguemestre fut changé d'emploi pour avoir écrit à une veuve en quel village son mari était enterré; et naturellement on l'avait su par la veuve, qui avait écrit au capitaine pour remercier de cela et d'autres choses. Les hommes ne comprenaient pas que ces détails eussent la moindre importance, et je crois qu'ils avaient raison. Avec des services d'espionnage très étendus, et très intelligemment dirigés, nous n'avons jamais su ce qu'il nous importait de savoir. Nous fûmes surpris du repli sur la ligne Hindenburg; il était fait quand personne encore n'y voulait croire. Nous fûmes surpris au Chemin des Dames, alors que nos divisions étaient massées dans le nord. Mais cette scolastique de l'espionnage, et la méthode si raisonnable des recoupements, enivrent ceux qui y participent, et encore plus ceux qui les ont inventées. Je n'eus pas à faire ces sortes de leçons; et tant mieux.

J'anticipe. J'étais encore aux Bois-Bourrus. Le lieu était dangereux; mais j'avais la liberté de mes mouvements, et l'industrie sauve l'homme dans les hasards. Au bord même de notre abri, un 88 dirigeait son tir foudroyant; tous les combattants connaissent cette pièce autrichienne dont le projectile arrive plus vite que le son. Un soir que nous étions dehors, l'un de nous aux mains du coiffeur, deux souffles nous jetèrent dans l'abri; à peine y arrivions-nous qu'un troisième projectile éclata juste où nous étions. Deux ratés successifs cela est rare et invraisemblable; mais tout est rare et invraisemblable si l'on ne parle pas abstraitement; car pourquoi ici et non là? Je me souviens maintenant d'un 130, aussi rapide et bien plus puissant, qui entra en terre presque sous mon nez à Beaumont, avec un ronflement effrayant; l'étrange est que le long projectile ressortit de terre un peu plus loin et éclata en l'air. On admirerait moins ces coups de hasard si l'on remarquait que chaque explosion diffère d'une autre, et que le détail en chacune est unique et, peut-on dire, exceptionnel. La figure exacte d'une gerbe de cailloux et d'éclats est une rencontre unique, et, si on la pouvait dessiner d'avance, tout à fait improbable. Le fait est que tous les hommes ne sont pas tués; mais l'attention et l'art de se garer sont quelque chose aussi, comme pour les voitures. Je reviens à mon exemple. Si nous avions été affairés autour d'une pièce, dans le bruit et dans la fumée, nous n'aurions pas entendu l'avertissement. Dans l'état de liberté relative où je me suis presque toujours trouvé, on a plus de peur et moins de mal. Les heures de cuisine, où l'on a quelque chose à faire, mais qui souffre délai, furent pour plus d'un l'occasion de transes assez ridicules; car il faut poser la marmite avant de s'aplatir, et l'irrésolution vous travaille. Je me souviens d'un déjeuner de gala, pour lequel je me trouvais porteur de soupe. Et comme j'admirais une demi-douzaine de gigots de moutons australiens, qui cuisaient dans la graisse, il arriva un arrosage de gros projectiles, et qui dura longtemps. Laisser les gigots à leur sort, puis revenir; de nouveau sauter dans les trous; attendre, écouter, prendre sa charge, courir, s'aplatir à côté du rôti, sauver finalement le gigot et soi, ce n'est pas un travail bien relevé. Il y a pire; c'est l'heure des feuillées, et la fuite de l'homme mal reculotté. Misères inconnues et sans grandeur. Quant aux grands massacres, l'équipe d'une pièce fauchée d'un coup, et le feu dans les dépôts de poudre, j'en entendis plus d'un récit terrifiant, car cela arriva à trois cents mètres de nous, et plusieurs fois; mais je ne m'y trouvai point. La guerre n'est un spectacle que de loin.

Un matin pourtant nous fûmes au spectacle. Il était environ huit heures et tout était tranquille chez nous. Occupés à nos cuvettes et serviettes nous regardions vers Verdun, c'est-à-dire en arrière et à droite, où l'on voyait une silhouette de cathédrale ébréchée. Un tir de gros projectiles tombait par là; de temps en temps nous pouvions voir une gerbe et une fumée. C'est alors que se produisit l'événement qui nous tint stupides. Vers le même lieu il se fit une explosion ou plutôt une éruption, avec le tapage de mille pièces, et un grand nuage cuivré dans lequel éclataient des projectiles innombrables; tout cela au grand soleil. De telles choses laissent sans pensée; et l'on se demande si l'on a rêvé; mais ce matin-là nous eûmes le temps d'éprouver et même de goûter l'effet de surprise, car cette explosion dura peut-être deux heures. J'écris cela, parce que je me souviens que cela fut dit au moment même; c'est à peine si je puis maintenant le croire. Nous sûmes un peu plus tard que le tunnel de Tavannes avait sauté et que des milliers d'hommes y avaient péri. Ce tunnel, à ce qu'on racontait, était un magasin de poudre et de projectiles, avec d'immenses dortoirs et des bureaux. Ce que j'ai vu ce matin-là m'a donné une sorte de mesure pour apprécier d'autres catastrophes que j'ai apprises par rumeur, et dont je n'ai trouvé aucun récit dans les livres qui racontent la guerre. Je cite, et comme des rêves sans consistance, l'histoire d'un bateau chargé de mélinite et sautant dans un port d'Angleterre; des milliers de gens assommés par le choc. Je cite l'explosion d'un réservoir de gaz toxique dans une ville allemande, où l'on disait que dix mille habitants avaient péri. Des paysans m'ont raconté depuis la paix l'explosion d'un dépôt de munitions près de Bourg, village au-dessous du Chemin des Dames; c'était lors de l'offensive Nivelle; et l'on me disait qu'une ferme que je connais, et qui est sur une colline à près d'un kilomètre de l'événement, fut mise en poudre. Je le crois bien. Des milliers de victimes aussi. Occasion de réfléchir à l'accumulation d'énergie, c'est-à-dire de travail, qui n'a point de limites. Ce n'est que du travail humain; il n'y a point de mélinite, ni de fulminate, ni de gaz moutarde dans la nature; et la chimie n'est qu'un moyen d'ajouter un coup de marteau à un autre et d'en tenir l'énergie en quelque sorte suspendue. Preuve que le travail humain laisse un monstrueux excédent. Car enfin les hommes qui tendaient ces gigantesques ressorts étaient encore nourris, habillés, logés; et un bon nombre d'hommes n'étaient occupés cependant qu'à détruire. Cette puissance du travail n'est pas plus imaginable que la multitude même des hommes. Plus d'une fois j'ai entendu quelque sage laboureur calculer ce que l'on tirait d'obus de soixante-quinze à quatre-vingt francs le coup, dans une seule journée, et dans un secteur d'un kilomètre. Ils demandaient : « Comment paiera-t-on tout cela? » Je me répondais en moi-même que tout ce qu'on dépense est payé, puisque le travail est fait et que le travailleur a vécu. Mais je n'osais proposer ces vues, trop simples peut-être; et je cherche encore ce que c'est que travail, richesse, excédent, et prodigalité, sans avancer beaucoup; car quel rapport entre ces travaux réels qui éclatent en l'air sous forme d'avions, et les dettes et fortunes vraisemblablement imaginaires, mais qui font des sortes d'explosions aussi, et des massacres de banquiers? L'un se lie à l'autre; mais où est le lien? Est-ce parce qu'on produit trop de richesses réelles que les milliards fictifs forment des sortes de nuées inconstantes? Et la guerre à son tour n'est-elle que l'explosion d'une sorte de dépôt de travail? Toute puissance est-elle méchante finalement comme tout dépôt de munitions est méchant finalement? Si les hommes pensaient l'énergie en même temps qu'ils l'accumulent, ils feraient porter l'effort de prudence au point convenable. C'est la physique qui manque dans l'économique.

***

Je voyais peu C., qui était sans-filiste, et lui aussi un peu à l'écart du trou redoutable, mais du côté opposé. Lui aussi il risqua plus d'une fois sa vie à l'heure de la soupe. Les projectiles ennemis étaient munis maintenant de fusées très sensibles à la percussion; le trou était bien moins profond, et les éclats partaient presque en rasant la terre; ce n'étaient plus les éruptions verticales de Champagne; on était touché maintenant à une distance qui était auparavant celle du spectateur. Jeannin se souciait peu de ces choses; il est vrai qu'il réglait librement ses mouvements, et que je n'ai pas connu d'oreille plus fine que la sienne. Après bien des querelles avec l'adjudant des Clairs-Chênes, après avoir plus d'une fois demandé à passer dans l'infanterie, c'était, on s'en souvient, sa manière de mépriser, il s'était rétabli en dignité dans ces régions dangereuses, et il portait une trompette en bandoulière, ayant charge de reconnaître et de signaler les avions. C'est alors que je lui appris l'alphabet Morse au sifflet, en deux séances et au total en moins de trois heures. En revanche il faisait peu de progrès dans la lecture des journaux; il savait traduire les lettres en sons, mais son attention s'employait toute là; il ne s'occupait point du sens; les idées abstraites n'étaient rien pour lui. L'alphabet Morse n'exprimait jamais, dans nos leçons, que des messages simples et usuels; en sorte qu'ici il apprit fort vite à deviner, au lieu d'épeler. Épeler est une méthode raisonnable, mais dont peut-être on ne peut sortir. C'est par l'exemple de Jeannin que je compris qu'il est difficile, et peut-être impossible, de passer du savoir technique, ou, si l'on veut, de la perception précise, au savoir de rhétorique, qui donne les places et inquiète ceux qui les occupent.

Notre équipe se renouvelait peu à peu par l'arrivée de recrues plus jeunes. Parmi lesquelles il se trouva un bègue, bon et brave soldat, qui chantait très bien et sans bégayer, mais qui avait les idées d'un bègue. La peine qu'il avait à pousser ses opinions le détournait de les changer. Je compris alors quelque chose de l'orateur, et je me rappelai que, même dans Jaurès, j'avais surpris quelques mouvements d'un bègue supérieur, qui soulèverait ses phrases comme des montagnes. L'explosion fait persuasion. Je l'observai très bien chez mon bègue, qui transformait les lieux communs en projectiles. Ainsi, dans nos entretiens assez libres, il ramenait tout le dogmatisme, par les accents impérieux de l'extrême timidité. Par exemple il soutenait, et toujours colériquement, que tout est guerre, que la lutte pour le salaire est guerre, que toute rivalité est guerre, et qu'ainsi la guerre sera toujours. J'avais dénoué cent fois ce sophisme, en montrant que le ressort des guerres n'était pas tant l'intérêt que l'honneur; chose bien aisée à comprendre pour des hommes qui présentement risquaient tout, avec une faible chance de gagner, et de gagner fort peu. Mais jamais je ne pus embarrasser ce bègue; il avait bien assez de difficultés avec ses organes parleurs; et même, comme il répétait fortement les mêmes choses, il persuadait les autres comme à coups de marteau. Le bègue régnerait donc sur les pensées. Le sourd a le même genre de puissance. Il me plaisait de concevoir un peuple gouverné par des bègues et des sourds, et autres joyeux paradoxes. J'avais écrit, selon ce mouvement satirique, un ouvrage qui a pour titre *Le Roi Pot,* et qui est resté inachevé; j'y ajoutai en ce temps-là quelques chapitres. Je suis doué à miracle pour ce genre de plaisanterie énorme et fondé sur une idée juste. Malheureusement, parmi les qualités de l'homme de lettres, il m'en manque une, qui est l'ambition. Je suis aisément content, je fais mon métier, et j'écris les réflexions de mon métier; ma pointe de fantaisie les sauve, et je me trouve homme de lettres sans l'avoir voulu.

***

L'hiver passait; et en même temps le bruit courait que nous n'allions pas rester longtemps dans ce trou où les obus tombaient si bien. Un soir, comme j'arrivais chez le capitaine, pour la gnôle et l'esthétique, je trouvai les malles faites, et j'eus l'ordre d'accompagner un coffret précieux contenant les archives, et qui devait partir à minuit sur la voiture des téléphonistes. J'attendis l'heure dans l'abri du téléphone, où je trouvai d'anciennes connaissances et quelques nouveaux, de bonne et jeune mine. Le départ fut marqué par une scène de comédie toute spontanée. Imaginez la lune dans les nuages, éclairant à demi un chemin défoncé, une voiture chargée, un groupe d'hommes; on allait partir, juste à l'heure marquée. Alors un sous-officier, garçon boucher et parisien, prit le rôle du Mercure à baguette noire, celui qui conduit les morts, et appela de noble voix : « La famille! » Aussitôt quelques téléphonistes mettent les casques à la main et s'avancent avec des airs d'héritiers. Mercure continue : « Messieurs les membres de la confrérie des P.C.D.F. (Pauvres couillons du front). Nous y allâmes tous, ôtant nos casques; mais à peine la voiture eut-elle bougé que nous nous recouvrîmes, selon le rite; la famille, non. De cahot en cahot nous allions, mais après trois cents mètres nous fûmes arrêtés dans un trou. Le pire, c'est que l'artillerie ennemie se réveillait. Il y eut des mots vifs; je ne m'en mêlais point; mon affaire était de veiller sur un coffre; un autre brigadier commandait l'attelage. Je remarquai pourtant une faute, bien naturelle; nous avions deux paires de chevaux; les chevaux d'avant partaient au commandement; leurs traits se trouvaient tendus quand les traits des chevaux de limon (comme on dit chez nous) étaient encore lâches. Ainsi l'effort était divisé. Il fallait partir tous les traits tendus; et je crois bien que c'est dans les règlements militaires; ces manuels techniques sont tous parfaitement faits. Le plaisant est que, dans la nuit des ravitaillements, les règlements étaient oubliés; on entendait Hue! et Dia! Je ne sais si je donnai l'idée ou si elle vint à quelque autre; nous sortîmes de là; nous descendîmes jusqu'à de sinistres villages aux talus creusés d'abris; il ne tomba rien. Ce fut ensuite une marche lente, coupée de longs arrêts. Les canonniers avaient à changer l'affût de siège pour l'affût de campagne; c'est un travail de force, avec chèvres et câbles; et j'admirai une fois de plus comment tout se trouvait rassemblé à l'heure dite et au point choisi. L'administration militaire ne pardonne jamais aucune faute; c'est là qu'on apprend à ne rien oublier. J'eus plus d'une fois occasion de rougir de moi-même, surtout quand je faisais un métier nouveau.

Au matin nous étions installés dans une position bien aménagée, à droite de Vignéville, en un vallonnement de boue gelée. Les abris étaient passables et le danger n'était pas grand; il ne nous arrivait qu'un obus de temps en temps, et souvent mal dirigé. Pendant le mois que je passai là, c'était entre décembre et janvier, il n'y eut qu'un blessé. En revanche nous fîmes connaissance avec les obus qui font pleurer; c'était nouveau. J'allai avec le capitaine reconnaître les morceaux et la fusée; nous sentions une odeur d'ammoniaque; l'effet fut retardé, mais étonnant; nous pleurâmes pendant un jour et une nuit.

Nous avions monté en grade, en ce sens que le capitaine, sans changer de lieu, laissait à son lieutenant le commandement de la batterie, et devenait chef du groupe; le commandant, un peu en arrière, était chef de secteur. J'étais secrétaire du capitaine, et je connus l'administration; je pouvais croire que je surmonterais tout de suite des difficultés ridicules, comme de vérifier des additions d'obus et de charges; mais il y avait beaucoup de petites difficultés, des rapports de trois jours et des rapports de six jours, le chiffre, qui changeait toutes les semaines, enfin mille soins dans lesquels je me trompai deux ou trois fois et fus très humilié. Le commandant du commandant, puissance invisible, signalait avec force la moindre erreur; le capitaine T. ne disait rien; mais ce silence était éloquent. Dans le fait j'étais exactement de même force à ce jeu que n'importe quel sous-officier; il faut un apprentissage en tout; après une semaine, j'étais formé. Mais j'ai encore trop gardé de cette folle idée qu'il y a des métiers faciles, aussitôt corrigée par une idée non moins folle, qu'il y a des métiers difficiles. Tout est difficile d'abord, et tout est facile par l'accoutumance. Et cela est vrai des mathématiques pures comme du ravitaillement. L'intelligence n'est qu'un jeu au-dessus de ces différents métiers; elle n'y aide guère; souvent elle les trouble. Je me souviens d'un matin où je courais après l'homme de liaison, qui emportait un sac où une pièce importante manquait. Et je ne pouvais m'éloigner. Les canonniers se moquaient de moi et ils avaient cent fois raison. Un mouvement inutile est ridicule. Tout compte fait ils étaient assez fiers de m'avoir avec eux.

Ce qui est remarquable, c'est qu'avec ma position de favori j'eus toujours la confiance de la plèbe militaire, si naturellement défiante à l'égard des rapporteurs. On pense bien que je ne répétais rien de ce que je pouvais entendre; cette vertu m'est naturelle. Aussi je vivais en camarade avec les téléphonistes et leur brigadier, dans l'abri desquels j'avais place. Je leur appris le jeu d'échecs, et je travaillai avec eux à résoudre de petits problèmes de montage; car il nous arrivait des modèles inconnus de téléphone, et de tableaux, et de sonnerie. J'observai alors un ou deux prolétaires, et je connus qu'ils avaient une trop haute idée de l'intelligence. L'un d'eux, lorsqu'il eut appris la marche des pièces aux échecs, se croyait sûr, après cela, de toujours gagner. Le même, en présence d'un appareil nouveau, et me voyant chercher avec patience, me le prenait des mains, disant : « C'eſt tout simple », essayait, n'arrivait à rien, et parlait d'autre chose. Et en effet il n'y a rien de difficile dans le jeu d'échecs ni dans aucune combinaison; mais il faut d'abord la connaître morceau par morceau, et ne rien oublier. La précipitation eſt la seule faute; mais personne ne le croit.

***

La neige tomba, qui fit une couche de près d'un mètre, et sèche comme du sable. Nous eûmes chaud dans notre terrier, sans aucun feu; il eſt vrai que nous étions six dans un si petit espace, que l'un de nous mangeait couché, le corps enfoncé dans une sorte de tunnel, et les coudes sur la table. Au dehors nous avions chaussons et galoches. Les galoches sont heureusement prévues au règlement pour les travaux d'écurie; elles sonnaient sur la neige durcie et glissaient sur les talus de glace qui formaient notre retranchement. Cette grande neige fut l'occasion de quelques remarques d'ordre militaire. Notre batterie se trouva ensevelie, et, moyennant quelques précautions pour les ouvertures, qui révèlent l'homme, elle put passer pour totalement invisible. Mais le premier tir fit d'immenses traces noires qui devaient nous faire aisément découvrir. Il fallut remuer la neige; et nous pûmes aussi conſtater, sur quelques photographies prises par les avions, que les moindres piétinements indiquaient très clairement les positions occupées. Nous ne reçûmes pourtant que des obus de hasard. En revanche nous pûmes remarquer nos coups autour du ravin de la Hayette, qui était le but de notre barrage, absolument comme sur une cible. Et les coups se trouvèrent régulièrement diſtribués. Le grand barrage de Verdun nous assourdit plus d'une fois, et nous y faisions notre partie à deux coups par minute, ce qui eſt la grande vitesse pour nos pièces, qui reculent en saut de grenouille. Au reſte c'était le rythme pour toutes les pièces, rapides ou non. J'ai déjà dit que le frein à piſton eſt une de ces inventions élégantes et sans utilité, de même que la poudre sans fumée; ce frein ne peut servir que pour les très grosses pièces, qui tirent peu, et sont difficiles à déplacer. Je contrôlais la vitesse du tir à la montre; c'était une partie de mes fonctions. Une autre était de commander les tirs de nuit; c'étaient des tirs de surprise, plusieurs batteries écrasant le même point. Il fallait premièrement régler la montre par téléphone, et puis veiller en attendant l'heure. C'est à l'approche de l'heure que le métier devenait difficile. Il fallait prendre une lanterne et parcourir les deux batteries pour réveiller les équipes. Ce paysage de glacier, fait de trous et de bosses, et limité au cercle de la lanterne, était fait pour tromper; quelquefois je voyais la bouche d'un canon à ras de terre, chose éloquente; il fallait revenir. Je trouvais enfin les chaudes casemates et je secouais les dormeurs. Pendant que tout remuait le long des deux batteries je me plaçais en un point dominant et je guettais l'aiguille des secondes. Alors j'avais le plaisir de faire partir huit coups de canon, ce qui fait huit longues traînées de feu et un beau tapage; les autres batteries, loin ou près, tiraient en même temps. J'étais enivré. Si l'on voyait en même temps les coups arriver au but, cette chasse au canon serait un des plus vifs plaisirs. « Homicide point ne seras. » Mais qui y pense? Je ne pensais même pas aux quelques fusants qui ne manquaient pas d'éclater ici et là pendant que je revenais à pas glissants jusqu'à l'abri. Dans les moments où l'homme exerce une puissance, il ne peut avoir peur; un des mouvements exclut l'autre.

Cela me rappelle une autre chasse à l'homme, où je fus homicide d'intention, et bien plus clairement. C'était au bel observatoire de Beaumont, d'où l'on voyait un si grand paysage. Or, près d'un bois du nom de Gargantua, où était une batterie connue, je voyais passer tous les jours, le long d'une prairie et près d'un petit buisson, quelque porteur de soupe insouciant. Nous avions une pièce braquée sur le petit buisson; le problème était de commander le feu juste à point, compte tenu du voyage de l'obus, qui durait bien dix secondes. Cet obus ne toucha jamais l'homme; mais le jeu était passionnant. On entendait passer l'obus; et puis tout se taisait, et l'homme se rapprochait tranquillement du buisson; puis, quelques secondes plus tard, on le voyait s'arrêter, sans doute écouter, et puis courir vers un boyau proche, pendant que l'obus éclatait au voisinage. Le seul résultat fut qu'ils creusèrent leur boyau plus avant. La pièce qui tirait sur le buisson était une 90, ancien modèle que l'on avait été heureux de retrouver. Ces pièces tiraient assez juste. On fit pour ce calibre l'obus Dessaleux, un peu effilé à l'arrière; ce changement de forme augmentait la portée de plus de mille mètres; et l'on put alors, au moyen d'une pièce en surveillance, barrer des routes où l'on voyait passer des convois. Un obus suffit, et nous le savions bien. Je veux que l'on sache qu'il n'y a aucune méchanceté dans ces jeux-là. L'ardeur de la chasse y fait tout.

A Vignéville je ne voyais pas le gibier. Mais les mouvements du métier occupent déjà assez, et je ne m'ennuyais nullement de cette guerre de siège, qui nous laissait de longs loisirs. Le capitaine oubliait maintenant en me parlant qu'il était capitaine. Il disait quelquefois : « Je vous entends rire avec l'équipe, et je vous envie; je suis seul; ne m'oubliez pas trop. » Il commença mon portrait à l'huile; mais je ne pus juger de ce qu'il savait faire en ce genre, car ce travail fut interrompu. Je pus seulement voir de lui un croquis de la batterie et du paysage neigeux, rehaussé d'aquarelle et de gouache, et certainement bon. Les bosses de terrain y étaient suspectes; l'on y devinait la force en embuscade. Mais d'autres que nous auraient-ils saisi ces faibles signes ? Nous discutions sur cela et sur mille autres choses; je me faisais envoyer des cartes postales d'après Vinci, Michel-Ange, Raphaël. J'ai un goût très assuré, je veux dire ferme et bien à moi; mais d'ordinaire je ne l'exerce point. Je crois que, pour s'intéresser aux arts, il faut être sujet à l'ennui. Ces conversations réveillèrent en moi des opinions invariables; et, portant mon attention là-dessus, j'avançais à part moi dans le *Système des Beaux-Arts*.

***

J'écrivais alors mes premiers chapitres, tout à fait neufs pour moi, peut-être moins neufs même pour les lecteurs qui s'y sont intéressés. On n'écrit bien que sur ce que l'on découvre, et c'est ce ton de nouveauté qui intéresse; car tout a été dit; mais que peut un auteur ennuyé ?

Certes, il y a des lieux communs de peinture, d'architecture, de musique, de poésie; et il serait beau de réveiller l'espèce des riches, et de lui faire voir qu'elle est volée. L'ingénu y peut servir, en soumettant toutes ces choses à la mesure cynique; il y aurait un chemin entre l'ancienne rhétorique et l'extravagance des nouveaux charlatans. Il n'y avait qu'à lire Stendhal, à étudier un dessin de Vinci ou de Rembrandt, et à oublier les pauvres canonniers. Dans cet abri du capitaine, transformé par nos propos en une chambrette d'étudiant, nous faisions des projets pour les temps de paix. Nous ferions la revue des musées, des monuments, et des marchands de tableaux. A vrai dire c'était surtout le capitaine qui faisait ces projets-là. Pour moi, après ces moments d'oubli total, je regardais ces sauvages bosses de glace à la hauteur de mes yeux, et j'étais ramené à d'autres méditations. Beaucoup de ces liens de guerre et de ces projets faits dans les abris étaient destinés à l'oubli. Mais le capitaine savait ce qu'il voulait. Aux premiers temps de la paix je trouvai sa carte sous ma porte; je répondis froidement, en surmontant un mouvement de réelle amitié. Pourquoi? On pourrait aussi bien demander pourquoi je me suis tenu en dehors de ce monde, qui nourrit les poètes et les peintres, et même les rhéteurs. Dans le fait je ne connais plus qu'un de mes camarades de guerre, c'est le syndiqué. L'abbé Harel, le charmant capitaine du 14e, je ne les ai point cherchés, alors qu'il m'était bien facile de les trouver. En revanche que de fois j'ai cherché Balard, l'homme au cuissot de chevreuil, sur le siège de quelque camion! Et longtemps j'ai levé les yeux vers les échafaudages des maçons, espérant que j'y verrais Maupeou le chanteur. Un ou deux autres, rencontrés par hasard, se sont perdus dans la foule des hommes. Jeannin est tombé d'une camionnette et s'est tué, sans quoi je recevrais encore ses visites cérémonieuses. Bref j'ai fait le choix que je voulais faire, et il n'est point de jour où je ne me félicite d'avoir détourné toutes les occasions de trahir. C'est que je ne pouvais pas pardonner cette absurde et mécanique guerre. C'est que je retrouvais tous les Importants plus affairés que jamais, et aussi plus habiles que jamais à m'ouvrir leurs rangs. En même temps je connus qu'ils avaient bien peur. Au vrai j'entrevoyais que le conflit politique était le même en tous pays, et qu'il n'était autre qu'une révolte des esclaves contre les maîtres, chose qu'il fallait attendre, après cette tuerie imbécile. Tout l'effort des Importants était à faire croire, et peut-être à croire, que les mal payés voulaient seulement un meilleur salaire, la mine aux mineurs, et choses de ce genre; à quoi il y a des remèdes de bon sens et de pratique, sans compter que la formation de guerre et la menace de guerre sont des moyens connus de détourner et d'ajourner. Je croyais voir tout à fait autre chose, c'est-à-dire des hommes qui sentaient que l'inégalité propre à la formation de guerre, et si énergiquement maintenue, était le principe de toutes les autres inégalités, et la source mère de l'injustice; mais les moyens leur manquaient de pousser par là; et sans doute se résignaient-ils trop vite à vouloir changer d'abord la distribution des richesses, espérant qu'ils auraient la paix par surcroît. Or il me semblait qu'en tous les partis les chefs suivaient les mêmes maximes. *L'Armée Nouvelle* de Jaurès, œuvre à mes yeux effrayante dans le temps qu'elle parut, me le paraissait encore bien plus après cette expérience de la guerre, où la science et la vertu, chacune à leur place dans l'immense camp retranché, reculèrent les limites de la barbarie. Et comme il était clair que tous ceux qui avaient des lumières étaient aussitôt recrutés pour le commandement, et que bien peu choisissaient l'état d'esclave, je vis enfin la société des hommes autour de moi se diviser réellement, et contre les discours, en deux partis à peu près égaux; d'un côté, ceux qui avaient espérance de pouvoir, de richesse, et de succès, ceux-là bien parlants et reprenant les vieilles doctrines; de l'autre, ceux qui sont voués à l'obéissance, avec la petite troupe des bien parlants qui refusent pouvoir; mais ceux-là s'égaraient de doctrine en doctrine, souvent jusqu'à la dangereuse ironie qui nie tout et accepte tout. Ce second parti n'a pu encore formuler sa doctrine propre; il n'est fort que par l'action, qui est guerre aussitôt.

Que fallait-il donc faire? D'abord massacrer les lieux communs, et en remontant loin; car l'ordre ancien, qui est l'ordre militaire, est métaphysique et même religieux; où il fallait démêler, ce qui est mon métier; mais les effets en sont presque imperceptibles; les louanges académiques et l'appât des grandes places ont bientôt fait taire la partie critique de l'esprit; et je dirai même que le croire est, à certains égards, facile à celui qui s'est formé à ne rien croire par raisons. Toute l'intelligence, ou presque, tombait donc dans l'autre plateau de la balance, où se trouvent déjà le képi doré et l'épée de commandement. Il ne sert pas de blâmer le voisin; il faut se garder d'abord des mêmes fautes. Le parti raisonnable était de rester peuple, sans se laisser détourner par les doctrines qui, volontairement ou non, cachent à ces masses si fortes et si braves le juste point de pression et de délivrance. Position difficile; car le syndiqué ne se prive pas d'aboyer à gauche pendant que la meute bien payée montre ses crocs à droite. Mais l'expérience que j'ai faite toutes ces années avec mon syndiqué prouve que l'on peut persuader sans flatter, et rallier sans se rallier. Je tiens donc ferme sur la seule position possible, et je tiens aussi la difficile promesse que je me suis faite de punir les tyrans sans violer les lois. Ces idées furent péniblement éclaircies dans les années qui ont suivi la guerre.

Enfin, en 1931, qui est l'année où j'écris, un historien, G. Ferrero, a débrouillé la doctrine, par les moyens qui lui sont propres, et qui ébranleront l'armée des historiens. Ce mouvement tournant changera beaucoup la politique. Mais je laisse les prédictions. Toujours est-il que je devais refuser le plaisir d'entretiens sur les beaux-arts avec un homme qui, sans doute, est à présent pour le moins colonel. Liaisons dangereuses. Je reviens maintenant à nos canons. Je n'y devais pas rester longtemps.

Il arriva du Grand Quartier Général une note qui me concernait. On demandait ce qu'était devenue une demande que j'avais dû faire d'être versé au Service Météorologique de l'armée. Cette demande était perdue; il n'y avait qu'à en faire une autre. Mais là-dessus je ne cédai point. « Mon service est facile, dis-je au capitaine; mon pied cassé se guérit peu à peu; vous me dites que je suis utile ici, et que je le serais encore par ma seule présence. Je m'en tiens à ce que j'ai voulu, et nous resterons ensemble. » Mais le capitaine connaissait l'administration. « Il faut, dit-il, que vous ayez parlé de cette demande à votre dernière permission. Certainement on s'intéresse à vous là-bas, puisque le Grand Quartier s'en mêle. Et vous ne savez pas ce que c'est que le Grand Quartier. » Nous revînmes à nos occupations et à nos entretiens; la neige tenait; la guerre sommeillait. J'étais autant adapté à cette vie qu'un adjudant-chef. Je connaissais l'ordre des rapports, le style militaire, le chiffre, et enfin toutes les parties du métier de scribe aux armées. J'avais une bonne collection de cartes postales, et mon portrait avait presque des yeux. Alors arriva la note de service que le capitaine avait bien prévue : « Le brigadier C. sera dirigé sur Dugny (Seine) sans aucun délai; il sera rendu compte de l'exécution de cet ordre. » « Voilà qui est fait, dit le capitaine; vous êtes parti, et je rends compte. Maintenant je vous demande trois jours pour que vous formiez votre successeur. Après quoi vous aurez le cabriolet d'honneur jusqu'à Nixéville; et ne vous pressez pas d'arriver; prenez huit jours. » Ces trois jours furent très agréables; et j'aurais dû avoir des regrets; mais, quoi qu'on puisse penser, on s'éloigne de la guerre avec joie; comme on voit les chevaux, quand ils reviennent du ravitaillement; ce sont d'autres bêtes, une autre allure, d'autres oreilles. Finalement je partis un beau matin dans cette neige, et Jeannin portait mon bagage, disant, selon les règles de la conversation : « Votre place n'était pas ici. » Je voudrais bien savoir pourquoi un homme de cinquante ans ne ferait pas la guerre. Les territoriaux de Toul, semblables en cela à bien d'autres de leur âge, ont supporté toutes sortes de fatigues; j'ajoute qu'il est facile d'adoucir un peu le métier, le risque de mort violente mis à part. Peut-être craint-on les hommes d'âge; et surtout c'est une espèce d'axiome que tout homme cultivé doit être officier. Or je crois au contraire qu'un homme cultivé devrait refuser d'être officier; nulle loi ne peut l'y obliger, car on peut toujours être refusé aux examens spéciaux. La tentation d'être un chef juste et humain est naturelle dans un homme instruit; mais il faut savoir que le pouvoir change profondément celui qui l'exerce; et cela ne tient pas seulement à une contagion de société; la raison en est dans les nécessités du commandement, qui sont inflexibles. C'est pour la même raison qu'un député doit se garder d'être ministre, et qu'un ouvrier doit se garder d'être délégué au conseil des patrons, ou chef de syndicat. On demande où mènerait ce système de refus. C'est premièrement la négation d'un système effrayant; et je crois que les saints firent beaucoup contre l'ancienne inégalité par un refus d'être évêques, prieurs, abbés. Dieu ou non, salut ou non, ils avaient reconnu le piège des pouvoirs. Ils étaient un vivant reproche aux prélats décorés. La religion n'a fait que traduire en images vives l'éternelle situation des hommes en société, où tout est réglé de façon que les pauvres gens perdent bientôt leurs amis et leurs conseillers. Les boursiers, aujourd'hui, renient promptement le peuple d'où ils sortent. Cette trahison se colore de grands mots. Aimer son pays c'est toujours, selon l'opinion régnante, aimer la gloire, la richesse, et le pouvoir. Cette vertu est un peu trop facile. Choisir le métier de chef, c'est un choix de bien-être. Et, tous risques égaux, l'officier est plus heureux que l'homme de troupe; de plus il tient le pouvoir, chose qui enivre. D'ailleurs le risque n'a qu'un temps. Je me permets de rire de tous ceux qui déguisent l'ambition en dévouement. « Mais encore une fois, demande l'homme raisonnable, où allons-nous ? Ces raisonnements que vous faites sont de nature à agir sur les âmes généreuses. Eh quoi ? Nous n'aurons plus pour ministre que de froids ambitieux, et nos officiers seront ignorants et brutaux ? Est-ce cela que vous voulez ? » A quoi je réponds que je ne connais pas plus l'avenir politique que vous ne le connaissez vous-même. Ce que je sais bien c'est que l'état tête en bas dont vous me parlez n'est pas possible, et que le régime des pouvoirs sera alors profondément changé; l'opinion, je dis l'opinion exprimée, résistera au lieu de flatter. Ces effets seront lents, imperceptibles, immenses. Et ce sera l'ancien pouvoir des papes et des évêques, si vite corrompu, et fondé cette fois sur une sorte d'infaillibilité positive. Si tous les hellénistes pensaient comme Bracke, et tous les physiciens comme Einstein ou Langevin, ce serait la plus grande révolution que l'on ait vue, et sans autre changement qu'un bon serment à soi sur un millier d'hommes. Mais tant qu'un esprit supérieur se ralliera à la politique des lieux communs, toute révolution sera vaine.

***

J'eus un long moment à Vignéville; j'y retrouvai C., qui était déjà un artiste du sans-fil. Nous parlâmes justement de ces choses, qui l'occupaient autant que moi. Nous battions les difficultés; il en sortait une aveuglante poussière. Mais la moindre sagesse veut trente ans d'obstination. Nous renouvelâmes le serment d'espérer. Et enfin je roulai dans le paysage neigeux, jusqu'au chemin de fer sinistre, jusqu'aux wagons sans vitres remplis d'une plèbe misérable. Le soir, mon sac sur l'épaule, je glissais sur les pavés de Bar-le-Duc, cherchant à pénétrer jusqu'au bureau du commissaire de gare, où je devais me présenter, et trouvant tous passages interdits; tel est le sort du troupier. Je forçai une barrière, et un sergent me timbra ma feuille de route sans seulement me regarder. J'avais fini ma guerre. Je n'ai plus à raconter maintenant que des histoires de caserne. Je tombai dans un immense camp d'aviation; j'appris que tout y était défendu, mais qu'il y avait au moins sept manières de sortir sans permission. J'eus plus froid qu'à la guerre, dans de grandes cabanes mal closes. Mais j'appris des choses et c'est de cela surtout que je veux parler. L'art d'instruire ne se trouve que chez les militaires. Pourquoi? Parce qu'avant de comprendre il faut d'abord apprendre. Et ici les sanctions étaient bien fortes. Tous ces fantassins auraient appris n'importe quoi pour ne plus entendre les obus. Or ce que nous apprenions c'était la météorologie, science aussi rigoureuse dans les explications qu'incertaine dans les prévisions. Cette science tenait toute dans cinq ou six carnets qu'il fallut d'abord copier. Copier est très bon; c'est la meilleure méthode de réfléchir. Ensuite il fallut faire toutes les observations, baromètre, thermomètre, et autres choses, et les faire vingt fois; cela aussi est bon; car on croit trop vite que l'on sait. Il fallut tracer des courbes d'égale pression sur des cartes. Finalement je ne fus jugé bon que pour le téléphone, à cause de ma lourde et épaisse plume. Mais mon savoir n'était pas inutile, car, dans les gardes de nuit, on a tout à faire, et même le chiffre.

Nous étions préservés de presque tous les ennuis militaires par la bonne grâce d'un météorologiste de métier, habillé en militaire. Mais il fut victime à la fin de sa grande naïveté. Un capitaine de vaisseau était notre maître à tous; et celui-là était un vrai militaire. Un jour il donna à midi moins le quart à notre officier l'ordre de faire une conférence à midi, aux aviateurs, sur je ne sais quoi comme pressions et vents. Notre lieutenant en savait bien assez, mais il eut des scrupules et les exposa vivement, en sorte que la conférence n'eut pas lieu. Désastreuse victoire. À deux heures il apprit qu'il était déporté à Reims, et il nous fit des adieux précipités. Je reconnus le pouvoir absolu; et, comme j'avais entendu par hasard le discours du subordonné au chef, j'avais bien prévu quelque chose de ce genre. Ce simple déplacement était une sorte de malheur pour un homme marié et qui couchait chez lui tous les soirs. C'est par de tels moyens que Louis XIV régnait. Nous fûmes victimes aussi, car nous retombions sous la coupe du second lieutenant, qui était un pédant méchant; méchant de ton, car il ne mordait guère. Et nous le punissions aisément, car il était ignorant autant qu'insolent. Mais, comme je disais, ce sont des histoires de caserne. De temps en temps je bouclais mon ceinturon et j'allais à la cuisine régner sur les épluchures. Je me souviens que j'écrivis un chapitre sur la sculpture au milieu des trognons de chou.

J'en ai fini avec mon existence militaire, je veux seulement ajouter à ce récit quelques remarques sur la météorologie. La première est de détail, et assez paradoxale, c'est qu'il n'y a point de vent de Sud à Paris. Quand le vent remonte du Sud-Ouest au Nord, à l'Est, au Sud-Est, il passe toujours par le côté Ouest-Nord. Ceux à qui je dis la chose la jugèrent incroyable, mais ne purent trouver le moindre fait qui fût contre. Et cette singularité importe beaucoup pour la construction des appareils enregistreurs, puisque la direction du vent ne fait qu'osciller entre S.-O. et S.-E. par le Nord. J'ai fait une autre remarque concernant la prévision du temps, c'est qu'il est plus facile de prévoir quinze jours à l'avance que de prévoir pour le lendemain; dans le premier cas on prévoit un régime général des pressions et des vents, sans s'arrêter aux exceptions locales ou passagères; et souvent, comme j'ai vu, un homme de métier prédit bien; la suite des jours lui donne raison; au lieu que la prédiction pour le lendemain est à peu près de même force que celle dont est capable un simple paysan. Comme on pense bien, le Grand Quartier Général voulait des prédictions pour le lendemain, et même pour la nuit. L'esprit d'obéissance, si puissant sur chacun, ne manquait pas d'annoncer à tous risques, après bien des hésitations, en mêlant, par prudence, brumes, pluies, éclarcies, ce qui n'instruisait personne. En revanche je sus comment certains grains, qui ont une marche presque aussi connue que celle des trains de chemins de fer, peuvent être annoncés une heure à l'avance; en sorte qu'après avoir averti les camps d'aviation sur le parcours, je pouvais, quand nous y étions nous-mêmes, regarder ma montre sous un ciel tranquille, et guetter le premier frémissement des herbes. Ce genre de prédiction nous venait surtout de Chartres, où un observateur voyait se former le grain sous l'aspect d'une légère trombe de poussière et de brins de paille. Enfin j'appris ainsi qu'un signe quasi infaillible des orages résulte de l'uniformité des pressions, chose que j'ai quelquefois essayé de comprendre; mais, en rentrant dans la vie civile en octobre 1917, je fus privé des messages que nous recevions deux fois par jour, et qui servaient de matière à nos réflexions. J'en revins à la méthode paysanne; mais du moins je m'étais exercé aux observations, aux corrections, au maniement des instruments, et selon la manière militaire, c'est-à-dire très strictement. Ces détails de pratique éclairent beaucoup les sciences. Si je m'étais trouvé, par aventure, commis de banque dans un État complètement militaire, il ne me manquerait rien pour prédire intelligemment l'avenir de nos finances; intelligemment ne veut pas dire exactement; c'est ce que la météorologie m'a appris. Toujours est-il que j'en suis réduit, pour les finances et pour la politique, comme pour la pluie, à la méthode paysanne, qui consulte seulement les grands et manifestes signes, un peu corrigée, quant à la politique, par ce qu'on peut appeler la méthode ouvrière, qui appuie en même temps qu'elle prédit. Cela définit assez les moyens d'un simple citoyen, qui ne sont pas grands, mais qui, non plus, ne sont pas nuls.

1931.

J'ai relu toutes ces pages en ce mois de mai 1933; *j'y vais faire quelques ajustements, mais sans rien changer à cette couleur des opinions, qui ne peut manquer de plaire aux uns et de déplaire aux autres. Il y a des risques dans une certaine manière de commander, des risques aussi dans une certaine manière d'obéir. Que quelques-uns, et de divers partis, soient amenés à réfléchir là-dessus d'après ce que j'en écris, c'est tout ce que j'espère. Et tout compte fait j'ai l'espoir robuste.*

V

MARS
OU
LA GUERRE JUGÉE

AVANT-PROPOS

Sous la protection, je le voudrais, du bon Hercule, le seul dieu qui soit vénérable, j'ai dessiné ici le visage ambigu de Mars, dieu de la guerre. Scrupuleusement, en vue de n'offenser ni la patience, ni le courage, ni la justice, j'ai suivi la sagesse de ce double mythe, par où les anciens font voir qu'au milieu même des combats ils n'ont jamais confondu deux hommes que pourtant Nature nous offre toujours attachés et mêlés. Laissant donc l'Hercule nu, au cou penché, qui observe et fait, j'ai suivi et retracé en ses attitudes le dieu vaniteux, triste et méchant, droit dans le costume, et tête levée, sans me prendre à ce regard équivoque, où la peur menace.

Vénus est jointe à Mars dans l'antique allégorie. A bon droit. Et ce langage muet est aussi prophétique, puisque Vulcain guette leur rêve charmant, joignant déjà par un lien de fer l'ivresse des passions à son art mécanique. Mais, dans mon analyse, sévère en tous les sens, et trop abstraite peut-être, la forme féminine s'est trouvée dissoute. Car c'est en l'homme infatué que la femme prend puissance de nuire. Aussi cet œil comédien, ces ruses sans projet, cette flatterie du faible, cet art d'orner le plaisir, tous les mensonges enfin de l'élément subordonné, sans oublier la peur essentielle, tout cela, qui est grâce de nature, s'exprime en Mars par la nullité inflexible. D'un côté l'amour qui se change en haine vide l'esprit de toute substance; mais aussi l'odieux en la femme est si absolument trompeur que l'art seul y trouve objet, par de fantastiques apparences. Donc Liluli suffit.

Mais Mars a plus de consistance, car il fait système de tout, reprenant en projets et décrets ses cris incohérents, et préméditant la convulsion. Il fallait vaincre cette redoutable apparence. Le voilà donc ce monstre ici en morceaux, et pourtant reconnaissable si j'ai su rassembler ici et là ses traits hétérogènes en poésie courte.

Après l'avoir bien considéré devant toi, apprends, lecteur, comme j'essaie, à le défaire en toi-même, déliant, nommant, et renvoyant chaque élément à sa place. Et ne t'effraye pas de toi-même si tu te vois guerrier au miroir de Vénus. Mais souris plutôt à ta propre image, qui est celle d'Hercule.

CHAPITRE PREMIER

L'AMOUR DE LA PATRIE

Nous devons faire un exact inventaire, sans aucun respect. Mais il est moins question de nier que de donner à chaque sentiment sa juste part dans la grande aventure. Il s'agit maintenant pour moi de la vie des autres, au sujet de laquelle je dois décider pourquoi et en quelles circonstances j'accepterai ou non, le cas échéant, qu'ils meurent pour mes idées. Soyons donc scrupuleux, et non point léger. Or je crois que cet amour de la patrie, si naturel en tous, n'est pas assez fort pour porter par lui-même le grand effort de guerre.

Et voici pourquoi je crois cela. La nation en guerre a autant besoin d'argent que d'hommes. C'est un fait qu'elle trouve autant d'hommes qu'il y en a en elle pour mourir. C'est un fait aussi qu'elle ne trouve pas aisément de l'argent. Il y faut de la contrainte, lorsqu'il s'agit de l'or, ou bien une sorte de marché avantageux. Et, pour les emprunts, on n'a même pas l'idée de dire : « l'emprunt national ne rapportera aucun intérêt; le principal même n'est pas garanti ».

Examinons de plus près. Il y a à dire ici quelques vérités désagréables. Chacun sait que les militaires, à partir d'un certain grade, et par la simplicité de la vie qui est alors imposée au combattant et même à la femme, amassent quelque argent pendant une guerre de quatre années. Or, parmi ces hommes qui donnent leur vie, y en a-t-il un qui, ayant fait le compte de ses dépenses, rende le superflu en disant : « Je ne veux point m'enrichir pendant que ma patrie se ruine » ? Que les citoyens donnent plus volontiers leur vie que leur argent, voilà un paradoxe assez fort.

Ceux qui exposent leur vie jugent peut-être qu'ils donnent assez. Examinons ceux qui n'exposent point leur vie. Beaucoup se sont enrichis, soit à fabriquer pour la guerre, soit à acheter et revendre mille denrées nécessaires qui sont demandées à tout prix. J'admets qu'ils suivent les prix; les affaires ont leur logique, hors de laquelle elles ne sont même plus de mauvaises affaires. Bon. Mais, la fortune faite, ne va-t-il pas se trouver quelque bon citoyen qui dira : « J'ai gagné deux ou dix millions; or j'estime qu'ils ne sont pas à moi. En cette tourmente où tant de nobles hommes sont morts, c'est assez pour moi d'avoir vécu; c'est trop d'avoir bien vécu; je refuse une fortune née du malheur public; tout ce que j'ai amassé est à la patrie; qu'elle en use comme elle voudra; et je sais que, donnant ces millions, je donne encore bien moins que le premier fantassin venu »? Aucun citoyen n'a parlé ainsi. Aucune réunion d'enrichis n'a donné à l'État deux ou trois cent millions. Or si la patrie était réellement aimée plus que la vie, on connaîtrait ce genre d'héroïsme, et même, puisque celui qui donne sa vie devait la donner, les héros du coffre-fort donneraient encore moins que leur dû.

Cela prouve, il me semble, que l'amour de la patrie, lorsqu'il se manifeste par l'action militaire, est certainement soutenu et réchauffé par d'autres sentiments, sans doute naturels à l'homme aussi, mais cultivés par l'art militaire, le plus ancien et le plus savant de tous, tandis que l'art du percepteur est encore dans l'enfance.

CHAPITRE II

LA GUERRE NUE

L'HOMME est flexible et gouvernable dans ses passions et ne s'en doute point. Tous nos maux humains sont en raccourci dans ces querelles de régiment à régiment, où c'est en vérité la veste bleue qui insulte, provoque, rosse et finalement hait la veste noire. Un hasard d'écritures pouvait jeter le même homme dans l'autre camp. Comment les choses se passent, en ces étranges guerres, chacun le devine sans peine. Une première bataille, dont les causes n'importent guère; des vaincus, qui se croient méprisés; des vainqueurs qui se savent menacés. Ces opinions sont dans les regards, d'abord supposées, et aussitôt vraies. Les passions ont cela de redoutable qu'elles sont toujours justifiées par les faits; si je crois que j'ai un ennemi, et si l'ennemi supposé le sait, nous voilà ennemis. Et le naïf, en racontant ces guerres folles et ces imaginations vérifiées, dira toujours : « N'avais-je pas raison de le haïr? »

Le plus étonnant c'est que cette haine, surtout collective, est aimée; toute mauvaise humeur, toute colère, toute tristesse trouve là ses raisons, et aussi ses remèdes. Par un effet contraire, les alliés sont déchargés des aigreurs quotidiennes, parce que l'ennemi répond de toutes. Ainsi chacun aime bien, par cette haine mise en système. On voit que de telles guerres n'ont d'autres causes qu'elles-mêmes, et qu'ainsi elles iraient toujours s'aggravant si quelqu'un avait intérêt à les faire durer; heureusement cela n'est point.

Les querelles de race n'ont point de causes plus sérieuses, mais durent souvent plus, parce que le teint, la forme des traits et le langage tiennent mieux à l'homme qu'une veste bleue ou noire. Observez qu'alors, par le même jeu des passions, la forme du nez et la couleur des cheveux sont comme des injures que l'on se jette aux yeux sans y penser. Si les luttes politiques s'y accordent, voilà une nation coupée en deux.

Sans compter que les luttes politiques elles-mêmes dépendent des mêmes lois; l'imagination y fait la folle, et bientôt la méchante; et l'ardeur des batailles ne dépend point seulement des intérêts. Si chaque parti avait son costume, nous serions condamnés à la guerre civile. Supposez une différence de langue, ou seulement d'accent, et quelques ambitieux fouettant les passions, ce sera une politique de fous. La paix par elle-même, sans autre expédient, supprimerait presque toutes les causes de conflits, surtout parce qu'au lieu de chercher à exercer le pouvoir, chacun travaillerait contre les abus du pouvoir; ainsi s'organisera toute république, d'où l'on voit que le droit des races à se gouverner elles-mêmes est, de toutes les manières, directement contraire à la paix.

Par cette remarque, nous voilà ramenés à considérer ces peuples alliés et ces peuples ennemis, d'après les mêmes idées, qui trouvent alors leur pleine application.

Et puisque la haine nourrit la haine, et la colère la colère, et la guerre la guerre, tout ce que l'on dit des intérêts inconciliables est à côté de la question. C'est comme si l'on disait que des plaideurs sont ennemis par les intérêts contraires; mais ils sont ennemis parce qu'ils plaident, parce que les fatigues, les soucis, les dépenses de chacun sont inscrites au compte de l'autre. Chacun sait bien que celui qui plaide contre moi ne peut avoir le nez bien fait. Telle est bien notre situation après ce ruineux et sanglant procès entre deux peuples. Une passion, disait Spinoza, cesse d'être une passion dès que nous en connaissons adéquatement les causes.

CHAPITRE III

DU BEAU

Nul n'est à l'abri de cet enthousiasme prodigieux qui fait que l'on veut marcher sans savoir jusqu'où, à la suite d'une troupe bien disciplinée et résolue. Ces effets sont bien connus, mais communément attribués au prestige de la patrie, naturellement présente ici à l'esprit de tous. Ce n'est pas le seul cas où le Dieu naît de l'enthousiasme; et je crois que ce sentiment est proprement esthétique, j'entends qu'il n'est ni fortifié ni même modifié par les pâles idées qui l'accompagnent, concernant le devoir et le sacrifice; tout au contraire, ces idées en sont illuminées et réchauffées; en sorte que l'objet réel du culte, c'est bien l'action même, commune, réglée, rythmée, enfin perçue et sentie par toute la surface de notre corps.

Tout est parfait en cette danse; l'ordre y est sensible; la musique y est exactement adaptée; la volonté de tous est perçue par chacun. Volonté de quoi? D'agir en commun, sans rien d'autre; et cela suffit pour que le bonheur de société soit éprouvé sans mesure, balayant tous les médiocres soucis, tout sentiment de faiblesse, toute crainte. L'homme se sent et se perçoit avec les autres, invincible et immortel. Ce tambour le fait dieu.

Je renonce à définir le beau. Du moins ce défilé militaire en donne un exemple incomparable. Le sentiment de bonheur ne dépend point du tout de quelque idée sur les fins poursuivies; l'opinion de chacun n'importe guère; soyez instruit ou ignorant, cela n'y changera rien; il faut ici penser et agir dans le bonheur le plus enivrant. Les petites raisons ne servent qu'à vous amener là, si vous êtes libre de vos mouvements. Pour le soldat, il y est conduit par force; mais il l'oublie aussitôt. Cette parade n'a nullement besoin de raisons; elle se suffit à elle-même; elle s'affirme glorieusement. Il n'y a qu'un remède contre cette admiration totale, c'est d'être ailleurs. Et encore est-il qu'en pensant seulement à cet ordre humain qui va, je sens que je voudrais aller aussi. Mais le spectacle lui-même trompera encore mon attente. J'irai. J'irai.

Par ces caractères, je dis que la chose militaire est proprement esthétique. Et je remarque qu'il n'y a point d'autre art populaire en ce temps-ci, ni même d'art qui soit comparable à celui-là, par la puissance et la perfection. Chacun y est pris. Chacun y sera pris. Oui les morts seront oubliés; et les erreurs aussi; et les mensonges; et les froides et tristes réflexions nées de solitude.

Il faut savoir que le beau est ce qui met l'esprit des hommes en mouvement. Le vrai même est faible à côté; et le bien est austère quand on s'y met. Je tiens que l'amour de la vérité est faible, quoiqu'assez bien dirigé toujours, s'il n'est payé; c'est pourquoi, dans les discussions, les passions tristes finissent par régner. Au lieu que l'amour du beau efface tout et guérit cette âme inquiète et faible. Aussi cette mystique de la guerre, née d'un spectacle, règnera toujours et sur tous. Semblable en cela à l'esthétique religieuse, mais plus puissante encore par son mouvement accéléré. C'est par là qu'on saisit la parenté, étrange autrement, de l'esprit militaire et de l'esprit religieux; ce que l'oreille musicienne, au *Te Deum,* saisit très bien.

CHAPITRE IV

ANIMAUX DE COMBAT

J'AI vu sur les murs une affiche honorable, mais qui vise à côté. On y dénonce cette corruption des jeunes gens, visible par les spectacles et les chansons. Mais je pensais aussitôt à ce que j'ai vu de la caserne quand la classe quatorze y vint apprendre le métier de soldat. Ici sont les racines de la guerre, et ses moyens secrets. Jeunes hommes séparés de leurs familles, captifs et exilés. Soudain jetés dans l'ordre humain le plus effronté, le plus cynique, le plus puissant aussi par la hiérarchie, par la moquerie, par la domination des plus corrompus. L'homme est dévêtu alors de ce qui l'orne et le protège, comme la sinistre cérémonie du conseil de révision l'annonce assez. Dépouillés de toute pudeur, à l'âge où il faut que la pudeur soutienne la sagesse. D'un côté soumis à un pouvoir hautain et lointain qui ne voit en eux que moyen et matière; et de l'autre soumis à un pouvoir d'opinion proche, familier, bientôt grossier par le règne des impudents et des brutaux. Ainsi se forme et grandit de mois en mois un sauvage esprit de révolte, mais purement animal et bas, découronné, qui gronde et n'agit point; cette mauvaise volonté sans tête est le pire des produits humains.

L'art militaire, aussi ancien que l'escrime, a, de même que l'escrime, des finesses de praticien, qui étonnent d'abord, et bientôt effrayent par leur action concordante qui va toujours à la même fin. Tout ce cynisme appris et tout ce désespoir informe iront enfin à l'assaut après bien des détours; cette colère ne peut s'échapper que par là. Tout y concourt, jusqu'à ces costumes étudiés qui dirigent si bien le respect et l'humiliation. Tout est calculé, quoique sans pensée, pour que la moquerie des plus vils coquins assure encore cet ordre terrible. Et, par réaction, les puissantes cérémonies et les actions en masse sont belles, touchantes, enivrantes encore plus. D'où ce désir de l'action suprême qui réhabilitera. C'est pourquoi l'on n'ose point dire que l'on ferait la guerre aussi bien si les hommes n'étaient décapés et trempés par ces procédés traditionnels. Mais aussi cet entraînement veut la guerre, parce que l'idée de la guerre ramasse en elle toutes les espérances et toutes les vengeances, qui sont nourries et comprimées, et enfin conduites là. C'est pourquoi cette corruption des jeunes et la guerre doivent être voulues ensemble ou niées ensemble. C'est pourquoi aussi j'attends beaucoup des femmes dès qu'elles seront juges de ces choses.

Sous une condition pourtant, et qui est singulière, c'est qu'elles abandonnent de leur côté un peu de cette pudeur d'esprit qui les détourne de penser à ce qui est laid, répugnant et vil. Car tout se tient, en ce difficile problème; et, par les solides traditions d'une société fondée et maintenue par la guerre et pour la guerre, la pudeur féminine va aux mêmes fins que l'impudeur masculine; ainsi la science des manières qui veut que l'on n'use que de mots honnêtes, s'accorde avec l'art militaire, que l'on ne peut nommer honnêtement. D'où vient que Madame de Maintenon est aussi une espèce d'adjudant. Mes amis, tirons un fil après l'autre, sans quoi nous serrerons le nœud.

CHAPITRE V

LA FORGE

Il faut battre le fer. Toute la force des coups de marteau se retrouve dans la barre. La trempe est encore une violence. Or c'est à peu près ainsi qu'on forge une armée. La nature humaine est ainsi faite qu'elle supporte mieux un grand malheur qu'un petit. En d'autres termes, c'est le loisir qui fait les jugeurs et les mécontents. Si donc le peuple gronde, cela indique, comme Machiavel voulait, que vous ne frappez pas assez fort. N'ayez pas peur; celui qui frappe fort est premièrement craint, deuxièmement respecté, et finalement aimé.

C'est ce qu'ont méconnu tous les esprits faibles, qui comptaient surtout sur l'amitié et sur l'enthousiasme. Mais ces sentiments vifs ne durent pas assez; ils ne peuvent rien contre des jours de terreur et d'épreuves.

C'est une réflexion bien naturelle que celle-ci : « Soyons

indulgents; car ils ont beaucoup souffert, et ils souffriront encore ». Mais ce raisonnement se trouve toujours mauvais, parce que la moindre partie de liberté conduit à réfléchir. Les vues du praticien sont plus justes. « Soyons très sévères, car ils ont beaucoup souffert; ils ne nous le pardonneront jamais, s'ils ont le loisir d'y penser ». Alors tombent les coups de marteau, et sur le point sensible; alors la moindre liberté est pourchassée. Les exercices et les sanctions, tout, jusqu'aux faveurs, a pour fin d'abolir entièrement l'idée même d'un droit et le moindre mouvement d'espérance. Ainsi, quand on veut faire agir un gaz, on le comprime. Toute cette force jeune étant ainsi comprimée et contrariée avec suite, sans une faiblesse, par l'action d'un système parfait, alors il n'y a plus d'échappée que contre l'ennemi; et c'est lui qui paiera. Voilà en bref l'histoire d'un régiment d'élite, et la pensée constante d'un vrai chef.

Mais tout n'est pas noir en cette épopée. L'homme n'est pas si simple. Quand il s'est heurté aux barreaux vainement, il s'arrange pour y toucher le moins possible; et comme c'est exactement sa liberté qui est contrariée, il trouve en lui-même de bonnes raisons d'y renoncer; mais il faut d'abord qu'il soit assuré de n'en pouvoir rien faire. Et comme il n'en meurt point, il faut que sa puissance s'emploie. Frappez, durcissez l'homme. L'idée de se venger est bien forte en lui; mais elle ne cherchera pas longtemps un passage si tout est bien fermé. Comme, dans les canons, l'obus ne partirait pas si la culasse n'était bien fermée. Ainsi la colère de l'homme, ayant fait le tour de la culasse hermétique, se lancera toute vers l'ennemi. Et voilà comment, par le travail continuel et par la discipline inflexible, on développe à coup sûr la valeur offensive d'une troupe.

Finalement l'homme qui a échappé aux dangers, qui s'est vengé comme il pouvait, et qui a admiré son propre courage, trouvera occasion, si les cérémonies sont convenablement réglées, d'adorer le système et le chef, un court moment, et ensuite par souvenir. Ainsi les survivants louent la guerre toujours plus qu'ils ne voudraient.

CHAPITRE VI

DE L'OBLIGATION

On ne doit pas de reconnaissance à celui qui paie ce qu'il doit, dès qu'il ne peut pas faire autrement. Et certes je puis supposer qu'il me paierait encore s'il était libre; mais je puis supposer le contraire aussi. Lui-même n'en sait rien, puisqu'il ne peut se poser la question en termes non ambigus. Le devoir, dans le sens plein du mot, suppose une délibération à part soi, dont tout dépend, sans aucune contrainte. Or chacun sait que, pour le devoir militaire, la contrainte est fort brutale. Un Français ne peut donc choisir de servir son pays sous les armes; il peut choisir seulement d'être chef, et c'est là un choix raisonnable, ou bien un choix de la passion ambitieuse. J'entends, il est vrai, de belles phrases; mais je remarque aussi de l'enthousiasme au départ des simples conscrits, à l'égard desquels la contrainte s'exerce sans façon. Cela me mettrait plutôt en défiance, car le sacrifice vraiment libre serait plus fort de lui-même, sans aucun secours des signes, donc plus silencieux il me semble. Quelque pénible à entendre que soit ce genre de remarques, il faut pourtant y porter son attention avec une franchise entière. Si nous mentons là, l'image de la guerre est aussitôt brouillée, et toute la suite des discours se tiendra dans le convenable et dans l'apparence. Tous sont forcés; il y en a seulement un bon nombre qui courent plus vite que le gendarme ne les pousse. Je les plains tous; j'admire la résignation et la bonne tenue de la plupart; mais admirer ici une libre résolution, un don volontaire que chacun fait de soi-même à la patrie, je ne le puis. J'attends quelque décision d'un homme entièrement dégagé de toute obligation militaire; par le jeu des institutions et les communs effets de l'âge, il n'y en a pas beaucoup. Mais, par ces raisons mêmes, il y faut une volonté de fer.

Et encore remarquez que l'art militaire, fondé d'après une longue expérience, n'admet point du tout l'engagement résiliable, ni même à terme. Disons avec les hommes du métier, recruteurs ou médecins, que si l'homme était laissé juge de ses propres forces, et de ce que la patrie peut lui demander encore, les effectifs fondraient, comme on dit.

Il faut être juste là-dessus et ne point déformer la nature humaine, d'aucune manière. Il y a certainement des hommes qui retournent volontairement au danger, par un souci de vaincre la peur, et aussi par cette idée si puissante qu'il n'est point juste de laisser à d'autres, qu'ils soient libres ou forcés, le poids des plus lourds devoirs. Il est un plus grand nombre d'hommes qui, dans les moments où ils sentent plutôt leur propre force que le danger, sont capables de refermer la porte de l'arrière, dans le temps très court où elle s'ouvre. Enfin le besoin de mépriser est bien fort chez l'esclave. Et surtout la longue suite des prières, des intrigues et même des mensonges qu'il faudrait mettre en jeu pour faire considérer les raisons même les plus légitimes a quelque chose de rebutant et d'ignoble aux yeux d'un homme libre. L'œil d'un médecin militaire, toujours armé contre la ruse, suffit presque toujours pour achever la guérison.

Toujours est-il qu'un noble chef, et qui voudrait croire à ses propres pensées, dirait du premier mouvement : « Que ceux qui en ont assez s'en aillent; je ne veux que des héros ». Mais il est clair qu'il ne peut point dire cela. C'est pourquoi le chef militaire vit dans l'apparence, sans pensée aucune sur les choses que je dis maintenant; sans gloire réelle au dedans; ramenant tout au métier; cordial sans aucun naturel; inflexible et triste.

CHAPITRE VII

DE L'IRRÉSOLUTION

LES mouvements de l'homme vont par explosion, toujours au delà des causes extérieures. Il est fou d'expliquer les guerres par ces difficultés de chancellerie, qui ne manquent jamais. Il faut considérer cet animal si dangereux pour lui-même, et qui choisit communément un malheur certain plutôt que d'avoir à le craindre longtemps. Mais il est remarquable comme ces mouvements humains échappent au moraliste, toujours dominé par l'idée puérile d'une petite machine à calculer. Les sentiments, cependant, décident de tout, et au premier rang l'impatience qui entre dans toutes nos affections, d'amour, de haine, d'espoir ou de crainte, sans en excepter une seule.

Voici une scène que j'ai vue une fois, et qui fut sans doute ordinaire, en cette guerre où, comme dans toutes, les opinions qu'on ne dit pas furent le moteur principal. Plusieurs officiers d'artillerie assemblés, parmi lesquels un qui est le plus jeune. On lit une lettre officielle qui demande des volontaires pour l'aviation. Tous les regards vont au jeune, qui s'offre comme s'il n'attendait que l'occasion. C'est choisir la mort. Souvent on a demandé ainsi des volontaires, et toujours des mains se lèvent, malgré la crainte, mais je dirais plutôt à cause de la crainte.

Descartes, moraliste trop peu lu, disait que l'irrésolution est le plus grand des maux humains. Toutes les souffrances des passions, d'apparence impalpable, viennent sans doute de là; mais on n'y fait point attention. L'homme d'esprit est continuellement occupé à justifier ses propres actes selon les raisonnements des sots. Quand l'idée vient à l'esprit d'une décision à prendre, redoutable et redoutée, les raisons aussitôt répondent aux raisons, et l'imagination travaille dans le corps, en mouvements contrariés qui font un beau tumulte; cet état d'effervescence enchaînée est proprement la souffrance morale. Un mal bien certain nous délivre aussitôt, en proposant des actions réelles; ou, pour dire autrement, le fait accompli a cela de bon qu'il est un appui solide; on en peut partir; au lieu que les décisions intérieures ont cela de remarquable qu'elles échappent, dès que l'on compte sur elles. De là un besoin de s'engager irrévocablement. C'est pourquoi, dans le moment même où la délibération est sans remède, la main se lève; non pas malgré l'irrésolution, mais à cause de l'irrésolution. Remarquez que le refus ne décide rien, parce qu'on sait bien que la même question sera posée dix fois; et la vieille politique militaire fait toujours cordialement entendre, selon ses pratiques connues, que l'on finira par forcer ceux qui ne veulent point consentir. Cette attente, sûre d'elle-même, est trop forte contre un cœur jeune.

Il se peut que ce mouvement décidé soit proprement

viril. Balzac dit, en *Béatrix*, que les femmes supportent mieux l'irrésolution et l'attente; dont la raison est sans doute dans la structure physique, moins musclée, moins violente en ses réactions sur elle-même, j'oserais dire moins thoracique. Du moins je suis bien sûr que le mâle de l'espèce, surtout jeune, est bâti comme je dis, et prompt à choisir son malheur. Mettez-en cent mille ensemble, et vous en verrez sortir le fait humain accompli, par quoi sont terminées toujours les délibérations des vieillards. De quoi les vieillards triomphent; mais cette duplicité des politiques doit être jugée. Il y a des questions qu'il ne faut point poser à un homme de vingt ans.

CHAPITRE VIII

DU COMMANDEMENT

« Trop de paroles. Il s'agit de trouver un responsable, et de le punir. » Ainsi parlait un capitaine qui, par sa fonction, gouvernait une petite ville d'aviateurs et d'ouvriers. Il n'était pas aimé et je crois qu'il ne s'en souciait guère.

Cette méthode a de quoi étonner; car l'amitié, la confiance et l'attention au beau travail peuvent beaucoup sur les hommes. Je suis, pour ma part, de ceux qui croient qu'une société d'hommes peut vivre et prospérer par le bon sens de chacun, à quelques exceptions près; aussi voit-on que la crainte et la menace ne sont pour rien dans cet ordre plaisant des échanges et du crédit; tout métier est honnête par soi. Il y a donc quelque chose de scandaleux en ce pouvoir militaire qui toujours menace, et toujours fait sentir la contrainte brutale et la mort à celui qui résisterait ouvertement. Les utopies que l'on peut concevoir à ce sujet, d'une armée agissant par la fraternité seule et par la compétence reconnue des chefs, viennent de ce que la guerre est toujours oubliée. La guerre dépasse toujours les prévisions et le possible. Au moment où les forces humaines sont à bout, il faut marcher encore; au moment où la position n'est plus tenable, il faut tenir encore. L'art militaire s'exerce au-delà de ce qu'un homme peut vouloir. Dans un homme écrasé par des forces inexorables, il y a encore de puissantes convulsions, après le dernier éclair de volonté. La guerre s'achève par de telles convulsions, liées, coordonnées, armées; ce dernier sursaut de l'animal collectif donne la victoire. Jusque-là, la guerre est un jeu brillant, et non sans risques. Mais, comme on sait, le plus brillant courage s'accommode avec la fuite ou la capitulation, dès que la partie est jugée perdue. Or c'est ici que l'art militaire produit ses derniers effets, à la stupeur du guerrier libre, qui dès lors est régulièrement battu. Le fameux Frédéric de Prusse est l'inventeur, dans les temps modernes, de cette guerre mécanique qui, outre qu'elle utilise l'enthousiasme, l'esprit de corps, la colère et la vertu, fait jouer toutefois la crainte par provision, et pousse par là un peu plus loin la pointe de son armée. Cette méthode retrouvée, toute armée devait l'adopter. Il n'y a aucun autre moyen de surmonter le plus haut degré de la terreur.

Non sans discours idylliques. Car il est pénible de se dire : « Comment savoir si la bonne volonté suffirait à ces actions sublimes, quand toutes les précautions sont prises au cas où elle manquerait » ? Cependant la tradition reste, assez soutenue par un esprit d'arrogance et de paresse; ainsi tout est prêt pour le dernier effort; et dès la première débandade, excusable mais funeste, chacun redescend par nécessité au niveau de la force mécanique. De là cette certitude des conseils de guerre, qui ressemble à la force des choses. Et il ne faut point demander ce que devient la conscience humaine, en ces sombres sacrifices; car elle n'en est point touchée; elle ne peut les saisir. Il y a une horreur de ce qu'on ne saisit point, mais inexprimable et presque physique. Aussi ne faut-il point tant de volonté pour être impitoyable; au contraire il n'en faut point du tout; mais seulement être poussé et pousser. Tel est ce métier terrible, et tellement au-dessous du jugement moral que les plus résolus n'en parlent qu'en badinant. Ce qui détourne de mépriser la gloire militaire, mais peut-être aussi de l'aimer. « Ne parlons pas de cela », dit le héros.

CHAPITRE IX

LE SYSTÈME

Ce qu'ont pensé, ce que pensent maintenant les hommes qui furent crochets, harpons ou aiguillons pour rassembler, tirer et pousser les hommes vers la région terrible, je n'essaie point de le deviner; ces visages à forme humaine fatiguent l'observation par un sérieux mécanique. Du moins, comme j'étais mêlé au troupeau des malheureux, j'ai connu le désespoir sans paroles de l'homme assis sur son lit, équipé à neuf, attendant l'appel du clairon. C'étaient des blessés à moitié guéris. Ils avaient tenté de gagner un jour ou deux et quelques-uns y avaient réussi. C'est quelque chose qu'un jour ou deux de vie, mais enfin on en voit le bout. En route donc, tirant le pied, avec tout le bagage sur le dos. L'excès de la fatigue supprime ces rêveries amères qui aggravent nos maux; on est assez content de faire le chemin; on ne pense qu'à cela. Néanmoins presque tous cédaient à un instinct fort, qui les détournait. Ces voyages sont lents; il y a des arrêts inespérés; à la guerre tout se fait lentement et le temps passe vite. Comme il est aisé de manquer un train, le petit détachement fondit en route. Les sacs et les armes restaient sur les banquettes. Cependant le système allait son train, avec cette patience des mécaniques, dont les résultats étonnent toujours. Un sergent, qui représentait l'invisible commissaire de la gare, seigneur tout-puissant, un sergent donc, comme je lui remettais tous ces équipements abandonnés, disait : « Il y en a toujours qui s'échappent; mais on les retrouvera; où voulez-vous qu'ils aillent? » Cette tranquillité réussit à enlever tout espoir, et c'est le mieux.

Cependant à mesure que les baraques couvrent une plus grande étendue, et que le vêtement civil devient plus rare, il est laissé plus de liberté à l'homme, et c'est la preuve qu'il n'en peut rien faire. Comme ces épis appelés ramoneurs, que tout mouvement pousse dans le même sens, ainsi tous les mouvements de fantaisie sont orientés dans la même direction. Le gendarme vous indique la route à suivre; libre à vous de vous asseoir, de manger et boire, de dormir sur quelque triangle d'herbe entre ces deux pistes de boue. Je revois d'autres hommes silencieux, inertes; comme si le système les avait oubliés au bord de la route. Comme ces poussières oubliées par le premier balai tournant, le second les ramasse; et il y a un troisième balai derrière. Mais ici, pour ces hommes, nulle contrainte visible; seulement ce désert est assez éloquent; ce n'est qu'un passage; ces pistes boueuses saisissent l'attention; bientôt les jambes suivent. Dès que l'on tourne la tête, on aperçoit cet arrière, unanime pour dire non aux malheureux, l'arrière impitoyable qui attend que l'on soit parti. Lorsque tant de volontés humaines et tant de traces humaines font saisir le même conseil muet, l'homme quelquefois se hâte, afin de moins subir; et c'est le premier retour du courage.

Voici la dernière baraque, et voilà le dernier gendarme. Ici la pression est nulle. Ici le système de l'arrière ferme sa dernière vanne. Tout ce qui a dépassé ce point est pour la guerre, sans aucun doute pour personne. L'action continuelle de l'ennemi, maintenant sensible, termine toutes les délibérations; l'homme n'a qu'une place, en ce jeu serré; il la cherche; il ne peut être ailleurs. Bien vainement cette ligne volcanique, au crépuscule, illumine les nuages; ici est comme déposée cette peur d'imagination qui coupe les jambes. La peur n'est plus à présent qu'une émotion brutale, imprévisible, et qui ne laisse point de traces. Le danger a une forme, et le soldat retrouve son métier. Jusque-là tous ces hommes qui vous poussent offrent l'image abjecte de la peur bien établie, spectacle qui nourrit peur, haine, tristesse. Maintenant ces frères de misère inspirent confiance et fraternité. Tout à l'heure la même question revenait toujours : « Pourquoi moi, et non pas eux ? » Contre quoi le système exerçait sa pression mesurée. Maintenant au contraire chacun se dit : « Pourquoi eux et non pas moi ? » C'est pourquoi vous le voyez qui va à son poste d'un pas décidé, comme Régulus retournant. Et c'est le deuxième retour du courage.

CHAPITRE X

LES RÈGLES DU JEU

UN journal a raconté l'histoire d'un fantassin, père de famille et deux fois cité pour son courage, qui, revenant à la tranchée avec des vivres, entra dans un abri pour laisser passer un moment dangereux et par malheur s'y endormit; à la suite de quoi il fût accusé d'avoir abandonné son poste devant l'ennemi, et finalement fusillé. Je prends le fait pour vrai, car j'en ai entendu conter bien d'autres du même genre. Ce qui m'étonne, c'est que le journaliste qui racontait cette histoire voulait faire entendre que de telles condamnations sont atroces et injustifiables; en quoi il se trompe, car c'est la guerre qui est atroce et injustifiable; et, dès que vous acceptez la guerre, vous devez accepter cette méthode de punir.

Le refus d'obéir est rare, surtout dans l'action; ce qui est plus commun, c'est la disposition à s'écarter des régions les plus dangereuses, en inventant quelque prétexte, comme d'accompagner un blessé; d'autant qu'il est bien facile aussi de perdre sa route; quant à la fatigue, il n'est pas nécessaire de l'inventer. D'après de telles raisons, et en supposant même chez le soldat prudent une espèce de bonne foi, par la puissance que la peur exerce naturellement sur les opinions, on verrait bientôt fondre les troupes, et se perdre comme l'eau dans la terre, justement dans les moments où l'on a un pressant besoin de tous les combattants; j'ajoute que c'est ce que l'on voit si l'on hésite devant des châtiments qui puissent inspirer plus de terreur que le combat lui-même.

Chacun a toujours une bonne excuse à donner, s'il ne se trouve pas où il devrait être. Si ces excuses sont admises, la peine de mort, la seule qui ait puissance contre la peur, est aussitôt sans action; car, bonne ou mauvaise, l'excuse paraîtra toujours bonne au poltron; il aura quelque espérance d'échapper au châtiment; et cette espérance, jointe à la peur, suffit pour détourner imperceptiblement du devoir strict l'homme isolé à chacun de ses pas. Il faut donc que celui qui n'est pas où il doit être ne puisse invoquer ni une défaillance d'un moment, ni une fatigue, ni une erreur, ni même un obstacle insurmontable; d'où la nécessité de punir sans aucune pitié, d'après le fait, sans tenir compte des raisons.

Le spectateur éloigné ne peut comprendre ces choses, parce qu'il croit, d'après les récits des combattants eux-mêmes, que les hommes n'ont d'autre pensée que de courir à l'ennemi. J'ajoute que les pouvoirs ont un intérêt bien clair à faire croire cela; car on aurait honte, à l'arrière de réclamer une paix seulement passable, quand les combattants sont décidés à mourir. Mais, à ceux qui ont la charge de pousser les hommes au combat, l'art militaire a bientôt durement rappelé ses règles séculaires, qui ont pour objet d'enlever au combattant toute espèce d'espérance hors des chances du combat. Au surplus, qu'il s'agisse de faire un exemple ou de chasser l'ennemi de ses tranchées, l'homme est toujours moyen et outil. Et les plus courageux et les plus dévoués étant destinés à la mort, il n'est pas étonnant que l'on sacrifie encore sans hésiter quelques poltrons ou hésitants.

Mais si l'homme a fait ses preuves? Il n'y a point de preuves, et l'expérience fait voir que tel qui s'est bien conduit quand il était entouré et surveillé, sans compter l'entraînement de l'action, est capable aussi de s'abriter un peu trop vite, s'il est seul. Il faut dire aussi que les épreuves répétées, auxquelles se joint la fatigue, épuisent souvent le courage. Eût-on fait merveilles, il faut souvent recommencer encore et encore; et c'est un des problèmes de l'art militaire de soutenir l'élan des troupes bien au delà des limites que chacun des combattants s'est fixées. Il est ordinaire que celui qui a gagné la croix essaie de vivre désormais sur sa réputation sans trop risquer. Ainsi le bon sens vulgaire, qui veut que l'on tienne compte des antécédents, est encore redressé, ici, par l'inflexible expérience et la pressante nécessité. C'est pourquoi des exécutions précipitées, effrayantes et même révoltantes, ne me touchent pas plus que la guerre elle-même, dont elles sont l'inévitable conséquence. Il ne faut jamais laisser entendre, ni se permettre de croire que la guerre soit compatible, en un sens quelconque, avec la justice et l'humanité.

CHAPITRE XI

MÉCANISME

La vraie ressource de la plus profonde philosophie contre les passions est de les voir comme elles sont et de les nommer comme elles méritent, ainsi que les Stoïciens l'ont bien vu. Car, sous les ornements de la raison captive, ce sont des mouvements mécaniques seulement, aussitôt jugés et méprisés. Par exemple une colère, ou une mélancolie, ou une amertume, ce n'est qu'humeur dans le sens plein du mot.

La guerre, qui n'est que la passion, en tous les sens aussi de ce beau mot, nous éclaire là-dessus par son développement propre, qui est mécanique; mais il faut l'avoir vue; si on l'imagine seulement, l'épique revient avec la pensée de l'ensemble. Le réel de la chose est tout près du métier, comme les praticiens véritables ont fini par le dire. Aussi la première floraison des vertus imaginaires est promptement flétrie par l'action de cette rude machine, où l'homme prend figure de chose. A mesure que l'on approche de l'événement abhorré, redouté, admiré, désiré, le tout ensemble par les tumultes du cœur, à mesure tout s'égalise, tout devient petit par l'importance des moindres actions. Tout se passe comme dans l'usine, où la fin est de produire, sans jamais se demander pourquoi, et où même chacun perd l'idée de l'objet à faire, par la division des travaux. Aux premiers actes de guerre, les fins transcendantes périssent aussitôt, comme étrangères en cette mécanique, ajustée pour se passer de tout, et même de courage. Les moyens matériels règlent tellement tout qu'une arrivée de munitions éveille l'énergie combattante, et qu'inversement la pénurie établit aussitôt une paix armée et une indifférence philosophique. Tout étant ainsi extérieur, l'âme maigrit ou grossit, si l'on ose dire, selon le flux et le reflux des moyens; l'alcool, le vin et les quartiers de bœuf sont ici d'énergiques symboles du matérialisme envahissant.

L'idée dominante en ces heures qui sont même au-dessous de l'effrayant, du triste et du désespéré, c'est que l'on se voit de toute façon conduit par les circonstances extérieures. Et, par cette mécanisation, mot nécessaire ici, un genre de consolation est aussi apporté, qui n'est point du genre pensée. Alors revient la puérilité, attribut du soldat. Aussi, par une réaction, la pensée y trouve sa retraite et son monastère, avec tous les avantages et les inconvénients de l'institution, qui tend naturellement à séparer l'âme du corps et l'intention de l'acte. Le soldat pensant pense pour l'avenir seulement, pour le ciel, dirait-on presque.

Ce genre d'inertie, dont les effets frappent le visiteur et en général celui qui n'est point dans le métier, crée un danger imaginaire qui viendrait d'indifférence totale. Aussi les renforts de l'ordre moral sont bientôt envoyés, mécaniques aussi, lieux communs et formules oratoires, puissants seulement sur les imaginations qui ne sont pas assez nettoyées par le feu proche. Mais les praticiens sentent assez que la mécanique se suffit à elle-même, et que le souci de vêtir et de nourrir, joint à une rigueur de discipline sans aucune faiblesse, rétablissent le plus simplement du monde ce que l'on appelle très improprement le moral du combattant. Les causes l'emportent ici sur les fins à tel point que le plus humble en a le sentiment juste. Aussi, dans les instants de relâche, le rire règne sur ces régions désolées. Ainsi se poursuit, par la structure propre de l'armée en ligne, ce massacre mécanique, où la force morale ne s'emploie jamais à choisir, mais toujours à supporter. Préparation ascétique, qui nous renvoie dépouillés d'orgueil et même de vanité, d'après cette vue que la vanité ne va pas loin si elle ne peut s'orner. La simplicité honore les héros et déshonore la guerre. Un des jeunes qui en sont revenus me disait : « Si simplement qu'on parle de la guerre, on l'orne trop; et les enfants qui nous écoutent ont toujours trop d'envie de la faire. Il vaut mieux n'en point parler. » Mais cette vaste étendue de silence était le mieux; signe effrayant pour les rhéteurs. Et je sais maintenant que la jeunesse l'a très bien compris. Les discours n'arrivent pas à remplir ce grand espace de silence.

CHAPITRE XII

DES SACRIFICES HUMAINS

Ce matin de septembre, un de mes jeunes amis me parlait de cette guerre en pantalon rouge, que je n'ai point vue. C'était pour l'anniversaire de son ami le plus cher, qui tomba mort à ses côtés. Lui s'en tira avec un bras mutilé, qui ne l'empêcha pas d'être aviateur ensuite. Deux braves.

« Qu'était-ce, lui dis-je, que cette guerre? De folles attaques, sans doute, sans aucune préparation? » — « Mieux, dit-il, une cérémonie. Nous étions invités à mourir. Les troupes couraient à découvert, sur une pente en glacis couronnée d'un bois, contre des tranchées armées de mitrailleuses. Les effectifs fondaient. Le général demandait des renforts afin de recommencer; il recommença trois jours durant; nul n'avait d'autre espoir que de bien mourir. » Je revoyais cependant ces cadavres étendus sur le ventre, avec cet étroit, lourd et éclatant habit de cérémonie, et le sac par-dessus la tête; c'est tout ce que j'ai connu de ces premiers assauts, et ce n'est pas peu; je ne suis pas disposé à l'oublier, ni à le laisser oublier aux autres.

Mais mon dessein n'est pas d'exciter l'indignation; nul ne peut répondre qu'un général saura la guerre avant de l'avoir faite. Ce que je veux retenir, c'est ce cérémonial du pur sacrifice. Quelque étalage qu'on fasse des raisons de haute politique, ou de simple défense, le combattant en a souvent d'autres, plus cachées, et qui sont peut-être les plus puissantes. Il s'agit de prouver, publiquement et solennellement, qu'on sait mourir. Et puisque l'honneur individuel, l'honneur de la famille, l'honneur du pays s'accordent à exiger cette preuve, toute la volonté s'emploie à la fournir irrécusablement, sans autre fin. Ainsi la volonté de vaincre, et même l'espoir de vaincre peuvent s'effacer devant cette volonté de vaincre en soi ce qui déshonore. Pour la beauté, pour la vertu, ce vain combat suffit. Et la grandeur même de l'épreuve explique l'impatience de mourir. Il faut peser ces causes-là; et c'est le rôle des aînés, il me semble, puisqu'ils se lavent présentement les mains de tout ce sang, de faire en sorte que ces redoutables causes n'aient point occasion d'agir. Je répèterai encore plus d'une fois que les causes profondes des guerres sont dans les passions, et presque toutes nobles. L'honneur national est comme un fusil chargé. Les conflits d'intérêts sont l'occasion des guerres; ils n'en sont point la cause. Revenez donc toujours aux mœurs, aux jugements, et enfin à vos propres jugements, dont vous devez compte aux morts et aux vivants.

Le feu du courage guerrier réchauffe et purifie; mais ce miracle finit aussitôt sous la terre. Et, pensez-y bien, quels que soient vos désirs imaginaires, ce sentiment en vous, qui ne combattez pas, est suspect pour ne pas dire pis. On en cite qui n'ont point supporté ce soupçon, en eux-mêmes, et ce courage trouble qui ne sait qu'admirer; et malgré l'âge ils ont voulu être au danger; non pas agir autrement, non pas coopérer à la défense, mais s'exposer aussi à la mort. Et de ceux-là aussi il faut dire qu'ils cherchaient moins la victoire que le danger. Le moins donc que l'on puisse demander à ceux qui n'offriront pas leur vie, et d'abord à toutes les femmes, est de ne point tant se plaire à des maximes qui tuent. Je laisse aux négociateurs le soin de composer avec les intérêts; problèmes immenses, que nul ne domine. Mais je mesure du moins un danger certain, comme d'un explosif humain, si les spectateurs en viennent à douter encore de la valeur humaine, d'après des conceptions puériles, et à pousser et fouetter les jeunes, quand il faudrait les retenir. Dès qu'il s'agit de la vie des autres, désormais soyons froids comme des usuriers.

CHAPITRE XIII

LA TÊTE DE MÉDUSE

J'AI dit souvent que les hommes ne manquaient point de courage, contre le feu ou contre l'eau, et que par suite, bien loin de mettre en doute leur valeur militaire, il fallait s'attendre à les voir agir dans la guerre comme dans toute autre tempête, tout à l'action, résolus, dévoués, rois sur la peur. En ce rapprochement il y a du vrai; celui qui porte un ordre, qui ravitaille ou qui répare un fil téléphonique, s'arrange de la catastrophe humaine comme de n'importe quelle autre, prodigieux par l'attention calme, l'audace, et la prudence. La guerre, en ses préparations et attentes, suppose bien ces vertus-là. Mais ce visage humain de la guerre, dès qu'il s'anime, produit une autre épouvante et veut une autre résistance encore. Car il n'est point d'homme assez fou pour tenir contre le feu ou contre l'eau, avec l'idée de décourager ces choses par une invincible résolution. En ces luttes, qui ne sont point guerre, l'homme commence par se garder, et la prudence ne fait point que le feu aille à contre vent, ni que l'eau s'élève au-dessus du niveau déterminé par les forces cosmiques. Pareillement l'eau et le feu ne poursuivent point l'homme, sinon par métaphore.

A la guerre, tout au contraire, il est clair, et cela se voit aux moindres choses, que la force ennemie poursuit l'homme, et guette les moindres signes de la terreur ou de la fatigue, et que les forces de l'agresseur, en sont redoublées. Ici les croyances jouent, et tout est miracle; ce n'est point l'ordre des choses, c'est l'ordre humain, avec ses soudains revirements. Et, quand les effets matériels rendent la résistance réellement impossible, c'est alors que la guerre commence, parce que ces effets matériels dépendent de volontés humaines que l'on peut toujours étonner, inquiéter, détourner, fatiguer. Disons même que n'importe quel genre de résistance au delà de ce qui semble possible contribue à affaiblir l'adversaire. C'est pourquoi, selon le véritable art militaire, il n'y a jamais aucune bonne raison de se soumettre à la volonté de l'ennemi, soit qu'on se rende prisonnier, soit que l'on recule. Comme un fantassin, qui y a laissé depuis ses os, me l'expliquait bien, c'est au moment où l'ennemi s'avance sur un terrain dévasté et rendu inhabitable, c'est au moment où il juge que la victoire sera facile, qu'il suffit de quelques coups de feu pétillant sous son nez et d'une vive sortie, même d'un petit nombre, pour que l'étonnement se change en déroute. Inversement, dans l'attaque, l'expérience fait voir que, quelle que soit la nappe de projectiles, il faut toujours que quelques groupes pénètrent au delà; et le spectacle de cette avance, jugée impossible, a souvent brisé la résistance. Il faut donc essayer, sans aucune faiblesse ni hésitation; et aborder des positions imprenables, et tenir en des positions intenables. Le nombre des hommes qui tombent n'y fait rien; tout dépend des renforts qui arrivent; et le combattant n'est pas juge. Au commencement, l'ennemi savait cela mieux que nous. Sans doute nous comptions plus que lui sur l'ardeur naturelle, la colère, la chaleur du sang, l'amour de la gloire, qui ne suffisent pourtant jamais sans une contrainte inflexible et des sanctions immédiates. Enfin si une homme qui a donné mille preuves de son courage se couche trop tôt ou ne se relève pas assez vite, le tuer. Tel est l'ordre du combat, chacun poussant l'épée aux reins de celui qui le précède, et sentant une autre pointe derrière; en sorte que nul ne peut savoir si ce n'est pas une grande peur qui va à l'assaut. Contre quoi il n'y a qu'une consolation, qui est d'admirer et d'acclamer les vainqueurs; mais le visage de la guerre n'en est pas touché comme on pourrait croire. Indéchiffrable. Il craint la pensée. Et ce n'est point fausse modestie, sachez-le bien.

CHAPITRE XIV

DE LA DIGNITÉ HUMAINE

SE sentir libre, plus fort que tout par là, et comptable aussi envers soi de cette liberté, c'est la source du courage. Aussi n'ai-je pas compris tout de suite par quelles raisons cet être à nobles prétentions, et dont on peut attendre merveilles dès qu'il s'estime assez lui-même, était méthodiquement écrasé et mis à plat par un régime de mépris affirmé.

Car, me disais-je tout en modérant mes passions par le tabac, passe pour obéir; si j'obéis volontairement, je ne suis plus esclave; voilà une pensée qui me relève et sauve l'énergie en même temps que l'ordre. Mais nos brillants messieurs ne s'en tiennent pas à commander; ils s'appliquent à mépriser; par mille détails d'intonation et d'attitude, par une furieuse colère et sans précaution, comme celle que l'on exerce seulement contre les choses dans l'ordinaire de la vie. Il est toujours sous-entendu, en ces coutumes militaires, et même il est souvent exprimé ceci : « Vous n'êtes rien; votre effigie humaine est effacée à mes yeux; vos opinions et vos affections ne sont rien pour moi; et vos discours, surtout mesurés et sages, ne sont qu'un bruit importun. » J'avais subi plus d'une fois ce mépris parfait; et heureusement j'exerçais par ma nature, et sans sortir de mes infimes fonctions, un mépris supérieur sans paroles. Mais je ne pouvais entendre sans m'indigner ces accents qu'on prend pour des chiens ou des chevaux, et visant des hommes naïfs et pleins de bon vouloir, pour la plus faible des fautes, et souvent même pour quelque initiative maladroite, aisément louable. Quoi donc ? Ces faibles essais pour être homme, fallait-il les rejeter au désespoir ? Quel serait le fruit de ces sombres méditations de l'esclave rebuté, de l'homme outil et moins qu'outil ? Où mèneraient ces sauvages colères ensuite, dont j'entendais la sauvage expression ?

Homme à courte vue. Il fallait suivre ce beau système jusqu'à ses derniers effets, qui sont en ceci, que l'homme humilié méthodiquement, si borné qu'il soit, finit par sentir sa puissance d'oser, en accord enfin avec les opinions, avec l'exemple, avec les ordres. Et vienne l'occasion, elle vient souvent, de dépasser par le courage, en action et en attitude, ce chef si habile à mépriser, l'inférieur y trouve sa revanche, et se réhabilite, et force l'estime par une audace surhumaine; et, dès qu'il trouve occasion de donner cette preuve, et d'abaisser l'autre, sans doute possible, en courant le premier au risque, aussitôt il s'élance, sans aucun souci de se conserver, mais voulant plutôt conserver figure d'homme, au prix même de sa vie. Ainsi la dignité prend un ressort étonnant par cette méthodique compression. Oui, du haut en bas du système, toujours le chef méprise, toujours le subordonné songe à vaincre le mépris. Et ils courent, le plus humble et le plus méprisé toujours devant, comme l'art militaire l'exige.

CHAPITRE XV

PLATON

Nos philosophes décrivent mal la nature humaine. Ils y distinguent les désirs et besoins d'un côté et la raison de l'autre; bien indigents après cela lorsqu'ils cherchent les causes des guerres. Car, qu'on fasse la guerre par intérêt, c'est-à-dire pour les désirs, cela n'a point de sens. Le premier des désirs, et la condition de tous les autres, est de ne point mourir. Il faudrait donc chercher du côté de la raison; et c'est alors que naissent les dangereux sophismes d'après lesquels le droit et la force peuvent faire amitié ensemble. En bref, lorsque l'on cherche quelque devoir guerrier, de tuer et de se faire tuer, cela résulte d'une psychologie trop sommaire.

Platon analysait mieux l'animal raisonnable. Non pas une tête sur un ventre; non. Il porte au contraire son attention sur ce qui les relie l'un à l'autre, sur la poitrine, et sur la colère, moteur des passions. Chacun sait bien que le désir, ou le besoin, est fort contre la raison; et que peut la raison quand la nature a faim, ou soif, ou qu'elle souffre du froid, ou qu'elle veut dormir? Mais la colère est bien plus redoutable, parce que rien ne l'apaise. La colère, ou l'emportement, n'a point pour cause la misère ou disette, mais au contraire la richesse, j'entends la force accumulée et sans emploi. Et voilà que, pour les plus petites causes, l'effervescence parcourt les membres; voilà que le cœur généreux les excite tous en les ravitaillant par avance; voilà que cette agitation éveille tout le corps de plus en plus; voilà que ce travail inutile contre soi irrite les parties sensibles, et qu'il se produit comme un furieux grattement qui apaise l'irritation et en même temps la redouble; et, par un mécanisme trop peu connu, aussitôt les raisons viennent dans la tête échauffée; fortes et brillantes raisons, fortes et brillantes par la colère même, qui les éclaire de sa rouge lumière, et les rend comme évidentes.

Et c'est le plus grand désordre, lorsque la pensée fabrique des raisons pour la colère, et la justifie. Quand toutes ces forces, d'esprit et de corps, sont debout et déjà en marche, quelle franchise de soi à soi faudrait-il pour remonter à la première cause, à la futile première cause, et renvoyer honteusement ces brillantes raisons et ces fortes esquisses d'actions, tout enflammées et amoureuses d'elles-mêmes ? Quelle honte si l'on revenait au repos, après tant de promesses et de serments à soi, avant d'avoir versé un peu de ce sang qui bouillonne. Tant de bruit, et pour rien ? Qui ne rougirait, et c'est encore un effet du sang pressé et surabondant, qui ne rougirait de cette violence sans effets ? Mais n'ai-je pas bien décrit à la fois deux choses, la colère dans l'individu et la mobilisation dans la cité ? Colère toujours, et qui emporte, et qui va parce qu'elle va. Ne cherchez point ailleurs. Mars est poitrine et non ventre.

CHAPITRE XVI

DE L'HÉROÏSME

« ANIMAL de guerre, me dit l'ambitieux, tel est l'homme. Voyez comme il bondit à l'attaque, comme il défile au triomphe, comme il s'émeut au récit, surtout jeune. Il faut prendre ce conquérant comme il est. » L'ambitieux qui parle ainsi a les yeux mouillés ; mais je ne puis savoir s'il admire plus l'héroïsme des jeunes ou son propre pouvoir de nouveau assuré. Tout est ambigu en ces signes comme en tous les signes. Je ne veux point diminuer la nature humaine ; elle me plaît ainsi, s'élevant d'un mouvement sûr au-dessus du devoir le plus pénible. Dompteuse essentiellement ; mais dompteuse de quoi ? De tout ce qui s'impose et menace ; au fond toujours dompteuse d'elle-même. Cette générosité définit l'homme. Pris sur cette planète, considéré en ses actes et en ses œuvres, c'est un animal dominateur ; la pensée n'est qu'un des effets de cette force d'âme, et même, j'en conviens, subordonné.

L'homme veut, organise, réalise. Continuellement il invente ; il tend là ; tout le reste l'ennuie. Aussi vos molles et ennuyeuses pensées ne le terminent point. Vous ne le tenez point, en aucune manière, ni dans vos doctrines, ni dans vos griffes. Ce sacrifice d'après l'ordre, cette force dans le danger, cette allégresse dans l'action difficile, vous les retrouverez dans un incendie, dans un naufrage, dans une peste; où cependant je ne vois point de haine, ni même de colère. Oui, pour sauver son ennemi, le même courage, dès qu'il entreprend la chose. Dans le temps d'un éclair il se décide; il ne pense point en arrière, comme vous faites toujours, vous spectateur; il pense en avant, partant de ce qu'il a voulu. Sauvetage, révolte ou guerre, cela n'importe plus dès qu'il a commencé. Il pense le danger; le reste est de peu; si l'obstacle est humain, malheur à l'obstacle. De là une férocité d'apparence, dont je ne suis point dupe, parce que je n'en vois point trace en ces pensées qui m'occupèrent trois ans, et qui tendaient toutes à l'homicide. Comprenez donc comment un homme se rassemble et se met en ordre lorsqu'au travers de l'action le danger se montre. D'un côté l'attention se porte aux moindres prises, étudie détours et moyens, sans délibérer jamais sur ce qui a été décidé, car le temps manque; et si la décision est bonne ou mauvaise, et si elle est de lui ou d'un chef, il n'est plus temps d'y penser; tout cela est derrière, et irrévocable. Mais, d'un autre côté, le danger presse les pensées et les resserre, car la peur vient; et ce commencement de sédition exige une prompte reprise de soi et la négation de toutes les pensées perfides; ici la volonté mitraille d'abord, sans examiner. Il y a un devoir plus pressant encore que de faire ceci ou cela, c'est de vaincre la peur; il faut que le danger soit surmonté; et l'élan est toujours réglé sur l'obstacle. D'où un massacre des opinions oiseuses. L'érudit, qui pense n'importe quoi avec une égale complaisance, jugera toujours mal de ces choses, parce qu'il a oublié l'énergie pensante, qui veut, qui choisit, qui maintient, qui écarte; enfin qui gouverne. Et comprenez l'erreur de l'érudit, qui, recevant par des signes ces opinions fulgurantes, les prend comme on prend des faits, ainsi qu'il a coutume, et les imite et les développe en ses discours. Ce qui fait qu'il est aussitôt méprisé par l'homme de guerre, et n'y comprend plus rien. C'est que l'érudit éveille en lui-même tout ce qu'il y a de cruel et de laid, afin de porter cette idée que vingt mille cadavres étaient nécessaires; au lieu que l'homme de guerre exerce son courage à ne point penser aux cadavres. Sachons admirer, et sachons mépriser.

CHAPITRE XVII

DE L'HONNEUR

J'INSISTE sur cette contrainte militaire, que chacun voudrait bien oublier, parce qu'elle déshonore la guerre. Il me semble que l'honneur vrai suppose un libre choix, et qu'un Bayard estimerait moins aujourd'hui cet héroïsme qui est imposé au premier gueux comme à Bayard, et sous peine de mort. Mais Bayard n'examinerait point tant, attentif surtout à se gouverner lui-même, et à se préserver des mouvements vils. Car il est vrai que si l'on cède à la contrainte, cela n'a rien de beau; mais il est vrai aussi que si l'on cherche à échapper à la contrainte et si la peur pousse de ce côté-là, nul n'y va autant qu'il est libre. Et, les préjugés mis à part, qui changent selon l'époque, l'honneur consiste bien à ne pas vouloir céder à la peur, ni même incliner du côté où la peur tire. Examinez bien ce noble animal en cette situation difficile; car c'est là-dessus que les pouvoirs jouent leur jeu, et gagnent toujours.

Le sentiment de l'honneur est le vrai moteur des guerres. Cela tout le monde le dit; mais tout le monde dit aussitôt tout à fait autre chose, à savoir que la guerre vient de convoitise et de barbarie, les deux se tenant de près. Il faut d'abord mépriser cette opinion faible et même ridicule d'après laquelle les guerres résulteraient d'un vil calcul de voleur en chaque homme; et au contraire mettre en pleine lumière ces mouvements de l'honneur outragé, qui donnent aux groupes aristocratiques, matériellement faibles, une puissance sans mesure.

Ils agissent d'abord par hauteur, mépris et séparation, ce qui donne déjà un grand prix à leurs éloges, à leur condescendance, et même à leur attention. C'est là un art de gouverner par un pouvoir seulement moral, art trop peu étudié. A mes yeux, cette période de dix ans qui nous a conduits à la guerre est marquée par le triomphe de ces pouvoirs privés sur les pouvoirs publics, comme l'ont montré notamment l'élection Poincaré, le vote des trois ans et le premier procès Caillaux.

Mais il faut dire comment ils agissent sur des citoyens qui n'ont point d'opinion commune avec eux, ni d'intérêt commun. Ils agissent en appuyant sur un point sensible, en fouettant ce sentiment de l'honneur, qui prend aussitôt le galop. La course à la mort de tous les jeunes, et certainement sans hypocrisie, est le fait de guerre le plus important; c'est là qu'il faut ramener l'attention. Ils ne cèdent point à la nécessité, ils n'y pensent même point; ils courent au devant. C'est l'honneur qui parle; et il n'y a point de passions plus piquantes, plus torturantes que celles qui tiennent à l'honneur. Peut-être, chez le mâle de l'espèce, ont-elles même le pas sur les passions de l'amour, qui peuvent conduire à la mort volontaire aussi.

Imaginez un fils chargé de défendre, comme dans le *Cid,* l'honneur de la famille; il court impétueusement au danger. L'occasion et les circonstances varient beaucoup; mais la tragédie de l'honneur outragé tient toujours en ce monologue : « Je passe pour un lâche; c'est ce que je ne puis supporter »; ce qui amène aussitôt cette suite : « Je suis lâche si je ne choisis pas le parti le plus dangereux. Vainement je me paie de raisons. En réalité je cède à la peur, je le sais. Quand tous l'ignoreraient, je le sais. » Peu d'hommes peuvent dormir avec cette épine dans leur lit.

CHAPITRE XVIII

DU DUEL

En d'autres temps, il y eut une émulation de mourir, mais pour l'honneur seulement. Et encore aujourd'hui si un jeune homme était jeté dans une guerre publique de discours avec un spadassin, je ne vois pas comment je le détournerais d'aller au combat réel, hors duquel les affirmations du courage sont ridicules et même méprisables. Heureusement nos mœurs protègent ici le promeneur, s'il est seulement poli. Mais enfin si l'on est étourdi, ou maladroit, et si l'on s'en tire par la colère, comme le jeu des passions l'explique si bien, il faut payer de son sang; le froid raisonnement n'a aucune puissance alors contre la crainte d'être méprisé; et les témoins, en ces aventures, peuvent seulement adoucir les conséquences. Ils s'y emploient toujours, et, dans les affaires d'honneur, nul n'est prodigue du sang des autres.

Or le courage est si évidemment la principale vertu du mâle de l'espèce, et celui qui ne sait pas vouloir contre un danger certain est tellement au-dessous de son rôle protecteur, qu'il est impossible que l'admiration n'aille pas au courage gratuit, quand il ne ferait que s'affirmer lui-même par des actions non ambiguës. Et les femmes seront les plus décidées, par ce besoin d'admirer qui est la poésie de l'amour. En voilà bien assez pour que la mode des duels ait tenu contre une répression impitoyable. L'homme n'a point changé là-dessus, et ne changera point. Et il est clair que, par la contagion et l'entraînement, un peuple est encore plus redoutable qu'un homme, dès qu'il se croit méprisé. Par ces puissants ressorts, la guerre est toujours possible.

J'ai admiré ces jeunes qui y couraient, soucieux de n'être pas devancés par la noblesse de tradition, et de faire voir que le sang plébéien est généreux de lui-même aussi. J'ai admiré beaucoup moins les assistants, quels qu'ils fussent. Respectons les douleurs voilées. Toutes les fois que j'ai surpris, en ceux qui ne combattaient point, le contentement de soi, la joie de commander ou le plaisir de vaincre, j'ai méprisé. Tout plaisir est vil qui fleurit sur la mort.

Que dire alors de ces comédiens vieux ou fatigués, qui, de la jeunesse des autres, faisaient arme et menace, et qui se donnaient le honteux plaisir de mépriser et d'insulter l'ennemi, sachant que d'autres paieraient ? J'ai saisi plus d'une fois, au temps de la paix, cet étrange regard du héros valétudinaire, fixé sur moi et mesurant mes quarante ans bien passés. « Oui, tu cherches la paix ; et tu feras la guerre, parce que moi j'insulte. » Il y a du recruteur dans cet œil, et de l'enfant méchant aussi. On ne hait point un enfant méchant ; mais ne lui donnez pas la maison à gouverner. Peut-être tous les faibles sont-ils guerriers.

Cette page, assez amère, peut être bonne à lire pour les femmes, qui ne sont point faibles, mais autres. Leur faute serait peut-être d'agir comme les hommes faibles, et de menacer en laissant à d'autres de frapper. Qu'elles pensent une minute à ce rôle honteux qu'ont joué peut-être quelques-unes. A presque toutes il a manqué peut-être un amour moins passif, qui saisirait mieux chez le héros timide les signes de l'intrépidité. Mieux assurées, alors, de la force d'âme masculine, elles ne voudraient plus l'éprouver en ces massacres qui l'anéantissent aussitôt, pour le triomphe des faibles et des poltrons.

CHAPITRE XIX

DE L'ÉGOÏSME UNIVERSEL

Si l'on explique la guerre par l'universel égoïsme, comment expliquera-t-on cet esprit de sacrifice sans lequel la guerre ne commencerait point ? La guerre offre de ces contradictions qui détournent de penser, et livrent les hommes aux passions. J'ai cru surprendre que la colère qui s'élève aussitôt, chez ceux qui prétendent discuter de la guerre par raison, vient de ce qu'ils croient que leur raison est vaincue d'avance en ce problème surhumain. Pour moi, le monstre ne m'a point épouvanté par ce double visage qu'il montre toujours. Car, regardant le roi de la planète tel qu'il est en son ordinaire, je n'ai jamais trouvé un sens acceptable à ces doctrines de l'égoïsme universel, qui ont presque cours forcé dans le commerce des idées.

Il est assez clair qu'on peut concevoir un pauvre homme comme cet Argan dans Molière, malade ou non, qui vit dans la crainte de tout, et qui ne pense qu'à se conserver lui-même, quand ce serait aux dépens d'autrui. Mais il est clair aussi qu'un homme jeune et vigoureux se propose beaucoup d'autres fins. En lui le désir de se conserver n'agit et ne se montre que dans le danger immédiat; aussi travaille-t-il plutôt à le vaincre qu'à le fuir. Il ne manque jamais de sauveteurs; il y a des téméraires assez; tous les passionnés s'élancent vers le risque et l'épreuve sans se soucier de conserver leur vie, et quelquefois même avec l'espoir de la perdre. La sombre mélancolie d'un Werther n'est pas plus étrangère à la nature humaine que les terreurs d'un malade imaginaire. Je dirais même que l'homme passionné, qui n'aime la vie que sous condition, et s'il est riche, aimé et honoré, est plus près de la vérité commune que l'homme ridicule qui compte ses gouttes, ses lavements et ses purgations. La vie se développe selon l'audace des passions, et non selon la peur de mourir. Il n'eﬅ guère d'homme qui ne se soit senti brave et invincible au plus beau moment de quelque aventure d'amour. L'avare même, assez connu pour penser plutôt à lui qu'aux autres, eﬅ bien capable de préférer, si l'on peut dire, son trésor à lui-même.

J'entends bien qu'il suit toujours son plaisir, et l'amoureux son plaisir, et l'ambitieux son plaisir, et le héros son plaisir, et le saint son plaisir. Mais qui ne voit ici l'ambiguïté des notions vulgaires ? La queﬅion eﬅ juﬅement de savoir s'il n'y a point de plaisirs vifs, point d'emportement joyeux, point d'enthousiasme, point d'ivresse hors de ce qui eﬅ utile à la conservation du corps vivant. Et il eﬅ très important de comprendre, en suivant cette idée, et en recherchant encore d'autres exemples, comment les passions conduisent le monde des hommes plutôt selon la loi de dépense de soi que selon l'économie de soi. La guerre, qui se montre à ce tournant avec ses vraies causes, conduit à conclure que peu de gens agissent selon leur intérêt, et que c'eﬅ bien regrettable.

Ce qu'on voit dans ce monde ce ne sont point des hommes qui vivent goutte à goutte en se retenant, et en ramenant tout à eux par une sorte de calcul philosophique. Ce qui eﬅ ordinaire, c'eﬅ le calcul de l'intérêt, mais au service des passions, comme on voit dans le Nucingen de Balzac. Et l'on a assez dit que le moteur de l'induﬅrie qui compte si bien, c'eﬅ une passion qui ne compte guère, et qui se consume en folies adorées. C'eﬅ assez d'une esquisse; il n'en faut pas plus, lecteur, pour que tu te reconnaisses; et voilà l'homme de guerre. La sagesse, eﬅ de le voir d'abord comme il eﬅ, afin d'éclairer l'humaine prudence. Si l'on demande après cela pourquoi il eﬅ ainsi, je réponds que je me moque de cette queﬅion. Il y a assez à faire, et la vie eﬅ courte.

CHAPITRE XX

DES PASSIONS

Il faut que j'explique encore de plus près l'idée essentielle de ce livre, qui est que ce sont les passions, et non les intérêts, qui mènent le monde. Et je suis surtout disposé à y revenir lorsque je pense à ces descriptions si incomplètes de la nature humaine qui ont cours maintenant, d'après lesquelles toutes nos actions s'expliqueraient par un intérêt personnel plus ou moins dissimulé. Si l'on prend les choses ainsi, il y a un tel contraste entre l'homme de ces livres et l'homme des tranchées, que l'on veut imaginer quelque miracle surhumain, par où revient l'idée toujours si puissante de la guerre décrétée surhumainement, et par conséquent inévitable. C'est pourquoi je ne pourrais jamais expliquer trop longuement le mécanisme des passions et ses redoutables effets. Il faut d'abord que vous sachiez que le dernier secret de la chose est dans le *Traité des Passions*, de Descartes, et assez caché, malgré l'apparence. En attendant que vous ayez saisi le sens de ce profond ouvrage, j'explique ici la même doctrine surtout par des exemples, et sans venir au détail de la structure du corps humain.

Je dois dire d'abord là-dessus que cet homme si souvent décrit, qui suit en toutes ses actions les calculs de l'intérêt, je ne l'ai jamais rencontré. Chacun a éprouvé plus ou moins les étranges fureurs de l'amour; on peut mourir d'amour, vouloir mourir d'amour, vouloir tuer et tuer ce qu'on aime, ce qui revient à se jeter, par convulsion et révolte, dans un malheur plus profond et plus irrémédiable encore. Observez bien en quel sens ces fureurs sont guerrières, au sens entier du mot. Oui le jaloux s'élance intrépidement contre son propre intérêt, comme s'il prenait plaisir à se déchirer lui-même. Je n'insiste pas sur les farouches plaisirs de la vengeance, dont je ne puis guère parler que par ouï dire; mais il est assez connu que ce sentiment fait accepter de grandes souffrances, avec l'espoir d'en inspirer de pires. Il est assez clair aussi qu'en toutes ces passions, il y a, dans le fond du cœur, un pressentiment de l'acte redoutable, et une sorte de fatalité qui fait horreur. C'est moi, et pourtant c'est plus fort que moi, ce que le mot passion exprime si bien.

La colère est la forme commune des passions dans leur paroxysme ; de toutes, même de la peur. Et c'est là qu'on peut voir comment l'homme arrive vite à oublier son intérêt prudemment calculé, et même sa propre conservation. Il est ordinaire qu'une colère, même née de petites causes, nous porte à des actes extravagants, comme de frapper, de briser, et même d'injurier des choses. Et j'ose dire que le plus profond de la colère est la colère d'être en colère, et de savoir qu'on s'y jettera, et de la sentir monter en soi comme une tempête physique. Le mot irritation en son double sens, explique assez cela, si l'on y pense avec suite. L'enfant crie de plus en plus fort principalement parce qu'il s'irrite de crier, comme d'autres s'irritent de tousser.

Je veux encore vous rappeler quelques folies des passions, toujours contraires à l'intérêt et souvent à la conservation ; parmi lesquelles les folies de la peur ne sont pas les moindres, car la peur augmente toujours le danger, comme on voit dans une barque. Les discuteurs s'irritent presque toujours jusqu'à lancer des mots qu'ils regrettent. Le joueur, le parieur, le buveur se jettent bientôt à leur passion comme au gouffre, avec l'idée, il me semble, qu'ils sont destinés à cela, condamnés à cela, et qu'il vaut mieux y courir. C'est un vertige à proprement parler. N'avez-vous pas connu des plaideurs qui plaidaient par fureur, presque sûrs de perdre, mais avec la joie de ruiner aussi l'autre ? Certes on pourrait bien dire, et non sans vraisemblance, que les procès naissent de la rapacité. Mais il y a une poésie aussi dans les procès ; et quand on aurait médité comme il faut sur l'huître et les écailles, on ne serait pas encore protégé contre l'obstination plaideuse, qui se noie en noyant l'autre. N'est-ce pas la guerre en petit ?

CHAPITRE XXI

DES PASSIONS AMBIGUËS

Ce titre fait pléonasme. Il y a de l'ambiguïté dans toutes les passions. Par exemple il y a de la joie de jeunesse et une bonne santé souvent dans l'amour, dont l'objet aimé est embelli. Sans vouloir exposer ici les causes qui dépendent de la structure du corps humain où tout se trouve lié à tout et sans paroles, je veux examiner un moment cette haine guerrière, si redoutable par les serments et déclamations. J'ai vu plus d'un homme en être possédé jusqu'à la colère, et certainement sans hypocrisie. Au reste je crois que les hommes sont le plus souvent sincères, et qu'ils se trompent eux-mêmes bien plus qu'ils ne trompent les autres. Par exemple dans cette haine propre aux gens d'âge mûr, et d'autant plus redoutable, je discerne un besoin d'être triste, de blâmer, de s'irriter, qui dépend de l'âge et de bien d'autres causes encore. Je dirais même qu'une volonté d'être triste s'y fait voir; car il est commun que l'atrabilaire s'irrite encore plus par l'idée du mal qu'il fait à lui-même, à ses proches, et à tous.

Je crois que les passions politiques sont pour beaucoup dans les passions guerrières; et beaucoup haïssent d'un mouvement plus vif leur voisin d'autre parti, s'il ne veut point haïr; car les passions veulent des objets proches et familiers; et l'amour même, comme on l'a remarqué, ne prépare point mal à la haine. Pour moi je dois me garder avec soin des haines politiques, que l'importance étalée devant moi me donnerait aisément, au moins par accès; mais j'avoue que je ne connais pas assez l'ennemi pour le haïr; on ne hait pas un obus, on le craint. Il est vrai aussi que je suis détourné de toutes ces passions tristes par une heureuse humeur; et sachez bien que c'est par prudence, et pour échapper à des maux trop connus, que je me condamne à parcourir ce triste sujet et à réveiller souvent d'aigres pensées que je n'aime point. Souvent il se mêle à ces passions tristes des intérêts tout personnels, comme lorsqu'un commerçant est ruiné par la concurrence allemande, et qu'il dénonce avec fureur ce peuple déloyal et grossier, ces objets lourds, disgracieux et mal finis. Vous connaissez le refrain; en quoi il y a du vrai et du faux; mais le fond du débat n'est pas ce qui m'intéresse le plus ici. J'y vois, comme en toutes les passions, une disproportion entre la cause et l'effet. Il n'est pas humain, je dis communément humain, de vouloir tuer des hommes parce qu'ils manquent de goût. Il n'est même pas commun qu'un commerçant songe seulement à tuer un concurrent heureux. Et n'oublions jamais que la passion guerrière va tuer, à coup sûr, non seulement des ennemis, mais des amis, des parents, des fils. Qui mettrait au jeu la vie de son propre fils pour des luttes commerciales ?

Mais cette colère, assez puérile, s'ajoute à d'autres et les renforce. C'est le propre des passions de se mêler tellement que souvent l'une soutient de sa vivacité ce que l'autre exprimerait assez paresseusement. Ce commerçant va déclamer sur les leçons de l'histoire et sur les devoirs d'un grand pays envers lui-même. Mais je soupçonne que ses déceptions personnelles s'y mêlent, et colorent le discours jusqu'à le rendre émouvant. Si l'homme est avec cela un peu malade, voilà un orateur; l'amertume qui vient de l'estomac ne perd pas cette occasion de se faire approuver. Et je vois bien des gens s'accorder en violentes paroles, quoique leurs passions réelles soient bien différentes.

Que faire à cela ? Discerner les secrets motifs de chacun, mieux qu'il ne le fait lui-même et rompre enfin cette unanimité d'apparence, si puissante au premier moment sur un homme modeste. Surtout ne pas y voir une opinion commune, encore moins une volonté devant lesquelles le jugement individuel devrait fléchir, respecter, adorer. C'est déjà trop de subir les effets, conformément au pacte social et au serment d'obéissance, sans encore adorer les causes. Aussi je juge par précaution que cette haine honorée et approuvée n'est que la triste religion de tous ceux qui récriminent. Et c'est beaucoup si le sage lecteur, par ces remarques, est ramené à redresser seulement ses propres erreurs, sans égard pour les erreurs des autres. Si chacun tient ferme à sa propre opinion, sans imiter son voisin, nous aurons beaucoup gagné.

CHAPITRE XXII

DE LA VIOLENCE

Au sujet de la colère, que beaucoup appellent courage, il faut comprendre qu'elle n'est pas absolument opposée à la peur. Chacun sait par expérience comment l'on passe de la peur à la colère, et comment l'action vive soulage et délivre. Mais entre deux souvent se développe une agitation stérile et comme une impatience musculaire, qui se traduit par gestes, discours et pensées. C'est dans ce passage que l'orgueilleuse colère montre le visage de la peur; ce que la crise nerveuse, chez les êtres faibles, fait voir à plein. Ces remarques sont encore éclairées si l'on s'est assuré que la peur est toujours en quelque façon peur de soi.

Il est bien aisé de surprendre cette ambiguïté et ce mélange des passions lorsque les disputeurs s'irritent. L'orateur timide fonce contre l'obstacle, élève la voix, serre la gorge, et arrive bien vite à la fureur. Il importe d'observer ici l'ordre véritable des causes et des effets. Ce n'est pas parce qu'il veut du mal au contradicteur qu'il élève la voix, mais au contraire parce qu'il élève la voix qu'il en vient à une espèce de haine. Qui comprend ces causes en rit bien. J'entendis un jour un grammairien qui parlait furieusement sur l'orthographe; nul ne songeait à le contredire, mais il n'en menait pas moins une rude guerre contre sa propre peur. J'ai oublié ce qu'il disait de l'orthographe, mais j'ai retenu ce qu'il faisait voir au même temps, et qui était d'un bien plus grand prix, j'entends que la colère, fille de peur, n'attend pas l'ennemi pour combattre. Ainsi la violence s'exerce d'abord contre elle-même, et toujours contre elle-même. Le génie comique, qui est ce qui survit de l'esprit enchaîné, éclairera en chacun ces remarques si simples, jusqu'à proposer cette relation étrange, qui définit peut-être la guerre, et dans laquelle l'ennemi n'est en vérité qu'un prétexte pour se nuire à soi-même. Qui veut la guerre est en guerre avec soi.

On comprend sans peine, d'après cela, que l'action

violente soit une espèce de soulagement dans le paroxysme de la passion. Là est le bonheur de se venger. Les imprécations, les souvenirs, les raisonnements n'en sont que des effets accessoires. Se venger, c'est faire une action attendue, annoncée par l'état du corps, et qui délivre les muscles de leur pénible travail de contracture contre eux-mêmes, qui étrangle la vie. Tout, en ces crises, est œuvre de force et seulement de force; car les vicissitudes de la passion, que les idées suivent comme elles peuvent, dépendent seulement de la position du corps et des forces de chaque muscle, chacun violentant les autres autant qu'il peut; chaos et éruption des forces mécaniques. D'où l'on voit que la fatalité trouve ici une matière convenable, et la plus forte preuve, car le vif plaisir de la vengeance nous récompense aussitôt. Telle est en bref l'histoire d'un crime passionnel, et la guerre est réellement un crime passionnel. L'amour, la pitié, l'horreur, poussent avec la haine par ce chemin qu'elle ouvre. Cette ambiguïté des passions déchaînées est ce qui étonne le plus dès que l'on entre dans cet immense sujet; et c'est ce qui suspend aussitôt la guerre contre la guerre. Car toute violence est guerre. Et le pouvoir, par ses ruses, fait de toute guerre sa guerre. Dans le combat, ce qu'il y a de fureur contre les maîtres lointains et contre les féroces spectateurs, qui peut le savoir? Le gladiateur croyait égorger César peut-être.

CHAPITRE XXIII

COMMENT ON FOUETTE LES PASSIONS

Toute la presse nous a fait vingt fois le tableau des intérêts et des revendications d'une nation à l'autre. Et les brochures pacifistes, ou irénocrates, ou quelle que soit l'étiquette, recherchent une solution juridique de ces conflits, chose qui ne peut manquer d'intervenir si les intérêts jouent seuls. Méditez sur ce mot d'un avocat: « Les intérêts transigent toujours; les passions ne transigent jamais. » On peut vivre en paix vingt ans et plus, dans ces conflits d'intérêts, comme l'expérience l'a fait voir; on peut donc y vivre toujours; tout se tasse; tout s'arrange. Il ne faut pas espérer ici une espèce de code qui aurait tout prévu. Il y a des procès, et ruineux pour tous, non par l'insuffisance du code, mais par les passions; et il y a d'heureux arrangements, plus avantageux que les procès, dès que les intérêts jouent seuls. Détournez donc votre regard de ce vain étalage juridique, dangereux surtout par la fausse sécurité qu'il vous donnerait. Guettez les passions qui naissent, et que les tyrans conduisent si bien.

Un exemple. Vous lisez partout que ce peuple a fait voir une étonnante résurrection après une longue décadence. Vous acceptez l'idée sans examen; ou bien vous pensez que ce n'est qu'un lieu commun sans importance. Vous ne saisissez pas l'effet de cette injure suivie à ces jeunesses qui grandirent en essayant de juger. Les petits et grands tyrans se virent détrônés après la célèbre affaire Dreyfus, dont tous aperçoivent maintenant l'immense portée. Vous n'avez pas discerné non plus, quand les tyrans reprirent peu à peu le pouvoir, cet éloge aux jeunes, et cette invitation à mourir? Je me suis opposé tant que j'ai pu, par l'écrit et par la parole, à ces jugements redoutables, qui semblaient à presque tous un indice de ces oscillations communes dans l'histoire des peuples, et dont on aime à dire que les causes sont inconnues. Pour moi j'ai toujours vu clair dans ces discours d'officiers et d'académiciens : « Cette jeunesse était lâche; cette autre jeunesse vaut mieux. » Songez aussi à cette littérature académicienne, qui, par des injures suivies à l'ennemi, allait à la même fin. Songez aux violences de la rue, et à ce chantage organisé par les royalistes. Cette vague de guerre a passé sur vous, vous entraînant, vous portant vers la catastrophe. Et vous en étiez toujours, vous en êtes peut-être encore à chercher quelque tribunal arbitral qui règlerait les différends entre nations. Mais comprenez donc que nul ne se battrait pour un différend entre nations, au lieu que n'importe quel homme se battra pour prouver qu'il n'est pas un lâche.

J'ai senti cette effervescence, cette espèce de panique, cette farouche détermination des jeunes qui disaient : « Eh bien, qu'on en finisse; mourons pour les académiciens. » L'un de ces jeunes, qui a eu la chance d'être tué dans les premiers combats, me disait avec cette force tranquille que j'aimais : « Laissez donc; cela nous regarde; ce n'est pas à vous que l'on demande de mourir ».

Faites attention à ce danger-là. Essayez de voir cet honneur fouetté et galopant, et de quel air sont reçus les plats conseils sur les arrangements possibles, les formules diplomatiques, l'incertitude des armes, les ruines, les morts, les deuils; de quel air est accueillie cette sagesse trop claire et qui parle si bien à côté, par l'homme qui offre enfin sa vie et qui ne pense qu'à bien mourir. Dans le parti des braves, aussi, on trouve de ces sourds et muets pour la raison, dès que l'honneur parle. Jugez maintenant selon leur vraie puissance ces déclamations sur la décadence et sur la renaissance, sur les Asmus, gros mangeurs de choucroute, et autres plaisanteries homicides; et si vous n'avez pas été indulgent à ces choses, dormez en paix.

CHAPITRE XXIV

DE LA RÉVOLTE

QUAND le duc de Parme demande à Fabrice si le roi de Naples est aimé, Fabrice répond à peu près ceci : « Je ne me soucie point de savoir si les sujets du roi de Naples sont contents. L'armée est bien munie et parfaitement disciplinée. Qui s'inquiète après cela si la canaille aime ou n'aime pas? » Voilà la pensée d'un aristocrate, et sans aucune hypocrisie. L'amour plaît aux princes, mais comme la dernière marque de l'obéissance. Ceux qui ont goûté au pouvoir ne supportent pas la moindre tricherie là-dessus; essayez de faire entendre au maître que vous obéissez parce que vous le voulez bien; rien n'est plus froidement reçu; cela est presque impertinent. Mais, d'un autre côté, il est presque impossible que l'on soit aimé si l'on commande; et le regard de l'esclave, toujours effrayant à voir, affermit bientôt le maître dans les sévères maximes du pouvoir absolu. Au reste il s'élève toujours un peu d'amour dès que le maître ne fait pas tout le mal possible. La crainte d'abord. Je n'aurais point compris sans peine cette rude méthode; mais je l'ai vue à l'œuvre. J'ai relu Tacite sur les visages. Dans cette épreuve, et quand le plus prochain pouvoir, lui-même éperonné, frappe selon une infatigable vigilance, l'homme de troupe se tortille comme un serpent, prenant mille formes que le regard ne peut suivre. Nos rois et nos rhéteurs ignorent ces mouvements-là, comme le préfet de police ignore la lutte des poignets contre les menottes. L'homme de troupe pourrait raconter ces choses; mais je remarque que l'homme de troupe oublie beaucoup.

On sait qu'il n'y a jamais eu de guerre sans quelque mouvement de mutinerie. De tels événements sont mal connus, et toujours expliqués par des causes accidentelles, comme la mauvaise nourriture, ou une bataille malheureuse, ou la faute lourde d'un chef. Comme si l'on voulait oublier et faire oublier. Selon mon opinion, de telles causes sont plutôt des occasions que des causes. La révolte est au fond, et permanente, je dirais presque d'institution dans n'importe quelle troupe. J'en ai vu des signes chez les plus dociles d'apparence, et voilà certainement ce qui m'a le plus étonné lorsque j'ai vu ces choses de près et du dedans, jusqu'au temps, qui arriva vite, où je fus obligé de lutter en moi-même contre des sentiments de ce genre. Aussi, tout en me défendant d'espérer un tel redoublement de maux, j'attendais quelque terrible punition au jour de la délivrance. Mais les pouvoirs gagnent une partie après l'autre, et j'aperçois à peu près comment les choses se passent. Je me souviens de ces sentiments, parce que je les ai surmontés; mais eux, autant que je sais, mes naïfs compagnons, ils les ont subis; ils peuvent les éprouver encore, et soudainement, par quelque circonstance extérieure, mais ils ne savent pas les retrouver volontairement; ils n'y pensent jamais. L'homme est facile à gouverner.

Ce que je veux remarquer ici, afin de mettre ces vérités désagréables en leur juste place, c'est que la révolte toujours armée et prête n'exclut pas d'autres sentiments bien forts aussi, comme le goût du bien faire, dont j'ai vu tant de preuves; car il arrive qu'on se console d'une corvée irritante en la faisant bien, et il est presque impossible de ne pas faire bien ce que l'on sait faire; d'où vient que souvent, parce que l'action est difficile, l'obéissance devient facile. La justice aussi, j'entends entre égaux, et hors de tout commandement, est continuellement présente et puissante; car il est visible que ce que je ne fais point sera fait par un autre; et plus la tâche est pénible et dangereuse, plus cette idée du juste partage des risques mord énergiquement sur tout homme, et mieux même que la peur. Ajoutez que, dans les instants les plus critiques, où le maître est esclave et misérable autant que tous, la fraternité revient. Aussi la grande colère des esclaves s'en va toujours chercher les chefs les plus lointains, et surtout les pouvoirs civils, dont les faciles discours semblent alors odieux. Par ces causes, la révolte du soldat vise justement où elle ne peut atteindre. Aussi le système peut durer longtemps.

Si je joins à ces actions sans relâche et à ces passions qui se dépensent dans le vide, les fatigues extrêmes qui engourdissent, les repos délicieux, et la puissance démesurée des plus simples plaisirs, comme de manger et boire, il me semble que je n'ai pas mal décrit le soldat en son métier quotidien. Par ce mécanisme riche en frottements, la révolte est renvoyée au jour de la paix; alors le bonheur d'être libre, après la joie esthétique du triomphe, efface naturellement jusqu'au souvenir de la révolte; ce qui est traduit, par ceux qui ignorent ou qui veulent ignorer, dans de belles phrases qui ne sont pas sans vraisemblance. Le soldat ne se reconnaît pas bien dans cet agréable portrait qu'on lui fait de lui-même. Mais que dirait-il? Les formes lui manquent. Nous prenons aisément pour vraie l'image de nous-mêmes, dès que les autres la reconnaissent.

CHAPITRE XXV

DE L'ADMIRATION

J'AI aimé Manfred, marchant à la mort avec une espèce de joie farouche. Et que de Manfred en ce temps! Nul ne les a admirés plus que moi. Je crois avoir vu, mieux que la plupart, la véritable beauté de la chose, qui consiste en ce qu'on est vainqueur d'une action impossible, pour la dignité seulement, et pour ce que l'homme se doit à lui-même, sans soutien extérieur, sans Dieu et sans espérance. Mais j'en ai trop vu aussi par terre, et à peine plus gros que des oiseaux sur la terre. Tant de génie, et tant de résolution, et tant de patience, une vertu sans manteau, si nue, tout cela est détruit à coup sûr, de façon que je puis prédire, en de pareilles circonstances, que le plus vertueux périra le premier. Trop pour oublier jamais. Trop pour suivre les poètes qui chantent ou déclament derrière, célébrant ce temps plus beau que l'Iliade. Oui, que de paroles sublimes, mais punies de mort aussitôt, mieux que par le plus subtil tyran. Je trouve, pour tout dire, que les poètes ont trop de plaisir. Tout s'arrange trop bien.

C'est trop vite dit, qu'il ne faut pas plaindre ceux qui n'ont pas voulu se plaindre. Et c'est mal de frapper sur les cymbales pour les exciter encore, comme les vieilles femmes quand les jeunes dansent. Qu'un héros se paye d'autres motifs, cela passe encore; qu'il dispose aussi ses pensées de façon que les raisons répondent aux actions, soit. Mais moi je n'ai que faire de ces motifs-là. Le héros me suffit bien. Barrière contre la force parce qu'elle est force, et contre l'épouvante parce qu'elle est épouvante, sans autre motif. Ils se revêtent de motifs, et moi je les veux nus, comme veut le sculpteur. Je me fie à leur grandeur seule. Des hommes seulement; rien n'est plus grand. Toutes leurs idées, justice, civilisation, patrie, Dieu, épreuve, sacrifice, je les suis jusqu'à leur source, en eux-mêmes, dans cette résolution de vouloir seulement. Le chrétien, je m'en moque; je considère le stoïcien seulement; et encore dans la profonde tristesse qu'il veut me cacher. Oui, abandonné de tous, je le vois, sous des cieux vides, en face d'hommes qui le valent et qui sont aussi nus que lui; à demi enfermé dans sa tombe déjà; trahi même par les siens, qui se consolent trop vite; compté pour rien. (Qu'est-ce que la perte d'un homme? Les journaux n'en parleront seulement pas.) Ainsi seul, en présence d'une chose qu'on ne peut braver, et qu'il faut braver. Réfugié en lui-même; tout pauvre et trouvant en lui-même toute la richesse intacte. Tout désespéré, et trouvant en lui-même un espoir aussi vivace que sa vie. Tout cela inconnu, et déjà effacé parmi les hommes.

Jetant donc toutes ces armes d'éloquence qu'on lui fait tenir de l'arrière, et tout le clinquant académique, et tout le probable, respectable et bien construit catholicisme. Tout nu, oui. Et il tiendra jusqu'à la mort. Je le sais et je le savais; seul peut-être je l'ai prévu. Et puis vous voulez que je me réjouisse avec vous, poètes, hommes d'état, hommes d'académie, parce qu'il tombe noblement ? Non. J'ai gardé un jugement inflexible qui veut distinguer deux choses, le héros qui tombe, et les faibles qui applaudissent. Et toute cette déclamation me fait horreur. Non je n'aimerai pas ces jeux de gladiateurs.

CHAPITRE XXVI

MENSONGES A SOI

J'AI lu beaucoup de ces lettres dites admirables, et admirables en un sens ; quelques-unes adressées à moi par de jeunes amis bien chers, et tous tués ou peu s'en faut. Lettres aussitôt brûlées. Sans réponse. Car il aurait fallu dire ceci : « Vous écrivez de cette guerre que vous faites, et de cette guerre qui vous attend. Mais je vois que vous voulez mourir avec grâce. Et cela je ne vous le demande point. Cette beauté est de trop ; je ne suis point César. Je suis un pauvre homme que vous ne consolerez point. Non. Non. J'aimerais mieux que vous n'ayez point détourné les lèvres de ce calice, que vous l'ayez bu amer. Mais vous l'avez bu amer. Vous ne me trompez point. On ne trompe pas le vieux maître. Vous pouviez être cyniques un peu ; droit assez payé, je pense. Et enfin vous étiez forcés ; commencez par penser cela, ou ne pensez rien. Qu'est l'obligation, si la force vous prend ? Quel est ce mélange de morale et de guerre ? Mauvais mélange. Vous étiez forcés. Forcés comme le dernier des fantassins ; et sous peine de mort. On vous y aurait portés, à cette tranchée. J'ai entendu conter que des hommes, au moment de l'attaque, ont élevé l'officier sur le parapet, disant : « Marchez devant ». Vous n'avez pas, vous, attendu cela. C'est bien. Vous avez couru plus vite que le destin, rassemblant vos forces d'hommes et composant une belle figure d'innocent condamné et marchant au supplice. Mais pourquoi vouloir me consoler moi ? Pourquoi ne m'avoir pas dit après cela que vous aimiez la vie, et qu'il vous a été dur de la donner. Il fallait laisser ce reproche à tous. « Seigneur, pourquoi m'avez-vous abandonné ? » Vous deviez être sévères un peu, et justes avant tout. Et vous n'aviez pas le droit peut-être de consoler en mentant, même aux femmes. Ce mensonge peut tuer encore un million de jeunes hommes avant dix ans. »

CHAPITRE XXVII

MAUX HUMAINS

Le territorial regardait la Seine; et reportant ses yeux à ce ciel noyé, il dit : « Je vois bien ce que nature nous annonce par ces signes; un peu d'eau autour des pieds; un fil d'argent miroitant le long du parapet, un peu plus haut que la place de la Concorde; un ou deux égouts qui crèveront; des entonnoirs dans les pavés de bois et quelques passants avalés; encore n'est-ce pas sûr, car ces années nous ont rendus méfiants tous, ou résignés, ce qui est presque la même chose. Ce sont de petits malheurs, allez. Et quand ce seraient de grands malheurs, quand la Seine passerait un peu par-dessus les ponts, eh bien, on se rangerait, on se tasserait, en amitié, sans colère, sans souvenirs amers, sans idée de vengeance contre personne. »

Après avoir tiré sur sa pipe et craché militairement, il continua, promenant ses yeux sur les tourbillons d'eau et sur les épaves. « Remarquez que cette planète ne nous a rien promis. Sur la pluie qui peut tomber en trois mois, rien n'a été réglé entre nous et elle. Et même, en regardant de plus près, je vois que cela n'aurait point de sens; car cette pluie et ce courant sont comme ils sont, et ne peuvent être autrement. On raconte d'un roi qu'il essayait de dire au flot : tu n'iras pas plus loin; mais ce décret n'était pas motivé convenablement. Si je savais, moi qui ne suis même pas caporal, si je savais ce qu'il est tombé de pluie à l'hectare, combien l'évaporation en a repris, et si les masses poreuses de la terre sont rassasiées d'eau, et la pente, et le débit de ce fleuve enchaîné, je pourrais dire à coup sûr à ce flot sournois : tu n'iras pas plus loin. Bref tout sera toujours en ordre dans ces choses. Faire une digue ou s'en aller. Travail, non guerre. Et il s'agit de ne pas se tromper là-dessus, car, voyez-vous, tout est là ».

Un silence. La Seine bavardait comme au temps du mammouth. « L'autre chose, dit-il, n'est point supportable du tout. Voir devant soi la haine et la fureur; pire, les sentir en soi-même comme une crue; chercher les causes de cela; n'en point trouver qui suffisent; ne pouvoir jamais inventer en aucun homme assez d'erreurs, de notions confuses, d'infatuation et de vanité pour rendre compte, si l'on peut dire, de ce cataclysme humain; voir tous les héros à la roue et tous les lâches levant le fouet; sans aucune colline ni montagne où se retirer, où ce flot n'arrive point. Savoir que, quand on se serait sauvé dans la lune, on en reviendrait aussitôt, non point pour faire digue, mais pour être flot; par des raisons flamboyantes qui mordent le cœur; par une émulation de souffrir, qui rend impitoyable; par un amour, par un fol espoir; par un remords aussi, d'avoir approuvé trop légèrement tant de discours emphatiques; et, il faut le dire, quoique ce soit plus amer, par une profonde paresse, un appétit de dormir, et, en dormant, d'être ouragan, avalanche, torrent ou flamme, sans pensée aucune, sans vouloir aucun. Car, dites-moi qui nous a donné cette pensée, cette arme qui est la pensée, sans nous en expliquer l'usage ? »

Cet autre bavardage couvrait celui des flots. Et le regard noir de l'homme ne voyait plus aucune chose.

CHAPITRE XXVIII

DE LA FRIVOLITÉ

Nous faisons grand bruit sur l'incompétence, la paresse ou la corruption des pouvoirs, sur le problème des salaires, sur l'avenir du capital, sur la protection et sur le libre échange. Or tout homme de bon sens reconnaîtra que les maux qui résultent d'un médiocre système politique, tel d'ailleurs qu'on l'a toujours vu, sont comme nuls en comparaison des maux certains de tout genre que la guerre nous apporte, même terminée par la victoire. Quelle peste ferait en si peu de temps un si grand nombre de morts, et si bien choisis parmi les plus vigoureux et les meilleurs ? Quel ministère négligent nous coûtera la centième partie des dépenses de guerre ? Quel protectionnisme fermera les mers comme la guerre maritime et les transports de troupes l'ont fait? Mais c'est une disposition commune que de crier contre les petits maux et de supporter les grands maux en silence et stupeur. Et, chose digne de remarque, la réflexion sur les maux, par souvenir, est soumise à la même loi; car, dès que l'on est délivré des grands maux, on s'applique à les oublier, ou, pour mieux dire peut-être, on n'arrive pas à les faire revivre. Bref, l'imagination est sous la dépendance des causes actuelles; et le proverbe dit bien : « Le danger passé, adieu le saint. » Il faut donc se défendre de l'oubli, par raison, et rappeler à tout propos cet axiome de politique, c'est que la paix est le bien, et la guerre le mal; et gouverner d'après cela, puisque chacun de nous gouverne un peu.

Il est assez clair que les pouvoirs se détournent de cette idée. Leur représentant le plus éminent a bien voulu, dès le dernier coup de canon, nous faire savoir que la paix tant de fois promise aux combattants, la paix par désarmement n'apparaissait pas encore comme possible. Et, j'ai assez expliqué que les pouvoirs, laissés à eux-mêmes, iront toujours à une politique de paix armée, disons à une politique de guerre. Mais ils nous l'ont dit. Ainsi il n'y a point de doute là-dessus. Si la masse des citoyens n'exerce pas une pression continue, et fermement orientée, contre toute préparation à la guerre et contre l'idée même de la guerre, la guerre s'organisera d'elle-même.

Si je joins aux pouvoirs, comme il est naturel, l'élite ploutocratique et l'élite académicienne, sans oublier les chefs militaires, il reste encore une masse de bourgeoisie dont je ne sais que dire, ayant observé assez depuis la paix ce contentement voulu, cette négation obstinée, ce visage fermé à toute proposition humaine. Toutes causes mises au clair, parmi lesquelles il faut compter la crainte à l'égard d'un mouvement de colère, toujours imminent, je vois dans cette immobilité étudiée un air de haute convenance, comme celui que l'on remarque aux enterrements. Le savoir-vivre impose un terme aux oraisons funèbres. Si je recommence le sermon, ils reprennent la pose; mais l'esprit est ailleurs, et je le vois. Ils attendent que ce soit fini. J'appelle frivolité cette redoutable méthode, décidée et inflexible, si bien armée contre l'insistance. C'est la frivolité qui joue aux cartes. « Au diable vos discours sérieux, puisqu'ils ne me sauveront pas de mourir. »

J'en reviens donc au même point. Il y a des maux inévitables, contre lesquels chacun se fait une résignation à sa mesure; et cela eſt naturel. Il s'agit de savoir si la guerre sera considérée comme un de ces maux-là. Donc l'idée la plus efficace contre la guerre, c'eſt l'idée même que la guerre serait impossible si la masse des citoyens étaient bien assurés qu'il dépend d'eux de la rendre impossible. Ainsi la frivolité eſt proprement assassine; et c'eſt cette amère vérité que la frivolité efface d'abord, comme une femme qui se poudre.

CHAPITRE XXIX

LES IMPORTANTS

J'OBSERVE partout deux espèces d'hommes, les importants et les insouciants. L'insouciant eſt heureux de vivre et porte au visage l'expression de l'amitié égalitaire, avec cette nuance, surtout maintenant, qu'il n'exige rien et n'attend pas beaucoup. Cet homme-là me rassure. Mais l'important m'effraie, renfermé comme il eſt en ses frontières; attentif à lui comme centre; déférent aux autres importants, qu'il flaire du plus loin; mais, à l'égard des autres, exerçant comme une domination de présence, par une majeſté sans faiblesse.

J'ai bien ri autrefois de l'important. Maintenant je n'en ris plus. J'ai payé, et nous avons payé, insouciants mes frères. Car la victoire eſt de lui sur nous. Je vois qu'il a fait l'opinion, qu'il a voulu la guerre, qu'il a fait la guerre, nourri et gonflé du malheur public. Et je le retrouve partout, mieux dessiné encore et comme durci, avec ce signe impérieux, ce signe de méchanceté voulue, de méchanceté moyen, pire que tout. La méchanceté naturelle va par crises; cela eſt supportable. Mais la méchanceté fille d'importance eſt toujours armée; et le pire mal eſt cette colère qu'elle finit par éveiller chez le plus insouciant, par cette affirmation impérieuse. Cette colère eſt un genre d'hommage; et l'important le sait bien. « J'attends, dit ce visage, que mon importance éveille la révolte, afin de vous punir. » Voilà un des fruits de la guerre, et germe de guerre.

L'important ne savait peut-être pas bien, au temps de la paix, à quoi il se préparait et tendait; c'était un mépris abstrait et d'apparence ridicule. En réalité, dans cet heureux temps, il n'y avait point de pouvoirs, mais seulement des fonctions; le vrai administrateur se bornait à rappeler le règlement à ceux qui l'oubliaient, et sans grossir la voix. J'aime ce régime, et je m'y soumets sans peine. L'importance, donc, en ce temps-là, n'était que ridicule. Remarquez que le pouvoir militaire lui-même était paternel, de gré ou de force; et ce n'était que la menace de guerre qui faisait revenir par instants sa majesté l'importance, et son pouvoir absolu.

Or la guerre réveilla l'importance et la mit en place. Alors seulement les importants comprirent bien pourquoi ils avaient porté les insignes du pouvoir avec vénération et religion. Car le pouvoir fut absolu partout. Aussitôt les citoyens se trouvèrent séparés en deux classes, celle qui commande selon son bon plaisir, et celle qui obéit et travaille. Chez les artilleurs, par exemple, l'adjudant retomba à l'esclavage du canonnier, et le sous-lieutenant fut roi. Il y eut deux costumes d'homme, deux attitudes d'homme, deux visages d'homme. Et soudainement, il n'y eut plus de vanité. Non. Mais un despotisme oriental, nonchalant, important, ironique, réglant le repos, le travail, la nourriture et le sommeil des hommes. Non seulement aux armées, mais partout. Alors les importants comprirent pourquoi ils aimaient la guerre, et pour quelle cause leurs fils se faisaient tuer. Et certes on peut risquer sa vie pour être roi; ce jeu a un sens.

CHAPITRE XXX

DES SOTS

L'IMPORTANCE convient aux sots. Mais on ne naît point sot; non que je croie que tous les hommes naissent égaux ou semblables; tout au contraire je crois qu'il y a une perfection de chacun, qui lui est propre, et qui est absolument belle et louable, sans qu'il y ait lieu de décider, lequel vaut le mieux d'un berger parfait ou d'un ingénieur parfait; ces comparaisons n'ont point de sens. Tout homme est parfait autant qu'il développe sa nature; et tout homme est sot autant qu'il imite. Et comme l'importance se gonfle de tout ce que les circonstances lui apportent, et fait jabot de tout, il faut dire que l'importance rend sot. C'est pourquoi je n'injurie en ces chapitres aucune nature d'homme; je n'en ai qu'à des outres vides.

Cette guerre, bien clairement, sous mes yeux, à défait son propre être, je dirais mieux son propre paraître. Premièrement elle a séparé avec violence les importants, les a habillés et marqués, les a condamnés à s'imiter les uns les autres; ainsi l'élite s'est rassemblée, fortifiée en apparence; l'élite s'est affirmée en importance, et s'est niée en puissance, ce qui s'est vu dans les actes et dans les discours de Messieurs les importants, plus ridicules de jour en jour par le contentement de soi et par l'approbation forcée, le plus haut important étant bien clairement le plus sot. Tous, sans exception, ont perdu un peu du talent qu'ils avaient, un peu de la science qu'ils avaient, un peu de leur grâce naturelle; beaucoup ont tout perdu. Quelques sots achevés, peut-être, n'avaient rien à perdre en cette redoutable épreuve; mais il y en a moins qu'on ne croit.

Je n'en vois qu'un, parmi les chefs, qui ait échappé à la sottise, et parce qu'il n'a point voulu de l'importance. Aussi a-t-il terminé la guerre par son énergie propre, et contre les importants de tout grade, qui feraient durer toute guerre par une secrète affinité entre leur genre de mérite et ce genre d'ordre. Et le redouté vieillard est propre à bien faire comprendre, par contraste, ce que c'est qu'un sot; car il est aisé de dire ce qui lui manque; mais c'est temps perdu, car rien ne lui manque de ce qu'il pouvait être; et toute sa nature s'étant développée en liberté et force, par négation et mépris de toute importance, il est donc parfait en sa nature, comme un beau cheval est cheval. Scandaleux et seul en cette société d'outres vides. Je suis ainsi fait que je ne crains jamais ce genre de tyran, qui tyrannise par la puissance de sa nature propre. Les choses humaines vont ainsi que, quoi que dise ou fasse un tel homme, il affirme toujours ma puissance en même temps que la sienne, et par sa manière, élève chacun au vrai niveau, et précipite toutes les importances. Et chacun de nous a pu éprouver, dans le détail de l'action, que toutes les fois que, sous l'importance, un homme se montrait encore, aussitôt chacun était délié d'esclavage.

Ce qui est odieux, c'est cette importance qui attend tout des autres et de l'événement; qui forme société d'approbation, d'imitation, de récitation. Comédienne, emphatique, menteuse. Poussant à la guerre, parce que c'est le règne de l'importance; mais épouvantée devant le terrible visage. Aussi, par un jeu d'apparences étudiées, cachant le visage terrible. Nommant cette faiblesse volonté et force. Ferme en son néant. Petits et grands, vous les avez subis, mes camarades; vous avez rencontré ces formes humaines, décidées à ce qui est; immuables par le rapport extérieur, comme sont les machines; creux, inertes, lâches, impitoyables. En eux s'exprime l'esprit de la guerre négateur de soi et mécanique essentiellement, jusqu'à ce point qu'ils se préparent maintenant à dire qu'ils l'ont voulue; ainsi se consommera l'abdication.

CHAPITRE XXXI

DE L'HISTOIRE

Qui écrira l'histoire réelle de cette guerre? Mais premièrement le témoignage des officiers doit être rejeté, car ils n'ont vu que leur pouvoir. Et de plus il faudrait trop deviner, car presque tous les documents sont faux, et volontairement faux; il faudrait donc exposer seulement les résultats qui sont de notoriété, et les rattacher directement à des causes supposées, mais d'ailleurs systématiquement niées. Ce ne serait qu'un pamphlet, et trop facile à réfuter; sans compter que l'auteur de cette histoire réelle devant être étranger au monde militaire et académique, serait méprisé et même ignoré. Il vaut donc mieux s'en tenir à l'analyse des causes, d'après l'observation de la commune nature humaine, contre quoi les faits ne peuvent être allégués, puisqu'il s'agit de les expliquer tous, quels qu'ils soient. Et le fait tout nu ne décide rien; par exemple des hommes courent; mais s'ils fuient ou s'ils attaquent, c'est ce que le fait ne dit point. C'est pourquoi, au lieu d'essayer de prouver, je propose. Et que chacun, de bonne foi, lise les faits d'après cela.

Le trait dominant chez les chefs, autant que j'ai pu voir, c'est la paresse, fruit du pouvoir absolu. Faire travailler les autres, faire surveiller le travail, faire juger les surveillants et même le travail fait, tel est le métier de chef. Par exemple celui qui ordonne de creuser un abri, en tel lieu, ne saura jamais qu'on a rencontré du roc et usé des pioches; il n'y pense même point. Et cette méthode, qui rend ingénieux, patient et obstiné celui qui exécute, produit les effets contraires en celui qui ordonne, car il ne s'exerce jamais contre le roc, ni contre l'eau; il s'exerce seulement contre l'homme; mais, par l'institution militaire, la discussion n'étant pas permise, et la révolte étant punie de mort, il n'y a point de vraie résistance; le moyen est simple et toujours le même; aussi fait-il des esprits enfants. Ainsi la volonté, l'esprit d'observation et de vigilance, le jugement enfin se retirent de ceux qui ordonnent. De là des erreurs incroyables, et qui même accablent l'esprit, tant qu'on ne remonte pas aux causes.

Une conséquence de cette somnolence essentielle, c'est que l'activité politique seule fait marcher la guerre, qui par elle-même tomberait à un massacre diffus, sans progrès et sans fin, comme on a vu en de longues périodes. Car le pouvoir suffit au chef; il en jouit à chaque minute; les signes l'occupent. Cet ordre rétabli, cette importance restaurée sont aussitôt des fins, et la véritable fin est oubliée. J'ai vu de jeunes officiers, et qui ne pensaient pas assez aux pouvoirs, chercher de bonne foi si une batterie ennemie était ici ou là, au lieu d'examiner si c'était un commandant ou un colonel qui disait qu'elle était ici ou là. Mais ces étourneaux n'avancent point. Aussi voit-on que la guerre est aimée pour elle-même par l'ambitieux, qu'il ne songe jamais réellement à la terminer, et qu'enfin les moyens d'industrie et nouveaux qui ne tendent point à fortifier les pouvoirs, mais à vaincre, inspirent à tous les chefs qui sont vraiment chefs une défiance et même une aversion qu'il faut comprendre. Sans quoi le citoyen reste accablé par le spectacle de la chose meurtrière, stupide, inhumaine; dont inévitablement il accuse quelque fatalité supérieure.

CHAPITRE XXXII

L'ÉLITE

Il y a mille raisons, que j'appelle polémiques, de se défier de l'élite, raisons qu'on verra fleurir dès que la liberté renaîtra. Ceux qui ont senti le pouvoir de l'aristocratie prétendue, en ces terribles années, auront à citer des fautes de diplomates, des fautes d'administrateurs, des fautes de généraux, d'où l'on voudra conclure qu'une fonction éminente prouve tout autant l'aptitude à flatter, à dissimuler, à intriguer, que le jugement et le savoir requis. Mais la discussion sera sans fin, parce que tous ces exemples seront contestés, parce qu'il n'est pas difficile d'en inventer d'autres, et surtout parce qu'on trouve aussi dans tel chef, et assez souvent, les connaissances, la décision et l'esprit de suite, quelquefois même joints à une noble simplicité.

Je veux dire ici quelque chose que l'on ne discutera point; c'est qu'il faut se défier beaucoup des opinions et des sentiments de l'élite au sujet de la guerre. Pourquoi? Parce que l'élite trouve trop d'avantages dans cet ordre resserré que la guerre impose. Qu'un banquier, un chef d'industrie, et même un inventeur ambitieux y trouvent occasion de dominer, cela est connu. Mais il faut dire que tous ceux qui exercent un pouvoir retrouvent en cet état violent l'importance et la majesté, idoles presque oubliées aux temps heureux de la paix. Le jeu de la force a des suites effrayantes; le simple citoyen en fait le compte, et considère comme évident pour tous que la guerre est le plus grand des maux; d'où il conclut trop vite que tout homme, à toute place, s'efforce contre la guerre, et que, donc, si la guerre vient, c'est qu'on ne pouvait y échapper. Idée funeste, qui frappe de stérilité tous les sentiments pacifiques.

En vue de réagir contre cette idée accablante, considérez avec suite tous ces despotes orientaux, soudain éveillés et vivant parmi nous, depuis le 2 août 1914. Ministres et sous-ministres, directeurs et sous-directeurs, magistrats et policiers, tous portant les brillants insignes du pouvoir absolu. Qui n'a vu reparaître, sous ces dorures redoutables, quelque homme vieux, fatigué, oublié, l'œil vif, la taille redressée, les joues comme fardées par cette ivresse du pouvoir ? Quelqu'un, voyant rayonner et sautiller une de ces vieilles momies peintes, disait : « Il est sinistre. » Cette joie mal contenue dans l'universel malheur doit être considérée sans colère, car elle est naturelle. Tous les sentiments, même le deuil, même la peur, seront colorés de cette ivresse d'ambition; et les idées aussi, ne l'oublions jamais. Qu'ils aient perdu des fils ou des gendres, qu'un noir chagrin soit caché en ces brillants tombeaux, c'est une raison encore pour que l'apparence soit adorée, frénétiquement; l'ambitieux sacrifie beaucoup et jusqu'à sa vie; et toute passion fait joie et triomphe de ce qu'elle sacrifie.

Mais laissons ces vieilles poupées. Le chef au combat, ne le plaignez pas trop. Le péril immédiat est peu de chose pour une âme ambitieuse. Un sous-lieutenant est soudainement roi; il fait tout plier, même la revendication juste; et, comme les signes emportent les sentiments, surtout dans les paroxysmes, il est adoré, il est dieu. On peut jouer sa vie contre une telle destinée; mais ce calcul n'est même point fait; le bonheur d'être roi emplit toute la pensée. Osez estimer la puissance de ces sentiments dominateurs, en considérant que le risque diminue à mesure que le pouvoir augmente. L'élite aime la guerre; je l'aperçois encore quand elle compte ses morts; l'œil brille trop.

CHAPITRE XXXIII

LE POUVOIR

La situation de l'esclave est la meilleure, car les travaux, dangers et besoins communs font une amitié forcée, bonne par l'amitié réelle à laquelle elle conduit toujours. J'ai remarqué souvent qu'une amitié choisie est difficile à sauver; ce n'est pas le lieu de chercher pourquoi. Outre cela, l'esclave se trouve amené à réfléchir et à inventer en présence des choses; au lieu de délibérer sur la fin, il ne délibère que sur les moyens, et surtout sur les moyens proches, ce qui est sain pour l'esprit. Comme d'ailleurs il est forcé de modérer ses passions et surtout dans l'expression, ce qui est la meilleure méthode, il est bientôt philosophe; et j'ai revu la sagesse des anciens sur des milliers de visages. J'ajoute encore au trésor de l'esclave ceci, c'est qu'il est à l'abri des flatteurs; car qui donc pense à lui plaire?

Le maître a moins bonne part. A gouverner les hommes on se gâte l'esprit, car l'ordre humain est le lieu des miracles. Mais pour le maître, c'est bien pis; il n'a qu'à dire, sans s'occuper jamais de persuader; il ne sait jamais par qui la chose ordonnée sera faite, ni comment; un homme n'est pour lui qu'une pioche qui marche toute seule. Il n'a qu'un moyen, toujours le même, le fouet et la colère. Et j'ai même observé, dans ce triste jeu du maître et de l'esclave, tel qu'on le voit à la guerre, que la colère est le principal moyen, parce qu'il faut toujours que la peine la plus sévère soit présente à l'esprit, puisque c'est la seule efficace, et qu'ainsi il faut que l'ordre éveille la révolte, afin que la désobéissance soit révolte; à quoi vont la colère du maître, et l'humiliation de l'esclave. Ainsi l'institution veut un chef dur; et cette fureur s'inscrit sur le visage, dans les gestes, dans l'attitude; et le chef est condamné à l'humeur violente, ce qui est un genre de bagne.

Les joies sont pires, peut-être. Ce sont des joies de majesté, qui rendent sot et lourd. Avoir toujours raison, par le pouvoir, cela établit dans l'esprit une infatuation surtout sensible quand l'esclave est soupçonné d'en savoir autant que le maître. La sottise, déjà assez vigoureuse en chacun, devient énorme par cette nourriture et par cet exercice.

Les individus n'y sont pour rien; chacun sera sot autant qu'il est roi. Exactement autant qu'il fera faire, au lieu de faire. Toutes les exceptions que chacun pourra citer s'expliquent par là. Contrôler l'obéissance, ce n'est point faire. Là se trouve la coupure, que bien peu ont franchie. Et toujours le pouvoir se ramasse, dans le réduit d'où l'on surveille, où l'on s'irrite, où l'on menace. Il y a de l'ambiguïté dans les mots, parce que celui qui commande doit aussi obéir; mais il n'y a pas d'ambiguïté dans le fait, car, transmettre un ordre, ce n'est pas obéir. Or, par l'institution, et par l'appétit de commander, j'ai vu que les chefs s'efforcent en tout d'être chefs, et de penser qu'ils sont chefs, et de se séparer de l'action dès qu'ils le peuvent. C'est pourquoi la guerre, en dehors des maux atroces et assez visibles, sur lesquels je crois inutile d'écrire, rétablit l'ordre ancien, barbare, détesté qui fait voir, par un mécanisme inflexible, les meilleurs à la roue, et les pires levant le fouet. Et j'insiste là-dessus, parce que le souvenir des fatigues et dangers est souvent agréable, au lieu que le souvenir de l'infatuation dorée fera toujours bondir cet animal singulier, qui supporte mieux la faim et la douleur que l'injustice.

CHAPITRE XXXIV

DE L'AMBITION

L'AMBITIEUX prend les pouvoirs comme fin, et les adore en tous ses actes. Cette piété est la marque du bien servir; aussi c'est en considérant la partie de l'armée qui est propre, brillante et bien nourrie, que l'on peut comprendre la forte parole de Talleyrand : « Les manières sont tout. » Sur le visage d'un sous-lieutenant d'avenir, je vois se dessiner un sourire affectueux qui fleurit à l'approche du grand chef. Ainsi, en même temps que les pouvoirs reconstitués, nous avons vu revivre la figure du courtisan. Il faut que l'obéissance ait une grâce et soit flatterie. Il faut avoir vu un groupe d'officiers sanglés et cirés, attendant un chef. C'est l'ancien régime. Il n'y manque point le serf. Il est remarquable que, chez les deux nations militaires, l'homme de troupe a l'air d'un pauvre. On voudrait dire que ce contraste est cherché, mais c'est trop dire; ce contraste est aimé, et cela suffit.

Il y a de l'aisance dans le terrassier, dans le paysan, et l'artiste y trouve à prendre; mais je doute qu'un dessin de l'homme de troupe en son allure réelle, puisse retrouver l'homme sous le vêtement; j'y ai toujours vu quelque chose de gauche et de malheureux qui rappelle les estampes d'autrefois et me les a fait comprendre; je n'avais pas connu la disgrâce de l'esclave. Mais revenons aux marquis.

Il y a une obéissance sans grâce, bourrue, hérissée,

plébéienne, qui me fait voir aussitôt un homme qui connaît les choses, qui a des opinions, qui y tient, qui discutera si on l'y invite, enfin qui sait. Ce genre d'homme est roi dans la paix, parce que c'est lui qui invente. Et, même dans la guerre, il pouvait beaucoup. Toutefois, il s'est trouvé, contre toute attente, déchu et méprisé, comme tant d'anecdotes l'ont rappelé. Mais il faut voir les causes. Le pouvoir absolu n'aime pas ce genre de services, parce que l'homme qui les rend n'est point courtisan du tout. Il est clair que le maniement des choses ne forme point du tout à la politesse, parce que les choses ne sont point sensibles à la politesse; non, mais à la rectitude et fidélité du jugement. Les choses sont inflexibles; elles ne cèdent point à la prière; il ne s'agit pas de leur plaire; il suffit de les bien connaître. Celui qui a observé des réactions chimiques, ou qui a réglé quelque appareil de précision, rapporte de ce travail un visage plébéien; le chef n'aime pas ce mesureur et peseur.

Mais celui qui fait dépendre ses espérances et toutes ses pensées de ce qui plaît et déplaît au chef donne à son visage d'autres plis; son attention parle autrement. Car l'homme est changeant et flexible; d'une heure à l'autre il est sensible à d'autres paroles; on ne peut se faire une règle d'avance, et la méditation solitaire n'avance à rien; il faut deviner dans l'instant, et se plier dans l'instant. Imiter, c'est ici la méthode naturelle; de là ces visages qui semblent dire au puissant Seigneur : « façonne-moi », et qui se livrent au pouvoir comme une femme au costumier. « Je serai, dit ce charmant visage, ce que vous voudrez que je sois; je croirai comme vous voudrez que je croie; j'aurai l'humeur qui vous plaira. » Cet art occupe tout l'esprit. Ceux qui le pratiquent n'ont même pas l'idée de ce que serait une vérité qui pourrait déplaire; même cette idée, dès qu'ils en devinent quelque chose, leur paraît scandaleuse. Dont la raison est que leurs faits à eux et leur expérience ce sont les chefs, et que ce qui plaît aux chefs est le vrai. Tel est le chemin de l'ambitieux. Et c'est par là qu'on arrive à comprendre cette alliance naturelle entre l'actrice, le prêtre et l'officier.

CHAPITRE XXXV

POUR CALMER LES PASSIONS

Je connais bien ce noble fils de la terre, et je l'aime comme il est. Je ne le voudrais pas faible et poltron; il ne peut l'être. Si je lui montre le danger, il bondira; non pas pour fuir. Si je lui montre la mort, il y courra, même sans de fortes raisons, même sans aucune raison, comme on l'a vu au temps où les duels étaient à la mode. Ce redressement soudain, et redoutable, résulte principalement de ce que l'action pressante opère aussitôt un balayage d'idées, un nettoyage d'âme. Toute rêverie tendre est comme chassée; et sur cette vie hésitante et insouciante de la paix est écrit le mot fin. Il n'y pense plus, parce que les pensées neuves et fortes de l'avenir prochain le prennent tout. Je connais cet esprit, aveugle et sourd à tout ce qui est inutile, dès qu'il est entré dans quelque difficile entreprise. Ce serment à soi-même est beau.

Il s'y joint un mouvement plus despotique encore qui transforme le gouvernement intérieur de chacun en une dictature militaire. C'est que la peur, l'ennemie intime, se montre, et si forte qu'il faut l'anéantir; c'est le premier combat; prompt, décidé, brutal, tout entier au-dedans. Tout sentiment tendre est refoulé aussitôt, et même toute sagesse, dès que l'on peut soupçonner que la peur s'y cache. Car la honte est un mal cuisant. Par ce détour un socialiste veut oublier sa doctrine, ou bien la tourner à l'action; c'est bientôt fait. Toutes les idées sont forgées de nouveau à ce feu intérieur. L'homme n'est point lâche. Et je suis même assuré que les séditions militaires ont pour cause non point la faiblesse, la fatigue, la lâcheté, mais encore un sursaut de courage à l'aspect d'un danger plus certain que tous les autres, enfin encore un mouvement de l'honneur contre la servitude, une indignation contre l'ignorance, la paresse, la lâcheté supposées des chefs.

Mes réflexions n'iront donc point contre ce principe que me rappelait une femme cultivée, comme nous discutions assez vivement sur la guerre et sur la paix. « L'honneur, disait-elle, est plus précieux que la vie. » Sur quoi je fis cette remarque cruelle, mais juste, à ce qu'il me semble : « Vous choisissez, lui dis-je, présentement entre votre honneur et la vie des autres ». Cette pensée irrite au premier moment; je la crois pourtant capable d'apaiser les redoutables mouvements de l'honneur, chez ceux qui ne mettent point leur vie au jeu. Je compte ici, pour apaiser l'honneur, sur l'honneur même. On a pu remarquer que les plus raffinés là-dessus étaient toujours aussi les plus sages, dès qu'il s'agissait de régler les querelles de leurs amis.

Je sais qu'un cœur généreux, quels que soient l'âge et le sexe, se met aussitôt à la place du guerrier, et sincèrement voudrait y être. J'admets qu'il se ferait tuer aussi. L'héroïsme n'est pas rare; et quand le vieillard, quand la jeune fille regrettent de n'être pas au feu, je les crois. Mais toujours est-il qu'ils n'y sont pas. Et par ce même scrupule de l'honneur, qui les détourne de toute faiblesse, je suis sûr que, s'ils sont seulement avertis, ils se diront que l'épreuve imaginaire et les tortures de l'affection ne comptent point auprès du réel sacrifice. Et qu'il ne faut point régler ses pensées, dans les temps tragiques, sur ce qu'on voudrait faire, mais sur ce qu'on fait. Que c'est peut-être un plaisir de lâche, que d'admirer l'héroïsme des autres. Qu'ici, faute d'un risque suffisant, les plus laides passions peuvent bien prendre figure de courage. Que c'est par ce sentiment, bien piquant et cuisant dès qu'on le forme, que l'on a vu des hommes de cinquante ans et plus courir aux armes et à la mort, afin sans doute de se pardonner à eux-mêmes les discours dont ils avaient fouetté l'honneur des jeunes. Il suffit. Je laisse à ces réflexions l'âme guerrière et inflexible qui n'a pas combattu.

CHAPITRE XXXVI

QU'AS-TU APPRIS ?

Dis-moi, qu'as-tu appris à la guerre ?

J'ai appris d'abord à mieux compter sur cette mécanique vivante, que je croyais fragile. Aussi je n'écoute plus ses faibles plaintes et réclamations, comme je faisais; car je me suis assuré par une longue expérience que la crainte d'être malade est la cause principale des maladies.

Encore, qu'as-tu appris à la guerre?

J'ai appris encore à mieux goûter la joie d'être vivant. Je mange, je bois, je respire, je dors avec bonheur. Par cette précieuse bonne humeur, je suis disposé à ne pas m'inquiéter beaucoup des petites choses.

Encore, qu'as-tu appris à la guerre?

J'ai appris à aimer les chaussures larges et les cols mous, parce que j'ai porté longtemps la livrée du pauvre. Enfin j'ai perdu cette habitude bourgeoise que j'avais de vouloir imposer par l'extérieur. C'est un souci de moins.

Encore, qu'as-tu appris à la guerre?

J'ai appris à décider vite et à exécuter avec réflexion, parce que l'expérience m'a fait voir que la destinée de chacun dépend moins de l'action décidée que du chemin suivi. Autrefois je délibérais avant de commencer, ce qui est craindre avant de savoir.

Encore, qu'as-tu appris à la guerre?

J'ai appris que les choses ne nous veulent ni mal ni bien, et que, si dangereuses qu'elles soient, on peut toujours compter sur elles, ce qui fait que chacun surmonte à chaque instant la destinée par attention et prudence.

Encore, qu'as-tu appris à la guerre?

J'ai appris que rien n'est plus utile à l'homme que l'homme, et que rien n'est meilleur pour l'homme que l'homme.

Étrange! Mais encore, qu'as-tu appris à la guerre?

Aussi que les plus grands maux viennent de l'homme, mais que la menace humaine, continuellement perçue pendant des mois, n'affaiblit nullement cette amitié universelle, mais au contraire, à ce que j'ai éprouvé, la fortifie.

Ces choses ne vont pas ensemble. En ton abri, tu as eu le loisir de penser. Allons, sérieusement qu'as-tu appris à la guerre?

J'ai appris que tout pouvoir pense continuellement à se conserver, à s'affirmer, à s'étendre, et que cette passion de gouverner est sans doute la source de tous les maux humains. Non que l'esclave en devienne plus mauvais;

tout au contraire, il apprend à dominer les vifs mouvements de l'orgueil, et il s'approche malgré lui de l'heureuse égalité. Mais c'est le maître qui devient méchant par l'exercice du pouvoir absolu. Méchant d'abord parce qu'il prend ses inférieurs comme instruments et outils. Méchant enfin par la colère, qui lui gâte l'estomac. Et selon mon opinion tous les sentiments guerriers viennent d'ambition, non de haine; jusqu'au plus haut degré du pouvoir, qui se trouverait être bientôt le plus haut degré de dépendance, si la guerre et la menace de guerre n'imposaient une obéissance sans discussion. En sorte que tout pouvoir aime la guerre, la cherche, l'annonce et la prolonge, par un instinct sûr et par une prédilection qui lui rend toute sagesse odieuse. Autrefois, je voulais conclure, trop vite, qu'il faut être assuré de la paix pour diminuer les pouvoirs. Maintenant, mieux instruit par l'expérience de l'esclave, je dis qu'il faut réduire énergiquement les pouvoirs de toute espèce, quels que soient les inconvénients secondaires, si l'on veut la paix.

CHAPITRE XXXVII

DES CONVENANCES

J'AVOUE que ce bourgeois si poli m'effraye. Quoique mon enfance soit bien loin de moi, néanmoins il écoute mon discours sur la guerre comme un discours d'enfant, me détournant et me criant « casse-cou » lorsque je prends un trop mauvais chemin, mauvais à son gré; ou bien redressant ce que je dis, pour le ramener, quand c'est possible, à ce qui se dit. Vous jureriez d'un professeur de danse ou de bonne tenue, qui s'attend, par métier, aux erreurs de l'élève, et qui les marque avec la tranquillité professionnelle et une nuance d'ennui. Peut-être ai-je visé trop haut en supposant des idées dans cette tête-là. Au mieux je n'y dois peut-être supposer que des variations sur des thèmes admis et indiscutables; c'est dans les limites de cet art d'agrément que se meut le bel esprit; et le bourgeois cultivé n'est peut-être jamais rien de plus.

Je n'avais pas assez estimé cette forte éducation que

l'ouvrier reçoit de la chose; bon sens court, qui nie beaucoup et sans doute trop, mais qui affirme bien. En revanche, j'estimais trop haut cet art des variations, auquel j'ai été formé par de longues études, mais que je veux cette fois dépasser. Ce sujet-ci est fort pressant; s'il est hérissé de difficultés, c'est un petit mal; mais si je me trompe, c'est un grand mal; c'est le plus grand mal que, par mon état et mon caractère, je puisse faire maintenant. C'est pourquoi je crains de toutes les manières l'assurance pleine de bonhomie de ce personnage bourgeois qui me dit avec l'accent de l'amitié : « N'allez point par là. » Patiente, douce, persuasive contrainte. Ce genre d'hommes, surtout en cercle, agit souvent par un silence triste, comme s'ils disaient en eux-mêmes : « Voilà un soldat mécontent; et cela n'est pas miracle; tous les soldats sont mécontents. Mais enfin la guerre est finie, et le voilà libre. Cet accès d'humeur est bien long à passer. »

Cet état d'indifférence ferme, si l'on peut dire, à l'égard d'un malheur démesuré, et dont ils ont subi aussi les atteintes, est ce qui m'a le plus étonné en cette guerre. Leur visage, là-dessus, montre une gravité spéciale, comme un retour, je dirais presque un effort de mémoire, et une attention à bien danser. Sur la question même, ils n'ont point de doute; la guerre fut et sera; il faut la préparer et s'y attendre. Ils sont tranquilles là-dessus comme sur leur habit et leur cravate. Et en vérité il ne faut point demander à un bourgeois pourquoi il porte une cravate. C'est ici un cercle de cravates. « Mon fils, disait le vieux diplomate, vous tendez vos filets trop haut ».

Il y a donc un art de plaire, et un art de penser pour plaire, qui définit l'existence du bourgeois, par opposition à celle de l'artisan; et c'est une très mauvaise épreuve pour les idées, quelles qu'elles soient. L'homme peut avoir des connaissances étendues et même profondes; dès qu'il les oriente pour plaire, ainsi que l'y force la nécessité de gagner sa vie, ses idées sont toutes prostituées. Et comme il en est ainsi pour tous, le chef cherchant l'opinion commune aussi, il en résulte que pour tous le fait le plus brutal est roi d'opinion. Dès que sa majesté la guerre sort en cortège, ils vous laissent là. Comme ce bon camarade que j'ai retrouvé un jour officier d'État-Major.

Il s'entretenait cordialement avec l'homme de troupe déguenillé. Le général survenant, il courut au perron, en courtisan; mais ses bons yeux me disaient : « Pardonne-moi; dans quelques instants je serai de nouveau un homme, et avec bonheur. »

CHAPITRE XXXVIII

DE LA RHÉTORIQUE

La rhétorique a quelquefois pour fin et toujours pour effet de calmer les passions, à la manière de la musique, par des suites de sons prévues, sans surprises ni hésitations. Au contraire les choses inouïes, et qui n'ont point de forme, irritent par l'insuccès et par les essais contrariés. Il faut comprendre d'après ces humbles causes le silence des uns et l'oubli des autres concernant la guerre telle qu'elle fut. Je n'évite pas toujours, lorsque j'en parle, l'informe cri de colère, auquel l'interlocuteur ne manque pas de répondre avec fureur aussi, mais toutefois mieux, parce qu'il retombe à des développements mille fois faits.

Un de mes jeunes amis, qui connut l'infanterie, arrive à dire que celui qui a poussé à la guerre sans la faire est un assassin. La colère se satisfait comme elle peut; mais je crois aussi que l'expression impropre entretient la colère, parce que l'on sait bien que l'on devrait trouver mieux. Car il est clair que le soldat n'est pas un assassin, ni le belliqueux civil non plus. Ce n'est pas le mot. L'esprit de guerre, chez l'un et chez l'autre, est quelque chose que l'on ne peut décrire en quelques paroles; ce sont des sentiments que l'on oublie parce qu'on ne sait pas les décrire; il y entre de la peur et du courage, de l'abandon et de la résolution, de la pudeur et de la colère; l'homme réagit, s'incline, se redresse en cette tempête comme un navire fait de toutes ses voiles et de tous ses cordages. Reconstruire la fuite, le glissement et le ressort, c'est un travail difficile, qu'il faut faire à loisir, souvent par touches, toujours en reprenant de loin. Travail de plume; la parole n'y peut rien. Et si je pensais au lecteur, le courage me manquerait.

Remarquez que c'est déjà assez difficile d'expliquer ce

qui est connu de tous et ordinaire. Mais enfin les discours communs sont comme une première donnée de la rhétorique; j'invite alors le lecteur à suivre ses propres pensées; je les lui fais reconnaître en de nouvelles liaisons et combinaisons. Ici, dans ce redoutable sujet, il faut rompre d'abord, se séparer d'abord, et revenir de loin, justement comme les soldats ont fait. Mais j'en rencontrais un, qui tenait sa fillette par la main, et qui disait : « Ils ne me connaissent plus; c'est à un autre qu'ils parlent, et il faut que cet autre réponde. » Monastère. Ainsi mes pensées sont étrangères à mes amis; je ne sens plus mes amis à mes côtés. Condition pénible, mais qu'il faut pourtant accepter si l'on veut vaincre le recruteur. Car la guerre a cette puissance qui lui est propre, qu'on ne peut plus rien contre elle dès qu'on voit par expérience ce que c'est. Il faut donc la retenir quand elle n'est plus. Situation singulière; car quel est celui qui s'étudie à faire revivre les maux? Tous s'entendent pour dire que c'est le plus grand des maux; mais s'ils savaient ce que c'est, je serais plus tranquille. Craindre ne donne aucune prise; c'est juger qui donne prise.

Il y a donc deux guerres, celle qu'on fait et celle qu'on dit, et qui n'ont presque rien de commun. Il n'y a point de machiavélisme en cela; la difficulté de dire ce qui est nouveau par de vieux discours suffit bien. Il y a un mot de praticien là-dessus. Comme on admirait, comme on s'étonnait, et comme on cherchait un arrangement de mots qui aidât à concevoir la chose, il dit : « Les soldats font leur métier ». Ce mot fait apparaître l'art militaire, et l'ajustement de ses petits moyens. Et le propre de cet art terrible est de négliger la pensée, soit dans le détail, soit dans l'ensemble. D'où cette paralysie active, dont le souvenir scandalise. Le guerrier a quelque chose à avouer; mais il ne sait ce que c'est. Les lieux communs cependant vont leur train. Toutefois un signe n'échappe à personne; les discours sont faibles, et tendent au niveau le plus bas. Les gens d'esprit le sentent bien, et parlent d'autre chose.

CHAPITRE XXXIX

DES CLASSES

J'ai observé, pendant dix ans environ, un homme qui est ingénieur des tramways. C'est lui que l'on attend dès que les choses ne vont plus comme il faudrait; c'est lui qui découvre la cause et le remède; et c'est un homme actif autant que j'ai vu; que ce soit neige, déraillement ou incendie, je l'y vois toujours; et je juge, sans grand risque de me tromper, que cette tête et cet œil sont d'un homme qui sait. Bien payé, certainement; vêtu et cravaté en riche, oui au commencement.

Or, je l'ai vu d'année en année perdre peu à peu cette apparence bourgeoise que donne le vêtement. Il n'y a pas longtemps je l'ai retrouvé presque tout à fait ouvrier, par le costume négligé, par la cravate mal nouée, par une barbe de trois jours, par le corps abandonné au repos, par cette indifférence enfin à l'opinion, si aisément reconnue sur un visage humain. Toute trace d'importance était effacée. Je fus loin de penser qu'il avait perdu sa bonne place, car un homme qui cherche une place est très attentif à l'opinion. Je jugerai au contraire que son pouvoir était désormais assuré contre les jeux de la faveur. L'instant d'après il était à son travail, et je vis que je ne m'étais pas trompé.

Un exemple prouve tout ce que l'on veut. Cet exemple-ci n'est que pour donner un objet à l'idée. Cet homme montrait par des signes bien clairs ce que n'importe quel roi des choses fait voir plus ou moins. Car le pouvoir sur les choses se reconnaît aux effets, et s'accroît par l'expérience; nul ne peut le contester. Un tel roi des choses n'a nullement besoin d'être approuvé ni admiré. Au contraire le pouvoir sur les hommes, autant qu'il est nié ou contesté, est anéanti. De là une importance étudiée, dans la manière de s'asseoir, de se lever, de marcher; et la cravate du roi des hommes est toujours étudiée; même la négligence est alors composée comme un discours.

Il y a souvent, dans une industrie, le chef qui fabrique et invente et le chef qui vend; ce sont deux hommes très différents; l'un sans politesse, l'autre tout en politesse; l'un attentif à l'ordre des choses, l'autre attentif à l'ordre humain. Les intérêts, il est vrai, les rapprochent, mais le métier les distingue; et, si l'on voyait leurs pensées, la différence serait encore mieux marquée. L'un règle ses pensées de tous les jours d'après un ordre inflexible, mais qui ne trompe jamais; l'autre d'après un ordre flexible et capricieux. Aussi l'un change ses moyens sans hésiter dès qu'il observe et comprend mieux; l'autre, au contraire, par l'ambiguïté des expériences, et la variété des effets, s'en tient plutôt à la tradition. L'un examine et l'autre croit.

Ces différences sont plus marquées encore si le manieur d'hommes a plein pouvoir sur certains hommes et dépend de certains autres à qui il doit plaire. Car sa propre importance, grande ou petite, sera alors l'objet principal de ses réflexions habituelles. Sa pensée d'un côté n'aura jamais à observer un objet ni à tenir compte de ces résistances qui éclairent; et de l'autre elle voudra plaire, et jugera vrai ce qui est approuvé. Il est inévitable qu'un tel régime intellectuel corrompe bientôt l'esprit le plus vigoureux. Et il ne faut point être étonné qu'un polytechnicien qui règne sur des hommes ait bientôt oublié ce que la mathématique lui avait appris. Cette relation, si bien aperçue par Comte, explique assez pourquoi un ouvrier, qui dépend surtout des choses, diffère si profondément d'un bourgeois, qui dépend surtout des hommes. Et de là vous tirerez sans peine qu'il y a des métiers qui poussent dans la bourgeoisie même un homme pauvre, et d'autres qui tendent à donner l'aspect et l'esprit du prolétaire même à un homme riche.

CHAPITRE XL

LA SITUATION DU PROLÉTARIAT

Le prolétariat tient pour l'humanité contre les pouvoirs; cela est à considérer. Et cela fait voir que la première éducation n'importe pas tant que le métier pour former l'esprit. Il est clair que le prolétaire, en ses études, n'a point participé aux humanités. Ses maîtres non plus. Bien mieux l'enseignement primaire se trouve être, par l'effort continu des pouvoirs, le plus strictement national et le plus strictement civique. Remarquons qu'il est en même temps étranger à toute religion, ce qu'on ne pourrait point dire de l'enseignement classique; car, par les poètes et penseurs de tous les temps, ce dernier enseignement apporte toutes les formules traditionnelles de la théocratie, resserrées, touchantes et fortes. Par là sans doute les faibles influences des deux enseignements se trouvent à peu près équivalentes pour orienter les opinions proprement politiques, l'une moderne et résultant de l'humanité telle qu'elle est devenue, l'autre surtout historique et ressuscitant les lentes préparations. Par ces deux méthodes et en leur supposant la plus grande efficacité, le prolétaire est mieux assuré de l'état présent, et le bourgeois est plus pieux à l'égard du passé.

Mais ces notions abstraites ne plient pas l'esprit, à beaucoup près, comme font les gestes du métier. Le prolétaire n'attend rien que des choses; son sort dépend de ce qu'il produit par son travail, et nullement d'intrigues et de politesses; d'autant que son vrai maître ne lui est point connu; il ne dépend que de subalternes qui, avant tout, mesurent le temps et comptent les produits du travail; flatterie et mensonge sont éliminés par cette sévère épreuve. Et d'un autre côté les lois matérielles font régulièrement sentir leur effet, devant ses yeux et sous ses mains. Le polytechnicien, bien mieux préparé pourtant à reconnaître cet ordre immuable des choses, en est au contraire détourné par le besoin de parvenir, qui le porte inévitablement à observer les hommes et à leur plaire; et son esprit est principalement occupé de cet étrange ordre humain, où ce qui est cru est le vrai. Mais laissons cet esprit rhéteur, revenons à l'autre.

Par l'effet de l'habileté manuelle, qui seule lui donne puissance et sécurité, le prolétaire est détourné de toute politesse, et par là de toute religion; car il n'y a point de religion sans une disposition à croire et à pratiquer comme d'autres font. Par les mêmes causes, tout ce qui est d'institution et invoque comme seul titre la longue approbation des hommes d'importance est considéré par le prolétaire avec étonnement, souvent même avec scandale, toujours sans la moindre nuance de respect. Le prolétaire est incrédule de toutes les manières.

Il y a du cynisme en ce manieur de choses; peu de finesse, peu de nuances, peu de goût; les arts supposent toujours une certaine mystique. Et la poésie, comme chacun a pu le remarquer, n'intéresse le prolétaire que par les idées. En revanche le bon sens, formé par un travail assidu sur les choses, se développe selon une logique abstraite et nue qui embarrasse souvent les disputeurs, comme j'ai vu : « Vous convenez tous que la guerre est un mal; eh bien, supprimons-là. » L'homme poli ne peut supporter cette naïve conclusion, qui va contre les usages. Mais, en revanche, le prolétaire ne peut supporter cette tortueuse politique, qui revient toujours dans le même chemin sanglant. Le robuste esprit des Fables exprime bien cette sagesse populaire, toujours résolument défiante à l'égard des héros et des épopées. Ce conflit est bien ancien, et je ne crois pas que l'esprit prolétarien ait changé beaucoup; il est seulement plus fort, par le développement de l'industrie. Il fallait expliquer par quelles causes tout l'espoir de la paix est en ces rudes compagnons.

CHAPITRE XLI

LE NOBLE MÉTIER

Souvent on entend dire que le descendant d'une noble famille ne peut choisir d'autre carrière que celle des armes; cette idée est touchante et auguste à première vue. Mais nous avons payé trop cher le plaisir d'admirer. Il faut déshabiller cette caste orgueilleuse. Tout simplement ils choisissent d'être rois. Remarquez que ce n'est nullement difficile d'être officier; l'élite intellectuelle ne vise point là, par cette raison décisive que l'art de gouverner veut un esprit souple, et toujours heureux de croire ce qui lui plaît, ce qui suppose une incapacité à résoudre et même à saisir les problèmes réels que proposent les objets. Chose étrange, et même admirable, le plus haut pouvoir, le seul pouvoir en notre temps, est à prendre; il suffit de le désirer. Soyons justes. J'aperçois un art difficile, et sans lequel il n'est pas de brillant officier, c'est l'art de monter à cheval; aussi nos rois s'y préparent-ils dès leurs jeunes années. Et même il faut dire que l'habitude de vaincre un animal fort, mais maladroit, par la douleur seulement, sans aucune pitié, et en gardant les formes d'une amitié protectrice, ne prépare pas mal au métier de roi. Dont la cravache est le symbole.

Le plaisant, c'est que nous en jugeons comme si les officiers de carrière étaient seuls destinés à faire bon marché de leur vie. Or le fait est que tout homme valide est jeté au métier militaire, qu'il le veuille ou non, et même plus exposé qu'un autre aux accidents de toute sorte, coups de pieds de cheval ou mitraille, sans compter les travaux, les fatigues et les privations. Après cette expérience de la guerre, tout homme de troupe conviendra qu'il y a plus de différence en guerre entre le soldat et l'officier, que dans le temps de paix entre un riche et un pauvre. Pour le risque de guerre, mettons qu'il est égal, puisque, si l'homme risque plus en son travail quotidien de guetteur, de ravitailleur, de terrassier, l'officier est un peu plus découvert dans le mouvement de l'assaut. Les risques étant les mêmes pour tous, et indépendants des préférences, tout homme qui cherche la moindre peine et le plus grand plaisir doit choisir d'être officier. Je ne vois donc rien de noble en ce choix, sinon qu'il est naturel à un vicomte de préférer l'état de maître à celui d'esclave. Que les maîtres admirent ingénument cette disposition-là, je ne m'en étonne point. Mais que les esclaves acclament du fond de leur cœur celui qui a choisi d'être chef, cela serait trop ridicule; et je me suis assuré, par une longue familiarité avec les esclaves que cela n'est point.

Il y a du sérieux et même de l'émotion dans un homme qui défend ses privilèges. Sans doute y en a-t-il moins dans l'homme qui ne veut point régner du tout, et qui résiste à la tyrannie tout simplement. C'est qu'une négation n'est encore rien. Quand le simple citoyen aura obtenu de vivre en paix, et selon l'égalité des droits, sa vie n'est pas faite pour cela; il n'en résulte pour lui ni un aliment pour son esprit, ni des joies esthétiques, ni la sagesse pratique, ni même le pain quotidien. Être libre, ce n'est encore rien. Mais, pour l'ambitieux, être le maître, c'est toute une vie. C'est pourquoi la partie n'est pas égale. La politique est tout pour l'un; pour l'autre elle n'est que précaution. C'est pourquoi ironie et amertume corrompent souvent le grand effort des esclaves, dès que la fureur ne les tient plus. Appréciant donc les immenses difficultés de cette lutte inégale, je dois d'abord ne pas me prêter aux mystifications académiques, puisque je n'en suis point dupe.

CHAPITRE XLII

DE LA DÉMOCRATIE

J'ai souvent observé chez nos paysans de l'Ouest un air froid et fermé, sans cordialité aucune, pendant que le préfet ou quelque autre fonctionnaire leur faisait des phrases. Cela m'a aidé à comprendre les anciens temps où l'on vivait beaucoup pour soi, sous la maxime : « Notre ennemi, c'est notre maître. » Les pouvoirs alors étaient redoutés, enviés, acclamés, selon l'occasion; mais personne n'aurait eu l'idée de les aimer. Les pouvoirs comptaient parmi les maux auxquels il faut bien se résigner. Et il semblait naturel de faire le pauvre pour payer moins. Chacun résistait, et cherchait son avantage. Clergé et noblesse maintenaient leurs privilèges; ainsi l'exemple venait de haut. Ceux qui se risquaient au métier de guerre, que ce fût d'Artagnan ou un homme de troupe, prenaient cela comme un travail à profits illimités; aussi la guerre allait son petit train; et personne n'y mettait de zèle, si ce n'était dans la chaleur de l'action, et par l'effet bien connu d'une peur qui se tourne en colère. Au temps de la Ligue, un capitaine illustre passait d'un parti à l'autre, avec ses hommes. Aussi le métier des armes n'était pas plus honoré qu'un autre; et Louis XIV ne songeait seulement pas à enrôler pour la gloire un marchand de drap dont le commerce allait bien. Il s'est donc produit un grand changement puisqu'aujourd'hui l'on prend des marchands, des ouvriers, des prêtres, qui n'ont tous à attendre que ruine, blessure et mort; sans compter la vie de caserne, qui est un mal prochain, visible et sans compensation.

On raconte aux enfants l'histoire des serfs qui battaient l'eau pour faire taire les grenouilles. Mais j'ai tenu, moi qui suis un homme libre, l'écouteur d'un téléphone contre l'oreille d'un capitaine, sans l'y appliquer, parce que ce contact lui paraissait impur et qu'il avait des crampes dans les bras. Ce n'est pas grand chose qu'un capitaine; mais pendant ces années de guerre il y eut plus de distance d'un homme de troupe à un capitaine que du serf au seigneur autrefois. J'ai vu des hommes garnir de planches l'intérieur d'un abri crayeux, parce que le commandant s'était blanchi les coudes; ces hommes dormaient par terre et sans aucun abri. Je signale ces petites choses parce que tous ceux qui écrivent sur la guerre sont des officiers qui ont profité de ces travaux d'esclaves, sans seulement y faire attention.

Ici apparaissent les effets d'un état violent, et qui aurait dû être transitoire. La révolution nie l'organisation ancienne, et, en ce périlleux passage, appelle tous les amis de la liberté; l'esclavage, étant volontaire, est entier, sans réserves. Mais l'art militaire reprend cette poussière d'hommes, et l'organise selon la tradition de Frédéric; car le métier a ses règles, et qui les néglige est battu. De là un noir esclavage, qui commence avec le conseil de révision. Pendant que j'étais serf, sans avoir même le droit de chanter, car cela importunait mon maître, le recteur de Lille occupée avait une auto à ses ordres, et gardait le droit de conseil et de remontrance. Il se retrouvait, lui, dans l'état du Tiers au temps des rois absolus. Théoriquement sans aucun droit, mais résistant par sa fonction, par son savoir, par les intérêts qu'il représentait. Nous autres, au contraire, théoriquement libres, et égaux contre égaux; en fait, esclaves, comme des hommes achetés et payés. Preuve sensible de cette loi humaine d'après laquelle la liberté réelle suppose une organisation constamment dirigée contre le pouvoir; et je n'en vois qu'une faible esquisse dans les corporations ouvrières, unique espoir des citoyens.

CHAPITRE XLIII

L'AFFAIRE DREYFUS

A UN TÉLÉPHONISTE qui communiquait que la batterie tirait court et à gauche, le capitaine répondit, en termes énergiques, que cela ne l'intéressait pas. Ce fait est peu croyable et d'ailleurs n'a point de sens. Il est clair que ce capitaine ne disait pas ici ce qu'il pensait; ce n'était qu'un juron composé; et beaucoup invoquent le nom de Dieu sans penser à l'être parfait. Déblayons.

On ne peut pas empêcher l'esprit de courir. Aussi, après plusieurs mois d'étonnement sans aucun progrès, j'eus à rassembler un bon nombre de faits répondant à celui-là, et qui exprimaient du moins des passions. Je finis par apercevoir ceci, que les hommes de troupe pensaient beaucoup à faire la guerre à l'ennemi, et que les officiers pensaient beaucoup à faire la guerre aux hommes de troupe; et, quelle que fut la fortune des armes, nous étions vaincus, nous autres, dans cette guerre-là. « Ils nous possèdent », disaient les canonniers en leur langage qui cette fois-là se trouvait énergique et juste; et en disant cela ils ne pensaient pas à l'ennemi.

Pour moi, admirant ce pouvoir absolu, devant lequel la sagesse même d'Ésope n'aurait pas trouvé grâce, je revenais à l'affaire Dreyfus et j'en apercevais le vrai sens. Cette révolte fameuse fut moins contre une erreur judiciaire que contre un pouvoir arrogant qui ne voulait point rendre des comptes. Ce fut une guerre d'esclaves. Et je ne m'étonne plus que, dans le monde entier, esclaves et maîtres l'aient suivie avec une attention passionnée. Les uns tenaient pour la liberté et les autres pour le pouvoir absolu; aussi n'y eut-il point de pardon, d'un côté ni de l'autre; et les familles furent divisées jusqu'à l'injure. Chose inexplicable, si la contradiction avait porté seulement sur le fait. Mais on se battait dans la nuit. Quelques maigres idées, et des passions indomptables. Si l'on considère cette mêlée de loin, et par-dessus la grande guerre, tout est clair, il me semble; c'était le premier mouvement d'une révolte universelle.

La guerre remit tout en ordre, si je puis dire. « Je n'admets pas que l'on mette en doute la parole d'un officier français »; ce mot célèbre m'avait paru traduire seulement le paroxysme des passions, et sous une forme ridicule. Mais l'expérience quotidienne, en ces terribles années, me fit voir que c'était bien un axiome de pratique à l'usage des esclaves. Si attentivement que l'on réfléchisse aux conditions de la guerre, il est impossible de bien connaître les effets du pouvoir absolu, tant qu'on ne l'a pas subi. Je n'irai pas jusqu'à soutenir que la guerre fut voulue et préparée comme une revanche, afin de nous mettre le carcan au cou; là-dessus on discutera sans fin, et l'esprit s'y perd. Ce qui n'est nullement douteux, c'est que ce pouvoir absolu fut exercé fastueusement, et supporté sans résignation. La guerre fut, aussitôt et par elle-même, la victoire des puissances. Aussi disent-elles naïvement : « Comme ce serait beau si nous restions ainsi unis dans la paix »! Le propre du tyran est de croire que l'esclave est heureux d'obéir. Mais j'attends la riposte des masses, selon la méthode de Combes, qui nous est heureusement connue; et cette victoire sera sans violence, comme la première, mais bien plus durable, si ces cinq ans d'esclavage ont assez instruit les esclaves, comme je crois.

« Comment pouvez-vous, me dit quelqu'un, diminuer ainsi une grande chose? Il y eut bien d'autres sentiments, et bien d'autres idées en jeu; et pour vous-même aussi je le parie. » Mais oui; je l'entends bien. Il y a eu mille autres choses, dont je compte bien n'oublier aucune. Mais il y a eu celle-là, qui, à mes yeux, n'est pas petite.

CHAPITRE XLIV

MEA CULPA

Pour ma part je n'ai pas manqué de résignation. Je n'eus pas de peine à considérer cette autre espèce d'hommes, qui fait faire et ne fait jamais, comme on considère des objets dangereux et difficiles à manier. Mais à l'égard de mes semblables, compagnons de travail et de misère, je les honorais quelquefois de ces vifs mouvements d'humeur que l'homme éveille en l'homme, surtout quand ils entonnaient leur concert de plaintes. « Vous l'avez voulu, disais-je. Oui, vous l'attendiez, ce beau jour de la guerre. En votre heureuse jeunesse, il n'y eut point de discours, de spectacle et de cérémonie où vous n'ayez attendu, pour y applaudir, l'annonce de la revanche, et l'injure à l'ennemi. Il est agréable de faire figure de héros, il faut payer maintenant ces plaisirs de comédien. Vous voilà héros sans aucune comédie. »

Je trouvais à me consoler moi-même, si l'on peut dire, par les mêmes discours. Car il est vrai que je craignais mon propre enthousiasme, et que je fuyais les occasions d'applaudir nos comédiens politiques; mais comme mon métier était d'observer, de deviner et de prévoir, j'avais à éviter des fautes moins grossières. Cette élection présidentielle, avec ses cortèges, me fit dire à des amis qui ne l'ont pas oublié : « C'est la guerre; nous n'y échapperons pas. » La loi de trois ans fut un avertissement encore plus clair. J'apercevais bien cet effort des tyrans contre la paix. Je comprenais que le pouvoir militaire, après s'être rétabli en son fort inviolable, travaillait à s'affirmer et à s'étendre, et comment l'alliance russe était un moyen pour les uns et pour les autres. Enfin je savais assez compter pour conclure que le service de trois ans restaurait et confirmait l'ancien esclavage, sans mettre un homme de plus en ligne. Aussi je tenais pour Combes, pour Pelletan, pour Caillaux, pour Jaurès; contre le *Temps* et contre l'Académie; mais mollement. Les sarcasmes, les injures, les menaces de l'élite me modéraient. J'écoutais trop ces gens-là. Je me lassais de ce blâme toujours éveillé, toujours armé. Un pauvre homme disait : « Ma politique, c'est ma soupe et mon lit. » Mon pauvre Alain, me disais-je, puisque tu ne t'es pas assez détourné de ta soupe et de ton lit, il faut maintenant manger cette soupe de soldat, et coucher sur ces planches. Il faut payer les années d'acquiescement.

Il serait doux maintenant de revenir aux belles-lettres. Cette fatigue universelle, qui nous assure des années de paix, durera bien autant que moi. Plus d'un marchand d'imprimés m'a fait entendre que les cadavres sont enterrés, et que déjà les livres sur la guerre ne se vendent plus. Toute colère vient à sa fin; et toute expérience pénible est bientôt oubliée. Vais-je consentir encore à ce jeu des pouvoirs dont je prévois si bien les effets? La victoire est comme une tête de Méduse, que l'on promène sur le pavois. La joie est forte. La soupe et le lit parlent éloquemment au soldat revenu. Je compte aussi ces amis précieux qui me laissent dire, en se regardant, comme on attend les dernières gouttes de l'orage. « Soldat mécontent », disait l'un d'eux, qui certes a de l'esprit. Contre quoi le spectacle d'un aveugle de guerre ou d'un amputé agit par un choc qui heureusement ne s'affaiblit point. Mais l'arrogance, la puérilité, la sottise, l'emphase des pouvoirs agit peut-être encore plus énergiquement contre l'oubli. Merci, Messieurs.

CHAPITRE XLV

LES PARTIS

L'IMPÉRIALISME a pour fin la puissance; et l'ambitieux est le type de l'homme impérialiste. Il semble qu'il y a toujours quelque faiblesse dans l'ambition; il n'est pas naturel que celui qui a la force désire beaucoup le pouvoir; et l'on a souvent remarqué que les athlètes sont rarement méchants. Par les mêmes causes les sots sont aisément fanatiques, parce qu'ils ne savent ni expliquer, ni prouver. D'après cette idée, les plus pauvres dans tous les sens du mot seraient volontiers impérialistes. La foule inorganisée, toujours ramenée à l'inférieur par la contagion, envie et admire le pouvoir, même s'il s'exerce contre elle; c'est par là que la crainte s'accorde avec un genre d'adoration. Est donc impérialiste celui qui dans ses rêves se voit adoré et suivi. Une nation est impérialiste lorsque le citoyen sent avec ivresse que son seul titre de citoyen lui assure en tous lieux la prééminence et l'attention adoratrice. C'est cet effet immédiat, dans l'apparence, qui est aimé; ainsi agissent les costumes, les insignes et le nom. Une brillante comédienne est impérialiste par son métier.

Le socialisme a pour fin la justice. Mais il n'est point par cela seul directement opposé au pouvoir. Pourquoi? Parce que la résistance au pouvoir, qui est contre les prestiges et apparences, suppose une justice d'esprit sans aucune règle préalable; au lieu que le socialisme, formé par la pratique des métiers, veut une justice mesurable, et dans les choses; aussi est-il plutôt opposé à ce genre de pouvoir que donne la richesse; ce qui explique peut-être que, voulant s'opposer à l'impérialisme par la force de son organisation égalitaire, il vise pourtant à côté, et ainsi ne développe presque aucune résistance efficace, comme on l'a trop bien vu. L'esprit socialiste n'a pas assez mesuré ce genre de pouvoir qui dépend de l'obéissance commune et surtout du groupement militaire. Peut-être faut-il dire que le maniement habituel des choses prépare mal à comprendre les faits purement humains, qui dépendent des passions, et met hors d'état de les prévoir assez.

Je voudrais appeler humanisme l'autre parti, dont nous ne connaissons, sous le nom de radicalisme, qu'une esquisse assez mal formée. L'humanisme a pour fin la liberté dans le sens plein du mot, laquelle dépend avant tout d'un jugement hardi contre les apparences et prestiges. Et l'humanisme s'accorde au socialisme, autant que l'extrême inégalité des biens entraîne l'ignorance et l'abrutissement des pauvres, et par là fortifie les pouvoirs. Mais il dépasse le socialisme lorsqu'il décide que la justice dans les choses n'assure aucune liberté réelle du jugement, ni aucune puissance contre les entraînements humains, mais au contraire tend à découronner l'homme par la prépondérance accordée aux conditions inférieures du bien-être, ce qui engendre l'ennui socialiste, suprême espoir de l'ambitieux. L'humanisme vise donc toujours à augmenter la puissance réelle en chacun, par la culture la plus étendue, scientifique, esthétique, morale. Et l'humaniste ne connaît de précieux au monde que la culture humaine, par les œuvres éminentes de tous les temps, en tous, d'après cette idée que la participation réelle à l'humanité l'emporte de loin sur ce qu'on peut attendre des aptitudes de chacun développées seulement au contact des choses et des hommes selon l'empirisme pur. Ici apparaît un genre d'égalité qui vit de respect, et s'accorde avec toutes les différences possibles, sans aucune idolâtrie à l'égard de ce qui est nombre, collection ou troupeau. Individualisme, donc, mais corrigé par cette idée que l'individu reste animal sous la forme humaine sans le culte des grands morts. La force de l'humanisme est dans cette foule immortelle.

CHAPITRE XLVI

NE PAS DÉSESPÉRER

On en vient souvent, d'après des remarques accumulées, à désespérer de l'homme. De telles pensées, qui sont éloignées de la tempérance, équivalent par les effets à cette méchanceté sans remède qu'elles supposent. Car celui qui est ainsi disposé cesse réellement de vouloir la paix et la justice entre les hommes, parce qu'il ne sait plus espérer. Et j'ai observé que c'est souvent un détour de passions mauvaises, qui fait que l'on trouve une espèce de plaisir à annoncer toujours le pire. L'âge y est pour beaucoup, lorsqu'on ne sait pas en accepter sagement les effets. Finalement cette misanthropie sans retenue s'accorde avec le respect exigé par les puissances; et cette pensée suffit à faire rougir un peu le misanthrope.

Pour moi, jugeant, il me semble, d'après les causes, qui sont toujours petites et d'un moment, je suis au contraire ramené à l'espérance par la vue des maux à leurs racines. Ce n'est pas parce qu'un homme est bien en colère, ou ivre, ou fanatique que je jugerai qu'il est méchant. Un enthousiasme est un vif mouvement qui fera des cadavres, mais qui fera de la justice aussi bien. Et la peur même, qui se relève en colère contre l'ennemi, reviendrait aussi bien contre le maître, ce qui donnerait assurément d'autres effets. La révolution allemande, si elle était venue en 1914, aurait délivré le monde par le massacre de quelques-uns; il ne fallait pas dix mille morts pour rendre le grand massacre impossible. Une meilleure méthode conduisait à n'en pendre qu'une douzaine. Mais une défiance assez éveillée, une action mieux concertée, des jugements d'abord explicites, quelque confiance enfin de chaque homme en sa propre puissance, produiraient une révolution diffuse et continue, sans aucune violence. Il suffirait d'un mépris bien établi pour que les puissances retombent au rang de fonctions utiles. Au temps de Combes, les perturbateurs et provocateurs chez nous furent réduits à une entière impuissance. Un tel régime est loin d'être parfait; mais, après la grande tuerie, en sommes-nous, mes amis, à chicaner sur de petites choses? L'État comme tel est toujours médiocre, hésitant, paresseux et sot, comme on l'a assez vu, et comme j'ai tenté de l'expliquer. S'il ne tue point et s'il ne médite point de tuer les plus vigoureux et les meilleurs, me voilà assez content.

Remarquez que la sagesse, la justice, la grandeur d'âme des individus ne dépendent nullement de l'État; et c'est bien ainsi. Et c'est encore un effet de la misanthropie hypocondriaque de nous faire croire le contraire. L'homme mûr et fatigué voudrait alors que la résignation, la noblesse et la sérénité lui soient distribuées comme la lumière ou l'eau. Or l'État, toujours décrépit et irrésolu par sa nature, ne sait que réchauffer l'enthousiasme au son du tambour; il se retire de tous les embarras par le vieil art militaire. Ainsi tout l'art de gouverner se réduit à tirer parti des ennemis que l'on se fait par l'imprévoyance, la sottise et la vanité. Une vue sommaire des causes, un contrôle sévère, un mépris tranquille arrêtent aussitôt cette politique de vieux enfants, comme on l'a vu, comme on le verra. Et sans que les hommes changent beaucoup. Car ce n'est pas difficile. Seulement ce qui est difficile, c'est de croire que ce n'est pas difficile.

CHAPITRE XLVII

DE L'INDIVIDU

On m'a demandé plus d'une fois si cette guerre ne changeait point mes idées; et je répondais que ce genre d'objets qui traversaient l'air et qui coupaient aisément un homme en deux, ne semblaient point faits pour instruire personne. J'ai remarqué plus d'une fois comme les individus, à travers ces épreuves, gardaient leur allure et physionomie et même leurs opinions. La guerre finie, j'en ai retrouvé quelques-uns, désormais libres, avec le costume de leur métier, et toujours semblables à eux-mêmes; j'ai reconnu les moindres détours de leurs récits, les inflexions de la voix, l'humeur, la prudence, la ruse propre à chacun. J'ai fait la même remarque pour des hommes mutilés; et, même chez le plus maltraité d'entre eux, j'ai cru retrouver des manières de penser, d'approuver, de blâmer, de mépriser évidemment antérieures à la terrible épreuve, et seulement altérées en ceci que la nuance d'amertume y était un peu plus marquée. Ce qui m'a rendu sensible cette vue profonde de Comte, d'après l'illustre Broussais, que les plus profondes modifications compatibles avec la vie se réduisaient à des variations d'intensité, ou si l'on veut à des variations d'amplitude dans les oscillations caractéristiques. Un homme autrefois irritable reviendra de la guerre plus irritable ou moins, mais toujours selon sa structure et ses gestes familiers, sans aucune modification profonde de cette loi d'équilibre en mouvement qui définit l'individu.

L'intelligence, aussi, quoique moins stable en apparence, semble garder toujours son centre d'oscillation; plus agitée sans doute, ou plus endormie, selon les cas, mais, bien loin de se modeler sur les faits nouveaux; au contraire, les ramenant et conformant à sa propre loi. Je n'ai observé qu'une modification durable, chez un canonnier dont un excès de peur à fait un fou tranquille; des oscillations trop désordonnées ont rompu le système; il s'en est formé sans doute plusieurs autres; toujours est-il que le jugement a péri. Voilà sans doute tout ce que peut la guerre, par ses moyens démesurés; elle peut détruire mais non changer l'individu. Et, par la loi de la vie, celui qui n'est pas brisé par l'excès du mouvement se retrouve et se reprend lui-même, et ramène ses souvenirs à sa mesure. Et comme ces réflexions que j'arrête en ces pages n'ont d'autre effet pour moi que de me rappeler à moi-même, ainsi elles ne peuvent avoir d'autre effet sur le lecteur que de le remettre plus vite dans ses propres chemins. Réellement cette guerre ne m'a rien appris d'essentiel; je suis ami de la paix et ennemi de la guerre, comme j'étais avant, et radical, comme j'étais avant. Aussi ne verra-t-on point, à ce que je crois, les grands changements tant annoncés par les uns et par les autres, et selon les désirs de chacun.

Ce que je veux remarquer ici, c'est que ces vues sont directement contraires à ce vertige fataliste qui est mon ennemi propre. Car l'idée de conversion par violence extérieure et brutale expérience revient à nous mettre sous la dépendance de l'événement. Le despotisme, qui prétend forger de nouveau les hommes par la contrainte, les soumet par là, et se soumet lui-même à l'action indéfinie des forces. Et toute révolution est à la fois despotique et fataliste par cette prétention à changer brusquement l'équilibre vital en chacun. Au lieu que les vraies notions concernant la liberté et le progrès sont enfermées dans cette remarque de Comte que les natures individuelles sont modifiables par de petites causes, sans pouvoir jamais être profondément altérées par les grandes. Et je crois fermement que, contre l'injustice et même contre la guerre, ces faibles modifications suffisent. Ne tendons point nos filets trop haut.

CHAPITRE XLVIII

L'ESPRIT THÉOLOGIQUE

Le vieil esprit théologique est au fond l'esprit politique dans le sens plein du mot; c'est l'esprit qui s'applique plutôt aux hommes qu'aux choses. Ainsi le tailleur de pierre a pour métier de tailler la pierre; et il n'obtiendrait rien par prière, tromperie, menace. Mais le gouvernant, à quelque degré qu'il soit gouvernant, a pour métier de persuader, d'amuser, de détourner, d'effrayer; car c'est dans la masse des hommes qu'il taille; et comme la matière est ici capricieuse, un jour grondant et résistant, le lendemain chantant, ainsi se développe l'esprit de finesse, si souvent opposé depuis Pascal à l'esprit géométrique, mais sans qu'on ait toujours aperçu comment l'un et l'autre se forment. Et je suis assuré aussi que l'envie de plaire aux puissances, si naturelle à l'écrivain, fait que l'esprit de finesse est toujours traité avec faveur, comme si modération, sagesse, indulgence en étaient les suites nécessaires. Mais, l'appelant esprit théologique, et le jugeant d'après son éducation propre, je le caractérise surtout par ce préjugé qu'un grand désir peut tout. L'expérience politique fait assez voir qu'ambition mène plus loin que science; et l'esprit théologique consiste à juger des choses d'après les hommes, comme Xerxès faisant fouetter la mer, car invoquer et supplier la mer et le vent, c'est la même erreur que de les menacer.

Remarquez que, dans la pratique du commandement, cette idée singulière est presque continuellement vérifiée; car les obstacles qui viennent des choses sont aisément surmontés, dès que la masse des hommes obéit. Napoléon a passé le Saint-Bernard comme le Pharaon a construit les Pyramides, en fouettant seulement des hommes; et sous cette idée du fouet j'entends la menace, la promesse et la récompense. Quand cet esprit théologique ne s'égare point il fait fouetter les pontonniers, et les ponts tiennent.

Ce n'est donc nullement par hasard que les meneurs d'hommes sont religieux. Inversement, et par la nature même de ses travaux, l'artisan n'est point théologien du tout. Deux idées, l'intrigue et le travail, forment deux classes d'esprits, l'ambitieux et l'industrieux. L'ambitieux espère, prie, promet, menace; l'industrieux observe, mesure, pèse, invente. Le premier règle ses opinions sur ses désirs, et l'autre sur l'objet. Le premier compte sur sa gloire, sur son autorité, sur sa majesté; ce sont ses armes et ses outils. L'autre nettoie sa pioche.

Dans un grand médecin, un grand chimiste, un grand mathématicien, il y a toujours quelque chose de la simplicité ouvrière; c'est que leur pouvoir est bien déterminé, et sur des choses. Mais en revanche celui qui a suivi la voie ambitieuse, et qui est puissant sur les hommes, perd le jugement dans ce mauvais métier, faute de ce précieux objet matériel qui ne flatte point et ne craint point. Et ce n'est pas non plus par hasard que ces esprits intrigants, confus et colériques se resserrent autour du pouvoir militaire, car ce pouvoir a porté au plus haut point l'art d'observer et d'agir par procuration. C'est pourquoi, dans cette guerre totale, le bureaucrate fut soudain porté à la perfection qui lui est propre, par ce képi dont on le coiffa. A partir de là, les erreurs d'enfant, la folle imprévoyance, la négligence, l'infatuation développèrent tous leurs effets. Un bon calculateur, sans aucun grade, fit dire au capitaine que l'avion ennemi n'était pas à quatre mille, mais bien à six mille mètres. « Je tire quand même », s'écria l'artilleur théologien.

CHAPITRE XLIX

MONSIEUR L'AUMÔNIER

PARLERAI-JE des aumôniers à trois galons? Il le faut bien. Mais j'ai ici à me défendre contre des passions vives. Cette guerre a éveillé chez tous les politiques de l'Église un espoir immense. C'était le règne de la terreur et de la mort. N'oublions pas les petites causes, qui ont contribué aussi à jeter les curés et les moines dans une politique belliqueuse. Opposition au gouvernement laïcisateur, et notamment aux radicaux et aux socialistes; flatterie à l'aristocratie militaire, dont le prêtre est chez nous le précepteur ordinaire. Espoir aussi d'un grand changement après une grande catastrophe; si là-dessus ils se sont trompés ou non, nous le verrons bien. Toujours est-il que l'aumônier à trois galons, coiffé de son ridicule bonnet de police, s'est promené dans les rues du village, tirant son cheval par la bride, saluant paternellement, mais avec la rudesse militaire. Ces effets de théâtre m'ont semblé horribles. Et ici, contre ces insignes du pouvoir le plus brutal, portés avec arrogance par les représentants du pouvoir spirituel, je n'ai pu me priver d'être insolent. En revanche j'ai fait amitié avec un prêtre héroïque qui ne portait point de galons du tout. Mais tout cela n'est que comédie, bien ou mal jouée; affaire de goût. Qu'y a-t-il au chevet d'un mourant? Que s'y passe-t-il? Je ne sais; je ne veux pas inventer. Mais deviner plutôt le ressort caché de cette politique ecclésiastique, qui pousse à la guerre, et qui jouit de la guerre, contre l'esprit de l'Évangile.

Il y a un certain esprit religieux, qui n'est pas le meilleur, et qui s'accorde avec la guerre par le dessous, comme on peut voir chez un bon nombre d'officiers que je prends pour sincères. D'abord cette idée que l'homme n'est pas bon, et, en conséquence, que l'épreuve la plus dure est encore méritée. Aussi l'idée que, selon l'impénétrable justice de Dieu, l'innocent paie pour le coupable. Enfin cette idée aussi que notre pays, léger et impie depuis tant d'années, devait un grand sacrifice. Sombre mystique de la guerre, qui s'accorde avec l'ennui, la fatigue et la tristesse de l'âge.

Autre idée, non moins mystique malgré l'apparence, mais plus commune et plus redoutable, c'est que ces grands mouvements des peuples ne dépendent pas plus de notre volonté que le vent, la pluie ou le volcan. Il fau faire plus d'une fois le tour de cette idée, à laquelle Tolsto prête sa poésie contemplative. Mais qui ne voit que cel revient à s'abandonner aux passions, à les considére même, à la manière des héros d'Homère, comme le sign des dieux? Mesurez, dans ces âmes sibyllines, la puissanc d'une colère que l'on prend comme un signe de ce qui v être, et de ce qui va être par cette colère même. Les âme passionnées agissent toutes sous cette idée fataliste. Mai combien l'ivresse fanatique est encore plus puissant lorsque la passion se multiplie dans la foule et rebondi d'un homme à l'autre, en cris, en gestes, en actions! C'es alors qu'ils disent et qu'ils pensent que Dieu est avec eux; et peut-être, comme Proudhon le pensait, l'idée de Dieu vient-elle justement de là. « Dieu le veut » est un cri de guerre qui exprime plus d'une vérité.

J'ai observé plus d'une fois un prêtre ou un pasteur, plus décidés, plus frivoles en des propos purement militaires, que je ne croyais possible pour un homme. C'était mieux que de vieux hommes de guerre endurcis par vingt campagnes. Il y avait une espèce de modestie et un silence de la doctrine devant cette réalité oraculaire.

CHAPITRE L

MONSIEUR PURGON

Au sujet des médecins militaires, j'ai éprouvé des sentiments vifs; et aujourd'hui encore, quand j'aperçois le velours rouge surmonté de galons, je me détourne. On rit à Molière, lorsque cette importance fait son entrée; chacun se dit : « Voilà ce qu'un médiocre médecin voudrait être, et voilà ce qu'il serait si nous manquions de courage. » Mais coiffez-le d'un képi doré, c'est fini de rire. Spectacle neuf, un pédant qui punit de mort celui qui rira. Je n'entends pas qu'il ait le pouvoir de tuer par des remèdes; on peut accepter ce risque-là. Je dis que si l'on commence à rire, ce qui entraîne insolence d'un côté, menace et fureur de l'autre, le résultat est clair. Un roi injuste ou grossier, on pouvait toujours lui répondre; mais avec ces rois de notre temps, il faut écouter le démenti, la moquerie et l'injure comme si l'on était de pierre. Il est vrai que ces messieurs médecins n'ont pas le privilège d'insulter bassement, je dis même lâchement, des hommes qui ne peuvent répondre. Seulement les autres, en cela, ne sont qu'odieux; le médecin est de plus ridicule; et respecter ce qui est ridicule, c'est sans doute la plus cuisante marque de l'esclavage. Je me souviens d'un dentiste transformé en médecin à deux galons et qui avait trouvé ce beau raisonnement : « Êtes-vous allé en permission? Oui? Alors vous êtes guéri. Et taisez-vous. » Il examinait de pauvres diables après leur permission de convalescence. Et le ton était par lui-même injurieux.

Infortunés soldats, abandonnés de Dieu et des hommes ! Au pouvoir d'un cuistre qui se venge sur eux d'avoir tant salué ses clients et ses clientes. J'arrête ici les anecdotes, j'arriverais à faire rire, et c'est ce que je ne veux point.

Le lecteur cultivé connaît la guerre par des récits d'officier ; et l'officier ignore tout à fait ce genre de misères ; ou bien il les a oubliées ; le pouvoir y a mis ses baumes. Et peut-être veulent-ils croire que le laboureur ou l'ouvrier a oublié aussi ces épreuves, si petites à côté des autres. Certes, il est bien naturel que chacun pense plus volontiers aux heures où il s'est trouvé ingénieux, patient, audacieux autant et plus que le chef. Mais ce mirage du souvenir s'accorde trop clairement avec le jeu des puissants. C'est pourquoi il faut faire un inventaire exact et juste et remuer des vérités désagréables. J'ai constaté chez les autres et j'ai éprouvé moi-même un état enthousiaste qui permet de tout supporter. Mais la disposition commune des combattants, autant que j'ai vu, c'est une récrimination, une amertume, une révolte continuellement renouvelées. Le soldat mâche l'humiliation.

Ces sentiments, qui iraient à la rébellion, et qui y vont quelquefois, sont tempérés, il me semble, d'abord par la présence de l'ennemi, précieux allié toujours pour les puissances ; aussi par la crainte d'un châtiment inévitable ; enfin par le fatalisme qui agit ici comme un bienfaisant opium : « Ces choses ne peuvent être autrement. » Mais quand le danger commun est écarté, quand la hiérarchie militaire ne pèse plus sur l'homme, s'il vient à entrevoir les causes, ce qui lui offre aussitôt des moyens, alors le redressement risque d'être soudain et brutal, par un retour d'amertume. Ce qui se marquera, je crois, dans la politique par une âpreté souvent inexplicable si l'on ne considère que les intérêts, car tout s'arrange. Mais ces vives rancunes, qui rendent toute réconciliation impossible, s'expliquent assez par la séparation que la guerre a fait apparaître, entre les maîtres et les esclaves. Cette guerre latente doit être comptée parmi les profits de la guerre.

CHAPITRE LI

DE L'ANECDOTE

En écrivant ces souvenirs, je dois me garder de l'anecdote, qui est presque toujours ambiguë, et toujours annulée par une autre anecdote. Car ce sont des moments; et, dans cette vie continuellement vulgaire et continuellement tragique, n'importe quel homme offre tous les aspects; il n'est personne, je pense, qui n'ait été brave un jour; il n'est personne qui n'ait été lâche un jour. Le même chef est indulgent, juste, féroce tour à tour; et le même homme de troupe se montre révolté, discipliné et dévoué d'une heure à l'autre. Il faut comprendre cette variété d'après le changement et la puissance des conditions extérieures; par exemple des blessés à secourir, cela change le cours des idées et des humeurs chez tous; l'inégalité dans la boisson et la nourriture fait aussi des changements soudains, qui, du reste, instruisent beaucoup sur la nature humaine; celui qui n'a pas éprouvé cet état de dépendance ne croit jamais assez que le cours des opinions dépend de ce que l'on subit, de ce que l'on fait, et de ce que l'on boit.

Il faut ajouter un trait qui est propre à la guerre, c'est que ces changements sont presque toujours tout à fait imprévisibles; c'est pourquoi rien n'est en espoir; et l'humeur n'est jamais modérée, comme elle l'est dans la vie ordinaire, par une continuelle anticipation. Aussi l'homme se livre naïvement à son humeur présente, bonne ou mauvaise; et les manières d'être ont, par ces causes, un caractère de violence et aussi d'instabilité; cette vie ramène exactement à l'enfance. De là résulte un comique sans mesure, ou bien un tragique digne des anciens, et souvent une profondeur de trait; mais ce ne sont qu'émotions et en quelque sorte explosions; les caractères s'effacent. Ni les actions, ni les paroles ne trouvent des hommes où elles puissent s'attacher; ce sont toujours des feuilles volantes, ou des fragments. Je ne vois de composé, en ces propos de guerre, qu'un mécanisme frivole et voulu tel; ainsi la guerre a bientôt fait, avec le tissu humain, une espèce de charpie informe. Et cet état, quand le souvenir le ravive, et surtout l'échange des souvenirs, produit un rire fixe qui est effrayant à voir; les femmes, qui imitent si bien, n'arrivent pas à imiter ce rire-là. Si j'y joins les marques de la terreur et du désespoir, toujours et sans exception visibles au coin des yeux et sur les tempes, j'aurai dessiné à peu près le visage du combattant, heureusement passé à l'état de souvenir.

Ces marques ont disparu; ce rire s'efface; l'homme de nouveau se prévoit et se compose, de plus en plus inhabile à saisir comme réelles ces anecdotes de guerre qu'il récite encore. De là ces amitiés de guerre, fortes, indestructibles, et auxquelles nul ne peut pourtant donner aucune suite. Je dirai là-dessus que, par la prépondérance des causes accidentelles, la guerre est essentiellement anecdotique. Aussi n'écrit-elle par elle-même rien de durable; et ceux qui ont écrit sous sa dictée, en quelque sorte, ont écrit en vain. Je dis même pour eux. Ainsi, comme il arrive toujours, l'erreur esthétique nous en signale une autre. Certes, c'est une tâche surhumaine que de faire revivre l'épopée par les relations vraies. Mais je vois clairement que l'anecdote grimace, et que les visages ne savent déjà plus se déformer comme il faut pour la conter.

CHAPITRE LII

DU DÉTERMINISME

Il faut considérer sous tous ses aspects cette idée funeste d'un avenir inévitable, idée dont on ne saurait dire si elle est adorée ou maudite. Le dieu méprise la révolte autant que l'offrande, puisqu'il fait l'une et l'autre et tout. Mais les foules de ce temps parlent moins de Dieu que d'une nécessité des effets par les causes, et des causes par d'autres causes, d'après une science trop abstraite et trop peu pratiquée. Remarquons ici en passant que cette nécessité n'est jamais plus sensible que dans le triomphe du vouloir, comme l'industrie le montre. Mais, malgré les remarques décisives d'Auguste Comte sur ce point-là, le sentiment populaire revient toujours, avec d'autres mots, à charger de tous nos malheurs le destin invincible. Et la guerre résulte de cette complaisance, puisque la guerre est le triomphe des forces dans l'ordre humain, triomphe éclairé seulement par une fureur caractéristique.

Il existe un déterminisme populaire de belle apparence, tout à fait analogue à la paix armée, qui est le temps où les maux se préparent. Et l'idée en est que tous les événements, en y comprenant les volontés de chacun, étaient prédéterminés dans la nébuleuse primitive au même titre que le cours des planètes et les lunaisons. Donc, comme nous sommes déterminés par les causes extérieures à être malades ou bien portants, ainsi nous le sommes à être tristes ou gais, à vouloir ou à désespérer. N'abordons point ici la critique assez ardue de cette idée théorique; disons seulement qu'elle n'a point de privilège et qu'elle n'est pas vraie seule. Mais ne visons point trop haut; ce n'est point nécessaire. J'ai remarqué que ce déterminisme à formules est accepté avec une joie sauvage par des hommes qui sans doute ne l'ont pas bien saisi par ses racines, soit dans la plus profonde mathématique, soit dans la physique qui en dépend. Je crois qu'ils l'aiment sans le bien connaître, et que ce n'est pour eux qu'un fatalisme, d'apparence raisonnable, mais surtout sensible au cœur superstitieux.

Aussi considérons l'usage qu'ils en font. Car il ne s'agit pas ici d'un jeu d'idées abstraites, mais d'une funeste règle de pratique qui met le bon sens en interdit. Rien n'égale la hauteur dédaigneuse de cette sagesse qui répond : « Vous imaginez donc que cette guerre pouvait être évitée? Vous n'avez donc pas saisi les causes lointaines et les causes prochaines ? » Mais si vous les poussez un peu, alors ils s'irritent, ils montrent leur cœur prophétique. Ils viennent à dire avec violence que, du moment que la guerre a eu lieu, elle était inévitable; et c'est bien le fatalisme même, si fortement lié à la religion instinctive. En bref, que l'on croie aux desseins de Dieu, ou bien à quelque instinct collectif des peuples, ou bien à des causes historiques ou seulement politiques, je suis toujours en présence de l'âme passive et irritée.

Je comprends cette colère. Il y a un désespoir qui surpasse le désespoir, si l'on entrevoit après l'événement que l'on a consenti à son propre malheur. Il est trop tard pour beaucoup, et toute vue sur le passé tel qu'il aurait pu être est au-dessus de leurs forces sans doute. De là une fureur d'enfer contre moi. Le remords hait le repentir; et je retrouve ici en action cette idée profonde que les damnés sont damnés parce qu'ils le veulent. Toute faute pourtant est pardonnée, qu'on rejette de soi; et s'ils faisaient, comme j'ai fait, le serment de ne plus jamais être lâche devant les forces, les morts pardonneraient.

CHAPITRE LIII

DU FANATISME

Le fanatisme n'est sans doute pas autre chose que le sentiment d'une fatalité effrayante qui se réalise par l'homme. L'âme fataliste, ou si l'on veut prophétique, comme parle Hegel, est aux écoutes; elle cherche les signes, elle les appelle; elle va au devant des signes, elle les fait surgir par incantation. D'un côté elle méprise, elle écarte, elle fait taire par violence tout ce qui n'est pas signe; et le simple bonheur lui est par là plus directement odieux qu'aucune autre chose. De l'autre, elle s'entraîne elle-même vers l'état sibyllin, déclamant à elle-même et aux autres. On comprend déjà en quel sens le fatalisme est guerre, et d'abord guerre contre tout ce qui est raison exploratrice et humaine espérance, enfin contre toute ferme volonté. Tout cela est, pour le fanatique, l'impiété même, non seulement par méconnaissance des signes, mais aussi par cette influence contraire aux signes, que tous les magiciens connaissent. Remarquez ici que, ce que nous voulons prouver, ils le savent déjà; c'est qu'un homme raisonnable, oui, un seul homme raisonnable peut beaucoup dans une assemblée de mystiques, et jusqu'à faire taire ces murmures de l'univers, annonciateurs par le sentiment. Or cela même, qui est à mes yeux le plus grand bien, est exactement pour eux l'impiété, l'impureté, le sacrilège. Au fond de toute discussion religieuse on retrouve ce conflit-là; oui, jusqu'à la table de famille. Et j'ai vu plus d'une sibylle barbue dans son fauteuil. Par là le conflit religieux est relié profondément au conflit entre guerre et paix. Un fataliste ne peut annoncer le bonheur et la paix, puisqu'on les veut; il y aurait apparence qu'on peut vouloir; c'est pourquoi l'espérance est réduite à l'espérance du plus grand mal, dans ces âmes enchaînées. Par là le fatalisme est guerre.

J'insiste, parce que le machiavélisme, que l'homme sensé suppose d'abord toujours, est un petit ennemi, affaibli encore par sa double pensée. Mais il faut que l'homme sage comprenne cette étrange folie afin de ne pas tomber lui-même dans l'indignation, retour du sauvage, et guerre contre guerre. Et ce travail d'attention, toujours éclairé de quelque joie, et qui délie l'esprit par une vue claire des passions, est bien plus important et tout aussi difficile que de réfuter point par point un déterminisme abstrait, savant d'apparence, mais qui n'est réellement qu'une espèce d'incantation encore. Quand la mystique de la guerre sera en plein jour, le sage ne s'étonnera plus que la paix soit méprisée, haïe, persécutée.

Pour moi, le sort, en ces temps tristes, m'a heureusement séparé de ces opinions despotiques, cent fois répétées dans les mêmes termes, et avec l'accent d'une certitude passionnée. Aussi, par un détour, cette obstination de presque tous, qui allait jusqu'à rendre froids et muets des amis de vingt ans, cette obstination, considérée à distance, m'a montré le vrai chemin de réfléchir sur ces choses, qui était d'expliquer d'abord cette étrange fureur de croire le pire et de haïr du premier mouvement celui qui veut espérer.

CHAPITRE LIV

DU TRAGIQUE

Le fatalisme est au fond des passions tragiques ; il y trouve sa force et ses preuves, et comme une farouche satisfaction. On a assez dit que le tragique résulte de la fatalité agissant par l'homme. Le spectacle le plus émouvant est celui d'un homme qui aperçoit un destin terrible et qui s'y jette comme dans un gouffre. Toutes les passions portent ce caractère ; ce ne sont point des accidents ni des surprises ; le passionné voit son destin, le craint, et en même temps le veut ; c'est là sa victoire sur ce qu'il ne peut empêcher. C'est ainsi que l'on tombe dans l'amour coupable, et jusqu'à appeler le châtiment, la faute n'étant qu'un chemin vers l'expiation.

Mais considérons quel est le tragique le plus tragique. C'est la fatalité à visage humain. Peu de tragique dans les catastrophes naturelles, sinon par le pressentiment ou l'attente. Mais dans les malheurs seulement humains, c'est là que le tragique se montre à l'état de pureté. C'est le point où le fatalisme serait sans preuves si l'homme n'obéissait à un destin terrible; mais c'est le point où la preuve décisive survient, quand l'homme arrive à faire ce qu'il attendait et prophétisait de lui-même, comme crime ou suicide. Encore mieux si d'autres hommes concourent à un malheur seulement humain, par le même désespoir orgueilleux. Ainsi le sentiment de la fatalité se satisfait dans la guerre, voulue des deux parts, voulue à chaque instant comme la grande preuve, la preuve des preuves, qui justifie toute une vie de désespoir méchant.

Ce sentiment est au fond du cœur tremblant. Il est dans toutes les colères, il s'exerce contre toute naïve et raisonnable espérance. La haine la plus vive, je l'ai remarqué, est contre ceux qui repoussent la haine. J'ai vu Coppée touchant un peu à la grandeur, un jour que cette face vieillie et amère, vieillie surtout par l'horreur de vieillir, déclamait contre le droit au bonheur; et ce discours exprimait à la fois un violent mépris de toute république et de tout socialisme, en même temps qu'une crainte de la guerre qui ressemblait à un espoir sauvage. Mauvais prophète qui travaillait avec d'autres à cet avenir que nous avons vu.

Je ne veux point les haïr; j'essaie de les comprendre. Ce que je vois de sincère et de profond en eux, c'est la servitude totale, c'est l'adoration d'une destinée toujours triste, et qui finit mal. Je leur vois un feu étrange contre l'égalité, contre la justice, contre la paix, contre l'audace pour tout dire. Je les ai trouvés défiants et fermés toujours, attendant, comme on dit, que jeunesse se passe, mais vainement je le jure; maintenant amers, méprisants et souvent furieux contre moi, qui ne veux que les sauver de la peine, et sauver leurs fils, et sauver leurs filles de veuvage et d'une attente pire. Mais comprenez que c'est un crime à leurs yeux que de vouloir cela, quand eux-mêmes n'osent pas le vouloir. C'est juste. Si je pouvais leur faire apparaître que j'ai raison, quel désespoir en eux, après ce qu'ils ont approuvé, acclamé, adoré! Mais au rebours c'est la preuve des preuves lorsque le pire malheur, purement humain, purement de volonté, et que toute volonté repousse avec horreur, est pourtant un jour, et par volonté. Voilà en quel sens la mort d'un soldat qui aime son métier justifie et relève une existence pleine d'envie, d'amertume, de mépris et de religion. Regardez bien le Protée pendant que je le tiens.

CHAPITRE LV

DU FATALISME COMME DOCTRINE

Si vous voulez pénétrer un peu dans la philosophie de la chose, lisez et relisez Renouvier là-dessus. Encore est-il nécessaire d'y regarder de bien près, si l'on ne veut pas se dire à la fin qu'il y a toujours réponse à tout. La méthode polémique ne convient point du tout en ce problème, qui dépend d'une décision virile, et ne peut être résolu autrement. Toutefois cet état de doute, auquel vous arriverez par de telles lectures, est convenable pour préparer l'esprit à recevoir les raisons que je veux apporter ici. Elles ne sont pas dialectiques; elles n'appellent, ni ne repoussent, aucune réfutation facile ou difficile. Il faut même y penser longtemps pour apercevoir qu'elles ont de l'importance. Mais, d'un autre côté, il serait bien étrange que la réponse de l'esprit là-dessus, réponse qui décide de tout, dépendît d'une subtilité d'arguments. La vraie question est celle-ci : « Vais-je m'abandonner ? ou bien vais-je me saisir ou ressaisir ? Vais-je être un homme, ou seulement une figure d'homme marchant par mécanique ? » Que la réponse dépende de moi, c'est ce qui est nié par le fatalisme. Mais elle dépend encore de moi si la liberté est possible. Car elle n'est que possible tant que je ne me décide pas à la vouloir.

Examinez bien. C'est une étrange question et unique, qui est au-dessus des discuteurs. Posons que l'homme peut être libre; il ne l'est pourtant que s'il le veut. Entendez bien qu'aucune preuve ici ne le peut forcer, car il serait donc libre malgré lui ? La nature même de la question écarte ainsi les preuves. Les preuves pour, car elles ne doivent point suffire. Les preuves contre, car elles sont au-dessous de la question. Il suffit que je n'ose point affirmer, et que je m'abandonne, pour retomber aussitôt au niveau de ma machine. Il suffit donc que je ne nie pas le fatalisme pour que le fatalisme soit vrai. Ses preuves sont bien moins décisives que cette prise même qu'il a aussitôt sur moi, si seulement je doute.

Ces remarques singulières, et propres à ce problème sans analogue, me conduisent à ce que je voulais dire, à savoir que si l'on croit au fatalisme, par cela seul il est vrai. Un esprit complaisant à lui-même, et toujours incliné vers ce qui le touche fortement, est un esprit à la dérive, et livré aux forces. Et comme l'action suit, voilà un exemple de cet esprit prophétique, placé au centre des choses comme un baromètre. Car le pressentiment pris comme vrai est toujours vrai. Ce qu'il a d'abord pensé comme inévitable, il contribue à le faire par cette croyance même. S'il se croit entraîné au crime, il tuera; si au suicide, il se tuera; s'il se croit naturellement et invinciblement paresseux, il le sera, et ainsi du reste. Encore bien plus clairement, si tout un peuple croit que la guerre est inévitable, elle sera réellement inévitable. Que de prophètes triomphants aujourd'hui, contre lesquels il faut pourtant dire que celui qui prophétisait réalisait déjà. Chemin trop peu fréquenté, mais facile à suivre, il me semble, pour arriver à cette conclusion, c'est que pour qu'il soit vrai qu'une guerre est évitable, il faut d'abord croire qu'elle est évitable. Suivez encore l'idée. Car, à côté des fanatiques vifs, il y a les fanatiques tristes, qui essaient de parler et d'agir comme s'ils pouvaient changer l'événement, mais qui au fond ne veulent point croire qu'ils le puissent, ce qui apparaît assez par une espèce de triomphe du sentiment quand la chose redoutée arrive. Ils la reconnaissent; ils y sont comme soulagés et délivrés; ils connaissent enfin leur vraie force, logée dans cette partie de l'âme qui adore et subit. Convertis, ils le sont, ils l'étaient déjà. Comprenez bien ces hommes; saisissez ce qu'il y a de sincère, ce qu'il y a d'émouvant pour eux et peut-être de délicieux à se sentir confirmés dans leur faiblesse. Aussi ne comptez pas sur eux. Surtout ne soyez pas l'un d'eux. Il faut vaincre à tout instant, sachez-le bien, cette âme prophétique. Il faut l'entraîner à l'espérance, fille de volonté.

CHAPITRE LVI

DE LA MISANTHROPIE

Un homme de cinquante ans, cet âge est sans pitié, disait après six mois de guerre : « Il fait bon vivre en ces temps-ci. » Il voulait dire que cette brave jeunesse lui réchauffait le cœur, et que, par l'admiration, il se trouvait délivré de la tristesse. Il serait bien facile de s'indigner là-dessus, en disant que le plaisir du spectateur, en tous les jeux violents, est un plaisir de lâche. Et tout soldat a souhaité, un jour ou un autre, que les civils reçoivent aussi quelques coups, qui les détournent de se réjouir du malheur d'autrui. Mais ces aigres sentiments doivent être oubliés, ou mieux, dissous par une exacte analyse. La guerre vient principalement de ce que l'on suppose trop vite une méchanceté dans les autres. Jugeons donc avec faveur ce bilieux grisonnant.

Il y a une crise d'âge, chez le mâle de l'espèce, et qui termine tout à fait sa jeunesse. Les anciens, plus attentifs que nous à la nature humaine, parce que les sciences les accablaient moins, écrivaient volontiers sur l'art de vieillir. C'est un fait assez connu que le vieillard loue sa jeunesse et blâme ce qui l'entoure. C'est un effet de l'expérience qui enlève, comme on dit, beaucoup d'illusions; mais c'est un effet aussi des humeurs, qui disposent aux passions tristes, et enfin d'une avarice vitale, qui détourne de croire à la générosité.

Voilà un homme qui, selon la vraisemblance, a éprouvé en lui-même l'élan du courage et le mépris des petits intérêts, cette poésie enfin qui rend la vie belle. Il a changé et il croit que ce sont les hommes qui ont changé. « Il n'y a plus de foi », c'est le mot de la cinquantaine, si elle n'est pas soutenue, par des principes fermes, contre la nature défaillante. De quoi le naïf accuse les mœurs, les lois, les romans, les journaux, tout excepté lui-même. Il ne manque pourtant jamais de héros en aucun temps, contre le feu ou contre l'eau; ni d'enthousiastes pour la justice. Mais cet œil fatigué voit les choses en grisaille. D'où vient que les hommes d'expérience arrivent presque toujours à cette doctrine courte, d'après laquelle l'homme n'agit jamais qu'en vue de sa propre conservation. Cette brillante perspective, au bout de laquelle se montre la mort inévitable, conduit à des rêveries peu agréables qui réagissent fâcheusement sur un estomac déjà fatigué. Tous les dangers sont grossis, surtout ceux contre lesquels le courage des jeunes peut seul quelque chose. La race est usée; la France est vieille; déjà ils voient l'ennemi dans la capitale. J'ai entendu plus d'une déclamation de ce genre, et j'admirais comme les poltrons sont redoutables; car la jeunesse doit être retenue, non fouettée, et rafraîchie, non échauffée. Ces vieillards jouaient avec le feu.

Après cela, je comprends que l'expérience décisive, les espérances dépassées, les preuves accumulées, l'impossible devenu ordinaire, que tout ce spectacle les guérisse de cette pauvre sagesse; et même je crois qu'ils trouvent alors en eux, par la contagion, par le bonheur d'admirer, et enfin par la nécessité, comme un supplément de vie qui noie leurs chagrins. On dira que c'est être brave à peu de frais; mais ils n'espéraient point tant d'eux-mêmes. Je crains les faibles.

On m'a fait un récit qui n'est sans doute pas plus vrai que tant d'autres; prenons-le comme une scène de théâtre. À un conseil de chefs, les généraux expliquaient qu'un succès d'importance, mais non encore décisif, coûterait cent mille hommes. Ils ne décidaient point. Un civil enthousiaste dit : « Il ne faut pas hésiter. Payons ce qu'il faut payer ». Le grand chef, vieillard non sans défauts, certes, mais assurément sans peur, regarda un bon moment celui qui venait de parler, et ne dit rien. Ce silence est beau. « Nul ne m'a condamné à faire l'acteur tragique », disait Marc-Aurèle.

CHAPITRE LVII

LÂCHES PENSEURS

Mes maîtres ont bien gagné leur argent. Je dis tous. Il est vrai que le seul qui ait eu de la grandeur laissait voir un beau secret; mais il le cachait trop, à lui-même aussi, d'où l'empire qu'il laissa prendre à sa propre fatigue ainsi qu'à des passions militaires, ce qui fut scandale pour moi enfant; mais impénétrable. Paix sur celui-là qui, dans la réflexion du moins, ne s'avilit pas. Mais les autres furent lâches, travaillant de pensée à accepter tout et à s'accepter eux-mêmes dans leur être immédiat. O mon mépris de jeunesse, enfin je te reconnais.

Imaginez un psychologue, si vous pouvez. C'est un historien de l'âme, pour qui penser n'est rien de plus que savoir ce qu'on pense. Cette froide lumière dont il s'éclaire ne fait rien et ne change rien. Quand il faudrait agir, il décrit; quand il faudrait vouloir, il cherche à prévoir. Disant en guise d'opinion, et ce faible mot est encore trop fort : « Voici ce que je pense pour le moment; je ne garantis rien; quelque fait nouveau me changera un peu et peut-être beaucoup; je ne sais pas tout et je n'ai pas tout lu. Voici trente opinions sur Platon; elles s'accordent mal; je le regrette, mais je n'y puis rien; c'est ma fierté de n'y rien pouvoir. Il y a un régent anglais, il y a un pédant allemand qui ont écrit quelque chose que j'ai lu, et il faut que ces choses prennent place en mes pensées; bien ou mal, voilà où en est cette marqueterie pour l'instant. Preuve que je suis savant et très savant. »

Chose étrange, ces penseurs mourants ne retrouvaient quelque énergie que pour renvoyer à leur barbarie les héros de pensée qui, chacun à sa manière, ont dit ou laissé entendre que penser c'est vouloir, comme Platon, Zénon, Descartes. Car, se réveillant un peu, ces penseurs fatigués allaient jusqu'à dire que supposer l'homme libre, fût-ce en ses pensées, c'était une bien grave supposition, et bien gratuite. Cela ne me paraissait que misérable, et je trouvais seulement qu'ils mettaient un bien long temps à mourir.

Ces mourants ont tué beaucoup d'hommes. Essayons de suivre ces penseurs sans jugement dans les limbes où ils veulent nous promener. Adorateurs du fait, en eux-mêmes et autour d'eux. Décomposants et décomposés, d'après la sévère loi qui exige que les parties aient encore des parties. Ainsi laissant agir en leurs pensées toutes les forces extérieures, et donnant à la nécessité figure de raison. Non pas seulement en ces choses qu'il faut subir, comme la pluie ou la neige, mais en ces choses qu'il faut vouloir et qui ne seront que si on les veut, comme justice et paix. Le tout mêlé. Travail de haute police, que je n'avais pas assez compris, mais qu'ils m'ont assez expliqué en ces tristes années.

Hommes tristes, profondément tristes par cette pensée ouverte à tous vents; et, faute d'ordres bien précis, pensant leur propre humeur, et se regardant vieillir au dedans. Toute fureur s'augmente dès qu'elle est acceptée; la loi de ces pensées sans courage est qu'elles vont à un genre de frénésie, dont l'ambition, l'intérêt et la pudeur les gardent mal. Aussi ai-je vu plus d'une colère dans ces yeux inquiets. Contre tout ce qui espère, contre tout ce qui ose, contre tout ce qui veut. Contre jeunesse qui reste jeune; contre vieillesse qui reste jeune. Eux aigres, ambitieux, accablés, égarés. Mais la force extérieure, avec son vrai visage enfin, les a délivrés par la puissance de l'ordre écrit. Ainsi trouvant leur être vrai, en ce déchaînement mécanique, ils ont retrouvé puissance en la soumission forcenée. Ce n'est pas ici un portrait, mais plutôt un miroir pour chacun. Car qui est sans faute?

CHAPITRE LVIII

DES CHIENS SAVANTS

Le fait accompli a déjà assez de force. Et il est connu que l'action allège, même difficile, après l'attente, même mêlée d'espérance. Mais l'esprit ne veut point de cette délivrance-là; plus il se sent emporté, plus il se retient, comme, dans un mouvement rapide, il faut mouvoir les yeux en sens inverse, si l'on veut encore voir quelque chose. Or j'en ai connu trop, qui, au rebours, jettent l'esprit et retiennent le corps. Oui, de ces hommes qui ont pensé tellement bien selon le vœu des puissances, que tout, en leurs discours, reflétait l'action même, et ses moindres exigences; action qu'ils laissaient faire par d'autres. Cette basse pensée est proprement policière de pensées; et tous ceux qui y ont participé sont déshonorés à mes yeux. Car en vérité c'est trop facile; et aussi la pensée n'est pas faite pour plaire; non, mais pour déplaire. Non pour flatter, mais pour juger. Et dès que la preuve est assurée d'être reçue, bonne ou mauvaise, il faut examiner la preuve. C'est déjà trop que, par le terrible contrat social, tout entier au clair désormais, chacun doive consentir au pire, en ses actions. « Il faut faire ce qu'on fait »; certes oui; mais adorer l'esclavage, c'est trop. « La contrainte, dit le pape dans Claudel, m'absout de la nécessité. » Mais celui qui pense selon le pouvoir déshonore l'obéissance.

« Rendre à César », il le faut bien; et qu'on ne marchande pas, j'y consens. Tout ce qui est marqué du coin, cela est au gouvernement. Mais effacez toute trace de pensée sur cette vile monnaie. Résistez à cette puissance mécanique qui veut frapper aussi des pensées vraies. Il dépend donc de la brute qui m'attaque de me mettre à son niveau? « Jusqu'où descendrais-je? » Cette devise renversée n'est-elle pas celle de tous ces policiers d'idées, qui ont argumenté pour la patrie?

La grande affaire était d'agir utilement, selon la décision commune et selon la nécessité. Mais penser noblement. Nos actions sont toujours au-dessous de l'esprit. Aussi est-ce quelque chose de première importance que de savoir subir. Descartes se jurait à lui-même de pratiquer la religion dans laquelle Dieu lui avait fait la grâce de naître. C'était ne point vouloir jeter son esprit là, faire la part du fait, tenir l'esprit à hauteur de vue. Mais cette position, qui est celle de la réflexion même, n'est pas tenable sans une profonde culture, inébranlable. Jaurès eut cette vertu d'être socialiste ainsi; la discipline n'entrait point jusqu'au sanctuaire du jugement. Fidèle, qui ne s'aveugle point. Infidèle, qui est fidèle par choix.

Celui qui veut prouver que sa religion est la meilleure, l'honneur le force à raisonner mal; aussi voulant la pensée pour alliée, l'a-t-il pour ennemie. C'est toujours vouloir penser comme on court. Être Français, ce n'est nullement une opinion; c'est une donnée, sur laquelle je ne délibère point. Je n'en veux point de raisons. Je craindrais de ressembler trop à ces philosophes qui discutent de l'existence du monde extérieur. Ces doutes-là ne sont point des doutes. Mais peut-être faut-il des preuves en action pour faire disparaître tout à coup ces vaines disputes. Et peut-être faut-il avoir tout donné pour garder tout. Mais je vous comprends, heureux civils; vous vouliez payer en paroles.

CHAPITRE LIX

THÉODULE

Théodule était déjà assez avancé dans l'âge difficile lorsque la guerre survint. C'était un homme vigoureux, mais faible d'esprit, attaché aux petites choses, et craignant la mort. Misanthrope parce que les femmes ne l'aimaient plus. Et désespérant des affaires publiques à mesure qu'il se voyait des poches sous les yeux. Lettré et méprisant la canaille. Triste et traînant sa vie. Le grand massacre aurait dû l'achever par l'angoisse, la colère et l'accablement. Mais point du tout.

Le voilà en courage, en indignation, en espérance. Indomptable, en son fauteuil. Courant au journal comme à un spectacle. Enviant de bonne foi ces morts héroïques; et les imitant en son par dedans, chose tonique; délivré des discours tristes par ce danger en images. Mieux assuré contre cette mort qui ne suit plus les âges. Tiré hors de lui par l'admiration. Aimant mieux même ce neveu qu'il avait à la guerre, parce qu'il n'enviait plus l'insolente jeunesse; trouvant douceur à le pleurer, et orgueil à n'en point mourir. Embelli, relevé, délivré.

Autre chose, respecté, approuvé, puissant. C'était un homme qui pensait par humeur et qui s'étonnait de la contradiction. Aussi n'avait-il jamais rien surmonté dans la plus simple idée; vainement paradoxal et brillant; incompris, oublié, seul. Mais dans ce bouleversement son humeur s'accorde mieux aux passions communes. Par la force souveraine tout ce qu'il estimait est remis en place. Quand le dernier sot a raison, quand le premier cri forme une sorte d'idée, la grammaire et l'orthographe font aussitôt un penseur. Il fut donc maître d'opinions en sa petite ville. Si par quelque hasard de carrière on l'avait coiffé alors de ce képi à cinq galons qui donne un pouvoir oriental, sans doute aurait-il fait voir cette joie incompressible et ce sourire de vieille coquette qui rendent ridicule et bientôt odieux. Mais par bonheur il a gardé, avec l'habit civil, le sérieux courtois de l'homme qui est sûr de persuader. D'où lui revint un meilleur baume qu'à des momies dorées.

La victoire t'était bien due, Théodule. Tu l'as bue toute, à cette fenêtre. Les dieux t'avaient réservé la grandeur de celui qui admire. Quand cette chose humaine, ordonnée et rythmée s'avançait, belle et insensible, des larmes jeunes ont jailli de tes yeux. Ressuscité, oui; désormais assuré de ta vie; justifié de ta politique, de tes mépris, de tes haines, et de tes amours. Poète désormais, par le souvenir de ces instants. Fort de cette force, insolent de cette insolence; courageux sans risque; consolé sans reproche; ivre sans vin; religieux sans honte, et méchant avec bonheur et non sans esprit; au lieu d'un vieillard triste, sans idées, sans puissance et sans plaisir, livré aux médecins et aux remèdes. Mais ils cherchaient mal, et les anciens remèdes sont les meilleurs. Il suffisait de ce bain de sang.

CHAPITRE LX

LA HAINE

Un homme, autrefois pacifique et fraternel à tout homme, vécut trois ans sous la botte allemande dans une ville occupée. Je l'ai trouvé tout autre et altéré de vengeance, étant de ceux qui auraient bien sacrifié encore cent mille hommes afin de mieux punir, par humiliation et souffrance, le brutal adversaire. Comme il déclamait devant moi, racontant des souffrances et des colères bien réelles, je l'écoutais sans étonnement; car ce n'est pas miracle si guerre engendre guerre. Toutefois, par habitude, et par égard aussi pour cet homme cultivé et bon, j'essayai de lancer quelques cailloux au plus haut étage afin d'éveiller son gouvernement. Et je lui dis : « Je comprends que l'ardeur de se venger l'emporte sur l'amour de la vie; j'ai éprouvé de ces mouvements. Mais je m'étonne, puisque l'ennemi portait l'arrogance à ce point, que vous n'ayez pas eu l'idée d'en tuer un ou deux. Car il n'est pas nécessaire d'être grand et vigoureux comme vous êtes pour tuer à coup sûr un homme ou deux, dès que l'esprit n'est plus occupé d'autre chose. »

« Mon cher, répondit-il, vous en parlez comme un enfant. C'était la mort pour moi, et des exécutions, et l'emprisonnement, et les coups, et l'exil pour un grand nombre, sans aucune espérance. »

« J'entends bien, lui dis-je, qu'il aurait fallu quelque action concertée, chacun des habitants tuant à l'heure dite un ennemi ».

« Mais, dit-il, sans victoire possible ». A quoi je répondis : « Je ne sais. Car, dans cette guerre d'usure, où l'on jugeait avoir vaincu utilement si, au prix de mille soldats vigoureux on tuait deux mille ennemis de même valeur, vous aviez, vous, l'armée des civils, une situation favorable; pour détruire un ennemi vigoureux et propre à la guerre, nous n'aviez à sacrifier qu'un Français inutile. Et l'expérience a fait voir qu'un civil énergique peut livrer de meilleures batailles. Car Albéric Magnard, par exemple, tirant de sa fenêtre jusqu'à épuisement de ses munitions, a certainement gagné la guerre pour son compte, détruisant, au prix de sa vie, qui avait une valeur militaire nulle, trois ou quatre jeunes combattants, peut-être. »

« Je ne vois pas, dit-il, où vous visez; il est assez clair que, selon les mœurs et les lois, ce genre de guerre n'est pas d'obligation stricte, mais laissé à chacun selon sa nature. »

« Et je veux seulement constater, lui dis-je, que votre fureur, suite d'esclavage et d'humiliation, n'allait pas jusqu'à vous faire déclarer ce genre de guerre pour votre compte. »

« Vous me prouvez, dit-il, que je n'ai rien d'un violent et je le sais bien. Mais où tend ce discours ? »

« A ceci, mon cher, que, hors de toute obligation stricte, et pour céder seulement à des sentiments vifs, vous déclariez pour votre part, en novembre 1918, un supplément de guerre qui aurait été fait par d'autres, et sans aucun danger pour votre vie. Or il se peut bien, je ne discute pas là-dessus, que les intérêts, le jeu des pouvoirs, la nécessité inflexible, nous fassent consentir quoique sans bonheur à sacrifier la vie des autres. Mais, autant qu'il s'agit d'un plaisir de vengeance, ma morale à moi, que je croyais la vôtre, exige que l'on se venge soi-même et à ses risques; c'est la seule excuse que je trouve aux sentiments violents, quelle qu'en soit la nature, car le risque les modère naturellement. Et c'est une raison forte de ne pas être indulgent à la haine que l'on éprouve, dès qu'on ne la signe pas de son sang. »

CHAPITRE LXI

L'ESPRIT DE GUERRE

Je reviens sur cette importante idée, que l'esprit de guerre ne se confond point avec l'esprit de lucre, de rivalité ou de querelle. Tout est caché, dans cette redoutable institution des forces armées, tout est caché, aussi bien l'idée que le mécanisme. Or c'est un métier d'éclairer les idées, et il est honteux de voir que beaucoup de ceux qui prétendent à l'honneur de penser s'en tiennent ici à la première apparence ; car il n'est pas difficile de surmonter certains raisonnements faibles et confus, qui mettent au manège les esprits mal cultivés.

J'ai entendu un jeune homme assez simple, d'ailleurs habile ouvrier, qui disait à ses compagnons de guerre : « Il y aura toujours la guerre ; c'est forcé. Chacun cherche à gagner sur le voisin ; il le faut bien ; il n'y aura jamais assez de richesse pour contenter tout le monde. J'obtiens une bonne place ; un autre qui la demandait mourra de faim ; c'est la guerre. Bien mieux, pour un reproche, une plaisanterie, un article de journal, on s'anime, les coups de poing vont ; c'est la guerre. Et entre les gros, à la Bourse, c'est la guerre. La guerre est partout. » Les autres, tête baissée, se laissaient atteler à ce raisonnement tournant ; ils y tournent peut-être encore ; car, en voulant les redresser, je ne fis que les étonner un moment. Je compte plutôt sur ce qui est écrit pour changer les hommes ; car ils ne vont jamais vite, et la parole court.

Il faut se dire ici que la guerre est tout à fait autre chose qu'un conflit d'intérêts, d'emportements et même de passions. Si borné que soit un homme, il ne s'approuve point quand il mange le pain de son voisin, ni quand il s'emporte, ni quand il frappe. Il s'excuse seulement sur les nécessités et sur la faiblesse humaine. Et, autant qu'il est juge et spectateur de ces rivalités passionnées, il les modère par des discours, cherchant la paix tout de suite, d'après cette idée familière que la violence est ici le principal des maux, et le plus grand obstacle à un arrangement acceptable.

La guerre montre un autre visage, dès que l'on veut bien la regarder. Ici celui qui détourne de la violence est dit lâche et traître. Ici la colère est préparée de loin; les hommes sont « fanatisés » comme on osa dire; disons mieux, disons qu'ils sont enivrés par système, et dans tous les sens du mot. Par l'ordre visible, par la musique, par les discours, l'excès de la violence est relevé jusqu'au niveau de la beauté. Les poètes et les penseurs, presque tous, y ajoutent leurs rythmes, leurs preuves, leurs systèmes. L'amour sourit. La honte, le mépris, les pierres vont à celui qui résiste ou seulement discute. Enfin une contrainte impitoyable s'exerce dans la préparation et dans la conduite de la guerre, avec des sanctions immédiates terribles, et des sanctions d'opinion pires encore, puisque la mort n'efface point la honte. Sur quoi l'on peut soutenir que la guerre est humaine et surhumaine, divine réellement par ces caractères; cela aussi est à examiner. Toujours est-il que la guerre ne ressemble point du tout à ces mouvements vifs auxquels nous sommes tous sujets; et c'est ce que je voulais montrer. Débrouillez bien tout cela, mes amis, et ne vous reposez pas sur de confuses déclarations. L'esprit de guerre est plus fort que nos désirs; c'est par la tête qu'il nous tient.

CHAPITRE LXII

DES SOUVENIRS

Je veux n'oublier rien, et tout mettre en place. Tâche immense, et qui semble au-dessus de n'importe quelle puissance; c'est pourquoi je la considère par parties, ajoutant une page après l'autre. Il est hors de doute que les souvenirs des combattants tels qu'ils les racontent, et même tels qu'ils se les retracent pour eux-mêmes, ne s'accordent pas avec ce qui est dit, en ces propos, de l'esclavage, du pouvoir absolu, et enfin de cette séparation radicale des combattants en deux classes ennemies. L'homme est ainsi fait qu'il rebondit toujours, et se reprend, et se compose lui-même d'après des circonstances jugées insurmontables. Quelque pénible que soit la situation d'esclave, elle est pourtant surmontée par cet animal, si naturellement courageux. Quand il a clairement reconnu que ses efforts ne peuvent rien contre l'obstacle, il se détourne d'y penser, et par cela seul il prend connaissance de la puissance proprement humaine; notamment il reconnaît, par une expérience quotidienne, que les plus vifs sentiments de colère et les jugements les mieux motivés sont aisément effacés, dès que l'expression en est arrêtée tout net par un changement d'attitude du corps. Voilà une expérience saine et réconfortante par elle-même; et c'est un inconvénient de l'heureuse liberté civile, que nous ne soyons jamais conduits à l'essayer sans hésitation. Aussi, sous le régime de guerre, l'esprit connaît mieux ses vraies ressources; et l'extrême malheur nettoie l'esprit de toutes ces méditations amères et sans effet, qui sont le principal du malheur. Il faut comprendre ici comment la discipline, en réglant les gestes, efface presque toutes les souffrances de l'esclave, et ainsi, d'une certaine manière, l'affranchit. C'est pourquoi il est inévitable que les souvenirs de guerre ramènent avec eux quelque chose de l'égalité d'âme et de la vraie résignation, si rares dans la vie libre. D'où une espèce de regret. Ajoutons que le contraste entre les dangers de la guerre et l'actuelle sécurité contribue à réjouir l'homme dans le moment même où il pense aux heures les plus amères. « Si soucieux que nous soyons, disait un jeune, d'être sincères et vrais, nous donnerons toujours à nos jeunes auditeurs une idée trop favorable de la guerre; il vaut mieux n'en rien raconter. »

D'après ces remarques, on comprendra que j'accomplis souvent, en ces pages, un devoir pénible, en retrouvant et restituant cette partie des souvenirs que chacun oublie le plus volontiers. Si chacun ne s'emploie pas à cette œuvre désagréable, il est assez clair que nous serons dupes encore de ce profond art militaire à la première occasion. Certes il faut dire, puisque cela est vrai, que l'obéissance stricte est presque toujours facile, et même agréable; il faut ajouter que chacun arrive, sans même s'aider du mépris, à considérer les formes injurieuses et arrogantes de la même manière qu'il considèrerait des effets naturels et inévitables comme la pluie et le vent. Mais, sous peine d'entrer dans le jeu des pouvoirs et d'exposer les jeunes générations à d'effrayantes conséquences, il faut aussi exposer la situation réelle de l'homme de troupe, si cruellement sentie à certains moments; il faut même, autant qu'on peut, la lui faire ressentir, toujours en débrouillant les causes. Je dirai qu'il faut aller jusqu'à combattre certains sentiments affectueux, en considérant que l'on a aisément de la reconnaissance pour un tyran qui peut beaucoup, lorsqu'il n'est pas aussi méchant qu'il pourrait l'être; et l'on juge toujours favorablement un être dont on n'attend que l'injustice, la violence et le mépris; car, par la faiblesse et l'inconstance humaines, il sera toujours là-dessus bien au-dessous de l'attente. Bref, ce serait une faute, et de terrible conséquence, d'oublier volontiers ce qui désunit. Justement les pouvoirs grands et petits nous y invitent; et voilà un signe assez clair. Souvenons-nous.

CHAPITRE LXIII

L'INDIVIDUALISME

Je n'attends pas beaucoup du socialisme, car l'importance s'y retrouve, ou, en d'autres termes, la liberté n'y est pas considérée comme le premier des biens; non pas la liberté d'abord, mais la justice d'abord, telle est la formule de tout socialisme; l'idée d'obéir afin de pouvoir y domine; et la pratique répond à l'idée par une organisation de guerre selon une stricte discipline. Or il est vrai que la liberté réelle est naturellement abstraite et sans effets, par l'insuffisance de la justice; faute d'un salaire et d'un loisir suffisants, l'ouvrier ne peut exercer sa liberté. Cet ordre des idées est imposant, et il a dominé réellement les délibérations populaires pendant les cinquante dernières années. Progrès sans aucun doute, par rapport aux abstractions révolutionnaires, la liberté supposant un minimum de puissance, et la puissance restant elle-même abstraite et idéologique sous le nom de droit, faute d'une organisation de force.

Mais la marche de l'abstrait au concret, surtout dans les problèmes sociologiques qui sont les plus complexes de tous, ne peut se faire par une suite d'expériences volontairement instituées. Le fait brutal nous ramène. Dans le fait, les socialistes ont participé à la guerre, dans tous les pays, et certainement avec fureur dans les deux principaux pays antagonistes, par des sentiments, par un entraînement, par des idées plausibles, au sujet de quoi la discussion sera sans fin. Je n'y veux pas entrer. Il suffit de constater que la forte organisation socialiste, si efficace en France et en Allemagne pour exiger une meilleure distribution des produits, n'a rien pu pour écarter ni pour abréger le massacre des socialistes par les socialistes. Et il est d'évidence aussi que la guerre est de plus en plus, et incomparablement, le pire des maux humains, puisqu'elle supprime à la fois les garanties de la libre pensée, la liberté d'agir, la sécurité et la commune aisance; sans compter que, par un effet imprévu, quoique souvent constaté, l'inégalité des fortunes se trouve aggravée par des profits sans mesure. C'est assez dire que l'effort contre la guerre doit occuper principalement notre attention politique; en d'autres termes il faut s'opposer au despotisme d'abord, qui, comme cette sanglante expérience l'a fait voir, est bien plus à redouter que l'inégale répartition des biens.

Qu'est donc le pouvoir du plus riche des riches à côté du pouvoir d'un capitaine? Le genre d'esclavage qui résulte de la pauvreté laisse toujours la disposition de soi, le pouvoir de changer de maître, de discuter, de refuser le travail. Bref la tyrannie ploutocratique est un monstre abstrait, qui menace doctrinalement, non réellement. Le plus riche des hommes ne peut rien sur moi, si je sais travailler; et même le plus maladroit des manœuvres garde le pouvoir royal d'aller, de venir, de dormir. C'est seulement sur la bourgeoisie que s'exerce le pouvoir du riche, autant que le bourgeois veut lui-même s'enrichir ou vivre en riche.

Le pouvoir proprement dit me paraît bien distinct de la richesse; et justement l'ordre de guerre a fait apparaître le pouvoir tout nu, qui n'admet ni discussion, ni refus, ni colère, qui place l'homme entre l'obéissance immédiate et la mort immédiate; sous cette forme extrême, et purifiée de tout mélange, j'ai reconnu et j'essaie de faire voir aux autres le pouvoir tel qu'il est toujours, et qui est la fin de tout ambitieux. Quelque pouvoir qu'ait Harpagon par ses richesses, on peut se moquer d'Harpagon. Un milliardaire me ferait rire s'il voulait me gouverner; je puis choisir le pain sec et la liberté. Disons donc que le pouvoir, dans le sens réel du mot, est essentiellement militaire, et qu'il ne se montre jamais qu'en des sociétés armées, dominées par la peur et par la haine, et fanatiquement groupées autour des chefs dont elles attendent le salut ou la victoire. Même dans l'état de paix, ce qui reste de pouvoir, j'entends absolu, majestueux, sacré, dépend toujours d'un tel état de terreur et de fureur. Résister à la guerre et résister aux pouvoirs, c'est le même effort. Voilà une raison de plus d'aimer la liberté d'abord.

CHAPITRE LXIV

DE L'ÉQUILIBRE

« LES devoirs, mon ami, ne sont pas des sentiments. Faire ce qu'on doit n'est pas faire ce qui plaît. Un homme doit aller mourir froidement pour son pays et peut donner avec bonheur sa vie à une femme. » Ces lignes sont prises de la lettre d'Henriette de Mortsauf à Félix de Vandenesse; si vous la relisez, vous relirez *le Lys* tout entier, et ce sera bien. Je m'en tiens à ce passage, qui m'a étonné longtemps. Le devoir militaire, dans le temps que j'ai connu, ne se sépare point d'un vif enthousiasme; et j'ai vu des natures assez épaisses pleurer aux cérémonies guerrières. Il y a du fanatisme en ce culte. Balzac nous rappelle à la pudeur, et cette leçon convient à un bon nombre d'énergumènes. Mais que signifie-t-elle ?

Il y a de l'ivresse assurément, dans ce sentiment contagieux; ce bonheur de croire et d'être approuvé ne s'accorde point avec la liberté du jugement. L'esprit droit ne se jette pas ainsi; il ne jure point d'extravaguer. L'ancienne idée de la bonne éducation s'opposait à ce qu'on donnât tant de puissance aux autres sur soi; elle voulait cette retenue et sobriété des gestes et des paroles qui s'oppose à l'imitation forcée. Il y a une violence des timides qui se connaît au ton de la voix. Sans doute serait-il bon qu'on ne prît point pour force d'âme cette fureur des passions délivrées.

L'ancienne politesse est liée à l'ancienne sagesse; le dehors est maintenant gauche et violent tour à tour; il se peut que la notion de la beauté humaine soit perdue.

On saisit en Marc-Aurèle un profond amour qui allait à toute forme humaine, mais sans la moindre trace de cette vile imitation qui rabaisse la foule tellement au-dessous des individus. Garde-toi de plaire; tout ce qui veut plaire est laid.

La religion, en ses beaux temps, gardait soigneusement l'esprit contre les prestiges mouvants. Le don total et l'abandon total n'étaient dûs qu'à la perfection invisible. D'où ces saints de pierre, si bien gardés contre toute folie imitative, et beaux par le refus au monde des hommes. Cette idée redresse, bien loin d'abaisser; et l'esprit en reçoit cette partie de mépris, ou pour mieux dire d'indifférence, qui donne du champ pour penser. Penser n'est pas crier. L'action commune est règle, certes; mais le sentiment commun n'est pas règle; et la pensée commune n'est pas règle. C'est l'animalité, non l'humanité, qui s'exprime par une convulsion de foule. L'humanité est intérieure, cachée, résistante.

Considérez ces hommes cultivés qui reviennent de la guerre convertis; j'en connais deux. Ce mouvement d'esprit est juste; ils n'ont pu tenir pour la patrie qu'à la condition de découvrir quelque chose de plus haut que la patrie. Je pense que la même conversion s'est faite en beaucoup d'autres, mais exprimée par d'autres mots. Si j'ai bien compris, la patrie elle-même a refusé les âmes. Autant que j'ai pu l'entendre, elle a parlé à peu près ainsi aux militaires : « Je vous dispense de parler; ce que vous m'offrez ne m'intéresse point, car j'ai tout pris, et vous n'avez plus rien à donner. Sur ce que vous avez à faire, on vous renseignera. D'ailleurs les opinions sont libres. » Et il est vrai que cela est inintelligible pour le civil, à qui, tout au contraire, on demandait seulement des opinions convenables. J'aperçois ici de nouveau cette idée importante, que l'obéissance est la rançon de la pensée; et je décide qu'il valait mieux être soldat. Je n'étais pas, en 1914, au niveau convenable; trop plébéien sans doute; je voulais aimer mes devoirs. La guerre m'a rafraîchi, comme elle a rafraîchi beaucoup d'autres. Nous fûmes simplement soldats; et nous voilà civils, sans aucune parure de rhétorique. Pensées nettoyées. Pensées regroupées. Œil sec.

CHAPITRE LXV

DE LA CULTURE

Le défaut de l'homme inculte est qu'il croit trop. Un esprit cultivé allège; comme si beaucoup d'idées y vivaient ensemble par une politique provisoire, sans s'accorder toutes; et c'est le propre d'un esprit juste, dans tous les sens de ce mot, que le oui et le non y vivent en paix, comme on voit en Montaigne; aussi les lourds et précipités jugeurs ne le peuvent suivre. Il est pourtant clair qu'il y a une manière d'être assuré en ses opinions qui n'est pas bonne, comme les fous et les maniaques le font voir.

Il est vrai qu'aussi le sage ne doute point de tout, et Montaigne non plus. Ces débats ne se terminent point en deux ou trois arguments. J'ai observé chez des hommes de sens une masse difficile à déplacer, reposant sur elle-même et bien assise, nullement prête à s'écrouler par ici ou par là. Je dirais d'eux non pas qu'ils doutent de beaucoup de choses, mais plutôt qu'ils sont assurés de beaucoup de choses. Et voilà un équilibre que ni les métiers ni les sciences ne peuvent donner, parce que le fait et l'argument y ont une force brutale; la guerre habite en ces dogmatiques.

La formation d'un homme se réalise autrement, je crois, et plutôt par le goût que par la preuve. Le passé humain est gros de vérité, mais de beauté d'abord. Aussi y a-t-il bien de la différence entre un homme qui sait par résumés et celui qui a saisi la vérité dans sa forme belle. La part de vérité qui est dans le matérialisme, il n'y a peut-être que les vers de Lucrèce qui nous permettent de la considérer sans nous y jeter. Le beau nous rend patients et amis; humains, au sens le plus profond. N'importe qui réfutera la doctrine de Platon; mais lire Platon, cela se trouve placé entre incroyance et croyance; d'après la beauté nous le jugeons humain d'abord, sans nous demander s'il est vrai ou faux. Celui qui porte en lui les humanités, et les garde toutes d'après ce signe, celui-là est humain. L'autre est inhumain, qui brandit cette vérité en forme de lance. C'est la force de l'arbre, mais mutilée.

Humanité, voilà un mot chargé de sens. Et tous les sens se trouvent ramassés ici. Car celui qui n'a qu'une idée sera toujours méchant pour quelqu'un. Prenez toujours haine comme fanatisme, et fanatisme comme signe de pauvre culture. On s'étonne qu'il y ait apparence de vérité contre, ou seulement à côté. Pour moi, faisant la revue de ces infaillibles qui poussaient au massacre, j'ai partout reconnu le pédant.

Si la pensée est contre les passions, c'est par la contemplation riche. Non pas deux ou trois idées, mais toutes; car il n'y a que le tout qui soit vrai. Ce que la théologie dit assez bien, si on veut la comprendre. D'où une attention de piété, si naturelle, aux idées que l'action veut effacer. Mais l'idée actuelle, l'idée utile, l'idée arme, ce fut le triomphe des sots. A mes yeux ces pauvres doctrines de propagande, répétées sur le même ton, avec les mêmes mots, ces discours officiels dont quelqu'un disait : « C'est très bien, et ce n'est rien », tout cela doit être surmonté, car ce qu'il y a de vrai là-dedans risque de périr par le ridicule. On le sauvera en le contrariant. J'ai surpris ou deviné plus d'un contemplateur dans les casemates. Effet imprévu de la grandeur d'âme, qui ne s'accommode de rien de petit. Vous leur avez taillé, Messieurs de l'Académie, des vêtements qui ne leur vont guère.

CHAPITRE LXVI

DES FABLES DE LA FONTAINE

Un jeune héros, revenu aux affaires d'argent, me disait : « On ment maintenant sans pudeur; la mauvaise foi est de forme, en quelque sorte. Est-ce encore un fruit de la guerre ? » — « De la guerre, lui dis-je, et du despotisme, car ils vont ensemble ».

Le fait est que chacun peut citer des exemples, pendant la guerre et ensuite, d'un esprit délibérément avili, et tourné aux seuls profits matériels, sans aucun scrupule, comme si l'humanité se partageait en deux espèces, l'une si grande, et l'autre si basse. Mais je crois que c'est le même homme.

Quand la vertu va au-delà du vraisemblable, portée à la

fois par une opinion frénétique, par des sanctions inflexibles, et par son propre entraînement, il faut attendre quelque discours de Sancho à lui-même, quelque retour au plus solide, enfin une franchise bornée qui transforme la vertu en hypocrisie; car la vertu à ce point est trop lourde, fatigante, chancelante, toujours en risque de tomber de haut. On veut témoigner à soi-même que l'on n'est pas si fou. En tout temps l'épopée appelle son contraire, la fable, où l'animal fait ses aveux et prend ses résolutions, contre des flatteries trop cher payées. J'ai saisi, surtout dans la jeunesse, ce mouvement de refus intérieur, et ce jugement sec de l'escompteur, qui se dit : « Heureux les pauvres, à qui on ne demande rien. » L'or s'est caché. L'or de l'âme s'est caché aussi. Plus d'un s'est dit, comme ce sous-officier, brave, dévoué, infatigable, et que j'ai entendu : « Bon pour cette guerre-ci; mais ils ne m'y reprendront pas ». Comment autrement? Le bon peuple s'est trop fié à de purs littérateurs, qui ne risquaient rien. De tout croire à ne rien croire, il n'y a qu'un saut, et quelques fils barbelés.

Je m'étonne que l'Académie, qui est notre Louis Quatorzième, et qui ne regarde pas plus à cent mille fantassins qu'à un cheval mort, n'ait pas encore dénoncé les fables de La Fontaine. Le jardinier et son seigneur, le cheval et le cerf, joints au redoutable axiome : « Notre ennemi, c'est notre maître », conduiraient à des méditations rafraîchissantes; mais peut-être comptent-ils qu'on ne lit plus.

« Et quand on lirait, me dit l'ombre de Machiavel, quand on lirait, cela n'engendrera toujours qu'une moitié de ruse dans une moitié d'homme. Car ce n'est pas le tout de se savoir petit, et prudent et resserré; il faut se savoir grand, et imprudent et généreux; et non pas par jugements successifs, mais tout cela ensemble, et par les causes; à quoi une profonde culture peut conduire, mais qui est rare. L'homme naïf et près de terre ne se craint point lui-même. Et ce massacre héroïque qu'on lui prépare ne lui fait point peur, parce qu'il n'y croit pas. Et voilà qu'à crier selon l'occasion : Vive le roi ou Vive la ligue, il se trouve un beau jour galopant plus vite que ses chefs et acteur principal de la haute politique. Ainsi la fable ramène l'épopée, comme l'épopée la fable. Entre deux est le sage, qui rassemble tous les fils, et se sait héros à l'occasion, et par quelles causes, ne s'estimant ni trop peu ni trop. Homère et Ésope ensemble. Mais les pouvoirs ne jouent pas sur le petit nombre. » Je conclus qu'il y a deux erreurs capitales, et également dangereuses, au sujet de la guerre : l'une, c'est de la croire inévitable, et l'autre de la croire impossible. Et les passions de l'amour devraient nous instruire là-dessus. « On ne m'y prendra point »; c'est celui-là qui est pris.

CHAPITRE LXVII

LA RÉPLIQUE DE SANCHO

J'AI surpris plus d'une fois au visage des marchands, un peu de colère et de honte mêlées, lorsqu'ils annonçaient des prix déraisonnables. Cela m'a conduit à expliquer par ses causes principales cette fureur de gagner; et je crois que ce n'est pas un petit sentiment, ni mesquin, ni avaricieux, mais au contraire une violence qui répond à une violence, et une vengeance qui répond à une offense. L'homme n'était point fait pour braver le mépris; tout le monde a connu une dignité des marchands, et une probité orgueilleuse; et j'ai pensé souvent que l'état mercantile formait une solide armature contre les improvisations de la haine et même de l'amour, par des vertus bornées et strictes, les échanges du marché donnant un bon modèle de justice. Mais le commerce maintenant est informe. La force a piétiné aussi par là.

Imitation sans doute. Richesse est force, et au plus fort la victoire. Mais revanche aussi des parties inférieures, oubliées et mises hors de loi; par cette folle imprudence le droit est déraciné. Car ce n'est pas peu de chose que l'humble droit de vivre; selon la dure loi humaine, il porte tous les autres, puisque c'est l'animal qui pense. Mais les rhéteurs n'y pensent point; le corps humain ne leur pèse pas lourd. Eux, les marchands, voilà que leur bonne volonté est coupée d'eux-mêmes, et qu'elle ne peut plus fleurir. Le fils a emporté tout l'esprit aux armées, et en fleur coupée. La souche se développe par le bas et s'enracine selon la défense. Le désespoir est animal; cela se voit même dans l'attitude. Pour la pensée à ce niveau, c'est une bien forte preuve que cet esclavage total, où l'homme est moyen et instrument. Qu'est-ce que cette morale qui se nie elle-même, qui tue ses plus sûrs défenseurs et qui nie ses plus sûrs principes ? Ainsi l'héroïsme retourne au plus bas, après une courte parabole. Toute l'humanité étant donnée ou prise, l'avarice reste, comme en ces vieillards qui n'ont plus de sang.

Pire encore, une avarice irritée, car l'homme pense plus qu'on ne croit, et moins par réflexion que par cette puissance des signes qu'on remarque dans les proverbes. La privation n'est rien, mais la négation est quelque chose. « Qui veut faire l'ange », cette sévère formule exprime mieux encore qu'une loi de la fatigue. Et l'épique est nié, par les suites de cette admiration dévastatrice, qui détruit son objet même en espérance. Le héros avait toutes les vertus, mais il est mort. Non point par ces hasards cosmiques que l'homme accepte en naissant. Non; par ses vertus mêmes. Aussi sûrement qu'il est sûr que tout combattant revenu pense plus souvent à sa prudence qu'à son courage, d'où ce regard qui glace la reconnaissance. Par quoi la sagesse d'Ésope couvre toutes les pensées; et la prose, plus que jamais, et par précaution, rompt le rythme épique. Le mépris armé et fort, le Général Mépris, qui rassemble les forces justes, naît de la contemplation des causes. Mais l'âme naïve, devant les effets terribles, n'a point d'autre ressource que de craindre ses propres vertus.

CHAPITRE LXVIII

DEUX POLITIQUES

La fonction militaire est la plus ancienne, parce qu'il faut d'abord dormir. Et les gardiens sont naturellement les maîtres de tout quand l'ennemi est aux portes. Disons aussi qu'hors du danger immédiat la peur attentive est le pire des maux. D'où vient d'abord que chacun court alors volontiers à une action, même difficile ou dangereuse, qui le délivre d'attendre, par quoi le miracle de la mobilisation est assez expliqué. Mais il faut dire encore que le spectacle des gardiens en bon ordre guérit de la peur pour un moment, par une énergique sympathie. De là vient qu'un pouvoir fort, surtout militaire, sera toujours trop aimé, j'entends aimé dans ses signes, ses démarches, et sa force même. Idolâtrie essentielle, parce qu'elle repose au fond sur cette loi biologique que l'homme le plus fort a besoin d'être gardé, fût-ce par un enfant ou par un petit chien, pendant le tiers au moins de sa vie.

Sur l'alarme, état violent, moins supportable que la guerre en action, repose toute l'ancienne politique qui réclame toujours, plus ou moins ouvertement, un mandat en blanc et le secret d'État. Et comme tout pouvoir, par le jeu des passions ambitieuses, cherche toujours à s'assurer et à s'étendre, tout pouvoir, grand ou petit, jette toujours l'alarme afin que les naïfs passent de la crainte à l'amour. Mais, quoique chacun puisse sentir les manœuvres de ce jeu puissant jusque dans les moindres discours publics, il est rare pourtant que l'on discerne, en ces prophéties passionnées, ce qui vient des pouvoirs eux-mêmes et ce qui résulte de la nécessité extérieure. J'ai assez expliqué comment les prophètes de malheur changent l'avenir selon leurs déclamations, ce qui leur donne raison à la fin; disons aussi que les passions ambitieuses sont de bonne foi, comme toutes les passions, ce qui dispose encore à les croire.

Dans toutes les catastrophes humaines, la peur est le danger principal, et souvent le seul. L'entraînement épique n'est qu'une réaction contre la peur, qui surmonte, il est vrai, la peur, mais crée en même temps, et de toutes pièces, le plus formidable péril humain. Qui a bien compris cela donnera plus de prix à ce vieil esprit frondeur que la fable a toujours ressuscité contre l'épopée. Et la Grande Guerre ne pouvait manquer de faire surgir une œuvre digne de Rabelais, de La Fontaine et de Voltaire par la raillerie insolente. D'autres rêveront d'une organisation positive qui, d'après l'idée de Comte, limiterait les pouvoirs par l'ascendant de l'esprit contemplateur, sérieux, vertueux, religieux. Ce rêve est beau. Mais je me répète souvent à moi-même la sévère pensée de Spinoza : « Il ne se peut pas que l'homme n'ait pas de passions. » Voilà pourquoi nous sommes réduits provisoirement, et peut-être pour toujours, à limiter les empiètements du pouvoir par une négation secrète, continue, énergique.

Je dis secrète, non parce que le froid jugeur est réduit à se cacher, mais parce que le froid jugement ne peut tenir dans aucune assemblée. Je ne vois que la précieuse amitié, et les livres, plus sûrs encore, qui puissent garder le trésor de la sagesse politique contre le dangereux et enivrant enthousiasme, qui se tourne si aisément contre sa propre fin en nous sauvant d'une guerre par une autre. Ce livre-ci y voudrait servir; mais il pèche sans doute par trop de sérieux, et il n'y a peut-être que le rire qui puisse nous garder de l'indignation. Apprends du moins, citoyen, à mesurer les ruses du pouvoir, et à les déjouer par une prudence toujours éveillée. L'opinion est redoutable. Mais contre l'opinion, le vote secret est justement l'arme qui convient.

CHAPITRE LXIX

DE LA NEURASTHÉNIE

L'ÉTAT est aisément neurasthénique. Mais qu'est-ce qu'un neurasthénique? C'est un homme pensant, je veux dire instruit et fort attentif à ses opinions et à ses affections; attentif en ce sens qu'il en est le spectateur. Et c'est en cela que consiste ce genre de folie, à constater ses propres opinions au lieu de les choisir et vouloir. Comme un homme qui, conduisant une automobile à un tournant, se demanderait : « Je suis curieux de savoir si je vais sauter dans le ravin. » Mais c'est justement son affaire de n'y point sauter. De même le neurasthénique se demande : « Est-ce que je serai gai ou triste aujourd'hui? Est-ce que j'aurai de la volonté ou non? Que vais-je choisir? Je suis curieux de le savoir ». Mais il ne vient jamais à cette idée si simple de décréter au lieu d'attendre, pour les choses qui dépendent de lui.

Or ce genre de folie n'est jamais complet dans l'individu. Communément, dans les circonstances qui importent, il cesse d'attendre et se met à vouloir, résistant aux vices et aux crimes mieux qu'à la tristesse, et plutôt malheureux que méchant.

Cette maladie singulière me paraît au contraire propre à tout État; et par là j'explique que ce grand corps soit toujours malheureux et souvent dangereux. Et voici pourquoi. Chacun a pu remarquer, au sujet des opinions communes, que chacun les subit et que personne ne les forme. Un citoyen, même avisé et énergique quand il n'a à conduire que son propre destin, en vient naturellement et par une espèce de sagesse à rechercher quelle est l'opinion dominante au sujet des affaires publiques. « Car, se dit-il, comme je n'ai ni la prétention ni le pouvoir de gouverner à moi tout seul, il faut que je m'attende à être conduit; à faire ce qu'on fera, à penser ce qu'on pensera. » Remarquez que tous raisonnent de même, et de bonne foi. Chacun a bien peut-être une opinion; mais c'est à peine s'il se la formule à lui-même; il rougit à la seule pensée qu'il pourrait être seul de son avis.

Le voilà donc qui honnêtement écoute les orateurs, lit les journaux, enfin se met à la recherche de cet être fantastique que l'on appelle l'opinion publique. « La question n'est pas de savoir si je veux ou non faire la guerre, mais si le pays veut ou non faire la guerre. » Il interroge donc le pays. Et tous les citoyens interrogent le pays, au lieu de s'interroger eux-mêmes.

Les gouvernants font de même, et tout aussi naïvement. Car, sentant qu'ils ne peuvent rien tout seuls, ils veulent savoir où ce grand corps va les mener. Et il est vrai que ce grand corps regarde à son tour vers le gouvernement, afin de savoir ce qu'il faut penser et vouloir. Par ce jeu, il n'est point de folle conception qui ne puisse quelque jour s'imposer à tous, sans que personne pourtant l'ait jamais formée de lui-même et par libre réflexion. Bref, les pensées mènent tout, et personne ne pense. D'où il résulte qu'un État formé d'hommes raisonnables peut penser et agir comme un fou. Et ce mal vient originairement de ce que personne n'ose former son opinion par lui-même ni la maintenir énergiquement, en lui d'abord, et devant les autres aussi.

Posons que j'ai des devoirs, et qu'il faudra que j'obéisse. Fort bien. Mais je veux obéir à une opinion réelle; et, pour que l'opinion publique soit réelle, il faut d'abord que je forme une opinion réelle et que je l'exprime; car si tous renoncent d'abord, d'où viendra l'opinion? Ce raisonnement est bon à suivre, et fait voir que l'obéissance d'esprit est toujours une faute.

CHAPITRE LXX

DU PESSIMISME

On ne fait pas assez attention à ceci que le pessimisme est l'état naturel, dès qu'on s'abandonne, au lieu que l'optimisme est un fruit de volonté. Dont la raison profonde est que le gouvernement de soi, par sévère police des opinions improvisées, par serment à soi, par ordre et suite dans les actions, est la source et condition de tout bonheur. L'homme ne sait pas assez quelle triste mécanique il est, dès qu'il tombe au mécanisme.

Une loi bien cachée, mais dont les effets sont assez et trop connus, c'est que le plus triste, le plus effrayant, le plus désespérant qu'on puisse attendre de soi est aussi ce qui persuade le plus aisément; car l'émotion forte est toujours la meilleure preuve, comme la peur le fait bien voir. Et la peur de soi persuade; le dégoût de soi, de même. C'est une erreur immense de doctrine, et liée à cette même erreur de pratique, que de croire qu'un homme pense volontiers du bien de lui-même. Ce n'est pas vrai; il faut du courage pour être heureux de soi.

Ainsi ne pas se demander ce qu'on pense, mais penser, j'entends vouloir, diriger, ordonner, chercher, telle est la santé de n'importe quel homme. Et celui qui attend ses opinions et son bonheur comme il attend le soleil ou la pluie attendra longtemps.

Cela étant rappelé, il faut comprendre maintenant que l'État n'est point bâti pour se faire un bonheur, parce que l'État n'a nullement cette partie gouvernante qui est en chacun. Il faudrait à la tête de purs sages, c'est-à-dire des hommes qui ne soient que tête; et cela ne se trouve point. Et quand cela se trouverait par hasard, il faudrait encore que ce sage soit maître des opinions. Mais il est inévitable au contraire que tous les éléments de l'État soient des hommes avec passions, préjugés, humeurs; et qu'ainsi la circulation des opinions creuses et émouvantes l'emporte naturellement sur la sagesse désirable, possible seulement si la tête de l'État n'était que tête et si les membres n'avaient point de tête.

De là il résulte que les opinions, dans un État, sont des faits, ou, si vous voulez des pensées non pensées, des pensées sans penseur. Tout va donc au lieu commun, et, par la loi de neurasthénie, au lieu commun triste. Un mauvais ferment corrompt toutes les pensées communes, par cette loi que je disais, que le plus triste, le plus déprimant, le plus désespérant est toujours ce qui persuade le mieux, dans l'état de mécanisme. Et chacun, dès qu'il veut penser avec d'autres, est dans cet état. D'où ces craintes, cette défiance de soi, et, par réaction, ces sursauts de violence, qui sont tout ce qu'on peut attendre de l'État pensant, et dont il ne nous a point privés.

Je conclus que le devoir de tout citoyen est d'abord de se renfermer, par discipline, en solitude, et de tracer une ligne de douanes sévères contre les opinions sans auteur qui voltigent autour, comme des mouches. Un bon chasse-mouches d'abord, contre les journaux et revues.

CHAPITRE LXXI

L'ANIMAL SANS TÊTE

Si j'écrivais quelque ouvrage politique, je lui donnerais comme titre : *Léviathan, ou l'Animal sans Tête*. Mais il n'est pas nécessaire d'écrire un recueil des sottises imposées en tous temps par ce grand corps. Il suffit, dès que l'on a compris que les opinions dirigeantes sont nécessairement folles, de s'amuser un moment aux erreurs les plus récentes, les plus énormes, les plus nuisibles. Quand je me moque de cette pensée politique qui toujours se cherche au dehors, qui prend son propre écho pour preuve, et enfin reçoit pour méthode l'abandon de soi, la prudence, la lâcheté et la paresse, peut-être avez-vous peine à suivre ce rapport abstrait, entre des esprits, si l'on ose ainsi dire, soucieux d'être approuvés et dont toutes les démarches sont de politesse ? Sûrement vous n'oserez pas, d'après ces vues théoriques, prononcer que le plus important des hommes en est aussi par la nature le plus vain et le plus sot.

Mais tournez vos regards vers l'histoire récente, et énumérez, pour vous reposer, la suite des erreurs incroyables où sont tombés les militaires, les diplomates, les financiers, enfin toutes les importances. N'importe quel homme de bon sens, même médiocrement informé, savait que l'attaque viendrait par la Belgique. Mais le commandement sans tête n'a pu concevoir cela. La diplomatie sans tête a poussé la Roumanie à la guerre, en publiant, bien mieux, le chiffre des canons roumains, un canon par kilomètre de frontière; chiffre connu et qui décidait de tout aux yeux du dernier artilleur; mais chiffre énorme et réconfortant aux yeux de la diplomatie sans tête.

Un petit exemple instruit souvent assez. Voici la monnaie de nickel choisie par des importances et compétences. Pourquoi sont-ils arrivés à choisir deux modèles presque indiscernables? Et jusqu'au détail? Par quelle mauvaise chance le C de la pièce de 10 centimes, lu à l'envers, ressemble-t-il au 5 de la pièce de cinq centimes? C'est que cette attention à penser d'après le voisin et à chercher l'approbation d'abord mécanise la pensée, et va à l'absurde. C'est un passe-temps de se moquer des bureaucrates. Mais moi je n'en veux point rire. Je ne vois pas un aveugle de guerre ou un mutilé, comme en 15 et 16 je ne voyais point un cadavre noirci, sans penser aux idées de l'animal sans tête, causes premières, puissances organisatrices, fins dernières de ce massacre. Bref la société, comme telle, n'a point de bon sens.

Or, que l'on subisse des contraintes de ce grand corps sans raison, il le faut bien. Mais l'adorer en esprit, l'approuver avec bonheur, ajouter à l'importance de la masse cette autre importance qui décide du vrai et du faux, voilà la faute sans pardon. Il y a des jours où j'ai pensé que le châtiment était excessif; des années de terreur et de misère, la souffrance, la mutilation, la mort, sans compter la servitude, je pesais tout cela, et je pensais que c'était payer bien cher quelques années d'acquiescement. C'est que je ne pensais pas assez à l'énormité de la faute.

CHAPITRE LXXII

LÉVIATHAN

Les opinions communes ont une puissance que je connais, que je subis tout autant qu'un autre. Quand, dans une réunion d'hommes, se produit l'effervescence, et quand l'opinion commune se manifeste par discours, acclamations, ou chant, nul ne va chercher des preuves. Une telle affirmation est plus forte que toutes les preuves; l'émotion imitée, répercutée, multipliée porte en chacun la foi sauvage de ce Léviathan à mille têtes; et nous voilà tous en disposition de nous faire tuer.

L'État neurasthénique se venge bien alors; cette pensée molle, sans jugement comme sans objet, et qui faisait rire, vit tout à coup de mille vies rassemblées. On s'étonne que le fanatisme ait aussi bien porté en trophée les doctrines les plus puériles ou les moins vraisemblables. C'est que l'accord réel et senti en chacun fait preuve de n'importe quoi. Le culte porte le dieu. De quoi partant, les sociologues concluent qu'il n'y a rien de sacré au monde, et qui mérite le sacrifice de l'individu, si ce n'est cet accord même, ce retour à la vie commune, cette âme collective et une.

Ils ont raison. Comme naturalistes de Léviathan aux mille têtes, ils ont raison. Ce redoutable animal, dès qu'il se reforme, nous tient tous. Non seulement il roule et piétine par sa force l'individu qui essaie de résister, mais il fait pis que contraindre; il persuade. En celui qui répète avec fureur ce qu'il faut dire, qui pense avec fureur ce qu'il faut penser, qui psalmodie enfin selon le concile, je ne sais plus distinguer entre le bonheur surhumain d'être approuvé, et la peur d'être battu. Considérons de près cet étrange état qui est celui du citoyen en toute effervescence. Assuré qu'il est qu'il cèdera à la peur, il n'attend point cette échéance, et se jette dans l'enthousiasme. En cet état d'inspiration où toutes les parties de lui sont poussées par des motifs de tout niveau, il porte son opinion comme l'âne portait les reliques. Ce n'est pas le moment d'y contredire; prenez garde; vous aurez contre vous ensemble le lâche, le prudent, le naïf, le paresseux et le timide; et tout cela ensemble fait une espèce de troupe fort brutale. Brutale pourquoi? Surtout par un secret remords, résultant de cette idée importune que vous réveillez, et qu'il ne veut réveiller à aucun prix : « Il se peut que ce que je crie là soit parfaitement faux, et même absurde; mais je ne veux, je ne puis, je n'ose en convenir; j'en ai trop dit déjà, et trop fait; il est trop tard. » Voilà pourquoi Léviathan écrase ceux qu'il n'entraîne pas; et pour mon compte, devant cette force de nature, semblable au cyclone et au volcan, je cède et j'agis comme les autres. Il n'y a point de honte si l'on cède à la force.

Il y a honte pourtant, si l'esprit cède. Il y a cette partie pensante en chacun, qui, dès qu'on l'interroge, revendique contre la force, contre le nombre, contre les supplices, contre les prisons. Celle-là veut être solitaire et libre, devant le volcan, et dans la foule même; toujours mesurant, pesant, jugeant; nullement jugée, sinon par quelque juge libre et solitaire aussi; les uns et les autres sans armes. Et cette élévation en solitude est justement la seule chose humaine que l'homme salue, tant qu'il n'est pas ivre.

CHAPITRE LXXIII

LE CADAVRE

Je lis des récits de la guerre, et mon cœur bondit lorsque Mangin pique son épée dans le flanc de l'adversaire. Voilà un fier jeu, comme chante Verlaine. Mais doucement, mon ami; tu as vu ces choses de plus près, et tu les jugeais moins belles. Et d'abord tu sais bien que ce n'est pas Mangin qui bondit; tu sais où se trouve le poste d'un commandant d'armée; tu connais le téléphone et les signaleurs; tu te représentes, dès que tu le veux, cette épée du général, qui a dix kilomètres de longueur; à la pointe se trouve le fantassin, dont tu vis assez le cadavre couché avec d'autres et comme jeté dans le sens de l'attaque. Je veux penser les choses comme elles sont.

Il reste vrai que l'énergie d'un chef est quelque chose de rare; et il reste vrai que n'importe quelle action difficile et bien faite est belle. Mais une moisson de cadavres est une chose à considérer aussi. Songez à ce chef-d'œuvre d'os, de nerfs et de muscles, à ce chef-d'œuvre qui agit, qui sent, qui pense; et appliquez-vous à le voir déchiré, pourri, rongé; chose petite à la vérité, et rentrant en terre; mais chose qu'il faut pourtant grossir; chose scandaleuse. En pleine force, en pleine volonté, le plus fort, le plus sain, le plus courageux, le plus estimable; et tué non malgré cela, mais à cause précisément de cela; tous ses fils possibles, et toutes ses filles; tout un avenir humain, tout un espoir humain. Tout cela sacrifié par l'ordre et par la volonté d'un autre qui, pesant les moyens et les fins, en a immolé non pas un, mais cinq mille, dix mille. Mais pensons-en un seul; car le nombre dissout l'idée et il faut penser l'individu, c'est le réel; et c'est une pensée lâche, celle qui ne veut point voir le réel. Des masses, je jugerai un autre jour; des fins, un autre jour. Voilà un homme moyen et instrument, comme est une pioche; et encore n'y a-t-il point de travail où délibérément l'on casse la pioche; mais enfin on accepte l'usure; on remplace froidement tant de pioches par semaine; ainsi fut considéré cet homme, par d'autres hommes. Matériel humain. Cette idée est par elle-même criminelle.

Ce large bourgeois, que je puis bien citer deux fois, répondait à quelque remarque de ce genre : « C'est un principe premier qu'à la guerre on tue des hommes. » Or je ne veux pas ici m'irriter; c'est encore guerre. Il avait une opinion; on dit que cette opinion est fort commune; du moins que celui qui l'exprime la forme et la porte, et qu'il n'en accuse pas le voisin. Pour moi, devant ce cadavre toujours présent, devant ce cadavre que je n'ai point voulu enterrer, je forme l'opinion contraire, c'est qu'il n'est point de fin au monde, pour un homme, qui puisse prendre pour moyen bien clair, inévitable, la mort d'un autre homme; ou bien c'est crime. Et comme il me semble que cette opinion n'est pas formée par la partie vile et animale de moi; comme la peur, autant que j'en puis juger, n'y entre point, ni l'ambition, ni la flatterie, ni la servilité, je l'exprime en mon propre nom; je la propose. Et j'invite un chacun à peser ces choses en lui-même, sincèrement avec lui-même. Car je ne prétends point régler à moi tout seul l'opinion d'un peuple, et même je m'y soumettrai, comme j'ai fait. Mais je veux d'abord qu'elle existe.

CHAPITRE LXXIV

LA COURONNE

Quand l'homme oublie, néglige, ou méprise la partie supérieure de lui-même, il ne vaut plus rien du tout. Le médiocre n'est pas son lot. Il le dit, pourtant, que le médiocre est son lot; c'est un des axiomes du méchant; c'est proprement l'orgueil de l'homme découronné. Mais non; il n'est point médiocre; il ne peut l'être. Il ne sait pas l'être.

Je vois des hommes diminués, humiliés, annulés par un cercle de femmes qui n'ont point de méchanceté naturelle; et ce ne serait que demi-mal; mais je vois naître aussi en ces petites sociétés, qui n'ont plus de gouvernement d'aucune sorte, des aigreurs et même des fureurs sans aucune mesure, et ridicules par la violence. Ne visant plus en haut, tous retombent en bas; et le mécanisme est laissé à lui-même, réglant tous les sentiments et toutes les pensées, qui ensemble sont de rancune et de haine, on ne sait pour quoi ni contre quoi. Les sottes et vides conversations sont alors une délivrance; et le mécanique jeu de cartes délivre enfin des conversations. Tout retombe ainsi à un mécanisme réglé, non sans sursauts de colère, mais courts.

Comment dire cela? Peut-être la vie n'est plus alors abordable. Avec de si pauvres armes! Quand tout est réduit au plus bas par trente ans d'efforts et de persévérance. Quand le poulailler a couvert tous les bruits humains. Quand la tête pensante répète comme il faut, et s'emploie seulement au jeu de paroles; mais le jeu de paroles lui-même, s'il est découronné, retombe au mécanisme des paroles aussi. La vie humaine alors a perdu sa forme. Ces vieilles et nobles sentences, qui les rappellera? Où est l'humanité dans les cercles? Dans ces cercles où je vois que la sincérité, dès qu'elle s'essaie, découronnée elle aussi, tombe au mal d'estomac, à la colique, à l'échange des misères. Toutes les choses ici symbolisent ensemble, et il est vrai qu'il n'y a plus que du papier-monnaie et que l'or humain ne se montre plus. Vanité, alors, de tous les échanges. Et comme la mauvaise monnaie chasse la bonne, ainsi le plus vil occupe la place, dans le cercle des apparences d'abord, et aussi en chacun.

Transportez à la grande société cette folie mécanique. C'est peut-être par là qu'on peut le mieux comprendre la guerre folle et adorée. Comme l'humain, dans la vie domestique, tombe à la crise de nerfs, qui est convulsion pure, ainsi toute vie mécanisée va à la guerre mécanique dont l'excès devrait étonner. Mais étonner qui ? Il n'y a plus d'hommes. Les discours mécaniques règnent sur la violence mécanique. Et il est bien plaisant de surprendre des essais de pensée encore, qui tentent de s'élever ; mais l'inférieur tire ferme et ramène à lui. Je le vois à deux signes ; d'abord à ceci que l'expression revient dans les mêmes chemins après des essais incohérents ; la première difficulté et contradiction est comme un rappel à la condition désormais inférieure irrévocablement ; et aussi d'après le ton irrité, comme si toute pensée, même en essai et esquisse, était par elle-même douloureuse. Avertissement assez clair ; il faut jouer aux cartes. Contemplez la vie privée de ceux qui veulent être l'élite ; c'est le jeu de cartes et la violence mécanique des passions. Aussi dans la vie publique, un jeu de cartes sans aucune réalité ; et si l'on revient au réel, la guerre aussitôt.

Un homme qui porte encore la couronne, mais malgré lui elle tombe, il passe son temps à la remettre de travers sur sa tête, cet homme, donc, disait que la cause des guerres c'est l'ennui. Mais la cause de l'ennui ? Cela ne peut être que le silence et l'abdication de ce qui est humain devant ce qui est animal et sera finalement mécanique. Abdication dans le cercle et en chacun. Et considérez qu'en une mécanique à visage humain il y a invincible apparence de fermeté et de courage.

CHAPITRE LXXV

DE LA POLÉMIQUE

Il y a un genre de pensée, sur la guerre, qui détourne et fatigue. Et c'est là que les politiques veulent toujours nous ramener. « La question n'est pas de savoir si la guerre est ceci et cela, belle ou laide, mais bien de décider si l'on pouvait choisir, et si l'on pourra choisir. On se défend comme on peut et non pas comme on veut. » Un chartiste, profondément instruit et praticien de ce genre d'enquêtes, me disait un jour : « Sachez que derrière chaque document il y en a un autre. » Il en sera de la Grande Guerre comme de ces offensives malheureuses, au sujet desquelles chaque parti me jette une poussière de documents qui m'aveugle au lieu de m'éclairer. Les affaires humaines, et surtout dans les temps de crise, marchent par d'autres ressorts que ceux que l'on découvre dans les pièces écrites; les pouvoirs sont bien forts toujours, et toutes les tragédies se nouent et se dénouent par des rencontres, un accent, des gestes, un regard, comme le théâtre nous le fait entendre. Il y eut, à l'origine de l'événement terrible, des rencontres, des entretiens peut-être fort courts, des promesses muettes, des attitudes, des résolutions écrites sur des visages, des serments muets, une contagion d'homme à homme. Certainement oui. Mais comment réfléchir là-dessus ? Cet objet fut d'un instant; aucune mémoire ne le retrouvera. Le plus important, le plus décisif entretien de cette histoire nous demeurera toujours inconnu. La sincérité des acteurs ne doit pas même être mise en doute, car pour mentir il faut savoir le vrai; et il est inévitable que, dans ces apparences du souvenir, les conséquences déforment les causes. Un amoureux, lorsque son malheur est consommé, ne peut revenir de bonne foi à ce moment décisif où, d'un geste, d'un regard peut-être, il a consenti au destin.

Dans le fait chacun pourra remarquer que, dans ces polémiques incertaines, les partis sont néanmoins assurés, et nient, et affirment, et supposent intrépidement selon quelque sentiment fort, qui, à ce que je crois, concerne la guerre elle-même, considérée hors des circonstances historiques. Or c'est là, il me semble, que chacun peut utilement regarder; car si, dans l'événement, tout est caché, sans aucun espoir de retrouver jamais l'instant passé tel qu'il fut, au contraire l'institution nous est présente en ses détails, en ses mouvements, en ses effets, par d'innombrables souvenirs et témoignages, dont la concordance fait paraître enfin une sorte de fait qui, bien loin de se dérober au regard, se montre partout au contraire dès qu'on le cherche, et même là où l'on ne l'attendrait point. Sans se demander donc si l'on aurait pu y échapper, si on pourra y échapper, ni même par quels moyens on pourrait y échapper, d'abord essayer de se dire à soi-même ce que c'est; simplement ce que c'est; le fait nu, sans aucun vêtement. Tâche pénible, et qui, comme j'ai observé, conduit d'abord à une sorte d'horreur, sans aucun effet concevable. Mais cette horreur ne peut aller sans un grand repentir, à l'égard des mille approbations, chacune de petite importance, auxquelles vos serments ne vous obligeaient point. Là se trouve le germe de la vraie résistance, qui est d'esprit. Et si vous doutez qu'elle suffise, observez le visage du tyran, grand ou petit, pendant qu'il lira ces lignes.

CHAPITRE LXXVI

DU SOUVERAIN

Le sage m'arrête et me dit : « Il n'est pas d'un esprit juste de nier les faits, mais bien de les constater, et de s'en accommoder. La guerre est un fait; j'estime vain de demander si elle est bonne ou mauvaise. »

Oui, mon cher sage. Tu es fils de ces deux ou trois siècles où l'on s'est enivré de science; et certes il faut connaître la nécessité extérieure; il n'est pas possible de ruser avec elle sans d'abord lui obéir; mais cette vue purement industrielle a engourdi l'esprit, à ce que je crois, lui prescrivant de tout prendre comme fait, et d'être enregistreur, non jugeur.

Or cela est bon à l'égard du volcan et du cyclone; de toute façon il faut que je supporte; et, si j'ai d'abord observé sans parti pris, je me trouve mieux placé pour prévoir. J'ajoute que la guerre est bien aussi, à un moment, une espèce de volcan ou de cyclone; et ma doctrine politique est qu'il faut suivre la folie commune de gré ou de force, quand elle est déchaînée. Ainsi ai-je fait, et sans mauvaise humeur. Ce sont les enfants qui frappent les pierres.

Mais considérez que la guerre est un fait humain et qui dépend des opinions. La guerre résulte d'une opinion commune, juste ou fausse, accompagnée de colère. Et j'ai bien à constater cela, hélas! Seulement n'oublions pas que je suis acteur aussi, fabricant d'opinion aussi. Il serait trop niais de demander à la masse des autres si je veux la guerre; surtout quand je les vois presque tous, sinon tous, interroger à leur tour le voisin et les gazettes, afin de savoir ce qu'ils pensent.

Ou bien la politique n'est que vertige de foule et l'homme esclave absolument, ou bien il y a un moment, dans l'élaboration de l'opinion commune, où l'homme doit juger seul et par lui-même. Non pas d'après la méthode des fanatiques, qui n'ont de pensée qu'ensemble, mais par la méthode de science vraie, qui suppose l'homme solitaire et libre par volonté. Bref, avant de savoir si la guerre sera par l'opinion commune, il faut que je sache si la guerre sera par mon opinion. A ce moment-là je n'ai devant moi aucun fait humain déterminant, si ce n'est ma propre pensée avec ses affections. Je suis souverain. Il s'agit non pas de ce que je suppose qui sera, mais de ce que je veux qui soit. Problème uniquement moral; je n'y puis échapper. Si la guerre est bonne, si c'est seulement la défaite qui est mauvaise, si j'ai pris le parti d'user de tous moyens en vue du succès, alors, oui, le problème de la guerre sera un problème de fait. « Vaincrons-nous? Sommes-nous prêts? » Mais si j'ai pris comme règle de vie le travail et la coopération, si la violence est pour moi un moyen vil d'acquérir, si je tiens enfin pour la justice de toutes mes forces, alors je dis non à la guerre, au dedans d'abord, et au dehors, autour de moi, comme c'est mon droit et mon devoir de dire, prononçant, non sur ce qui est, mais sur ce qui doit être, non sur ce que je constate, mais sur ce que je veux. Juger, et non pas subir, c'est le moment du souverain.

CHAPITRE LXXVII

DU JUGEMENT

Il y a une intelligence qui est miroir seulement. Fidèle à retracer les circonstances de ce qui est. Parfaite pour enseigner et expliquer; de nul effet pour l'action. Non qu'elle ne puisse annoncer, d'après l'état actuel, l'état des choses qui suivra; mais agir d'après cela ce n'est toujours que suivre. Ainsi le docteur en politique nous annonce la guerre ou la disette; nous ne serons point surpris; nous aurons nos provisions ou nos chaussures de marche.

Mais, par l'exemple des provisions, on voit déjà en quoi l'intelligence miroir remet l'homme au-dessous d'une bonne machine à prévoir; car une telle machine ne change pas l'avenir par ses annonces, au lieu que l'homme qui craint la disette et fait des provisions contribue pour sa part à semer l'alarme et aggrave la crise, comme on a vu.

Venez donc une bonne fois à apercevoir que la guerre est un fait humain, purement humain, dont toutes les causes sont des opinions. Et observons que l'opinion la plus dangereuse ici est justement celle qui fait croire que la guerre est imminente et inévitable. Sans qu'on puisse dire pourtant qu'elle soit jamais vraie, car si beaucoup d'hommes l'abandonnaient, elle cesserait d'être vraie. Considérez bien ce rapport singulier, que l'intelligence paresseuse ne veut jamais saisir. Voilà une opinion assurément nuisible, et qui peut-être se trouvera vraie, seulement parce que beaucoup d'hommes l'auront eue. C'est dire que, dans les choses humaines qui sont un tissu d'opinions, la vérité n'est pas constatée, mais faite. Ainsi il n'y a point seulement à connaître, mais à juger, en prenant ce beau mot dans toute sa force.

Pour ou contre la guerre. Il s'agit de juger; j'entends de décider au lieu d'attendre les preuves. Situation singulière; si tu décides pour la guerre, les preuves abondent, et ta propre décision en ajoute encore une; jusqu'à l'effet, qui te rendra enfin glorieux comme un docteur en politique. « Je l'avais bien prévu. » Eh oui. Vous étiez milliers à l'avoir bien prévu; et c'est parce que vous l'avez prévu que c'est arrivé.

Contre ce vertige d'esprit, ne cherche point de preuves. Tant qu'un homme libre n'a pas prononcé contre la guerre, il n'y a pas une preuve. Mais toi, si tu juges contre, ce sera une forte preuve. Ne t'aide donc point de preuves, et marche sans béquilles. Décide d'après ton gouvernement intérieur et souverainement. C'est ainsi qu'il faut faire, dès qu'il s'agit non de ce qui est, mais de ce qui doit être. Nie la guerre, fermement, sans aucune concession d'esprit; avant de la faire, quand tu la fais, après que tu l'as faite. Car tu as bien compris qu'elle vit d'approbation; commence par ne pas la nourrir.

CHAPITRE LXXVIII

DE L'ORGUEIL

J'AI trouvé dans Hegel, entre tant de vues profondes sur la nature humaine, une idée qui m'a étonné d'abord, et qui m'a été ensuite un secours pour surmonter ce grand et énorme sujet. Vous savez comment procède ce penseur à discipline, toujours par oppositions et réconciliations, ce qui représente déjà assez bien les guerres intestines d'une pensée en travail. Les artifices mêmes de cette méthode dialectique ne m'étonnent point; il faut bien des précautions et plus d'une marche oblique si l'on veut prononcer utilement au sujet de cet étrange animal. Voici donc l'idée. Une conscience de soi s'éveille à elle-même et mesure son étendue et son pouvoir; son étendue qui contient tout, et son pouvoir qui est de juger universellement. Ce moment, qui est de jeunesse pensante, est naturellement abstrait et vide par l'ambition même; c'est toute la richesse humaine, mais en prétention seulement. Observons que toute idée à sa naissance représente ce moment de la suffisance, qui est aussitôt insuffisance. Ce conflit de soi avec soi ne va jamais sans un peu de colère, qui, surmontée, fait la modestie, fille d'orgueil. Mais ne suivons pas par là. Ce que je veux considérer, avec notre auteur, c'est la rencontre de cette conscience de soi avec une autre conscience de soi, qu'elle reconnaît comme telle. Ce qui résulte aussitôt d'une telle rencontre c'est le combat d'où naîtra aussi l'amitié véritable, fille de guerre. Ici le lecteur le moins attentif reconnaît un mouvement humain sous mille aspects; et j'aperçois aussitôt que c'est faute sans doute d'avoir pu combattre que les faibles en restent à la haine, barrés désormais et butés, sans développement possible.

Toute rencontre d'idée, toute prétention contre prétention passe par une telle colère, et la dépasse. C'est pourquoi une discussion irrite toujours au premier moment; car il faut que les pensées s'accordent, et elles ne peuvent;

comme deux rois absolus; et ce premier choc promet quelque chose de plus profond que la tolérance, toujours marquée de faiblesse. Ce que je veux retenir ici, c'est que la plus forte pensée n'est pas immédiatement pacifique, comme au reste les oppositions de doctrine le font assez voir. Et ici encore il faut dire que c'est par la faiblesse que la guerre s'établit. Qui ne peut comprendre s'irrite. Et l'homme, dès qu'il s'instruit et dès qu'il construit en sa pensée, ne peut admettre l'homme. De là tant de hérissements et de timidités orgueilleuses. Essayons de comprendre que le haut de l'homme n'est pas moins dangereux pour la paix que le bas. Je crois même qu'en toute ambition, c'est la prétention d'esprit qui mène tout le reste à la bataille. Si les hommes n'avaient que des besoins, je les craindrais moins.

Voici donc, il me semble, un beau chemin pour les méditations d'un homme jeune et avide de penser. Car c'est une grave méprise, et de grande conséquence si, par ces mouvements de guerre qui sont des moments inévitables, il se croyait rappelé à l'esclavage et aux mouvements animaux, jusqu'à leur abandonner la conduite et la solution de la guerre. Cet abandon de soi est en beaucoup et nous guette tous. Mais, tout au contraire, le mal de pensée ne se guérit que par la pensée. D'après cette vue donc, je prononcerais que c'est la pensée qui fait la guerre, par cette naïveté qui lui est propre, qui fait que, voulant l'amitié humaine, aussitôt elle la manque, et accuse d'autres causes que sa propre paresse et lâcheté. Au contraire, par victoire et foi, l'une portant l'autre, la pensée doit se reconnaître coupable ici, seule coupable, dès que, rencontrant de nouveau le moment du combat, elle n'ose point le surmonter et le dépasser par ses moyens propres. J'ai laissé quelque obscurité ici, je le crains; mais je dis pourtant quelque chose qui, sous d'autres rapports, est assez clair pour chacun. Qui ne sait qu'il fait du courage pour aimer, dès que l'on pense?

CHAPITRE LXXIX

HERCULE

Proudhon, sous le titre de *Guerre et Paix*, a voulu remettre la force en sa place, louant comme il faut Hercule, et refusant de séparer la vertu d'avec la puissance. Je ne me détourne point de cette idée; elle ne me fait point peur. Toute force humaine, autant qu'elle se rapproche de ce divin modèle, au contraire me plaît et me rassure. Et le vieux mythe éclaire comme il faut l'œuvre des forts, qui est toujours de justice, de protection, de redressement. La raison en est donnée tout au long par Platon dans sa *République*, où il fait voir que la force suppose une domination du vouloir sur le désir, et même sur la colère, de façon que la force véritable est toujours d'âme en même temps que de corps. Juste en ses pensées, calme dans le péril, équilibré de la tête aux pieds, sans rien de vil ni de petit, tel est Hercule; et l'enfant ne s'y trompe jamais, cherchant protection et assurance en cette large main, et vénérant l'infaillible massue. Mais Proudhon, comme il fait souvent, s'est jeté sans précaution dans cette grande idée, par le bonheur de mépriser ces cerveaux sans bras qui sont juristes et politiques. Adorant la force, il glisse à adorer la guerre. Erreur démesurée, il me semble.

Dans la guerre, au contraire, je vois la force humiliée et serve. Ce grand corps combattant, fait de millions d'hommes, ne me trompe point; ce n'est pas un homme. Les métaphores n'y font rien. Je n'y retrouve point ce regard imperturbable, ni ces passions domptées, ni ce juste équilibre qui font le héros. Tout au contraire j'y vois des cerveaux sans bras, qui pensent à l'étourdie, sans rien risquer de ce sang qui les nourrit. J'y vois des passions déchaînées, sans mesure, sans pudeur; une grande peur d'abord, dans tous les faibles, et une admiration intempérante, qui fouette les jeunes par l'éloge et par le blâme. D'un côté la ruse des pouvoirs, qui visent toujours à s'assurer et à s'étendre; de l'autre l'émotion des vieillards et des femmes, inactive et par conséquent déréglée; sans compter les lâches s'il y en a, qui premièrement s'abritent, et aussitôt font voir le plus beau courage en discours. Tout cela ensemble exerce une action trop claire sur ceux qui ont la charge d'agir et de mourir pour que je dessine en forme d'Hercule le grand corps homicide. En cette tempête humaine, ceux qui ressemblent le plus au bon Hercule par l'équilibre et la puissance d'agir sont justement ceux dont les idées, les espoirs, les amours et les volontés sont descendus au rang de l'instrument aveugle, dont le premier devoir est de ne point juger ce qu'il fait. Et comme jamais celui qui conçoit n'est celui qui exécute, comme jamais celui qui décide n'est celui qui paie, et puisque finalement il n'y a pas un soldat sur mille qui approuve ce qu'il fait et qui puisse se vanter de l'avoir voulu, je ne puis voir en ce brutal mécanisme que la faiblesse déchaînée, les passions triomphantes et la vertu décapitée. Injustice essentielle. Hercule humilié.

CHAPITRE LXXX

JOSEPH DE MAISTRE

« LA bastonnade, dit le Comte, était chez les Romains une peine avouée par la loi, mais nul homme non militaire ne pouvait être frappé avec la vigne, et nul autre bois que celui de la vigne ne pouvait servir pour frapper un militaire. Je ne sais comment quelque idée semblable ne s'est présentée à l'esprit d'aucun souverain moderne. Si j'étais consulté sur ce point, ma pensée ne ramènerait pas la vigne, car les imitations serviles ne valent rien; je proposerais le laurier. » A quoi le Chevalier répond en ces termes : « Votre idée m'enchante, et d'autant plus que je la crois très susceptible d'être mise à exécution. Je présenterai bien volontiers, je vous l'assure, à S. M. I. le plan d'une vaste serre qui sera établie dans la capitale, et destinée à produire exclusivement le laurier nécessaire pour fournir des baguettes de discipline à tous les bas officiers de l'armée russe. Cette serre serait sous l'inspection d'un officier général, chevalier de Saint-Georges au moins de la seconde classe, qui porterait le titre de haut inspecteur de la serre aux lauriers; les plantes ne pourraient être soignées, coupées et travaillées que par de vieux invalides d'une réputation sans tache. Le modèle des baguettes, qui devraient être toutes rigoureusement semblables, reposerait à l'office des guerres dans un étui de vermeil; chaque baguette serait suspendue à la boutonnière du bas officier par un ruban de Saint-Georges, et sur le fronton de la serre on lirait : « C'est mon bois qui produit mes feuilles. »

J'ai transcrit sans rien omettre cette page des *Soirées de Saint-Pétersbourg*. Je n'ai voulu rien perdre de ce badinage cyclopéen. Voilà donc un penseur sans hypocrisie, et qui voit la guerre comme elle est. A ceux qui voudraient dire que cela c'est la guerre à la mode barbare, et que la discipline acceptée a fait voir de bien plus beaux effets, je demande pourquoi la valeur offensive des régiments Marocains et Sénégalais était réputée à juste titre. Mais le lecteur, étranger au rude métier des armes, ne voudra point croire que la contrainte fasse des héros. Il ne voudra point le croire, dis-je, parce que son esprit ne peut porter cette sauvage idée. Le comte de Maistre non plus ne peut la porter; aussi il la renvoie à Dieu. La guerre acceptée, ordonnée, honorée, cela suppose à ses yeux « quelque loi occulte et terrible qui a besoin de sang humain ». J'ai observé souvent que des catholiques, par ce secours d'un Dieu incompréhensible, arrivent à mieux penser que d'autres les problèmes qui blessent la vue.

Pour moi je m'en tire autrement et à ma mode, étant assuré que cet étonnant mélange d'esclavage et d'héroïsme s'explique par l'ordinaire humain, sans aucune mystique supposition, comme j'ai voulu le montrer dans ces pages, sans déguiser rien de ce qui paraît au premier moment incroyable et impossible. Il ne restait que ce chemin-là, ou mentir à soi, comme je vois que font beaucoup. Seulement cette précaution mauvaise interdit d'agir et de changer; au lieu que la connaissance des causes offre aussitôt mille prises, laissant certes difficile ce qui est difficile, mais sans aucune idée d'un destin invincible et effrayant. Remarquez encore que l'autre idole d'un progrès assuré qui viendrait par des institutions meilleures est brisée aussi. Sous n'importe quel régime les jeunes devront payer de leur sang l'acquiescement, la flatterie, la lâcheté d'esprit de tous. Au lieu que, sous n'importe quel régime, le plus grand des maux sera écarté, un jour après l'autre, par le clair regard de tous et la tranquille résistance.

CHAPITRE LXXXI

GLADIATEURS

Nous lisons avec trop d'étonnement ce que Sénèque a écrit de ces combats surhumains. C'est le temps même où le Christianisme fit voir un autre genre de héros. L'âme humaine avait alors les mêmes trésors qu'aujourd'hui, comme au reste Sénèque le fait bien voir, qui n'est pourtant point sans faiblesses. Je désire donc que tu imagines, lecteur, autant qu'on peut imaginer ces choses, le gladiateur mourant et le peuple tournant le pouce, et César qui s'ennuie. Maintenant essayons de comprendre; s'indigner sans comprendre, c'est cela qui rend méchant.

Il y avait certainement de hautes raisons de politique en faveur de ces honteux spectacles. Car il fallait bien que le peuple gardât l'habitude de combattre la pitié et l'horreur par l'admiration. Et quel patricien n'eût pas rougi de craindre pour lui-même la mort et les blessures, quand il voyait que de vils esclaves, et encore forcés, s'élevaient pourtant jusqu'à une sorte de courage et faisaient de nécessité vertu. Les enfants apprenaient déjà le prix d'une gloire plus libre, puisque cette gloire esclave emportait l'applaudissement. Et les femmes étaient durcies par l'exaltation. Tous comprenaient, d'après leurs propres sentiments, que la vie humaine est âpre et brutale au fond, non point facile et lâche. Et voilà à peu près le discours politique.

Ne croyez pas que les discours privés fissent entendre seulement l'indignation ou la révolte. Il y avait certainement en ces esclaves une continuelle fureur contre les maîtres; mais ils n'y pensaient pas toujours. L'art de combattre les occupait certainement beaucoup et ils s'y passionnaient. La force, la chance et la gloire remplissaient une bonne partie de leurs conversations libres. La nourriture, le vin et le sommeil leur étaient doux après les terribles fêtes. Les blessés avaient les joies de l'hôpital. Les plus braves inspiraient de l'amour aux femmes les plus belles. La nécessité effaçait sans doute beaucoup de pensées aigres; car on ne délibère pas volontiers avec soi-même sur ce qui est invincible. Ainsi s'instituait vraisemblablement, en ce monde au-dessous de l'humain, une vie pourtant humaine, avec des projets, des espérances, des rivalités, de l'honneur et de la honte. On exposait ses blessures comme des croix de mérite. Quant aux discours d'un gladiateur en retraite, s'il y en avait, chacun, hélas, peut aisément les deviner.

Un sage même, au déclin de l'âge, aurait pu trouver des raisons d'envier ces rudes combattants. Car, aurait-il dit, je leur vois une bonne santé, et des âmes cuirassées. Ils ont de bons moments, par le contraste; et moi je n'en ai plus, par la satiété. Ils sont aux prises avec la souffrance et avec la mort. Mais n'est-ce pas notre condition à tous, et ne vaut-il pas mieux lutter vigoureusement comme eux que petitement, comme je fais? Il faut que la gloire ait un grand prix, puisque tant de soldats vont la chercher au loin et ne se lassent point de la raconter, et à des gens qui ne les écoutent guère; au lieu que ceux-là luttent et meurent en lumière vive, devant le peuple attentif.

Toutes ces raisons, et mille autres, sans compter l'accoutumance, n'empêchaient pas que Sénèque avait raison de considérer la chose en elle-même, et de prononcer qu'aucune fin de plaisir, d'utilité ou de nécessité ne peut justifier ces moyens-là.

CHAPITRE LXXXII

LE DOGME

Cérémonie. Des costumes vénérables; une jeunesse éveillée. Des maîtres rajeunis par le plus beau métier; du scrupule et les rides du travail noble; éclairs d'affection et d'esprit. On peut trouver pire. Mais les discours furent bien au-dessous des promesses, au-dessous même de ce qu'on pouvait craindre. Toutes les phrases connues, civilisation contre barbarie, héroïsme joyeux, le sang baptisant la terre; tous les lieux communs, rassemblés, résumés et comme desséchés. Je ne croyais pas que les discours des politiques eussent autant à perdre. Mais l'imitation mécanique trouve toujours à rabattre; le mouvement même de l'infatuation est oublié, car les mots vont tout seuls, selon les liaisons les plus vulgaires et les plus étrangères; nul contrôle, même sur le sens littéral; ce n'est même plus du français de grammairien.

Ces gens ne sont point des sots. Cet homme en robe est capable de peser les nuances de Virgile ou de Tacite avec la précaution d'un peseur d'or. Et l'autre, le paysan parvenu, formé d'abord aux belles-lettres, est certainement puissant par la bonhomie rusée dès qu'il faut inventer. Mais ils ne veulent point inventer ni examiner. Cette attention même à ne dire que ce qui a été dit, comme il a été dit, me fait voir qu'ils examineraient bien s'ils voulaient. Seulement il y a péril; ils le savent bien; il est plus facile de s'arrêter avant tout examen que de s'arrêter quand on examine; ils ont peur de leur pensée; ils l'ont coulée à fond; je dis leur pensée sur la guerre; car, sur d'autres sujets, ils auront encore de l'esprit et de la subtilité; toutefois sans liberté vraie, car tout se tient, et la guerre occupe toutes les avenues. Force du bréviaire, qui fonde des opinions invincibles, sans aucune pensée. Foi contre la foi, Courage contre le courage. L'éloge même est froid et abstrait, sans différences; l'allégresse des héros est tuée une fois de plus par les forces mécaniques. C'est que la moindre vérité serait redoutable; on tomberait tout de suite dans quelque hérésie. Effaçons les faits et les êtres; il faut que les formules suffisent à tout.

Vous n'avez pas rêvé, non; vous avez bien lu que la croix de guerre fut solennellement donnée à un pigeon, selon les phrases consacrées : « A assuré la liaison entre l'infanterie et l'artillerie malgré un bombardement violent. » Cela, si on l'examine, dépasse ce que les plus hardis comiques ont osé. Mais on n'examine point; tout est sacré, l'oiseau, la phrase et le personnage. Tu commences par rire du pigeon, de la phrase et du personnage; mais, le personnage et la phrase, tu t'aperçois qu'il est défendu d'en rire. Des milliers de pigeons t'entraîneraient à te moquer de trop de choses. On décore des villes. On décore un officier parce que son abri s'est écroulé sur lui. On qualifie d'intrépides et de fidèles des troupes dont on sait qu'elles s'enfuient aussi bien qu'elles attaquaient, dès que les gradés sont tués. Que restera-t-il, si tu commences à ne pas croire ? Tu aperçois d'un regard cet immense édifice, qui vacille par ton doute. Aussi ton rire s'arrête net et fait place à un sérieux incroyable, qui me gagne moi-même. Tu apprends à croire, et moi j'apprends ce que c'est que croire, et ce que c'est que persuader celui qui a juré de tout croire. Et c'est dans le moment où le croyant est ridicule qu'il m'effraie. S'il a vaincu le ridicule, que pourront mes raisons ? Et s'il n'a pas eu égard à lui-même, aura-t-il égard à moi ? En vérité je n'ai plus envie de rire.

CHAPITRE LXXXIII

DU DROIT ET DE LA FORCE

Chacun sent bien que la force ne peut rien contre le droit ; mais beaucoup sont disposés à reconnaître que la force peut quelque chose pour le droit. Ici se présente une difficulté qui paraît insurmontable à beaucoup et qui les jette dans le dégoût de leur propre pensée, sur quoi compte le politique. Ce qui égare d'abord l'esprit, c'est que les règles du droit sont souvent appliquées par la force, avec l'approbation des spectateurs. L'arrestation, l'emprisonnement, la déportation, la mort sont des exemples qui frappent. Comment nier que le droit ait besoin de la force ? Ici je demande au lecteur de poser les armes, et de considérer seulement le sens ordinaire des mots ; à loisir, sans espérer ni craindre aucune réforme soudaine. Je suis bien loin de mépriser cet ordre ancien et vénérable que l'agent au carrefour représente si bien. Et je veux remarquer d'abord ceci, c'est que l'autorité de l'agent est reconnue plutôt que subie. Je suis pressé ; le bâton levé produit en moi un mouvement d'impatience et même de colère ; mais enfin je veux cet ordre au carrefour, et non pas une lutte de force entre les voitures ; et le bâton de l'agent me rappelle cette volonté mienne, que la passion allait me faire oublier. Ce que j'exprime en disant qu'il y a un ordre de droit entre l'agent et moi, entre les autres voyageurs et moi ; ou bien, si l'on veut dire autrement, un état de paix véritable. Si cet ordre n'est point reconnu et voulu par moi, si je cède seulement à une force évidemment supérieure, il n'y a ni paix ni droit, mais seulement un vainqueur, qui est l'agent, et un vaincu, qui est moi.

Il y a donc bien de la différence entre les discussions et réclamations, d'où viennent les procès, et la rébellion proprement dite. La rébellion, c'est-à-dire le recours à la force, rompt aussitôt le pacte de droit. Un coup de poing n'est pas juste ou injuste; il est fort ou faible. Quand la rébellion est terminée, par la victoire de l'un ou de l'autre, l'ordre du droit n'existe nullement entre le vainqueur et le vaincu, mais seulement un ordre de force, qui changera avec les forces. Il faut toujours que le droit soit reconnu, volontairement et librement reconnu. Dans les cas difficiles, il faut que la sentence de l'arbitre soit acceptée d'avance par les deux; tel est l'ordre du droit. Être possesseur d'un bien, c'est le tenir et le garder; en être propriétaire, c'est jouir d'un droit reconnu, publiquement reconnu, reconnu de tous. Réparer, expier, c'est reconnaître qu'on doit expier ou réparer, et s'en rapporter à l'arbitre.

C'est d'après ces principes qu'il faut examiner le prétendu droit du plus fort. Considérons surtout avec attention le cas où celui qui croit avoir droit veut imposer ce droit par la force, et y parvient. Il est clair que cet établissement de force ne crée aucun ordre de droit entre le vainqueur et le vaincu. Comme Jean-Jacques l'a montré dans un célèbre chapitre du *Contrat Social,* chapitre court mais bien profond, l'obligation d'obéir au plus fort n'est nullement d'ordre moral; ce n'est qu'un fait; elle cesse dès que le plus fort cesse d'être le plus fort; et, tant que le plus fort est le plus fort, cela va de soi, qu'on le veuille ou non. Si vous frappez, vous aurez un ordre de force, et toute promesse est nulle; si vous voulez un ordre de droit, il faut plaider, non frapper. Discuter, concéder, persuader. Tel est le prix de la paix, et ce n'est pas trop cher. Mais jamais la guerre n'établit la paix. Je n'ignore point qu'il est difficile de faire la paix; je dis seulement que les moyens de force n'approchent point de la paix, mais au contraire en éloignent. Je ne veux ici que rétablir le sens des mots; n'appelez point paix ce qui est guerre.

CHAPITRE LXXXIV

DES TRAITÉS

FAIRE la paix, expression juste et forte. Et la paix est un ordre de droit, j'entends librement reconnu par les parties, de façon que celui qui a reçu ce qu'il comprend qui lui est dû soit autant attentif au droit de l'autre qu'au sien propre. Ici est la justice d'esprit, hors de laquelle le plaisir de posséder est trouble et instable; car l'homme pense, vous n'empêcherez point cela. Le voleur n'a point d'assurance; il faut que sa main témoigne sans cesse contre son esprit. De cette division en lui naît une guerre continuée, et sans doute une volonté de prendre encore autre chose, parce que l'action réduit toujours la pensée; et il serait faible d'expliquer une corruption du commerce par l'habitude de voler; il y a plus de profondeur, même dans l'homme le plus ordinaire; je crois plutôt que cet animal penseur vole par principe, afin d'étourdir sa pensée par le fait, et d'accumuler les mauvaises preuves, à défaut des bonnes. Il y a peu de voleurs contents.

En revanche, dans les temps heureux de la paix, on voit surtout de ces acquisitions justes qui sont d'heureux échanges, chacun approuvant aussi bien ce qui revient à l'autre, et même s'en constituant le scrupuleux gardien. C'est par ce mouvement d'esprit, si naturel, que le droit de propriété est comme sacré, à ce point que le rude paysan méprise ceux qui dissipent ou perdent leur propre bien; et au contraire celui qui est attentif à son propre droit est toujours estimé de l'homme juste. C'est que le droit, qui suit l'heureuse transaction, est réellement commun aux deux; je reconnais en même temps et d'un même jugement ce qui lui appartient et ce qui m'appartient; lui de même. Telle est la paix véritable; et il apparaît que faire la paix avec autrui c'est d'abord faire la paix avec soi, comme Platon voulait.

Tenant ferme là-dessus contre les politiques, il faut examiner d'après cette idée du droit les prétendus traités de paix, qui seraient mieux nommés traités de guerre. Et je crois qu'on n'y peut penser humainement sans une inquiétude d'esprit, qui eſt déjà guerre par impatience de soi. Car ces traités prétendent fixer le droit; mais en même temps le consentement d'une des parties eſt obtenu par la force. En sorte que, par des traités de ce genre, l'état de guerre eſt plutôt organisé que terminé. On voit clairement que le consentement n'eſt pas consentement, et que le faible n'eſt obligé qu'autant qu'il eſt faible; dès qu'il reprend force, il n'eſt plus obligé.

Ici l'impatient lecteur voudrait m'interrompre : « Pouvait-on faire un traité d'autre genre? Que proposez-vous? » Je ne propose que des idées, me bornant à remarquer là-dessus que le seul risque d'une guerre coûte bien plus, et dès maintenant, que ne valent tous ces avantages obtenus par la menace. Mais je sais qu'il eſt difficile de sortir de la guerre, et que la force, par sa seule présence, efface le droit. Je veux seulement que l'on pense la guerre et la paix selon les notions, non selon les passions. Si l'on commence par dire que penser ne sert à rien, on ne pense point, et il eſt vrai alors que penser ne sert à rien, puisqu'on ne pense point. J'ai vu que des hommes, qui autrefois aimaient à réfléchir, ont rejeté les pensées comme importunes, et cette fureur contre eux-mêmes eſt, à mes yeux, le fond et la subſtance de cette colère qui revient toujours. C'eſt pourquoi je leur dis, comme je me dis : pensons d'abord le mieux que nous pourrons, et il en résultera quelque effet; je ne sais lequel, ni par quels chemins. La masse, à ce que je crois, garde le bon sens, mais se trouve jetée dans le doute par des discours où tout eſt mêlé, et auxquels elle ne sait pas répondre. Si seulement ceux qui se mêlent d'écrire étaient rappelés à l'honneur de penser, je dis même au plaisir de penser librement, cela ne serait pas un petit changement. Il n'y a pas bien longtemps que la traite des noirs et la torture ont péri, principalement parce que quelques-uns ont considéré ce que c'était, sans s'inquiéter de ce que les planteurs et les juges feraient dans la suite, gênés par cette lumière indiscrète. Et les choses se sont arrangées autrement.

CHAPITRE LXXXV

GRANDEUR D'ÂME

C'EST par l'esprit que l'homme se sauve, mais c'est par l'esprit que l'homme se perd. Un animal ne doit pas être dit injuste; il prend ce qu'il peut prendre, et ce qui est est toujours le mieux puisque rien d'autre n'est possible. Mais l'homme promet autre chose, et se promet autre chose. Car d'un côté il sent bien que ce qu'il croit juste doit se montrer tel aux autres et même à l'adversaire, et que cet accord est la marque du juste, comme du géométrique, comme de toute pensée. Mais d'un autre côté il ne peut point comprendre que l'accord soit si difficile à faire, et que ce qui lui paraît évident à lui soit douteux ou même absurde pour l'autre. Dont il veut aussitôt punir l'autre; en vérité par amour pour l'autre, comme ces parents qui, voulant apprendre la musique à un enfant chéri, considèrent les fausses notes comme de graves injures, et bientôt s'irritent, par la tyrannie de ce cœur affectueux et contrarié. C'est pourquoi je crains un homme qui me dit : « Vous allez être de mon avis; il n'est pas possible que vous ne me donniez raison. » Ce préambule annonce la guerre. Un homme fort savant, mais qui avait des passions vives, me dit un jour, avant de m'exposer, comme à un arbitre, une difficulté de politesse : « Je vous fais juge. Mais si vous ne m'approuvez pas pleinement, je vous avertis que je ne vous parlerai plus jamais. » Je refusai de l'entendre et je fis bien. N'est-il pas redoutable cet animal pensant qui brûle d'être en paix avec moi ? Je craindrais moins un homme qui voudrait me voler; il sera prudent; il ne se jettera pas à corps perdu pour me conquérir; sa prudence me protège aussi; au lieu que le fanatique exerce son mandat d'homme pensant; je suis un autre lui-même, en lui et contre lui; il ne peut comprendre que deux pensées ne s'accordent pas; et c'est vrai, il faut qu'elles s'accordent. C'est donc l'esprit qui fait la guerre.

Pareillement il n'y a de paix qu'entre esprit et esprit. Et l'esprit de paix est intelligence d'abord, qui définit paix et guerre, droit et force, et comprend qu'aucune force ne peut rien obtenir qui ressemble à un droit; oui, même dans le temps où l'on frappe, ne pas jeter les raisons avec le coup de poing, mais travailler, en redoublant d'attention, à penser juste, et chercher la pensée de l'autre, la comprendre, la ménager, l'éclairer. C'est par cet esprit de paix qu'une guerre n'exclurait ni la consolation ni l'espérance; car le plus grand malheur est si l'esprit s'abandonne.

Il faut à l'esprit de paix quelque chose de plus que l'intelligence, et en quelque sorte une lumière par provision, qui est charité; chercher la liberté de l'autre, la vouloir, et l'aimer. Autant que les arrangements de l'intelligence doivent être retirés des mouvements de force, sans aucun mélange, autant la volonté de traiter d'humain à humain doit se mettre au-dessus des arrangements eux-mêmes qui sont petits au regard de la reconnaissance et du respect. Cette grandeur d'âme est difficile au vaincu, parce que la crainte corrompt les égards. Je crois qu'elle est facile au vainqueur. Mais le même désordre, qui fait que ce n'est point celui qui commence la guerre qui se bat, fait aussi que ce n'est point celui qui s'est battu qui termine la guerre. Aussi cette guerre n'est point terminée.

CHAPITRE LXXXVI

REFUS

Dans les temps difficiles, les passions sont violentes et courtes; cette lumière d'un moment fait aussitôt une nuit plus épaisse. Il faut quelque idée dessinée d'avance, et à la mesure de l'événement. Cette fortune est rare. D'où la puissance des lieux communs. J'avais avec moi *L'Otage*; et le refus de Sygne, qui a tant mérité, et qui dit non à la récompense, éclaira pour moi plus d'un noir silence. Cette noble femme, tenue par son serment, n'a pas dit non à l'action impossible, rassemblant, comme il arrive, toutes ses forces pour l'action, sauvant le pape par un mariage contre son cœur, fidèle en ce sacrifice quotidien. Admirable aux yeux de ce prêtre naïf qui l'a jetée dans cette épreuve surhumaine. L'amour augmente par les sacrifices, si ce qu'on dit est vrai. La voilà donc au moment de la mort, ornée de ses malheurs volontaires, digne de son Dieu, et revêtue de gloire. Mais point du tout; à tous les pieux discours, maintenant, elle dit non de la tête. Le prêtre ne peut comprendre; et le drame nous laisse dans ce doute, quoique le non soit obstiné en ce dernier jugement. C'est le propre du théâtre de poser au lieu de prouver. On touche ici la nature humaine en ses profondeurs.

Partant de là, et assuré de cette expérience composée, j'avais le bonheur d'oublier quelque temps l'autre tragédie, ambiguë, informe et comme au-dessous de toute pensée. Je considérais donc ce jugement final où, tout étant soudain retourné, la sacrifiée refusait de pardonner à Dieu. Car la force tragique ose jusque-là. Il fallait donc comprendre que cette puissance de Dieu n'était que par la volonté d'obéir et qu'ainsi cette âme meurtrie n'était en rien mutilée, ni diminuée, mais au contraire fortifiée, ramassée sur elle, dépouillée, délivrée enfin par l'obéissance. Quand l'invincible résolution ne s'appuie plus que sur elle-même, toutes les raisons extérieures sont bien faibles. Car il est vrai que la servitude rusée corrompt le jugement, et c'est par ce détour que le maître est quelquefois aimé. Mais, en revanche, quand le sacrifice est volontaire, comme il est en ce drame, et sans aucune prudence, ni aucun mensonge à soi, lorsqu'enfin l'on n'est tenu que par son propre serment, joint à la difficulté même de la chose, qui interdit toute pensée de traverse, il me semble que la force pensante est bien placée pour juger souverainement. Quand l'œuvre est achevée, le dieu est bien petit.

Par ces chemins je revenais à la guerre, mais sans m'y reconnaître, jusqu'au temps de la paix, où, au lieu des vengeances espérées et redoutées, je trouvai des vainqueurs établis dans un mépris inflexible, et qui disaient non à la gloire, et non au dieu satisfait. Ce silence des survivants étonnera plus d'un prêtre naïf. Cet autre culte verra de froides cérémonies; les discours sonneront mal en présence de ceux qu'ils veulent honorer; mais que dis-je là? Ils n'y seront point. Ce refus étonne les hommes d'âge, sans les instruire. Là-dessus je n'ai pas d'espérance. Mais les jeunes interrogent du regard; ils essaient de deviner; c'est pour eux que j'écris ces pages. Le regard muet n'est point pour eux; ils ne l'ont point mérité.

CHAPITRE LXXXVII

LE ROI

IMAGINEZ un roi de nature tendre, et soucieux de justice. Son ministre n'ira pas lui dire : « Sire, vous avez pour soldats des malheureux que vos recruteurs enlèvent de force, en considérant seulement l'âge et la santé, nullement le vouloir; et tout en marchant, d'après vos ordres, à la victoire et à la mort, ils vous chargent de malédictions. » Tout au contraire le Politique parlera à peu près ainsi : « Sire, votre Majesté est à ce point vénérée, et chacun est tellement assuré que vos desseins servent l'humanité et la justice, que l'on court et que l'on se pousse pour entrer dans vos armées et pour mourir à votre service. » Ce mensonge si convenable fut fait sans doute aussi au fameux Frédéric; je ne sais ce qu'il en croyait; dès que l'on veut ignorer, il est bien aisé d'ignorer. Toujours est-il qu'il n'est point juste que celui qui finalement décide soit trompé, volontiers ou non, sur les moyens et sur le réel de ce qu'il fait. Ce genre d'ignorance fait peut-être toute l'injustice du monde; car les intermédiaires, qui savent mieux, ne sont pas ceux qui commandent, et celui qui décide ne sait pas du tout ce qu'il fait. Je veux donc, autant qu'il est en mon pouvoir, montrer au maître les esclaves et l'esclavage, l'humiliation, la misère, la révolte, le sang. Qu'il ordonne après cela et sans recours, c'est assez dur à penser; mais qu'il ordonne sans savoir ce qu'il ordonne, c'est trop.

Où tend ce discours ? Toi qui me lis, homme ou femme, jeune ou vieux, tu es une petite partie du roi; tu es pour ta part roi d'opinion et de suffrage; de toi dépend en quelque chose la paix et la guerre. Soit que tu te plaises aux jeux de la force, soit que tu acceptes d'un cœur léger le jeu des politiques, soit que tu cèdes à la fatalité et que tu te consoles par l'admiration, il est d'abord juste que tu saches bien ce que tu fais et ce que tu approuves. Et je vois bien, roi débonnaire, que tes ministres te trompent, grands et petits, de façon que tu ne soupçonnes pas qu'en décidant, préparant ou acceptant une guerre, tu décides, tu prépares ou tu acceptes quelque chose d'absolument laid, et qui te ferait horreur. Si cette chose peut toujours être évitée, je ne sais; ce monde immense, ces races, ces passions, ces intérêts, l'ambition des politiques et surtout leur aveuglement, tout cela forme une masse trop lourde pour ma plume. Mais j'ai le droit de vouloir que tu regardes à tes pieds, et non en l'air; en l'air sont les phrases et les drapeaux et les consolations; à tes pieds, l'esclavage, la boue et le sang. Il n'y aurait plus du tout d'espérance si les politiques parlaient seuls, eux qui fardent si bien la gloire, jusqu'à lui faire, en vérité, un visage presque supportable. Je trouve beau que les jeunes disent comme le Stoïcien : « Cela ne fait pas de mal. » Mais ce jeu ne me convient pas à moi, qui n'ai plus l'âge d'y aller. Il est beau que les enfants aient pitié des parents. Mais je ne puis avoir pitié du roi; je n'en ai pas le droit; dès qu'il décide, il faut qu'il sache; faible chance pour la paix, mais non pas nulle.

CHAPITRE LXXXVIII

DIRE NON

Dire non, ce n'est point facile. Il est plus facile de punir les pouvoirs par la violence; mais c'est encore guerre; chacun l'aperçoit aussitôt; ainsi la gueule du monstre est ouverte partout, d'où vient cette résignation passive. Mais l'esprit mène une autre guerre.

Une grève est déjà puissante; la grève de l'esprit est souveraine si tout le monde s'y met; mais si vous attendez les autres, personne ne s'y mettra; commencez donc. Guerre à vos passions guerrières, si enivrantes dans le spectacle et la parade, dans la victoire surtout. A toutes ces ivresses, dire non.

Chacun cherche sa liberté, mais mal, voulant violence contre violence, et tombant aussitôt dans un autre esclavage. Laissez le corps obéir, cela n'ira pas loin. Ceux qui préparent la guerre le savent bien; c'est votre esprit qu'ils veulent; j'entends ces jugements confus que l'imitation soutient, que le spectacle et l'éloquence ravivent. Ne buvez point ce vin-là. Nul ne peut vous forcer; l'enthousiasme ne peut être obligatoire. En ces temps où j'écris, la fête de la victoire est proche; je m'étonne d'avoir entendu beaucoup d'hommes et de femmes qui, d'ordinaire, n'osent pas beaucoup, dire froidement : « Nous n'irons point là. » Une autre disait, entendant des clairons : « Cela serre le cœur. » Il n'y a point de loi qui puisse ordonner que vous soyez hors de vous-même.

Ainsi, devant toute déclamation guerrière, le silence; et si c'est un vieillard qui se réchauffe à imaginer le massacre des jeunes, un froid mépris. Devant la cérémonie guerrière, s'en aller. Si l'on est tenu de rester, penser aux morts, compter les morts. Penser aux aveugles de guerre, cela rafraîchit les passions. Et pour ceux qui portent un deuil, au lieu de s'enivrer et de s'étourdir de gloire, avoir le courage d'être malheureux.

Savoir, comprendre, affirmer que le sacrifice du pauvre homme est beau; mais se dire aussi, selon une inflexible rigueur, que le sacrifice n'est point libre; que l'arrière pique l'avant de ses baïonnettes, comme au temps de l'inhumain Frédéric; et encore avec moins de risque; et que ce métier de serre-file à vingt kilomètres est laid. Songez à celui qui ordonne l'attaque et qui n'y va point le premier; mais retenez la colère, qui est guerre encore; dites seulement que cela ne peut pas être admiré. Soyez mesureur d'héroïsme.

Et pour ceux qui se jettent en avant, ayant choisi d'être chefs, et payant de leur sang, soyez inflexibles encore en votre jugement. Dites qu'être chef absolu à vingt ans, servi à vingt ans comme un roi n'est pas servi, qu'être dieu à vingt ans pour une cinquantaine d'hommes, cela vaut bien que l'ambitieux accepte le risque. Que ce pouvoir asiatique a ses profits et ses triomphes tout de suite, bien avant l'épreuve mortelle; et que l'espérance croît avec le grade; ce qui fait que ceux qui choisissent cela, et s'en vantent souvent sans pudeur, ne se sacrifient point en cela, mais au contraire, à leurs passions ambitieuses sacrifient la foule des modestes qui ne veulent que vivre. Ici vous êtes spectateur; et ces acteurs emphatiques dépendent de vous. Il n'est même pas nécessaire de siffler; il suffit de ne pas applaudir. Dire non.

CHAPITRE LXXXIX

PAR LES CAUSES

Où tendent tous mes discours ? A faire connaître la guerre par ses causes réelles, ce qui détournera du fatalisme religieux. Ce sentiment est bien fort, et voici par quel mélange. D'un côté cette catastrophe périodique, que chacun déplore et à laquelle chacun concourt; qui se fait par des volontés humaines, et contre les volontés humaines; qu'il suffirait de nier et qu'on ne peut nier; que l'on prévoit, et qui n'en arrive que mieux; qui réussit par les précautions que l'on prend contre elle; qui s'impose parce qu'on la craint; qui, parce qu'elle a été, sera, comme une folie. Et cela jette les uns dans l'attente passive, et les autres dans une impatience à marcher selon le destin. Les uns et les autres pensent, à la manière de Tolstoï, que l'histoire est soumise à quelque loi cachée et inéluctable; ainsi le surhumain se montre au-dessus des fumées.

D'un autre côté le souvenir des héros morts, la gloire, les défilés et les parades éveillent, dans l'âme la plus froide, des émotions invincibles; la force humaine est adorée; j'insiste, non pas seulement acceptée comme nécessaire, mais bien réellement adorée. Ce culte est le seul culte à présent; aucune autre religion ne modère les effets de celle-là; et qui ne trouve pas d'incrédules parce qu'elle ne trouve pas d'insensibles; le seul moyen d'échapper à cette fête de la victoire était de n'y pas aller. Par de telles émotions que le souvenir ravive si bien, la fatalité est embellie. Il se forme une mystique de la guerre, et un fanatisme. Un pessimisme enthousiaste, telle est à peu près la doctrine.

Contre quoi je dis qu'il faut comprendre par les causes. Et d'abord, contre l'émotion, qui est esthétique, analyser le rythme contagieux, comprendre le prix de l'ordre humain, pour l'homme spectateur et encore plus pour l'homme acteur; saisir ce singulier rapport, mais pourtant explicable, d'après lequel, les émotions faisant preuve, le culte fait être le dieu. Imaginer donc et préparer d'autres fêtes. Il est effrayant de penser que la masse ne connaît pas d'autre mystique agissante que la militaire. Car le beau est souverain sur tous, et ainsi notre laide industrie est bien plus nuisible qu'on ne croit.

Pour ce qui est maintenant de ces guerres toujours annoncées, toujours préparées, et de ces mauvais prophètes auxquels l'événement donne enfin raison, dites-vous d'abord qu'autant qu'ils persuadent, l'événement arrive, puisqu'il arrive par les hommes. Et surtout comprenez pourquoi tous ceux qui aiment le pouvoir aiment la guerre au fond d'eux-mêmes, et ainsi, sans se l'avouer toujours, mettent toutes leurs espérances dans le grand jeu traditionnel, où en effet les conseils de guerre et les conseils de paix vont à la même fin; et que, par la négligence des citoyens, ce sont toujours des hommes de cette espèce qui dirigent les choses humaines, qui les expliquent, qui les annoncent. Que les chefs de guerre vont à la guerre en espérance, non pas seulement parce que la menace de guerre leur donne puissance, mais aussi parce que la guerre même les fait rois, sans contrepoids, contre un risque acceptable, et d'autant moindre qu'ils sont plus avancés en âge et en grade. Par ces vues apparaissent les remèdes, à la portée de chacun; car il suffit de se refuser à croire. Encore une fois, dire non.

CHAPITRE XC

L'ESPRIT

On dit partout que la guerre vient de ce qui est inférieur dans l'homme, et qu'on ne peut supprimer; et que l'esprit n'y peut rien, ne pouvant se séparer de son mauvais compagnon. Erreur de grande portée, qui va à confondre la guerre avec les querelles et rixes, lesquelles sont et seront toujours à attendre, par la nature animale qui nous tient tous. Mais l'expérience fait voir qu'une police convenable, en chacun et dans la ville, modère cette folle agitation, qui d'elle-même n'irait pas loin. Et qu'est-ce qu'un crime ou deux?

Mais pour ce crime sans mesure, qui fait marcher des hommes contre des hommes, d'après une colère de cérémonie, contre l'intérêt de tous et contre le désir de presque tous, pour ce crime sans mesure, il faut l'esprit. Oui il faut des doctrines, des systèmes, un idéal, des preuves, une morale, une religion enfin. La colère, subordonnée au sommeil, à la faim, à la fatigue, appelle l'esprit au secours. C'est l'esprit qui veille, c'est l'esprit qui tient.

En quoi il est esclave, et fabricant d'opinions à la requête des passions inférieures. Volontairement avili. Ici s'éveille une colère en moi, que je dois modérer, car c'est encore guerre, mais que je ne puis dire injuste. Je pardonne à ces masses de muscles qui n'arrivent pas à penser. Mais comment pardonner à celui qui a reçu la grâce d'être moins alourdi, de lire, de comprendre, de penser, s'il soumet ce pouvoir aux forces ? Ils ont un devoir lourd, ceux qui ont pour fonction de penser. Faiblesse n'est pas crime ; et l'inférieur, qui porte tout, qui nourrit tout, et jusqu'à la lumière impartiale, l'inférieur est toujours bien fort. Nul n'est assuré contre la colère. Seulement adorer la colère, et s'y jeter avec cette joie mauvaise contre cet esprit qui ne voulait pas servir, c'est cela qui est la trahison. L'inhumain n'est pas dans l'acte féroce d'homme contre homme ; mais celui qui adore en esprit la violence, et qui la veut organisée, pensée, adorée, voilà l'inhumain.

De ceux qui n'ont d'esprit que pour gagner, je n'attends pas mieux. « Avant que le coq ait chanté trois fois », oui tout de suite leur première pensée fut un moyen et une arme. Toutefois ces pensées nées en esclavage ne porteraient point une guerre. Je n'attends pas beaucoup plus de ces esprits qui furent libres en la première jeunesse, et ainsi apprirent à composer, mesurer, exprimer ; car ce talent, presque tout imité, fut aussitôt à vendre. Dangereux, ceux-là, par l'art de persuader, et par une allure de liberté ; mais l'envie les déshonorait. La guerre est triomphe pour ceux-là ; elle les justifie, croient-ils.

Mais enfin, j'en avais connu et honoré d'autres, parce qu'ils ne se pliaient point à toute puissance, ni même à toute preuve ; et parce qu'ils avaient un visage humanisé par la haute fonction du juge. Savants, historiens, philosophes ou moralistes, leur fonction était de peser toutes choses et eux-mêmes. Je suppose qu'ils ne se consolaient point de mépriser beaucoup de choses. Lorsqu'ensemble s'élevèrent toutes les passions divinisées, ils tombèrent d'un coup. Cette couronne de fausses raisons par lesquelles la fureur a pris forme de guerre fut faite par ces hommes-là. Par peur, par mauvaise honte? Ou bien comme des prudes qui seraient lasses de leur métier? Ici le crime se mesure à la puissance d'esprit. Qu'ils comprennent maintenant que la guerre n'est guerre que par l'esprit qui consent. Celui qui, de toute sa pensée, n'a point nié cela, est ici le seul assassin. Et comme il le sait, ce châtiment suffit.

CHAPITRE XCI

VOULOIR

RELISANT ces jours-ci l'immortel *Phédon,* je revenais à ces penseurs sans courage, qui sont toujours à attendre quelque preuve qui les dispenserait de choisir. Trop commode, si nous étions une mécanique à penser, et si la justice et la paix, aussi bien que les autres idées pures et sans mélange, étaient de force à vaincre les doutes et à subjuguer l'âme. Mais Socrate ne voulait point d'une âme esclave; et personne n'en voudrait, de ce triste penseur qui dirait : « La justice est la plus forte; la vérité est la plus forte. »

A bien regarder, et comme le puissant Descartes l'a si bien dit, les idées sont faciles à concevoir, mais difficiles à accepter. C'est que pendant que nous attendons leurs preuves, elles attendent notre choix. Nullement semblables à ces cailloux petits et gros qui s'imposent si bien par la blessure; ceux-là existent terriblement; oh oui; ils n'ont pas besoin de notre consentement. Pesant sur nous, et nous faisant violence; indiscrets, pressants. Et l'injustice de même, et la guerre de même; par les faits innombrables, et par ce genre de preuves qu'on peut tirer des faits, elles se répètent et crient à nos oreilles que la justice n'existe pas par elle-même. Cependant la justice et les autres idées, et le droit, et la fraternité et la paix attendent comme suspendues. Elles attendent que nous les choisissions et voulions. Par notre volonté seulement elles seront. Le verbe s'est fait chair, une fois. C'est un modèle. C'est un miracle qu'il faut refaire, et qu'il faut maintenir. Laissez aller les choses, vous aurez un mécanisme et une violence inévitablement. L'esprit seul peut faire la paix; toutefois non pas sans vouloir. Mais les hommes sont mal instruits. Instruits par les preuves de fait, qui certes n'ont pas besoin d'un consentement. Instruits de ce qui est, sous l'idée qu'on peut bien changer ce qui est par industrie, mais à la condition de l'accepter et de le servir d'abord. De là ces immenses progrès d'industrie, dont chacun pèse à son tour, et alourdit encore la chaîne. La mécanique est plus compliquée; le pylône s'élève, et tombe de plus haut. L'an 1914 l'a assez montré.

Faute de vouloir. Par cette maladie de l'attente, qui fait que chacun attend le salut d'autre chose que de lui-même. Il suffit pourtant de vouloir. Le christianisme soumit les forces, seulement par un vouloir décidé, par un choix, sans aucune violence. Hélas, quand cet ordre nouveau fut établi, quand on le proclama chose, il devint aussi lourd de matière que les anciennes forces; sans doute aussi par l'effet d'une métaphore mal comprise, qui trompa sur cette autre vie.

Mais nous, manquerons-nous de courage pour juger? Une parole, ce n'est pas beaucoup. Seulement regardez bien. Ne pas consentir, ne pas adorer le mal; ne pas l'accepter en esprit. Vouloir ferme ce qui n'est pas, afin qu'il soit. Saurons-nous comprendre cet immense effort des esprits faibles, qui depuis tant d'années nous ramène au fait? Saurons-nous comprendre que tout cet appareil de l'expérience, partout avide, insolent et petit, nous conduisait à cette guerre qui devait être pour eux la preuve et pour nous la punition? Saisirez-vous le sens de ce mauvais sourire? Alors, mes amis, n'essayez plus de penser sans vouloir, et commencez par faire un grand serment. Car si vous observez et attendez, alors c'est oui. Mais si vous dites non à la guerre, alors c'est non.

CHAPITRE XCII

L'HUMANITÉ

Je n'ignore point et je ne méprise point les idées des sociologues. Auguste Comte me paraît serrer d'aussi près que possible le problème humain. Que la pensée la plus originale soit fille d'une multitude, que nous pensions par d'autres comme nous vivons par d'autres, cela m'est évident. Mais ce n'est pas une raison pour que nous nous limitions à la patrie, car elle est dépassée. Je ne dis point qu'elle doive être dépassée; je dis qu'elle est dépassée; toute situation humaine tient à une société plus étendue. L'humanité existe comme société. « C'est le plus vivant des êtres connus », disait Comte.

Nous pensons dans l'humanité réelle. Ces morts qui nous gouvernent sont de tous pays et de toutes époques. Immortels. Homère, Platon, Archimède, le Christ, Marc-Aurèle, Montaigne, Descartes, tous les penseurs, tous les inventeurs d'idées ou de machines pensent et agissent avec nous. Sans cette immortalité réelle et efficace, nous en serions toujours au commencement, faibles, puérils, presque animaux. Tout ce que nous valons et pouvons vient de ce culte des grands morts. On dit bien « les humanités » pour désigner ce colloque de tous les jours avec les grands ancêtres. Plus parfaits; esprits; purifiés par la mort, comme les légendes le disent; et c'est plus vrai qu'elles ne le disent.

L'homme est donc, dans le fait, participant à plusieurs sociétés superposées, famille, amis, patrie, humanité, parmi lesquelles l'humanité est de bien loin la plus choisie, la plus nombreuse, la plus active. Borner l'homme à sa patrie, c'est nier le fait. Jusque-là nous sommes des animaux; par l'humanité nous sommes des hommes.

Que l'humanité toute seule ne puisse pas faire exister un seul homme, c'est un fait encore; ni la patrie, un seul citoyen; ni la coopération, un seul coopérateur; ni l'amitié, un seul ami. C'est le couple qui crée, et la famille porte tout. Mais ce n'est que la condition inférieure, grande seulement par ce qui la dépasse. Riche de promesses; mais incapable de fleurir d'elle-même en hommes; en animaux seulement. Élevée et tirée hors d'elle par l'amitié et par la coopération, mais toujours retombant à la nécessité biologique, et à l'esprit mercantile pur, qui, découronné, n'est que routine animale. Il faut cette grande secousse de la patrie, qui les remet à hauteur de pensée.

Mais qui ne peut les y tenir. La patrie ne serait qu'une horde, sans les formules humaines. Encore animale, cette fureur de mourir. Ordonnée seulement par les idées et inventions humaines; généreuse par l'humanité. Découronnée, la patrie retombe à la nécessité biologique, sous l'idée de race. Et l'idée de race se détruit comme idée, puisque la noblesse de race suffisant à tout, toute impulsion est vraie et bonne. De là cette prodigieuse sottise, et ridicule, et mortelle pour la patrie même, chez ceux qui se limitent là. La patrie sans sa couronne, c'est quelque chose d'animal encore. Une patrie est pensante et puissante par l'humanité seulement. Non point par l'humanité en espérance, mais par l'humanité présente. Le choix est déjà fait. Qui ne sent plus l'humanité réelle, comme au bout de ses doigts, celui-là n'est plus un homme. D'en bas vient la force, j'en conviens; mais d'en haut la lumière. Une force sans pensée fait rire. Ce n'est que folie animale. Comme on voit en ces peuples naïfs que les petits sociologues admirent. Mais ces peuples sont ignorants et cruels et sans aucune puissance. Preuve que ceux qui subordonnent la patrie à l'humanité sont dans le vrai, à parler strictement et sans aucune hypothèse. Car l'esprit d'Archimède est la force des forces.

CHAPITRE XCIII

DES MÉCHANTS

Un ami qui avait autrefois de la pénétration, et qui n'a plus que de l'importance, me dit un jour après plusieurs enquêtes auxquelles il avait été conduit par ses fonctions : « Les fous sont des méchants. » J'ai eu, plus d'une fois, l'occasion de mettre dans une lumière convenable cette pensée brillante, qui ne doit pourtant pas étourdir. Et comme l'idée de la fatalité doit être ici considérée attentivement, les fous me seront l'occasion de comprendre encore mieux les passionnés; et c'est pour les passionnés que j'écris; car aux politiques je n'ai rien à dire; ils jouent leur jeu.

La fatalité, donc, s'annonce par un sentiment vif ou pressentiment de ce que nous allons faire, de ce que nous ne pouvons pas ne pas faire. Et il faut bien distinguer cette espèce de vertige de la prévision pure et simple d'un événement qui va arriver par des causes. Si nous arrivons à prévoir par des causes un crime, ou une colère, ou une guerre, nous serons conduits, comme il arrive, à changer les causes et à éviter ainsi les effets; c'est par là que chacun arrive à échapper à mille dangers en traversant une rue. Mais si j'ai par malheur le pressentiment soudain et vif qu'une voiture va m'écraser, me voilà dessous. Ainsi, quand l'action dangereuse s'annonce en nous, nous ne pouvons avoir cette assurance du conducteur qui serre le frein ou qui agit sur le volant. Alors nous est signifiée, non une conséquence seulement possible par des causes, mais une espèce de volonté obstinée qui va à sa fin en dépit des causes. Contre quoi notre industrie se trouve désarmée, qui sait changer l'avenir en changeant les causes; et la réflexion prévoyante ne peut jeter là-dessus qu'un désespoir d'esprit qui presse encore la passion et la jette à son accomplissement. Cette idée est le fond de toutes les passions, on pourrait dire de tout le romantisme des passions. Il y a un appel du destin, qui est trop entendu. Oui, la passion, considérée dans la pensée, et autant que la réflexion errante l'éclaire, n'est pas autre chose que l'idée même que nous ne pouvons rien contre nos passions. Ramenant cette idée à mon sujet, je dis, en changeant les mots, que l'esprit guerrier n'est pas autre chose que l'idée même que nous ne pouvons rien pour éviter une guerre. Sombre méditation, qui est déjà désespoir, fureur, meurtre des autres et de soi. Par le même mouvement d'esprit, la crainte de devenir fou, fille de pressentiment, et cause à son tour de pressentiments encore plus vifs, engendre une espèce de folie volontaire, si l'on peut ainsi parler, qui devance l'événement, cherche le malheur, et prend ainsi figure de méchanceté. Je n'espère pas traiter suffisamment de cette ample matière; toutes les notions y sont à revoir; peut-être aura-t-on saisi, d'après ce chapitre et d'après d'autres, en quel sens je puis dire que la folie est mécanisme corporel et maladie, et en quel sens je veux dire qu'elle est consentement et méchanceté.

Mais remontons au niveau de l'humain ordinaire. Quand un homme me soutient que la guerre était inévitable, et que je le vois s'animer bientôt jusqu'à la fureur, il m'arrive de lui faire reproche de ce qu'il aime la guerre et ne voudrait pas qu'il n'y ait pas eu de guerre. À quoi quelqu'un m'a répondu : « De ce que je considère la guerre comme inévitable, il ne faut pas conclure que je la désire. » Savoir. Les mots disent toujours mal. J'accorde que la guerre lui est horrible à prévoir et horrible à voir. Mais le vrai pessimiste, toujours fataliste aussi, désire en un sens ce qu'il annonce, car la crainte fait naître l'impatience, et c'est ainsi qu'on peut se tuer par crainte de la mort. Il y a ainsi un appétit du malheur, pour soi et pour les autres; et peut-être n'y a-t-il point au monde d'autre méchanceté que celle-là.

Relisez ou lisez là-dessus *Le Lys*, de Balzac; la peinture du comte de Mortsauf est un beau chapitre de l'anthropologie véritable. Toute folie ainsi considérée éclaire toutes nos fautes; mais cette lumière veut des yeux accoutumés. Je crois que le lecteur de bonne volonté arrivera à se guider lui-même dans ces sentiers difficiles, s'il considère souvent et sans préjugé de doctrine l'idée de la fatalité, funeste dès qu'on la forme, mortelle à l'esprit dès qu'on la soutient, mais consolante dès qu'on la tient à distance de vue, objet humain parmi d'autres. Remarquez déjà une analogie bien saisissante; de même qu'il faut avoir la doctrine de la folie évitable si l'on veut arrêter sur la pente quelque esprit prophétisant sur soi, de même il faut considérer, par invincible préjugé, la guerre comme évitable, si l'on ne veut pas contribuer à la rendre inévitable. Ici est la foi, reine des vertus. Au contraire l'expression « prophète de malheur » a toute la force d'un pléonasme.

Peut-être le lecteur commence-t-il à apercevoir que l'attachement au fatalisme est le vrai mal en ce monde. Les effets matériels de la guerre ne m'ont jamais troublé jusqu'au fond; je sais qu'il faut peu de chose pour tuer un homme, et que des forces, bien plus puissantes que nous, nous menacent sans cesse. J'accepte cette condition humaine; cette planète à éruptions ne nous a rien promis. Le malheur est par là autour, mais non le mal. Le mal est dans cette colère contre celui qui veut aller à la source des maux humains. La fureur de ceux qui acceptent la guerre, et qui prennent cette acceptation comme un accomplissement, comme une perfection de leur destinée d'hommes, voilà ce qui m'épouvante. Il y en a qui ne craignent l'explosif qu'au moment où il frappe les yeux et les oreilles; mais moi je crains cette poudre jaune. Ainsi cette volonté mauvaise qui ne frappe point, qui ne menace point, mais qui condamne, je la vois flamboyante et sanglante déjà, et trop punie. Sombre malédiction sur soi, déjà visible dans un enfant obstiné qui refuse le pardon. Mais l'enfance est flexible et oublieuse. L'homme mûr, jauni, aigri, irrité par tant de preuves qu'il a cherchées et voulues, déçu et content parce qu'il l'a tant de fois prédit, voilà l'ami difficile que je veux fléchir. Je lui demande de faire grâce à la jeunesse. Et je sais qu'il me devine et qu'il ne veut point faire grâce. Du plus loin qu'il me voit, il me dit non. Mais l'écrit convient mieux que la parole; et cet homme sait lire. Au reste mon pouvoir expire aux frontières de son royaume. C'est lui le maître de l'heure; et seulement un millier de ces spectateurs qui voudraient, dans leur fauteuil, consentir à eux-mêmes, quel avenir! Non pas peut-être sans guerre, mais du moins sans le consentement de l'esprit.

VI

SOUVENIRS
CONCERNANT
JULES LAGNEAU

CHAPITRE PREMIER

SOUVENIRS D'ÉCOLIER

Je veux écrire ce que j'ai connu de Jules Lagneau, qui est le seul Grand Homme que j'aie rencontré. Il était mieux de livrer au public un exposé systématique de la doctrine; mais cela je ne l'ai point pu. Les raisons s'en montreront chemin faisant; je puis dire que ce qui me rendit la tâche impossible ce fut surtout la peur d'offenser cette ombre vénérée. Nos maîtres, vers l'année 1888, qui est celle de mes vingt ans, étaient sévères comme on ne l'est plus; mais ce maître de mes pensées l'était, en ce qui me concernait, par des raisons plus précises. J'étais déjà un habile rhéteur, et je ne respectais rien au monde que lui; ce sentiment donnait des ailes à ma prose d'écolier; en écrivant je combattais pour lui, et je méprisais tout le reste, d'où une audace, une force persuasive, un art de déblayer qui amassèrent plus d'une fois des nuages autour du front redoutable. Mes camarades, non moins dévoués que moi, mais autrement, conservaient, dans leur manière d'écrire, tout le scrupule, toute la patience, tous les détours et retours de l'Homme, cet embarras de la parole, et jusqu'à ces gestes qui traduisaient éloquemment l'insuffisance de tout ce qu'on pouvait dire. Comment aurais-je traduit un sentiment que je n'éprouvais pas? Pendant que tout s'obscurcissait devant lui, tout s'éclairait pour moi; j'apercevais comme de brillantes trajectoires; je les parcourais hardiment. Je ne crois point du tout que la Foi me rendit facile sur les raisons; je l'expliquerai assez. Je ne crois pas non plus avoir en ce temps-là ni dans la suite jamais rabaissé la pensée au rang d'un jeu de rhétorique. N'empêche que, par une facilité qui naquit en même temps que l'enthousiasme, j'en donnai plus d'une fois l'apparence, et cela me valut plus d'un rude avertissement. Mais enfin, mis au fouet, je n'en galopais que mieux. Le Maître en prenait son parti; et je surpris plus d'une fois sur le puissant visage une joie qui m'était bien douce. Toujours est-il qu'alors qu'une page d'un de mes camarades était quelquefois lue comme un modèle, je n'eus jamais cet honneur. Il faut donc, si je veux conserver le fidèle souvenir du penseur, que je ne cesse jamais de peindre l'homme, de façon qu'il parle lui-même. Et, pour les commentaires, je dois les prendre pour moi et en porter le poids; c'est un développement de sa pensée, ce n'est pas autre chose; mais je n'oserais pas dire que c'est sa pensée. Et pour que toutes ces différences soient bien en place, comme l'exige une fidélité que j'ose dire sans alliage, il faut nécessairement que je parle beaucoup de lui et beaucoup de moi. Ce petit livre, que je commence, et dont je ferais des volumes, si j'osais, est une œuvre de courage; la piété serait muette.

***

1888, c'était le temps du Boulangisme. J'ai vu le cheval noir et les mouvements de la foule. Je n'ai point remarqué que mes camarades parisiens prissent sérieusement ces querelles; pour moi, qui arrivais d'une province tout à fait paysanne, je n'y pouvais prendre intérêt. Peut-être est-il juste de dire que notre génération n'eut point d'opinions politiques. Le socialisme ne nous était guère connu; d'aucune manière il ne nous touchait. Nous étions pauvres; nous n'avions d'autre ambition que de faire de bonnes études, et d'arriver à quelque réputation de professeur ou de critique littéraire. En ce qui me concerne, l'ambition n'allait même pas si loin; je poursuivais ma carrière de boursier. Je me pliais aux camarades et j'étais cordialement de la même humeur qu'eux. Un vif sentiment me tenait; je ne me lassais pas de voir Paris. Il faut dire que du lycée Michelet, qui n'était encore que le lycée de Vanves, on découvre toute la ville. Aller à cet objet pour le mieux percevoir, ce fut ma grande affaire et ma grande joie. Tout le reste était imité. Je ne pressentais nullement quelque grande vérité de l'ordre moral, ni quelque grand Système, ni un destin extraordinaire. Ce fut alors que, par la rencontre d'une famille de musiciens, j'entendis pour la première fois du Mozart et du Beethoven; ainsi je connus que j'aimais la musique; et je crois bien que la musique était mon principal goût et ma vraie vocation, mais je n'avais aucun moyen de l'apprendre. Je pense peu volontiers à ma nature ; j'y vois une simplicité qui me détourne et une absence d'ambition qui me déconcerte. J'étais venu au lycée Michelet avec l'intention de suivre les Mathématiques Spéciales ; la carrière des Belles-Lettres me parut plus facile, et ce fut pour cela que je la préférai. Au reste j'étais robuste, gai, et heureux de tout. Je n'étais point pensif ; encore maintenant je ne le suis guère. Quelles furent donc mes passions ? A peu près celles d'un cheval au dressage. Je ne souffris point de cet esclavage des internats, en cette foule de gamins moqueurs. Je m'en délivrai par des coups de violence, violence de langage et violence de poings. Cela n'était pas matière à pensée ; et j'en dirais autant aujourd'hui. Une chose m'étonna que je dois dire ; je fus calomnié ; c'étaient des calomnies d'écolier ; je dus me justifier devant le Maître ; je le fis avec cette violence qui est un genre d'éloquence et qui a toujours mis les contradicteurs en fuite ; j'en eus honte, mais Lagneau me dit, d'un ton de vivacité étonnant : « Non, non ; gardez cette force. » J'anticipe. Il fallait faire connaître un peu l'écolier qui s'assit un jour d'octobre en haut des bancs et regarda le Maître.

***

Jules Lagneau était un homme roux, barbu, de haute taille et se tenant droit. Les mains, le visage, le cou avaient des taches de rousseur dorées. Le vêtement était celui des Universitaires en ce temps-là, sans aucune élégance, mais non sans beauté ; le corps était bien bâti, et découplé, sans rien de gauche. Ce qui étonnait d'abord, c'était un front de penseur, une sorte de coupole qui semblait avancer au-dessus des yeux ; un crâne haut, large, important aussi en arrière, à première vue démesuré ; mais j'eus le temps de le bien voir, et je m'exerçai plus d'une fois à le dessiner ; mes dessins furent toujours sans grâce, mais corrects ; ainsi je ramenai à ses vraies proportions ce crâne d'abord imaginaire ; je saisis cette forme sculpturale, ce front modelé et bien distinct, quoique les cheveux relevés se fissent un peu rares sur le devant. Les sourcils roux étaient mobiles, olympiens. Les yeux petits, enfoncés, vifs, perçants, noirs autant que je me souviens, avec des points d'or. L'attention habitait tout ce sommet. Au-dessous étaient la bonté et le sourire. Le nez petit et fin, nez d'enfant à la narine bien coupée. La bouche petite, tendre, couleur de minium vif; les dents comme des perles serrées; petite moustache, mais une rude barbe sur un menton rocheux qui répondait à l'architecture du crâne. L'ensemble était puissant et beau; je n'ai jamais connu de chose vivante qui en approchât.

Toujours en action. Je n'ai jamais vu sur ce visage l'expression de l'ennui, ni même de la fatigue. Aucun souci, et nul effort de mémoire jamais; la pensée effaçait tout. Quel genre de pensée? Si j'ai la patience d'aller ainsi, sans autre soir que de dire vrai, vous finirez par le savoir. L'extérieur d'abord. On voyait paraître un carnet noir fermé par un lien élastique. De mauvais yeux y lisaient de côté, non sans peine. La parole révélait aussitôt une simplicité et un mépris de l'élégance dont je renonce à donner l'idée; les mots chevauchaient les uns sur les autres et sortaient dans la plus grande confusion; les mains, qui toujours dessinaient par le geste, étaient libres, fortes, prudentes, persuasives. La pensée avançait par corrections et reprises; toujours improvisée, toujours neuve pour lui. Ce qu'il disait était à son tour objet de méditation, d'où des silences étonnants; le front alors se chargeait de sang et de vie; c'est alors que nous attendions, quelque formule éternelle, et l'attente n'était jamais trompée.

Souvent, au lieu du carnet noir, on voyait paraître un volume de Platon ou de Spinoza. Il fallait alors des lunettes, et l'embarras de lire le grec ou le latin, d'expliquer, de commenter, le tout ensemble, portait la difficulté de suivre au plus haut point. Remarquez qu'à part cinq ou six vétérans dont j'étais, il y avait sur ces bancs une trentaine d'apprentis bacheliers; leur attention ne se lassait pas plus que la nôtre; chacun comprenait comme il pouvait, mais l'admiration était commune à tous, sans qu'on eût seulement le temps de se le dire. Je vis alors l'Esprit régner, comme il règne en effet, sur toutes sortes de créatures. Et si vous songez que quelquefois, et un mois durant, c'était le *Timée* de Platon qui descendait sur nous, vous comprendrez que Lagneau pensant exerçait sur nous à peu près le même pouvoir que Beethoven chantant. A vingt ans, donc, j'ai vu l'esprit dans la nuée. C'était à moi de m'en arranger comme je pourrais; mais faire que cela n'ait pas été, et que le reste ne soit pas comme rien à côté, c'est ce que je ne puis.

Nous ne savions rien de lui, sinon que depuis la mort de sa mère il vivait seul avec une servante, presque toujours couché, ou bien faisant de maigres repas d'œufs à peu près crus ou de légumes en purée. Cette maladie n'était pas imaginaire; je sus de lui que, pendant les épreuves d'agrégation, il vivait de viande crue pilée avec de la glace; ces maux étaient la suite d'une maladie d'enfance. Et malgré tout je ne pense jamais à Jules Lagneau comme à un malade. La parole, le mouvement, la marche, tout était vif et jeune; hors de la classe, il parlait volontiers et longtemps. Rien de fiévreux, de triste, ni de convulsif. Il vivait difficilement, mais il vivait harmonieusement. Je ne dirai jamais que l'excès de la méditation l'a tué; la méditation était joie pour lui, sans aucun doute, comme pour ceux qui l'entendaient. Et au contraire, tout jeune que j'étais, mais éclairé pour la première fois par un sentiment vrai, je sentais que l'on pouvait prolonger jusqu'à la vieillesse cette vie précieuse, si seulement on le délivrait des scrupules du métier. Nous fîmes ici ce que nous pûmes, par un concert d'éloges enthousiastes qui fut entendu; nous redoublâmes d'efforts quand nous vîmes un peu plus tard à quels étranges personnages était confié le soin d'expliquer Platon et Spinoza aux Normaliens. Nous ne réussîmes point. Des intérêts alarmés, d'actives ambitions s'éveillèrent et se mirent en campagne.

Je veux éviter l'anecdote, et surtout, je ne nommerai personne. L'Ombre du Maître m'ordonne de comprendre par les causes, et, s'il reste un peu de passion, comme il est inévitable, de mépriser seulement. Mais, de cet homme supérieur, il faut que je dise tout ce que je sais, et ce n'est guère. Que sait un élève? Je demande indulgence pour quelques histoires d'élève.

Lagneau n'était ni timide ni hésitant, bien plutôt il se portait à ce qu'il croyait juste tout droit, sans précautions ni égards. Ce genre de puissance est inexplicable. J'en vis une fois les effets, en vérité miraculeux. Le premier des nouveaux cette année-là avait nom Charmet; je mets ici son nom pour qu'il puisse témoigner avec moi. Il alla donc composer pour le baccalauréat, tomba par chance sur le sujet même qui lui avait valu sa place de premier, revint content, et, huit jours après, connut par un avis officiel qu'il était refusé pour cette composition même, et avec une note inavouable. Il haussa les épaules, et n'en dit pas plus. Le lendemain je trouve Lagneau en sa classe, où il n'avait que faire, et qui me parut fort calme. « Je vais, dit-il, prendre le proviseur; nous allons à la Sorbonne, et dites à Charmet qu'il sera reçu demain à l'oral par mon ami Séailles; je ne veux plus de surprise ». J'avais une finesse de paysan; je lui dis : « Le proviseur aura peur et n'ira pas; mais c'est égal, je suis bien content pour Charmet ». Je trouve mon Charmet, et je lui dis, avec la foi de l'apôtre : « Demain, tu seras reçu à l'oral par Séailles, et c'est Lagneau qui me l'a dit ». Lui dit simplement : « Ah, très bien », et le lendemain fut reçu en effet. Je ne connus pas le détail; Lagneau n'en parla plus, et ces choses-là ne se racontent point. Un sot important, à qui je fis imprudemment ce récit, me dit avec colère : « Je vous interdis de me raconter des histoires pareilles, si évidemment fausses. »

***

Qu'on me permette ici quelques remarques. Le sujet est mince, je le veux bien; mais enfin il est réel. J'ai vu quelques actions; il n'en est pas une à laquelle le nom d'action convienne mieux qu'à celle-là. Et il est vrai que l'exécution me fut cachée; mais que voit-on jamais d'une action? Celle-là m'instruisit plus que toute autre par le prompt succès, par la résolution, et je dis même par une sorte de violence militaire. Et quels rares attributs, cette puissance solitaire rassemblée, qui ne prend point conseil, et qui traverse d'un seul élan le terrain administratif, le mieux défendu qui soit! On pense bien que deux ou trois jeunes têtes se mirent à supposer. Lagneau avait au moins deux amis dans la place, Brochard et Séailles.

Je ne sais comment nous connûmes le nom du correcteur, qui était un historien; circonstance favorable. Et il est vrai que toute correction peut être contrôlée; mais il faut une commission, une enquête et du temps. Il est clair que l'action alla tout droit, emportant et même bousculant. Au vrai nous nous représentions cette victoire comme on fait de toute victoire. Mais je sais mieux maintenant ce que c'est que vanité, ce que c'est que peur, et comment l'ardeur à demander et surtout à exiger durcit l'obstacle humain. La justice prétend trop haut, effarouche un jugement qui se veut libre, et ainsi passe moins aisément quelquefois que la faveur. Disons aussi qu'un effet qui n'importe pas beaucoup n'est pas pour cela plus aisé à produire, et souvent tout au contraire; on remet aisément une chose de peu. Enfin il n'arrive jamais que les hommes se trouvent rassemblés et sans autre affaire au moment où on le voudrait. Ces obstacles, comme je les conçois maintenant, sont d'imagination; l'homme d'action doit vaincre d'abord ce genre de méditation sur les possibles, qui seraient mieux nommés impossibles. Je me risque à dire, d'après tout ce que j'ai expliqué ou expliquerai dans ces pages, que ce genre de méditation fut rabattu à son rang, et par cela même défait, par cette méthode de penser qui n'attaquait jamais qu'un objet réel et présent. J'appelle abstraites ces pensées qui n'offrent jamais passage ni solution. Comme une montagne vue de loin, elle n'offre point de passage. On connaît ce beau récit de Descartes sur le bateau, tirant l'épée. Cette action est tout à l'opposé de ce que l'on appelle communément défiance et même prudence; elle est à l'improviste et répond à une situation qui n'est pas prévue, mais vue; et c'est de quoi détourne un genre de prévision abstrait, que j'appellerai la prévision aux yeux fermés.

Quand on dit que la pensée souvent paralyse l'action, on entend mal la pensée, voulant toujours que la pensée soit une méditation sur les possibles. Et il est profondément vrai que les méditations errantes sur l'espace sont des méditations sur l'espace seulement possible. Cette remarque porte encore mieux sur le temps, parce que le temps ne reçoit d'aucune façon le possible; et c'est par là que les spéculations sur le temps tombèrent plus d'une fois à l'absurde. Ici, d'après l'exemple de Lagneau, et par anticipation, je dis qu'il faut être Spinoziste. J'y reviendrai, mais j'use de cette prise que je trouve maintenant. Qu'y a-t-il dans Spinoza, et qui ne soit nulle part ailleurs ? A première vue, je dis pour ceux qui le lisent, un effacement des idées générales, qui met d'abord en déroute. Mais ces négligentes remarques du célèbre *Scholie* de la proposition XL partie II ne sont elles-mêmes qu'un signe, et je ne crois pas qu'on puisse directement en tirer profit et nourriture, car la négation n'est rien; toutefois cette formule même, que la négation n'est rien, nous renvoie à la Doctrine Substantielle, d'après laquelle l'immense existence, la présente existence, est posée premièrement, et secondement toujours maintenue comme le seul objet possible devant le sage en méditation. Il en faut donc former l'idée, et de là l'*Ethique,* qui est un livre qui ne nous laisse point le choix. Non qu'il ne faille ici se défendre, et je dirais même sauter en arrière, aussi promptement que le mineur quand les menues pierres commencent à rouler. Il faut se défendre et se sauver dans le plein sens de ce beau mot. Mais aussi c'est de cela présent et par soi posé, invincible à l'entendement, c'est de cela même qu'il faut se sauver, ou bien l'on ne se sauve point. Il y a moins de liberté qu'en aucun lieu du monde dans ces dangereux possibles, que j'ai déjà mieux nommés impossibles; moins qu'à cette rugueuse muraille du monde existant. Nous ne la touchons point; il y a une dialectique de tous instants et de tous états qui nous en détourne. Chacun agit dans la situation donnée, mais qui donc pense dans la situation donnée ? Je les ai vus quasi tous, et les militaires aussi bien, toujours pensant en avant ou en arrière, délibérant sur ce qui aurait pu être, (Que diable allait-il faire dans cette galère ?) ou sur ce qui sera, croient-ils, dans quinze jours. Chacun peut remarquer que prévoir est ce qui détourne merveilleusement de voir. Ici se montrent d'imposantes maximes, qui toutes détournent de vouloir. D'où l'on vient à admirer ceux qui poussent en aveugles, et à mépriser les faibles et hésitantes pensées; mais ce ne sont point des pensées. Bref l'opposition si souvent prétendue entre les hommes d'action et les hommes de pensée est et sera toujours à surmonter. Ce développement est sans fin. Je veux seulement remarquer ici que l'heureuse aventure qui me mit en présence d'un Penseur me fit voir presque aussitôt dans le même homme l'esprit d'exécution. L'exemple est petit, Mais comme je disais : « Que sait-on jamais d'une action ? » je dirais aussi bien : « Que sait-on jamais d'un homme ? » Lagneau s'est évadé de Metz à travers les lignes ennemies; il fut fantassin avec Faidherbe; et je me souviens qu'il y fit allusion une fois, de façon que je crus le voir soudain en culotte rouge et capote bleue, et mal coiffé d'un képi trop petit pour sa tête; au total, terrible. C'est tout ce que j'en ai su, et ceux que j'ai interrogés n'en savaient pas là-dessus plus que moi. Toujours est-il que sans effort, et me souvenant de ces yeux perçants, de ce menton rocheux et de cette dure barbe rousse, je me représente aussi bien ce penseur plein de précaution comme un chef de partisans.

***

Mais l'homme va m'échapper encore. Où loger maintenant ce souci de l'ordre humain, cet avertissement, qui revenait toujours, de n'entreprendre jamais de le changer, et surtout de ne point donner au peuple l'idée qu'on pourrait le changer ? On remarquera ce genre de prudence dans les *Simples Notes* et dans quelques-unes des *Lettres*. Le menu peuple secouru dans les occasions, et généreusement aimé, et le même peuple tenu en tutelle, voilà une doctrine assez commune; en cet Homme je ne crois pas qu'elle était apprise, ni imitée. Et, quoique j'y aie toujours résisté, toujours choisissant de penser la politique sous l'idée des droits de l'autre, plutôt que sous l'idée de mon propre devoir, il est d'autant plus important que je comprenne comment s'ordonnaient les notions pratiques en ce puissant esprit. En cette action que j'ai racontée, il n'eut point tant d'égards aux puissances, ni à l'ordre établi. Mais plutôt, devant son propre jugement, il considéra la chose jugée, administrativement jugée, comme de peu, et même tout à fait méprisable; je dis dans la forme, quand il me fit connaître son propre décret, et les effets qui allaient suivre. Ainsi parle le Prince, et tout homme reconnaît le Prince. Mais il faut comprendre comment ce genre de pouvoir s'arrange avec les pouvoirs.

Tout homme raisonnable reconnaît la nécessité dans les choses, par cette vue que tout tient à tout, comme les marées à la lune; il vient donc à s'en arranger, selon ce mot de Descartes que ce qui manque à nous réussir doit être jugé, en ce qui nous concerne, absolument impossible, comme de voler à la manière des oiseaux. Par opposition on pourrait bien croire que l'ordre humain est au contraire aisément modifiable, de façon que la discorde, la guerre, l'injustice puissent en être effacées aisément si l'on voulait bien. D'où l'ardeur réformatrice, qui va toujours à changer les lois. Toutefois c'est une vue d'enfant; car tout tient à tout, dans l'ordre humain comme dans l'autre, et tout dépend finalement de la machine humaine, qui est très évidemment prise dans la nature extérieure. Cette vue est bien Cartésienne, de considérer le monde des hommes comme étranger aussi et mécanique, et de le prendre tel quel, sans plus disputer sur l'origine des pouvoirs que sur le nombre des planètes ou sur l'inclinaison de leurs orbites. On raconte que Hegel voyageant trouvait à dire devant les montagnes : « C'est ainsi ». Les montagnes nous servent à épeler; mais enfin il faut lire, et de proche en proche, devant la guerre, devant l'inégalité, dire enfin : « C'est ainsi. » En Spinoza on peut apprendre cette sagesse.

Mais il y a autre chose à prendre dans Spinoza; autre chose, que l'on ne trouve, je crois bien, que là. Ne point déserter notre poste d'entendement, qui est strictement déterminé par ce corps vivant, si bien tenu. Ne pas croire que l'entendement s'exerce dans cette connaissance abstraite, qui n'a point de lieu ni de condition, et qui voit toutes choses de haut et d'ensemble; ce genre de contemplation est d'imagination. Chose digne de remarque, mais difficile aussi à saisir (quod difficillime fit), c'est en ces pensées planantes, et comme abstraites de nous-mêmes, que nous sommes corps. Nous sommes esprits, au contraire, en notre poste, où se rassemble l'immensité des choses en une existence bien déterminée, dépendante à la fois, et, en un autre sens, totale exactement, parce qu'elle est dépendante. C'est où l'on existe et comme l'on existe, de sa place enfin, comme Gœthe l'avait compris, que l'on contemple en éternité et que l'on connaît Dieu. Spinoza est ici si impérieux, quoiqu'obscur, qu'il faut le laisser, ou bien le comprendre. Et nous serons guéris de légiférer.

Non point d'agir. J'ai dit plus d'une fois, à la suite du Maître, qu'il faut vaincre Spinoza. Mais il faut le

jugeait-il, comme je fis plus tard, que ce phénoménisme sans reproche se trouvait par cela même hors de l'être; mais plutôt je crois qu'il ne le rencontrait point, parce qu'il se mouvait lui-même dans l'être plein. J'espère que tout cela deviendra clair à un moment ou à l'autre pour le lecteur de bonne volonté. Je rappelle une des formules du Maître : « Il n'y a point de connaissance subjective ». C'est un exemple de ces arrêts, je dirais de ces oracles de notre Jupiter assembleur de nuées. Ce n'étaient point les conclusions d'un raisonnement que l'on pût suivre, ni même que l'on pût retrouver. Mais d'abord les doctrines inférieures étaient secouées avec scandale et poussière; et puis la nature entière paraissait en quelque exemple comme la table, l'encrier ou le morceau de craie; toutefois sans progrès appréciable; ou plutôt la nature des choses semblait prendre, devant cette attention violente, encore plus d'épaisseur et de densité; mais soudainement le chêne de Dodone prenait le langage humain, et nous savions ce qui importait.

Certes j'étais bien doué en ce sens que j'aurais fui avec la simplicité et la rapidité de l'homme des cavernes si quelqu'un avait semblé mettre en doute l'existence de l'Univers; on ne m'aurait point revu. Mais enfin ce bagage de mots, sans aucune consistance, comme sensations, états de conscience, apparences, opinions, idées, hypothèses, fait pourtant ce que l'on peut appeler une philosophie d'institut; c'est un jeu que l'on peut jouer bien ou mal. Comme à ce nigaud soutenant sa thèse un autre nigaud objectait : « Mais comment ? Ce livre que vous tenez à la main, c'est donc une idée ? » Et l'autre : « Je soutiens que ce n'est qu'une idée; car qu'y a-t-il de plus... ? etc. ». Je les aurais laissés à Molière.

L'Esprit n'aurait été que vengeur. Mais j'avais besoin d'esprit, car je supportais difficilement les passions. L'oracle heureusement m'éclaira. « Il n'y a point de connaissance subjective ». J'avais maintenant de quoi penser. Je pouvais entrer dans la critique de Kant, malgré les pièges tendus autour par la philosophie d'Institut, et marcher du fameux théorème de *l'Analytique* au quatrième *Paralogisme,* qui sont les pierres milliaires de l'Esprit. D'autant que l'oracle jetait d'autres lumières : « La sensation est un abstrait »; et d'autres pour rire un peu : « Monsieur Ribot fait de la physiologie *a priori* », non moins perçantes. Là-dessus j'écrirais des volumes. Mais je veux présenter ces vérités à l'état naissant; car autrement je devrais ici retrouver ces discussions préliminaires qui n'avançaient point, et qui revenaient toujours à demander d'un auteur médiocre : Que veut-il dire »? Mais quel intérêt ? Le Maître était faible dans la discussion et fort dans la conclusion; et c'est pourquoi la rédaction de nos cours, que j'avais entreprise autrefois comme un monument de piété, ne m'a pas paru mériter l'attention des philosophes. Je ferai mieux connaître l'Homme par ces détours et digressions auxquels je m'abandonne, et cette manière indirecte et errante donnera une idée assez exacte de ces leçons surchargées, confuses, interminables, propres à scandaliser le Pédant.

Ce détour était pour arriver au Pédant. Je nommerai ainsi l'auteur de manuels réputés en ce temps-là, et qui n'étaient ni meilleurs ni pires que ceux d'aujourd'hui. Cette philosophie d'Institut, dont je parlais, laisse encore quelques trous pour respirer; le manuel n'en laisse jamais. Ces divisions, ces querelles, ces solutions n'ont réellement point de sens. Donnez-moi le meilleur manuel de ce temps-ci; réellement je n'y comprends rien. En ce temps-là donc, les éditeurs firent entrer dans notre classe un bon nombre de manuels du Pédant. Lagneau le sut et, sans autre commentaire, les fit mettre sous clef. Trois mois après environ, nous vîmes arriver, muni des pouvoirs de l'Inspection Générale, le Pédant lui-même, et je considérai avec curiosité la scène qui allait suivre. Elle fut assez belle. Le Professeur rendait aux élèves une composition sur ce sujet : « Montrer qu'on ne peut être assuré de rien tant qu'on n'est pas assuré de l'existence de Dieu ». Le lecteur reconnaîtra ici l'idée que je rappelais tout à l'heure. Sur quoi le Pédant fit ce préambule, que c'étaient là sans doute de hautes questions, mais qu'enfin ces jeunes gens n'étaient peut-être pas en âge de les bien saisir, et qu'il désirait que M. le Professeur fît expliquer celle-là par un des élèves. Nous regardions cependant la tête puissante, qui demeurait immobile et inclinée; mais de sombres nuées s'assemblaient autour. Un des élèves, choisi parmi les nouveaux, fut prié de répondre; et je vois encore cette jeune tête qui imitait l'autre et se chargeait de nuages; mais il ne dit rien. Il fut demandé par le Pédant si M. le Professeur n'en désignerait pas un autre. Même jeu. Encore un autre. Même jeu. Sur quoi le Pédant, faisant remarquer que ce silence justifiait les doutes qu'il avait exprimés tout à l'heure, et la crainte que l'enseignement du Professeur ne passât bien au-dessus des élèves, demanda si M. le Professeur voudrait bien à son tour expliquer comment il entendait que la question fût traitée. Les veines se gonflèrent un peu plus sur le puissant crâne, mais j'affirme qu'il n'en sortit pas d'autre signe. Ce fut un silence admirable. Après quoi d'un ton léger soudainement Lagneau me pria de donner les explications nécessaires. C'était lâcher le chien sur le visiteur. Je fus un peu insolent, je le crains, mais brillant comme il fallait. Ce souvenir me pénètre encore d'une joie délirante. Le Pédant s'en alla sans répliquer. J'ai su que le jour même Lagneau lui écrivit demandant un poste dans un collège. J'ai lu la réponse, qui n'était point d'un sot, abondait en éloges, nommait Lagneau membre de la commission des livres scolaires, et laissait espérer encore d'autres faveurs.

Il faut dire que le célèbre Jules Lachelier fut toujours favorable à Jules Lagneau, qui fut au nombre de ses élèves, à ce point même que cette faveur s'étendit plus tard jusque sur les fidèles disciples du maître. Nécessairement j'aurai à comparer, sous le rapport des doctrines, ces deux hommes éminents. Cela fait trembler. Mais ce livre enferme bien d'autres difficultés. Pour gagner du temps avec moi-même, je veux dire une autre histoire assez comique, et qui concerne encore le Pédant. Cette même année, l'Académie des Sciences Morales et Politiques ayant mis au concours un exposé de la philosophie de Spinoza, il y eut deux mémoires sur les rangs dont on disait qu'ils se partageraient le prix. J'ai lu ces deux mémoires depuis trop longtemps pour en parler; Lagneau ne m'en a jamais rien dit. Comme le prix était ainsi décerné en rumeur, un troisième larron se jugea assez recommandé pour figurer aussi au partage, et il rédigea son mémoire un peu vite, ayant coutume de donner plus de temps à solliciter qu'à réfléchir. Le prix fut donc partagé en trois. Par un hasard, ce troisième mémoire fut envoyé par le Pédant lui-même à Jules Lagneau, promu comme j'ai dit aux fonctions de critique officiel; ce livre lui arrivant avec un mot de courtoisie, il répondit au Pédant, après avoir coupé les pages, je cite de mémoire, mais je réponds de ma mémoire pour le principal : « Je vous adresserai bientôt un rapport détaillé; mais un rapide examen m'a déjà assez instruit. C'est d'une sottise qui désarme l'indignation. » La réponse arriva promptement : « C'est par erreur, répondit le Pédant, que ce livre vous a été envoyé; il est déjà aux mains de M. X..., et je vous prie de vous épargner la fatigue d'un examen plus approfondi. » Et de rire.

***

Lagneau était de Metz; il fut enfermé à Metz pendant le siège; et c'est là qu'il eut le spectacle d'une foule qui venait tous les jours à la même heure voir dans les vitres d'une vieille maison l'armée de la délivrance. Il nous l'a conté plus d'une fois. Le philosophe, si jeune qu'il fût, ne pouvait être ici que spectateur; car il n'y avait point de vraisemblance, ni d'autres données que des irisations rouges et bleues sur de vieux carreaux de vitre. Mais il ne se peut point, comme dit l'autre, que l'homme n'ait pas de passions. Bien des années après, Lagneau se hérissait encore en présence de l'ennemi, et l'on m'a conté qu'un professeur allemand ayant désiré entendre une de ses leçons, Lagneau ne put prendre sur lui de parler. Ce récit m'étonna. Je n'approuvais pas davantage une autre passion vingt fois exprimée devant moi et dans les termes les plus vifs. Lagneau avait un fort préjugé contre les Juifs. J'objectai un jour Spinoza et Jésus-Christ, ce qui le fit rire. Jules Lemaître était son grand ami. D'après tout cela pris ensemble, je me suis demandé ce qui serait arrivé au cours du procès Dreyfus si Lagneau avait vécu jusque-là. Quelquefois je l'imagine renfermé dans un silence farouche; d'autres fois se jetant sans précaution, et tout entier, dans le chemin de la justice. Mais il y a une chose dont je suis sûr, c'est qu'il n'aurait nullement approuvé en aucun cas les passions politiques qui m'y jetèrent moi-même, non plus que cette collaboration suivie aux petits journaux qui date de ce temps-là. Non plus, je le crains, ce que j'ai écrit de la guerre et de la paix. De mon côté je n'aimerais guère entendre ce qui sera dit solennellement à Metz quand on honorera sa mémoire dans la maison où il est né. J'ai connu de sombres méditations sur la route de Metz, entre Rambucourt et Flirey; c'était pendant l'hiver de 1914; mais apaisons ces tristes pensées qui sont à peine des pensées.

***

Apaisons. Mais si je recule aussi devant les seules pensées qui aient fait en moi une espèce de drame, que dirai-je? L'opposition que je sentais en ce temps-là, et que j'ai depuis développée, peut donner encore une idée du puissant esprit qui ne put, et de bien loin, me modeler à son image. D'autant qu'il se peut bien que cette contradiction, qui semble de nature, soit des idées dans le fond, et qu'elle habitât en cet homme, et qu'elle ait fait en lui cet état violent dont les lettres que l'on a pu recueillir donnent quelque idée. Mais il faut revenir à l'homme, et donc aux histoires d'écolier, car mon expérience ici fut d'un écolier.

J'avais étudié les éléments de la géométrie et de l'algèbre, sans aucune peine, et avec un plein succès. A vrai dire je ne vis jamais dans les problèmes, et surtout dans ceux de la géométrie élémentaire, comme constructions de triangles ou lieux géométriques, qu'une difficulté de rhétorique, que j'eus toujours plaisir à surmonter. L'ordre, l'économie, et l'art de tout ramener à la fin, comme dans la fugue, me donnèrent alors la première idée du style. Autrement, ces choses ne m'intéressaient pas trop, et il me semble que j'en appris assez pour mon salut, comme dirait quelque Pascalien. Les autres exercices scolaires étaient de singerie. Mais maintenant, éveillé pleinement par le spectacle de cette pensée, dans le feu et la fumée de cette forge, je montais d'un degré; je m'attaquais à des problèmes tout vifs, donnés par la nature elle-même; et il me semblait, cette idée ne m'a point trompé, que j'étais en mesure d'y proposer des démonstrations invincibles sans jamais me détourner de l'apparence, ni m'écarter du commun langage. Car il m'était demandé seulement de dire ce que je pensais, comme je le pensais, sans aller jamais au delà, sans chercher derrière, sans voyages ni aventures d'aucune sorte. Telle est l'expression en creux si je puis dire, de cette forte idée qui s'offrait à moi en relief, et à laquelle le maître revenait toujours, disant qu'il s'agissait de retrouver toute la pensée dans la moindre de nos pensées, et enfin d'expliquer en quoi elle était une Pensée. Cette majuscule plaisait; mais je n'en fis jamais un réel usage; ce n'était à mes yeux qu'une politesse. Et si quelque trait me distingua aussitôt de mes condisciples, qui certes ne vénéraient pas le Maître moins que moi, c'est bien ce trait-là. Jamais je n'eus l'idée de quelque objet d'accès difficile, et caché comme dans des nuages, comme un Sinaï où il faudrait aller, et d'où il faudrait revenir, portant les Tables de la Loi. Nul mystère à mes yeux, soit dans la variété de la nature, soit dans les profondeurs de l'âme. Nul passage, nul saut périlleux, entre mes faibles pensées et la pensée absolue. Au contraire je me trouvai aussitôt affermi et pour toute une vie sur mon terrain propre, n'ayant à résoudre jamais que cette seule question : Qu'est-ce que je pense réellement dans mes pensées les plus naturelles ? On voit ici la Rhétorique revenir; car mes pensées sont des pensées, mais d'abord très mal exprimées; et bref, je n'eus jamais à débrouiller au monde que ceci, qui à vrai dire n'est pas peu : Qu'est-ce que je pense dans chaque concept, comme Espace, Temps, Cause, Liberté, Nécessité, Force, Droit ? L'idée même de chercher plus avant et en quelque sorte au dehors (mais voici un exemple : Qu'est-ce que je pense quand je dis au dehors ?), cette idée-là ne m'est jamais venue. Je dirais bien aujourd'hui que, du moment que je pense correctement, je pense absolument. En quoi j'étais et je suis encore irréligieux, mais dogmatiquement, ce qui peut passer pour neuf. Le plus étonnant ici, c'est que je n'ai jamais réfléchi au système de mon Maître sans retrouver aussitôt cette même idée; mais c'est la plus cachée aussi; c'est en Spinoza qu'on peut l'apprendre; j'aurai à revenir encore plus d'une fois là-dessus. On ne se sauve point aisément de Spinoza, mais je m'en suis sauvé, sans le nier jamais, en le prenant ainsi, et j'ose dire en surface seulement, occupé seulement de redresser la phrase célèbre : « Ma maison s'est envolée dans la poule de mon voisin », et autres fautes de rhétorique. Il me revient à ce sujet un souvenir d'écolier encore, et bien mince; mais je fais argent de tout, n'ayant que peu de matière. Comme Lagneau me parlait au sujet d'un camarade plus jeune, et que j'ai toujours aimé, plein d'élan et de feu, enfin tel qu'on se représente le jeune philosophe en ses premières effusions, le Maître trouva à dire, après un éloge de cœur, que ce garçon manquait de rhétorique. Le son de cette parole m'étonna. J'en ai vu depuis les suites, et comment, après avoir trop espéré, on revient à l'Idolâtrie, c'est-à-dire à prendre les discours mal faits comme ils sont et l'Apparence comme elle n'est point. Nous ne sommes pas si loin de la route de Metz; car plus d'un y est entré avec gloire, mais moi j'en suis encore à regarder cette route sinistre, m'attachant à bien penser, à complètement penser cette simple question : « Que faisais-tu là ? »

On naît homme de troupe. L'homme de troupe creuse où on le met. Je n'oublierai jamais cette première dissertation où j'écrivis uniquement ce que je voulais écrire, et exactement ce que je pensais, sans rien de confus, sans rien d'ambitieux, sans aucune trace d'imitation ni de flatterie. « Quelles seraient, demandait le Maître, les impressions d'un aveugle-né à qui une double opération rendrait successivement, à quelques jours d'intervalle, l'usage des deux yeux ? » Quelque sot ne manquerait pas de dire qu'il faut ici faire l'enquête, interroger l'aveugle-né ou le médecin. Or, si quelque chose me fut évident après trois mois d'attention aux discours toujours assurés, quoique toujours tâtonnants, que j'entendais sur ces questions-là, c'est que l'opinion de l'aveugle ou du médecin ne peut qu'ajouter quelques formules mal venues à celles que l'on entend ou que l'on lit communément là-dessus, par exemple que les objets sont vus d'abord sur un même plan, ce que l'on arrive à faire dire à l'aveugle, ou que les objets doivent d'abord paraître renversés, ce que l'on n'arrive point pourtant à lui faire dire. C'est mon affaire, il me semble, de deviner ces fantastiques témoignages, et même de les trouver au naturel dans mes pensées immédiates, ou plutôt dans l'expression qui m'en vient d'abord. Les mots permettent tout et les maisons s'envolent. Quand je vis se présenter ces impossibilités, et donc ces nécessités, dans nos connaissances les plus naturelles et les moins travaillées, qu'il faudrait nommer l'apparence de l'apparence, j'eus un monde devant moi, un travail sans fin, et une allégresse admirable. Je suis le même encore, et dans ce travail encore; et cette attitude m'a valu en toute rencontre le mépris plus ou moins déguisé, et quelquefois la colère, de tous les Importants sans exception. C'est ce qu'ils appellent juger sans vouloir s'informer. Je leur pardonne, et j'espère qu'ils seront quelque jour battus et contents. Toutefois cela ne m'inquiète guère. Mais que j'aie saisi le commencement et comme l'esquisse de ce mouvement dans le seul homme que j'aie vénéré, cela ne peut point aller sans quelque examen des causes. Après des années de méditation là-dessus, et celles-là non sans tristesse, j'aperçois que tous les problèmes de la pratique, et exactement de la politique, sont ici rassemblés. Il faut, en d'autres termes, que ces pages enferment aussi les aveux d'un radical impénitent.

Devant mon papier blanc, je ne vis pas si loin. Je m'appliquai seulement à dire à l'aveugle, en langage correct, ce qu'il aurait voulu dire mal. Mais quel besoin d'entendre l'aveugle ? N'apprenons-nous pas à voir à chaque instant ? *Pour mieux dire,* c'était une expression du Maître, et il me plaît ici de l'emprunter, voir n'est-il pas à chaque moment explorer comme fait l'aveugle ? Il n'y a point là de difficulté, si ce n'est le manque de courage, qui nous porte à aller chercher d'abord quelque nouvelle relation là-dessus. Je me souviens que j'eus seulement peine à décrire, au moins par approche, ce que voit un homme qui ne sait pas encore ce qu'il voit ; car il faut qu'il y ait quelque affection d'abord, sans lieu ni forme, qui serait mieux nommée sentiment que sensation ; encore eus-je bien soin de dire que cette première affection ne peut jamais être sentie que par souvenir et retour, enfin par comparaison avec un premier essai de représentation. Ce travail est Bergsonien ; j'indique ici en même temps, comme l'apercevra le lecteur attentif, comment le moment Bergsonien est nécessairement dépassé de toutes les façons. Bref je fus content de moi pour la première fois, hors des mathématiques. Le Maître dit seulement que c'était bien, et je n'eus pas le premier rang. Sans doute craignit-il une redoutable facilité, et trop peu de respect aussi à l'égard des sottises que l'on lit partout. La première place était occupée, et fortement, par un garçon au large front qui a fini par douter de tout et de lui-même. Il admirait par dessus tout *Bouvard et Pécuchet,* et je gagnai un moment cette maladie. Sans doute aperçut-il trop d'erreurs à redresser, et prit-il le parti de s'accommoder à la sottise régnante selon le mode de l'ironie ; cela mène fort loin. Et voilà une idée qui ne me vint jamais. Au contraire, puisque je voyais que, dans des questions si simples, le savoir ne préservait pas de l'absurde, tout m'était clair, et je devinais des maux incroyables seulement dus à l'infatuation, à l'imitation, au faux respect. Ce vif mouvement et ce départ sans précaution durent effrayer le Maître, pour des raisons dont j'ai déjà fait paraître quelques-unes, et qui sont de morale et de politique.

Lagneau avait la sévérité du saint, mais il ignorait nos existences aventureuses. Il était seulement en défiance de ce que nous pouvions faire, laissés à notre seul caprice, et il n'avait pas tort. Il n'est pas une de nos actions qui ne l'eût indigné; et sous ce rapport le garçon dont je parlais, si attentif aux respects de forme, ne valait pas mieux que moi. Mais ce n'était pas une raison de ne pas vénérer et craindre le Maître. Aujourd'hui, encore bien mieux qu'en ce temps-là, j'aperçois comment la doctrine de la Liberté porte celle du Devoir. Comme je ne me pardonne pas aisément de manquer de courage dans la spéculation théorique. je voudrais bien aussi n'avoir jamais été lâche dans le sentiment ni dans l'action. Ainsi, les vertus dont le Maître donnait l'exemple, je puis les enseigner sans aucune hypocrisie. Ma piété serait donc sans aucun mélange, si je n'avais cru discerner en ce Maître de Liberté une disposition étonnante à confondre les écarts de la vie privée et les hardis jugements de la vie politique comme résultant d'un même fond de diabolique révolte. Descartes fait voir partout la même prudence.

Quand Jules Lachelier m'écrivait. « Je vous conjure de ne point vous mêler de politique », je n'en étais pas surpris. Au regard de ce théologien, l'ordre politique ne pouvait apparaître que comme une suite de l'ordre universel. Qu'il y eût des pouvoirs, c'était comme une disposition impénétrable de notre monde humain; que ces pouvoirs pussent être aveuglés, c'était un compte entre les hommes providentiels et la providence elle-même. Toute résistance, et même toute critique publique, était alors considérée comme l'effet des désirs et des passions, désordre dans l'État et désordre dans l'individu. Le devoir d'obéir, et, d'une certaine manière, juste autant que les opinions sont des actions, le devoir de respecter, rentrait ainsi dans le devoir envers soi, ce qui n'empêchait nullement ce grand Administrateur, comme on sait, de gouverner énergiquement selon sa conscience, selon sa part de pouvoir, et selon la place qu'il occupait dans l'ordre humain. Je ne trouve pas ici de difficulté. Chacun fait son métier d'homme, et le reste aux Dieux, comme Marc-Aurèle aurait dit.

Que Lagneau réglât l'ordinaire de ses actions et toutes ses pensées politiques selon de tels principes, c'est ce qui paraîtra évident d'après ses lettres, et j'en puis témoigner d'après cette crainte qu'il montrait toujours qu'on ne prît le pouvoir de penser pour le droit d'oser tout dire. Mais on verra dans la suite que l'idée d'une existence respectable ou, pour parler autrement, d'un Dieu objet, n'avait pu tenir dans ses pensées. On a vu déjà dans ses actions, dès que son propre jugement l'éclairait assez, une méthode qui pouvait faire scandale, et qui fit scandale en effet. La chose jugée n'était rien à ses yeux. Petit exemple, je le répète, mais qui n'était pas petit pour l'écolier. Il est impossible que devant cette conscience scrupuleuse le problème des pouvoirs ne se soit pas posé. Cet homme voulait être religieux, et, dans un sens profond, il l'était. Mais ayant jugé une fois les pouvoirs réguliers, les ayant condamnés et redressés, pouvait-il promettre une obéissance sans condition, bien plus une obéissance d'esprit sans condition, comme pourtant il me paraît qu'il a toujours voulu faire, à l'égard de l'ensemble des pouvoirs divinisés en quelque sorte sous le nom de la Patrie?

Nous voici encore une fois sur la route de Metz. Lui-même, un demi-siècle plus tôt, comme j'ai dit, s'est évadé de Metz et a combattu en volontaire dans l'armée de Faidherbe; ces rencontres réchauffent le cœur. Ici donc, et quant à l'action, nous étions d'accord et la Grande Ombre était contente. Mais c'est moi qui par réflexion n'étais pas content. Car cette volonté de croire et en vérité d'adorer, quels que fussent les chefs, et en prenant la haute politique comme un mystère impénétrable au commun, c'était bien clairement à mes yeux la cause responsable de ce massacre machinal auquel je participais. Or j'admets qu'il faut finalement obéir; mais qu'il faille encore plier ses pensées, et approuver pleinement ce que l'on fait, c'est ce que je ne puis recevoir. Et j'eus dans ces nuits sinistres plus d'un débat avec la Grande Ombre. J'allai jusqu'au reproche, il me semble.

J'évoquais cette anecdote du professeur prussien, envers qui il avait manqué au devoir homérique de l'hospitalité. Je me disais et je lui disais : « Quel exemple pour moi d'une folie adorée! Toutes les passions reviennent ici. Quoi? Mon devoir le plus clair n'est-il pas maintenant d'aimer à tout risque cet ennemi aveuglé qui à toute minute cherche à me nuire? Ce n'est pas dix ans après que je dois pardonner, mais c'est tout de suite. Quand je ne le pourrais pas, je sais que je le devrais. Ce sont des hommes; et, s'ils l'oublient, c'est à moi de m'en souvenir. Tout m'y invite et jusqu'aux anciennes traditions de la chevalerie, mal soutenues pourtant par l'idée théologique du jugement de Dieu. » Dans le fait je reconnaissais bien le Fanatisme, quoique la religion fût autre. Sur ce coupant, il me semble qu'on ne peut rester. Dès que l'on pense, il faut tomber d'un côté ou de l'autre. Ou bien revenir au Dieu objet, ou bien examiner tout. En ce second parti, nous sommes à l'ouvrage sur le bord du temps, et en grande incertitude, non pas de ce que nous devons penser, mais de ce qui sera, sans autre ressource que d'expliquer tout ce qu'on pourra à soi-même et aux autres, et devant la menace de l'ignorance et des passions, qui donnent si vite à la liberté un hideux visage. Mais en quoi la guerre est-elle moins hideuse? En n'importe quel cortège révolutionnaire on retrouvera ce mélange de courage et de colère, cette exaltation et cet avilissement, ces idées sublimes et cette misanthropie. Avouez seulement que le plus redoutable cortège, le plus enivré, le plus convulsif, est un petit mal à côté de ce fossé fulminant et saignant qui dévorait chaque jour des milliers de victimes. Que les pouvoirs soient absous de ce crime, et que les chefs de révolte ne soient pas absous de l'autre, voilà qui suppose un choix absolu concernant l'existence donnée, et une sorte de sauvage préférence pour l'ordre de fait, quel qu'il puisse être. Or quand l'esprit a repoussé de croire à l'existence comme à un absolu, il faut se résoudre, tout au moins, à penser pour le mieux et à tout dire, et enfin à tuer la formule creuse dès qu'elle paraît. Sauver cette puissance de penser, ne la soumettre à rien, ne la déshonorer par aucun genre d'ivresse, n'est-ce point la morale, ô mon Maître? Et si je n'ai pu la suivre toujours, est-ce une raison pour que, d'enthousiasme, j'y manque en ce cas-là? Ou bien est-ce ma punition? N'ai-je plus le droit de tenir ici pour la pensée, quand je l'ai trahie tant de fois? Je fais les demandes et les réponses. Et il le faut bien.

Tel serait peut-être le dernier mot de cet homme bon et redoutable. Peut-être viendrait-il à me rappeler que la morale n'a pas pour première fin de juger les autres, mais plutôt de se contrôler soi. Et qu'enfin c'est le fond de l'injustice si l'on exige paix et justice des autres en n'apportant au fond commun que mauvaise foi, fantaisie et guerre. Il me terrasserait ainsi, je le vois bien; il me condamnerait à faire la guerre. Aussi l'ai-je faite, et je ne dis pas que je n'aie pas mérité de la faire. Mais dois-je adorer pourtant le diable et sa fourche?

Je veux pousser encore un peu plus loin ces amères pensées. J'y reconnais ce gris de la justice, sans agrément, mais sans confusion aucune, que j'ai imaginé dans cette grande prairie où Platon nous invite à choisir notre paquet. On peut choisir, mais non dans le paquet. J'ai mis quelque temps à bien entendre cette fable. Cela ne veut point dire que tout soit fatal, et que l'on choisisse des tranches d'avenir, seulement assemblées par la nécessité extérieure. Cela c'est l'image et l'écorce; le choix en image ne serait point un choix; tout serait mécanique, et on aurait quelque raison d'accuser Dieu. Mais je ne l'entends pas ainsi; car ce n'est pas par une nécessité extérieure que le tyran se cache de chambre en chambre, sans pourtant pouvoir dormir. Ce n'est pas par hasard qu'un mensonge marque de mensonge beaucoup de nos pensées, et peut-être toutes. Ce n'est pas par hasard que le souvenir de la colère est colère encore, et que paresse est une raison de paresse, ironie, d'ironie, et ainsi du reste. Si nos fautes revenaient sur nous avec leur même visage, ce serait encore un avantage, comme Platon dit, car c'est pénitence; mais qui ne voit que le châtiment serait une récompense? La justice va plus loin, et toujours par des pensées, non point par des prisons. Quand Platon veut nous dire que le paquet est fait et qu'il faut le prendre tout, il entend dans le fond qu'une pensée est toute la pensée; il nie l'extérieur, et un genre de suite qui a la forme de l'extérieur.

Je reviens à la guerre. Il est clair que celui qui nie la guerre et la refuse veut diviser le paquet. Prendre permission pour d'autres fautes, et la refuser pour celle-là. Mener la vie comme une guerre, et faire ce qui plaît, on se jette sur ce paquet-là ; on y trouve guerre enfin à découvert, et l'une des causes que l'on voit le mieux est que le chef a gouverné comme le fantassin a vécu ; il est bien plaisant d'accuser le chef. J'apercevais des liens de ce genre dans les *Mémoires* du Cardinal de Retz, œuvre de fer. Chacun admirera que les devoirs d'une charge d'église, toujours présents, toujours suivis, qu'une piété éclairée et même profonde dans les grandes choses, et le serment tenu de se décider toujours selon le bien de l'État, que tout cela se termine naturellement à violence et révolte, et toujours à des situations telles que « le mieux qu'on y puisse faire est encore un mal ». Mais il faut regarder à une vie déréglée absolument. De plus près encore, regardons à ce mépris pour les femmes, qui réduit l'amour à un jeu sans conséquence ; la riposte est voulue ; on la joue soi-même, par cette politique d'orgueil, de vengeance, ou seulement d'humeur, que les femmes mènent selon les passions, et qui traverse continuellement les meilleurs desseins. Il serait commode d'attendre que mademoiselle de Chevreuse, madame sa mère et les autres, rendissent justice contre injustice ; mais elles rendent injustice et folie, et c'est la justice de Minos, Eaque et Rhadamante. Je comprends un peu mieux d'après cela ces femmes si promptement durcies au feu de la guerre, si légères à parler, à chanter, à célébrer. J'y vis toujours comme une vengeance, mais bien au-dessus de tout projet ; ce n'est que la dureté masculine renvoyée à ses œuvres, la guerre paraissant alors, non point du tout comme la punition de cette autre guerre contre les faibles, et de tout ce mépris, mais plutôt comme une sorte d'excuse et de justification, par une nécessité d'obéir auprès de laquelle celle où se trouvent les femmes n'est presque que douceur. La tendresse était comme délivrée et rendue ; l'amour baisait ces mains sanglantes. L'Amour trouvait à être selon une certaine justice qu'il exige toujours. Cet exemple en éclaire d'autres, quoique le détail nous passe. J'ai souvent remarqué, et non sans impatience, un mélange étonnant, dans mes rudes compagnons, de révolte et d'enthousiasme, je dirais presque de pitié, comme si d'un côté ils réprouvaient, et comme si, de l'autre, ils reconnaissaient une destinée enfin égale, enfin commune, des pensées en clair, un accord des volontés seulement tardif, après cette paix énigmatique. D'où j'arrive à comprendre les sévères pages où Lagneau a défini le devoir pratique à l'égard du prochain. Scandale à mes yeux, scandale à nos yeux, que l'amour ne doive jamais emprunter le détour politique. Et pourtant, qu'est-ce que le détour politique, sinon un essai de recevoir plus qu'on ne donne, et enfin d'assurer la paix sans que chacun y sacrifie autre chose que ce à quoi il ne tient pas? « Vivons en paix, voulez-vous? Mais sans rien changer ». D'où, par cette réflexion, une charité hautaine, j'entends qui jure de ne point changer l'ordre, parce que l'ordre, tel quel, n'est que l'exacte expression de ce qui manque en nos actions réelles. Et si cet ordre est médiocre de toutes façons et terrible à un moment, par son inhumaine structure, ce n'est que notre faute exactement renvoyée. Et, comme dit la Voix, Dieu est innocent. Voilà le tour que je puis faire à l'intérieur de la Sévérité. Pour le dehors je m'y heurte comme à une porte de fer; mais la porte n'est pas fermée.

Saint-Simon le duc connut à la Trappe de Rancé un monsieur de Saint-Louis qui y faisait retraite après un long service de guerre. Cet homme s'était crevé un œil d'un coup de houssine, en corrigeant un cheval. Cette image est digne de Platon. Il n'est pas un homme de guerre sur qui la guerre pèse comme un crime; mais je crois plutôt qu'elle équilibre cette contemplation sans paroles par le juste rapport des fautes à la punition. « C'est toi qui l'as voulu. » J'ai dit que le Maître ne traitait point de Morale. Mais il nous lisait Platon comme une Bible, et souvent *La République,* où, à mesure que l'on approche de la fin, et par cette implication des caractères et des constitutions, par le tableau final de la tyrannie, se règle peu à peu le compte de l'homme par la Somme Intégrale de ses pensées d'aventure. Le Maître estimait sans doute que c'était bien assez si nous savions lire, et aussi qu'il faut apprendre à lire en considérant d'abord l'encrier, le morceau de craie et le cheval de bois. Il y a du secret dans toutes les grandes âmes, et ce qui est le plus secret est, par le jeu des passions, ce que nous voudrions savoir d'abord. D'où cet amour qui refuse pitié. Je ne puis expliquer mieux les nuages toujours circulant autour de ce front sublime. Et ce n'est pas trop dire que dire qu'il fuyait et haïssait le clair. *Clarum per obscurius,* ce fut sa devise. Car la clarté est comme un refus. Mais la Pensée est justement le refus du refus. Ici je revois son visage et son geste. Assurément je ne me trompe pas d'un cheveu. Mais aussi ce visage est sans doute le seul signe auquel j'aie fait réellement attention.

Il n'est presque point de natures supérieures où l'on ne trouve ce geste de refus devant ceux qui espèrent changer le dedans par le dehors ; je citerai Kant et je citerai Proudhon, si différents d'ailleurs, mais d'accord contre ceux qui ne savent pas bien obéir. Deux effets de l'action morale, et de l'union pour l'action morale. D'un côté se rassemblent des cœurs pleins de pitié et des esprits qui cherchent preuve, sans aucune disposition à adorer cet ordre terrible qui fait voir l'inégalité, la raison d'état et la guerre comme des faces de Méduse. Mais de l'autre un petit nombre d'hommes austères, plus rigoureux encore sur la preuve, plus profondément inventeurs ; souvent un seul, qui avec une pureté et un scrupule constant de justice dans sa vie privée, se place à l'égard des pouvoirs dans une situation qui produit les mêmes effets que la crainte. Platon n'aimait point trop le peuple en cortège, ni ces ânes, comme il dit, qui portent si librement la tête. En Gœthe, le même esprit condamnait Fichte. « Quand ce serait mon propre fils », disait-il. Ce genre d'homme est inexorable. Ils perdent sentiment et sont comme des pierres dès qu'ils entrevoient, et ils entrevoient de fort loin, une cohue d'ignorants qui demandent justice. Ces Maîtres craignent une guerre d'esclaves. Je soupçonne que l'expérience des passions en eux-mêmes, et des cohues de l'âme en ces renversements, les font indulgents d'une certaine manière, mais sévères aussi, à l'égard de tout mouvement anarchique. Il se peut aussi que l'Esprit leur fasse peur, par la liberté infinie qu'ils y trouvent, car l'Esprit peut nier tout, et c'est la démarche propre de toute pensée de se réfugier d'abord en ce centre de négation, comme Descartes le fait voir à tous les moments de sa réforme. On comprendra assez que Lagneau avait touché ce point d'indifférence d'où l'on revient, et même y retournait toujours ; dans ce mouvement de la réflexion, il n'était que bonté et grâce, en ce monde d'écoliers, fermé à la politique, ouvert au monde ; c'était le moment de l'incrédulité et de l'innocence. Il est vrai aussi que cette enfance du monde n'eſt possible un moment que par l'ordre sévère autour. L'autre mouvement, qui fermait la porte, avait la dureté militaire. Il y avait de la violence dans ces soudains changements. Violence contre violence, en lui-même d'abord, comme Platon l'a tant de fois rappelé. La juſtice n'eſt point aimable, mais plutôt redoutable, quand elle commence par le redressement de soi par soi. Je ne puis comprendre autrement le drame que je veux appeler physiologique, et qui fatiguait jusqu'à l'épuisement ce corps vigoureux. J'ai su qu'il avait prédit quelque chose me concernant. « C'eſt une violence, dit-il, qui se tournera contre elle-même. » C'était trop d'honneur. Mais cela donne vue sur cette puissante nature et sur les flux et reflux de ce sang vif qui colorait ses lèvres de vermillon pur; ce signe ne trompe guère.

On verra, d'après ses lettres, qu'il n'était nullement socialiſte; on devinera même qu'il ne recevait point qu'un homme raisonnable pût l'être. Cela arrête net; aussi j'ai voulu, en disant ici tout ce que j'ai pu saisir de cet homme, préparer le lecteur à ce passage, faute de quoi l'Académicien y croirait reconnaître sa faiblesse et l'adorer, et l'autre parti la maudire. La privation n'eſt rien; mais de la force pensante aussi il faut s'arranger au mieux.

Le socialisme eſt profondément une politique; en quoi il s'oppose directement à l'esprit chrétien, qui enferme un mépris à l'égard de toute politique. Et le fond de la politique eſt de modifier les situations, en vue de changer les pensées. Sous quelque forme qu'on la prenne, dans le cabinet d'un miniſtre ou dans le grenier d'un révolutionnaire, toujours elle s'en prend au rapport extérieur; cette vue définit entièrement la faveur, qui prétend ramener les mécontents et y réussit souvent. C'eſt misanthropie; car l'esprit eſt digne d'être crossé, c'eſt son droit propre. On voit que la charité s'entend en deux sens; et le commun langage le fait bien voir, par ceci que le plus beau mot peut-être et le plus fort se trouve être aussi bien le plus faible et le plus avili. Il y a une charité revêche et comme janséniſte; l'autre eſt de faveur, et voudrait récolter sagesse. L'esprit chrétien va tout à la première, qui honore esprit, courage, volonté, vertu, une même vertu sous ces noms, et qui n'honore rien d'autre. Je dis esprit chrétien, je dirais aussi bien esprit ſtoïcien.

Marc-Aurèle laisse chacun à sa place, bonne ou mauvaise, parce qu'il n'y fait point de différence. Cela est hautain. On retrouvera ce ton dans les *Simples Notes;* mais cela est hautain, pour les deux, par une idée de l'égalité qui méprise les différences au lieu de les effacer. Cette vertu est ce qui sauve la guerre où, comme a dit quelqu'un, l'inégalité est la loi, entendez que la justice n'y est point du tout dans la rencontre ni dans l'extérieur, mais uniquement dans une fière simplicité que l'on rencontre quelquefois. J'ai connu un héros janséniste parfait en ce genre, et à qui il était impossible de ne pas obéir, par ceci qu'être au-dessus ou au-dessous n'était point de plus d'importance à ses yeux que pour les pierres d'un mur. Le pouvoir ainsi gouverné gouverne sans faiblesse. Ici l'homme répond à l'homme; et l'on ne va point chercher quelque égalité de géométrie ou de latin; cela même instruit. Nous ne sommes point quittes à l'égard d'une inégalité si belle; et, pour ma part, je ne démêle pas sans peine en mes sentiments les plus forts une égale disposition à la révolte et à l'obéissance.

L'autre charité n'est que flatteuse, dans le sens où Platon le dit de la rhétorique en son *Gorgias*. « Donnons-leur trois francs cinquante », disait un homme d'État assez cynique devant les gémissements des femmes, au temps où les hommes étaient au péril. La Raison peut reprendre cette idée et en faire système. Le système est que tout homme est capable de s'éveiller en esprit jusqu'à être enfin respectable, mais qu'il faut commencer par changer la condition extérieure, en adoucissant cet excès de travail, d'esclavage et de malheur qui hébète l'esprit. Hugo a pensé cette idée avec force, et l'autre idée aussi, sans pouvoir les joindre. Toujours est-il que l'essence du socialisme est de subordonner la vertu aux situations, comme il éclate dans les conceptions de Karl Marx. Cette idée de regarder d'abord aux droits, et au droit étonnant d'exister, qui est le principe de tous, est bien une idée, et ainsi va fort loin. C'est la même chose que de diviniser l'objet, c'est un Spinozisme mal entendu, et c'est peut-être le Spinozisme. En ce travail où il faut que je devine presque tout, on me pardonnera ces détours souterrains, d'où j'arrive à quelques lumières. On trouvera, dans un article de critique de Lagneau sur une traduction du *Court Traité,* une note étonnante sur la Bible, et qui m'éclaire certains traits du Maître. La note est injuste à première vue, car la terrible religion de Job ne laisse à l'homme que patience au travail et résignation héroïque; et l'on ne peut pas dire que le bonheur soit proposé ici comme fin. Mais le regard de Lagneau lisait plus loin que le nôtre; et sans doute apercevait-il que ce culte presque fanatique de l'immense existence telle quelle devait conduire à une recherche du bonheur, en vérité sans espérance, et au fond mécanique, comme les travaux des fourmis. L'esprit n'étant pas fait pour cela, et portant mieux tout malheur que la négation de lui-même, peut-être tenons-nous ici par les causes la colère communiste, et ce paradoxe de fonder l'extrême paix sur l'extrême guerre. Les socialistes voudraient bien rester entre deux; mais leur principe les force, qui est de changer d'abord la maison, en vue de changer l'habitant. Cela revient à attendre la justice autour pour être juste. On verra plus loin que toute la philosophie de Lagneau vise à subordonner l'Entendement au Jugement. Or c'est une vue d'entendement à proprement parler de changer l'objet selon la règle, afin de trouver à appliquer la règle; au lieu que le Jugement s'exerce sur la situation maintenant perçue et fait ordre de tout. « Quand l'eau courbe un bâton, ma raison le redresse », tel est le dernier mot de l'entendement; au lieu que le Jugement ne redresse point du tout le bâton, mais le pense courbé selon le vrai, c'est-à-dire selon l'eau et selon l'œil, et ainsi pense encore mieux. Bref, au regard d'une philosophie qui veut penser droitement dans la perception même, et non point au-dessus ni au delà, ce n'est point demain ou dans dix ans que l'esprit s'éveillera. Le rêve n'est que de paresse, et la vérité du rêve c'est la perception. Dieu de chaque moment, tel est le Jugement; et il ne demande point que l'objet soit autre; non, mais que la pensée soit autre. Sur cette surface du présent, seule à nous, se tient donc cet Esprit incorruptible, qui n'attend point et qui n'espère point, assez occupé de passer du chaos à l'ordre, comme à tout réveil il faut faire. D'où je comprends encore mieux ce geste des mains, que j'essaie encore d'imiter en mes meilleures réflexions, et qui refuse de prendre. Aider, c'est donner la main; mais la confiance entraînera les deux. Voilà à peu près tout ce que je sais dire de ce refus de politique. Ainsi me voilà en cette bordure, me défendant d'y trop croire, et de m'y jeter; mais il n'est pas défendu d'y regarder.

***

Lagneau ne traitait jamais de Morale. Sans doute se défiait-il des passions; mais je ne crois point du tout qu'il eût été en ces matières hésitant ou indulgent. Bien plutôt je le vois terriblement clairvoyant et sévère. Mais quoi? Nous étions des enfants, et il ne nous connaissait guère. Dans les circonstances rares où je l'ai vu agir, dans d'autres qu'on m'a rapportées, il était prompt, hardi, et sans ménagement pour lui-même. Peut-être estimait-il que la morale en discours est trop facile. Peut-être aussi était-il naturellement retenu par d'autres leçons qui se présentent d'elles-mêmes les premières, et qui l'occupaient toute l'année. Toujours est-il qu'il n'a jamais traité devant moi que de la Perception et du Jugement. L'inévitable préambule sur la Méthode de la Psychologie ne faisait que préparer ces deux leçons principales. Je sais que dans la suite il lui arriva de traiter de l'existence de Dieu; j'ai supposé longtemps qu'il n'y avait eu que le titre de changé; je ne me trompais guère.

Je ne me fie, à la rigueur, qu'à mes propres souvenirs. Toutes les heures sérieuses de ma vie ont été occupées à répondre à cette question : « Que pensait-il? Que voulait-il dire? » Il n'y a pas longtemps je revenais à une formule que j'ai entendue plus d'une fois : « Retrouver dans une de nos pensées toute la pensée », et je buttais là comme autrefois. Je ne me plains point de cette lenteur d'esprit; c'est lui qui m'apprit à mépriser mes fragiles constructions. Toujours est-il que j'avais assez de lui pour méditer cent ans. Un ami plus jeune que moi m'avait entretenu plus d'une fois de cette leçon fameuse, où le Maître allait à conclure, je résume comme je l'entendis de cet ami, à conclure que Dieu ne peut être dit exister, puisqu'exister c'est être pris dans le texte de l'expérience. Nouveau thème pour des méditations difficiles; j'y retrouvai un Cartésianisme poussé à bout, et qui certes n'avait rien de Spinoza; car, ce que j'ai toujours remarqué en Spinoza, c'est que l'Immense Existence s'y offre la première, dans son Idée, il est vrai, et donc tout entière en chaque rencontre, mais enfin d'abord existence, et de là essence, et finalement pensée, d'où une liberté murée. J'oserais presque dire que les premières démonstrations de Spinoza vont plutôt de l'existence à l'essence, au rebours de Descartes. Mais je prends ce commentaire à mon compte; je n'en veux point charger le Maître; on voit seulement par quel détour j'essayais de deviner l'essence qui passe l'existence. Au reste je ne poussais pas bien loin par là, et même j'aurais choisi de ne rien dire là-dessus si, quelque temps après que j'eus commencé d'écrire ces mémoires, je n'avais reçu une visite mémorable. Nous avions annoncé notre projet de rassembler les écrits de Lagneau; cette nouvelle avait couru. La réputation où est encore Lagneau, après une courte vie et si peu de bruit, est quelque chose de miraculeux, et qui fait honneur à l'espèce. Bref je vis arriver chez moi un homme de forte structure, à tête chevaline (Diogène disait à Platon : « Bonjour, cheval ») et de rustique simplicité. Il portait une valise bourrée de papiers, d'où je vis sortir les leçons déjà connues, par lui rédigées, à ma grande honte, comme je n'avais su faire, et enfin les précieux cahiers portant au titre « De l'existence de Dieu ». Cet homme, que je surnommai aussitôt l'Homme de Dieu, avait été pêcheur de morue dans sa jeunesse, et puis marin long-courrier, ensuite étudiant, et, sur la trentaine, élève de Lagneau, justement après moi; finalement laboureur et éleveur de bœufs en cette Normandie, notre commun berceau. Ceux qui ont connu Jules Lachelier, Normand lui-même, pourront se faire une idée de cette tête à forte mâchoire, de cette structure tassée et osseuse, de cette méditation sculpturale d'où remonte le regard bleu, mouvement de retour et de réveil à ce monde-ci. Lagneau était autre, et, à ce qu'il me semble, interrogeait l'objet toujours. Imaginez donc cet autre sage, assis contre sa haie normande, tirant ses cahiers de sa poche, et trouvant là le dernier mot sur sa destinée, enfin ce qu'il avait vainement cherché autour du monde, comme il m'a dit. Je me retrouvai au temps de Solon. L'amitié fut prompte, par ceci de commun que nous n'avions ni l'un ni l'autre jamais craint ni respecté aucun être au monde à l'exception de notre commun Maître. Je lus donc les pages sublimes. La marque y était, mais aussi quelque chose d'abstrait et de désertique, qui n'était point dans mes souvenirs d'écolier.

Un autre genre d'écolier, un autre genre aussi de sérieux, avait-il rabattu tous les ornements sur ce pierreux chemin? ou bien le Maître sentait-il qu'il était temps de finir? Ou bien l'attention dévorante de ce nouveau disciple, qui attendait toujours le dernier mot, avait-elle insensiblement tiré l'analyse hors de ce monde jusqu'à l'extrême bord de la réflexion dialectique? Je me trouvai d'abord ici comme je fus tant de fois devant les pages les plus abruptes de Fichte ou de Schelling, cherchant l'objet, qui, dans Hegel au contraire, ne me manque jamais. Toutefois je reconnaissais l'accent du Maître, et sa pensée, à n'en pas douter. Il fallait jurer, je jurai. Je décidai que ces pages seraient imprimées telles quelles, et je fis bien. Maintenant je sais que le dernier mot y est. Toutefois je n'aurais pas cherché si loin. Que me manque-t-il? Un genre de désespoir, et de n'avoir pas douté assez loin. De n'avoir pas été assez Spinoziste pour perdre Descartes et le retrouver. J'espère qu'une partie s'éclairera par l'autre. Pour ce qui est de cette leçon, qui sera célèbre, et de ce Dernier Mot, voici ce que j'en comprends.

Je n'ai jamais cédé au Fatalisme, et là-dessus j'ai bravé le ridicule. On sait que tout penseur, ou presque, est sarcastique contre la liberté, et Spinoza lui-même. Toutefois c'est en Spinoza que j'ai le mieux compris que l'ordre des idées, quoiqu'il soit le même que celui des choses, pourtant ne lui ressemble en rien, allant jusqu'à apercevoir que l'idée du cercle ne ressemble nullement au cercle, ni l'idée de la ligne à la ligne. Par là, il m'apparaissait impossible que les idées fussent dites exister, en aucun sens; mais plutôt elles étaient faites et refaites, non pas arbitrairement, non pas nécessairement non plus. Je compris alors en quel sens Lagneau, dans une lettre sur Spinoza, dit qu'il y a deux nécessités. Mais depuis, revenant à Descartes, je ne voulais point dire deux nécessités, car c'est bien assez d'une. Et, quoique je ne sois que trop sujet à prendre l'imagination pour l'entendement, je fus ramené par la vertu des premières leçons de Lagneau sur la perception, et aussi par l'avertissement Spinoziste, à comprendre de nouveau que l'étendue en son idée n'est pas ce vêtement aux couleurs éclatantes ou pâles, et que la ligne droite, en son idée, n'a point de longueur ni de parties. D'où l'on est gardé contre ces erreurs brillantes et grossières qui reviennent de temps en temps, et qui sont l'épreuve de l'apprenti. Je regardais par là, content de tenir mon poste d'homme, qui est à la surface de ce monde, et occupé à manier ce monde le plus longtemps possible sans m'en laisser mordre.

Maintenant, en remontant vers mon propre être, j'apercevais plusieurs choses qui étaient à considérer. La principale, la plus étonnante, était que l'entendement lui-même était en quelque façon mécanique, ou, si l'on veut, physique, comme Descartes l'avait dit. Car il n'est point de démonstration sans objet, je dis sans existence; les figures et aussi bien les écritures d'algèbre sont des objets existants; ainsi mes conclusions sont toujours d'existence, comme le Si de nos hypothèses nous en avertit assez. Ce monde mécanique est bien l'image de l'autre; et nous y glissons et nous y tombons encore, sur un chemin seulement mieux tracé. Il y a de l'irrévocable par une définition, dès que nous la faisons exister avec d'autres. Mais que l'esprit soit jamais pris en ces jeux de nécessité, c'est ce que je n'ai pu concevoir. Cette position intermédiaire consiste seulement à supposer quelque chose fait et à chercher ce qui en résultera, d'après cette convention que l'on se réduit à être spectateur. Ainsi nos démonstrations et nos calculs imitent assez bien les choses que l'on laisse courir, mais n'imitent point, et ne peuvent, les actions véritables, où l'on modifie au lieu d'observer. Cela est mal compris, parce que l'immédiat de l'action n'est pas objet de réflexion; la conscience, qui est toujours division, n'y peut être, ni la mémoire en rien garder. Mais je ne vais pas maintenant par là. Au contraire je dois remonter vers ce que nous appelons les axiomes ou principes, dont nous faisons aisément un édifice abstrait et comme décharné, un objet enfin qui n'est plus objet, mais qui garde, et même qui rend plus sensible, le coupant et le résistant de l'objet. C'est vouloir penser sans matière, et croire qu'on le peut, et ne pouvoir. C'est garder du triangle ce qui est chose, ou existence, et prendre cela pour l'essence. Or notre condition est telle que l'on devine l'essence, mais que l'on ne peut la saisir comme un objet. Ce que Descartes exprimait comme il pouvait, disant qu'il n'y a point de nécessité en Dieu. En suivant ces difficiles idées, qui ne sont même plus des idées, en les prolongeant jusqu'au foyer et à l'intersection dernière, on trouvera quelque chose comme ce que trouva le Stoïcien, qui n'apercevait plus d'autre raison de Vouloir que de sauver le Vouloir même; et cela parle assez clair à tout homme. Mais dans l'ordre de la spéculation théorique, encore apercevoir la Liberté suspendue à elle-même, sans rien d'autre, cela passe le pouvoir des mots; et pourtant c'est ainsi; car l'existence est hypothétique par essence, et la course au premier moteur ou à la dernière limite est peut-être ce qui le fait voir le mieux. Le monde ainsi pris est cette fois absolument comme il s'offre, et insondable, mais non point en fait. C'est le silence éternel de l'entendement qu'il faut finalement reconnaître. Ce monde, infini à sa manière, serait donc notre charte.

Je reviens toujours au monde, ou plutôt j'y suis toujours, et au contact. Car ce que l'on trouvera de dialectique dans la célèbre leçon dont je parle, cela peut éclairer d'autres hommes, mais cela ne me touche point du tout. Il se peut que je tire Lagneau à moi, comme l'autre à lui. Toujours est-il que je n'ai point connu Lagneau hors de perception; et c'est en cela que je le vis grand, et que je le vois grand. L'idée que le monde ne serait qu'une apparence, dont il faudrait se détourner, et que l'entendement ait des moyens d'aller chercher l'autre monde au delà, ou aussi bien de le chercher en deçà, par une réflexion sans yeux, c'est ce qui ne peut obtenir audience de moi; et il me semble même que j'en fus guéri à jamais par le secours de ce génie terrestre. Kant, tant de fois lu, m'a ramené là par dure discipline; Spinoza aussi, parmi tant de preuves qui glissent sur moi, par ces lumières des *Scholies*. Mais enfin c'est Lagneau qui m'a mis à l'ouvrage. L'idée n'est point séparée, ni séparable; L'Esprit n'est ni loin, ni caché, ni derrière nous, ni derrière la chose, mais dedans. *Una eademque res*. « Vint l'Esprit, dit Anaxagore, qui mit tout en ordre ». Mais ce n'est que mythologie. L'Esprit met tout en ordre, et voilà ce que signifie l'apparence. Ceux qui ont suivi avec attention Descartes et Spinoza en ce réveil de pensée, le seul sans doute depuis Platon, ont certainement remarqué que ces penseurs ont cherché l'image sans la trouver, voulant toujours dire, même devant un miroir ou un prisme, devant un mirage même, que cela est d'entendement non moins que le soleil quatre cents fois plus éloigné que la lune. Ainsi viennent-ils à loger les images dans le corps humain, où elles ne sont plus images, mais notions vraies de la liaison du corps à l'esprit. Celui qui n'a pas médité, et j'ose dire à vide, sur les tableaux peints de Spinoza et ses images rétiniennes, ne peut me suivre. Il faut apercevoir ici, pour vaincre cette dernière apparence d'apparence, que ces deux auteurs sont encore trop dialecticiens; mais entendons bien aussi que, sans cette préparation dialectique, nous n'aurions pu revenir du prétoire à la nature. Ils cherchent donc cette première apparence, partant de laquelle l'entendement pourrait s'élancer. Mais les images sont images faute de réflexion, non point faute d'esprit. Lagneau ne quittait point l'apparence; d'où cette leçon sur la perception, qui ne finissait point. Je le vois traçant au tableau les apparences du cube et demandant si ces apparences étaient quelque chose avant qu'on sût de quoi elles étaient apparences. Car, qu'elles fussent sur un plan, et sans profondeur, cela se rapportait au tableau noir et à la craie, non au cube; c'était y chercher le vrai du tableau noir et de la craie, non l'apparence du cube; mais comme apparences du cube elles étaient vraies, par le véritable cube. Et la signification d'un de ces angles, qui me semble aigu ou obtus par la perspective, c'est justement que je le pense droit; non pas droit ailleurs, mais droit là même où je le vois aigu ou obtus. Et à vrai dire je ne le vois pas aigu ni obtus, ni non plus droit, mais tout cela ensemble, droit et obtus, voir et penser cela, et l'un par l'autre, c'est voir qu'on voit, ce qui est voir. La vue première ou immédiate n'est rien, parce qu'il n'y a que la réflexion qui puisse faire tenir ensemble l'apparence et le vrai. Le propre du rêve pur est qu'il n'est rien pour personne; mais l'apparence est le rêve retrouvé. Ainsi était analysée la réflexion comme réveil, en même temps que la perception comme réveil. Cette aurore de l'esprit émerveille. On ne s'en lasse point. Elle m'est neuve encore à chaque fois. Mais on voudrait croire que c'est chose faite, et courir aux conséquences; journée de manœuvre. En cette classe, comme sur ce visage architectural, c'était toujours matin.

CHAPITRE II

PLATON

De ses leçons sur Platon, qui furent nombreuses, amples, et toujours quelque dialogue en main, le *Théétète,* le *Philèbe,* le *Timée,* je n'ai retenu que Platon. Non point Platon athénien, non point Platon accident, ni moment, mais Platon vrai. Je l'ai retenu et je l'ai retrouvé. Je n'ai pas eu, une seule fois, le sentiment qu'il y eût jamais, en ces œuvres illustres par-dessus toutes, la moindre chose à reprendre, ni d'autres difficultés que celles qui s'offrent à nous tous dans notre commune situation d'hommes percevants. Or, si je sais ici expliquer ce que je sens, aucun auteur ne convient mieux pour faire entendre que Lagneau pensait métaphysiquement.

Les idées de Platon sont communément un objet d'histoire, ou bien une erreur admirable; mais on les veut toujours séparer. Dans Platon je ne les vis jamais séparées, mais à l'œuvre, et formant la substance de ce monde. Car c'est en ce monde que l'un et l'être se posent, s'opposent et se nient; et le jeu célèbre du *Parménide* est le jeu du monde. Deux est un en ces deux roses que je perçois, comme quatre est un dans les osselets du *Théétète;* et il est pourtant vrai que cette unité qui les fait quatre n'est en aucun d'eux, ni non plus l'unité de chacun, qui fait de chacun d'eux une partie de quatre; pas plus que Théétète n'est en lui-même grand ou petit. C'est par de tels rapports pourtant que Théétète et les osselets sont dits exister; ces rapports sont substantiels, mais refusent d'être des choses. Sous mes yeux, cette participation se fait et se défait. Sous mes yeux, cette dialectique pose le courbe par le droit et le plusieurs par l'un. Sous mes yeux le grand et le petit prennent leur course alternée, et leur fuite fait en même temps deux abîmes pleins de créations. Mais l'unité les ramène au repos. D'où nous allons faire le compte de ces êtres, leur généalogie, leur filiation. Ici Platon sourit. Voici le *Timée,* et tous les démiurges à l'œuvre, clouant le Même et l'Autre sur l'écliptique. Et que faisions-nous tout à l'heure, nous-mêmes, dieux inférieurs et préposés, et toujours faisant être les choses par les idées? Ainsi plaît-il à chaque Dieu, parce qu'il eſt bon; et, de vrai, rien ne l'y force. Ainsi Lagneau, tenant en main le *Timée ;* semblait lui-même une figure de Michel-Ange, séparant la lumière et les ténèbres. Je ne pense pas que l'idée soit jamais venue à aucun de nous de réfuter Platon.

Nous approchions plus près avec le *Théétète;* et ce fameux passage du cheval de bois, je ne l'ai jamais relu sans y apprendre encore quelque chose. Si nous étions comme le cheval de bois, il y aurait un objet pour notre main et même pour chacune de nos mains, pour nos deux oreilles, pour nos deux yeux; mais ce n'eſt pas ainsi. Ce qui fait l'objet que nous percevons, cet encrier, ce crayon ou cette fleur, c'eſt qu'il eſt objet à la fois pour nos mains et nos yeux; et ces milliers d'apparences d'un même objet ne le multiplient point, mais l'affermissent en son unité, ou, *pour mieux dire* (ainsi parlait le maître), ne sont elles-mêmes plusieurs que par cette unité de la chose; ainsi dans cet objet, encrier, crayon ou fleur, il eſt pensé que toutes ces apparences sont vraies sous condition, différentes les unes des autres, identiques les unes aux autres, et variées selon les lieux du monde d'où on verrait l'objet; ainsi la loi universelle, dans tous les sens de ce beau mot, eſt la subſtance même de l'objet; non pas ce que le philosophe y suppose, mais ce que chacun y pense dès qu'il le perçoit. Platon n'a rien ajouté au monde. Il eſt dit juſtement le Métaphysicien, non pas parce que ses Idées sont éternellement hors du monde, mais plutôt parce qu'elles sont le tissu du monde. Lagneau n'ajoutait rien au monde; c'était Platon revivant. Un précieux ami me disait ce matin même, comme nous parlions du Maître, qu'il a connu et admiré autant que moi : « Poète lyrique que vous êtes, vous lui ferez dire tout ce qui vous viendra à l'esprit ». Lagneau a laissé trop peu d'écrits pour que je puisse me défendre là-dessus; mais Platon exiſte en son œuvre; il eſt facile de savoir si j'ajoute maintenant quelque chose à Platon.

C'eſt toujours d'après l'image du Démiurge que je me représente le philosophe véritable, ou si l'on veut le Métaphysicien. Non pas isolant les idées et les produisant dans l'abſtraction, comme s'il se détournait du spectacle des choses, mais au contraire revenant de ces abſtractions faciles, allant toujours du clair à l'obscur, épaississant le nuage jusqu'à lui donner la consistance des choses. Ce qui est dit aussi dans la célèbre allégorie de la caverne; seulement il faut la lire jusqu'à la fin. Ces pages relues, on ne peut rester dans les jeux logiques; encore bien moins peut-on laisser ce corps vivant se repaître d'ombres, ombre lui-même, mais il faut donner substance à ces ombres, et les créer continuellement. « Être ou ne pas être, soi et toutes choses, il faut choisir. » Je citerai sans doute encore plus d'une fois cette parole étonnante; je l'écris ici pour que l'on comprenne qu'en suivant Platon je me tiens étroitement attaché à la philosophie de Jules Lagneau. J'aperçois bien les difficultés de mon sujet. Il ne manque pas de Platoniciens, et la célèbre doctrine des Idées est comme un passage où tous les philosophes finissent par se rencontrer. Lire, admirer, aimer Platon, cela ne définit pas un homme. Mais de nouveau être Platon, s'asseoir dans la caverne, et expliquer les ombres aux captifs, cela je ne l'ai pas vu plus d'une fois. Seulement alors j'ai vu un Homme. Si je ne sais pas faire toucher du doigt cette rare grandeur, à quoi me sert cette plume? Mais attention, je suis soumis à la commune condition; il faut que mon Philosophe existe de nouveau par l'idée; et, si je manque de courage, je n'évoquerai qu'une Ombre plaintive, comme Ulysse. Quoi? dit l'homme faible. Eh bien, il est mort et nous le pleurons; mais vous ne le ferez pas revivre; et laissons cette nécromancie. Il est vrai que si j'hésite à vouloir, aussitôt l'ombre s'éloigne et se fond; cela fait bien voir à la fois qu'il faut aimer et qu'il ne suffit pas d'aimer. Mais quel est donc l'objet qui tient un seul moment devant le regard paresseux? Qu'est-ce qu'une maison? disait Lagneau. C'était là son centre; il y revenait toujours. Aucun objet n'est donné. C'est ici que l'exemple, encrier ou morceau de craie, était mis à la question. Et il est rigoureusement vrai qu'il n'y a de perception que par une vérité de la perception; et il est vrai aussi que la vérité de la perception ne peut être perçue; il n'y a pas de lieu d'où l'on voie toutes les parties d'une maison; il n'y a point de lieu ni de rapports de lieu qui représentent comment les parties ensemble font une maison, et comment les perspectives ensemble font une maison, et comment le toucher, la vue, l'ouïe explorent une maison, et comment tout l'Univers autour jusqu'au plus loin fait cette maison-là. Ainsi l'esprit dépasse la perception et à ce passage lui donne existence et naît lui-même à l'être de conscience; par quoi l'apparence apparaît. Et je voudrais bien qu'un psychologue m'expliquât ce qu'est l'apparence, et pour qui apparence, si l'apparence n'est pas un moment dépassé. J'emploie ici le langage de Hegel; je ne crois pas que Lagneau le connût bien. Il n'en parlait jamais, autant que je sais. Il n'était pas historien dans le sens où l'autre l'est. Or j'ai tout trouvé dans Hegel, excepté une suffisante théorie de la perception. C'est pourquoi ce spectacle de la nature, en Hegel, se tient par soi et devient par l'esprit qui lui est intérieur; les moments de l'esprit sont ainsi représentés par des formes; bref le monde est créé, la nécessité se déroule, et l'esprit ne s'en échappe pas sans peine, je veux dire que les lecteurs et disciples de Hegel sont touchés toujours un peu par la Fatalité qui montre comme une ruse de Dieu; car il est vrai qu'il faut tout faire, mais il est vrai aussi que tout est fait. Penseur politique et au fond religieux. Je voudrais expliquer, et je n'y arriverai pas sans peine, que Lagneau n'était ni politique, ni religieux; bien plutôt cette dialectique divine à longues périodes (mais qu'est-ce qui est long ou court?) se ramassait toute en un mouvement d'attention de Lagneau; il surmontait en acte; et de la puissance comme telle il n'avait que le sentiment. C'est la raison pourquoi hors de la pensée en acte il ne se promettait rien et n'espérait rien. Personne ne pensait pour lui, et tout était toujours à recommencer. Moins d'espérance donc, mais, il me semble, plus de joie. C'est une des vertus de Platon de réduire le progrès. Jeu d'imagination, qui revient toujours, par une mythologie qui nécessairement jette l'esprit au delà. De façon que ce choix des âmes, dans la Prairie du Jugement, il est clair que nous le faisons sans cesse; et, en disant mythologiquement que ce choix est toujours fait d'avance, c'est cela même qu'il veut dire. L'Éternité n'est pas un temps sans fin, mais plutôt c'est le miroir du temps; ainsi le salut est de toujours. Aussi les formes animales ne peuvent être dans la mythologie Platonicienne l'état ancien de l'esprit en sommeil, mais plutôt elles sont l'image de l'esprit déchu. C'est pourquoi il n'y avait dans la pensée de Lagneau rien de pareil à ce que l'on trouve dans Hegel sous le titre de Philosophie de l'Esprit. Une telle philosophie signifie nécessairement que la nature se sauve; ou, pour autrement parler, c'est réaliser la pensée confuse. Mais disons aussi que toute la dialectique de Hegel est suspendue à une philosophie de la Nature, ce qui est évident pour la philosophie sociale, où la Nature porte l'Esprit et en même temps le retient et l'assure en fixant le progrès; mais il en est de même pour la Logique, portée au fond par l'histoire des Idées comme la Philosophie de l'Esprit est portée par l'histoire politique. Sans quoi tout recommence sans cesse, et la moindre réflexion physicienne se porte de la Substance à la Cause et aussitôt à l'Action d'Échange qui les fait être l'une et l'autre; et le moindre réveil de l'attention nous jette à l'être nu, qui reçoit tous les attributs aussi bien qu'il les repousse tous; car tel est le premier moment de l'apparition pour Hamlet et pour chacun. Être Hégelien, c'est croire à un destin, ce qui est Dieu Objet. Il ne faudrait donc point dire que Lagneau a ignoré Hegel, et que c'est bien dommage, non plus que le temps lui a manqué pour construire quelque Histoire Universelle de l'Esprit. Disons plutôt que le penseur rigoureux s'est détourné d'une nécessité extérieure qui serait esprit. Monstre divin; dieux d'autrefois, dieux de boue et de sang, comme parle Hegel, un de ceux qui ont mesuré le mythe immense de l'Homme-Dieu, mais il ne l'a point tiré tout à fait hors de l'idolâtrie. Adorer l'État sauveur, c'est comme adorer la Vache ou le Crocodile. Platon était déjà à sa tâche d'homme. A mes yeux tout cet effort de pensée de Lagneau, et presque tout perdu, représenterait, si l'on voulait des âges, le dernier âge, auquel Renouvier n'a pas été tout à fait étranger, la liberté ne pouvant se conquérir, soit dans la réflexion, soit dans l'action, qu'en repoussant à elle-même la nécessité purement mécanique; et c'est cette pensée en acte qui efface tout à fait le Destin. Mais toute religion enferme un destin, comme les Jansénistes eux-mêmes l'ont éprouvé. C'est pourquoi, en cette leçon que je n'ai pas entendue, Lagneau voulait prouver que Dieu ne peut être dit exister. Le lecteur voudra bien croire, au moins par provision, que je suis ici au centre de la difficulté. Si j'avais pour fin de coordonner les documents qui nous restent, j'arriverais trop aisément à résumer une philosophie idéaliste qui ressemblerait à beaucoup d'autres. Ce genre d'erreur serait le pire; et c'est pour n'y point tomber que j'ai pris cette méthode libre et tâtonnante, sans autre prétention que d'avertir. Si l'on me suit dans ce long détour, je suis assuré que les textes et les témoignages s'éclaireront alors autrement. Quand j'étais jeune, un bon ami, et fidèle disciple lui aussi, me disait quelquefois : « Ne te crois pas obligé d'être obscur ». Dans une note que je fis passer aux journaux après la mort de Lagneau, j'avais employé le mot Génie sans aucune épithète; mais les philosophes d'institut écrivirent à la place de ce mot ambitieux une périphrase assez plate : « Un véritable génie philosophique »; ainsi dirent-ils. Je veux gagner ce procès-là.

Puisque j'étais sur le sujet de la religion ou de l'irréligion, il est maintenant à propos que je me risque à comparer deux hommes que je place très haut, mais qui, à mon sens, ne se ressemblent point du tout. D'après le conseil de Lagneau, nous lûmes alors la plume à la main le *Fondement de l'Induction* et surtout *Psychologie et Métaphysique*. Ce genre de pensée, mieux lié, était certainement plus facile à suivre que la pensée de Lagneau. Je me souviens que, dans une conversation particulière sur ce sujet-là, je fus ramené par une remarque du Maître bien inattendue, et que je ne compris pas tout de suite : « Oh! derrière M. Lachelier il y a l'Évangile. » Comment interpréter l'oracle? Non pas certes en ce sens que l'Évangile serait de peu et dépassé; mais pourtant c'était bien le signe de l'irréligion en un sens. Et d'un autre côté quel rapport entre l'Évangile et une dialectique abstraite, rigoureuse, subtile, et, surtout dans le célèbre article qui était alors nouveau, purement rationnelle? Dans la suite, et assez longtemps après la mort de Lagneau, j'eus plus d'une fois l'occasion d'entendre le Penseur Catholique, en des remarques sur tous sujets et toujours de grande portée et d'une pénétration merveilleuse. Mais, pour moi qui avais connu le Penseur Incrédule, je voyais bien clairement que cet esprit catholique était, si j'ose dire, absent de ses pensées les plus hardies. Si je puis me permettre une autre comparaison, sans manquer du tout au respect que je dois à la mémoire de cet homme vénérable, je le comparerais à ces gymnastes qui voltigent au-dessus d'un filet : ils ne tombent jamais; mais enfin il y a un filet. Il est impossible de croire que la doctrine catholique, si explicitement métaphysique et même dialectique, ne donne pas à un penseur cette sécurité de la chose jugée, ou si l'on veut en soi pensée, en soi achevée, à laquelle l'esprit doit finalement et toujours se conformer. En toutes les aventures de pensée on se trouve soutenu alors par un invincible préjugé; l'esprit est adoré comme par serment; mais c'est encore trop peu dire, car le serment, selon la doctrine, serait encore suspect; ce serait un parti pris une fois contre le doute toujours menaçant; cela même est hérésie. Je soupçonne, faute d'expérience, car je n'ai connu que la foi de l'enfant de chœur, qui dit son chapelet et qui a peur de l'enfer, je soupçonne, dis-je, une certitude de fait, et un accord de l'esprit avec la Providence, aussi intime et aussi familier que le rapport de notre corps avec l'Univers nourricier. Tout étant réglé pour le fond, la pensée s'exerce alors professionnellement dans le détail des choses; le professeur, l'ingénieur, le général, l'homme d'état pensent alors chacun selon son métier, ce qui fait voir tantôt des pensées médiocres et à la suite, tantôt des vues de génie, politiques, ou mécaniciennes, ou métaphysiques; mais la liberté de ces esprits, qui passe souvent toute audace, a ceci de remarquable qu'elle est soutenue de toutes parts et toujours sans risques. Dont Descartes a offert sans doute le plus illustre exemple. Et ce qu'il dit du libre arbitre, qui va fort loin, est premièrement une opinion de gentilhomme bien pensant. Si l'on veut considérer la chose au point de vue de l'histoire, peut-être faut-il dire que l'obligation de croire fut, à ce moment décisif, un précieux secours et peut-être indispensable contre le prestige de la nécessité mécanique. Enfin le catholique n'a jamais la charge de penser tout. Quelqu'un pense pour lui. Il est sauvé par là de ce « désespoir absolu » que Lagneau a nommé une fois, au moins une fois. Cet autre Atlas portait toute la pensée. Par la fatigue, ou seulement par l'inattention, tout était par terre. De cela je suis bien sûr. Après des peines infinies et une lutte inégale, on dirait ingrate, contre des doctrines faibles, dont la force est qu'elles traduisent très bien nos faibles pensées, il arrivait toujours quelque éclair; mais on ne voyait point de progrès, ni d'une semaine à l'autre, ni d'une année à l'autre. Tout était toujours à recommencer; et pour avoir dit une fois ce que c'était qu'espace et ce que c'était que temps, on n'était point assuré du tout par là contre des apparences trop connues, toujours également redoutables. Preuve que le mécanisme pensant était surmonté; mais un tel régime peut user l'homme.

Il eſt difficile de croire, mais agréable. Il eſt plus beau de savoir. On peut penser, comme Comte pensait de Hegel : « Que veut-il dire avec son Esprit ? » Cette position eſt difficile, et au fond impossible par un continuel balancement de la conscience à l'objet, et de l'objet à la conscience, la connaissance étant reléguée dans le corps vivant, qui pourtant, ensemble avec les autres corps, eſt l'objet de la connaissance, et se trouve en elle plutôt qu'elle en lui. Et comme il faut croire au monde, et que toute raison s'appuie là, comme toute folie à ce qui n'eſt qu'en la conscience, la réflexion se trouve aussitôt suspecte et contre l'ordre, comme il apparaît en la forte maxime de Comte : « Régler le dedans sur le dehors ». Cette division et cet exil en quelque sorte eſt propre à l'incrédulité; elle en eſt comme la punition à chaque inſtant.

Tous ceux qui perdent communication avec l'esprit, par une sorte de crainte à l'égard de l'attention véritable, se retrouvent aussitôt étrangers au monde et soumis au monde par une sorte de religion renversée, comme on voit au tragique dans Lucrèce, et plus secrètement en tous ceux qui se font une idole de l'expérience brute. Le génie, en ses moindres éclairs, eſt alors une sorte de maladie, comme ils finissent par dire tous. On n'ose conjecturer ce qu'ils pensent de Platon, et eux-mêmes n'osent pas le dire. Tel eſt l'état du matérialisme conséquent; la fatalité y revient toujours, qu'on l'atténue ou non, que l'on ruse ou non, et une misanthropie irritée, par une peur bien naturelle de tous ces fous en liberté, qui se croient eux-mêmes.

De ceux qui sont religieux dans le sens ſtrict du mot, ce qui revient, je pense, à trouver des signes de l'esprit en des apparences étrangères à l'esprit, je ne sais que dire. Je suppose seulement que leur pensée se retourne contre elle-même, par une critique sans fin, mais qui eſt aussi sans inconséquence et sans peur puisque l'on sait qu'il y a promesse de salut, et extrême objectivité dans l'extrême subjectivité. L'Esprit Absolu eſt une garantie en quelque sorte contre la témérité de penser; car quoi que l'on pense, ce n'est jamais vrai que par la négation. Toutes nos représentations restent à l'état d'énigme. Et c'est ce qui m'a toujours arrêté en ce célèbre ouvrage de Jules Lachelier sur le *Fondement de l'Induction,* dont la conclusion est bien qu'il faut croire contre les preuves. Toute la force de cette analyse est en ceci que la représentation et cet ordre qu'elle montre ne se justifie nullement et ne s'explique nullement par elle-même; l'esprit de Hume, proprement diabolique, s'y étale, par ceci qu'on ne voit pas pourquoi ce monde est réel; mais comme le penseur sait bien que Dieu ne trompe point, il faut donc croire que le désordre à chaque instant menaçant pourtant n'est pas possible; et c'est faire l'inventaire de ce que nous devons croire si nous voulons vivre, j'entends nous sauver de cet insupportable ennui de penser, que Hume a pour finir si bien décrit. Cela m'apparut un jour que Jules Lachelier lui-même, contre de téméraires affirmations empruntées à son ouvrage, du moins je le croyais, voulut bien se faire l'avocat du diable, et le fit avec cette puissance de critique et de négation que devineront tous ceux qui ont entendu ce croyant, le plus incrédule peut-être des hommes, hors sa foi. Mais je dis maintenant incrédule par sa foi même. Plus près de Hume que de Kant. Au reste, ce que j'ai lu dans les fameux disciples de Kant et surtout en Fichte, à savoir que Kant ne suffit pas et qu'on n'y peut rester, je l'ai compris par la pensée même de Lagneau, qui connaissait fort bien Kant, mais était bien loin de s'y jeter comme en Platon. Toutefois par où Kant ne suffit pas, c'est ce que je vis dans le tissu même de l'analyse. Et l'induction ne sera pas un mauvais exemple pour l'expliquer, quoique, comme on va voir, Lagneau ne traitât jamais, à proprement parler, de l'induction.

Je considérerai un objet perçu, soit cet encrier ou cette boîte à craie qui fait un cube. Exemples sacrés pour moi. Qu'on m'excuse si je parle tant de moi; je suis le témoin, j'oserais dire le seul témoin, le seul bon témoin, et voici pourquoi. Quand je fus assis à mon banc d'écolier devant cet homme vénéré et évidemment vénérable, je l'écoutai d'abord avec une extrême défiance, m'attendant à de belles phrases et à quelque doctrine vertueuse. Les discours publics de Lagneau offrent bien cette apparence, et je suis capable maintenant de les préférer à beaucoup d'autres, et seulement d'après le son. Mais il reste vrai pourtant que préférer n'est pas la même chose que penser. Or, en ce temps-là, assez et trop nourri de discours vraisemblables, et n'ayant encore trouvé de pensée à me satisfaire que dans la géométrie d'Euclide, je me trouvais placé dans un état d'indifférence qui n'est point en général celui des jeunes, avides d'admirer et d'imiter. J'ai souvent pensé à ce Polémon couronné de fleurs, et qui entre par hasard aux leçons d'un sage. Couronné moi aussi de jeunesse, et nullement inquiet des grands problèmes, encore moins des solutions d'aventure que l'on m'avait proposées, je me trouvais ici comme au spectacle, sensible au plaisir de combiner, mais bien résolu à n'être pas dupe. Aussi ne le fus-je point.

Nulle piperie; nul étalage de doctrines louables. Mais cet encrier et cette boîte à craie; mais une exacte analyse de ce que c'est que voir, toucher, entendre; une lenteur et une confusion héroïques. Tout le bagage des naturalistes, d'abord, étalé là; toutefois bientôt lacéré, exactement en morceaux. Car qu'est-ce que voir si ce n'est que voir? Qu'est-ce que toucher si ce n'est que toucher? D'abord cette folle idée des images renversées sur la rétine et qu'il faudrait donc redresser. Mais toutes les images renversées, que signifie? Ici le rire du Maître; et je me prends au jeu. Cette raison qui vient de paraître en éclair n'est pas timide; elle ne conjecture pas. C'est le faux qui m'est découvert, non pas le douteux. Le naturaliste croit qu'il perçoit d'abord de l'objet l'image qui se peint sur sa rétine; mais cette image est au vrai la perception d'une rétine, par exemple de bœuf et grattée, et de l'image qui se peint dessus. Ainsi m'apparaissait une immense méprise. Autre étonnement. La double image visuelle et le stéréoscope étaient décrits selon la rigueur. Comment arrivons-nous à voir l'objet simple? Mais nous ne le voyons pas simple; les deux images ne coïncident pas; elles ne peuvent. Mais les différents aspects, innombrables, de ce cube, ne coïncident pas; ils ne peuvent. Je me souviens de cette formule: « Les deux images sont justement une occasion de remarquer l'unité de l'objet. » Or cet objet unique, quel œil le verra? Quelle main le touchera? J'abrège encore maintenant, comme autrefois je me jetai sur l'idée du cube, raison de toutes les apparences du cube, mais qui ne ressemble à aucune de ces apparences. Dès que l'on en est là, on n'a plus à craindre que les diverses images tactiles, visuelles et autres, ne se rassemblent pas bien en une image composite ; car il est vrai que le toucher que je reçois d'un cube ne ressemble nullement à la forme diversement colorée que j'en vois ; mais il est vrai aussi qu'une des images visuelles du cube ne ressemble nullement à une autre et qu'elles ne coïncident jamais en un cube ; et c'est l'idée du cube qui les explique toutes et les rassemble, sans du tout les mêler ni les confondre. Mais que dis-je ? En les distinguant au contraire. Seulement n'allons pas si vite ; rendons-nous ces vérités présentes. J'en étais déjà à y croire. Par chance la sévère méthode, l'incroyable scrupule du Maître me ramenaient à les former de nouveau d'après d'autres exemples, et toujours l'idée dans la chose, l'idée réelle, nullement l'idée séparée.

L'analyse infatigable défaisait enfin cette fantasmagorie, ce charlatanisme des images flottantes qui seraient d'abord subjectives, et qui prendraient réalité par la supposition d'une idée. L'Homme ne jouait point ce jeu. Non qu'il montrât quelque préjugé contre les analyses du genre anglais ni contre les arrogantes méthodes de la *Revue Philosophique*. Au contraire il prenait leurs descriptions de bonne foi ; mais il fallait enfin sourire devant cette naïveté sans mesure. Car qu'est-ce enfin qu'une image visuelle qui ne serait que visuelle ? Qu'est-ce que cette surface sans la profondeur et cet espace mutilé ? Au vrai n'importe quelle image n'a de sens que parce qu'elle représente un objet. Par exemple que peut signifier une forme visuelle sinon une règle de mouvement ? Et comment parler d'espace visuel quand l'espace est cette loi même qui d'un sens à l'autre nous représente l'effet de nos mouvements ? Par exemple la profondeur visuellement connue n'est telle que pour le toucher. L'image qui n'est qu'image tombe donc au néant. Faisons bien attention ici. Quand on demande d'où nous savons que les objets réels se conforment à des lois, cette question même suppose des objets d'abord donnés, mais comme des images subjectives et dont on demanderait comment ils sont liés et s'ils sont liés. Et en bref on se propose de passer des apparences subjectives à un monde ordonné, d'un monde interne à un monde externe. Or déjà Kant avait, par une sorte de force dialectique, écarté tout à fait cette question, ce qui est sans loi n'étant point du tout objet. Par exemple le permanent soutenait le changeant, la causalité soutenait la succession, et l'action d'échange donnait seule un sens à la simultanéité. D'où un théorème célèbre, et beau de force abstraite : « La seule conscience de soi pourvu qu'on n'oublie pas qu'elle est empiriquement déterminée, etc. » Mais l'objet sans loi avait encore une ombre d'existence; et l'espace se montrait encore à l'imagination comme un cadre, ou comme un contenant dont on a dit sans précaution tant de fois qu'il est quelque chose d'abstrait et de rigide; sur quoi s'est greffée cette étourdie manière de dire, qu'un espace peut être courbe. C'est ainsi que l'imagination se repaît de géométrie. Lagneau ne suivait pas ce chemin; trouvant non point un chimérique espace visuel, ni un inconcevable espace tactile, mais trouvant l'espace en même temps que l'objet, il n'y pouvait voir jamais que la représentation d'une loi qui lie d'un sens à l'autre nos impressions à nos mouvements. Ce n'est aussi autre chose qu'apercevoir la loi substantielle, intime à l'objet, inséparable, l'objet étant liaison. On voit en quel sens le problème de l'induction était dépassé. Aussi bien apparaît-il à chacun que c'est par induction que nous lions le vert des feuilles à leur consistance, et l'odeur de la rose à sa couleur. Mais la paresse d'esprit, qui, à mes yeux, fait scandale, consiste en ceci qu'on ne se demande jamais ce que serait la couleur d'une rose sans ce lien au tissu soyeux, à la tige, aux épines, à la terre et à toutes choses. Et c'est par là que cherchait le Philosophe. D'exemple en exemple et comme en tâtonnant il poursuivait la sensation pure, attentif, et longtemps, et revenant toujours, à vouloir dire ce que serait le solide senti comme tel, sans aucune représentation ni anticipation; aussi ce que serait la couleur sans distance aucune, sans anticipation d'aucune sorte; enfin le pur événement, sans aucun rapport; poursuivant, après Platon, la vérité Héraclitéenne. Et l'antérieure et première expérience toujours s'enfonçait dans le sommeil. Nul autre rêve que le monde. Nul genre de conscience hors de la perception des objets réels. Nul temps séparable; car, encore plus profondément que l'espace, le temps exprime la liaison de toutes choses, un chemin réel parmi tous les possibles. Tout au dehors; et ce seul réel soutenu et comme tissé de rapports. Comme le monde ne se retire point de l'esprit, l'esprit ne se retire point du monde. C'est pourquoi j'ai mis en avant ces deux formules que la sensation est un abstrait et qu'il n'y a point de connaissance subjective. C'est toujours le vrai qui éclaire le faux; l'esprit est partout présent, et entier partout. Car ce n'est pourtant pas la chose qui est loin ou près, grande ou petite; et c'est tout le carré qui est carré. Que chercher de plus? Que chercher au delà? L'essence porte l'existence. Il ne s'agit plus de croire ou de ne pas croire. Savoir va plus loin que croire. « Il n'y a, disait-il, qu'un fait de pensée, qui est la Pensée ». Ainsi trouvait-il plus qu'aucune religion ne veut. Mais aussi tout est vrai de ce que disent les religions, et plus vrai qu'elles n'osent dire. Mais aussi l'on ne peut plus croire; on ne peut que savoir en acte, et la preuve ne peut être gardée. Tout est signe, et sans nul mystère; mais le mystère est bien plutôt en ceci que les petites raisons reprennent force aussitôt. En sorte qu'il est vrai que nous avons tout secours de ce monde merveilleux et ami, mais qu'il est vrai aussi que nous n'avons d'autre secours chacun que nous-même, étant abandonnés de tout dès que nous nous abandonnons. On en voudrait jurer, on n'en peut jurer. Il n'y a rien de plus simple, de plus facile, ni de plus agréable que d'oublier que l'on est esprit. Les religions nous le rappellent, mais en vérité nous dispensent aussi de le savoir. Et, sous le nom de matérialisme pur, c'est encore la même facilité qui nous guette. Comme me le disait un jeune homme fort instruit : « Si vous preniez le parti d'être matérialiste, toutes ces difficultés seraient effacées. » Je le crois bien; une sensation associée à une autre, quelle formule plus maniable et plus riche? Et qui ne retombe pas là? Lui jamais. Sa voix se faisait rude pour nous redresser. Et telle est, à ce que je sais, la seule leçon de morale qu'il nous donna jamais. Mais c'est celle aussi qui effraie le plus; car certainement la charge d'un esprit est lourde. Pourtant la force de l'attention doit surmonter ici même l'impossible; car ou il n'y a rien ou c'est ainsi. C'est ainsi. Et cette solution nous ouvre des difficultés sans fin, un travail qui est toujours à refaire, des devoirs sans mesure, des scrupules sans fin et sans aucun secours extérieur. Ainsi pensait-il, avec joie, sans aucune crainte et sans aucune espérance. L'esprit imaginaire promet tout et est lui-même promesse. L'esprit réel ne promet rien; il ne commande même pas, mais plutôt il demande, comme l'exprime le beau mythe du dieu faible et trois fois renié.

Il est bon que l'on sache que ces développements n'étaient nullement dialectiques, comme on voit dans les philosophes qu'une idée conduit à une autre. La philosophie de Lagneau était premièrement et je dirais peut-être uniquement une théorie de la perception. Il semble que la nature même l'avait averti au sujet de cette connaissance qui semble immédiate. Un jour, comme je lui faisais visite, en cette chambre où la fatigue le retenait souvent, il me fit voir par la fenêtre un treuil qui servait à des maçons. « Ce n'est pas, me dit-il, un petit avantage d'avoir une mauvaise vue; les moindres objets sont alors des énigmes; ainsi ce n'est qu'après des heures d'attention que j'ai bien saisi ce que c'est qu'un treuil. » J'avais la vue bonne et j'ai toujours deviné très vite le secret des mécaniques. Le treuil est une des plus simples, et c'est l'élément de toutes; je l'aurais toujours supposé assez connu, et je me serais amusé aux composés sans cet oracle. Depuis je n'ai jamais vu un treuil sans y faire grande attention, et à chaque fois j'ai découvert quelque chose. D'où je dis souvent que, si j'avais écrit quelque thèse doctorale, c'eût été sur les nœuds de corde, qui sont des treuils combinés, à bien regarder, en vue de prouver que tous les exemples sont bons pour penser, et que les plus simples et les plus vulgaires sont les meilleurs. Mais sans cet oracle, j'étais perdu, je crois bien, par la diabolique facilité; je vois qu'elle en a perdu d'autres. C'est peu de chose que comprendre le treuil; toutefois cette méditation, extérieure encore, mais du moins délivrée des signes, avait certainement contribué à éveiller cette réflexion percevante, dont j'ai voulu retracer ici quelque chose.

Cette méditation n'avait d'autre objet que les choses mêmes, et c'est pourquoi elle était naturellement si éloignée de la forme écrite; c'est pourquoi aussi, je ne puis que la raconter. La célèbre illusion d'Aristote, par les doigts croisés, était interrogée sans fin. Quiconque a ainsi perçu deux billes au lieu d'une doit sentir que le secret de la représentation est ramassé ici sous ses doigts. Ces pièges aussi tendus à notre vue, ces reliefs ambigus, ces lignes parallèles qui semblent divergentes, cette réaction des grandeurs sur les grandeurs, c'était l'espace vivant en quelque sorte, l'espace pensé, et le jugement sans paroles. Et cela revient à montrer que l'idée de l'objet change les apparences et déplace si l'on peut dire les sensations. Mais Lagneau ne pouvait pas dire, et ne disait jamais, que ce sont là des jeux d'imagination. Les reliefs, les grandeurs, les distances, les formes représentent un objet réel ou ne sont rien. Encore une fois qu'est-ce qu'une apparence qui n'est qu'apparence ? Ces grandes idées paraissaient en ces figures tracées au tableau. Et c'est tout à fait autre chose que de montrer que toutes choses sont en vue d'une fin. « L'esprit vint, qui mit tout en ordre » ; mais, comme Socrate l'avait remarqué, il ne suffit pas de le dire ; et non plus, dirai-je, d'en jurer. La religion soutient la philosophie comme la nourrice soutient l'enfant ; ce n'est pas marcher. Lagneau ne pensait point théologiquement, ni politiquement, ni pour le bonheur, ni pour la vertu ; mais sans soutien aucun que ce monde, et toujours tenant la preuve entre ses doigts ; assuré et confirmé en sa place d'homme ; toujours creusant, toujours trouvant ; assez riche du monde autour et de soi. Souvent il m'apparut comme le Génie de la Terre.

CHAPITRE III

SPINOZA

L'*Éthique* était son autre livre, et notre autre livre. Non qu'il se fiât à Spinoza comme à Platon. Au contraire il lisait cet autre Livre de Sagesse avec précaution, avec défiance. Comme il croyait sans doute, quoiqu'il ne l'ait jamais dit que je sache, que c'est Platon qui a raison contre Aristote, de même et explicitement et amplement il montrait que c'est Descartes qui a raison au fond contre Spinoza. Tel était l'objet de la deuxième leçon du cours, la première traitant de la perception, d'octobre à mars à peu près, la seconde sur le Jugement, terminant l'année ; je n'en ai point entendu d'autres. Il faut dire que les autres leçons du cours tenaient en des exposés fort bien faits, et, autant que je sais, sans faute. Idéologie correcte et qui a son prix. Il y a un repos de l'esprit, qui se confie à la forme et pense selon la vraie rhétorique. Le meilleur enseignement se borne quelquefois là en se réglant sur le souvenir de méditations plus appuyées qui orienteraient, mais sans jamais paraître, les pensées subalternes. C'est ainsi que la religion fait quelquefois d'honnêtes philosophes, et quelques-uns brillants. Le culte d'un maître ou d'un grand livre agit souvent à la manière d'une religion; et même on peut faire religion de ses meilleures pensées. Toutefois j'ai remarqué qu'on ne peut rester à ce niveau, arrangeant les discours d'après ce qu'on a su comprendre ou d'après ce qu'on croit. Il en est comme de saint Thomas à l'égard d'Aristote, et l'ordre inférieur ne peut tenir sans la création continuée. Au fond c'est compter trop sur l'ordre moral, ou sur l'édifice des sciences; ni l'un ni l'autre ne portent l'imprudent. C'est pourquoi je manquerais tout à fait mon but si je laissais croire que la philosophie seconde, même sans reproche, est encore quelque chose. Enfin je vise à donner une idée de la première grandeur de l'esprit. C'est l'hommage que je dois à un tel Maître. Si je n'y réussis pas du tout, pas même comme dans les songes, tout ce que j'ai pu écrire, assez et trop, sur mille sujets, est comme rien ou presque. Il est très important, pour tous ceux qui ont goût de réfléchir, de savoir que les pensées enchaînées par preuves et en même temps soutenues par l'objet, sont encore des espèces de faits, ou, pour autrement dire, participent encore plutôt de l'existence que de l'essence, comme les géomètres eux-mêmes l'éprouvent. Ainsi les idées claires font énigme par leur clarté; ce que Platon ne se lasse pas de nous faire entendre.

Ce préambule est de précaution, à l'égard du redoutable penseur qui nous occupe maintenant. Un jeune homme l'appelait Monstre, ayant été aussitôt dévoré par cet autre Sphinx qui répond toujours par la question. Tel est le premier abord. Mais nous autres nous étions gardés par un maître que j'oserai dire, devant cette Présence qui est l'attribut de l'*Éthique,* plus soupçonneux que jamais. Non plus souriant comme à Platon, mais ici peseur d'or. Car même à l'or pur nul ne se fie, qui n'est jamais que signe. Défiance donc au second degré. C'était notre poêle et notre hivernage.

Maintenant comment prenait-il Spinoza, au lieu d'en être pris ? Je connais le Livre et j'ai connu l'Homme. Comment donner une idée de leur rencontre ? Il faut suivre ici le sentiment naturel. « Ma vie sera ce qu'elle peut être »; ainsi disait Lagneau lorsqu'il parlait de lui-même. La nécessité lui était sensible à chaque instant par cet état maladif qui étendait la méditation et arrêtait l'expression, en sorte que littéralement sa pensée ne pouvait passer à l'existence. En cette épreuve continuée, et en ce qu'il en a dit, je ne vois rien qui ressemble à une prière. La nécessité sans miséricorde, c'est ce qui se montre dans l'*Éthique*. Et peut-être ce puissant ouvrage met-il au jour ce qu'il y a de vrai dans le matérialisme. Non que l'esprit y soit diminué et méconnu. Là-dessus, il ne peut y avoir méprise. N'allons point prendre l'idée pour une peinture muette. L'idée enveloppe affirmation; et, bien loin que le jugement, comme le prend Descartes, soit refusé par le disciple, au contraire on pourrait dire que le jugement est restitué partout, contre cette séparation de l'Entendement qui conçoit, et de la Volonté qui juge. Mais Descartes allait au plus pressé. En Spinoza donc, et explicitement, l'idée n'est nullement chose; et la précaution du philosophe va jusque-là que les rectangles équivalents enfermés dans l'idée d'un cercle ne représentent encore que grossièrement comment une idée est contenue dans une autre. « Les idées des modes qui n'existent pas... » Cette proposition doit être retenue; elle me servira à plus d'une fin. L'exemplaire dont se servait Lagneau avait un signet à cet endroit. Donc, et sans jamais oublier que l'ordre et la connexion des idées et l'ordre et la connexion des choses sont une seule et même chose, *(una eademque res)*, n'allons point perdre ici l'Esprit, comme dans un nouveau Lucrèce. La puissance de l'homme est bornée, et celle des choses extérieures surpasse la sienne infiniment, d'où l'adage : « *Quod cito fit cito perit.* » Mais n'oublions pas aussi que la force par laquelle chaque chose persévère dans son être ne se confond point avec ces conditions extérieures qui la limitent et bientôt l'excluent. Ces causes extérieures ne sont que privation à l'égard d'un être déterminé, et la privation n'est rien. Au total nous sommes soumis à cette condition qui d'abord paraît étrange et qui peut-être ne sera jamais comprise tout à fait, c'est que nous dépendons, quant à notre existence, de causes qui ne peuvent nullement expliquer notre nature. En d'autres termes les vicissitudes de l'existence, comme ce tesson sur la tête de Pyrrhus, sont absolument sans relation avec notre valeur d'être. Platon est mort. Lagneau a conquis sa pensée sur son corps, et non pas longtemps. Cela donnerait honte de vivre, mais c'est mêler tout. Cette vérité n'est pas si amère. Faute de la saisir assez par la connaissance du troisième genre, nous en sommes assurés du moins par celle du second. Dire qu'une nature mérite d'exister, ce ne serait pas dire autre chose que ceci, à savoir que l'essence enveloppe l'existence; mais cela n'est vrai que de Dieu. Il n'y a donc point de doute. La nature extérieure ne me donne point l'existence, mais elle peut me l'enlever; sous ce rapport il n'y a point d'égards. D'où cette rude doctrine du droit et de la vertu que l'on trouve en la quatrième partie de l'Éthique, et qui avertirait assez si l'on n'avait pas lu d'abord un peu trop vite, ce qui arrive. Et l'on saisit ce que j'entendais par cette défiance et ce soupçon au premier degré qui armaient le visage du Maître dès qu'il lisait dans le livre à reliure rouge. Il faut craindre ici d'abord de ne pas faire également attention à tout.

Nous avons heureusement une lettre de Lagneau sur Spinoza, qui s'est retrouvée aux mains du destinataire, mais que j'avais copiée auparavant sur l'original, en y joignant une première rédaction barrée. Tout est éternel? Non pas. Mais tout est nécessaire, et il y a deux nécessités, etc. Par exemple l'impossibilité que les sécantes d'un cercle donnent en se coupant des rectangles différents n'est pas du même ordre que l'impossibilité qu'une roue reste ronde dans un écrasement. Mais, encore une fois, que l'on ne pense pas ici selon la figure dont s'aide le géomètre, c'est-à-dire en considérant toujours tel ou tel rectangle existant, mais que l'on pense à la démonstration elle-même. Là-dessus un esprit prompt et sans recul prend l'imagination réglée pour l'entendement, et le fait mange la preuve.

Cette précaution prise, nous voilà pourtant dans l'éternel. La pensée de Platon est seulement humaine, mais la preuve ontologique a fait son chemin. Par l'idée de perfection, péniblement séparée de la grandeur, pensée comme idée et non plus comme chose, il faut enfin s'arrêter; ou plutôt l'infini n'est plus cherché au delà des limites, car un mode de pensée ne nous renvoie point à un autre, mais enferme toute la pensée. Le monde pensé attend toujours après une chose une autre; mais le monde pensant n'attend point, et le moindre logarithme, comme ont dit quelques-uns, s'il est possible, par cela seul est. La moindre pensée suppose cela, non point hors d'elle, mais intimement en elle. Ainsi Dieu est, et tout est fini.

Encore une fois reculons. Ici je pense à ce geste de Lagneau qui retirait sa main ouverte, au lieu de prendre. « En Spinoza, a-t-il dit, tout est étalé et abstrait, tout est objet ». Mais toute la puissance de Spinoza est en ceci qu'il échappe longtemps à ce jugement, et peut-être toujours. Ainsi ce jugement serait prématuré. J'ai souvent observé ce scrupule en Lagneau, ce qui, joint à la fermeté de l'Homme, faisait à de beaux moments comme une statue immobile et silencieuse. Son art était de revenir et de toujours recommencer. A quoi sert l'*Éthique,* quoique si bien finie. Mais aussi il se peut bien que ce soit le livre le plus difficile à lire, et même, pour parler en ecclésiastique, le plus dangereux. Nos philosophes du XVIIIe siècle l'ont beaucoup lu, mais ne l'ont pas surmonté. J'aime à penser qu'un Gœthe y a trouvé sa vie. Mais Gœthe avait ses raisons de poète, et quelques-unes petites, je suppose, pour ne se point soumettre au vrai sans conditions; sans compter ce qu'il y a de Platon dans ce poète. Que Lagneau se soit sauvé de même en cette solitude où il vivait, aux prises avec des maux continuels comme il était, sans aucun hommage et témoignage que ceux de quelques enfants, c'est par là que je mesure son génie. Et c'est cette puissance propre de surmonter le destin qui le faisait à tous immédiatement secourable. Comme je vis d'un homme simple qui avait perdu son fils. Ce fils était l'un de nous, et à juste titre l'orgueil, l'ambition et l'espoir de son père. Ce père vit Lagneau une journée, et je ne sais ce qu'ils se dirent; mais je sais que le souvenir de cette journée adoucit cette peine dans le premier moment et toujours. Qu'on me permette d'ajouter un autre exemple, quoique bien sommaire et que j'ai su de Lagneau lui-même. Un jeune enfant ne voulait point se séparer de sa mère malade; et pourtant il le fallait. Lagneau lui dit : « Allons! Viens avec moi ». L'enfant mit sa main dans la main de l'Homme, et le suivit. Je soupçonne plus d'un trait de ce genre dans cette vie, et de bien plus grande portée; celui-là est resté pour moi symbolique, par le plus beau sourire que j'aie jamais vu, celui de l'Homme qui racontait. Et moi aussi je le suivais, et j'ai toujours suivi son Ombre. Heureux assez celui qui trouve occasion d'être fidèle.

Par cette secourable présence, l'*Union pour l'Action Morale* se trouva faite; ceux qui survivent y pensent encore, et c'est le meilleur de leur pensée. Toutefois il mesurait assez que l'existence ne se suffit pas à elle-même, et que les conditions de l'action même louable ne font qu'imiter l'âme de l'âme, et ne la remplacent jamais. Je dois citer ce mot que j'entendis de lui, parlant de ce groupe dont il se trouvait, par un manifeste célèbre, le chef spirituel. Ne voulant point conseiller ce genre d'action aux deux disciples qui l'écoutaient, ni non plus les en détourner, discours assez tâtonnant et que je n'ai point gardé exactement dans ma mémoire, il se tut un moment et exprima la plus sévère attention; puis il dit seulement ceci : « Il y manque la pensée ». Ce jugement me parut amplement justifié dans la suite et plus d'une fois. Mais attention ici. N'allez pas croire que les partis que je pris, je dis sur la politique, et notamment sur la paix et la guerre, me donnent quelque titre de penseur au-dessus de ces honnêtes gens. D'abord je suis bien loin d'apercevoir en ses détours le lien qui joint la philosophie première à cette philosophie seconde ou plutôt troisième. Et bien plus je voudrais espérer que mes commentaires les plus assurés ne fassent point gronder le Juge s'il revenait; je suis loin d'en être sûr. Mais revenons à l'*Éthique;* c'est le mouvement vrai, en de tels embarras.

L'analyse Platonicienne, si on la suivait selon l'esprit païen et sans préjugé théologique, comme Lagneau sut faire, montrait les rapports éternels tellement impliqués dans le texte de l'expérience, le grand et le petit donnant être aux qualités, qu'il était alors impossible de dire ce que serait l'expérience, ou seulement ce qu'elle aurait l'air d'être, sans cette armature incorruptible. Car le grand n'est pas grand en soi, et le loin n'est pas loin en soi; non plus l'aigu n'est aigu en soi, ni le rouge n'est rouge en soi. D'où l'on ne pouvait plus séparer, d'un côté les immuables vérités dont la science géométrique offre l'image, de l'autre un objet sans elles, dont la connaissance, si l'on peut dire, serait sans pensée. Ainsi contre tout Héraclite, et même par lui, l'esprit se trouvait porté à la perfection dans le fantôme même, qui n'est trompeur que parce que les rapports qui le font apparaître ne sont pas tous saisis; par exemple l'ombre d'un arbre exprime aussi l'azimuth et la hauteur du soleil, et le bâton brisé marque la surface de l'eau. D'emblée donc nous pensons tout par la Pensée Absolue ou par le vrai, et même nos erreurs, comme le soleil explique le jour et la nuit. Ces mythes de Platon, où Lagneau vivait et respirait selon son essence terrestre, ont en tous leurs replis cela de remarquable qu'ils éloignent Dieu, de même que l'astronome, à mesure qu'il calculait mieux, éloigna de nous le soleil. « Nous oublions, disait Lagneau, le sourire de Platon. » Parvenus donc à ce point critique où l'apparence de la subjectivité est surmontée, il faut tomber dans l'*Éthique;* et peut-être y est-on jeté par le sérieux du malheur. Alors tout se montre à la fois comme vrai et comme fait, et nous ne comptons guère. Telle est l'entrée de l'*Éthique*. Ce sont les limbes de l'Esprit. La barque glisse sur l'eau noire. Et où mon guide ?

La première faute, en ce périlleux voyage, est de vouloir tout penser par la nécessité de l'existence; car elle est rationnelle et géométrique, sans le plus petit reproche. Limitation, conflit, écrasement ou victoire, jeu des forces, c'est la loi même de l'existence, comme Descartes l'a expliqué par sa chose étendue qui est la chose considérée absolument comme déterminée par l'extérieur; et, l'être de l'atome étant toujours hors de lui, il n'y a même point d'atomes. Or, par l'absolue unité de l'être suprême, nul n'est hors de ce jeu; et cette dépendance de tout être est sa première union à Dieu et la plus visible. Tout être considéré sous ce rapport à Dieu est un corps ou une chose; et son existence dépend de toute l'existence. L'étendue est un attribut de Dieu. Ainsi se trouve mise en place une idée ancienne, tant de fois retournée et examinée par les hommes inquiets. Sur quoi le Platonicien avait beaucoup à dire; notamment que la connaissance de cet ordre est abstraite au regard de chaque être, puisqu'elle dit de lui ce qu'il n'est pas. Mais Spinoza le montre de plus près si l'on entre dans le détail de ses démonstrations. Car le réel ordre des faits détermine bien nos pensées, mais selon le choc et la rencontre, et nullement selon l'ordre de nos démonstrations; autrement dit ce conflit de toutes choses ne nous est connu dans le fait que par des changements dans notre corps. L'existence réelle c'est notre existence. Toute autre connaissance de l'existence est abstraite, comme des lois du choc et du rebondissement, et nous traduit seulement le possible. Par exemple nous concevons bien qu'une perception nous fasse penser à une autre, par la nature du corps humain prise en général; mais la connaissance de ceci qu'une perception est la suite d'une autre dans le fait, se borne à cette suite même de perceptions. Les passionnés cherchent, bien vainement, un sens à ces choses. En bref, tout est fortuit dans l'événement, à l'égard de nos pensées; et la raison qui prouve que rien ne peut être dit contingent est tirée directement de la nature de Dieu. C'est pourquoi l'existence est irrationnelle dans le fait. Là-dessus je renvoie aux propositions XXX et XXXI de la deuxième partie de l'*Éthique*. « Il suit de là que toutes les choses particulières sont contingentes et corruptibles. » Cela afin d'éclaircir un peu ce que Lagneau dit dans sa Lettre, redressant, avec cette vivacité qui lui était propre, une erreur d'interprétation que je crois assez commune. Le signet ne se trouve point là; mais un peu plus haut, à la Proposition XIII de la même partie. « L'objet de l'idée qui constitue l'âme humaine est un corps existant en acte, et n'est rien d'autre. » La racine de la présente idée se trouve justement là. Pour en finir avec les Signets, j'en ai trouvé trois dans l'exemplaire vénérable; et le troisième se trouve à la lettre XIX à Oldenbourg, où Spinoza s'inquiète des attaques des théologiens et des passages du *traité Théologico-Politique* qui ont pu donner scrupule aux docteurs. Le lecteur attentif apercevra peut-être comment l'attention portée au cours fortuit des choses, et l'impossibilité où nous sommes radicalement d'en former une connaissance rationnelle, définit tous les genres de prophètes et l'idolâtrie elle-même qui n'est que le culte des signes. Toutefois, si on lit les lettres qui suivent la lettre XIX, on sera ramené, il me semble, à cette idée qui fait d'abord scandale, c'est que le tableau de la Nature, tel qu'il s'offre à nos sens, ne peut nullement et en aucun sens nous être directement intelligible.

Sur la nécessité de l'essence, on trouvera encore des difficultés, au fond de même source ; car il est vrai que les exemples destinés à nous faire entendre comment une idée en enferme une autre sont tous pris de la géométrie et reviennent souvent. Comment le cercle pourrait-il recevoir la nature du carré ? Mais le premier signet doit nous avertir encore, en nous ramenant au *Scholie* de la proposition VIII deuxième partie, qu'il n'y a, en tous ces exemples, que comparaison. Puisque les démonstrations, comme Platon l'expliquait déjà, vont bien au delà des figures qui sont des modes existants, l'entendement pur est donc quelque chose, et nous pouvons concevoir une autre Nécessité que celle de l'existence ; d'où nous concevons Dieu sous un autre attribut, qui est la Pensée. Ici j'espère, moins que jamais, expliquer assez l'idée de l'idée, et ce genre de connaissance que Lagneau appelait, d'après Spinoza, l'Analyse Réflexive. Littéralement Lagneau l'entendait ainsi : retrouver dans le moindre objet pensé toute la Pensée. Ici étaient nos limites, à nous autres disciples, autant que je sais. Le travail d'analyse que je suivais à mon banc d'écolier me paraît maintenant encore principalement critique, j'entends de valeur objective, mais humain. Et peut-être l'esprit métaphysique se borne-t-il à cette participation de l'éternel. Même dans l'*Éthique,* connaître Dieu ce n'est pas penser comme Dieu. Et sans doute ne connaissons-nous aucune des essences affirmatives qui sont l'être de chaque être ; car l'âme humaine ne se connaît point elle-même. Mais de cela seul que Dieu est chose pensante, il résulte nécessairement qu'en Dieu est donnée l'idée vraie de tout être, d'où il suit que tout être s'efforce de persévérer dans l'être. Ainsi l'existence, quoiqu'elle dépende des conditions extérieures, n'est point réduite aux conditions extérieures ; mais le moindre des êtres a sa perfection propre, qui se trouve tantôt augmentée, tantôt diminuée ; et telle est la clef de la Nature, et le principe de toute Philosophie de l'Esprit, entendue comme Philosophie de la Nature. Et s'il faut hasarder une Philosophie de la Nature, comme Hegel l'a pensé, cela signifie qu'une idée vraie est nécessairement l'âme d'un être particulier. Toutefois j'estime que l'on se tromperait en considérant des recherches de ce genre comme proprement métaphysiques. Réservant plutôt à de telles conjectures le nom de Mythologie Rationnelle, je définirais l'esprit métaphysique par cette conscience de participer à l'esprit créateur par la seule perception des choses. Une dialectique, ainsi que Kant l'a fait voir, ne peut que développer ce qu'elle a.

Lagneau restait étranger à tout genre de dialectique. Il était métaphysicien, si je puis dire, de sa place, et aussi bien dans la théorie de la vision. D'où j'ai pris cette idée que le passage à la vérité dépend de l'entendement, comme aussi le pyrrhonisme vient toujours de ce que l'on imagine au lieu de concevoir. Afin de l'expliquer autant que je pourrai, je veux considérer l'exemple, tant débattu de nos jours, de l'espace Euclidien. Il est facile d'affirmer que cet espace est seulement un des espaces possibles, objet seulement de préférence pour l'homme, ou bien à lui imposé par la structure de ses sens. Mais bien souvent, et en suivant là-dessus les analyses de Lagneau, j'ai remarqué qu'une suffisante rigueur venait toujours à réduire ces pensées de complaisance. Je citerai cet espace de Delbœuf, un temps célèbre, et qui revient souvent sous d'autres formes, où les grandeurs sont assujetties à diminuer à partir d'un centre. Aussi les espaces à courbure positive ou négative; et enfin les espaces si légèrement supposés et même décrits, d'après une imagerie grossière, qui n'auraient que deux dimensions avec des êtres plats, ou une seule, avec des êtres linéaires ou ponctuels. Or Lagneau m'a fait saisir plus d'une fois, et sans aucune dialectique, mais par la seule rigueur de l'expression, que la surface sans profondeur n'est pas objet de pensée. Par exemple cette paresseuse manière de dire, que la vue nous fait connaître les objets sur une surface sans profondeur, et donc à distance nulle, n'a réellement aucun sens. D'où je suis venu à considérer comme des jeux d'imagination ces prétendues conceptions d'un monde auquel manquerait la troisième dimension, ce qui rendrait impossible la rotation autour d'une droite. Si l'on ne veille pas bien à ses propres pensées dans ce passage, on est pris. Car de ce que des êtres plats, et en même temps géomètres, jugeraient que la rotation autour d'une droite est impossible, et se tromperaient pourtant en cela, on ira conclure que nous nous trompons peut-être de même en jugeant impossible quelque rotation de degré supérieur, comme autour d'un plan. Le fameux romancier Wells, en ses paradoxes sur le temps, joue le même jeu. Quant aux suppositions de courbure ou de diminution des grandeurs, elles enferment une confusion en vérité grossière entre l'espace et les choses mêmes; car c'est la chose qui est droite ou courbe; c'est la chose qui augmente ou diminue. Mais l'espace, si l'on conduit rigoureusement l'analyse, est seulement une loi d'après laquelle nos impressions sont liées d'un sens à l'autre. Il perd alors tout à fait, comme j'ai déjà tenté de l'expliquer, cette apparence de boîte rigide et transparente, ou bien de contenant universel où les choses se rangent et s'empilent; mais en même temps aussi, et par la seule rigueur, la droite n'est plus confondue avec la ligne tracée, et les dimensions, de longueur, de largeur et de profondeur, n'ont de sens que les unes par les autres, ce qui termine le jeu des sceptiques. Que reste-t-il des espaces non Euclidiens quand on arrive à cette remarque, que plusieurs ont faite, c'est qu'ils sont tous Euclidiens ? Le débat sur les temps et le Temps relève de la même Critique; et il suffit, ici encore, de penser rigoureusement pour penser absolument. Selon mon opinion ce n'est pas le dogmatisme qui est dialectique, mais c'est bien plutôt le pyrrhonisme.

Je dois pourtant mentionner ici, puisqu'elle est restée dans mes souvenirs, une sorte de digression, de forme dialectique, concernant les trois dimensions de l'espace. « Elles correspondent, dit un jour Lagneau, à ceci que dans une perception sont toujours compris ensemble le réel, le possible et l'union des deux; hors de quoi où après quoi il n'y a rien. » J'ai tenté plus d'une fois de m'expliquer à moi-même cette espèce de preuve, disant que, dans la perception de cet encrier, il y a l'impression réelle, ce noir, l'impression seulement possible, cette couleur jaune de la table à côté, que j'explore aisément d'un coup d'œil; enfin l'union des deux, qui est la présence pour un sens de ce qui n'est que possible pour un autre, comme ce relief vu et non touché. J'avoue qu'il m'est arrivé de conduire le commentaire tout à fait autrement, et qu'enfin je n'y comprends rien. Mais je soupçonne du moins, et encore aujourd'hui en y pensant de nouveau, qu'il ne faudrait qu'un plus haut degré d'attention et je dirais même de courage pour entendre ici une pensée profonde. Car en beaucoup d'autres questions il m'est arrivé, tantôt de manquer de courage, et tantôt de m'y appliquer assez pour effacer toute incertitude. D'où je me suis fait une idée des esprits faibles. Mais je devrais, comme exemple, citer toutes mes pensées sans exception, qui toutes sont sans force aussitôt que je suis sans courage.

Me voilà donc à l'idée principale. Mais avant d'expliquer comment Lagneau nous ramenait de Spinoza à Descartes, je veux mettre ici une idée à laquelle j'ai souvent pensé depuis que j'ai quitté les bancs de l'école. La Métaphysique est communément estimée par ce qu'elle promet, et discréditée par le résultat. Pour moi qui ai suivi les leçons d'un Métaphysicien à proprement parler, j'ai voulu dire ce que j'en sais; mais je veux dire aussi ce que j'en crois. J'ai vu l'Homme. Il ne m'a point paru que sa fonction fût spécialement d'enseigner. Je suis assuré qu'en toute fonction d'homme, chef ou juge, il eût été grand, comme il l'était en expliquant Platon ou Spinoza. Aller droit à la chose, sans aucun secours d'imagination et de coutume, ce qui est se savoir esprit, et, autrement dit, chez soi dans ce monde, c'est peut-être plus difficile dans le métier de professeur que dans tout autre. Toutefois bien des exemples en toute espèce d'hommes, m'ont fait voir que la difficulté est la même pour tous, et qu'il y a une dialectique de tous métiers, et, par une suite naturelle, un scepticisme de tous métiers. La dialectique est de ce qu'on en dit et de ce qu'on en a dit, qui mène le monde; et le scepticisme est un refus de penser, qui vient de ce que la dialectique nous laisse incertains. Si l'on cherche les raisons du médiocre, soit dans l'administrateur, soit dans le juge, on trouve toujours des idées jugées suffisantes, un grand appareil de preuves, et un étonnant refus de percevoir. Dont le commerce, l'industrie, la politique et la guerre apportent des exemples. Et c'est ce qu'exprime très bien la forte expression : « Se tromper ». Qui n'a cherché à s'accorder aux autres, ou à soi-même, par peur de se reconnaître esprit, c'est-à-dire directement saisi et investi dans le moment, et mis en demeure de juger? Chacun cherche délai et terme, et remet sa fonction d'Homme pensant. L'histoire de la Libre Pensée serait aussi bien l'histoire d'un certain genre de servitude, par un refus de la religion et de la liberté ensemble, enfin par un double effort mal dirigé contre le courage de penser et de vouloir. Cette contradiction annonce un développement et d'abord un passage de l'esprit psychologique à l'esprit sociologique. Ce qui est remarquable, c'est que Lagneau était étranger à l'un et à l'autre. Pour la psychologie, je n'en ai jamais été séduit, et il me semble que j'ai assez expliqué pourquoi; il n'y a peut-être pas une notion, dans ce savoir découragé, qui tienne devant l'attention. Mais, dans le fond, c'est un refus de penser, et souvent irrité, qui gouverne ce peuple d'ombres. Quant à la Grande Histoire, qui est pour ainsi dire l'Histoire de l'histoire, et dont Hegel a laissé une puissante esquisse et des parties achevées, j'avoue que je m'y laisserais entraîner aisément. Dans le vrai ce n'est toujours qu'une philosophie de la Nature, c'est-à-dire le tableau de la pensée sans réflexion, ou de l'enchaînement de nos erreurs. Ce développement, il est vrai, fait preuve ontologique à sa manière; mais aussi il appartient à l'ordre de l'idée, non à l'ordre du jugement. Tel est, par exemple, le rapport du Socialisme à la justice; et l'on peut bien attendre que le Socialisme apporte la justice; mais il faut attendre. Là se trouve la part de la Civilisation dans nos pensées, qui n'est pas petite. Mais j'ai vu à l'œuvre l'esprit immédiat, l'esprit qui n'attend pas, et qui est comme le sel de toute législation.

Enfin le génie, en toute rencontre, se reconnaît à ce trait qu'il n'attend pas et qu'il force la nature par l'entreprise réelle, ce qui fait souvent une œuvre et toujours un homme. Ce qui se voit, il me semble, à trois traits principaux. D'abord une connaissance qui ne se détourne jamais de l'objet. Secondement et par réflexion, le sentiment que l'esprit est ici dans son propre domaine, et qu'il n'y a point du tout cette pellicule à projections entre l'objet et nous, mais que l'idée au contraire lui est constitutive et substantielle. Qu'en toute erreur, donc, c'est l'esprit qui se manque à lui-même, et que tel est l'avertissement des songes. Le génie n'a point de songes, mais saisit le réel dans ses songes, et, toujours en juste contact avec le monde, y voit toujours place et passage, comme le pilote le long de la vague. D'où ce regard libre et réconcilié. Le vrai poète est l'homme pour qui le monde existe; et tel est l'exemple le plus sensible de la grandeur. Mais il faut dire que tout inventeur et tout pilote est métaphysicien d'un moment; c'est par là que je distinguerais la méthode réflexive de la réflexion dialectique, qui a les yeux fermés. « L'esprit rêvait; le monde était son rêve ». Il faut bien entendre cette parole de Lagneau, qui rassemble d'abord les deux termes contre l'ancienne et redoutable apparence de la représentation subjective. Car ce songe n'est songe que par le sommeil. Ainsi nos songes nous jugent. Lagneau lisait avec ravissement ce passage où Descartes nous conte qu'il était arrivé à n'avoir plus que des rêves raisonnables. Tel est le réalisme de l'homme de génie. Un autre trait que j'y vois encore concerne ses semblables. D'un côté il les voit comme ses frères en esprit; mais, par cette adhérence de l'esprit à la chose, qui est le moment du jugement, il les voit singuliers, différents, inimitables, et égaux par cela même, pourvu qu'ils n'imitent pas.

Cette dernière idée est dans Spinoza. Elle est la vie et comme l'âme de ce puissant système. Les autres aussi peut-être. L'homme qui s'y cherche s'y reconnaît pensant, et participant de l'être. Mais, d'un autre côté, on doute toujours, quand on le lit, si l'imagination est une connaissance séparée, ou bien si l'entendement la porte et enfin la sauve. Je vois le soleil à deux cents pas, et je n'y puis rien; la connaissance de la vraie distance est donc d'un autre ordre, et séparée. Je rêve que Paul m'est présent, ou Jacques, alors qu'ils sont morts; c'est un effet de la fabrique du corps humain; et cette vision n'est fausse qu'autant que j'ignore cela même; mais il n'est jamais dit en quel sens cette vision est vraie. Pour mieux dire, toute perception et toute imagination est par elle-même étrangère au vrai. L'apparence, comme telle, serait donc un fait de l'âme. Mais, d'un autre côté, si l'on poursuit, selon la rigueur des termes, cette connaissance qui n'est pas connaissance, cette pure image enfin, on ne peut, en suivant Spinoza lui-même, que réduire cette présence trompeuse à la présence même du corps humain modifié; ainsi l'affection serait le réel de l'image. Contempler un objet comme présent, ce ne serait donc rien de plus qu'être de soi-même affecté comme s'il était présent. Lagneau fixait là notre attention, et l'y ramenait, nous invitant à décider dans cette émouvante polémique, où Descartes fait d'abord figure d'écolier. Que l'entendement et la volonté soient deux puissances distinctes, cela voudrait dire qu'il peut y avoir idée sans jugement. Je vous ai mieux compris, dit le disciple, et je sais qu'une idée ne se tient pas seule, comme un tableau peint. En toute idée il y a jugement, c'est-à-dire affirmation. Ainsi l'idée n'est pas chose. Mais la volonté n'en succombe pas moins sous le poids de l'être, et l'idée fausse n'est rien. Ces thèses sont bien connues : mais Lagneau, d'après ce que j'ai entendu de lui, ne nous invitait jamais à considérer l'enchaînement des démonstrations; plutôt il tournait et retournait l'exemple. La représentation du soleil à deux cents pas ne peut être dite fausse qu'en ce sens que d'autres idées nous manquent, comme celle des triangulations, perceptions encore, qui renvoient le soleil beaucoup plus loin, comme celle des lois de l'optique et de la vision, perceptions encore, qui expliquent que les moyens nous manquent, par la faible base entre nos deux yeux et l'impossibilité de toucher, d'apprécier cette immense distance. Mais d'un autre côté on ne peut pas dire que cette distance de deux cents pas soit donnée comme en une image, car toute distance est pensée. Et la pure image serait plutôt l'image peinte sur la rétine; mais non pas encore; car une image sur une rétine est une perception et une pensée; et l'œil comme partie du corps, de même. La pure image n'étant plus qu'une affection de notre corps, on voit que dans la perception du soleil à deux cents pas il se trouve un commencement de vérité. Le soleil est plus loin que ce que je puis toucher, plus loin que les arbres, plus loin que l'horizon, plus loin que la lune, comme l'éclipse le fait voir; ainsi de nouveaux rapports ajoutent à cette idée, s'y incorporent, la transforment; tout cela en implication par le dedans, non en juxtaposition. L'idée vraie n'est donc pas autre chose que cette perception du soleil; elle est cette perception jugée en son rapport au corps humain, au soleil, à l'air, à toutes les autres choses; car la direction de deux ombres assez éloignées confirmerait encore cette idée que le soleil est bien au delà de deux cents pas. Mais considérons la chose de plus près; cette idée vraie, qui enfermerait tous les rapports possibles, nous ne l'avons jamais; nous réformons un jugement par un autre. Et la réfraction négligée, toute autre déviation, et enfin cette condition que nous ne savons pas tout, font qu'on peut dire aussi bien que la vraie distance nous manque toujours. Même, par réflexion, si nous voulons chercher en quel sens la naïve représentation ne trompe plus le savant, nous voyons que c'est la même idée qui fait que son calcul et ses mesures ne le trompent plus; c'est l'idée qu'il n'y a point d'idée suffisante. Ici, dans la pensée en mouvement, ou plutôt en acte, apparaît le doute, qui n'est point faiblesse, mais force, et plutôt affirmation redoublée; car l'esprit a donc assez de portée pour dépasser ses objets quels qu'ils soient et les juger. Ainsi le doute n'est pas ce flottement d'imagination que Spinoza décrit, mais c'est le plus haut du jugement, par quoi on pourrait dire que la certitude est achevée et couronnée. Qu'est-ce qu'un homme qui croit former une idée vraie? N'est-ce pas celui-là même qui se trompe? Réellement l'erreur en toute matière est de réflexion, et consiste en ceci que l'on soumet le jugement à l'idée. Ainsi Descartes reparaît toujours. L'erreur et la vérité paraissent ensemble, toutes les fois qu'une idée est dépassée. Spinoza est irréfutable en tout, et notamment quand il soutient qu'il n'y a rien de positif par quoi une idée fausse puisse être dite fausse. Mais il faut l'entendre mieux. L'apparence finalement serait juste et vraie, puisqu'elle exprime le rapport de l'homme pensant et existant au tout de la pensée et au tout de l'existence; par exemple la grandeur apparente du soleil est finalement vraie par la distance du soleil et les conditions de la vision. Il ne nous manque que de connaître rigoureusement notre condition pour nous en contenter. « Il n'y a qu'une vérité absolue, c'est qu'il n'y a pas de vérité absolue. »

Je crois avoir donné ici une idée exacte d'une de ces leçons touffues, à marche sinueuse, et qui, partant d'un exemple ou d'un autre, nous ramenaient toujours, l'*Éthique* en main, à la vérité de la boîte à craie et de l'encrier, et en même temps à la vérité de l'*Éthique*, elle-même. L'âme de Descartes sortait du tombeau. Nous étions hommes, seulement hommes. L'immense Objet ne nous étourdissait plus. J'ai déjà dit que je n'étais pas disposé à faire grand cas d'une preuve dialectique; mais comment refuser de penser un objet présent, de dire ce que j'en sais, et ce que c'est que savoir ce que j'en sais? Aventure, oui; mais c'était bien la mienne. Notre sort nous était remis à chacun; l'esprit et le fait ensemble, la dépendance et le pouvoir ensemble, un travail déjà commencé, et un pouvoir aussi de refus auquel il nous abandonnait tous, nous laissant libres de sa main, comme des créations, sans autre conseil, ce qui est le plus fort conseil et le seul. Je me souviens qu'un jour, après qu'il eut fait revivre l'esprit de Descartes solitaire, il se déchargea soudain de nos âmes, improvisant cette sublime pensée que j'ai retrouvée dans ses notes : « Être ou ne pas être, soi et toutes choses, il faut choisir ». Transmission de pouvoirs. Confiance qui est pour faire trembler. Il serait plus simple d'oublier; mais la sévère condition est celle-ci, que chacun éprouve dans les moindres choses, c'est que si l'on oublie le principal, il faut de proche en proche oublier beaucoup et même tout. Ainsi cet homme bon avait souvent ce mouvement sévère de se retirer. « Je ne puis penser pour vous ni décider pour vous », voilà ce que disaient Minos, Eaque et Rhadamante ensemble dans ce regard réfléchissant.

CHAPITRE IV

L'HOMME

« Quand nous renonçons au bonheur parfait et à la logique parfaite, nous y arrivons sans nous en douter. » J'ai retrouvé cette pensée de Lagneau en épigraphe sur mes notes d'écolier. Je mesure mieux maintenant cette force de rupture qui méprise tout arrangement. L'*Éthique* est certes un arrangement; mais on peut bien la nommer aussi le tombeau de Descartes. L'esprit s'y fait chose. Si j'ai compris mon Démiurge, et cette création continuée, il fallait toujours délivrer Descartes. Le *Traité des Passions* et les *Lettres à la Princesse Élisabeth* ne nourrissent point l'esprit de la même manière que l'*Éthique*. En Descartes ce n'est pas le Dieu des *Méditations* qui résout, mais c'est plutôt l'esprit de Descartes qui, à méditer sur Dieu, a essayé ses forces, et se trouve après cela plus riche de résolution que de doctrine. C'est pourquoi l'argument ontologique est, d'une certaine manière, impénétrable. Peut-être faut-il dire qu'aucune preuve ne prouve que la pensée. Et

Lagneau arrivait souvent à faire entendre que l'insuffisance même de la preuve était le plus précieux et le plus solide en la preuve; tel est le passage. Et là se trouve sans doute aussi l'extrême difficulté de penser sans se nier soi-même. L'Objet est fort, grand et lourd. Qu'on me pardonne de rassembler le problème en termes abstraits; je voudrais justement faire comprendre que, sous cette forme, il n'a point de solution. Peut-être ai-je assez montré que seule la réflexion sur un objet donné prouve Dieu; et c'est ce que Spinoza a dit aussi, car il a tout dit. Mais... en ce Mais je revois le penseur intrépide, ou pour mieux dire invincible, que j'ai entrepris de ressusciter; bien témérairement. Mais comment faire entendre assez ce Mais? Toujours est-il que je vois bien une des conditions pour qu'on l'entende. Il faut comprendre Spinoza, je dirai même l'accepter tout; le voir vrai; ne pas craindre de le voir vrai. Je dirais autrement qu'il faut ne pas craindre la géométrie. Ce qui la rend redoutable, et ce qui rend toute idée redoutable, ce n'est pas qu'elle soit trop vraie, mais c'est plutôt qu'elle ne le soit pas assez. Atteindre pour dépasser. Avancer, non reculer.

Clarum per obscurius ; on retrouvera cette formule hardie dans un article que Lagneau avait écrit pour la *Revue Philosophique*. Si on veut l'entendre, il faut relire Descartes, et saisir le mouvement des *Méditations ;* car tout était si simple dans Saint Thomas, si simple dans Saint Anselme. Il y a certainement une clarté qui laisse stupide, et le jugement meurt devant la preuve. Chacun sentira ici quelque chose qui est vrai. Mais je voudrais parler autrement que par énigme. On demande deux choses, il me semble, au penseur. On lui demande de se penser libre; mais on lui demande aussi de ne pas mépriser les nécessités de raison. Certainement il faut passer par la preuve, et la confirmer. On sait, d'après d'énergiques affirmations, que la philosophie de Lagneau était une philosophie de la liberté. Nous l'interrogions souvent là-dessus, parce qu'il nous semblait qu'il savait là-dessus tout ce qu'on peut savoir. Or jamais on ne le vit disposé à faire bon marché des preuves, qui sont toutes contre; mais on eût dit au contraire que ces preuves étaient son appui. Il connaissait de près ces louables entreprises, où il est expliqué, dans l'intérêt des bonnes mœurs, et en vue de rassurer les esprits faibles, que le système de la

Nécessité, qui est le système de l'Objet, n'est peut-être pas si solide qu'on le croit. Ces entreprises, il n'en parlait guère ; je sais qu'il les méprisait. Au contraire il venait toujours à dire que c'est la suffisance de la nécessité qui fait voir son insuffisance, et que l'universelle nécessité est en tout cas le commencement de la preuve. Ce n'est pas parce que la Nature manque en quelques points et laisse des trous qu'il nous reste une chance d'être libres. L'Objet se tient. Mieux on le sait et mieux on est assuré que l'Objet n'est pas tout, et enfin que l'existence n'est pas Dieu. Je n'ai pas entendu cette célèbre leçon sur Dieu, mais j'en connais le sommaire et même plus que le sommaire. Finalement on ne peut pas dire que Dieu existe, car qu'est-ce qu'exister sinon être pris dans le texte de l'expérience ? L'existence n'est donc point substance, et Spinoza n'a pas dit le dernier mot. Mais enfin, pour parler le langage des esclaves, comment Lagneau accordait-il le libre arbitre avec l'inflexible nécessité ? Je ne saurais le dire. Non seulement il paraissait peu se soucier d'accorder ensemble le non de Spinoza et le oui de Descartes, mais bien plutôt il s'attachait à marquer l'opposition et la corrélation en même temps des deux notions, au reste sans chercher d'autre secours ni faire voir aucune inquiétude, comme si la difficulté disparaissait dans l'investigation même.

D'après l'énergique position de Kant, quoiqu'abstraite, et d'après les recherches de Renouvier sur ce point-là, je crois que nous sommes arrivés à cet âge humain où le destin doit être surmonté par les seuls moyens de l'homme, et sans aucun tour de gobelets. J'ai cru deviner que Lagneau se tenait ferme et attentif justement sur ce point de difficulté. Je veux dire enfin ce qu'il m'en semble, en me tenant tout près de ses formules.

Leibniz ne se laissa pas plus séduire que Spinoza lui-même par ce rapport de composition, qui est abstrait, et qui n'exprime aussi que l'absolue dépendance, sans aucun noyau de suffisante réalité ; la pensée cartésienne est éclairée par là. Toutefois Leibniz n'évita pas, comme on sait, de dire que le passage du Rubicon était éternellement dans la pensée de Dieu, joint à la notion de César et des autres êtres, comme attribut d'une proposition vraie. Il ne suffit donc pas d'avoir vaincu le mécanisme, en le réduisant à n'être qu'un moyen de la représentation, et pensé. Le mécanisme revient sous la forme de la Logique, qui n'est sans doute que l'abstraction du mécanisme. Toujours est-il que ce mécanisme et cette logique ne se tiennent pas d'eux-mêmes comme pensées; mais cette activité qui construit et soutient la représentation de la nécessité extérieure n'est pas encore tout ce que pose Descartes sous le nom de libre arbitre. Aussi je n'ai jamais tenu pour suffisante la seule liberté du jugement. Ce n'est pas assez de comprendre la nécessité; il faut la vaincre en quelque façon. La liberté du jugement n'est donc que le signe et le commencement d'une doctrine.

Par la *Théodicée* de Leibniz, on voit bien ce qui écrase le jugement; et c'est toujours l'objet; c'est toujours le total de l'existence, abstraitement considéré. Peut-être faudrait-il dire, là-dessus, que l'existence réelle n'est jamais qu'objet d'expérience, et qu'une suite de causes au delà de notre perception doit être rabaissée au rang de simple possible. Ou bien, pour parler autrement, on pourrait dire que l'existence est imparfaite par nature et inachevée. Aucun possible n'aurait donc de raisons suffisantes d'exister; au contraire, nous partons toujours de l'existence pour conclure que ce qui existe était possible; mais c'est trop peu conclure; nous concluons que ce qui existe était seul possible, et c'est très bien conclu. C'est donc l'existence qui, parmi les possibles, montre ce qui était réellement possible; cela, l'existence le prouve en se montrant. Aussi bien la première sagesse est-elle de ne pas délibérer sur ce qui est arrivé. Mais il n'est pas évident que délibérer auparavant fût par cette même raison déraisonnable. Si une prédiction était aussi bien fondée qu'une perception, il faudrait dire que ce qui est prédit est dès maintenant arrivé; mais pourtant ce qui manque à toute prédiction c'est cela même, c'est l'événement.

Spinoza est fort quand il prouve que nous n'avons de l'existence à venir, soit des autres choses, soit de nous-mêmes, qu'une connaissance inadéquate; et la vraie raison de cela c'est qu'un compte achevé de l'existence, ou bien l'existence absolue, est contre la notion même de l'existence. Mais quand Spinoza conclut du tout de l'existence, considéré abstraitement, la nécessité absolue de tout ce qui arrive et arrivera, il est moins fort. L'abstrait ne contient pas le fait. C'est pourquoi il reste vrai que ce qui arrivera n'est pas encore arrivé, et que le temps est quelque chose.

Il faut porter l'attention sur les subtilités de ce genre. Car dans toute espèce de fatalisme il y a d'abord cette idée commune et forte que ce qui arrive termine toute délibération par sa présence, et qu'il n'y a plus à y revenir, ce qui écarte cette stérile pensée de vouloir se transporter de nouveau dans le passé et chercher alors si quelque chose d'autre n'aurait pas pu être. Et c'est ce qu'il y a de vrai dans cette remarque souvent faite, mais ambiguë, que les hommes d'action sont fatalistes; ils le sont pour le passé et il faut l'être; et c'est ce genre de tranquillité à l'égard de ce qui est fait, qui permet que les hommes d'action se tiennent toujours, en quelque sorte, sur le bord de l'avenir, s'appuyant, non pas sur ce qui aurait dû être, mais sur ce qui est, afin de changer un peu ce qui sera. Sur quoi il est clair qu'un homme d'action n'a pas de doute; et j'en juge plutôt d'après ses actions que d'après ce qu'il en dira; car il est naturel qu'un tel homme, ennemi des travaux inutiles, range aussitôt ses propres actions, dès qu'elles sont faites, du côté de l'irréparable.

Mais il y a mieux peut-être à dire là-dessus. Nous pensons aisément la suite des causes dans un système fermé; telle est la pensée du physicien. Dans de tels cas, où l'expérience peut être recommencée, l'esprit soutenu par la coutume, va de la cause à l'effet du même pas qu'il prend pour aller de la définition à la conséquence. La nécessité est alors suffisante. Mais dans les événements où nous sommes mêlés, et qui font l'histoire privée et publique, la nécessité n'est jamais perçue comme suffisante, parce que toutes les choses ici concourent, qu'on ne peut rassembler toutes par la pensée à chaque moment. Une éclipse de soleil, qui n'est qu'un changement de lumière, met une armée en fuite; une migraine du général change la bataille; une mouche irrite le cheval et jette le cavalier par terre. Aussi quand nous voulons penser d'avance que l'événement est inévitable, nous pensons abstraitement, jusqu'à ce point que nous disons que l'événement quel qu'il soit est inévitable. Mais il n'y a point de pensée plus creuse que celle-ci : je sais que ce qui va arriver, que je ne sais pas, est inévitable; c'est une pensée qu'on ne peut réfuter, parce qu'on ne peut la saisir, comme Aristote l'a si bien vu en son exemple du combat naval.

Et ajoutons que la connaissance des causes déterminantes est alors abstraite aussi, et tout à fait indéterminée. Nous attendons; c'est notre état d'attendre. Et quand l'événement se produit dans l'existence, c'est alors que la chaîne des causes antécédentes se solidifie et prend elle-même existence à ce contact. Chaîne insuffisante toujours, mais suffisante par le témoignage de l'effet. Il ne faudrait pourtant pas prendre cette pensée après coup pour une vérification de l'autre.

J'ajouterais encore quelque chose, afin de vaincre cette pensée abstraite de quelque chose qui arrive, et enfin d'un commencement dans le cours de l'histoire. En gros il y a des commencements, comme un coup de canon, une blessure, et choses semblables; mais, à regarder de plus près, ce qui arrive ne cesse pas d'arriver, et l'événement est comme un fleuve; ce qui semble arriver est déjà commencé, mais en continuel changement. De même, et cette remarque a plus d'importance, aucun homme ne cesse jamais d'agir pour une part, comme un nageur dans le fleuve. A le supposer libre, il faut dire que la relation de ses mouvements à ses jugements ne cesse jamais de modifier le cours des choses, important ou non. Cette remarque n'a rien qui puisse étonner, mais on n'en raisonne pas moins comme si l'homme, un temps spectateur, délibérait d'abord sans rien faire, et se décidait à un certain moment à intervenir, et enfin à commencer absolument quelque chose. Il ne faut pas s'étonner si une note ainsi séparée ne peut être ensuite incorporée, ni trouver sa place dans le cours de l'histoire. Toutes ces remarques vont à changer tout à fait le problème, jusqu'à ce point qu'on ne reconnaît plus alors les objections ordinaires, et qu'elles n'ont plus lieu ni moment dans cet emportement de la vie réelle, où tout est passé aux yeux de la réflexion contemplative; c'est ce que le beau mot de Représentation exprime si bien. Maintenant peut-être aperçoit-on que c'est mal penser que vouloir appliquer les formes et règles de la représentation à l'action même. Il est donc évident, par une analyse toute proche de la perception, que l'homme ne peut pas se penser libre. Par cette remarque, toutes les preuves tombent, comme venant toujours trop tôt ou trop tard.

Où vont ces remarques ? Certainement à rabattre la logique abstraite, dont les nécessités représentent trop imparfaitement notre liaison à la nature entière. Aussi à appliquer toujours à l'objet, sans jamais l'en retirer, cette logique transcendantale qui n'est que la forme de la perception en acte. Ce qui fait voir clairement, il me semble, que les notations usuelles, sur ce point-là, sont tout à fait insuffisantes. Demander, par exemple, si l'homme peut commencer d'agir, n'est-ce pas se mettre hors de la situation humaine ? Car l'homme ne cesse jamais d'agir ; il ne passe point de la pensée à l'action, mais plutôt son action se déroule sans interruption aucune, car il est toujours quelque part ; et, se tenir ici et non là, cela change tout. Sa pensée cependant suit ses actions, tantôt devant, tantôt derrière, plus ou moins approchée, adhérente, attentive, en sorte que l'action est tantôt machinale, tantôt imitée, tantôt réglée d'après la perception claire, comme on voit pour le pilote, qui tient toujours la barre, mais qui considère tantôt le profit, tantôt l'étoile, tantôt la risée. Agir c'est continuer, c'est réparer, c'est imprimer une flexion à cette ligne d'action que nous laissons dans le monde. Ainsi nos moyens dépendent d'actions, et nos motifs aussi. Un pauvre ne délibère point sur l'emprunt Japonais. Le chirurgien délibère en agissant. Ses explorations sont déjà des actions, et toutes ses études de même. César passe le Rubicon toute sa vie. Et il est vrai qu'une action en entraîne une autre ; mais cet enchaînement, qui tient le fou, est ce qui donne force au sage. Hercule retrouve le célèbre carrefour à chaque moment ; mais ses actions passées sont de puissants motifs contre le doute, la peur ou la fatigue. Le libre vouloir, et efficace, ne doit donc pas être pris comme une force qui intervient, ni être représenté par les moyens de l'analyse mécanicienne. Au reste peut-on être libre en théorie ? Libre hors de l'action ? Libre quand on se demande si on est libre ? Tous les exemples ici sont des exemples de professeur. Une action simplement possible n'est jamais libre, parce que ce n'est pas une action.

Lagneau ne traitait pas de cette question précisément ainsi, autant que j'ai su. Mais sa méthode constante y conduisait, par ce continuel retour à la perception en acte et aux exemples ; par un art aussi, dont je n'ai jamais trouvé l'équivalent, de remettre en mouvement ces mesures, ces distances, ces plans, ces perspectives, ces rapports qui soutiennent la représentation, qui y tracent déjà des actions et des chemins. J'ai vérifié par l'expérience, et bien des fois, que la pensée abstraite retrouve toujours l'apparence d'une nécessité invincible, mais que l'analyse directe des choses et des réelles actions, inséparables des réelles perceptions, nous remet en train et en notre vraie place, sur cette bordure du temps où l'avenir se fait continuellement. C'est rappeler la pensée à son objet, et la sauver tout à fait de théologie, je ne dis pas de religion.

Ce sujet est infini. Ce qu'il y a de pensée dans notre vie oscille sans cesse entre l'Incrédulité et la Foi, la première se réduisant au fatalisme sous toutes formes, l'autre consistant d'abord dans ce pouvoir d'oser, sans lequel il n'y a point d'action ni même de pensée. Mais si je me laissais aller à expliquer ces idées, je m'éloignerais de mon sujet, et je craindrais de voir le visage du Juge se couvrir de nuages; sa vertu propre, dans l'ordre intellectuel, était une lenteur qu'on n'a point revue peut-être depuis Socrate. Enfin, je ne veux exposer ici que des idées qui lui appartiennent, et non point couvrir de son autorité mes conjectures personnelles, qui sont toujours promptes et aventureuses, qui l'ont toujours été, et qui le seront toujours, comme il convient au disciple, qui n'a pas à assurer la doctrine en son centre. Ce n'est pas que je ne connaisse aussi une certaine lenteur; mais elle est apprise. Au temps des examens et concours, je savais très bien adapter l'instrument à un sujet qui m'était nouveau. La rhétorique, qui est cet art de transposer, donnait alors des résultats brillants, et même, à ce que je crois encore, sans grave méprise. Mais au retour, et tout joyeux à raconter mes exploits d'écolier, je trouvais ce front nuageux, ce regard perçant, et l'expression du plus complet mépris. C'était un genre d'estime, et je ne m'y trompais pas. Il craignait d'éprouver une seconde fois l'aventure de Maurice Barrès, qui fut son élève, et dont il dit un jour : « Il a volé l'outil. » J'ai entendu ce mot de mes oreilles, mais il ne s'est point autrement expliqué là-dessus, et, au temps du *Jardin de Bérénice,* ce n'était pas nécessaire. Le temps a passé. Si le maître vivait encore, chargé d'années, mais toujours Juge, quelle serait maintenant la sentence? Je n'en sais rien. Si les morts gouvernent les vivants, il faut avouer que c'est de bien haut, et par des voies indirectes. Dieu est un, mais il y a plusieurs diables.

Encore un souvenir d'écolier. Il arriva qu'au grand Concours on nous donna pour thème la Justice; c'était une question que Lagneau ne traitait jamais. Toutefois, confiant dans la rhétorique, j'aperçus aussitôt une méthode de transformation, comme disent les géomètres, qui me faisait maître du sujet. J'approchai ma plume de mon papier blanc. Justement Lagneau se trouvait parmi les professeurs surveillants. Invoquant ce Sinaï, plus orageux que jamais, que n'allais-je pas transcrire sur mes tables de la loi? Mais lui me fit un signe plein de force, qui voulait dire : « Vous ne savez rien là-dessus. Je vous défends d'improviser. » Je fis deux ou trois sonnets.

On pardonnera ce qu'il y a de puéril en ces souvenirs, qui viennent soudain traverser le cours de mes pensées, et rompre, semble-t-il, l'attention. Considérez que je trouve peu de secours contre les pièges d'imagination; j'étais à peine hors de l'École quand mon Maître est mort. Il faut bien pourtant que je saisisse encore une action dans ce signe énergique, auquel j'obéis si promptement et si docilement. Quand je ne ferais qu'imiter, par l'affection toujours présente, ce mouvement d'obéir, j'y retrouverais déjà cette foi d'enfance, tout allégée, et jetant tout fardeau par terre, assurée sans rien d'assuré, vers l'avenir seulement; c'est l'Espérance nue. Je suppose que d'autres croyants ont trouvé cette renaissance en la prière, comme cet homme de Péguy qui confie son enfant à la Vierge, et ne s'en soucie plus. Toutefois je n'ai jamais envié aucun de ces croyants; j'avais mon culte et je l'ai. De quelque façon qu'il me délivre, et jusqu'à me dépouiller, comme on a pu voir en ces pages où il m'arrive que devant le Juge je n'ai plus rien à montrer qui soit digne, néanmoins il m'en vient et il m'en reste une force toute neuve, et ce pardon à soi qui est la chose au monde la plus nécessaire. On a saisi, je pense, le mouvement d'épaules de l'écolier, soudain déchargé de ce sérieux emprunté qui fait toute la sottise. Mais ici encore regardons; regardons puisque le souvenir revit. Qu'y a-t-il en cette sévérité sans complaisance? Quel est ce refus d'une offrande qui était tout ce que je pouvais donner? Quel est cet art de décourager, qui donne courage ? Le sujet était de ceux qui veulent réponse.

La Justice, quoi de plus pressant ? J'ai peut-être appris là, et par l'enfantine vertu de jeter tout au commandement du Maître, qu'il faut toujours se refuser aux pensées pressantes. C'est encore quelque chose de plus que le sourire de Platon qu'il faut imiter ici, et c'est la nonchalance de Socrate. Plus profondément, n'est-ce pas se moquer de la Justice que disserter sur la justice, bien ou mal, quand le langage même nous avertit qu'un esprit juste enferme toute la justice qu'il peut tenir, hors de l'action ? C'est livrer la justice aux hasards. Et il me semble que je tiens ici devant moi l'esprit des *Simples Notes,* et enfin la véritable raison pour quoi Lagneau ne traitait jamais de morale. Par opposition essayons ici de penser au Politique, dont la fin est toujours de déterminer l'autre selon une règle. Platon, malgré l'apparence, l'entendait autrement, disant dans sa *République,* après tant de préparations et de détours, que parmi tant de manières de prendre le bien d'autrui, il y en a sans doute plus d'une qui n'est pas mauvaise, comme d'enlever à l'enfant l'arme qui le blesserait. Je bats les buissons, moi aussi ; mais enfin il faut arriver à dire que celui qui réveille en chacun l'esprit libre, et sur le point d'y réussir, ne peut rester sans scrupule devant l'incrédulité totale, peut-être prématurément délivrée, disons même toujours prématurément délivrée. Car d'un côté il n'y a plus de respect, et de l'autre il n'y a plus au monde que le respect ; or ce monde humain ne fait pas voir des apparences respectables. Sur ce point de délivrer l'homme, il vient aisément une peur. La position de Lagneau est rare, et peut-être unique, par ceci que l'objet étant déchu de son rang divin, non pas d'après de petites remarques, non plus d'après un doute léger et badinant, mais au contraire d'après les plus sérieuses pensées, il ne reste plus que la force nue qui puisse tenir debout l'ordre tel quel. Quand le provisoire et donné n'est plus tenu par la pensée, il vient une violence de police et sans aucun ménagement. Peut-être a-t-on surpris ce vif mouvement de défense qu'il faut appeler militaire. Bref il ne faudrait pas croire que le Mépris Assuré pardonne jamais au Mépris Errant. Et parce que le nouvel Esprit ne croit point, il ne faut pas s'attendre à le voir pour cela moins assuré en ses précautions de police. Tout au contraire, le visage en cette Guerre le plus redoutable n'est pas celui de la justice en bataille, mais plutôt cette apparition fugitive du guerrier qui ne respecte rien, qui ne croit point du tout faire œuvre sainte, et qui n'espère point prouver quelque chose par la victoire, sinon que la violence n'est ni pensée ni preuve. Cette idée, que la justice est suspendue, est ce qui rend terrible l'homme en armes. Ici est le profond et total désespoir du vainqueur, sans aucune trace de cette pitié hypocrite, qui retenait les guerres d'autrefois souvent entre les bornes d'un jeu, par cette double illusion de croire d'abord qu'une guerre est juste, et par moments d'avoir un doute là-dessus, illusoire encore. Dans l'âge de la liberté, s'il se lève, il faut s'attendre à une répression plus prompte, moins soucieuse d'entendre le coupable, à une défense plus mécanique, par une vue du nécessaire et une négation du fatal.

Revenons au sérieux, j'entends au bien fondé. Je suis assuré de conclure tout près de l'enseignement magistral en appelant l'attention sur ceci que, de même que Dieu ne peut être dit exister, de même, et encore mieux peut-être, la liberté ne peut être dite existante, puisqu'exister c'est être pris dans le texte de l'expérience. C'est pourquoi nos représentations, si bien nommées, l'excluent rigoureusement. Jamais je ne verrai la liberté à l'œuvre, comme une chose qui en pousse une autre. Je n'en puis avoir aucune expérience, parce que ce qui est objet d'expérience est chose. Mais, par la même raison, je ne puis trouver d'expérience qui prouve qu'elle n'est pas. Tout ce qui est pensée est soumis à cette condition, qu'on oublie toujours, voulant que la pensée soit une chose de plus, ou une suite de choses. « Il n'y a, disait-il, qu'un fait de pensée, qui est la pensée. » Même une idée n'est pas un fait de pensée; une idée est un objet; et aussi l'idée de l'idée; mais la réflexion même nous fait esprit. Ce qu'on exprime en disant que Dieu est intérieur, non extérieur; et toute la religion n'a-t-elle pas été toujours à dire d'un dieu ou d'un autre : « Tu n'es pas le vrai dieu »? La vraie foi n'a donc d'autre objet qu'elle-même. Ainsi pensait le Briseur d'Images.

L'Esprit, quand il parvient ainsi à son front de bataille, a trouvé sans doute sa destination. Mais ce combat ne finit point, par cette chute continuelle de nos pensées, qui deviennent idées, et d'idées, images. Négation de la négation, comme parle Hegel ; combat sans gloire, puisque, toutes les idoles abattues, il laisse paraître en leur état naissant les choses, les hommes et soi, ce qui n'est pas pour étonner. De tels hommes ne sont grands que de près, dans le moment même où ils pensent par dessus l'idée. L'Éternel paraît ici, que tous invoquent, et qui va par jugements singuliers, par actions invincibles et promptes. Dont il est resté peu de témoins, tous s'accordant sur la force et sur la grandeur, tous arrêtés en respect et religion.

Pour moi, au seuil d'une longue enfance, qu'y pouvais-je entendre ; et qu'en ai-je pu sauver ? Une mesure de grandeur ; aussi des parties de doctrine, inébranlables, et propres à donner assurance, sans développer trop l'orgueil, si naturel au fils de la Terre. Heureux si j'ai fait sentir à quelqu'un quelque chose de ce feu d'admirer, consolation pour tous, et vertu des forts.

NOTE

Les études que l'on trouvera ici assemblées ont été composées à l'intention des aveugles. Elles formèrent plusieurs volumes imprimés en Braille.

Il a paru à l'auteur comme aux éditeurs que ce genre de publication ne remplaçait pas la typographie ordinaire.

VII

ABRÉGÉS POUR LES AVEUGLES

PORTRAITS ET DOCTRINES DE PHILOSOPHES ANCIENS ET MODERNES

THALÈS ET LES IONIENS

Hugo dit que Thalès resta immobile longtemps et fonda la philosophie. Nous savons peu de choses de ces anciens Sages; mais la légende est plus riche que l'histoire. La confusion ne peut s'y mettre. Au cours de cette belle enfance, toutes les conquêtes sont pour toujours. Thalès est l'homme qui descendit vers l'Égypte, cherchant cette région de la terre qu'il avait d'abord devinée où le soleil éclaire une fois par an le fond d'un puits. L'homme aussi, qui trouva le moyen de mesurer la Grande Pyramide, par cette proposition qu'à l'heure où l'ombre de l'homme est égale à l'homme, l'ombre de la pyramide est égale à la pyramide aussi.

Heureux celui, s'il peut exister encore, à qui les figures semblables se montreront ainsi, non dans un livre. Ces belles découvertes éclairent leurs autres paroles.

Toutes choses sont de l'eau. Comme l'eau, la même eau, est tantôt liquide, et tantôt solide; comme un même corps, plus ou moins serré et épaissi, est deux corps, un même corps est tous les corps. Ainsi prononça Thalès, sans doute considérant la mer d'Ionie, et le vieux mythe aussi d'Océan, père des choses. Poète toujours, sans cesser jamais de saisir les choses dans ses pensées.

D'autres, comme Anaximène, qui diront que c'était plutôt l'air, par de petites raisons tirées du souffle et de la vie, ne diront pas mieux.

Anaximandre, tant loué pour avoir nommé Indéfini ce corps qui est tous les corps, ou cette substance, comme on dira, qui demeure sous le changement, Anaximandre a dit moins; car Thalès ne disait rien, ou bien c'est cela même qu'il voulait dire, disant que tout est fluide, plus ou moins, même ce monde des pierres, et déjà que tout s'écoule par tourbillons, flux et reflux, comme Héraclite dira d'autres manières.

Thalès disait aussi, selon Cicéron, que tout est plein

de dieux. Ce géomètre ne parlait pas sans doute au hasard, il faut croire. Peut-être remarquant la force de ces diverses apparences de l'eau, si puissantes toujours sur les sens, voulut-il rappeler le polythéisme abstrait au fétichisme de nature, aussi durable que l'esprit. Représentez-vous donc ces hommes d'Ionie, jusqu'à Héraclite, le dernier, occupés de rétablir le riche désordre, contre les dieux administrateurs. Cet esprit vit encore partout où un homme pensant regarde la mer.

PYTHAGORE

PYTHAGORE, supérieur de monastère, fut un autre homme que Thalès, moins errant, plus politique, les yeux moins souvent ramenés à la mer indocile, plus souvent aux astres, à ce point qu'il sut deviner que la terre est sphérique. Ayant mesuré quelques intervalles d'astres, et aussi les intervalles des sons au moyen du monocorde, et sachant profondément que les nombres se forment et se combinent selon des lois que rien ne fait fléchir, il se hâta de prononcer que tout est nombre. Et il fit bien de se hâter, car aujourd'hui encore, quand on a mille raisons de plus de le dire, comme il l'entendait, en ce sens que tout le désordre se fait pourtant selon l'Esprit, aujourd'hui cette vérité s'efface encore devant le témoignage des sens, dès que la force affirmative du législateur se laisse surmonter.

Après cela, que ne lui fait-on pas dire ? Que le droit, c'est le bien, et que le courbe, c'est le mal. Et nos pédants de rire. Mais cette pensée n'est point vide ; car le courbe n'est qu'apparence, et c'est le droit qui est juge du courbe. Mais les sens voudraient que le courbe existe autant ; ce qui revient à dire que le déréglé se soutient par soi. Aussi que la vertu est un Nombre, ce qui veut dire et dit pourtant que la vertu est selon la loi de l'Esprit, comme les sons d'une lyre bien accordée. Et encore que la lumière et l'obscurité représentent aussi toutes ces oppositions, ce qui était dire toujours la même chose, car l'obscurité n'est que négation, et ne semble être que par la lumière. On ne peut donc point rire de ces formules, même inventées ; mais plutôt remonter à leur noble source, ce qui n'est pas si difficile qu'on veut le dire; car l'ombre de Pythagore ressemble toujours à Pythagore.

LES ÉLÉATES

L'École d'Élée conserve toute la sagesse de Thalès, mais réfléchie. Chez eux tous, surtout chez Xénophane et Parménide, la physique fut d'opinion, et ainsi, d'avance, quelles que fussent ses inventions, jugée. Le mouvement, disait Zénon, leur disciple subtil, n'est certainement rien puisqu'il est autre toujours. Contre-épreuve : à chaque instant le mobile est où il est, et donc immobile. Xénophane et Parménide, mieux et plus directement disaient : l'être est et le non-être n'est pas; tu ne sortiras pas de cette pensée; ainsi ce qui n'est pas encore, ne sera jamais; ce qui a été et ce qui sera est toujours; tout l'être est un, identique, immuable. En sorte que, par des jeux de discours, ils découvraient d'un seul jugement ce qui sera la forme de toute physique toujours; car dans tout changement, tout persiste, matière, énergie, ou comme on voudra dire. Et l'esprit est le tout de tout, lui qui compte. Jamais l'esprit ne fut mis plus sévèrement à la question. Au lieu de se moquer péniblement du fameux argument d'Achille qui jamais n'atteindra la tortue, on ferait mieux de former, si l'on peut, un nombre qui achève une distance, en comptant tout. Mais, pensait déjà Xénophane, toute distance est faite et achevée; tout ce qui sera est fait et achevé. Ainsi nul développement ne vient à l'être du dehors, et les monades, déjà, n'ont point de fenêtres.

HÉRACLITE

Héraclite fut appelé l'Obscur. Nous ne le connaissons que comme poète du changement, et il nous semble clair. « On ne se lave pas deux fois dans les mêmes eaux. » « Tout s'écoule, rien ne demeure. » « Le soleil lui-même s'éteindra. » Sans doute jugeait-il aussi que d'autres Soleils se rallumeront. « En haut, en bas, les choses se font et défont et refont. » « De paix à guerre, de guerre à paix. » Idée assez commune aujourd'hui, mais plutôt en paroles qu'en pensée. Car il est peu d'hommes qui, dans la prospérité, voient l'écroulement déjà en train; et encore moins d'hommes, qui, descendus au fond du malheur, sentent la vague qui déjà les reprend et les remonte. Cette sagesse serait déjà bien forte, si on l'avait.

L'autre idée, plus simple, échappe encore mieux. Hume l'avait familière. On dit le fleuve, quoique ce ne soit pas la même eau; on dit l'église du village quoiqu'elle ait été rebâtie; on dit la foule quoique tous les gens soient autres; on dit le régiment et ainsi du reste; ce sont les fantômes du discours. On dit aussi l'ami, d'un âge à l'autre; et encore de son cadavre et de sa tombe. Ombres parmi les ombres, ainsi vivons-nous. Malheureusement pourvus de la droite Raison, qui nous trompe et redresse, ce qui fait deux malheurs. « Jupiter s'amuse », disait le triste Héraclite.

EMPÉDOCLE

CELUI-LÀ fut peut-être un peu trop mage et charlatan, d'après ce qu'on dit. Aussi ne fit-il qu'un Arlequin de doctrines, avec ses quatre éléments, air, feu, terre, éther; ajoutant encore, pour brasser tout, l'Amour et la Haine, qui sont pourtant plutôt des effets que des causes. Aussi fut-il ivre de ses pensées; non pas jusqu'à se croire dieu, mais jusqu'à vouloir le faire croire, ce qui serait pire que tout, si c'était vrai. Ce qui fait mieux valoir, dans ce bel ensemble, la simplicité des autres, qui se faisaient forts de leur attention seulement, et invitaient tout homme à la Sagesse, comme Socrate fit éminemment. Considérons un moment l'image du penseur fou, pour la reconnaître.

ANAXAGORE

ANAXAGORE composa aussi une doctrine de-ci de-là, mais bien. Aristote, par qui principalement nous connaissons un peu ces anciens penseurs, loue le seul Anaxagore. Il eut l'honneur, au temps de Socrate, d'être accusé comme lui; mais, moins soucieux de l'ordre humain, il s'échappa. Il est célèbre par sa physique, qu'il voulut, semble-t-il, rendre plus fluide encore, organisant si l'on peut dire, le désordre par ces Homéoméries, ou parties de tout, présentes partout : « Au commencement tout était ensemble, mais l'Intelligence vint, qui mit tout en ordre. » Ainsi, dit Aristote, parle un homme à jeun au milieu de gens ivres. On peut entendre par cette formule la création par un dieu, mythe sans grandeur et sans vérité. Mais je soupçonne qu'Anaxagore l'entendait déjà mieux; car le chaos est de tous les instants; il suffit que l'homme boive, ou seulement s'enivre à rêver; mais l'esprit fait et refait l'ordre; non pas une fois et pour toujours, ne nous y fions pas. Le courage de la veille n'assure pas celui du lendemain. Mais il se peut qu'Anaxagore ait penché un peu à croire au dieu extérieur; c'est la faiblesse du penseur bien habillé. Dont Socrate sut guérir Platon.

LES ATOMISTES

INSTRUITS par ces prodigieuses discussions, Leucippe et Démocrite, suivis de loin par Épicure et Lucrèce, posèrent l'Un immuable au sein même de l'apparence. Ce fut l'atome, impossible à rompre, qui ne s'use point, qui garde éternellement sa forme ronde ou crochue; infinité de formes éternelles, mêlées selon le hasard, mais une infinité de fois dans un temps infini et un espace sans bornes, ce qui fait que tous les possibles sont, y compris notre monde, l'homme, Homère et l'*Iliade*. Cette vue sur le monde ne pourra jamais être oubliée, quoique nous y résistions toujours par cette question : Qui m'a fait ? Pourquoi suis-je ici pensant ? Que signifie cet ordre des cieux, et cet ordre humain ? Mais tout est ordre et merveilleux au monde également, il y a une infinité d'autres ordres, et une infinité de penseurs autrement faits, et qui se prennent pour dieux et législateurs. Aussi Démocrite rit.

LES SOPHISTES

Les Sophistes concluent ; car il faut vivre. Le sophiste éléatique, Gorgias, prouve aussi bien que le Non-Être est et que l'Être n'est pas. Protagoras, le sophiste ionien, se moque de ces pensées vraies qui naissent de la rencontre entre un homme qui change toujours et une chose qui change toujours : « L'homme est la mesure de toute chose. » Entendez le besoin humain, l'ordre humain. Car il y a des vérités avantageuses ; et le sage, instruit par l'expérience, doit persuader à la foule humaine que ce qui est avantageux est vérité. Ainsi il s'accorde avec Gorgias et tant d'autres, pour donner d'utiles lois aux hommes et pour réfuter les mécontents, ce qui est la meilleure police ; car ainsi ils adorent le bâton. On voit ici que le Pragmatisme n'est pas jeune.

SOCRATE

Socrate, autant qu'on le connaît par Platon, qui ne sépara jamais ses meilleures pensées de l'idée du Maître, Socrate dut sa puissance sans mesure sur tous ceux qui l'entendirent, à ceci qu'il jugea tout ce mouvement de doctrine et qu'il n'en fut point troublé. D'abord il tint la physique pour inutile, et fixa seulement son attention sur ce gouvernement intérieur du physicien et de tout homme, qui le porte à chercher et à préférer l'ordre au désordre, selon une impérieuse destination. Une des pensées constantes de Socrate était que « nul n'est méchant volontairement ». Entendez que nul ne choisirait d'être fou, même à la condition d'être heureux. Méprisant donc de vrai mépris le succès extérieur, la puissance et l'approbation d'autrui, il retourna hardiment, patiemment, de toutes manières, cette idée que ce qui importe pour le vrai bonheur, c'est de gouverner en homme toutes les passions, tous les désirs, toutes les peurs, sans en croire personne que lui-même, seul témoin. Mais il sut apercevoir aussi que l'homme ne s'écoute guère lui-même, et se contente de vaines images de soi. C'est pourquoi étant allé consulter l'oracle Delphien, il fut éclairé comme d'une lumière surnaturelle par le « Connais-toi » inscrit sur la porte du temple. Et Socrate allait répétant toujours les mêmes choses, disant d'un discours, d'un poème, ou d'une discussion qu'il entendait : « En suis-je mieux instruit sur moi-même, mieux disposé au courage, à la patience, à la justice ? » Et comme les sophistes se défendaient non sans force, demandant ce que c'était que courage, sinon force assurée au regard de l'ennemi, et que justice, sinon bonne réputation et puissance, enfin, louange des hommes, Socrate venait souvent à définir ou à tenter de définir les vertus et les vices, mais toujours selon le jugement intérieur, et non pas selon la louange, montrant qu'il ne voudrait point être poltron au prix de passer pour brave, ni menteur, au prix d'être toujours cru, et ainsi du reste. Par ces discours, il blâmait indirectement ou directement ce que la jeunesse respecte d'ordinaire, législateurs, prêtres et parents. D'où il fut enfin accusé de mépriser les dieux et de corrompre la jeunesse. Dont il se défendit mal, comme un homme qui sait bien que le respect et l'ordre établi sont quelque chose aussi à quoi il ne faut point toucher sans prudence. Aussi paya-t-il de sa vie, voulant sans doute laisser comme dernière leçon que l'obéissance du corps est le prix de la liberté de l'esprit, comme il est assez évident, puisque l'esprit naît de l'ordre. Sur cette catastrophe réfléchit Platon.

PLATON

La Dialectique est ce qui frappe dans Platon. C'est l'art d'arriver à quelque vérité par discours coupés, définitions, propositions, objections. Aristote dira qu'il reste un peu d'idolâtrie et de sophistique dans ce culte du discours. Mais il est déjà évident que Platon prend souvent ces discussions comme une gymnastique seulement. Qui n'a point joué longtemps avec les mots, les combinant et les opposant de mille manières, n'est pas à l'abri d'un argument bien composé. Mais ces exercices, où nous devons chercher la vraie rhétorique, veulent plus de patience que le lecteur d'aujourd'hui n'en a. Les abords de Platon sont bien défendus, peut-être avec intention, par haine des improvisateurs.

Une fois toutes ces défenses franchies, on aperçoit deux doctrines opposées et puissantes, qui survivent aux sophistes des deux camps.

La première est que les formes verbales d'affirmer, de nier, de distinguer, de compter et de mesurer laissent voir d'autres formes qui se montreraient aussi bien en n'importe quelle langue, et qui sont comme la grammaire des grammaires. L'être, le non-être, le même, l'autre, l'un, le plusieurs font au-dessus des figures et des nombres un édifice absolu de vérités régulatrices, et qui s'engendreraient de haut en bas dans un Esprit-Dieu. Doctrine seulement esquissée dans les *Dialogues,* et qui humanise les propositions éléatiques, en les reliant, au moins par jugement préalable, à la physique pythagoricienne. Par cette armature le bon sens de Socrate peut porter les mondes.

L'autre idée est celle de la variété et du flux de l'expérience, qui étourdit si bien le penseur. Et Platon dit bien, en ses inimitables jeux mythiques, que le Dieu suprême n'a pas achevé la création, mais qu'il l'a laissée aux dieux de second rang. Ainsi chacun est démiurge en soi et autour de soi, sur les confuses images, sur les désirs, sur tous nos rêves sibyllins.

Or ces folies d'imagination ne sont pas plus déchiffrables que ne seraient pour des captifs tournés toujours vers le mur de la prison, les ombres des choses sur ce mur. Il faudrait donc quelque captif venu du dehors, et qui, sachant ce qui est là-bas, débrouillerait et expliquerait ces apparences-là. On peut réfléchir sur ce célèbre mythe de la Caverne, autant qu'on voudra. Il est plus clair que jamais maintenant qu'on ne peut lire les apparences physiques les plus ordinaires, comme la course de la lune, ou la chute d'un corps, si l'on n'a passé d'abord par les notions mathématiciennes, qui n'ont égard pourtant qu'à ce qui est pensé dans la définition et à ce qui en résulte par dialectique. Par exemple le mouvement uniforme n'existe point à la manière des cailloux. Comprenez d'après cela comment l'être explique l'apparence et comment toute sagesse en ce monde d'apparences suppose un long détour dans l'autre. Mais cette sévère doctrine suppose d'abord la vue héraclitéenne sur l'expérience nue; l'erreur sans remède est de croire que l'on s'instruit par l'expérience, sans idées.

Voici maintenant par où Socrate revient. Ce préjugé empirique n'est point tant de paresse que d'un certain parti pris contre la revendication du juste. Car le juste est importun. Et certes l'idée de la justice est bien plus cachée que l'idée de la suite des nombres ou des propriétés du carré et du triangle. Mais le juste va courageusement au-devant de la dialectique, assurant que l'expérience, ici non plus, ne juge point; que le succès n'y fait rien; que la justice enfin est l'âme de l'âme, et que l'âme injuste est en train de périr.

Pour éclaircir cette vue dont le bon Socrate ne veut point se détourner, Platon compare l'homme à une cité de Sages, de guerriers et d'artisans, d'après cette remarque, qu'une cité n'est forte pour l'injustice que si elle est juste au dedans d'elle. Cette idée soutient les profonds développements de la *République* et le mythe surhumain qui la termine.

Et le Pamphylien est mort déjà une fois; il a vu l'Enfer et le jugement dernier, et enfin l'épreuve qui est de choisir son destin. Or presque toutes les âmes, ayant suivi l'expérience, vont au succès tout droit, sans se soucier de la justice ou bon gouvernement de soi. Et, quoi qu'ils puissent dire et montrer, ces hommes sans justice ne sont heureux qu'aux yeux des sots, ayant sacrifié ce sage qui seul possède parce qu'il se possède d'abord. Ainsi nous revenons au refrain socratique : à quoi servent tous les biens et avantages, si je suis fou? Mais aussi je ne puis rester sage sans refuser beaucoup de ces biens-là. C'est pourquoi l'âme qui a, dans une première vie, entendu de beaux entretiens et entrevu seulement comment la droite pensée régit l'existence des ombres et notre vie passagère, celui-là seul méprisera les destinées pleines d'honneur et de richesses, mais vides de sagesse pour aller à de plus pauvres bagages. Platon n'en dit pas plus, et l'on s'attache trop à son mythe des âmes survivantes et de la métempsychose. Qui ne voit que toute âme fait ce terrible choix à chaque moment? Mais Platon est l'homme de ce monde qui a le moins expliqué et le plus affirmé, jugeant sans doute que, si loin qu'on aille dans les preuves, il faut toujours vouloir au delà de ce qu'elles annoncent, et courir le beau danger d'être dupe. Aussi Platon fut-il le seul Platonicien sans doute qui laissa finalement à l'homme seul et sans secours, mais non sans foi ni espérance, la garde de la justice. Cette forte prudence explique les *Dialogues* et l'espèce de peur qui saisit le disciple, toujours laissé à son choix.

ARISTOTE

Aristote, vingt ans disciple de Platon, est une autre espèce d'homme. « Platon, dit-il, est mon ami; mais la vérité est au-dessus. » Et encore : « Platon parle creux. » Le voilà donc à chercher le vrai de chaque chose, d'après une exacte perception, sans vouloir jamais de ces Idées, séparées et abstraites. « Ce n'est point l'homme qui devient musicien, c'est Socrate, ou Callias. » Peut-être faut-il dire qu'il ramassa le Platonisme en lui-même, comme une arme à penser; mais comme objet et dispersé, et étalé, non point. Comme objet le monde suffit bien. Il n'est pas une science qu'Aristote n'ait avancée, hors des mathématiques; mais n'allez pas croire qu'il les ignorait.

Son premier effort fut de juger d'abord les jeux du discours. La logique du oui et du non, du quelque et du tout, du possible et du nécessaire, est peut-être ce qui a le plus étonné les hommes, quand ils se remirent à l'école. Cette logique est restée la même. Lui, l'ayant mise en forme, n'en use point. En toute question toujours soucieux de l'individuel et des exemples et de ce que l'homme de bon sens en penserait. Par exemple, en ses œuvres de morale, il traite d'abord de chaque vertu, d'après l'exemple humain et le jugement commun, comme un homme assez sûr de sa raison, peut-être parce qu'il avait dominé la logique, pour ne plus craindre les pièges du plaisir et de la louange. Il fut donc comme un Socrate platonicien, pensant plus près de sa nature terrestre, moins vertueux aussi, sauvant ce qu'il pouvait. Moins moraliste, certes, que naturaliste. Mais là il dépassa toute profondeur.

D'abord dressant l'édifice entier du mécanisme, il définit et limita la matière; prononça que la Forme n'en peut venir, et que le Mouvement ne s'explique ni par l'une ni par l'autre. Cette immense critique, complétée par d'obscures spéculations sur le Temps et l'Espace, est souvent prise comme centre de doctrine. Mais le centre n'est point là. Il est dans sa doctrine de l'âme et du développement. Dans les œuvres de l'art, comme une statue ou une maison, le passage de la matière à la forme se fait bien par le mouvement et l'idée transcendante, mais aussi le principe du changement est extérieur à la chose et à vrai dire tout est extérieur et étranger à tout. Ce changement n'est qu'un possible abstrait; le vrai possible pour chaque être, c'est ce qu'il peut. « L'art est principe hors de la chose; la nature est principe dans la chose même. » Ainsi le mouvement n'est qu'apparence et le changement véritable va de l'enveloppé au développé comme dans l'âme quand elle s'éveille et se souvient; le devenir véritable est « passage de la Puissance à l'Acte ». Tout est vie et âme. Une âme ne reçoit rien du dehors; elle est en puissance toutes choses.

L'âme ne change point; elle s'éveille et développe le monde, le vrai monde. Car il ne s'arrête point aux monades sans fenêtres. D'après ce principe que ce qui est en puissance est pourtant en acte déjà, toute puissance et toute âme vit et se développe par l'âme achevée ou acte pur. « Dieu est pensée absolue; et la pensée absolue est la pensée de la pensée. » Là est le thème de toute métaphysique; le mal, c'est qu'un résumé l'achève trop. C'est le détail, dans Aristote, qui est riche et nourrissant. Toujours il propose, et non sans une beauté d'expression serrée et forte, le développement de la nature interne de chacun comme le vrai modèle de chacun, et la vraie vertu de chacun; en haine des âmes empruntées. Cela est païen, au fond sans morale. Terminé aussi, malgré l'admiration scolastique. Ce Platonisme théologien n'a eu qu'une vie. Mais Platon, âme des âmes, poursuit ses voyages.

DIOGÈNE

Diogène est un autre disciple de Socrate, qui n'a d'égards pour rien. Aussi fut-il appelé Chien et son école Cynique. Mais il n'en est pas moins vrai que l'âme stoïque est ici ramassée. Diogène comprit bien que, pour se posséder soi, il est nécessaire de posséder peu. Que la richesse nous rend complice et esclave des riches; et que, si l'on ne brave l'opinion, on est conduit fort loin, une concession suivant l'autre. Il mit donc en pratique, sans ménager rien, le mépris des richesses et le mépris de l'opinion. Et il ne cachait point que la fermeté d'âme importe plus ici que la science; aussi se moquait-il de Platon. Un jour qu'ils regardaient tous deux passer un cortège de fête, avec des chevaux richement harnachés, on raconte que Platon lui dit en riant : « Bonjour, Chien. » et que Diogène lui répondit de même : « Bonjour, Cheval. » Mais il enseignait surtout par actions. Sa rencontre avec Alexandre est assez connue. Aussi son « Je cherche un homme ».

Sa vie enferme une leçon plus cachée, qui est que le respect veut tout dès qu'on s'y livre. Car toutes les belles apparences se tiennent fortement. Et l'on trouve un tel bonheur dans le respect, et de si promptes récompenses, que l'homme risque d'y passer tout, s'il y laisse prendre seulement un doigt. C'est pourquoi Diogène sut dire : « C'est la peine qui est bonne. » Mais ne l'entendons point mal. Peine sans liberté du jugement, c'est peine perdue.

LES STOÏCIENS

Zénon de Cittium, Cléanthe et Chrysippe furent appelés les trois colonnes du Portique, en grec Stoa. Zénon établit la doctrine, cherchant, autant qu'on peut savoir, à accorder la rude vertu de Diogène avec la pudeur, et avec les devoirs de tous les jours; effort qui tend à enfermer la vertu dans le jugement. Et peut-être est-il plus difficile de tout juger que de tout braver. Du pudique Zénon, le stoïcisme a gardé ce respect des formes communes, et principalement religieuses, qui se sauvait par l'interprétation libre; car la pratique est bonne, dès que le jugement est bon. Mais aussi toutes les fautes sont égales devant le juge et toutes secrètes. Ce sont des faiblesses d'esprit : « Ne rien admirer. » Cette maxime étonnera moins si l'on songe que l'admiration va toujours à quelque apparence.

Cléanthe, porteur d'eau, travaillait la nuit pour entendre Zénon le jour. Ignorant et sans subtilité aucune. Assez content de sa liberté intérieure, égal des dieux par là. D'ailleurs religieux et bon. Par lui grandit sans doute cette idée stoïcienne de la fraternité humaine, par descendance du même dieu : la raison est égale en tous et ne se divise point. La charité est cette foi hardie en tous les hommes, qui fait que l'on suppose et que l'on cherche toujours le meilleur en chacun, ce qui est le vrai chemin de pardonner comme il faut.

Chrysippe fut le discuteur et le doctrinaire. A lui est due sans doute cette doctrine du jugement, la plus forte qu'on ait vue, même si on en juge d'après quelques rares débris. La vérité, disait-il, est de volonté. Mollement recevoir le vrai, et par hasard, ce n'est pas penser le vrai, mais en revanche, une pensée forte n'est jamais fausse; l'erreur serait alors des choses, non de nous. Idée profonde; car une erreur de Descartes vaut pourtant mieux qu'une vérité d'écolier. On comprend peut-être par là cet autre paradoxe : « Le sage ne se trompe jamais. » Chrysippe comparait le jugement à la main qui saisit et serre, et le meilleur jugement à la main encore serrée dans l'autre main. C'est donc la volonté qui est l'âme de l'âme.

Épictète et Marc-Aurèle, l'un esclave et l'autre empereur, développèrent plus tard cette morale fameuse, assez connue dans ses préceptes. Mais on ne comprendra jamais assez, quoique tous l'aient dit, que la volonté stoïque s'exerce par jugement. Il est rare et beau de braver le tyran; mais il est plus beau et plus rare de le juger. Le stoïcisme n'est pas si commun qu'on le dit.

ÉPICURE

Depuis les Atomistes, la doctrine du plaisir pur et simple était mise en forme. Épicure y a attaché son nom et Lucrèce l'a chantée. Le premier aspect de cette sagesse-là et le plus aisé à saisir est cette distinction des plaisirs agités et des plaisirs tranquilles, qui conduit l'Épicurien à vivre en vérité comme un stoïque, et comme vécut Épicure, par crainte de la douleur. Mais cette doctrine a plus de portée. Elle est surtout contre les plaisirs et les peines d'opinion ou d'imagination; apparences que la sévère méditation sur les tourbillons d'atomes dissout promptement; l'ambition et les dieux meurent ensemble; ensemble l'espérance et la crainte. C'est par cette délivrance que cette doctrine de négation absolue fut et sera plus grande qu'on ne croit. Il n'y manque que la réflexion sur le juge de toutes ces choses; car enfin l'homme reste, qui pense ce monde d'atomes. Mais la logique du mécanisme pur voudrait dissoudre aussi le penseur en atomes crochus ou ronds, mais ne le peut point. De là une pointe d'amertume et l'ennui d'être.

CICÉRON

Par l'exemple de cet homme d'État, profondément instruit de toute la philosophie grecque, on peut comprendre mieux la sévérité de Diogène et son mépris de tout par précaution. Cicéron aima le Platonisme comme le plus beau, et vénéra le Stoïcisme comme le plus fort, mais ne comprit profondément ni l'un ni l'autre. Cicéron eut toutes les vertus de l'honnête homme, excepté la vertu d'esprit. La pensée, en lui, fut souvent servante, et quelquefois amie et consolatrice, toujours étrangère et invitée. L'action politique occupa toute la place dans cette âme ambitieuse. Aussi voit-on fleurir en Cicéron les doctrines probabilistes d'Arcésilas et de Carnéade, héritiers de Protagoras. Le philosophe devient sophiste dès que la pensée est au service des passions. Aussi voyons-nous cet homme cultivé, pris entre la sagesse d'Epicure et celle de Zénon, faible aussi devant les objections sceptiques, incliner pourtant vers le stoïcisme comme plus probable. Et par quelle belle raison ? Parce que le stoïcisme conserve les dieux et les formes du culte, conditions de la grandeur Romaine. Ce qui fait comprendre que le probabilisme est moins une doctrine que la faiblesse de toute doctrine dans une âme ouverte à la louange. Diogène savait ce que coûte un jugement libre.

DE LA PHILOSOPHIE RELIGIEUSE

Quoique dans la longue période occupée par la Théologie chrétienne, depuis les Néo-Platoniciens d'Alexandrie jusqu'au déclin de la scolastique aristotélicienne, il y ait un bon nombre de penseurs dignes d'être étudiés, néanmoins l'historien de la Pensée Libre, surtout s'il ne veut dire que l'essentiel, peut se borner à caractériser sommairement tous ces systèmes où toujours et dans le sens le plus profond « la Philosophie est servante de la Théologie ».

La pensée antique dans son plus bel effort revenait toujours de l'objet au sujet, soumettant toujours le Dieu extérieur au Dieu intérieur et les Idées au Jugement. Or les disciples d'Aristote aussi bien que ceux de Platon, tombèrent tous dans la théologie proprement dite, qui va d'abord au Penseur parfait, créateur et juge de tout, et détermine d'après ce modèle immobile le devoir et les espérances de toute créature. Ce Dieu objet, pendant les siècles chrétiens, a tenu la pensée engourdie. Et voici les conséquences principales de cette ontologie ou idolâtrie de l'Être. D'abord une méthode logique destinée à prouver l'existence. Comme si on disait à la manière thomiste : le plus grand des êtres existe nécessairement; car supposons un être qui ne soit pas le plus grand, il est partie d'un plus grand, et celui-là d'un autre, ce qui conduit, car il faut s'arrêter, à l'être qui contient et n'est pas contenu. Ou bien autrement, en suivant une tradition qui n'a pas saisi la profondeur aristotélicienne : une cause est elle-même l'effet d'une cause; et ainsi il n'y a point de cause suffisante de ce qui est si l'on ne s'arrête à la Cause elle-même sans cause, ou Cause Première. Ou bien enfin, en suivant Saint Anselme : l'être parfait dont nous avons l'idée existe; car s'il n'existait pas, ce serait une imperfection, ce qui va contre l'idée.

Descartes dominera, non sans peine, la forme de ces raisonnements théologiques. La seule critique de Kant en fera place nette tout à fait. Mais jusqu'au réveil de la pensée laïque en Descartes, la logique fut adorée tout autant que Dieu.

Une autre conséquence fut le Mysticisme ou Fatalisme adorant. Car, de quelque façon que l'on veuille sauver le libre-arbitre, il meurt par la prescience divine, puisque les futurs sont tous connus par la Pensée parfaite. Par où toute théologie incline au panthéisme, et toute doctrine morale au Quiétisme, ou abandon de soi. De là ces discussions subtiles sur la Prédestination, la Grâce et le Salut, qui réduisent le bon sens à croire sans comprendre et à humilier cette raison qui se prend elle-même dans ses liens. L'esprit jésuite, trop calomnié, cherchait seulement à se garder des conséquences doctrinaires, au nom de la morale la plus commune.

A quoi échappèrent deux espèces d'hommes, fidèles à la culture antique, les Stoïciens, toujours portés par ce beau paradoxe que le sage est l'égal de Jupiter, et que, comme chante Horace, le monde en s'écroulant le briserait sans le troubler; l'Épicurien, fort des atomes et de l'universelle nécessité, curieux de tout et sceptique sur tout.

Montaigne est une belle aurore après cette longue nuit. Nourri des anciens, doutant assez fortement pour dominer tous les pièges de la logique, et suivant par ferme jugement la sagesse stoïcienne, qui apprend à souffrir en homme et à bien mourir, Montaigne représente le jugement seul, ou l'homme sans Dieu. Une force d'esprit admirable contre l'imagination, la superstition, le préjugé, les passions, circule dans les *Essais,* le seul livre de philosophie peut-être qui s'offre sans système et sans la fureur de prouver. Mais les partis l'ont mal jugé, car il les juge tous.

DESCARTES

Le premier trait dans Descartes, et le plus frappant peut-être, est qu'étant nourri de la philosophie religieuse, et, par elle, des anciens, il les repousse tous avec un mépris non déguisé. Le fait est qu'il tenta de nettoyer son esprit de toutes les opinions étrangères et de juger seul. A quoi il fut conduit par sa rare puissance d'inventer en mathématiques, qui lui fit connaître qu'une méditation suivie a bien plus de puissance que la discussion contre les auteurs. Cela ne mène point à rejeter toute culture et toute science apprise, car cela ne se peut point. Tout reste au contraire. Mais comme Descartes le pensa toujours profondément, il y a bien de la différence entre les éléments d'idées qui restent en nous en même temps que les mots, et les idées mêmes, que le jugement seul porte. Ainsi, retrouvant en lui-même la doctrine stoïcienne de l'assentiment, il s'exerça de bonne heure à douter avec force et activement, non pas pour vider son esprit de tous matériaux, souvenirs ou objets, mais plutôt comme un homme, qui, en vue de rebâtir, délie d'abord pierres et briques et les dispose selon la commodité, sans préjuger de l'édifice.

LE DOUTE

La première des grandes idées de Descartes est donc ce doute méthodique ou hyperbolique contre les sens et contre les preuves d'entendement. Contre les sens, par les vieilles raisons des sceptiques, illusions et rêves, mais remises en valeur et pensées à neuf, si l'on peut dire. Et, par exemple, du moment que j'ai souvenir d'avoir rêvé et d'avoir cru que mon rêve était bien réel, je dois penser, de toute apparence, qu'elle pourrait bien être un rêve; enfin la laisser apparence et ne lui point donner cette force d'objet que le jugement accorde si aisément d'ordinaire à ce qui étonne, à ce qui effraie ou à ce qui plaît. Pour les preuves d'entendement, il remarque que sa mémoire le trompe souvent et que ces preuves se développent dans le temps. Voilà donc toutes preuves rejetées ? Non pas, mais voilà toutes preuves suspectes dès que j'en juge par mémoire; et voilà en même temps définie une méthode de vivifier les preuves par un doute constant. Ce qui n'est point défiance de soi, mais plutôt défiance de ce qui est corporel et mécanique dans les pensées, et réellement confiance en soi seul. On sait comment ce doute poussé aussi loin qu'on voudra s'arrête à ceci : douter, c'est penser; toujours est-il certain que je pense même quand je doute; voilà le réel solide. « Je pense, donc je suis ».

DISTINCTION DE L'AME ET DU CORPS

Par ce chemin, on est conduit directement à une idée importante, et qu'il faudra toujours maintenir contre les doctrines complaisantes, c'est la distinction de l'âme et du corps, ou, en d'autres mots, de la pensée et de l'étendue. L'objection sceptique contre le témoignage des sens vise tous les corps sans exception; si moi qui pense, j'étais corps, je ne pourrais point être assuré de ma propre existence; or j'en suis absolument assuré; donc, moi qui pense, je ne suis point corps; donc, ce qui doute, nie, affirme, conçoit et décide, n'est point corps. Cette conquête étant assurée, on peut décrire l'apparence du corps pour ce qu'elle est. Le corps est étendue et n'est rien qu'étendue; cela veut dire que toute nature corporelle consiste en figures, distances, relations de parties à parties. L'élément, quel qu'il soit, n'a jamais que des propriétés extrinsèques, c'est-à-dire par rapport aux autres, comme grandeur, vitesse, poids, sans aucune qualité qui lui soit inhérente; la nature du corps est donc purement géométrique et mécanique.

Vue profonde qui délivre à jamais la physique non seulement des âmes ou désirs cachés dans les choses, mais encore de toutes les qualités comme telles. Rien n'est inhérent au corps, tout dans le corps est relation. La théorie du mouvement relatif, si clairement posée dans les *Principes,* est une des applications les plus paradoxales et les plus instructives de ces vues de philosophie pure.

DIEU

On ne peut décider sur l'univers si l'on ne sort du moi pensant. Mais aussi on ne peut rester à penser le moi pensant seul. Car il ne pense pas tout et ne sait pas tout; mais sa moindre démarche pensante enferme qu'il y a une perfection de toutes les pensées; par exemple il y a une vérité des nombres, même non encore nombrés, et une solution de tous les problèmes, même non encore posés. Cette pensée, élevée à la perfection, est Dieu. Et tel est le sens des arguments théologiques; c'est parce que la pensée est que la perfection est.

Mais comment? Comme vérité faite de tout, ou somme d'idées vraies et en quelque sorte comme miroir de l'univers? Ce ne serait qu'un Dieu chose. Mais, comparant en moi-même le pouvoir de concevoir des idées et le pouvoir de juger et de vouloir, j'aperçois que le premier est toujours fini d'après les objets, au lieu que le second est toujours infini; car si on disait que le jugement et la volonté, qui sont une même puissance, ne sont pas libres, ce serait tout réduire au jeu des idées; si le jugement est, il est libre; ce qui est libre est infini. La pensée divine est donc plutôt jugement qu'idée; et enfin il ne faut point soumettre la pensée divine aux vérités, mais plutôt poser que c'est par libre jugement de Dieu que toute vérité est vérité. Ici Descartes ouvre une voie immense aux vraies recherches et délivre Philosophie de Théologie. Son Dieu n'est pas le Dieu-objet mais le Dieu-sujet.

LES PASSIONS

La physique de Descartes est déjà assez caractérisée. Ce fut un progrès immense et sans retour possible. Sa théorie des passions est moins comprise. Car les passions sont l'objet favori de ceux qui veulent mélanger en quelque sorte l'âme et le corps, et inventer on ne sait quelle pensée corporelle qui serait vie. Ce sont les mêmes qui accordent des âmes imparfaites aux bêtes. Mais il n'y a point d'âmes imparfaites. Il faut choisir; ou bien c'est corps et étendue, ou bien c'est esprit et libre jugement. C'est pourquoi, par préjugé fort, il faut rejeter les passions au mécanisme pur, et ne vouloir chercher dans amour et haine par exemple que des mouvements du sang et une agitation plus subtile dans les nerfs et dans les muscles, par quoi notre corps est porté par son mécanisme et par les choses qui l'entourent à se mouvoir ainsi ou autrement. Dont l'âme, liée à ce corps, est avertie par sentiment et perception. Et l'erreur des passions est justement d'y voir des pensées et des volontés, comme si l'homme qui fuit par mécanisme cherchait par quelles pensées il fuit. Mais il fuit par physique. Aussi le seul remède aux passions est-il dans le Libre-Arbitre, qui a pouvoir de remuer les membres et de les exercer, et nullement dans un débat sur les motifs apparents des passions, fantômes d'imagination, et qui, comme l'orateur, persuadent si bien par le mouvement qui entraîne. Et l'ignorant prend l'entraînement pour preuve, mais le sage, non.

SPINOZA

SPINOZA est l'Aristote de notre Platon. La plus vive critique de Descartes est partout dans l'*Éthique;* Spinoza suit pourtant Descartes, et le met en quelque sorte en forme et en système. Mais aussi tout se perd dans l'Objet et dans la Nécessité.

Quand Descartes distinguait la Pensée et l'Étendue, il était bien loin de voir dans les deux un égal degré d'être ou si l'on veut de perfection; mais plutôt, par cette séparation scrupuleuse, la perfection et l'être étaient d'un côté, et on dirait presque l'imperfection et la négation de l'autre; car dans l'étendue ou dans le monde des corps, rien n'est, rien ne se suffit, il faut toujours qu'un corps soit déterminé par d'autres autour, et ceux-là par d'autres; et si l'on veut appeler infini ou infinité cette insuffisance radicale, ou bien cette autre d'après laquelle un corps doit être réduit à ses composants, et ses composants à d'autres, il faudrait dire avec les anciens que l'infini, en ce sens, s'oppose à la perfection. L'étendue, si grande qu'on la prenne, n'approche jamais d'être Dieu.

Or Spinoza voulut comme principe que la Pensée et l'Étendue fussent deux attributs parmi une infinité d'attributs possibles par lesquels nous connaissons Dieu. Par ce décret, le choix était fait, et la liberté perdue. Toute la puissance de Spinoza est qu'il a voulu retrouver tout le vrai de l'Esprit et des Passions, et jusqu'à la liberté du sage, sous l'idée de nécessité. Son *Éthique* est la perfection de toute Théologie.

Tout être peut être considéré sous deux aspects, comme mode de la pensée divine, ou comme mode de l'étendue divine, comme âme ou comme corps; c'est un seul et même être sous deux aspects. Et comme les êtres, considérés sous l'attribut étendue, forment des chaînes de causes et d'effets selon une absolue nécessité, ainsi les pensées en Dieu suivent les pensées. Ne l'entendez pas selon un matérialisme déguisé, car il y a deux Nécessités et le rapport de pensée à pensée ne ressemble en rien à un mécanisme; les rapports d'idée à idée sont des rapports internes; les idées ne sont point des copies ou images des choses. Et comme l'homme est esclave quand il pense, si l'on peut dire, selon le mécanisme des passions, au contraire l'homme est libre autant qu'il pense selon la pensée divine, entendez autant que, selon la pure doctrine de Descartes, il s'affranchit des preuves d'imagination. Ainsi l'erreur et l'esclavage résultent de ce que l'homme veut aller à Dieu par les choses. De là cet amour intellectuel de Dieu, qui est notre salut et notre bonheur. Mais le libre-arbitre périt : « Il importe peu, dit Spinoza, que j'aime Dieu et que je sois sauvé nécessairement, et non pas librement. Je n'en suis pas moins heureux et sauvé. » Ici est le dernier effort du théologien. Le lecteur de l'*Éthique* n'y résiste guère. Il faut pourtant juger ce sévère système d'après le jugement fondamental qui joint à la pensée divine une étendue divine aussi et qui fait participer l'infini des causes mécaniques à la perfection de l'idée. Par ce préjugé des préjugés, il y a une suffisance dans le monde des corps, un achevé du mécanisme; et tout ce qui est ou arrive résulte nécessairement de la nature divine. La Pensée est objet aussi.

LEIBNITZ

Leibnitz, théologien aussi, a fait effort pour échapper au Spinozisme, non sans s'aider d'Aristote. Et voici le sommaire de son ingénieux système. L'étendue n'étant qu'un ensemble de rapports extérieurs entre des éléments abstraits, l'étendue n'est point. Elle représente seulement les actions et réactions des êtres. Les êtres véritables sont des âmes ou monades; ce sont des simples absolument, puisque la composition n'est qu'un rapport extrinsèque. Des simples qui n'ont donc ni parties, ni dehors, ni dedans, et qui ne changent donc que par développement interne, et passage du virtuel à l'actuel comme Aristote disait. Supprimez donc toutes les Monades, à l'exception d'une seule, elle se développera par sa nature interne seulement et se représentera, à l'intérieur d'elle-même, sous l'aspect du Monde, ses relations avec toutes les autres. Et toutes les autres de même, sans aucune action de l'une sur l'autre et par une Harmonie Préétablie qui règle le développement de chacune d'après le développement de toutes les autres. Ce qui suppose un Dieu régulateur, et même le prouve assez.

Voilà donc un univers d'âmes, toutes se représentant le développement de toutes sous la forme d'un Univers pensé à l'intérieur de chacune; mais chacune d'un point de vue qui lui est propre, et que représente le corps organisé; et les unes moins éveillées et les autres plus. Une âme sera dite pâtir, autant qu'elle a des perceptions confuses, et agir autant qu'elle a des perceptions claires; et la liberté se définit par le passage de l'enveloppé au développé, ce qui ramène la sagesse des philosophes et doit finalement s'accorder avec le sens commun. Mais il reste que ce qui est pensé et fait, en liberté comme en esclavage, est déterminé absolument comme tel au regard de Dieu; et les nuages qui enveloppent pour nous ce genre de connaissance où tout est en acte n'ôtent rien de cette invincible condition. C'est par la profonde doctrine de Descartes qu'il faut juger ce système et tant d'autres moins brillants et qui, en cela seulement, laissent un peu plus de terrain à la naïve espérance.

HUME

Les Épicuriens ne sont grands que par la négation. C'est le dernier effort du jugement contre les systèmes théologiques. Et il faut reconnaître que les systèmes matérialistes sont encore des théologies sans Dieu, comme on voit par cette ferme croyance aux lois mécaniques, pour tout passé, pour tout avenir, pour tous les mondes, bien au delà de notre courte expérience. Hume sauve du moins l'esprit négateur. « La lecture de David Hume, écrit Kant, me tira de mon sommeil dogmatique. » Hume est déjà bien fort contre les raisonnements ontologiques. Mais son plus puissant effort va contre les formes mêmes de raisonnements les plus communs. L'idée de cause, prise abstraitement et hors de la perception, donne occasion à des jeux logiques bien creux. Mais Hume la prend dans la perception même, et c'est là qu'il la nie. Voilà une bille de billard qui va en choquer une autre et vous prétendez décider d'avance ce qui arrivera; mais si j'oublie par jugement, si je nie avec assez de force les discours habituels et le souvenir des expériences passées, je ne trouve en cette perception que des impressions qui changent, sans rien de certain ni même d'intelligible sur la chose même et ses propriétés. Je sais passablement ce qui est arrivé déjà dans des cas à peu près semblables à celui-là; mais ces expériences, évidemment, ne sont pas ici parmi les causes. La loi n'est point dans la chose, car la chose n'est qu'elle, mais en moi qui ai retenu. Et, même en moi, cette loi n'est pas invincible. Mes souvenirs, ou impressions faibles, se prêtent à toutes les combinaisons; je puis imaginer que cette bille va disparaître, ou s'arrêter sans cause sensible, ou communiquer à l'autre bille un mouvement démesuré. Je ne trouve donc ni dans l'objet ni en moi la moindre raison de décider sur le possible et l'impossible. Et je n'ai de certitude, par l'événement, qu'autant que je m'abandonne à la nature, qui m'incline par la coutume, mais non pas du tout invinciblement, à attendre ceci plutôt que cela.

La science du probable serait notre seule sagesse. Mais il n'y a point du tout de science du probable, même dans le cas simple d'un seul dé jeté. Car on dit bien que, si ce dé est marqué partout d'un point, et sur une seule case de deux, le coup qui amènera un point est le plus probable. Mais on ne traduit ainsi que ce fait, que l'impression de ce point seul est plus forte que l'autre. Car, dans le fait, le deux est possible aussi bien que l'un; et même une longue série ne permet point du tout de prévoir le coup suivant, puisque ce coup ne dépend pas des précédents. La science du probable ne serre donc nullement l'expérience, comme les joueurs l'éprouvent.

Mes certitudes sont donc des croyances seulement, qui ne sont point du tout fondées en raison, mais viennent de deux sources. La coutume, ou association des idées, et l'impression forte, indéfinissable sinon par la croyance qu'elle produit, et qui efface si aisément les associations passées. Le roi de Siam, à ce qu'on raconte, ne voulait pas croire que l'eau pût devenir, par le froid, capable de porter un éléphant; mais s'il avait eu une impression forte de la chose, comme dans la perception, aussitôt il l'aurait cru sans difficulté. Ainsi est fait cet orgueilleux esprit humain, incapable même de porter ces doutes que j'expose, et heureux, comme il m'arrive à moi aussi, de les oublier tous dans les occupations de société, d'où l'extraordinaire est prudemment banni. Ces terribles analyses n'eurent aucun succès. Le jugement le plus libre supporte à peine cette épreuve de lire avec attention le *Traité de la nature humaine*. C'est pourquoi une ferme Théologie, et même sans vraisemblance, est si souvent préférée.

KANT

Kant eut ce bonheur de ne douter de toutes choses, en lisant Hume, qu'après avoir familièrement pratiqué la Mathématique et l'Astronomie. Le doute n'est bon qu'à celui qui sait. Il se demande alors pourquoi il est certain; car le théorème de Pythagore tient toujours; et il reste vrai que deux et deux font quatre. Et Kant voulut dire que les certitudes de ce genre sont purement logiques, comme il est hors de doute, si tout A est B, que quelque B est A. Les mathématiques seraient donc *analytiques*, autrement dit bornées au simple développement de définitions non ambiguës; et les sciences expérimentales devraient être dites *synthétiques* au contraire, l'expérience joignant à la notion commune de l'or cette propriété de peser dix-neuf fois autant que l'eau à volume égal, ce qui n'est certainement point contenu dans la définition par les réactions chimiques. Cette distinction bien considérée, Kant découvrit qu'elle était fausse. Ici se trouve la clef de cette philosophie un peu aride et difficile à résumer. Il faut donc insister là-dessus dans un exposé sommaire.

La mathématique ne consiste pas seulement en des raisonnements logiques irréprochables. Elle enferme, si l'on y fait attention, une sorte d'expérience. On le comprend si l'on considère dans la géométrie ces constructions et combinaisons de figures, que le langage abstrait n'expliquerait pas complètement. Par exemple les notions de haut et de bas, de droite et de gauche, si naturelles qu'on n'en parle même point, y sont indispensables; mais ces notions n'ont point de sens hors d'une intuition sensible, ce qui fait penser que l'espace du géomètre pourrait bien être l'espace réel où sont les choses de l'expérience. L'arithmétique elle-même ne compterait point sans quelque figure abstraite de points ou de traits qui permettent de constater que deux et deux sont la même chose que trois et un. En somme la pensée du nombre serait en même temps une perception du nombre, et la mathématique la plus rigoureuse ne pourrait donc se passer de l'expérience sensible. Ces remarques sont plus frappantes dans le célèbre exemple de deux mains ou de deux oreilles l'une droite, et l'autre gauche; à supposer ces choses identiques, élément pour élément, de façon qu'une définition verbale ne puisse les distinguer en rien, il reste qu'elles ne sont pas superposables, ce qui est une propriété essentiellement géométrique, aussi claire que l'on voudra, mais entièrement inintelligible sans la perception sensible des positions et de l'ordre. Si l'on rapproche ces remarques des célèbres Postulats que les anciens géomètres renonçaient avec raison à prouver, mais dont nul, sincèrement, ne doute, on arrive à cette conclusion de première importance, que ce qui est *a priori* ou nécessaire dans la Mathématique est d'expérience aussi. Il n'y a donc pas à sauter des Mathématiques à l'expérience; et la géométrie et même l'arithmétique sont déjà des sciences de la nature.

Comment cela eſt-il possible? Seulement si l'on pose que l'espace réel, l'espace où nous percevons les choses, n'eſt pas lui-même une chose, mais bien une forme de l'esprit, hors de laquelle il n'y a point d'expérience possible. Dans cette supposition, l'application des mathématiques à l'expérience eſt aisément expliquée; notre esprit, par réflexion sur des objets simplifiés, peut connaître une fois pour toutes les propriétés de l'espace, qui déterminent *a priori* les conditions de toute expérience possible.

Le temps, à bien regarder, eſt une forme aussi, quoique les propriétés en soient moins familières; et une proposition comme celle-ci : « Deux temps différents sont nécessairement successifs » légifère *a priori* pour n'importe quels objets dans l'expérience. Il en eſt de même de la proposition : « Une chose quelconque de l'expérience, par rapport à une autre, eſt en même temps qu'elle, ou bien avant elle, ou bien après elle », ou bien encore : « Tous les objets de l'expérience possible sont en relation dans un temps unique. »

Mais puisqu'il y a ainsi une géométrie pure, qui eſt science des choses, et une mécanique pure, n'y a-t-il pas aussi une physique pure? Ainsi s'étend la critique, forte de ses premières découvertes, jusqu'à tracer enfin un tableau achevé des Catégories de l'esprit, formes de toute expérience. Au sujet de la causalité, par exemple Kant dira ceci : que deux choses se succèdent dans la perception, cela ne veut pas dire qu'elles se suivent dans le monde; par exemple je dis que le soleil et la lune, même quand je les perçois successivement, sont ensemble; inversement je décide que deux explosions que j'ai entendues en même temps, sont successives. L'idée de succession dans l'expérience enferme donc plus que le fait de la succession; et cette forme de la succession vraie eſt la causalité. Ce n'eſt qu'un exemple et trop abrégé.

Après cet immense effort, Kant se trouve en mesure d'expliquer la force apparente et la faiblesse de tous ces arguments métaphysiques qui veulent nous conduire hors de l'expérience possible, jusqu'à décider si le monde eſt fini ou infini, si l'âme eſt quelque chose d'immortel, si Dieu est. Ces arguments sont forts, parce qu'ils s'appuient sur des principes *a priori,* contre lesquels nulle expérience ne peut rien. Ils sont faibles parce que les principes *a priori* n'ont point d'usage hors des objets de l'expérience possible. Par exemple l'idée de cause, forme de toute expérience possible, ne peut conduire à quelque objet hors de toute expérience. Et voilà une idée sommaire de la *Critique de la Raison pure.*

La philosophie pratique de Kant est plus aisée à résumer. Car il est clair que l'esprit humain est quelque chose, et qu'il se doit à lui-même des égards; et d'un autre côté la morale commune prononce avec force que l'expérience, c'est-à-dire le succès, ne décide pas dès que l'on traite du mensonge, de la probité ou du respect des serments. Ici donc l'esprit humain peut se parer du beau nom de Raison, et légiférer selon ses idées seulement. Ce que confirme assez l'analyse de la notion populaire du devoir, d'après laquelle on n'est pas vraiment probe, si on ne l'est pas par respect de la probité seulement. Et cette religion du devoir pur passerait bien pour une espèce d'idolâtrie, si la Critique des Sciences, mettant en lumière le pouvoir législateur de l'esprit même dans les cas où l'expérience décide, n'avait expliqué du même coup pourquoi une conscience droite est si assurée d'elle-même dans les cas où justement l'expérience ne peut plus décider.

Pour le reste, la morale de Kant n'est toujours que celle de Platon, mais accordée cette fois avec la philosophie théorique la plus rigoureuse.

Bien loin que la théologie fonde la morale, c'est justement le contraire qu'il faut dire. La Critique théorique avait heureusement interdit de décider de la liberté, de l'âme et de Dieu d'après les principes de la physique, soit qu'on voulût affirmer, soit qu'on voulût nier. Au vrai ces idées théologiques sont des conquêtes du jugement moral. La liberté ou âme réelle, Dieu et enfin l'accord final ou récompense, ne ressemblent en rien à des objets d'expérience possible, mais sont voulus plutôt sous l'idée de l'Impératif moral, librement voulus, comme conditions de la moralité même. Car par exemple est-ce vouloir le Devoir que ne point oser affirmer que l'homme est libre? Quand vous aurez assez réfléchi là-dessus, vous apercevrez que les vues profondes de Descartes n'en sont point si éloignées qu'on le dit, et que Kant lui-même pouvait le croire. Et c'est toujours Platon qui refleurit.

AUGUSTE COMTE

I

Auguste Comte, polytechnicien, mort en 1857 à cinquante-neuf ans, eut une vie misérable par deux causes. D'abord il ne rencontra la femme digne de lui et l'amour vrai que tardivement en 1844 et n'en jouit guère qu'une année. Aussi des méditations trop prolongées sur l'ensemble du problème humain le jetèrent à plusieurs reprises dans un état de fatigue qui fit croire à quelque maladie mentale; de cette amère expérience, il prit, plus directement sans doute qu'aucun sage en aucun temps, l'idée des divagations anarchiques auxquelles est livré l'esprit sans objet et sans règles, réduit à ses propres rêveries; d'où cette discipline continuellement cherchée dans l'ordre extérieur, dans l'ordre social et dans les pratiques d'une religion strictement rationnelle fondée sur l'un et sur l'autre. Mais cette victoire fut chèrement achetée.

En revanche, il eut dès ses premiers travaux la gloire réelle. Bientôt soutenu, même matériellement, par d'éminents disciples de tous les pays, il se vit chef d'école et prêtre de la nouvelle religion, et, dans sa noble pauvreté, il resta libre de toute attache avec les pouvoirs et les corps académiques, conformément à sa sévère doctrine d'après laquelle le Pouvoir Spirituel doit se séparer absolument du règne de la Force, et agir toujours par libre enseignement, libre conseil et libre consentement. En tous pays civilisé le culte positiviste a encore aujourd'hui ses temples et ses fidèles, quoique, par la faiblesse des études scientifiques, de plus en plus subordonnées aux résultats matériels, et par la décadence aussi des Humanités, si bien nommées, la propagation de la doctrine ait été bien moins rapide que le Maître osait l'espérer. L'Église positiviste du Brésil a pu écrire, en 1914 : « La présente catastrophe fratricide résulte du retard de la propagande positiviste, spécialement à Paris. » D'où est venue à l'auteur de ces pages l'idée impérative de ramener dans ces chemins les méditations des esprits patients, sérieux et neufs, non point par un résumé ou raccourci de cette immense doctrine, mais plutôt par l'exposition directe de quelques-unes des idées qui l'ont lui-même aidé à comprendre par leurs causes ses propres fautes, celles d'autrui, et finalement les épreuves de ces temps difficiles.

II

LE SYSTÈME DES SCIENCES

L'esprit sans objet divague. Aussi faut-il méditer non point tant sur les méthodes que sur les sciences mêmes; car l'esprit efficace c'est l'esprit agissant dans la science même; la science est l'outil et l'armure de l'esprit; et l'esprit trouvera sa destinée et son salut, s'il peut les trouver, non pas en revenant sur lui-même, poursuite d'une ombre, mais toujours en se dirigeant sur l'objet et s'y appuyant. Rien ne caractérise mieux l'Esprit Positif que cette culture par la science réelle et encyclopédique; au lieu que les corps académiques vivant chacun de leur spécialité, tombent inévitablement dans les recherches subtiles et oiseuses et dans les divagations sceptiques, comme il apparaît pour les mathématiciens, les médecins, les historiens.

Il est pourtant clair que la mathématique n'est qu'un moyen pour l'astronomie et la physique; il est moins évident, mais non moins certain, que la physique et la chimie à l'égard de l'étude des êtres vivants ne sont ainsi que préparations abstraites. De même, si l'on a saisi, par l'étude réelle, cette dépendance et suite des sciences, dont chacune éclaire celle qui la suit, plus concrète et plus difficile qu'elle-même, il apparaît que la Biologie ou science des vivants est préparation encore par rapport à l'étude des sociétés, puisque la vie des sociétés dépend des conditions qui rendent possible la vie des individus; par exemple le problème de l'alimentation domine toute Politique et toute Morale. Ainsi cette science de l'Homme et des sociétés humaines, cultivée jusqu'ici par de purs littérateurs qui ne savent rien d'autre, est en réalité la plus complexe et la dernière, puisqu'elle suppose la science biologique, et par là toutes les autres. Par ces réflexions, inséparables de l'étude directe et approfondie de toutes les sciences d'après leur ordre de dépendance et de complexité croissante, apparaît le système encyclopédique des six sciences fondamentales :

Mathématique.
Astronomie.
Physique.
Chimie.
Biologie.
Sociologie.

De cette dernière, que Comte a le premier mise en place et nommée, dépend évidemment la solution du problème humain. Il est aussi vain et ridicule de rechercher une Morale avant d'avoir étudié la situation humaine réelle, que d'aborder la Sociologie sans une préparation biologique suffisante, ou la biologie sans la préparation physico-chimique qui dépend elle-même évidemment des études astronomiques et mathématiques, puisque le problème de la pesanteur, qui domine toute la physique, est par lui-même astronomique, et reste inabordable tant que l'on n'a pas une connaissance suffisante des formes mathématiques.

De ce que chaque science dépend des précédentes, il ne faut pas conclure que la première est la plus éminente de toutes, comme les orgueilleux spécialistes se le persuadent. La première des sciences, entendez celle par laquelle il faut commencer, est aussi la plus abstraite de toutes et la plus vide et pauvre si on la prend comme fin; la science qui suit est toujours plus riche, plus féconde, plus rapprochée du problème humain; aussi est-elle caractérisée toujours par des lois qui lui sont propres, et que les sciences précédentes n'auraient jamais pu deviner. Mais l'empire de la science précédente peut seule donner forme aux lois de celle qui suit; par exemple l'équation donne forme à la physique, la balance régit la chimie, l'énergétique domine la biologie, et la biologie conditionne la vraie sociologie : de quoi le spécialiste prend trop souvent prétexte pour tyranniser.

Nous appellerons Matérialisme, cette tendance, que corrige la véritable culture encyclopédique, à réduire chaque science à la précédente, qui n'est que l'idolâtrie de la forme abstraite. Et ce mot Matérialisme ne caractérise pas moins bien la disposition à réduire la mécanique à la mathématique abstraite, que la tendance à subordonner la sociologie à la biologie jusqu'à réduire toutes les lois sociales à des conditions de reproduction, d'alimentation et de climat; aberration mieux connue sous le nom de Matérialisme Historique. Et l'on reconnaîtra la même erreur dans le préjugé qui veut réduire la biologie aux lois abstraites de la chimie et de la physique. Cette idée, qui éclaire d'un jour nouveau tant de problèmes, est propre à faire apprécier la valeur d'un système des sciences fondé sur leur ordre réel de dépendance.

III

LA LOI SOCIOLOGIQUE DES TROIS ÉTATS

L'idée que les sciences les plus avancées, qui sont naturellement les plus abstraites et les plus faciles, ne sont qu'un acheminement aux autres, et qu'ainsi la dernière et la plus complexe est aussi la plus éminente, est mise enfin dans son vrai jour par cette remarque décisive que toutes les sciences sont des faits sociologiques. Ni le langage commun, ni le langage propre à chacune, ni le trésor des archives, ni l'enseignement, ni les instruments d'observation et de mesure ne peuvent être séparés de l'organisation et de la continuité sociales, ni des progrès de l'industrie, ni de la division du travail. L'individu, fût-il Descartes, Leibnitz ou Newton, ne fait que continuer un lent progrès des connaissances, où des milliers de prédécesseurs, connus ou inconnus, ont une part. C'est la Société qui pense; et disons mieux, puisque le progrès des connaissances a survécu à tant de sociétés, c'est l'Humanité qui pense. Ainsi la loi du développement successif des sciences selon leur complexité croissante est une loi sociologique. La science nouvelle éclaire donc les autres, et se trouve ainsi destinée à fixer la juste place et importance de chacune, contrairement à cette idée anarchique que chaque science est absolument bonne et tient lieu d'universelle sagesse pour qui la sait.

Considérons donc en quoi les notions scientifiques

participent à ces idées communes résultant de la vie sociale, et auxquelles nul penseur n'échappe tout à fait. Il est clair que les premières sciences ont rompu depuis déjà longtemps avec les préjugés et les superstitions; toutefois, au temps de Pythagore et de Platon, les mathématiciens n'avaient pas entièrement rejeté la tradition des nombres sacrés; et nous voyons qu'au temps d'Aristote les propriétés des astres et la constance de leurs retours étaient encore expliquées par la nature incorruptible et divine qu'on leur supposait. Bien plus tard, dans les recherches physiques, la simplicité des lois fut considérée comme la marque du vrai, d'après l'idée d'un créateur infiniment sage. Plus récemment, la biologie usait d'idées directrices du même genre, soit qu'elle invoquât la sagesse de l'architecte, soit qu'elle rapportât à l'âme ou au principe vital comme cause les phénomènes caractéristiques de la vie. Pour la Sociologie ou Politique, il est visible qu'elle n'est pas encore délivrée, sinon de l'idée d'une Providence organisatrice qui justifie les pouvoirs, du moins de l'empire des idées abstraites comme Liberté, Égalité, Justice, toujours en conflit avec les conditions réelles, plutôt subies que connues. Toute science doit donc passer par une longue enfance. Et le progrès en chacune, si on le considère équitablement, vient de ce que l'expérience rectifie peu à peu des sentiments forts ou des idées abstraites absolument posées. Par exemple l'idée de la constance des lois naturelles était aux yeux des Cartésiens une conséquence de la sagesse et de la constance divines.

Toutes ces idées, d'un gouvernement absolu, ou d'un dieu au génie caché, résultent aux yeux du sociologue, de ce que la première expérience de tout homme, et la plus frappante, est naturellement celle de l'ordre humain. Nos premières inspirations, concernant l'ordre des choses, ne font jamais que le supposer analogue à l'ordre humain, toujours plus ou moins flexible à la flatterie, à la prière, aux sacrifices. Ainsi la première science fut religion. Et le fétichisme, qui adore tout objet utile ou nuisible comme un dieu, d'après les relations sociales les plus simples, est la forme la plus naïve de la prévision et de l'action réglée, fondée sur l'observation et le souvenir. Toutefois d'un côté, le sévère ordre extérieur ne pouvait manquer de redresser les folles espérances nées du désir et de la prière; et de l'autre, l'ordre social, subissant aussi la nécessité extérieure, d'ordre économique ou militaire, offrait à la théologie de meilleurs modèles. De là un polythéisme organisé, remplacé à son tour, chez les populations les plus avancées, par un monothéisme de plus en plus abstrait. Le premier état de nos conceptions de tout ordre s'appellera donc l'état théologique. Le fétichisme, le polythéisme, le monothéisme en seront les principales subdivisions.

Ce progrès qui conduisait du concret à l'abstrait, du désordre à l'ordre, de l'incohérent au cohérent, tendait, au fond, à régler nos conceptions sur l'ordre extérieur même; mais il prenait la forme de la négation et de la critique. La discussion, plutôt que l'expérience, en fut le moyen. L'édifice des idées devenait de plus en plus pauvre et cohérent, trop loin de l'ordre extérieur pour être contrarié ou fortifié par lui, soutenu par la passion dogmatique seule, et surtout négligeant, oubliant la nature sociale, dont la naïve théologie offrait du moins une fidèle image. Il faut appeler esprit métaphysique, cet esprit systématique, abstrait, négateur, naturellement anarchique et individualiste. Cet effort n'a jamais cessé de s'exercer soit contre le polythéisme, en faveur du monothéisme, soit contre le monothéisme catholique en faveur d'une religion plus abstraite et moins riche, pour aboutir à l'idée inefficace de l'Être Suprême et à la conception stérile d'une fatalité insurmontable.

Nous appellerons état métaphysique, la transition entre le monothéisme et l'état positif ou état final parce que c'est contre la théologie systématique que cet esprit raisonneur et critique s'est surtout exercé explicitement. Mais cet esprit diabolique agit en tous temps, toujours excellent pour détruire, toujours impuissant à fonder. C'est pourquoi l'état métaphysique dans sa pureté est presque insaisissable; mais la réforme protestante donne la plus juste idée de cet effort négateur et en même temps dogmatique, de même que les conceptions abstraites qui dominent la politique révolutionnaire française permettent d'en apprécier les résultats.

Parallèlement à ce grand effort dans le vide, les sciences délivrées apportaient l'une après l'autre les modèles de l'état positif ou final, et conduisaient à soumettre successivement à cette sévère discipline la biologie et la sociologie même.

IV

L'ESPRIT POSITIF

La science positive se développe naturellement sous la pression de l'ordre extérieur, offrant depuis longtemps, sous le nom de mathématique, le modèle de la connaissance parfaite, sous l'empire de laquelle l'astronomie renonce bientôt aux derniers souvenirs de l'astrolâtrie et de l'astrologie, assez longtemps mêlées aux recherches positives. La Biologie et même la Sociologie ont franchi ou franchissent aujourd'hui ce passage. L'accord de tous les esprits éclairés, aussi bien que l'utilité éprouvée par l'expérience, ne permettent plus de méconnaître que l'étude des lois doit remplacer en toute science la recherche des causes ; une cause, dans l'ordre humain, c'est une volonté, c'est un individu visible ou caché, semblable à l'homme ; et il est utile de considérer comment la critique métaphysique a substitué peu à peu, aux naïves hypothèses du fétichisme, les conceptions plus abstraites du polythéisme et du monothéisme, pour aboutir à des notions vides et purement verbales, comme sont encore la Pesanteur, l'Attraction, l'Affinité, la Vie, la Nature, dans les discours des écoliers et même dans ceux des maîtres. « La Nature ? disait de Maistre, quelle est cette femme ? » L'esprit métaphysique arrive donc à expliquer les choses par les mots. Cependant les sciences formulent des lois sans se soucier des causes, et tirent de leurs formules des déductions ou prédictions que l'expérience vérifie. La science positive est donc un fait humain assez clair. Mais l'esprit positif ne peut s'affirmer assez que par le jugement sociologique, seul capable de conserver ce qui est humain et positif dans les souvenirs de notre longue enfance. Car la science, aussi avancée et délivrée qu'on voudra, ne donne communément au savant qu'une orgueilleuse assurance, principalement négative, à l'égard du passé, et, chose remarquable, un scepticisme divagant à l'égard du problème humain. Là devait inévitablement conduire l'abus de la discussion critique ou métaphysique, d'après laquelle on peut voir que la méthode théologique survit à son objet. En regard de cet effort négatif, qui s'exerce maintenant dans le vide, l'esprit positif, si bien nommé, redresse et conserve les erreurs du passé, qui ne sont jamais que des vérités pressenties. Par exemple la critique protestante, obéissant à un inévitable scrupule systématique, purifie le christianisme du culte de la Vierge Mère; mais l'esprit positif reconnaît dans ce symbole l'expression de la vérité la plus profonde dans l'ordre social. Pareillement l'idée d'un Pouvoir Spirituel entièrement séparé de la puissance matérielle, idée si violemment repoussée par l'esprit révolutionnaire, sera reprise et conquise par l'esprit positif, comme on l'expliquera plus loin.

On peut juger d'après cela que le fétichisme et même la théologie sont moins directement opposés à l'établissement de l'ordre final que ne l'est l'aberration métaphysique, commune aux philosophes du XVIIIe siècle, qu'ils soient empiristes ou dogmatiques, d'après laquelle les religions ne sont qu'un amas de superstitions arbitraires et ridicules, et qui en revanche fait naître on ne sait d'où la raison abstraite tout armée. Cet effort, d'ailleurs inévitable, et utile en son temps contre la survivance théocratique, doit être considéré comme une longue insurrection de l'esprit contre le cœur. Son erreur principale est l'individualisme, déjà élaboré par la doctrine monothéiste du salut personnel. L'importante idée positiviste qui doit rectifier cette vicieuse conception, consiste à reconnaître dans les inspirations du sentiment religieux la première esquisse de nos idées théoriques, relation qui se retrouve dans toutes nos conceptions naturelles, dès qu'elles sont inventées et non plus apprises, le sentiment étant toujours le premier moteur, pour la connaissance comme pour l'action. Ainsi la continuité est rétablie dans le développement humain, aussi bien individuel que collectif. Et l'esprit positif, conservateur en cela, conformément à la vraie notion du progrès, se promet de ne tromper aucune des espérances de l'enfance humaine.

V

PSYCHOLOGIE SOCIOLOGIQUE

Si l'on entend par le terme psychologie, l'étude de la nature humaine, considérée dans ses appétits, ses affections et ses pensées, on peut décider que l'observation de la nature de l'homme, tant de fois présentée par d'ambitieux littérateurs, n'alla pourtant jamais au delà de ce que l'expérience domestique et le langage populaire rendent sensible à tous, et surtout aux femmes, qui dépendent principalement de l'ordre humain et des opinions et affections qui le modifient. Mais les rapports réels de l'action, du sentiment et de l'intelligence ne sont scientifiquement observables que si l'on considère l'ensemble du progrès humain et l'ordre constant des opinions, des mœurs et des institutions que l'on y remarque d'après la grande loi sociologique; alors seulement l'observation de la nature humaine est délivrée des innombrables fantaisies individuelles, qui permettent toutes les hypothèses. Mais l'erreur la plus naturelle, puisque tout psychologue à prétentions scientifiques était plutôt spectateur qu'acteur, est d'avoir considéré que l'intelligence est le moteur humain, qui règle d'après ses lois propres à la fois les affections et les actions. D'où cette erreur dérivée, et de grande conséquence, qui apparaît en même temps que l'effort critique ou métaphysique, et qui consiste à méconnaître l'existence naturelle des penchants altruistes, erreur commune aux prêtres monothéistes, aux métaphysiciens laïques, aux empiristes et aux sceptiques. D'où une idéologie misanthropique que la sociologie seule pouvait directement redresser, l'existence individuelle apparaissant alors comme une abstraction vicieuse, puisque la vie sociale n'est pas moins naturelle à l'homme que le manger et le dormir.

Mais l'observation de l'enfance humaine dans l'histoire sociologique permet d'apercevoir la source de tous ces sophismes métaphysiques. D'abord l'observation des religions, soit primitives, soit élaborées, fait apparaître selon leur juste importance, une suite de pensées que l'expérience de l'ordre extérieur ne vérifie jamais, analogues à celles que l'on observe encore dans le délire, dans la folie, dans le rêve, et qui font voir que l'esprit divague naturellement, par rapport au vrai, sous l'impulsion du sentiment, surtout fortifié par les nécessités sociales. Si l'on ne sait point reconnaître l'intelligence dans les inventions poétiques invérifiables des fétichistes, des polythéistes, et surtout des théologiens monothéistes, il faut renoncer à comprendre la continuité humaine. Mais cette histoire de notre longue enfance, si on la prend comme elle est, éclaire comme il faut le régime actuel, même chez les esprits les plus cultivés. Car il faut avouer qu'en dehors de la connaissance de l'ordre extérieur selon la méthode positive, à laquelle l'esprit se plie sans difficulté dès qu'il sait, ces opinions de tous n'ont nullement pour soutiens réels les arguments d'avocat qui se montrent dans les discussions, mais toujours un sentiment, ou bien la pression des nécessités sociales; et c'est pourquoi l'état de guerre change toutes les opinions, par l'effet des sentiments violents ou des impérieuses nécessités. Il faut donc reconnaître que l'intelligence n'est qu'une servante; que la première impulsion lui vient toujours de l'action et des besoins, comme l'inspiration lui vient toujours du sentiment; d'où il suit qu'une intelligence un peu délivrée de ces liens est condamnée à une divagation sans règles; et qu'enfin l'intelligence n'est assurée et capable de redresser l'action et le sentiment qu'autant qu'elle se modèle, par la science réelle, sur l'inflexible et immuable ordre extérieur. « Agir par affection, et penser pour agir. » Cette devise positiviste est pour redresser l'orgueilleuse insubordination de l'intelligence, qui caractérise l'esprit métaphysique. Ces réflexions conduisent d'abord le penseur prudent à se mettre à l'école d'après la longue expérience humaine, en commençant par les sciences les plus abstraites, qui éliminent le mieux, dans leur domaine propre, les opinions aventureuses, et à passer de celles-là aux autres, selon l'ordre encyclopédique, au lieu d'improviser, sans préparation suffisante, de folles opinions sur les sujets les plus difficiles. Mais ce n'est là que le premier article de la sagesse; le penseur prudent subordonne toujours les recherches scientifiques aux besoins, c'est-à-dire aux nécessités de l'action, et se garde d'une vaine curiosité, qui l'entraînerait, en n'importe quel genre de recherche, dans des subtilités indéfinies. Cette condition est de celles que l'orgueilleux esprit métaphysique, d'accord avec les intrigues académiques qui favorisent les spécialités, rejette le plus énergiquement. Enfin, comme c'est toujours le sentiment qui meut et porte la pensée, c'est encore un article de la vraie sagesse que de ne pas négliger la culture proprement dite, esthétique et surtout poétique, comme source de l'inspiration théorique. Et cette relation est tant de fois vérifiée par l'expérience qu'elle serait plus aisément admise, quoiqu'on ne se préoccupe pas de la comprendre. Ces remarques sont pour montrer comment l'histoire réelle de l'Humanité conduit l'homme à se mieux connaître.

VI

PHILOSOPHIE DE L'HISTOIRE

Un résumé ne donnerait qu'une pauvre idée du vaste tableau historique que Comte a tracé deux fois, toujours sous l'idée de retrouver la continuité humaine. Il suffit de faire voir ici que les idées positivistes concernant la condition humaine réelle fournissent d'avance à la description historique des formes ou des cadres qui permettent de lier les institutions, les idées et les événements sans aucune de ces suppositions machiavéliques dont les historiens, trop peu familiers avec l'ordre extérieur et avec les nécessités réelles, ont abusé longtemps, comme si l'hypocrisie, la ruse et le mensonge étaient les vrais ressorts de la politique.

Toute civilisation est d'abord prise dans le réseau des nécessités biologiques, qui la soumettent aux conditions géographiques, physico-chimiques, astronomiques et mathématiques, ces conditions étant plus rigoureuses et moins modifiables à mesure qu'elles sont plus simples et plus abstraites. Partout l'inférieur porte le supérieu et par suite le règle, comme on peut voir en notre temps que le froid et la faim règlent inexorablement les combinaisons des politiques. De même c'est ainsi qu'en chacun de nous, les sentiments et l'intelligence dépendent d'abord de la santé. Par là se trouve limitée la fantaisie des actions et surtout celle des pensées, toujours stériles et même nuisibles dès qu'elles sentent moins la contrainte des nécessités inférieures.

Il faut définir l'Ordre par les mœurs et les institutions et les méthodes d'action qui répondent en chaque situation aux nécessités inflexibles; et le Progrès par les inventions théoriques résultant de la connaissance directe de ces nécessités, en commençant par les plus humbles. L'idée qui domine toute interprétation de l'histoire est donc que la résistance aux innovations, ramenant toujours l'intelligence au niveau des problèmes réels, est aussi ce qui assure le progrès. Rien n'est plus propre à le faire entendre que le contraste entre la civilisation grecque et la romaine. Dans l'une, le goût des spéculations abstraites, non assez tempéré par les nécessités militaires, produit bientôt la décomposition des mœurs sous le règne des discoureurs, en sorte que les services éminents ainsi rendus au progrès humain n'empêchent point une décadence irrémédiable; dans l'autre, la spéculation est subordonnée à l'action, et l'ordre militaire, maintenu par nécessité, résiste fortement aux improvisations, d'où cette forte organisation politique et juridique, encore vivante dans tout l'ordre occidental.

De la même manière, au Moyen Age, durant cette longue transition monothéique presque toujours mal appréciée, le contraste est remarquable entre une méthode de penser entièrement soustraite à toute vérification, et un sentiment profond des nécessités sociales, qui se traduit par une résistance continuelle à toute improvisation et innovation, sagesse pratique qui assura ce difficile passage contre les divagations métaphysiques. La nature des idées alors considérées comme absolues, d'après une juste systématisation du polythéisme, exigeait un pouvoir spirituel énergiquement conservateur, toujours inspiré, à son insu, par les nécessités de l'ordre social, et enfin de l'ordre extérieur, seuls régulateurs de toute pensée. De quoi il est aisé de juger équitablement si l'on considère les divagations utopiques qui caractérisent l'anarchie moderne et l'avènement de la libre-pensée, toujours métaphysique quelle que soit sa doctrine. On comprend assez, d'après ce bref exposé, que la raison ne peut se définir sans son contenu réel, qui la soumet aux nécessités de nature, et qu'enfin les penseurs, s'ils ne sont tenus par l'objet de toutes les manières, n'ont point de bon sens.

Il faut, si sommaire que soit cet exposé, essayer d'expliquer la célèbre devise : « Ordre et Progrès » éclairée par l'aphorisme moins connu : « Le Progrès n'est que le développement de l'Ordre. » L'écueil des résumés, je n'excepte pas ceux que Comte lui-même a donnés de sa doctrine, est que nous passons d'une idée à l'autre, nous qui lisons, par le chemin le plus vulgaire, et retombons ainsi dans les lieux communs. Chacun a eu occasion de penser qu'il aime le Progrès, mais qu'il est attaché à l'Ordre aussi, ce qui est sans issue. L'idée de Comte, d'apparence si simple, est une des plus profondes et des plus difficiles à saisir. Il l'a prise certainement de ses études astronomiques, en considérant dans le système planétaire les variations compatibles avec les lois stables. La complexité du système est liée à l'amplitude de ces variations, d'où cette idée importante que l'ordre le plus complexe est aussi le plus modifiable, Ainsi par la contemplation positive d'un ordre qui nous est inaccessible, les notions de loi immuable et de variations se trouvent conciliées sans la moindre obscurité théorique; et c'est par là que le fantôme métaphysique de la fatalité se trouve exorcisé; on y reconnaît alors aisément une conséquence des systématisations théologiques. Et le vrai penseur transporte en toute étude et jusqu'en sociologie cette notion capitale que les lois immuables permettent des modifications d'autant plus amples que l'ordre dont il s'agit est plus complexe. Et la notion positive de la puissance humaine, c'est-à-dire de la liberté réelle, se trouve là, mais non point accessible sans une profonde culture encyclopédique. Si nous traduisons cette même idée en d'autres termes, elle signifie que le progrès ne peut pas plus altérer l'Ordre que les variations d'un système ne violent les lois mécaniques. Et cette idée fut encore éclairée aux yeux du Maître par les vues de Broussais sur la santé et la maladie, qui appartiennent au même ordre et vérifient les mêmes lois. C'est cette idée enfin qu'il transporte dans le domaine de la science sociale, où assurément elle n'est pas aisée à saisir, tant que les lois de l'ordre, qui sont l'objet de la statique sociale, ne sont pas assez connues. Toute sa philosophie de l'histoire illustre cette relation entre l'Ordre et le Progrès. Mais on n'est pas préparé à la saisir tant que l'on n'a pas compris la relation mécanique qui subordonne la dynamique à la statique. Aussi cette méditation sociologique, quoique appuyée sur des exemples assez clairs, risque fort d'être vaine, faute d'une préparation suffisante. J'en parle par expérience.

VII

MORALE SOCIOLOGIQUE

Depuis que, par les progrès connexes de la science et de l'industrie, l'esprit moderne s'est affranchi de toute théologie, l'homme occidental n'est plus disciplinable que d'après une loi démontrable. Mais aussi les études sociologiques, maintenant assez préparées, font rentrer dans le domaine des sciences naturelles les préceptes de conduite sociale que la sagesse pratique a toujours enseignés, quoiqu'elle les fondât, comme on l'a vu, sur des doctrines tout à fait invérifiables. L'idée de fonder la fidélité conjugale et le mariage indissoluble sur l'obéissance à un dieu abstrait et inconcevable caractérise bien l'insuffisance et même le danger de ces arbitraires constructions théoriques, qui détournaient les esprits des vraies preuves, situées pourtant bien plus près d'eux. Aussi ne faut-il pas s'étonner qu'avec le triomphe moderne de l'anarchie métaphysique, les plus simples règles de l'ordre social aient été entraînées dans la ruine des faibles doctrines auxquelles l'esprit théologique les avait imprudemment rattachées. Toutefois l'aberration monothéique n'alla jamais jusqu'à prescrire d'après le dogme l'amour maternel, directement glorifié dans le symbole de la Vierge Mère. C'est une raison d'apercevoir, dans cette relation originelle, le premier type de l'existence sociale et le plus puissant des instincts altruistes. Il est d'autant plus nécessaire d'expliquer l'étrange erreur de l'esprit métaphysique, qui, sous ses deux formes, le déisme et l'empirisme, aboutit toujours à l'individualisme, par la négation plus ou moins décidée des sentiments altruistes naturels.

L'individualisme est lié au monothéisme dans lequel

il faut reconnaître déjà l'effort métaphysique, par la doctrine du salut personnel qui tend toujours, malgré la nature, à dissoudre les liens sociaux et à isoler l'homme en face de Dieu. Cette abstraction préparait l'idéologie rationaliste, d'après laquelle les sociétés sont des institutions de prudence ou de nécessité, auxquelles l'individu consent; la doctrine des droits de l'homme ne fait que traduire dans la politique pratique ces étranges constructions théoriques, l'existence sociale étant fondée sur une sorte de contrat, toujours soumis au calcul des profits et des charges, sous l'idée d'égalité radicale. Contre quoi l'esprit positif, considérant l'existence sociale comme un fait naturel au même titre que la structure de l'homme, et s'inspirant de cette vue biologique d'après laquelle l'élément de l'être vivant est un vivant, comme l'élément d'une ligne est ligne et l'élément d'une surface, surface, vient à formuler ce principe de toute étude sociologique : « La société est composée de familles, non d'individus. » On peut remarquer ici que ce principe résulte directement de la subordination des lois sociologiques aux lois biologiques d'après l'ordre encyclopédique; car la gestation et les premières années de la vie assujettissent l'enfant à une société étroite avec la mère d'abord, avec le couple ensuite, ce qui fait voir que le plus simple élément d'une société est société déjà. Par ces vues, il devenait ridicule de mettre en doute l'existence des sentiments sociaux ou altruistes, aussi bien fondés d'après l'ordre biologique que sont les sentiments égoïstes, comme sont l'amour maternel et filial, l'amour conjugal, l'amour paternel, l'amitié fraternelle.

En réformant ainsi les conceptions pessimistes du théologisme, il faut seulement remarquer que, dans l'ordre des sentiments aussi, l'inférieur porte le supérieur, autrement dit, que le plus éminent est toujours naturellement le moins énergique. D'où il suit que les sentiments altruistes, toujours naturels, et source de plaisirs pour tous quand ils sont satisfaits, sont aussi naturellement faibles, et exigent pour se développer assez une éducation et des conditions favorables. La série des sentiments familiaux, ci-dessus énumérés, en allant des plus énergiques aux plus étendus, fait assez apercevoir que la vie familiale, réglée d'après les notions positives, est la vraie préparation à la vie sociale. Si simples que soient ces aperçus, il est permis d'espérer beaucoup de la seule réforme intellectuelle, qu'ils doivent opérer chez tout homme vraiment instruit, puisque l'on voit que l'aberration opposée, soit théologique, soit métaphysique, se traduit aussitôt, dans les classes cultivées, par la dissolution de la famille et l'affaiblissement même du sentiment maternel. Il faut comprendre, en étudiant l'histoire humaine, la puissance croissante des conceptions intellectuelles, qui ne sont pourtant qu'un moyen, mais qui viennent toujours, par l'autorité que leur donne la moindre connaissance de l'ordre extérieur, à régler l'action et même le sentiment. Si l'on saisit en même temps la nécessité d'un long apprentissage, sous la pression extérieure, depuis les premières conceptions fétichistes, surtout insuffisantes contre un climat difficile, et le passage nécessaire aussi par l'abstraction métaphysique, on s'expliquera toutes les aberrations, sans désespérer pour cela de la nature humaine; on la redressera seulement par une laborieuse préparation encyclopédique, dont rien ne peut dispenser.

VIII

LA FAMILLE

La conception métaphysique de la famille, sous l'idée de contrat, de droit et au fond d'égalité, altère la nature de cette société élémentaire, faute de considérer les conditions biologiques qui en sont les assises. Si l'on ne perd pas de vue que l'inférieur porte le supérieur, on aperçoit dans la famille toute la dépendance humaine, et toute l'espérance humaine aussi. La loi qui résume notre dépendance est celle-ci : les sentiments altruistes sont naturellement beaucoup moins énergiques que les sentiments égoïstes. La loi qui résume nos espérances est celle-ci, les sentiments altruistes, dès qu'ils sont éprouvés dans les cas favorables où l'égoïsme n'y est point contraire, se développent par eux-mêmes et deviennent la source de nos plaisirs habituels.

Lorsque l'on considère les sentiments familiaux élémentaires, on remarque que l'égoïsme et l'altruisme y sont tellement unis que dans leur développement il semble que l'énergie caractéristique des uns passe dans les autres comme un sang vigoureux qui leur fait pousser de puissants rejetons. On pourrait dire que l'altruisme, comme greffé sur l'égoïsme, reçoit une vie plus riche de ces fortes racines. Ce mélange certainement les abaisse en dignité, mais les fait participer de la force, et nous donne la première expérience du bonheur d'aimer, qui autrement, par la dépendance de notre nature à l'égard de l'ordre inférieur, reste imaginaire ou d'opinions, et par suite insuffisante dès que les circonstances deviennent difficiles. Hors les cas exceptionnels, on ne commence point par aimer réellement l'humanité. Dans cette initiation au bonheur d'aimer, l'amour maternel occupe la première place, comme aussi le sexe féminin mérite le nom de sexe affectif, c'est-à-dire grand par le cœur, par l'expérience de cette société incomparable entre la mère et l'enfant, où il est clair que l'instinct personnel n'est pas d'abord distinct de l'amour de l'autre. Biologiquement l'enfant est partie de la mère avant de vivre d'une existence indépendante. Faute d'avoir assez considéré ces fortes relations d'après l'ordre encyclopédique, les théories métaphysiques et même théologiques décrivent et admirent au lieu de fonder.

L'amour conjugal offre des caractères analogues, et l'égoïsme et l'altruisme s'y trouvent pareillement joints par les répercussions d'une fonction biologique impérieuse, puisque le bonheur de l'individu dépend aussitôt du bonheur de celui ou de celle qu'il aime. Et il faut noter ici un exemple frappant de cette éducation des sentiments altruistes. L'amour du père pour les enfants est naturellement assez faible, et ne prend force d'abord que par sa liaison avec l'amour conjugal, qui participe alors à l'amour maternel par le jeu des inquiétudes, des joies et des peines. L'amour paternel aussi précède alors les raisons d'aimer, et les fait naître, car c'est sous le regard de l'amour que l'enfant s'éveille et fleurit. « En reprochant à l'amour, dit le Maître, d'être souvent aveugle, on oublie que la haine l'est bien davantage, et d'une manière bien plus funeste. » Il n'y a guère, en langue française, de remarque plus lumineuse, contre tant de lieux communs plats. Comment l'enfant ne peut alors aimer l'éveil de sa propre vie et de ses meilleurs penchants, sans aimer en même temps le double amour qui l'aide à sortir de la pure animalité, c'est ce que chacun peut comprendre sans peine. L'amour réciproque des frères et sœurs, où se mêle toujours, par les heureuses conditions biologiques, quelque imitation de maternité et de paternité, parce qu'il ne se forme pas sans peine, et qu'il dépend des conditions familiales, est aussi le vrai modèle de tous les sentiments altruistes, comme le mot fraternité le fait assez voir. Pour achever ce qui ne peut être ici qu'une esquisse, il faut signaler la réaction que les mœurs sociales et les institutions exercent à leur tour sur ces sentiments naturels. La monogamie, et le caractère indissoluble du mariage, sont pour concentrer encore ces riches affections puisque l'amour fermement voulu d'après un inviolable serment fait naître ses raisons, par cette éducation aimante hors de laquelle il n'est que timidité, défiance de soi et dissimulation; au lieu que l'idée métaphysique du divorce, fondée sur un droit abstrait, dispose à la sévérité malveillante, qui fait naître ce qu'il soupçonne, et nous habitue enfin, à trop compter sur les conditions inférieures, au lieu de conquérir au temps favorable tout le bonheur que promet le plein développement de l'existence familiale si l'on s'y confie noblement. Il faut noter aussi, quoique au second plan, que les relations de parenté, d'amitié, de fonction, qui continuent la publicité du mariage, sont aussi de nature à modérer les improvisations de l'humeur, et les subtilités du sentiment, inséparables d'une vie trop isolée. Ces vues sommaires peuvent donner quelque idée de l'incomparable chapitre où notre auteur conduit à sa perfection l'analyse esquissée déjà par Aristote, où les différences et les harmonies de nature sont si fortement entrelacées. Mais le problème du gouvernement et de l'obéissance dépend d'une idée supérieure, et exige un chapitre spécial.

IX

LES DEUX POUVOIRS

Le Moyen Age avait entrevu cette grande idée qu'en face d'un pouvoir militaire fortement organisé, le pouvoir théorique tire toute sa force de faiblesse et pauvreté. Au fond le pouvoir spirituel n'existe que par le libre consentement; mais l'Église ne s'en tint jamais là; elle ne le pouvait point parce que ses dogmes ne pouvaient s'accommoder de l'examen et du libre assentiment. Mais la doctrine positive, fondée en toutes ses parties sur l'examen direct de faits et de notions assez élaborés, en quoi la mathématique fut son premier modèle, doit reprendre cette forte conception d'une Église séparée et libre. Non point libre pour l'action; car l'expérience fait assez voir que toute coopération, industrielle ou militaire, suppose d'abord l'obéissance; mais libre d'approuver ou de blâmer. Puissance immense, qui n'a nullement besoin des sanctions de force, bien plus, que toute sanction de force anéantit. Car l'esprit ne sait plus affirmer dès que celui qui enseigne tient le fouet; et les opinions, n'étant plus alors que flatteries, suivent le sort des combats. Si vous ne pouvez vous passer de la force, soyez donc forts, et laissez vos ridicules arguments. Mais si vous voulez convaincre, jetez l'épée. Ce profond jugement, qui fit déjà la force de la rénovation catholique, doit, à bien plus forte raison, déterminer irrévocablement la conduite du penseur moderne, assuré de ses preuves. Bref il faut renoncer une fois pour toutes à toute espèce de tyrannie. Cette profonde idée change l'aspect des problèmes.

On doit à Hobbes la première esquisse de la force, et de ce qu'on a dû appeler le droit de la Force. Le fort gouverne; tant que cette proposition ne prend pas forme d'axiome, cela prouve qu'il reste de la confusion dans l'esprit. S'il s'agit d'action militaire, c'est le vainqueur qui commande; s'il s'agit d'action industrielle, c'est cet autre vainqueur, le riche. L'expérience a fait voir que les constitutions ambitieuses n'y changent rien. Nous appellerons dictature temporelle ce régime de la force inévitable, et qui n'est mauvais qu'autant qu'on croit l'éviter par des dispositions de belle apparence.

La plus grave erreur là-dessus est née de cette aberration métaphysique qui, par réaction contre la grande idée catholique, veut réunir les deux pouvoirs en une seule tête, et donner force à la raison. Cette imprudente tentative ne peut jamais aboutir, par le jeu des nécessités, qu'à donner raison à la force, autre aspect de ces nécessités inférieures, sous l'empire desquelles il faut prendre le parti de vivre. Ce qui commande, ce n'est jamais le plus éminent. Ainsi, dans la famille, le gouvernement appartient au sexe actif, mais non pas du tout parce qu'il est le plus raisonnable, le plus sage, le plus aimant, le plus vénérable, mais seulement parce qu'il est le sexe actif, autrement dit, fort. Cette idée une fois nettement aperçue, la femme surmontera aisément, selon l'expression d'Aristote, la difficulté d'obéir. Et par cette pratique seulement, sans aucune hypocrisie, elle éprouvera la puissance du conseil qui ne veut que persuader. L'État doit être gouverné aussi d'après ce modèle. Il faut que le pouvoir temporel renonce à instruire; et les corporations académiques ou enseignantes doivent être séparées de tout appui officiel, si l'on veut que l'opinion s'organise selon les conditions qui lui sont propres. Libre, obéissante et en même temps inflexible dans son domaine, elle mesurera mieux la puissance de l'éloge et du blâme. Au contraire, dans l'actuelle confusion des pouvoirs, toute opinion cherchant aussitôt à faire sentir sa force, les moyens de force sont aussitôt employés pour la changer. Mais l'obéissance enlève ce prétexte au tyran. Et il reste vrai que le tyran veut être approuvé; tant qu'il n'est qu'obéi, il vit dans un large espace désertique; car il est homme. Et que font les flatteurs, sinon apporter au tyran l'approbation apparente du plus haut et du plus libre pouvoir spirituel? Les revendications socialistes offrent un bon exemple de cette confusion des ordres. Car vouloir régler l'acquisition des richesses d'après la dignité ou le mérite, ce serait paralyser l'action industrielle; aussi finalement est-ce toujours la force qui règle ces questions. C'est bien mal concevoir la vie sociale que de considérer les richesses autrement que comme des réserves communes, dès qu'elles sont employées à assurer et développer la production. Il est vrai que les folies du luxe dissipent réellement une trop grande partie de ce patrimoine commun, principalement par des travaux perdus. Mais qui ne voit qu'une opinion libre serait toute-puissante contre ces abus, puisque les dépenses de luxe ne sont jamais que pour l'opinion. La lâche indulgence, et même les sophismes des prétendus penseurs à ce sujet, sont la source principale des injustices évitables. Mais ces abus dureront tant que les penseurs seront à la table des riches. Cet appui des purs littérateurs n'a pas manqué non plus au pouvoir guerrier; une confusion des deux pouvoirs, officiellement organisée, si l'on peut dire, avait préparé à l'insu de tous, et sous les apparences de la liberté, la tyrannie la plus efficace qu'on ait encore vue. L'approbation aux pouvoirs, dont ils ont besoin comme d'air respirable, n'aura de sens qu'autant que l'élaboration de la doctrine sera absolument étrangère aux pouvoirs; sans quoi ce n'est que le pouvoir qui s'approuve lui-même. Ainsi par l'appât d'une vaine liberté d'action, la liberté de pensée s'est trouvée perdue. De là le devoir strict, et encore bien peu compris, pour le penseur digne de ce nom, de vivre sans pouvoir et sans places, nourri seulement par les subsides des disciples. Auguste Comte en a donné pendant toute sa vie le noble exemple. Mais cette situation si haute, sans aucune vaine prérogative, n'appartient pas seulement aux Maîtres, s'ils ont le courage de la prendre; chacun, autant qu'il est penseur, et libre du souci de diriger les actions communes, doit s'instituer libre prêtre pour son compte et à son niveau. Les femmes, les vieillards, et les prolétaires sont les éléments naturels de cet immense pouvoir de l'avenir, dont les sanctions, vénération, mépris ou blâme, pèseront autant que le glaive.

X

LE LANGAGE ET LA CULTURE

Aucun homme de génie n'a jamais pu créer ou seulement modifier profondément un langage réel. Cela est vrai aussi de l'algèbre, qu'on aurait pu prendre pour une création individuelle, mais qui a résulté pourtant de la coopération du peuple des calculateurs, si l'on peut ainsi dire, sans qu'aucun savant ait pu y attacher son nom. L'exemple du langage est donc propre à faire sentir le prix de l'action sociale anonyme, même pensante, et ainsi à faire apprécier mieux la continuité humaine. Comme la raison se dégage peu à peu du sentiment religieux, ainsi la pensée moderne s'élabore en usant du langage populaire qui lui apporte des connaissances implicites, bien plus organisées qu'on ne croit. A. Comte se plaît à citer les ambiguïtés de sens, qui sont toujours un avertissement pour le philosophe. Ainsi le mot cœur désigne à la fois le courage et la bonté. Le mot loi réunit le sens juridique et le sens scientifique, découvrant ainsi toute l'histoire de cette notion. Le mot positif, que Comte n'a pas eu à inventer, portait déjà avec lui toute la richesse de ses attributs, qu'il restait seulement à mettre en ordre. Enfin la belle expression d'Humanités, ainsi que la parenté des mots culture et culte, éclairent la présente étude, et conduisent à considérer le langage comme un instrument de perfectionnement théorique et pratique. Il est assez clair que les signes du langage ont tous d'abord exprimé l'affection et l'action, qui, par la contagion des mouvements, terreur, espérance, fuite, combat, furent toujours communes en même temps qu'individuelles. Le cri l'a emporté sur le geste pour beaucoup de raisons qu'on devinera, jusqu'à ce point que les signes visibles, dans les civilisations les plus avancées, désignent maintenant des sons. Mais l'autre langage et son écriture propre, monument, sculpture, dessin, n'a pas cessé de rivaliser avec l'éloquence et la poésie pour l'expression des sentiments les plus vifs et les plus profonds. Sous toutes ses formes, mais surtout sous sa forme abstraite ou phonétique, le langage a pour fonction propre de joindre toujours, et en dépit même du penseur, le sentiment à l'idée, et le passé au présent. Cette subordination des pensées aux affections, quand elle éclaire miraculeusement les unes et les autres, est proprement la beauté de l'expression et en même temps sa vertu. Qui n'exprimerait que des idées n'exprimerait même plus des idées. Rien n'est plus propre à réveiller notre gratitude à l'égard du passé. Une pensée sans poésie est réellement sans règle, anarchique, inhumaine. C'est pourquoi le sage ne doit pas négliger la culture quotidienne des meilleurs poètes; ainsi le sentiment se civilise, ou, pour mieux dire encore, s'humanise, et la pensée trouve, dans ses expressions éminentes, les formes qui la ramènent à sa vraie destination. Il est même juste de dire que la gloire qui accompagne les grandes œuvres nous aide, par une émulation d'admirer, à faire contre nous-même un effort de purification sans lequel la pensée reste abstraite et l'émotion convulsive. On aperçoit d'après cela en quoi un esprit cultivé diffère d'un esprit simplement instruit. Culture et

Culte par là se rapprochent. Car, selon une profonde remarque du Maître, le langage vocal a cet avantage sur le langage du geste qu'il s'adresse aussi bien à celui-là même qui parle; c'est par ce genre d'expression que nos propres sentiments et nos propres pensées nous apparaissent. Le premier éclair de la conscience, encore un mot riche de sens, est inséparable de ce discours de soi à soi. Mais on aperçoit aussi que cette pensée réfléchie fut naturellement réglée toujours par les formes du langage commun; encore mieux si l'on cherche sa propre pensée dans des formules élaborées d'avance, qui agissent à la façon d'une règle, en nous ramenant à l'ordre humain. Tel est le sens de la prière. Et la méditation habituelle sur les meilleurs auteurs est la prière positiviste. Ici encore le système conserve en progressant. Si l'on joint à ces lectures la contemplation des œuvres d'art, dont l'effet est aussi multiplié par une superstition inévitable et bienfaisante, on comprend que toute la religion passée, et jusqu'au plus naïf fétichisme, est ici restaurée, d'accord avec des connaissances entièrement démontrables. Ainsi rien de ce qui est humain n'est étranger au sage.

XI

LE GRAND ÊTRE

Les études sociologiques conduisent inévitablement à reconnaître que les plus naïves religions ont pour objet la société humaine elle-même. Tout homme éprouve à l'égard de la société dont il est membre une dépendance à laquelle il ne peut échapper, mais à laquelle il ne veut pas non plus échapper. Ce rapport, dans lequel la soumission ne se sépara jamais de l'amour, est caractéristique de toute religion; la dépendance à l'égard des choses, dès qu'on les sépare de l'ordre humain, enferme plus de crainte que d'attachement, et finalement ne doit éveiller aucune affection raisonnable, la connaissance des lois impliquant que le travail est le seul moyen de modifier utilement l'ordre extérieur. Mais on conçoit que la représentation du monde matériel d'après l'ordre humain a égaré les hommes jusqu'à les détourner du vrai Dieu. Il faut remarquer pourtant qu'après un long détour théologique et métaphysique qui a ruiné profondément dans les pays les plus avancés la religion monothéiste, il n'y a plus de croyances, ni d'anathème, ni de sacrilèges, ni de crimes d'opinion enfin, qu'en ce qui concerne la Patrie. Le vrai Dieu est donc par là. Le vrai Dieu est la société même. Seulement il faut considérer, d'après les conceptions strictement positives, quelle est la vraie société.

L'espèce humaine gouverne sur la planète. On ne peut rien dire de ce qui était possible ou impossible quant au perfectionnement analogue des autres espèces animales, les sociétés humaines n'ayant conquis la sûreté et le loisir nécessaires à leurs progrès, que par une sévère destruction des espèces antagonistes et par la domestication des moins rebelles. Aucune espèce animale n'a donc eu le moyen de se développer socialement. Mais essayons d'imaginer ce que seraient les connaissances humaines, les arts, les institutions, si l'homme vivait encore comme les lions ou les rats perpétuellement traqués par une espèce plus puissante. Ces remarques sont propres à ramener l'individu à la modestie et à mieux estimer ce qu'il doit à ses semblables dans le présent et dans le passé. Et la philosophie de l'histoire, orientée comme nous l'avons dit par la réflexion sur les sciences, l'industrie, la religion, fait apparaître ce que chaque société a dû à ses aînées. Le développement de l'activité pacifique fait apparaître aussi de mieux en mieux la coopération réelle des différents peuples. Il faut même dire que les caractères des trois grandes races, l'une surtout intelligente, la blanche, l'autre surtout active, la jaune, et la troisième surtout affective, la noire, annoncent une harmonie planétaire. Mais surtout la doctrine positive réalise l'unité mentale et morale, que le catholicisme n'avait pu fonder faute de dogmes démontrables. La guerre même ne peut masquer cette fraternité universelle, et même par certains côtés l'affirme mieux par des alliances et coopérations plus étendues. La continuité de l'histoire humaine a préparé l'unité humaine. Le vrai Dieu c'est donc l'Humanité, le vrai grand Être, le plus vivant des êtres connus. « Les morts gouvernent les vivants », formule célèbre, mais souvent détournée de son sens. Car cela ne veut pas dire que les vivants héritent physiologiquement de leurs ancêtres; cette filiation n'est qu'animale. Dans le fait, tout homme est gouverné surtout par l'ensemble des ancêtres vénérables, dont les œuvres et les idées subsistent et sont le commun patrimoine de tous les peuples. Ce règne des morts inoubliables s'enrichit des vivants les plus dignes, qui, purifiés par cette immortalité positive, n'agissent désormais que par ce qu'ils ont de meilleur. Il faut dire aussi que leur puissance augmente avec le temps, par le concert de l'admiration et des commentaires qui suit leurs œuvres et leur mémoire. Aussi, à l'égard de ce gouvernement des morts, toujours croissant en majesté et en lumières, les perturbations dues aux individus vivants sont de moins en moins importantes. On s'explique les divagations des hommes sans culture, qui, par l'ignorance où ils sont des grands morts, tenteraient follement de tout inventer; mais aussi leur prestige est de plus en plus réduit. Ainsi l'Humanité grandit d'âge en âge, et vaut mieux que l'homme, et le règle. L'ancien et naïf culte des morts était la première esquisse de cette Religion réelle et positive dont les cérémonies s'organisent déjà par la commémoration publique des grands morts. Mais qui ne voit que la confusion des deux pouvoirs mêle encore à ce culte des glorifications non assez mesurées, et surtout trop peu tempérées par le culte qui est toujours dû aux gloires les plus anciennes. Les instituteurs du vrai pouvoir spirituel seront les prêtres de ce nouveau culte et chasseront les intrus de la vie éternelle. Qui ne reconnaît sous ces noms nouveaux les Humanités régénérées, et surtout affranchies du pouvoir temporel, toujours trop porté à régler la culture humaine d'après ses propres intérêts et ses passagères entreprises?

XII

LE CALENDRIER ET LE CULTE

En vue d'organiser le culte public du Grand Être, A. Comte propose un calendrier qui rassemble tout le progrès humain. Treize mois de vingt-huit jours, ce qui fait concorder la semaine avec le mois. Chaque jour est consacré à un mort justement illustre. Je me borne à citer ceux qui marquent la fin de chaque semaine.

1er mois :

Moïse, la théocratie initiale.
(Numa, Bouddha, Confucius, Mahomet.)

2e mois :

Homère. La poésie ancienne.
(Eschyle, Phidias, Aristophane, Virgile.)

3e mois :

Aristote. La philosophie ancienne.
(Thalès, Pythagore, Socrate, Platon.)

4e mois :

Archimède. La science ancienne.
(Hippocrate, Apollonius, Hipparque, Pline l'Ancien.)

5e mois :

César. La civilisation militaire.
(Thémistocle, Alexandre, Scipion, Trajan.)

6e mois :

Saint Paul. Le catholicisme.
(Saint Augustin, Hildebrand, saint Bernard, Bossuet.)

7e mois :

Charlemagne. La civilisation féodale.
(Albert le Grand, Godefroi, Innocent III, saint Louis.

8e mois :

Dante. L'épopée moderne.
(Arioste, Raphaël, Le Tasse, Milton.)

9e mois :

Gutenberg. L'industrie moderne.
(Colomb, Vaucanson, Watt, Montgolfier.)

10e mois :

Shakespeare. Le drame moderne.
(Calderon, Corneille, Molière, Mozart.)

11ᵉ mois :

Descartes. La philosophie moderne.
(Saint Thomas d'Aquin, Bacon, Leibnitz, Hume.)

12ᵉ mois :

Frédéric. La politique moderne.
(Louis XI, Guillaume le Taciturne, Richelieu, Cromwell.)

13ᵉ mois :

Bichat. La science moderne.
(Galilée, Newton, Lavoisier, Gall.)

Jour complémentaire : fête universelle des morts.

Jour bissextile ; fête générale des Saintes Femmes.

Les fêtes publiques sont complétées par des sacrements, dont l'idée est assez claire, et inséparables d'un système d'enseignement public libre, conforme à l'ordre encyclopédique.

Selon cette religion, tout homme a ses morts préférés et son culte intime. Ainsi chacun assure à ceux qu'il a aimés une existence subjective, hautement efficace pour le perfectionnement moral du fidèle, puisque le mort subsiste surtout par ses vertus.

Auguste Comte voua un tel culte à Clotilde de Vaux, après un an d'amour pur et de bonheur. Et lui-même attribue à l'influence d'abord objective puis subjective de cette femme éminente tout ce qu'il a ajouté à son œuvre après 1846. D'après le témoignage du Maître, on distingue donc deux moments dans le développement de sa doctrine : d'abord la synthèse objective, ou systématisation encyclopédique des connaissances qui concernent l'ordre extérieur et l'ordre humain ; exposée dans le *Cours de Philosophie positive*. Ensuite la synthèse subjective, qui subordonne toutes ces connaissances à la Morale, et qui est exposée dans le *Cours de Politique positive*. L'expression de synthèse subjective met en relief cette idée que la connaissance des lois naturelles n'est pas par elle-même une fin et que la fin réelle est toujours le salut de chacun par le secours du Grand Être selon la profonde maxime positiviste : « Règler le dedans sur le dehors. » En d'autres termes, il faut que la Politique, fondée elle-même sur les sciences, fasse une morale pour chacun, par l'éducation

du sentiment, moteur réel de toute conduite. J'ai plus insisté sur la liaison que sur la distinction de ces deux philosophies, parce que les idées dominantes de la Sociologie régulatrice et de l'inutilité des connaissances anarchiques, sont déjà fortement exposées dans le premier cours. Il faut dire seulement que la subordination de toutes les fonctions au sentiment, déjà préparée par la conception du fétichisme initiateur, fut soudainement éclairée par cette courte expérience de l'harmonie humaine, prolongée par de pieuses méditations. Il n'est sans doute pas de système complet hors d'une vie complète et il est beau qu'un philosophe fasse hommage de sa pensée, au moins dans son développement, à la Providence du Grand Être, autant de grâce que de hasard; mais on remarquera que la théorie positive de la famille est d'abord fondée sur les relations biologiques, et que l'ensemble de la doctrine reste positif et démontrable. L'accord de ces fortes et rigoureuses constructions intellectuelles avec les exigences du cœur donne, il est vrai, la preuve finale, et ferme ce vaste cercle d'investigations. Car il faut que l'enfance fleurisse toute.

Août 1918.

VIII

PLATON

CHAPITRE I

SOCRATE

L'esclave dit que Socrate restait solitaire à l'entrée et ne venait point quoiqu'on l'appelât... Laissez-le, dit Aristodème, c'est sa coutume... Socrate, assieds-toi près de moi, afin que je profite de cette sage pensée que tu as méditée dans le vestibule.

Le Banquet.

IL y eut entre Socrate et Platon une précieuse rencontre, mais, disons mieux, un choc de contraires, d'où a suivi le mouvement de pensée le plus étonnant qu'on ait vu. C'est pourquoi on ne peut trop marquer le contraste entre ce maître et ce disciple. La vie de Socrate fut celle du simple citoyen et du simple soldat, telle qu'elle est partout. On sait qu'il n'était point beau à première vue. L'illustre nez camus figure encore dans les exemples d'Aristote. Dans les plis de cette face, je vois de la naïveté, de l'étonnement, une amitié à tous offerte, enfin ce que la politesse efface d'abord. On sait par mille détails que Socrate était patient, résistant, infatigable, et qu'il n'était point bâti pour craindre. Sobre ou bon convive selon l'occasion, et ne faisant point attention à ces choses. D'où l'on comprend une simplicité, une familiarité, une indifférence à l'opinion, aux dignités et aux respects, dont on n'a peut-être pas vu d'autre exemple. Il ne se gardait jamais; il ne prétendait point; ses célèbres ruses ne sont pas des ruses; nous connaîtrons les admirables ruses de Platon. Socrate ne composait point. Les précieux de ces temps-là lui faisaient reproche de ces cordonniers, de ces tisserands, de ces cuisiniers, de ces cuillers de bois, qui toujours revenaient dans ses discours. Le *Phèdre* nous donne une idée de la poésie propre à cet homme sans élégance. Assurément ce n'est pas peu. Mais concevez ce poète les pieds dans l'eau, enivré de parfums, de lumière, des bruits de nature, et formant de son corps noueux le cortège des Centaures et des Œgipans. Mythologie immédiate, et qui fut sans paroles, dans ce moment sublime où le parfait discours du rhéteur roula dans l'herbe, où le jeune Phèdre, tout admirant, participa à ce grand baptême du fils de la terre. Cette rustique poésie fut alors muette; mais Platon, dans l'immortel *Phèdre,* en a approché par le discours autant qu'il se peut. O douce amitié, toute de pensée, et presque sans pensée! Ce sublime silence, Platon s'en est approché, plus d'une fois approché, en ces mythes fameux qui ne disent mot. Il le contourne; il en saisit la forme extérieure; et lui, le fils du discours, alors, en ces divins passages, il raconte, il n'explique jamais, tout religieux devant l'existence, évoquant ce génie de la terre et cette inexplicable amitié. Nulle existence ne fut plus paisible et amie de toutes choses que Socrate. Nulle ne fut plus amie au petit esclave, au jeune maître, à l'homme de commerce et de voyage, au guerrier, au discoureur, au législateur. Cette présence les rassemblait inexplicablement.

Socrate était fait pour déplaire aux hommes d'État, aux orateurs, aux poètes; il en était recherché. C'est dans le *Protagoras* que l'on verra le mieux comment ces Importants, en leurs loisirs, se jouaient aux poètes, et aussi comment l'esprit plébéien de Socrate renouvelait ce jeu, par cette curiosité sans armes qui lui était propre. Platon jeune l'entendit en de tels cercles. Les contraires l'un dans l'autre se mirèrent. Le jeu devint pensée et très sérieuse pensée. Platon ne s'est pas mis en scène dans ses *Dialogues ;* mais on peut voir, au commencement de *La République,* comment ses deux frères, Adimante et Glaucon, mettent au jeu leur ambition, leur puissance, tout leur avenir. Ce sont deux images de Platon jeune.

Platon, descendant des rois, puissant, équilibré, athlétique, ressemblait sans doute à ces belles statues, si bien assurées d'elles-mêmes. Il faut un rare choc de pensées pour animer ces grands traits, formés pour la politesse et pour le commandement. Leur avenir est tracé par cette sobre attention qui veille aux intérêts, aux passions, à l'ordre, et qui est gardienne et secrète. Les intimes pensées de Protagoras, que Platon nous découvrira, ne sont point de celles que l'on s'avoue à soi-même; encore moins de celles qu'on dit. Le jour où Platon, par le choc du contraire, les reconnut en lui-même, il fut perdu pour la république. Il faut qu'un homme d'État se garde, par cet art qui lui est propre de plaider toujours contre soi. Ces jeux d'avocats, qui sont toute la pensée dans le gouvernement populaire, forment pour tous comme un monde extérieur à tous et assez consistant, discours contre discours, à la manière des choses, où l'obstacle fait soutien. Mais l'homme d'État, architecte de cet ordre ambigu, plaide d'avance et en lui-même; il plaide en vue de deviner; il pense comme l'autre; et jamais il ne réfute tout à fait, parce qu'il faut bien que toute pensée trouve son remède. Tel est le fond de l'art sophistique, trop méprisé, non assez craint. Platon le percera à jour; c'est que c'était son propre art, et tout l'avenir pour lui en sa quinzième année. Or, ce jeu intérieur et en partie secret, Socrate le joue au dehors et de bonne foi. Il pense comme l'autre et avec l'autre; et cela même il l'annonce à l'autre. « C'est toi qui le diras », voilà le mot le plus étonnant de cette *Maïeutique,* art d'accoucheur, qui tire l'idée non pas de soi mais de l'autre, l'examine, la pèse, décide enfin si elle est viable ou non. Cela fut imité souvent depuis, essayé souvent; mais on n'a vu qu'un Socrate au monde. Celui qui interroge en vue d'instruire est toujours un homme qui sait qu'il sait, ou qui croit qu'il sait. Oui, même dans le monologue platonicien, Socrate est plus souvent maître que disciple; Socrate sait très bien où il va; et le disciple, en ce dialogue que l'on peut nommer constructeur, répond toujours : « Oui, certes », ou « Comment autrement ? » Nous aurons à suivre cet aride chemin. Socrate ici revient des morts, et sait qu'il sait. Au lieu que Socrate vivant savait seulement qu'il ne savait rien. Il accordait tout ce qu'il pouvait accorder; il se fiait au discours, prenant tout à fait au sérieux cette langue qui lui fut mère et nourrice, où discours est le même mot que raison. Il suivait donc discours après discours, et ne s'arrêtait qu'en ce point de résistance où le discours se nie lui-même. Tu dis que le tyran est bien puissant et je te crois; tu dis qu'être puissant c'est faire ce que l'on veut, et je te crois; tu dis qu'un fou ne fait point ce qu'il veut, et je te crois; tu dis qu'un homme qui galope selon ses désirs et ses colères ne fait point ce qu'il veut, et je te crois. Maintenant tu dis que le tyran, qui galope selon ses désirs et ses colères, est bien puissant, et ici je ne te crois point, mais plutôt tu ne te crois point toi-même. « C'est toi qui le diras. »

Je ne pense pas que Socrate vivant soit allé bien loin dans cette voie. Platon, en ses développements les plus hardis, souvent nous laisse là, par une pieuse imitation, à ce que je crois, du silence socratique. Au reste on comparait Socrate à la torpille marine, qui engourdit ceux qui la touchent; aussi à ces joueurs d'échecs qui bouchent le jeu. Certainement Socrate vivant n'était pas pressé de savoir. « Sommes-nous des esclaves, ou avons-nous loisir ? » Ce trait du *Théétète* sonne vrai. Vrai aussi ce mouvement de Socrate après les premiers discours de *La République*, lorsqu'il veut s'en aller. « Trop difficile, dit-il; trop long; vous m'en demandez trop. » Il lui suffit, à ce que je crois, que le discours butte contre le discours. Il lui suffit que la machine à discours arrogante et gouvernante, grince et soit bloquée. Dispensé maintenant de respecter, lui qui obéit si bien, il s'en va. Ceux qui le retiennent par son manteau, ce ne sont point les orateurs, comme Gorgias, Polos, Protagoras; car ce sont des hommes bientôt fatigués, qui se retirent l'un après l'autre de la scène. Et peut-être ces hommes de ressource ne tiennent-ils pas tant à avoir raison. Non. Ceux qui le retiennent par son manteau, ce sont les auditeurs naïfs, dont Chéréphon est le type, naïfs comme lui, dupes depuis leur naissance, et qui admirent cet autre pouvoir qui refuse pouvoir. Ou bien ce sont les lionceaux, Adimante, Glaucon, Platon lui-même, ambitieux à leur départ, et qui cherchent, comme Christophore, le maître le plus puissant.

Aristote, que nous devons ici croire, dit de Socrate qu'il allait à définir le genre en ces questions de morale, et que c'est cette discipline qui jeta Platon dans la doctrine des idées. Il est ordinaire que l'on se trompe ici sur Platon, lui prêtant une doctrine des genres éternels; mais c'est qu'on se trompe d'abord sur Socrate. Socrate se fiait au discours, et, voulant accorder discours à discours, il exigeait que le même mot eût toujours le même sens. Par exemple, au sujet du courage, il ne faut point nier ce qu'on en affirme; et quel que soit le cas ou la circonstance, il faut que le courage soit toujours courage; de même la il faut que puissance soit toujours puissance, et la vertu toujours vertu. La discussion, dès qu'elle est de bonne foi, suppose que le même mot recouvre les mêmes pensées. Ainsi ces pensées s'appliqueront les mêmes, devront s'appliquer les mêmes, à tous les cas différents où l'on voudra employer le même mot. La définition, explicite ou implicite, suppose une idée générale; mais il y a loin d'une idée générale à une idée immuable et éternelle. Et il est hors de doute que ce n'est point du côté des généralités empiriques que Platon veut nous conduire. Mais aussi le terme dont se sert Aristote est de ceux qui tromperont longtemps l'apprenti; car il ne dit pas que Socrate cherchait le général, mais exactement l'universel, le catholique comme nous disons, en traduisant littéralement un mot qui aura toujours deux sens, mais deux sens dont l'un est le principal. L'universel c'est ce qui vaut pour tout esprit. Par exemple le triangle est universel; il n'est général que par conséquence. Et au contraire l'homme est une notion qui n'est que générale, et qui est bien loin d'être universelle, car chacun définira l'homme à sa manière, et selon sa propre expérience. Aussi ne pouvons-nous pas nous vanter d'avoir une idée de l'homme, ni du singe, ni du lion, ni du lit; mais ce sont plutôt des abrégés commodes. Aussi celui qui cherche le général peut fort bien manquer l'universel. En revanche celui qui cherche l'universel cherche aussi le général. Et, d'après la forme même de ses recherches, où l'on voit que les hommes sont présents et les choses non, Socrate cherchait premièrement l'idée universelle, voulant que tous les esprits s'accordassent sur le sens des mots courage, vertu, puissance, justice, ce qui suppose une définition que rien ne puisse rompre. Or, qu'il ne soit jamais arrivé à définir la justice et le courage comme Euclide définit le triangle, je le crois; que nul n'y soit jamais arrivé, cela se peut. Mais, de ces essais, si peu dogmatiques, il ressort une plus haute condition. Que l'esprit universel soit présent en toute discussion, c'est ce qui est évident, même par l'accord impossible, même par le désaccord sans remède; car les esprits se rencontrent là; et il n'y aurait point de désaccord sans cet accord sur le désaccord. De sorte qu'en un sens Socrate gagne toujours.

Or, ce raisonnement abstrait que je viens de faire est bien aisé à suivre; toutefois ce n'est qu'une faible et abstraite pensée. Au contraire, ce qu'on n'a sans doute vu qu'une fois, c'est Socrate se confiant à l'autre, qui est n'importe qui, ou l'homme d'État, ou le petit esclave du *Ménon;* c'est Socrate ne s'arrêtant ni à l'ignorance, ni à la mauvaise foi, ni à la frivolité; Socrate recevant le jugement de l'adversaire, pensant comme lui, assuré de lui et de tous; Socrate faisant sonner et écoutant sonner l'humain; cherchant le semblable dans l'autre, ou bien plutôt le trouvant aussitôt, par une amitié jusque-là sans exemple. Sans armes cachées. C'est ainsi que de la société polie il faisait aussitôt société vraie. Tout homme a grand besoin de ce témoin. Platon a vu et touché l'esprit universel en cet homme sans peur : c'est pourquoi désormais Socrate devait être l'assistant et le témoin de ses meilleures pensées. Et encore maintenant, à travers Platon, c'est vers Socrate que nous regardons. Ce qui nous manque, c'est de croire tout à fait à l'universel; c'est de le savoir tout présent en la moindre pensée, même qui le nie. Si nous participons nous-mêmes à cette présence de Socrate, nous comprendrons Platon.

Qui tient le Platon des idées ne tient pas encore tout Platon, comme on verra. Qui n'aperçoit pas le bien au-delà des idées perd même les idées. Ce grand point de perspective, et plus qu'essentiel, oriente toutes nos avenues, et de plusieurs manières, qui sont toutes vraies. Il faut premièrement savoir que le Socrate qui interroge, qui ne sait rien, qui ne prétend point, qui se résigne à ignorer, qui veut loisir, qui bientôt s'échappe, n'est encore que l'extérieur, le Socrate qui participe aux jeux du discours, soucieux seulement de ne s'y point laisser prendre comme dans un piège. Le vrai Socrate, c'est d'abord un homme sans peur, et un homme content. Sans richesse, sans pouvoir, sans savoir, et content. Mais il y a bien plus en ce douteur. Comme le doute est déjà le signe d'une âme forte, et assurée de penser universellement, ainsi l'indifférence aux biens extérieurs et à l'opinion est le signe d'un grand parti bien avant toute preuve. Cette fermeté qui se tient au centre des discours est représentée dans le *Gorgias,* et au commencement de *La République*. Le plus puissant discours des hommes d'État exprime aussi leur illusion, si l'on peut dire, substantielle, c'est que la vertu est un rapport d'un homme aux autres hommes, un échange, un commerce, une harmonie enfin de la cité, une composition des actions et des réactions, un compromis entre les forces. Et quant à cette autre vertu, qui serait propre à un homme et à lui intérieure, elle apparaît comme quelque chose de sauvage et d'indomptable à ces hommes gouvernants, qui n'ont jamais gouverné que contre l'homme. La nature ici est excommuniée. Selon la nature, il n'y a d'autre vertu que la puissance. Et il faut remarquer que ce sentiment à double visage, qui est le secret de l'ambitieux, est aussi ce qui nourrit l'idée d'ordre, qui serait par elle-même assez froide. Or, Platon, de premier mouvement, a pensé d'abord et toujours selon ces idées; il n'y a point de doute là-dessus. Aucune thèse n'est plus brillante, plus inspirée, plus souveraine que celle de Calliclès. Le Calliclès de Platon est l'éternel modèle de l'ambitieux. Mais puisqu'on voit que cette doctrine de la puissance a été étendue jusqu'au sacrilège par l'impétueuse pensée de Glaucon et d'Adimante, c'est une raison encore plus forte; Platon se peint ici tel qu'il aurait pu être, tel qu'il a craint d'être. En revanche le Socrate qui dit non à ces choses est peint pieusement et fortement. Les raisons viendront ensuite, surtout dans *La République,* alors lumineuses, et telles que je les crois invincibles. Si elles sont toutes de Platon, ou si Socrate en pressentait plus d'une, c'est ce qu'on ne peut savoir; ou plutôt on a des raisons de penser, car il y eut d'autres Socratiques que Platon, et notamment les Cyniques, que la doctrine propre à Socrate se traduisait ici par de sobres maximes sur le gouvernement de soi, ou par des raisonnements courts du genre de ceux-ci : Celui qui n'est pas maître de lui-même n'est maître de rien; ou : Qui ferait marché d'avoir à lui tous les biens, sous la condition d'être fou? La meilleure raison de penser que cette doctrine intérieure ne s'est amplement développée qu'en Platon, c'est qu'en Platon elle trouvait à vaincre son contraire, et son contraire fortement retranché. Toujours est-il que ce que Platon nous représente d'abord en Socrate, ce n'est pas un homme devenu sage par des raisons; bien plutôt c'est le plus assuré des hommes avant toutes les raisons; le plus assuré de ceci, c'est que l'homme qui attend et saisit l'occasion de manquer à la justice, quand il réussirait en tout, est au fond de lui-même bien malade, bien faible, et bien puni par cet intime esclavage. Qui voudrait être injuste? Mais demandez plutôt qui voudrait être malade.

On comprend ici tout le sens du « Connais-toi », maxime Delphique que Socrate jugea suffisante. D'où le célèbre axiome : « Nul n'est méchant volontairement », qui paraît plus d'une fois dans les entretiens socratiques, qui résonne si juste en tout homme, mais qui aussi, développé par cette raison abstraite que tout homme veut le bien, et le mal toujours en vue du bien, devient aussitôt impénétrable. Ce serait assez si je faisais voir, en ces chapitres, comment Platon l'a tout à fait éclairé. Socrate a vécu, s'est conservé, et finalement est mort, se conservant encore, d'après cette idée que le méchant est un maladroit, ce que le mot dit si bien, méchant. Par cette même prudence, qui, disait-il, lui conseillait de faire retraite en combattant, au lieu de tourner le dos, Socrate n'enviait point le tyran, il le plaignait. Et remarquez comme cette idée est vacillante en nous tous, quoiqu'elle ne veuille point mourir. Tout parle contre elle; et, comme dit Socrate, on n'entend que cela. Or je crois que Platon vint à penser qu'on pouvait prouver ces affirmations incroyables de Socrate, du jour où il connut que Socrate en était assuré; et cela, comme il est de règle, ne parut tout à fait que par la mort que chacun connaît, et qu'heureusement il n'est pas utile de raconter. Dans le *Phédon* et dans le *Criton* apparaissent cette certitude retirée en elle-même, cette fermeté sans emportement, cette volonté d'obéir, et ce mépris aussi de l'obéissance, cet esprit enfin qui n'a pas obéi pour se sauver, et qui n'obéit que pour se perdre. Se perdre, se sauver, ces mots à partir de là eurent un sens nouveau. Socrate mort apparut tout entier. Platon n'était plus seulement lui-même, il portait en lui son contraire, de longues années s'entretint en secret avec ce contraire qui était plus lui que lui-même. Il est sans doute permis d'ajouter que, par l'âge, Platon finit par se retrouver quelquefois seul, et redevint politique selon sa nature, et par les moyens ordinaires du pouvoir, quoique par d'autres principes. Les *Lois* sont le beau couchant de ce génie solaire; et les aventures Siciliennes seraient, aux yeux de Socrate, cette punition et purification de Platon par lui-même, qui acheva l'Immortel.

CHAPITRE II

PROTAGORAS

> « Il y a chance que lui, qui est plus vieux que nous, soit aussi plus sage; et s'il surgissait ici de terre jusqu'au cou, il aurait bientôt réfuté mes faibles pensées, et toi qui les approuves, et aussitôt rentrerait sous terre. »
>
> *Théétète.*

Le personnage que je veux évoquer maintenant, et qui doit nous éclairer en son centre même la réflexion platonicienne, ce n'est pas l'homme cultivé, bien disant, un peu retenu et secret, que l'on voit dans le *Protagoras*. Il s'agit du Protagoras qui revit dans le *Théétète,* de ce penseur redoutable qui, trop peu contenu par un disciple d'occasion, à la fin, et sur l'appel de Socrate, sort de terre jusqu'au cou, et, disant cette fois ce qu'on ne dit jamais, détruit à ras de terre toute vérité, tout savoir et toute bonne foi. Aucun résumé ne dispense de lire ce *Théétète,* qui semble ne pas conclure, mais qui fait voir le plus franc combat de l'esprit contre lui-même, et aussi la plus éclatante victoire, et la plus positive. Et cette manière, qui est propre à Platon, de montrer ce qui est jeu, de cacher ce qui est pensée, enfin d'avancer fort loin sans que le lecteur s'en doute, et d'éclairer soudain des précipices de profondeur, cela même est tellement mesuré sur notre puissance d'attention, sur nos courts efforts, sur cette timidité et même cette pudeur qui nous détourne de tout dire, qu'il est certainement impossible de comprendre Platon par procureur; toutefois, peut-être par procureur on peut commencer à l'aimer. Sachez donc qu'une fois, en cette courte et belle histoire de la pensée occidentale, une fois seulement Protagoras a tout dit; une fois il a retourné comme un sac le système sans espérance et sans amour. Une fois et une seule fois, à cette extrême pointe de l'audace, l'esprit s'est retrouvé par son contraire, et s'est soutenu et sauvé sans aucun secours extérieur, sans hypothèse aucune, sans pieux mensonge, sans enchantement, par une lumineuse présence à lui-même. Mais c'est assez annoncer.

La science, c'est la sensation. Voilà la thèse, ou plutôt l'antithèse, puisqu'elle se développe en intrépides négations. Connaître c'est éprouver; c'est se trouver à la rencontre de la chose qui nous aborde et de nous qui l'abordons. Mélange. Mais ici paraît Héraclite, le poète de l'insaisissable. Mélange de deux tourbillons, car tout change, tout vieillit, tout s'écoule, et tu ne te laves pas deux fois dans le même fleuve. Ainsi, toi qui connais, tu es fleuve; tu ne reviens jamais, tu fuis; tu n'es jamais ceci; tu passes à cela; et l'objet de même, autre fleuve; ce qu'il allait être, déjà il ne l'est plus; et le soleil lui-même s'éteint. Il est bien plaisant de vouloir que le mélange de ces deux flux soit un seul moment ceci ou cela; que couleur soit ceci ou cela, que chaleur soit ceci ou cela. Toutes nos propositions sont fausses, parce qu'elles ne peuvent courir avec leur objet. Ce vrai, que tu fixes et arrêtes, est faux par cela seul que tu le fixes et l'arrêtes. Le temps d'ouvrir la bouche, déjà ce que tu vas dire, si scrupuleusement que tu le dises, ne correspond plus à rien. Reste donc bouche ouverte; ou bien dis par précaution : « Pas plus ceci que cela; d'aucune manière; nul moyen. » Voilà la pensée droite; et la pensée droite, c'est qu'il n'y a pas de pensée droite.

Très bien. Mais nous vivons. Les cités se forment par tous genres de commerce et d'entreprise; elles demandent des lois à Protagoras et elles s'en trouvent bien. Que signifie? C'est qu'il y a des opinions qui réussissent. Non qu'elles soient vraies. Comment voulez-vous qu'elles soient vraies? Mais elles font que l'on dure, que l'on s'accroît, que l'on triomphe, et que Protagoras survit en des statues honorées. Et comment Protagoras a-t-il saisi et retenu ces opinions salutaires? C'est qu'au lieu de chercher le vrai, et fort de ceci qu'il est fou de chercher le vrai, il a observé seulement les hommes et les peuples en leur histoire, remarquant les effets, mais sans vains efforts pour les expliquer. Les opinions estimées ne sont que d'avantageuses coutumes. Et que vous importe qu'elles soient vraies ou fausses? Toutefois je devine, pauvres gens, que cela vous importe; et soit. L'homme d'État a pour fonction propre de prouver que ces opinions utiles sont vraies. Telle est la fin de l'éloquence, qui ainsi trompe les hommes pour leur bien. Idée qui retentit en nous tous, par mille souvenirs qu'elle réveille, d'esclavage, d'indignation, de résignation. Pascal aussi a rebondi sur cette idée; mais c'est qu'il en a eu peur. « Il ne faut point dire au peuple que les lois ne sont pas justes. » Et combien d'autres, avant ou après Pascal, ont eu occasion de se conseiller eux-mêmes, selon la même prudence : « Il ne faut pas dire au peuple qu'il est utile de croire à l'enfer; il faut leur dire qu'il y a un enfer. » Et nous, imitant de même cette forme, et la rapprochant de nos propres soucis : « Il ne faut point dire au peuple qu'il n'y a point de guerres justes. » Qui n'a pas pensé cela, parmi ceux qui donnent des lois à leur patrie?

Mais plutôt personne ne le pense; personne ne s'ouvre à lui-même jusque-là. Personne ne se le permet, dès qu'il fait métier de persuader. Comment persuader si tu ne crois pas? Et, par une suite de ton beau système, n'est-il pas avantageux de croire soi-même ce qu'on veut prouver aux autres? Ne vas-tu pas faire un grand serment à soi-même, de désormais penser comme vraies les opinions avantageuses? Et, comme nous voyons dans nos guerres, s'il est avantageux de croire qu'on a raison, pourquoi le sophiste, qui sait faire croire cela, se priverait-il de le croire lui-même? On ne trouve guère de ces politiques qui ont deux pensées, l'une pour le peuple et l'autre pour eux-mêmes. Bien plutôt sont-ils sincères à croire que ce qui leur est avantageux est vrai; car quoi de plus sincère que l'ambition? Aussi, ce que Protagoras ose dire ici, il ne l'a point pensé. Mais c'est Platon, en son dialogue avec son contraire qui est aussi lui-même, c'est Platon qui s'est délivré de honte; c'est Platon qui a parlé vrai contre le vrai. Hé oui, cela même est vrai et irréfutable qui va contre tout genre de vrai et d'irréfutable. Point extrême, où, de sa propre mort et de son propre bûcher, comme le Phénix, la pensée va renaître toute. Protagoras n'est vivant que mort. Les voyages des âmes, image familière et toujours présente en Platon, figureront cette condition étrange en toutes nos idées, de mourir souvent, pour renaître à une meilleure existence. Dialogues des morts. Le même Héraclite, surnommé l'Obscur, disait que nous vivons la mort des dieux, et que les dieux vivent notre mort. Platon seul a su nous suspendre dans le temps vrai, où les idées meurent et renaissent, car aucun temps n'est que par celui-là. Et, par cette magie, il renaît tout, et ses renaissances renaissent toutes, à chaque fois qu'on le lit. Ainsi l'immortel est le vrai; il est vrai que qui a pensé pensera, et que penser c'est penser cela même, immobile et mobile. Platon est, comme on sait, le plus grand poète peut-être de cette autre vie, dont nos pensées sont l'étoffe, et qui ne peut en aucun sens ni commencer ni finir. Chacun pressent que cette autre vie est la vraie vie, s'il y a du vrai au monde. Aussi l'imagination est déjà rassurée par ces images de l'éternité. Nous voilà heureux de ces contes, et c'est ce repos qui nous fait enfants. Toutefois ce bonheur est un grand signe aussi pour les hommes. Soyez tranquilles, Platon va nous payer de strictes raisons.

Concevons le célèbre cheval de bois; donnons-lui des yeux, des oreilles, des narines, et que les choses y fassent empreinte. Ce n'est pas ainsi que nous pensons; l'odeur n'est pas ici et la couleur là, mais la couleur et l'odeur sont pensées ensemble dans l'objet. Me voilà donc à rassembler mes sens en quelque sens commun, cerveau ou comme on voudra dire, où les sensations soient ensemble. Mais c'est encore cheval de bois. Les parties de ce sens commun font encore qu'une sensation n'est point où est l'autre; ou bien, s'il n'a pas de parties, nous sommes à la pensée, à l'âme, enfin à ce qui n'est point chose. Mais ce genre d'argument ouvre le chemin à d'étonnantes remarques, qui font entrevoir l'idée. Car, s'il vous plaît, cette pensée que les sensations sont différentes, cette pensée aussi que la vue n'est point l'ouïe, où est-elle? Et cette pensée que les sensations sont plusieurs, où est-elle? Et cette pensée que les parties du sens commun sont plusieurs, où est-elle? Mieux, cette pensée de plusieurs est-elle elle-même plusieurs? Nous voilà ramenés aux cinq osselets, humble exemple. Mais Socrate dit dans le *Phédon* quelque chose qui est encore plus simple et plus désespérant, par cette évidence qu'il fait paraître et qu'aussitôt il cache. Car, dit-il, il ne savait plus comment deux et deux pouvaient faire quatre; bien pis, il ne savait plus comment un et un pouvaient faire deux. Est-ce le premier un qui devient deux, ou le second, ou quoi? Mais est-il possible que un devienne deux? Et enfin, ces cinq osselets, comment sont-ils cinq? Le cinquième fait cinq, mais ce n'est pas lui qui est cinq; ni lui, ni aucun des autres. Le cinq est en tous et comme posé sur eux, indivisible. Le cinq est sans parties; le cinq n'est pas une chose; le cinq ne périt point; il ne devient point; il ne vieillit point. Le cinq, c'est une pensée. Mais ce n'est pas assez dire; car ce n'est pas parce qu'on y pense que le cinq est cinq. Il était cinq avant; il est cinq encore après. Dans les nombres il a sa place éternelle, et sa nature que rien ne corrompt. C'est une idée.

Ici sans doute je me trompe, par aller trop vite, par ne point suivre cette loi de patience et de précaution que les *Dialogues* nous enseignent. Je veux faire monnaie et chose de ce qui n'est ni monnaie ni chose. J'ai trop vite conclu que le cinq est fils du ciel; car il est fils de la terre aussi, par ces osselets. Je les fais sauter, je les disperse, je les rassemble; ils sont toujours cinq. Mais sans ces différences qu'ils jettent à mes sens, sans cette autre loi qui les repousse et les déplace les uns par les autres, de façon qu'ils soient toujours séparés et chacun en son lieu, penserais-je cinq? Et dans ce cinq, qui les fait cinq, n'est-ce pas le même un que je retrouve aussi en quatre, en trois, en deux, par qui deux est un nombre, trois, un nombre, quatre, un nombre? Et comment cet un peut-il être deux, et trois, et quatre? Par sa nature? Par la rencontre? Toujours est-il que cet un du plusieurs n'est pas un par le plusieurs. Bien plutôt c'est le plusieurs qui est plusieurs par l'un. Car c'est l'un qui rassemble. Mais tous les uns ainsi rassemblés sont un.

En ces étranges et invincibles pensées, j'entrevois seulement que l'un n'est pensé dans le nombre que par son rapport à lui-même, par cette opposition et distinction qui fait qu'il est le même en tous et pourtant autre. Non pas en même temps le même et en même temps autre; mais plutôt il semble que l'un se meut et se transporte, selon un ordre qui fait naître les nombres, éternellement naître les nombres. Et puisqu'il y a ici quelque loi de production qui fait naître toujours les mêmes nombres selon le même ordre, en cette loi serait la vérité éternelle des nombres, et peut-être l'idée. Ainsi il se pourrait bien que l'idée de cinq ne soit pas elle-même cinq, et que cinq ne soit nombre que par tout l'ordre des nombres. Finalement, ce jeu énigmatique, que Platon me laisse ici le soin de mener comme je pourrai, me fait connaître, ou tout au moins soupçonner, que l'idée est toujours hors d'elle-même, toujours autre chose que ce que je connais d'elle, et que penser c'est se dépasser en cette réflexion, toujours cherchant l'idée de l'idée, ce qui est ne point se prendre à la chose ni se laisser tromper à la chose, peut-être. Une pensée n'est point comme une pierre. Ainsi que le *Théétète* me laisse comme suspendu, cela même, m'instruit.

CHAPITRE III

PARMÉNIDE

> J'ai approché l'homme, moi bien jeune et lui bien vieux; il m'a paru avoir une profondeur de tout à fait grande race.
>
> *Théétète.*

Ce qu'il y a de plus beau dans le célèbre *Parménide,* c'est que Socrate y est jeune encore; ainsi Platon n'est pas né; quelque chose de la doctrine s'élabore avant lui, sans lui. Ce sont comme des pensées laissées à elles-mêmes, et qui préparent sa venue. Se chercher soi tel qu'on était avant de naître, c'est le mouvement humain; car nous ne nous risquons à penser d'abord que sous le masque de nos prédécesseurs. Pensées météoriques. Un ciel orageux d'abord, où percent quelques rayons; et puis tout rit, l'éther se creuse; ce sont des pensées de ce pays-là.

D'abord, sur les idées, sur la participation des choses aux idées, sur le rapport des idées à Dieu, ce sont des échanges à demi-mot entre Socrate et les deux autres, Parménide, le philosophe de l'Un, et Zénon, le Zénon de la flèche et de la tortue. Toutefois ces deux illustres laissent un moment leur doctrine propre, comme s'ils en étaient rassasiés, et s'entretiennent des idées éternelles par allusion, comme d'un sujet cent fois débattu, et déjà tombé au lieu commun. C'est par les idées que les choses sont ceci ou cela, grandes ou petites, belles ou laides, mais comment cela se peut-il, si les idées forment elles aussi comme un monde de choses éternelles et incorruptibles? Comment chaque idée, étant unique, peut-elle se joindre à plusieurs choses? N'est-ce point par la ressemblance que se fait cette union, et la ressemblance n'est-elle pas une autre idée, distincte de l'idée et de la chose? Ou encore l'idée commune à l'idée et à la chose n'est-elle pas une idée, et ainsi sans fin ? Il y aurait donc idée d'idée, et alors quand penserons-nous ? Quel terme fixe, quel point de secours et de certitude, si nous nous laissons aller à penser ce que presque tous pensent, à savoir que les idées ressemblent aux choses, et sont comme des modèles dont les choses seraient d'imparfaites copies ? En vérité ce monde des idées est aussi fuyant que l'autre. On y soupçonnerait une sorte de mouvement et de génération. Mais quoi de plus absurde, en ces pensées de Dieu ? Au reste ce monde supérieur se suffit à lui-même, et il le faut bien. Ce qui a rapport à l'essence du maître, c'est l'essence de l'esclave, et non point l'esclave; en revanche l'esclave ici n'est point l'esclave d'une idée comme serait l'essence du maître; mais il est l'esclave d'un maître de chair, soumis comme lui au changement de toutes les choses périssables. Par cette même raison l'idée de commandement suprême, qui est celle de Dieu, ne peut commander ici, de même que l'idée de savoir suprême, qui est encore celle de Dieu, ne peut savoir ici. Immenses difficultés, connues, éprouvées, épuisées par la plupart de ceux qui se sont risqués en ces chemins. Un platonisme s'en va mourant et Platon n'est pas né.

Là-dessus, que devons-nous comprendre, nous qui lisons ? Ces difficultés nous semblent lestement présentées, pour ne pas dire de peu de poids. Ce qui nous paraît difficile, c'est de soutenir en notre pensée ce monde des formes séparées du monde, ce monde de modèles qui doit ressembler à notre monde, le refléter jusqu'au détail, donc engendrer en lui-même éternellement, (mais comment possible ?) jusqu'aux changements insaisissables, jusqu'aux choses éphémères et de peu que nous voyons ici-bas. Car enfin, il faut bien que ce monde des idées soit la vérité du nôtre. Et notre objection n'est pas : « Comment se joindra-t-il au nôtre ? » Mais plutôt : « Comment se distinguera-t-il du nôtre ? » Ajoutons à cela que s'il s'en distingue quoiqu'il y ressemble, l'idée même de ce rapport entre les deux mondes formera un troisième monde encore, égal à ces deux, mais plus riche qu'eux de leur différence. Parménide annonce à Socrate bien d'autres difficultés que celles qu'il énumère comme en courant. C'est donc à nous d'errer ici, chacun à notre manière, en ce Platonisme faux que l'on ne peut tuer. Il est bien plaisant de remarquer que c'est Platon lui-même qui nous avertit, et qui nous montre, en ce grand préambule, quelle est l'erreur que nous devons premièrement secouer de nous, si nous voulons savoir plus avant. Mais quelle erreur?

En Platon la réponse se trouve toujours, et fort proche de la question, mais toujours aussi sans lien avec la question. Cet auteur sans cesse se délie, imitant de Socrate ces digressions, ces ruptures, ces fuites, ces soudains changements de prise qui contrastent si fort, en tous les *Dialogues,* avec la suite serrée des demandes et des réponses. L'avertissement se trouve au commencement de l'entretien, lorsque Parménide demande à Socrate, si curieux du bien en soi et de la vertu en soi, s'il croit qu'il y ait une idée aussi, une idée éternelle, de l'homme, du feu, de l'eau. Et quant aux choses viles, comme cheveu, boue et crasse, qu'il y en ait idée éternelle là-haut, Socrate n'ose pas le dire. « C'est que tu es jeune encore, Socrate; c'est que la philosophie ne t'a point saisi, comme je crois qu'elle fera quelque jour, quand tu ne mépriseras plus aucune chose. » Énigme, si l'on s'attache à vouloir que l'essence de chaque chose soit éternellement et à part de la chose. Énigme, si l'on veut que chaque chose soit comme la copie d'une idée. Énigme, si l'on veut que l'idée ressemble à la chose, et, pour mieux dire, soit une autre chose. Que l'idée existe et soit objet, que les idées se limitent, se heurtent, se mélangent comme font les choses, se rassemblent ou diffèrent comme font les choses, et soient enfin juxtaposées, comme sont les choses, en un mot qu'elles existent comme les choses existent, ces suppositions définissent un idéalisme trop prompt, non assez délié des apparences, et, en un autre sens, trop pressé de mépriser l'apparence, et cherchant, au-delà de l'apparence, quelque autre monde qui expliquerait terme pour terme l'apparence. Mais l'autre côté de la chose est encore chose, et l'autre monde est encore ce monde-ci. J'avertis le lecteur, par anticipation, de ceci, que les idées en Platon n'ont nullement forme de choses, ni fonction d'en donner la ressemblance ou le modèle.

Aristote, disciple ingrat, dit que Platon a changé seulement les mots dans le système de Pythagore. Pythagore disait que les choses imitent les nombres; Platon dit que les choses participent aux idées. Quand on aura compris comment les choses, telles qu'elles paraissent, supposent le rapport, qui leur est substantiel, quoique évidemment il ne soit point d'elles, on jugera que ce changement de mot n'était pas un petit changement. Et, d'après les exemples déjà tirés du *Théétète,* on soupçonne que le rapport se montre dans la chose, et même s'en sépare, mais que, pris en soi autant que le discours permet cette abstraction, il ne garde rien de la chose, et se dérobe à l'imagination. Et l'erreur est ici d'imaginer au lieu de penser, d'imaginer un modèle de l'homme auquel l'homme ressemblerait plus ou moins. Métaphores. Mais il faut convenir aussi que l'erreur était difficile à éviter, puisque Aristote ne semble pas avoir saisi l'importante différence entre imitation et participation. Ce n'est pas que le second de ces mots soit par lui-même assez clair, mais c'était beaucoup d'écarter le premier, qui, lui, est trop clair. Cet aveuglement d'Aristote fait scandale dans l'histoire des idées. On voudrait dire qu'Aristote, écoutant Platon, suivait déjà en son esprit l'autre philosophie, qui est une philosophie de la nature, au regard de laquelle l'idée, aussi bien que le nombre, n'est qu'artifice de représentation. Revenant au *Parménide,* sachons bien que Platon ne nous en dit pas si long, ni dans ce dialogue, ni ailleurs. Nulle part il ne se laisse entourer ni lier. Il échappe comme l'idée toujours échappe. Du moins nous apprenons un mouvement de poursuite qui est de l'esprit, non des mains.

Voici maintenant que tout change, et que le vieux Parménide consent à donner quelque idée, au jeune Socrate, des exercices auxquels on doit se livrer préliminairement, si l'on veut espérer de saisir, en leur précieuse vérité, le beau, le bon et le juste. Ici commence un jeu de discours, le plus abstrait et le plus facile, et qui semble le plus vain, le plus sophistique, le plus inutile, le plus creux qui soit. Pour conduire le disciple à prendre au sérieux ce jeu, juste assez, mais non point trop, il est utile de rappeler ce qu'était Parménide, et quels paradoxes il jeta dans le monde. Rien n'est plus aisé à comprendre dès que l'on s'en tient au discours. L'être est et le non-être n'est pas, tel est l'axiome initial. D'où l'on tire que l'être est un; car s'il était deux, un des deux ne serait pas l'autre; et n'être pas ne peut se dire de l'être. Indivisible aussi; car par quoi divisé? Par un autre être? Même impossibilité. Un donc, sans semblable, sans parties, tel est l'être. Tout ce qui est, il l'est. Ce qui n'est pas n'est rien; et donc n'a aucune puissance d'être jamais; ce qui n'est pas ne sera pas. L'être ne deviendra donc jamais ce qu'il n'est pas. Absolument il ne peut devenir, ni changer en aucun sens. Il est immuable. Immobile encore plus évidemment. Le mouvement des parties y est impossible puisqu'il n'a pas de parties; le mouvement du tout n'a pas de sens, puisque l'être est sans rapports avec quoi que ce soit. Zénon, le disciple, est célèbre pour avoir prouvé directement, s'attaquant à l'apparence même, que le plusieurs n'est point et que le mouvement n'est point. Ces derniers arguments sont les mieux connus, et ne se laissent point mépriser; c'est même par la flèche et l'Achille qu'on apercevra quelque résistance logique en ces aériennes constructions. De Parménide on sait bien ce qu'il concluait; on tire aisément ses preuves de ce que Platon lui fait dire. Quel genre de preuves? Logique au sens rigoureux du mot, c'est-à-dire fondé uniquement sur le discours. Que la loi du discours soit la loi des choses, c'est la supposition peut-être la plus téméraire qui soit; mais il est difficile de la bannir tout à fait de nos pensées. Après les sévères leçons de Kant, nous nous posons maintenant de belles questions. « Quand je construis le triangle et que je le perçois, suis-je sur le chemin de l'idée? Ne sont-ce pas plutôt mes discours invincibles, invincibles à partir d'une hypothèse, qui me rapprochent de l'idée? » Il semble que la chose nue ne puisse porter la preuve, ni non plus le discours nu. On verra, on soupçonne déjà que Platon interrogeait de même le triangle, le carré, le cercle. Et il faut savoir que cette querelle de l'esprit avec lui-même n'est pas réglée. La pure logique se cherche toujours, et prétend toujours.

Il y eut sans aucun doute une ivresse de discours en ce monde Grec, où le principal pouvoir venait de persuader. Quelques-uns, qui usaient fort bien de ce jeu, le surmontaient par un autre jeu. Gorgias passe pour avoir soutenu, en des preuves alternées, que l'être est, puis que le non-être est; qu'ainsi l'être n'est pas; mais de nouveau que l'être est. C'était comme un pur art de plaider. Et la preuve en cette fragile dialectique était, autant que nous savons, celle-ci, que l'on retrouve aussi dans Platon, c'est qu'on ne peut pas dire de quoi que ce soit qu'il n'est pas s'il n'est absolument pas, car alors on n'en penserait rien du tout. On peut mépriser ce genre d'argument, qui étonne à peine, et qui n'éclaire point. Convenons pourtant que c'était une première réflexion. L'esprit se retire des choses et cherche ses propres lois. Il ne trouve rien de solide; il se moque; il rit. C'est quelque chose de rire; et ce qui fait rire a paru digne encore de ce beau nom d'esprit. Si l'on veut se garder ici de trop de sérieux, il faut lire, avant le *Parménide,* l'*Euthydème,* qui est une bouffonnerie sans malice, où l'on trouve des raisonnements comme celui-ci : ta chienne a des petits; elle est mère, elle est tienne; donc elle est ta mère. Socrate ne fait que rire devant ces grossières apparences; on ne réfute point ce qui n'est que jeu de mots. Toutefois je soupçonne que l'art profond et toujours très caché de Platon veut ici nous faire entendre qu'en d'autres sujets, et quand la conclusion nous plaît, nous savons bien faire arme de raisonnements qui ne valent guère mieux que celui-là. On verra, par d'autres exemples, que Platon excelle à faire entendre, sous l'apparence d'un simple jeu, ce qu'il importe le plus de savoir. On se demande si Platon n'aurait point pesé et jugé cette logique du prétoire, qui prouve si aisément ce qui plaît, et enfin s'il n'a pas saisi, dans sa forme pure, cet art de plaider qui savait si bien se moquer de lui-même. Certes il ne faut pas oublier que c'est Platon qui a nommé dialectique cet autre art, sérieux et profond entre tous, qui permet de remonter aux pures idées et peut-être d'en redescendre. Mais tout nous dit qu'il n'a rien montré, en ses *Dialogues,* de la vraie dialectique. Sa constante méthode est, au contraire, de nous dessiner quelque tableau énigmatique où soudain nous nous reconnaissons, nous et nos pensées. Ainsi avertis, et libres à l'égard du discours, nous pouvons aborder la deuxième partie du *Parménide.* Donc, et sur le modèle de ces raisonnements que j'ai reproduits plus haut, on cherche, en posant que l'un est, ce qui en résulte et n'en résulte pas pour l'un et pour les autres choses. L'un est indivisible, sans parties, sans forme, sans mouvement, sans changement, sans âge, c'est-à-dire sans rapport au temps. On reconnaît la thèse de Parménide. Mais ici il prouve ensuite tout le contraire, d'après cette remarque que, si l'un est, on n'a plus seulement l'un, on a aussi l'être, qui est autre que l'un, et encore l'autre, qui fait, si l'on peut dire, un troisième personnage, et enfin tous les nombres, les parties, le changement, le mouvement, l'âge. Après quoi l'on revient, et l'on suppose que l'un n'est pas. Mais il importe de tout lire, puisque Parménide nous a avertis qu'il s'agit seulement d'un exercice. On remarquera que ce jeu est joué avec un sérieux étonnant. Il serait sans fin ; il cesse sans que l'on sache pourquoi. Encore une fois Platon nous laisse là.

Cette sorte de nébuleuse est-elle grosse d'un monde ? Faut-il voir ici les premières articulations d'un système où les idées de nombre, d'espace, et de temps naîtraient de l'un indéterminé, par une division intérieure, par une opposition et corrélation à la fois, qui serait la loi cachée de toutes nos pensées ? On peut le croire, malgré l'apparence de simple exercice, annoncée d'abord, et encore marquée dans la suite par le changement de l'hypothèse. Et, quoique Platon semble vouloir nous fatiguer d'une métaphysique qui prouve ce qu'elle veut, il est permis de chercher en ce dialogue comme le fantôme d'une doctrine secrète. Car la négligence de Platon est souvent étudiée. Il n'annonce jamais ce qui importe, et même nous détourne quelquefois de nous y jeter, comme s'il craignait par-dessus tout la prise brutale des mains. Mais quand le système y serait, quand on pourrait ici deviner, sous le jeu des contradictions, quelque chose de cette méditation pythagorique qu'Aristote rapporte de Platon, et qui faisait naître toutes les pensées et toutes les choses de l'un et du deux, il reste, de ces entretiens entre Platon et Socrate, qui sont tout notre Platon, une leçon cent fois redite, et qui a plus de prix que le système. Mais qu'est-ce que c'est donc ? Une légèreté de touche, une précaution devant la preuve, un retour au commencement, un art de tendre, et de détendre, de nouer et de dénouer le fil ténu ; une défiance à l'égard de cette pensée terrestre, qui tire de l'essence les propriétés comme d'un tonneau ; une attention, au contraire, à l'univers entier des relations, oppositions, répulsions, attractions, qui font un ciel mouvant de formes, d'impalpables et d'instables nuées, légères de secrets, d'aventures et de créations. N'y pas trop croire. N'a-t-il pas dit aussi qu'il faut toujours quelque contraire de Dieu ? Il nous contera d'autres mythes, ceux-là chargés de matière, et de vies sans commencement. Ici, à l'opposé, l'esprit sans mémoire, l'esprit neuf et trop libre, qui se refuse à continuer. Ici le mythe de l'entendement pur, peut-être.

CHAPITRE IV

LES IDÉES

> ...Car pour les incorporels, qui sont ce qu'il y a de plus beau et de plus grand, ils se montrent par le discours seulement, et ils ne se montrent clairement par aucun autre moyen.
>
> *Le Politique.*

DANS le *Grand Hippias,* jeu terrestre où Socrate est aux prises en apparence avec un personnage bien sot, mais plutôt avec d'impénétrables exemples, et en réalité avec son propre esprit, ce qui fait deux dialogues en un, se montre à la fin une forte et étonnante distinction. Il y a, dit Socrate, des idées qui sont telles que tous deux ensemble y convenons et en sommes un exemple, mais qui ne conviennent point à l'un de nous, ni à l'autre, ainsi que nous sommes deux. Car ensemble nous sommes deux, mais cette propriété d'être deux ne se divise point; nul de nous ne la possède; et ce n'est donc point à vrai dire une propriété. Joignons d'autres exemples à celui-là, d'autres exemples qui paraissent ici et là dans d'autres dialogues, afin d'épuiser, si nous pouvons, le sens de cette précieuse remarque, encore neuve maintenant. Le grand et le petit ne sont point non plus des manières d'être que l'on puisse rapporter à un sujet; sans quoi il faudrait dire que Socrate, comparé à plus grand que lui, puis à plus petit que lui, est devenu plus petit, et puis plus grand, sans changement aucun. Étrange conclusion. En sorte qu'on rirait de celui qui voudrait penser le grand en soi, et le petit en soi. Il n'est point de petit qui ne doive aussitôt être dit grand, ni de grand qui ne soit en même temps petit. Ces qualifications nous jettent aussitôt hors d'elles-mêmes, et passent dans leur contraire. Il en est autant de l'aigu et du grave, du léger et du lourd, du froid et du chaud, du rapide et du lent. Ce sont des attributs qui n'appartiennent en propre à aucun être, et, bien mieux, qui ne s'appartiennent pas à eux-mêmes. Réellement je ne pense pas qu'une chose est froide si je ne pense pas en même temps qu'elle est chaude, et ainsi du reste. Pareillement, pourrions-nous dire de Socrate et d'Hippias, cette propriété qu'ils ont chacun, d'être le même que lui-même et autre que l'autre, n'appartient qu'aux deux. En chacun d'eux, et comme attachée à lui, elle périrait; car ce n'est que par rapport à l'autre que je suis autre que l'autre; et, en regardant de plus près c'est encore par rapport à l'autre que je suis le même que moi.

Nous n'avons pas fini de développer et de mettre en ordre ces rapports d'opposition, qui sont aussi de corrélation. Nous n'avons pas fini. Platon, qui ne cesse de tisser nos vies futures, mais qui se garde aussi de les achever, nous lance sans secours en ces aventures, qui sont déjà assez près de terre, je dirais même qui s'en rapprochent, qui descendent, car c'est là le mouvement platonicien. Mais, laissant encore cette prise, revenons à notre *Grand Hippias,* et à l'autre exemple, qui semble fait pour nous ramener. La beauté est bien une idée commune à deux choses belles, et qui leur convient à toutes deux; toutefois elle convient aussi à chacune d'elles; elle se divise en un sens, mais chacune des choses la possède tout entière. Cette autre clarté ne brille qu'un moment. Socrate prend congé. Silence. Maintenant il nous est bien permis de loger une pensée en ce creux ainsi préparé. Chacun sait que la beauté d'un temple n'appartient pourtant pas aux parties du temple, ni aux parties de ces parties. La poussière du Parthénon n'est point belle. Les parcelles d'or et d'ivoire ne retiendraient point la beauté de la statue chryséléphantine. Plus avant, et à la poursuite de ces idées de vertu, que Socrate cherchait, et dont il approchait quelquefois, sans peut-être savoir qu'il les cherchait, disons que l'idée de la tempérance ne peut convenir qu'à un homme divisé, partagé entre ce qui désire et ce qui règle, sans oublier ce qui fait, et qui souvent s'emporte. Et comment justice, sans un rapport et une harmonie dans l'homme entre ce qui convoite, ce qui fait, et ce qui mesure? En sorte qu'on pourrait bien dire que la justice enferme son contraire, et que la tempérance enferme son contraire; aussi qu'elles sont communes aux parties de l'homme prises ensemble, mais qu'elles ne conviennent à aucune de ses parties; car ce n'est point la convoitise qui est juste, ni la colère qui est tempérante; et disons même que ce n'est point la raison qui est juste, ni la raison qui eﬅ tempérante. Que Platon ait pensé ainsi, cela ne fait point de doute dès qu'on a lu *La République*. Ainsi la vertu, et la beauté non plus, ne trouvera point des êtres auxquels elle soit inhérente, je veux dire des êtres qui la possèdent en chacune de leurs parties. Et il eﬅ vrai de dire, en suivant le mouvement du *Grand Hippias,* que la raison, la colère et le désir peuvent être tempérants pris ensemble, mais ne le sont point chacun. De même pour la juﬅice, elle eﬅ l'attribut d'un tout, mais ne convient pas aux parties séparées. La colère n'eﬅ pas plus juﬅe seule qu'un des cinq osselets n'eﬅ cinq. En sorte que l'idée de juﬅice, ou de beauté, qui à première vue rassemble tous les êtres juﬅes, ou toutes les choses belles, rassemble encore, mais d'une tout autre manière, les puissances de l'être juﬅe, ou les parties de la chose belle, cette fois sans convenir aux parties. Et cette remarque nous rapproche de nos véritables pensées; car il faut bien, comme dira Ariﬅote, que la juﬅice de Socrate soit propre à lui, mais il ne se peut point, et Platon ne cesse de nous le faire entendre, qu'elle ne se sépare de lui, comme le cinq se sépare des cinq osselets. Séparable; inséparable.

Ariﬅote, qui devait mettre sur pied la doctrine de l'inhérence, a médité sur ce point-ci au moins une vingtaine d'années, avant de prendre parti. Par les analyses platoniciennes, dont le lecteur forme maintenant quelque notion, il eﬅ clair que l'idée se sépare. Elle se sépare, parce qu'on ne peut se la représenter étalée sur la chose, et partie contre partie. Le cinq n'eﬅ pas inhérent aux osselets. Mais l'idée se joint aussi à la chose, bien plus étroitement que ne le ferait un modèle, par ceci que le même rapport exprime autant que l'on veut les différences, comme les mathématiciens le savent bien. Une formule n'eﬅ pas seulement commune à tous les problèmes qu'elle permet de résoudre; elle eﬅ propre aussi à chacun d'eux. Par exemple, toutes les variétés possibles dans la vitesse de plusieurs coureurs, dans le sens de leurs mouvements, dans le temps et le lieu de leurs rencontres une seule formule les peut exprimer. C'eﬅ pourquoi, en disant que les formules sont générales, on ne dit point tout, on ne leur prête que l'identité immobile de l'idée du lion, commune à tous les lions. Une telle idée ressemble à la chose; elle eﬅ elle-même une sorte de chose; elle eﬅ semblable à d'autres idées, différente d'autres idées; elle forme avec toutes les autres idées un autre monde d'existences qu'il faut dire imaginaires, et qui, par le même raisonnement, en suppose un autre et un autre, et ainsi sans fin. Toujours est-il que, par le rapport extérieur que l'imagination emporte avec elle, ces idées se séparent et même s'envolent; elles sont quelque part là-haut; elles sont transcendantes. Attention ici. La métaphore est presque partout dans Platon; elle emporte, elle élève le lecteur; elle étend et élargit le monde; elle nous y jette, elle nous y promène, comme en une patrie qui convient à nos natures composées. Mais j'espère montrer aussi que la métaphore est toujours telle, en ce poète de la poésie, qu'elle ne peut jamais nous tromper, et que, comme la parabole évangélique, elle nous renvoie invinciblement à une idée, mais à une idée qui est devant nous, dans la métaphore même. Je suis assuré que Platon a surmonté ces idées qui sont objets, et qu'il a au moins entrevu, et c'est trop peu dire, ces autres idées qui sont les idées et que l'imagination ne peut saisir.

La doctrine de Platon portait plus d'avenir qu'aucune autre; et sans doute est-il plus facile aujourd'hui d'entendre Platon qu'il ne le fut jamais. La formule, qui nous est maintenant familière, donne à l'idée une sorte de corps délivré de ressemblance, et qui laisse mieux deviner l'idée que ne fait la figure géométrique, visage ambigu. Mais, d'un autre côté, la figure géométrique nous est une épreuve plus sévère, et que peu surmontent, car il est plus agréable de voir la géométrie que de l'entendre. Et toutes les difficultés, ou plutôt les facilités, que l'on trouve à Descartes et à Spinoza, résultent de ce que l'on n'a pas bien surmonté l'épreuve propre au géomètre. Or, là-dessus, au sixième livre de *La République,* Platon a dit ce qu'il faut dire, et mieux que personne. La figure géométrique n'est qu'un reflet, une image de l'idée. L'œil la perçoit, et de cette perception l'esprit reçoit un certain secours, comme de police, par rapport à la partie épaisse et violente de notre nature. Mais, en même temps qu'il perçoit l'image, le géomètre fait continuellement attention à ceci, que l'image n'est point l'idée. Dont témoignent les démonstrations elles-mêmes, qui sont, comme Spinoza dira, justement les yeux de l'âme, par lesquels elle connaît ces choses. Aussi les démonstrations vont-elles bien au-delà de la figure, saisissant dans le triangle cette relation indivisible des angles, qui est au-dessus de leurs valeurs, et qui explique d'avance, en leur totalité, une variété illimitée de valeurs et de figures. Mais la démonstration signifie exactement ceci, qu'il est vain d'espérer de voir l'idée, et qu'il faut l'entendre.

On tâtonnera longtemps, et sans doute vainement, à la recherche d'une intuition intellectuelle. Cette métaphore, tirée de la vue, porte avec elle non pas certes des couleurs et des formes, mais la notion d'un objet qui subsiste et qui s'offre. Au lieu que l'entendre ne nous instruit que par un mouvement et un progrès. Ce n'est pas alors un objet que la pensée découvre, mais c'est plutôt elle-même qu'elle découvre, en un passage, en une suite de passages, en une délivrance, en une succession de moments dépassés. Et il se peut bien que ce mouvement de pensée soit le tout de l'idée, et qu'il n'y ait point du tout d'objet intellectuel, ou, si l'on veut, d'existence, de donnée, qui mérite le nom d'idée. Et quand on dit, en bon disciple de Kant, que la dialectique ne fera jamais exister un objet, peut-être marque-t-on fort bien, et selon la doctrine platonicienne, la distinction de l'idée et de l'objet. Et c'est ce que le triangle et le nombre devraient nous apprendre; mais l'idole chérie c'est l'idée existant, et saisie comme par les yeux. L'idée, ainsi que Platon l'a dit et redit, est saisie seulement par une suite de discours, qui est dialectique; dialectique, c'est enchaînement de propositions. La dialectique géométrique est seulement incomplète, par l'hypothèse, fille de nature, que nous propose quelque hasard du monde. De la même manière, on ferait comprendre que le nombre cinq n'est lui aussi, qu'un reflet de l'idée, en cinq osselets, en cinq bœufs, en cinq points. Maintenant, cette idée est-elle cinq ? L'idée de deux est-elle deux ? Mais n'est-elle point plutôt commune à tout ce qui est pair ? Mieux, n'y a-t-il pas une loi des nombres qui est l'idée de tout nombre ? Il est vrai qu'ici nous n'allons pas loin, puisque la suite des nombres premiers, après tant de recherches, est encore un simple fait pour presque tous, et peut-être pour tous. On voit cette suite, on ne l'entend point. Toutefois qui oserait soutenir que nul ne l'entendra jamais, qu'on ne peut l'entendre ? Platon est unique par ce mouvement au-delà du visible, même sans moyen et sans objet. Platon était loin de savoir ce que savent nos docteurs. Toujours est-il qu'Aristote nous rapporte de lui qu'il considérait les nombres comme des intermédiaires entre les choses et les idées. Platon avait donc l'expérience de cette réflexion intrépide, qui toujours dépasse, qui toujours dépose l'objet, même abstrait, de ce rang d'idée auquel il prétend toujours, par notre nature mêlée de terre. Et puisque ce retour à l'opinion vraie, cette descente, cette chute d'entendre à voir, est notre lot, l'autre mouvement, si difficile qu'il soit, et souvent sans moyens, comme je disais pour les nombres, est pourtant le mouvement vrai. Comme disait un mathématicien : « Nous jetons du lest; nous ne pouvons pourtant pas nous jeter nous-mêmes. » En ce mouvement tient peut-être toute la doctrine de l'idée. Platon, en ses *Dialogues,* a divinement trouvé ce qu'il nous faut, par cette admirable insuffisance que ses mythes nous jettent au visage.

Si l'on demande maintenant quel est l'ordre vrai, non pas dans ces reflets qui sont les notions mathématiques, mais dans les idées impalpables, invisibles, sans corps, inaccessibles à presque tous et peut-être à tous, on demande, il me semble, plus que ce que l'homme peut tenter. Il se peut bien que, dans ses leçons orales, un Platon pythagorisant se soit risqué à quelque système de dialectique par l'un et le deux. Dont Aristote a pris de l'humeur; mais convenons pourtant que l'humeur d'Aristote devant la doctrine platonicienne est quelque chose d'inexplicable; car la présence de l'homme, le ton, le geste devaient obtenir indulgence pour les plus hardies anticipations. En revanche, comme Platon lui-même nous en a avertis, les œuvres écrites sont trop solides, trop objet, trop abandonnées; il y faut mieux mesurer ce que l'on sait, ce que l'on suppose, ce que l'on voudrait; il y faut fixer, si cela est possible, quelque chose de ce discours parlé, changeant, fluide, et qui va toujours se corrigeant et se dévorant lui-même. Et, parce que Platon a rassemblé en ses écrits justement ce qu'il faut d'espérance, de foi, de doute, pour élever nos faibles pensées, on l'a surnommé le divin, et bien nommé. Mais que dire enfin, d'après ses œuvres, de ce système d'idées qu'il esquissait, qu'il entrevoyait, qu'il soupçonnait?

Mettant au sommet l'un et le deux, d'après le témoignage d'Aristote, il faudrait y joindre l'être et le non-être, le fini et l'indéfini, le repos et le mouvement. Ce sont, comme on l'a compris, des relations et des corrélations, les plus abstraites qui soient, et qui, par la distance même où elles se trouvent de ces relations que nous pensons dans les choses particulières, comme l'éclipse ou la course des planètes, sont pour nous rappeler une étendue d'idées entre la source pure et le lieu des applications. Sans doute les sévères analyses du *Sophiste,* qui est comme une réflexion sur le *Parménide,* ont pour fin de nous séparer à jamais de cette opinion que les idées sont des êtres. Toujours est-il qu'une déduction à proprement parler, qu'une suite vraie de ces formes abstraites, manque tout à fait dans le *Sophiste,* et aussi bien dans le *Philèbe,* où elles se montrent selon un autre ordre, et enfin ne se trouve dans aucun autre dialogue. Quant à une vue directe sur l'application de ces idées à l'expérience, et sur ce que pourrait être l'expérience sans elles, je vois surtout à remarquer, avec l'analyse mouvante du *Philèbe,* un passage du *Politique,* presque perdu, mais sans doute à dessein, dans ce dialogue énigmatique, où, encore plus que dans le *Sophiste,* il semble que Platon veuille définir le personnage extérieur par les moyens extérieurs, ce qui égarerait tout à fait sur les vrais moyens de fixer l'expérience en nos pensées. Je dois dire ici en passant ce que j'ai fini par croire de ces deux dialogues désespérants, c'est que ce sophiste et ce politique représentent deux degrés de l'opinion, et déterminés par les deux degrés de l'opinion, le premier, homme d'apparence, et le second, homme d'expérience. Mais voici un meilleur objet; voici la nature toute seule, sans le pli de coutume. Voici l'aigu et le grave courant à travers les sons, comme courent en d'autres expériences le chaud et le froid, le rapide et le lent, le grand et le petit, chacun retrouvant partout son contraire à côté de lui, et son contraire en lui-même. Ici, et aussi loin que possible des formes incorruptibles, ici, dans cette partie de l'expérience qui est le plus expérience, c'est encore l'idée qui porte le monde. Car la diversité sensible prend aussitôt la forme du deux, ou comme on dit, de la dyade, et aussitôt ce deux s'enfuit d'une fuite qui n'est plus Héraclitéenne, mais qui est mieux, puisqu'elle fait comparaître tout l'univers des degrés, et toute la qualité possible dans une qualité. Ici l'idée même du changement, fixé par son contraire, la mesure. Héraclite gardait la raison droite comme témoin du changement, mais hors du changement. Cet esprit défait; il ne fait rien. Platon nous laisse ici entrevoir les formes de l'esprit dans le tissu même de l'expérience, et créant à proprement parler l'apparence du monde, selon la belle parole d'Anaxagore citée dans le *Phédon :* « Au commencement tout était ensemble; mais vint l'esprit, qui mit tout en ordre. »

Bref, que serait le monde sans les idées ? Non seulement il ne serait pas compris; mais c'est trop peu dire; il ne serait rien; il n'apparaîtrait même pas. En ce flux indéfini, c'est le fini qui fait paraître la chose. Et observez comment c'est Héraclite lui-même qui se change en Platon, comme Zénon aussi, qui niait le mouvement; mais c'est peut-être ici le seul cas où, selon le courage socratique, l'adversaire a été pensé d'après la bonne foi. En ce tableau sommaire des formes les plus abstraites se trouve le mouvement au niveau du repos. Il a fallu Héraclite et Zénon ensemble en Platon pour surprendre l'idée dans le spectacle même, et l'immobile dans le mouvement. Car il est assez clair, par cette double négation, que le mouvement n'est point dans les choses; mais plutôt le mouvement c'est le changement pensé d'après le même, et par la mesure. En disant seulement, et en passant, que le mouvement est une idée, Platon dit beaucoup; car il est vrai que nous pensons le mouvement comme un tout, et comme un modèle du changement, que le changement ne nous dicte point; un modèle selon l'esprit, non selon la chose. Il suffit à Platon de nous avertir; il n'entre point dans ses fins de nous donner le savoir, car, frappant ainsi sur notre cuirasse mortelle, il vise un autre salut plus précieux que le pouvoir, et plus précieux que le savoir. Le fait est que nous ne voyons point d'abord l'idée dans la chose, quoique l'idée y soit; et la connaissance par les sens n'est point la connaissance vraie. Si les idées forment la trame même de l'expérience, comment se peut-il faire que l'homme ignore si aisément cela ? Les idées ne sont pas loin; elles ne sont pas ailleurs; elles sont devant nous. Il n'y a pas une qualité, le rouge, le chaud, le lent, qui ne soit pensée la même, quoiqu'elle ne le soit point. Il n'y a pas de qualité qui ne soit pensée par une autre, par l'autre. Il n'y a point de contraire qui ne soit pensé par son contraire. Le nombre n'est point dans les choses; la grandeur n'est point dans les choses; le mouvement n'est point dans les choses; bien mieux la qualité elle-même n'est point dans les choses. Mais cela ne signifie point que quelques-uns voient seulement les choses, et que d'autres connaissent aussi les idées; car les choses, sans les idées, sont aussi impossibles que les ombres sans les choses dont elles sont les ombres. L'inhérence, certes, est surmontée; l'idée du grand et du petit n'est ni dans Socrate ni dans Théétète quand je juge que l'un est plus grand que l'autre; et l'idée de mouvement n'est ni dans le mobile, ni dans le témoin immobile par rapport auquel le mobile se meut. Toutefois ce monde Héraclitéen, où il n'y a que changement pur et simple sans aucun mouvement, où la chose n'est ni grande ni petite, ni chaude ni froide, nul ne l'a jamais vu. L'apparence n'apparaît que par les idées. Seulement ces idées sont comme perdues, méconnaissables dans l'apparence sensible. En vain nous ouvrons de grands yeux. Le fait est que nous pensons, et que nous n'en savons rien. Il faut un long détour avant que nous puissions penser explicitement l'idée dans la chose, et, par exemple, ce qui importe le plus, l'idée de l'homme dans l'homme. Et peut-être, j'y insiste de nouveau après tant d'analyses concordantes, qui frappent toujours là, peut-être toute l'erreur consiste-t-elle à croire que le modèle de l'homme ressemble à l'homme. La doctrine de la justice, telle qu'on la trouvera dans *La République,* est inintelligible tant que l'on cherche la justice hors de tel homme, et comme dans un autre homme plus parfait que lui. Car à chacun sa justice, mais justice pourtant universelle. Il y a donc un secret, encore bien caché aujourd'hui même à ceux qui l'ont surpris. Platon a bien des disciples, mais il est neuf. Il est périlleux, il est presque inconnu, et cela fuit celui même qui le sait, d'enseigner selon Platon. C'est que Platon n'a pas livré son secret, mais plutôt une autre énigme, la plus belle au monde; et nous y voilà.

CHAPITRE V

LA CAVERNE

...afin que nous passions du songe à la réalité de la veille.

Le Politique.

Si nous regardons par la tranche une roue qui tourne, et qui porte en un de ses points un signal, nous croyons voir le signal allant et revenant, plus vite au milieu de sa course, moins vite aux extrémités; et nous ne pourrons comprendre ce mouvement tant que nous ne saurons pas ce qu'il est en réalité, c'est-à-dire le mouvement d'une roue. C'est à peu près ainsi que nous voyons la planète Vénus aller et venir de part et d'autre du soleil; et cette apparence est inexplicable jusqu'au jour où nous supposons un mouvement de cette planète à peu près circulaire autour du soleil. Toutefois ce premier mouvement, dont la première apparence est comme l'ombre ou la projection, est lui-même en quelque sorte illisible, tant que nous ne savons pas y retrouver des mouvements plus simples, dont nous sachions compter la vitesse. Étrange condition que la nôtre! Nous ne connaissons que des apparences, et l'une n'est pas plus vraie que l'autre; mais si nous comprenons ce qu'est cette chose qui apparaît, alors par elle, quoiqu'elle n'apparaisse jamais, toutes les apparences sont vraies. Soit un cube de bois. Que je le voie ou que je le touche, on peut dire que j'en prends une vue, ou que je le saisis par un côté. Il y a des milliers d'aspects différents d'un même cube pour les yeux, et aucun n'est cube. Il n'y a point de centre d'où je puisse voir le cube en sa vérité. Mais le discours permet de construire le cube en sa vérité, d'où j'explique ensuite aisément toutes ces apparences, et même je prouve qu'elles devaient apparaître comme elles font. Tout est faux d'abord et j'accuse Dieu; mais finalement, tout est vrai et Dieu est innocent. Je me permets ces remarques, qui ne sont point dans Platon, mais qu'il nous invite à faire lorsqu'il compare nos connaissances immédiates à des ombres; car toute ombre est vraie; mais on ne peut savoir en quoi elle est vraie que si l'on connaît la chose dont elle est l'ombre. Il y a une infinité d'ombres du même cube, toutes vraies. Mais qui, réduit à l'ombre, borné là, pourra comprendre que ces apparences sont apparences d'un même être? L'ombre d'une équerre sera quelquefois une ligne mince. L'ombre d'un œuf sera quelquefois ronde. C'est de la même manière qu'un ballon qui s'élève dans l'air, ou un liège qui s'élève dans l'eau, semblent tout à fait différents d'une pierre qui tombe. Mieux, la pierre qui s'élève et la pierre qui tombe, n'est-elle pas le même mouvement accéléré qui se continue? Ces exemples étaient mal connus des anciens, et sans doute aussi de Platon. Le miracle est ici qu'on n'a point trop de toute notre science, et même de ses plus profondes subtilités, si l'on veut comprendre tout à fait la célèbre allégorie de la caverne. Retenons l'exemple facile du cube, de ce cube que nul œil n'a vu et ne verra jamais comme il est, mais par qui seulement l'œil peut voir un cube, c'est-à-dire le reconnaître sous ses diverses apparences. Et disons encore que, si je vois un cube, et si je comprends ce que je vois, il n'y a pas ici deux mondes, ni deux vies; mais c'est un seul monde et une seule vie. Le vrai cube n'est ni loin ni près ni ailleurs; mais c'est lui qui a toujours fait que ce monde visible est vrai et fut toujours vrai.

Ouvrage pur d'une éternelle cause.

Ces remarques préliminaires font comprendre ce que c'est qu'erreur. Platon se plaît à montrer, dans *Le Sophiste,* et dans *Le Théétète,* que nul ne peut penser le faux, puisque le faux n'est rien. En ces deux dialogues, comme en tous, il ne se presse pas de conclure; et l'on peut même remarquer que cette difficulté ne l'inquiète guère. C'est que toutes les touches sont indirectes, en ces œuvres qui visent d'abord à nous éveiller. Et cette impossibilité que l'erreur soit n'a plus d'effet si l'on rassemble, comme il faut faire, les ombres et les idées. Car les idées ne changent point les ombres; mais plutôt par les idées on comprend que les ombres sont vraies, qu'il n'y a point à les changer, et, pour citer une grande parole de Hegel, que ce monde nous apparaît justement comme il doit. Mais c'est le sophiste qui manque au monde. C'est le sophiste qui ne veut point que l'apparence soit vraie. Les degrés du savoir, pour dire autrement, ne sont point entre des objets, les uns, qui sont idées, se montrant comme au-dessus des autres. Dans le fait il ne manque rien aux autres, aux apparences, que la réflexion de l'esprit sur ce qu'il pense en elles. Le sophiste perçoit un cube comme nous le percevons; mais il ne veut pas penser qu'il le pense. Ainsi, cherchant l'idée séparée, il ne lui trouve point d'objet; et, pensant l'objet séparé, il n'en trouve point d'idée. Rien n'est pour lui; tout est faux. Mais rien n'est faux. On aperçoit que le salut de notre pensée n'est pas loin de nous. Autant faudra-t-il dire, en termes plus émouvants, du salut de notre âme. Mais qu'un long détour, et une sorte de voyage à travers le discours, soit ici nécessaire, nous devrions le savoir mieux que Platon; et, au contraire, il semble que le soleil de cet heureux temps soit de jour en jour plus loin de nous et plus étranger. Patience; tout sera expliqué, et par Platon lui-même. Ces préliminaires sont pour faire attendre la plus fine, la plus achevée, la plus profonde des leçons que l'homme ait reçue de l'homme. On jugera si c'est trop dire.

Nous sommes donc semblables à des captifs, nous qui recevons ainsi le vrai à la surface de nos sens, à des captifs qui seraient enchaînés, le dos tourné à la lumière, et condamnés à ne voir que le mur de la caverne sur lequel des ombres passent. Et décrivons d'abord ce monde des captifs et cette vie des captifs en cette cave, supposant qu'ils parlent entre eux; et n'oublions pas aussi que ces ombres leur apportent plaisir, douleur, maladie, mort, guérison. On aperçoit que le plus grand intérêt de ces captifs est de reconnaître ces ombres, de les prévoir, de les annoncer. D'abord ils appelleront objets et monde véritable ces ombres, car ils ne connaissent rien d'autre. Et puis si quelques-uns, par une mémoire plus sensible, remarquent certains retours et certaines ressemblances, et ainsi annoncent ce qui va arriver, ils nomment sages et chefs ces hommes-là. Non sans disputes; non sans méprises, puisqu'il suffira qu'un même objet soit tourné autrement devant la flamme pour que son ombre soit prise pour un nouvel être, comète, éclipse. D'où un grand tumulte en cette prison, des sortes de preuves, des maladroits et des habiles, une gloire et des acclamations;

enfin des hommes qui auront raison, étrange manière de dire, par le souvenir et les archives, comme on sait que les Égyptiens annonçaient les éclipses sans savoir ce que c'était qu'éclipse. Grand pouvoir, mais petit savoir. Il faut un long détour avant que l'on sache l'éclipse, par mouvements composés. Comprenez pourtant que, dans cette prison, et parmi ces hommes attachés par le cou, et incapables de tourner seulement la tête vers les choses véritables, il y aura des écoles, des concours, des récompenses, des degrés, des triomphes. Que les uns vivront selon la première apparence, comme ces sauvages qui croient que la lune est malade, au lieu que d'autres, inscrivant mieux les apparitions, et comme en une cire plus fine, connaîtront les retours et annonceront la terreur et la joie. Il y aura une science dans cette caverne, et des instituts. Il y aura même une réflexion et une critique. Protagoras finira par soupçonner qu'il est enchaîné comme les autres, et il le prouvera à ses amis; mais il prouvera au peuple, par les effets, que c'est une admirable chose que le savoir. Suivons l'idée; rendons-nous-la familière. Il y aura une sorte de justice dans cette caverne, et une sorte d'injustice, par des opinions utiles ou nuisibles; et l'on mettra sans doute en prison quelques-uns de ces prisonniers, parce qu'ils auront mal prévu le retour des ombres.

Ici paraissent les degrés du savoir. Car ces captifs vivront presque tous selon la nature, c'est-à-dire se laisseront aller aux mouvements de précaution que provoque toute apparence, même nouvelle; ils se disposeront comme d'instinct pour saisir ou pour repousser, et telle sera leur pensée. Voilà le vraisemblable, qui est le plus bas degré du savoir, et le plus bas degré aussi de l'opinion. Mais les sophistes, en cette cave, jugeront par plus longue mémoire et même d'après les communes archives; ainsi ils perdront moins de leurs forces à craindre et à espérer; ils agiront selon la coutume, selon le croire; et ces deux degrés composent ensemble cette connaissance des captifs, que l'on nomme l'opinion. Et qu'il puisse y avoir une opinion vraie, c'est ce qui est évident, en ce sens que ceux qui annoncent l'éclipse d'après les archives Égyptiennes l'annoncent aussi exactement que ceux qui savent ce que c'est qu'éclipse selon la loi et la preuve. Au-dessus s'étend la science; et l'on a déjà entrevu deux degrés aussi dans ce savoir. Car, celui qui entend la preuve du géomètre, il eſt encore bien loin d'avoir réfléchi sur la différence qu'il y a entre ce savoir et l'opinion vraie; il ne sait pas encore ce que c'eſt qu'idée; encore moins ce que c'eſt que pensée. Toutefois les captifs ne formeront nullement cette science par leur expérience; et la raison en eſt que leur expérience suffit, comme on dit que la géométrie empirique suffisait aux Égyptiens. Il faudra donc quelque événement d'esprit, quelque rupture de cette coutume, et l'idée étonnante de ne plus regarder les ombres, mais de regarder en soi. Telle eſt l'évasion.

Donc je délivre l'un d'eux; je le traîne au grand jour. Il voit le feu; il voit les objets dont les ombres étaient les ombres; il voit tout l'univers réel, et le soleil même, père des feux et des ombres. Mais admirez. Il se bouche d'abord les yeux; il crie qu'il ne voit plus rien; il veut revenir en sa chère caverne, et retrouver ses chères vérités, et ce demi-jour qu'il nommait raison. Cependant je l'adoucis en ménageant ses yeux. Je lui fais voir les choses au crépuscule, ou bien dans le reflet des eaux, où les clartés sont moins offensantes. Et puis le voilà assez fort pour contempler les objets eux-mêmes, à la pleine lumière du soleil. Comme il a hâte de revenir dans la caverne, où sans aucun doute il sera roi, puisqu'il sait maintenant de quoi les ombres sont faites! Mais Platon le tire encore et le dresse, jusqu'à ce qu'il ait pu contempler au moins un petit moment le soleil lui-même. Alors seulement tu seras roi, pour le bien de tous et pour ton propre bien.

Transposons. Les ombres de la caverne, ce sont ces apparences sur le mur de nos sens. Les objets eux-mêmes, ce sont ces formes vraies, comme du cube que nul œil n'a vues; ce sont les idées. Cette délivrance se fait par le discours. Ces reflets moins difficiles à saisir, pour un regard moins accoutumé, ce sont ces figures dessinées selon l'idée, et qui soutiennent le discours du géomètre. Les objets du monde réel, ce sont les rapports intelligibles qui donnent un sens aux apparences, mais dont l'apparence, au rebours, ne peut donner le secret. Ce voyage du captif délivré, c'eſt le détour mathématique, non pas seulement à travers les reflets ou figures, qui sont encore des sortes d'ombres, mais jusqu'à ces relations sans corps que le discours seul peut saisir, jusqu'à ces simples, nues et vides fonctions, qui sont le secret de tant d'apparences et qui sont grosses de tant de créations; jusqu'à cette pure logique, déserte aux sens, riche d'entendement; admirable au cœur, puisque l'homme ne s'y soutient que par le seul souci du bien penser, sans autre gain. Mais le soleil? C'est ce Bien lui-même, qui n'est point idée, qui est tellement au-dessus de l'idée, tellement plus précieux que l'idée! Et de même que le soleil sensible, non seulement fait que les choses sont vues, mais encore nourrit et fait croître toutes les choses et les fait être, de même le Bien, soleil de cet autre monde, n'est pas seulement ce qui fait que les idées sont connues, mais aussi ce qui les fait être. Et certes celui qui aura contemplé un peu les idées, s'il revient dans la caverne, saura déjà prédire à miracle; on le nommera roi; ce ne sera pourtant point un roi suffisant, parce qu'il n'aura pas contemplé le Bien.

Ici s'élèvent des interprétations pieuses et belles, auxquelles il faut d'abord que l'on s'arrête. Il s'est fait en beaucoup d'hommes comme un reflet de Platon, qui est déjà assez beau. Et afin d'imiter un peu la prudence platonicienne, et de soulager l'attention, développons d'abord une idée assez facile. Il se peut que l'homme qui sait se plaise maintenant à cet autre monde; il se peut qu'on soit forcé de le traîner de nouveau dans la caverne. Il se peut que, de nouveau enchaîné, il ne sache plus d'abord discerner les ombres, et que d'abord il soit ridicule, parmi ces captifs qui de longtemps savent si bien tout ce qu'un captif peut savoir. Donc il voudra s'évader encore; mais c'est ce qu'il ne faut point permettre, sinon juste autant qu'il est utile pour faire revue des idées et ne les pas oublier. C'est ainsi que les chefs, après une guerre, après une croisière, après quelques années d'administration, devraient retourner à l'école, ou plutôt au monastère de méditation, mais non pas pour s'y enfermer à toujours. C'est dire que l'homme doit revenir, et instruire et gouverner, et en même temps s'instruire et se gouverner. Entendons que dans cette caverne, et parmi ces captifs, et le carcan au cou, c'est la vie vraie, et qu'il n'y en a point d'autre. Ou plutôt, c'est cette vie-là qui doit être l'autre vie et la vraie vie. Platon excelle, par la poésie qui lui est propre, à rassembler et disperser les idées et les ombres comme sur une scène éternelle, faisant paraître, à chaque détour de pensée et de passion, un éclair de paradis sur une caravane d'ombres misérables. Et tout cela ensemble a justement la couleur de notre réelle pensée. Car qu'est-ce que vivre, ô crépuscule ? Mais que n'est-ce pas aussi que penser ? Ici peut-être le sens des religions ; et toute la *Divine Comédie* est en la moindre de nos pensées. Toutefois, puisqu'il faut que le sévère entendement circonscrive cette métaphore, et la sauve elle-même de mourir, c'est pour cela que j'avais écrit un si long préambule ; car il faut savoir qu'il n'y a plus rien de faux dans les ombres, dès qu'on y voit les idées ; et c'est ce monde-ci qui est le plus beau et le plus vrai, et, bien mieux, qui est le seul. Le sage est celui qui sauve jusqu'à ses ombres, et sa propre ombre. Mais les hommes se tiennent rarement à leur poste d'homme. Les uns se réfugient aux idées pures et au monastère d'esprit ; les autres trop tôt reviennent à l'action comme dans un rêve où le vrai n'est plus que souvenir. Je veux maintenant conter une histoire vraie. Il n'y a pas quarante ans, les matelots de Groix savaient bien aller à La Rochelle. Par quelle rencontre avaient-ils su l'angle de route qu'il fallait suivre ? Toujours est-il qu'ils avaient cette opinion vraie. Et, une fois rendus à La Rochelle, ils suivaient les autres pêcheurs jusqu'à un banc connu et fameux. Mais aucun d'eux n'eut jamais l'idée qu'un autre angle de route devait les mener tout droit sur le lieu de la pêche. Là-dessus, on institue une école de pêche, et l'on enseigne aux petits garçons, par géométrie empirique, par reflets des idées, l'art de trouver la route et de faire le point. Aux vacances, tous ces mousses allèrent à la pêche avec leurs pères, et firent l'essai de leurs talents. Les résultats parurent si merveilleux que plus d'un père voulut garder son fils avec lui, comme un savant pilote, et que plus d'un fils s'enivra d'exercer ce nouveau pouvoir, au lieu de revenir à l'école de pêche, aux calculs, aux leçons. Et au rebours on peut imaginer que le mieux doué de ces enfants alla d'école en école, donnant leçon d'idée après l'avoir reçue, et méprisant désormais la pêche et la navigation. Ainsi Platon a bien dit qu'il faut supplier le sage et même le forcer, s'il oublie ses compagnons.

Il reste à expliquer ce Bien, qui n'est pas une idée, et qui est la source des idées. Et l'on peut entendre que c'est trop peu de savoir, si l'on ne se propose point, soit en son savoir, soit dans les actions que le savoir rend possibles, quelque fin supérieure ; et qu'enfin c'est la volonté bonne qui seule donne prix et valeur aux idées. Au reste, puisque ce Bien ou ce Parfait est le plus être des êtres, il va sans difficulté que c'est lui qui fait être les idées, comme aussi tous les êtres pensants et toutes les choses.

Au sujet de cette théologie, qui a couvert une partie du monde, il faut reconnaître que Platon a dit, ici et là, de quoi nourrir des siècles de pensée mystique, par exemple, dans le *Théétète,* que le travail du sage est d'imiter Dieu. Je ne méprise point cette sagesse; et j'accorde qu'elle est d'une certaine manière dans Platon; seulement elle en recouvre une autre, bien plus pressante, bien plus positive, bien plus près de nous. Et, quoique la mystique chrétienne offre des profondeurs mieux que métaphoriques, je n'ai pas l'opinion qu'elle ait jamais touché au plus intime notre bien et notre mal, comme Platon a fait. Cela paraîtra, je l'espère, assez dans la suite. Mais dès maintenant nous devons rendre compte de ceci, qu'il manque beaucoup à la science, et même tout, si, remontant cette route d'intelligence qui va des choses aux idées, elle n'aperçoit pas un bien substantiel aux idées, de même ordre qu'elles, quoiqu'en valeur il les surpasse infiniment. Toute imagination surmontée, cette condition doit paraître dans le problème positif de la connaissance humaine; d'où s'élèvera la foi des incrédules, qui est la plus belle. Et voici comment je l'entends.

Nos idées, par exemple de mathématique, d'astronomie, de physique, sont vraies en deux sens. Elles sont vraies par le succès; elles donnent puissance dans ce monde des apparences. Elles nous y font maîtres, soit dans l'art d'annoncer, soit dans l'art de modifier selon nos besoins ces redoutables ombres au milieu desquelles nous sommes jetés. Mais, si l'on a bien compris par quels chemins se fait le détour mathématique, il s'en faut de beaucoup que ce rapport à l'objet soit la règle suffisante du bien penser. La preuve selon Euclide n'est jamais d'expérience; elle ne veut point l'être. Ce qui fait notre géométrie, notre arithmétique, notre analyse, ce n'est pas premièrement qu'elles s'accordent avec l'expérience, mais c'est que notre esprit s'y accorde avec lui-même, selon cet ordre du simple au complexe, qui veut que les premières définitions, toujours maintenues, commandent toute la suite de nos pensées. Et c'est ce qui étonne d'abord le disciple, que ce qui est le premier à comprendre ne soit jamais le plus urgent ni le plus avantageux. L'expérience avait fait découvrir ce qu'il faut de calcul et de géométrie pour vivre, bien avant que la réflexion se fût mise en quête de ces preuves subtiles qui refusent le plus possible l'expérience, et mettent en lumière cet ordre selon l'esprit qui veut se suffire à lui-même. Il faut arriver à dire que ce genre de recherches ne vise point d'abord à cette vérité que le monde confirme, mais à une vérité plus pure, toute d'esprit, ou qui s'efforce d'être belle, et qui dépend seulement du bien penser.

Je trouverai un exemple simple dans ce mouvement de réflexion qui a marqué les dernières années du XIXe siècle. L'illustre Poincaré fut amené à dire son mot là-dessus justement au sujet d'une preuve bien connue de cette proposition, que l'on peut intervertir l'ordre des facteurs sans changer le produit. Cette preuve pour les yeux, qui consiste à proposer des points bien rangés, par exemple quatre rangées de trois points chacune, enlève toute espèce de doute, semble-t-il, par ce genre d'expérience que l'on nomme intuition. Mais Poincaré rappela que la science rigoureuse refuse cette preuve, remontant de la multiplication à l'addition, et encore des nombres à l'unité, pour recomposer ensuite et par degrés la proposition dont il s'agit à travers plusieurs pages de transformations assez difficiles à suivre. Cet exemple est propre à faire voir qu'un esprit scrupuleux sait encore douter de ce qui ne fait pas doute, et prendre le chemin le plus long comme Platon aime à dire. Il ne suffit donc point qu'une proposition soit vraie selon la chose; il faut encore qu'elle soit vraie selon l'esprit. Et, bref, ici se montre la règle du bien penser, qui repose sur elle-même. Cela revient à dire qu'il y a un devoir de bien penser, et advienne que pourra. L'esprit est ici sa propre fin et son propre bien.

Platon, dans *La République,* s'explique assez là-dessus; il s'agit seulement de penser ce qu'il dit. On peut aller en deux sens, à travers les idées. On peut descendre de l'hypothèse aux conséquences, en prenant l'hypothèse pour vraie; on marche alors vers l'expérience et les applications; mais on peut et même on doit, si l'on prétend à l'honneur de penser, remonter au contraire d'hypothèse en hypothèse, jusqu'à ce qui est premier et catégorique. C'est voir ou entrevoir, ou tout au moins soupçonner l'esprit, source des idées, et cette manière de prouver qu'il tire tout de soi. Celui-là seul qui s'est tourné par là connaît les preuves comme preuves. Et qu'est-ce donc que Protagoras ? Ce n'est point un ignorant; nous supposerons même qu'il sait autant qu'homme du monde. Seulement il ne se sait point esprit. Les yeux toujours tournés vers ce royaume inférieur qui lui est promis, il considère seulement en quoi les idées s'appliquent à l'expérience; il glisse aisément à prendre pour une hypothèse seulement commode ce qui s'accorde avec la loi de l'esprit. Ayant laissé se perdre ce côté du vrai, il perd aussi l'autre, disant qu'il n'y a que des idées utiles ou nuisibles, non point des idées vraies ou fausses. Et, puisqu'il ne faut point dire au peuple qu'il n'y a ni vrai ni faux, parce qu'il n'y aurait plus alors ni juste ni injuste, le voilà qui s'accommode à la fois à la moyenne et à la basse opinion, trahissant deux fois sa propre pensée dans le moindre de ses discours. C'est sauver son corps et perdre son esprit; cela faute d'avoir aperçu le Bien au-delà des idées. Et ce qu'il faut surtout remarquer, c'est que ce genre d'esprit n'a jamais fini de descendre, par cette faute des fautes qui consiste à rabaisser l'esprit au rang de moyen; ce qui, de mille manières, et par divers chemins, conduit le politique à ce niveau où nous le voyons toujours. Il en est du vrai comme du juste. Si vous n'êtes pas juste pour le principe, vous n'êtes plus juste du tout. Si vous méprisez la vraie preuve, vous n'êtes plus esprit du tout. Telle est l'histoire étonnante de nos chutes; et la mythologie n'y ajoute jamais que des métaphores.

CHAPITRE VI

TIMÉE

Une image mobile de l'éternel...
Dieu sensible, image du créateur, très grand, très bon, très beau, tel est le ciel unique.

Timée.

En haut, en bas, métaphores qui expriment ces élévations et ces chutes, ces pardons et ces recommencements qui sont notre lot. On n'oserait pas dire que l'immense existence est décrite comme elle est dans les célèbres images du *Gorgias,* du *Phédon,* de *La République.* Mais aussi Platon a bien su nous dire que ces visions de passé, d'avenir, de morts, de renaissances, ne sont point le monde tel que Dieu l'a fait. Le *Timée* n'offre point de ces nuages, de ces couchants, de ces crépuscules. Au contraire, d'une clarté fixe, il éclaire le royaume des ombres. Ici est le vrai soleil, au regard de qui l'effrayante éclipse n'est rien. Mais, comme il n'est pas mauvais de faire jouer encore l'ombre qui nous fit peur, de même nous devons, encore une fois et plus, nous dessiner à nous-mêmes l'apparence de ce qui fut et de ce qui sera. Ces voyages de mille ans, ces épreuves, ces nouveaux choix, ces résurrections sans souvenir, ces célèbres tableaux qui imitent si bien la couleur des songes, tout cela représente à merveille notre situation humaine, et ce sérieux frivole, ce mélange de boue et d'idées, et encore cette âme insaisissable, indicible, qui veut que tout cela soit, qui s'évertue, qui s'égare et à chaque instant se sauve et de nouveau se perd, toujours naïve et de bonne foi. Car nous sommes ainsi faits, de ce mélange, qu'il n'y a point de chute sans rebondissement, ni non plus de sublime sans rechute. Chaque jour nous retombons dans l'enfer des songes, et toujours plus bas que nous ne croyons, par ce mépris de penser. Chaque jour le plus sage des hommes détruit et dévore, et ne peut même se délivrer du plaisir, moins incommode que la douleur, mais plus humiliant quelquefois. Heureux peut-être celui qui ne trouve pas trop de plaisir à redescendre. Heureux celui qui est d'abord puni. Mais, comme disait Socrate, ce sera donc toujours à recommencer?

Tout recommence; tout fut plus beau; tout fut pire. Toutes les vertus ont fleuri; toutes les fautes sont faites. Mais l'oubli, cette mort, recouvre nos expériences. Aussi l'on voit les âmes du *Gorgias,* sur le chemin de l'épreuve, tristes, et portant leur condamnation écrite sur leur dos; ainsi chacun juge son voisin. Cette sorte de lumière traversante, sans aucune preuve, est propre à Platon. Je vois Socrate plus raisonneur, plus près de terre, plus sévère aussi. Il me semble que l'âme hautaine de Platon se pardonnait plus de choses. Et n'est-il pas vrai aussi qu'il fut trompé jusqu'à l'extrême vieillesse, formant l'espoir encore de sauver les hommes malgré eux et par la force des lois? C'est compter trop sur le Démiurge, ou plutôt c'est imiter du Démiurge ce que très justement il n'a point fait. C'est erreur d'imagination, erreur de poète. C'est croire que le destin sera meilleur demain qu'il ne fut hier. Mais le destin est immuable, comme ces immobiles mouvements du *Timée* nous le font entendre; et c'est parce que le destin est immuable que notre sort dépend de nous. Socrate se taisait; mais il sut oser; il sut obéir; il sut mourir. Peut-être ne fit-il qu'une seule métaphore, lorsqu'il demanda si l'on pouvait faire libation de la coupe funèbre, et que cela lui fut refusé. Ces traits ne s'inventent point. N'est-ce pas ici le même homme qui, dans sa prison, apprenait à jouer de la lyre ? « Pourquoi, demande le geôlier, pourquoi veux-tu apprendre à jouer de la lyre, puisque tu vas mourir ? » — « Mais, répondit-il, pour savoir jouer de la lyre avant de mourir. » Cette confiance inexprimable, qui est la vie même en sa naïveté, en sa renaissance, Platon, éternel disciple, sut l'exprimer dans le langage du corps, qui ne trompe point, mais qui n'instruit aussi que par une pieuse imitation. L'espérance n'est que le chant de la vertu. Car, parce que tout se tient dans cette existence si bien ajustée, et puisque la durée n'est jamais pensée qu'éternelle, il se peut bien que l'existence suffise à tout, et que l'homme n'ait pas tant besoin de Dieu. C'est pourquoi le Démiurge du *Timée*, après qu'il a arrondi les cercles incorruptibles selon le même et selon l'autre, et après qu'il a poli le tout par le dehors, afin d'achever une bonne fois toute l'existence, se retire alors en lui-même, laissant aux dieux inférieurs, aux génies, aux hommes, aux bêtes, à courir chacun leur chance sous l'invariable loi. Ce que signifie cette prompte mort des cités florissantes, soit par le feu, soit par l'eau, étrange prologue de cette création, et l'Atlantide au fond de la mer, récif ou banc de vase qui détourne à peine nos barques. Cette parole a retenti plus d'une fois comme un chant d'allégresse à l'homme qui surmonte : « Cela fut déjà, et cela sera toujours. »

Ici titubera, sur la barque sensible
A chaque épaule d'onde, un pêcheur éternel.

Et si tu demandes pourquoi, c'est que tu ne sais pas ce que c'est qu'un pourquoi. Comme la chute n'est pas d'autrefois, mais de maintenant, le salut n'est pas de l'avenir, mais de maintenant; et chaque minute suffit à qui pense, comme aussi des siècles sont néants à celui qui entasse. Ainsi, la mythologie se replie toute, du fond des âges et du fond des cieux, se replie toute sur la moindre de nos pensées. Ici, le *Phédon* ouvre ses profondeurs. Revivre encore ? Risque. Beau risque. Mais qu'y fait la durée ? Ne revis-tu pas maintenant de ton sommeil ? Ne revis-tu pas assez, puisque c'est maintenant ? Et qu'as-tu affaire de cet avenir qui n'est point ? Où l'éternel mieux que dans une pensée ? Autant vaudrait attendre au lendemain d'être sage, et de savoir, et de pouvoir. Qu'est-ce que savoir demain ? Qu'est-ce que pouvoir demain ? Socrate, apprends la musique.

Il n'y a point de pensée au monde qui soit aussi positive, aussi pressante, aussi adhérente à la situation humaine que celle de Platon. Tel est le poids de Socrate à cet esprit naturellement ailé, de Socrate, si directement attaché à vivre en chaque moment, à s'éveiller et à se sauver en chaque moment. Il est vrai aussi que, par le bonheur d'ajourner, qui est propre à l'imagination, les heureuses pensées de notre poète se projettent dans le temps, ombres sur ombre. Ainsi le progrès se développe dans un avenir immense et sans fin, où mille ans sont comme un instant. A cet avenir répond un passé sans commencement, et ce peuple des âmes, qui retrouve en chaque incarnation toutes ses pensées sans le souvenir. Contes ? Le difficile est de dire où commence le conte; car on ne peut méconnaître, dans le *Phédon,* un effort suivi en vue de donner au conte la consistance d'une pensée. C'est le seul cas, il me semble, dans tout Platon, où, au lieu de chercher sans trouver, on pose d'abord, au contraire, ce que l'on veut prouver, et l'on en cherche les preuves. Il est vrai aussi que tout tremble un peu dans le *Phédon*. Non que Socrate ait peur; mais tous ces hommes sont comme accrochés à lui. Eux, ils risquent maintenant de mourir. C'est pourquoi l'espérance accourt des temps passés; il leur faut d'autres âmes, et qui soient déjà mortes plus d'une fois. Déjà mortes ? Mais que fait leur âme et la nôtre, sinon mourir et revivre en ces pensées qu'il faut toujours refaire ? Seulement, il fallait un peu de temps avant de contempler la mort de Socrate sous l'aspect de l'éternel. Par une rencontre de malheur, qui ne fut malheur qu'un instant, Platon n'assista point

Socrate en cette mort. Et cette mort, par cette absence, commença d'exister. Ainsi l'absence est jugée.

Au reste, après cette recherche émouvante, et cette chasse aux ombres, c'est encore Socrate qui nous rassure, ramenant ce passé et cet avenir à soi. Cette vie future, c'est un risque à courir, et ce risque est beau; maintenant beau. Il est beau maintenant de faire comme si l'on y croyait et de s'enchanter soi-même. Or, les raisons pourquoi cela est beau et pourquoi celui qui s'enchante discipline comme il faut l'imagination, ces raisons paraîtront dans la suite. Mais il faut maintenant rechercher ce que signifie cet enchantement, et quel genre d'être il fait être. Tous les anciens nomment ombres, après Homère, ces âmes qui ont vécu et qui ne sont pas tout à fait mortes. Or, par la *Caverne,* nous savons ce que ce sont que des ombres. Il se trouve qu'entre les mythes Platoniciens, celui-là signifie exactement ce que nous sommes, ce que nous pensons, et ce que nous savons par l'intelligence dans cette présente vie. L'évasion, on l'a compris, n'est que métaphore. Les idées sont la vérité des ombres, et en elles. L'imagination est réduite par l'autre sens de cette parabole étonnante, où, parce que chaque terme matériel a un sens intellectuel bien déterminé, il ne reste plus rien à croire, sinon que le penser sauve tout le croire. Ainsi il n'y a point de risque. Il n'y a point de caverne, ni de carcan; il n'y a qu'un homme que l'on éveille. C'est un autre monde, et c'est toujours le même monde. Ciel des idées, idées descendantes, et d'abord transcendantes, tout cela n'est que métaphores; le lieu convient aux ombres. Le détour mathématique se fait sans un mouvement du sage, par un refus seulement des ombres, et puis par une réflexion sur les ombres. Car rien n'est faux dans les ombres; rien n'est faux ici que le jugement de l'homme. Il se présentera encore un autre mythe entièrement vrai, et qui ramènera en cette vie tout le jugement dernier, en cette vie la peine, et par la faute même. Deux fois nous aurons entendu Platon à ne s'y point tromper. C'est assez pour que nous ne nous trompions pas à ses autres images.

Réminiscence, vie antérieure, vie future, comment Platon l'entend-il? Il l'entend, dirais-je, comme il entend que les âmes choisissent leur paquet, ou comme il entend que le captif s'évade. Je ne découvre point la géométrie; je la retrouve, je la reconnais; que signifie? C'est qu'où je ne la voyais point, quand je l'entends je sais que je la voyais. Cela, que vous me prouvez, je le savais; cela était déjà vrai, ici, devant moi. Le temps est aboli. Au reste le temps est aboli dès que l'on pense le temps; avenir, présent, passé, tout est ensemble. Le passé ne peut rien être de passé. Ce qui a existé, c'est ce que je dois présupposer pour expliquer le présent, un état moins parfait et plus parfait à la fois. Ensemble l'âge d'or et la barbarie, le paradis et la chute. Si je retrouve la géométrie, c'est que je la savais; mais, si je la retrouve, c'est que je l'avais perdue. Le temps passé signifie seulement une faute que je n'aurais pas dû commettre. Hors de ce débat contre moi-même, il n'y a pas de passé. Si les choses vieillissaient, elles seraient mortes depuis longtemps. Saisissez ici quelque chose de cette nature éternellement la même, par ce retour des saisons grandes et petites. Ce retour est l'image de l'éternel; et c'est par là peut-être que l'on peut commencer à comprendre l'argument des contraires dans le *Phédon,* après l'avoir jugé impénétrable. Car c'est quand le soleil est en bas que l'on annonce qu'il sera en haut; mais encore bien mieux, en cette vie pensante, je ne trouve le temps et le changement que par ce passage du sommeil au réveil et du réveil au sommeil, qui est en toute pensée. Ainsi c'est bien la réminiscence qui prouve la vie antérieure, et c'est bien la vie antérieure qui prouve la vie future. Penser cela, c'est penser. De passé en passé, d'avenir en avenir, le temps déroule ses avenues, bien vainement; c'est toujours la situation présente qui est le vrai de toutes les autres. C'est folie de penser qu'une longue erreur prépare à connaître, et qu'une longue faute fait aimer la vertu. En revanche il n'est point d'homme qui n'ait formé quelquefois cette idée qu'un beau moment vaut à lui seul un long temps de vie somnolente. Au reste, long temps et court temps ne sont que des ombres en ma présente vie. Sous l'aspect de la durée, la vie ne serait donc qu'un songe. Cette pensée résonne partout en Platon.

Par opposition à ce monde des mourants, estimez à son juste prix cette étincelante peinture du *Timée,* autre songe, mais dont le sens éclate lorsque l'on a erré assez longtemps dans les sentiers crépusculaires. En ces idées entrelacées selon leur loi, en cette âme du monde brassant le chaos et lui communiquant ces mouvements balancés, en toutes ces âmes au-dessous sauvant ces mêmes mouvements contre l'usure de la pierre et du sable, en ces éléments eux-mêmes qui découvrent en leur désordre une sagesse fixée, cristalline, les petits triangles, image de la vraie géométrie, en ce grand édifice je reconnais ma demeure, l'ordre immense auquel je suis soumis, et qui n'est qu'ordre, pour moi ou contre moi selon ce que je voudrai. Sans pouvoir prendre à la lettre cette création pour toujours, j'y reconnais cette grande idée d'un monde raisonnable, sans aucune faute; et il faut bien toujours que je reconnaisse qu'il n'y a point d'erreur dans ces actions et réactions de choses qui ne sont que choses; ainsi il faut toujours que je les nomme aussi idées, comme les petits triangles me le font entendre. Mais cette matière parfaite et indifférente me fait comprendre aussi ce que c'est que raison abandonnée et sagesse qui se fie au lendemain. Tout cela le même et toujours le même. Car quand l'Atlantide revivrait, quand l'âge d'or revivrait, quand la république de Platon gouvernerait les hommes pour le mieux, il n'y aurait pas pour cela un atome de vertu dans leurs âmes, et tout serait à faire d'instant en instant, tempérance, courage, justice, sagesse, sous la pression de la terre originelle, éternellement originelle. Toujours l'homme devra accorder cette tête ronde, à forme de ciel, avec le bouillonnant thorax, lieu de colères, éternel lieu des colères, avec l'insatiable ventre, éternelle faim. Et cet accord ne sera jamais ni tête, ni thorax, ni ventre; cet accord ne sera jamais chose. Les choses font tout ce qu'elles peuvent, et tout ce qu'elles peuvent est déjà fait et refait; ainsi, toujours autres, elles sont autres, peut-on dire, toujours de la même manière. Le pied nous porte impétueusement, repoussant la terre par sa forme; la main saisit par sa forme; le ventre désire par sa forme; le cœur ose par sa forme; et rien de tout cela n'est un homme. Ne te fie point à ce qui dure.

CHAPITRE VII

ALCIBIADE

Ce que je voulais dire, c'est que nous ne devons point nous tromper à ces choses que nous n'aimons qu'en vue du suprême aimé, et qui n'en sont que des fantômes.

Lysis.

Tout le monde croit savoir ce que c'est que l'amour platonique, et, bien mieux, tout le monde le sait. Ce culte spontané, rare, infaillible, qui a fait d'un nom propre un mot usuel du commun langage, nous montre le centre du système. Nous y regardons, et nous ne savons trop où frapper. L'amour du bien est universel, mais va droit à son objet à travers le vide; l'amour du bien ne fait rien. L'amour du beau est plus près de terre; il nous tient plus au corps; les douces larmes en témoignent; le bien ici a lui-même un corps; le bien nous touche; admirez cette impérieuse métaphore. Toutefois, nous sommes encore bien loin d'Hippothalès passant par toutes les couleurs; nous sommes bien loin de ces cyclones de sang et d'humeurs qui font connaître les amoureux. Songez au dépit, à la colère, au délire, à ce corps qui se tortille, au lieu de dormir, comme un serpent coupé. Telle est l'épreuve de tous, et chacun comprend l'hymne : « Éros, invincible aux hommes et aux dieux. » Or je crois qu'il faut regarder de près à ces impétueux mouvements qui résultent, dans le corps humain, d'une si légère touche, la vue, et plus souvent encore d'une image fugitive. Nul n'expliquerait ce trouble étrange par l'attrait d'un plaisir; chacun estime d'un juste regard l'immense espace qui s'étend entre le désir et l'amour. Tous ces drames que l'on lit, que chacun craint pour soi, et ce nez de Cléopâtre, tout cela est bien loin d'un plaisir court et animal. Tout cela est d'âme, et même d'esprit. En cette ambition de plaire, et de plaire à l'être le plus haut et le plus difficile, à l'être qu'on veut tel, se montre aussitôt la plus noble ambition, qui cherche le semblable plus haut que soi, et qui veut s'y joindre. Alceste souffre de Célimène vulgaire et basse ; il la veut sublime ; il la pressent telle. C'est d'un esprit qu'il veut louange, et libre louange. Il est certes beau à voir, s'efforçant en toutes ses actions de mériter cet éloge qu'il espère ; mais Célimène a manqué de courage. Or, puisque le théâtre témoigne pour tous, il est évident qu'au jugement des fils de la terre tout amour est céleste, tout amour est platonique. Ainsi d'un regard, et bien aisément, nous avons parcouru toute l'étendue de ce grand sujet.

Mais trop vite sans doute ; trop aisément oublieux de cet animal rugissant et debout ; encore bien plus oublieux de cet animal digérant qui n'est heureux que couché. Platon, de mille manières, et sans aucun ménagement, nous étale notre lot ; ici souvent violent, heurtant, offensant ; attentif, il me semble, à déplaire, par la vive peinture des mouvements soudains, qui, bien que participant au plus haut de l'âme, il n'importe, n'en remuent pas moins, en ce tourbillon indivisible, toute la vase marine sur laquelle reposait notre transparence. Il y a pis qu'Hippothalès rouge et suant ; il y a le *Charmide,* où Socrate lui-même ressent un choc trouble, et, chose qui importe à savoir, est tout remué par un céleste désir, par une incorporelle amitié. Il n'en peut être autrement puisque notre âme, en son mouvement imité des sphères supérieures, ne cesse d'entraîner et de former, à grand péril, une argile lourde. Les douces larmes, disais-je, en témoignent ; or cette sueur des larmes sublimes est de la même eau et du même sel que toute sueur. Platon prend l'homme tel qu'il le trouve, au-dessous de lui-même et sans limites qu'on puisse marquer, dès qu'il n'est pas au-dessus. Si, par le changement des mœurs, Platon vous saisit scandaleusement, et au-dessous de ce que vous pensez pouvoir être, l'avertissement n'en est que plus fort. Suivant Platon qui n'a jamais menti, qui m'a décrit à moi-même tel que je puis être et pis, et qui, tel que je suis, m'a reconnu immortel, j'ai donc écrit au-devant de ce chapitre le nom d'Alcibiade, mauvais compagnon.

Socrate l'aimait. Socrate l'aimait parce qu'il était beau. Mais n'ayez crainte. Socrate est grand et pur. Socrate s'est sauvé tout ; qui ne se sauve pas tout ne sauve rien. Seulement il ne faut point lire d'abord le *Banquet,* scandaleux mélange. Toutefois à ceux qui s'étonneraient du *Banquet,* comme à ceux qui croiraient ici descendre au-dessous d'eux-mêmes, je demande ce que l'on fait dans un banquet, ce que broient les fortes dents, de quelle huile épaisse se nourrit cette flamme de la pensée. Mais puisque le commun des hommes n'est pas disposé, comme est Socrate, à vider la grande coupe de huit cotyles sans être ivre, je conseille de lire d'abord le *Premier Alcibiade,* toujours neuf pour tous, toutefois assez familier aussi, puisqu'on y voit la plus brillante vertu tourner à mal, après avoir brillé un moment sur l'apparence politique. On y voit Socrate que poursuivait Alcibiade de ses yeux fixes et émerveillés. C'est que la beauté est un signe de la sagesse; et tous le savent; tous comprennent ce que la miraculeuse Grèce ne cesse de dire par ses statues. Mais une statue n'est que marbre. Combien plus émouvant est l'homme en sa fleur, quand, par ses moindres traits, il annonce un juste équilibre, et la participation de tous les membres à l'esprit gouvernant! Miracle, annonciation. Ainsi Socrate suit des yeux cette forme parfaite, guettant cette âme, admirant cette avance merveilleuse, cette grâce, cette marque de Dieu. Attentif, et non sans reproche; Alceste de même; car tout homme pressent qu'une grande âme est aussi quelque chose de menaçant, et de puissante ruine. Ainsi Socrate le regarde, Socrate qui n'eut point cette grâce d'être beau. J'oserais dire qu'il le regarde avec une sorte de noble jalousie. Tout promettre, et tout refuser! Printemps, espoir du monde, et déjà glaciale déception. On sait que la vie d'Alcibiade fut d'abord frivolité, corruption, vanité proverbiale; et que la fin, d'intrigues, de bassesses, de trahisons, fut la plus méprisable peut-être de toute l'histoire. Je comprends qu'Alcibiade demandât, avec une sorte d'impatience et peut-être de honte : « Socrate, que me veux-tu? » Aussi cet entretien si jeune sonne comme le dernier entretien. Alcibiade fait luire le dernier espoir, par une curiosité vive et forte; et Socrate aussi donne le dernier avertissement. Au *Banquet,* maintenant, Alcibiade répond par ce sublime éloge s'élevant de l'enfer, et que je crois inutile de citer. « Cette forme de moi promettait trop. » Ainsi, devant quelque Socrate rustique, a parlé plus d'un fils du soleil, avant de se précipiter. Le lecteur sent ici comme sur son visage cet air du matin que Socrate respire, lorsqu'il sort pur de cette ivresse, et retourne à sa vie habituelle.

C'est par un tel matin, je le parie, que Platon quitta la politique.

Ayant tout mis en place autant que j'ai pu, je ne puis maintenant me tromper à ces discours du *Banquet,* ni à cette mythologie d'Aristophane, l'homme des *Nuées,* ni à ce discours plus spécieux de Pausanias, opposant la Vénus terrestre à la Vénus Uranie. Phèdre attend toujours. Phèdre n'est pas délivré de cette émotion sublime qui vise trop haut et trop bas. Maintenant Socrate parle, et ce conte de bonne femme qu'il nous rapporte rassemble le ciel et la terre. Il n'y a qu'un amour, fils de Richesse et de Pauvreté, nature mélangée. Pauvreté, car, ce qu'il cherche, beauté, sagesse, il ne l'a point. Mais richesse, car ces hauts biens, en un sens il les a; comme on peut dire que celui qui cherche n'est pas tout à fait ignorant; ce qu'il cherche, il l'a. Richesse; aussi ne faut-il point s'étonner si les premiers mouvements de l'amour, devant l'énigme de la beauté, sont comme surchargés de pensées. Et cela seul montre assez que le désir n'est point l'amour. Mais la colère, plus noble que le désir, n'est point non plus l'amour. Ce qui est cherché, et rarement trouvé, c'est l'autre esprit, le semblable et autre, cherché d'après les plus grands signes, et puis d'après les moindres signes, dans ce tumulte bientôt ambigu, où l'orgueil, la pudeur, la déception, l'ennui entrecroisent leurs messages. Ce qui est aimé, c'est l'universel; c'est l'incorruptible; oui, en ces corps semblables à celui de Glaucos le marin, tout recouvert de boue et de coquillages. Comprenons qu'encore une fois Platon rassemble; que Platon ne parle qu'à nous, et de toutes nos amours. Mais il faut insister un peu, puisque les hommes ne croient point cela, ou bien, s'ils le croient, aussitôt veulent sauter hors d'eux-mêmes. Oui, en ces enfants, qui témoignent si bien, qui éclairent si bien l'Amour aveugle, que cherchons-nous et qu'aimons-nous sinon les signes de l'esprit ? Que cherchons-nous que l'éternel, en cette durée de l'espèce qui est la métaphore de l'éternel ? Mais même dans le premier amour, si chargé de désir, que cherchons-nous ? Non point prise violente, ni plaisir dérobé. Non; mais confiance, mais consentement, mais accord libre. Oui, chacun le veut libre; chacun veut une promesse d'esprit. Et, après la beauté, qui est le premier signe, encore d'autres signes de l'entente et de l'approbation. Un double perfectionnement qui donne prix aux éloges et qui accomplisse les promesses. D'où l'amant veut grandir celle qu'il aime, et d'abord la croit telle qu'il la veut, et elle, lui. Deux esprits libres, heureux, sauvés. Il n'y a pas un mot d'amour qui ne rende ce son; il n'y a pas une violence, un désir nu, un acte de maître, qui ne soit une offense à l'amour. Aussi n'y a-t-il point d'amour qui craigne le temps et l'âge, et qui ne surmonte les premiers signes. Cette sorte de culte, que la mort n'interrompt point, est peut être le père de tous les cultes et de toutes les religions. L'amour terrestre va donc naturellement à l'amour céleste, par cette foi en l'esprit, qui cherche et qui trouve pensée en l'autre. Et au contraire, si l'union des corps ne va point à servir en commun l'esprit, du mieux que l'on sait l'entendre, c'est promptement amour rompu et querelle misérable. Ainsi chacun sait bien que tout amour est platonique, et c'est peut-être Alcibiade tombé qui le sait le mieux. D'où est venue à Platon cette gloire diffuse, qu'il partage avec les Stoïques, d'avoir enrichi de son nom propre le langage commun.

CHAPITRE VIII

CALLICLÈS

> Ce n'est pas parce qu'on craint de la commettre, mais c'est parce qu'on craint de la subir que l'on blâme l'injustice.
>
> *La République.*

Il s'agit maintenant du juste et de l'injuste, et non pas pour demain. Non pas pour les autres, non pas à l'égard des autres. Non. Chacun enfermé dans sa forme et réduit à soi, chacun a assez de lui même, assez de se sauver. Parmi des fous ou parmi des sages, il n'importe. Si ta justice dépendait du voisin tu pourrais attendre; tu aimerais peut-être à attendre. Sans doute est-il bon, afin de dresser cette idée en toute sa force, de laisser maintenant Dieu comme il nous laisse, répétant ce mot de Marc-Aurèle : « Quand l'univers serait livré aux atomes, qu'attends-tu pour mettre l'ordre en toi ? » Cette idée s'est étendue, mais aussi dispersée, séparée de ses fortes raisons; autant voilée aujourd'hui qu'en ce temps-là par le brouillard politique. C'est pourquoi la première erreur, et de grande conséquence, est de croire que *La République* est un traité de politique; cette erreur sera redressée; mais il faut commencer par le *Gorgias*. Ici se trouve la plus forte leçon de politique, si forte que les plus forts oseraient à peine la suivre. Une fois l'ambitieux a parlé.

Mais, afin d'imiter passablement cet air de sagesse, cette impatience, cette ironie, cette bonhomie, ce cynisme, enfin l'importance appuyée sur l'institution, il faudrait rassembler le cercle des sophistes, entendez hommes d'État, avocats, juristes, critiques, où l'on verrait Protagoras le profond, Gorgias l'indifférent, Polos le brillant, Prodicos le subtil, Calliclès le violent, Thrasymaque l'épais, et encore Hippias le naïf, Ion le vaniteux, auxquels on joindrait Lachès et Clinias, généraux d'armée, hommes de main et d'entreprise. Enfin réunir les assises de la pensée. Et même il faudrait former de tous ces visages, où la politesse, l'étonnement, l'impatience et l'ennemi passent tour à tour comme des nuages sur des positions imprenables, pendant que Socrate, en sa quête de l'homme, et estimant pour vraies ces puissances, encore une fois cherche accord et commune pensée. Or, en ce qu'il dit, il y a des choses qui vont de soi, sur le bien et l'utile, car ce sont des mots que nul ne méprise; aussi sur le courage, la tempérance, la sagesse; car ces hommes d'expérience ne vivent nullement à la manière des bêtes, mais estiment au contraire très haut un régime d'élégance, de sécurité, et de force gouvernée, dont les statues des Dieux sont les justes images. Toutefois Socrate disant qu'il vaut mieux être juste que puissant va un peu loin, quoique cela soit bon à dire et à faire croire. Socrate disant qu'il vaut mieux être juste et passer pour injuste qu'au contraire être injuste et passer pour juste, Socrate cette fois va trop loin, car c'est mépriser l'opinion, et cela n'est pas bon à dire ni à faire croire. Mais il dit plus; et, par les approbations de politesse qu'il a obtenues sans peine, le voilà à prouver que le pire malheur de l'injuste est de n'être point puni, laissant entendre que la plus stricte sévérité, même des dieux, est d'abandonner à ses succès l'homme qui réussit. Cela les retourne jusqu'au fond, d'autant qu'il semble le croire;

et c'est encore trop peu dire; il en est, croirait-on, assuré, et assuré que tous en sont assurés. Il y a de l'excès ici. Ils aperçoivent le point où les saines doctrines, qui font que les hommes sont faciles à gouverner, justement par une sorte d'emportement à les prouver et par une once de persuasion de trop, feraient que les hommes seraient impossibles à gouverner. Voilà donc qu'un peu plus de sérieux se montre sur l'impassible visage des puissances assemblées. La puissance se parle tout haut à elle-même, et reprend les choses depuis le commencement.

« Certes, dit-elle, je connais le prix de l'ordre et des lois. Il est même évident que les puissants, plus encore que tous les autres hommes, doivent honorer la justice; en sorte que l'on peut dire que, des hommes résignés et contents de peu, comme tu es, Socrate, il n'y en aura jamais trop. Mais les simples citoyens eux-mêmes gagnent beaucoup à respecter les lois; beaucoup et même tout. Que seraient les misérables hommes, si chacun devait sans cesse combattre afin de conserver ses maigres provisions? Toujours est-il que partout nous les voyons associés, et formant des villes qui protègent les campagnes. Et quelle est la loi de toute association sinon celle-ci : « Ce que tu ne veux point subir, renonce à le faire subir aux autres? » Et ce pacte ne pouvait pas être refusé, car deux hommes associés sont plus forts qu'un homme qui prétendrait vivre seul. En ce sens on peut dire que la justice c'est ce qui est avantageux au plus grand nombre, on peut dire aussi aux plus forts. Évidemment l'homme aurait plus d'avantages, semble-t-il, à agir comme il voudrait, suivant en tout ses appétits et ses intérêts, et saisissant tous les biens qu'il verrait à sa portée; oui, s'il avait le pouvoir de maintenir contre tous cette conquérante politique. Mais nul n'a ce pouvoir hors de société; nul, pour mieux dire n'a aucun pouvoir hors de société. Aussi, en cette impossible guerre d'un contre tous, l'homme n'irait pas loin. Il renonce donc à ce bien, si incertain, si chèrement payé, sous la condition que les autres y renoncent aussi; et tous ensemble nomment des juges qui ont pour fonction de constater que chacun renonce à faire ce qu'il interdit au voisin, ou de ramener des révoltés à l'obéissance; en quoi ils ne font que prévoir et devancer des effets inévitables; ils ne font qu'abréger désordre et lutte. Maintenant, Socrate, fais bien attention. Il serait absurde de penser que l'homme puisse être juste ou injuste à l'égard de ceux avec qui il n'a point de convention, ni de contrat; absurde aussi de vouloir qu'un homme s'abstienne de faire ce qu'il voit que les autres se permettent. Telle est donc la justice selon la loi. Mais selon la nature, il est juste que chacun fasse exactement ce qu'il peut faire; et la limite des forces est aussi celle des droits. Voilà ce que tout le monde sait; voilà ce que tous les sages enseignent. Fou qui se mettrait tout seul en guerre contre la multitude des hommes. Et toutefois la nature parle éloquemment au cœur de tous. Car nous voyons que celui qui se contente de la puissance qu'on lui laisse est méprisé. Et au contraire nous voyons que tous les hommes estimés se sont fait une puissance, soit par les biens qu'ils amassent, soit par les amis qu'ils s'attachent, c'est-à-dire par les largesses et par l'art de persuader. Ceux-là sont puissants et honorés dans l'État, qui ont quelque chose à donner ou qui savent plaider pour leurs amis. Et les plus hardis de ceux-là qui arrivent, par cette sorte d'armée qu'ils ont à eux, à soumettre les autres, sont honorés au-dessus de tous. Quant à celui qui ne joue pas plus ou moins ce jeu, soit parce qu'il a peur, soit parce qu'il s'est laissé persuader, il est considéré comme un homme de peu, et il n'a point d'amis. Regarde; celui qui ne gagne point aux échanges, c'est-à-dire qui ne reçoit point plus qu'il ne donne, est ouvertement méprisé. Si avec cela il s'amuse aux discours non payés, comme tu fais, et critique les uns et les autres et jusqu'aux lois, comme tu fais, rien n'est plus facile que de l'accuser et de lui nuire, parce qu'il n'a point rendu de services. Et que fait-il en effet, lorsqu'il développe l'opinion vulgaire à la manière d'un homme qui y croit tout à fait, sinon inquiéter l'ambitieux, et enlever aux pauvres l'espérance qu'ils gardent toujours d'une occasion ou d'un renversement qui jettera la puissance de leur côté? La commune justice a deux faces : tu la vois qui garde l'égalité, jusqu'au moment où elle acclame celui qui s'élève. Il n'en peut être autrement, puisque l'homme vit et pense à la fois selon la loi et selon la nature. Et peut-être n'y a-t-il point de faute qu'on pardonne moins que celle de mépriser ouvertement cette justice à double visage, sans l'excuse, au moins, d'y gagner quelque chose. Prends garde à toi, Socrate. »

Or Socrate disait non, s'évertuant de nouveau à

prouver que le tyran eſt faible et malheureux, s'il ne sait gouverner en lui la peur, la colère, et l'envie. Peut-être même apercevait-il, comme il le montre en peu de paroles au commencement de *La République,* qu'il s'en faut de beaucoup que la puissance soit jamais dispensée de juſtice, et qu'au contraire une juſtice intérieure eſt le ressort de toute puissance, si injuſte qu'on la suppose; car, disait-il, des brigands ne parviendront à être injuſtes à l'égard des autres hommes qu'autant qu'ils seront juſtes entre eux. Toutefois on peut penser que Socrate, découvrant ici un immense paysage de pensées, mais aussi une discussion sans fin, et sentant que les meilleures raisons seraient sans force contre l'ambitieux autant que les pires pour l'ébranler lui-même, ne demande qu'à se retrouver en lui-même et dans son discours avec soi. Quant aux autres, parce qu'ils se sont laissés aller à parler plus franc que de coutume, et même à dire clairement tout haut ce qu'ils n'aiment pas trop se dire à eux-mêmes, ils ont épuisé le plaisir du jeu. Ils retournent aux grandes affaires et vont oublier Socrate; ou bien, s'ils y pensent, ils se disent qu'un tel homme, par son exemple et même par ses discours, eſt utile à leurs propres fins. Car c'eſt le propre de l'homme d'État, comme Protagoras disait, de faire jouer l'utile ou le bien, selon le cas et selon les hommes. Ainsi la pensée la plus ruineuse en apparence pour cet ordre des choses, finit toujours par le servir. Cela durera, qui eſt soutenu à la fois par le vice et par la vertu. C'eſt par de telles réflexions, mais à part soi, que se termine le plus souvent ce genre d'entretien.

CHAPITRE IX

GYGÈS

> S'il y avait deux anneaux de ce genre et que le juſte en eût un, où eſt l'âme de diamant qui s'en tiendrait à la juſtice?
>
> *La République.*

MAIS un jour deux lionceaux écoutent, deux jeunes hommes pleins de feu, tout ambitieux d'être et de vaincre. Ce sont Adimante et Glaucon, les frères de

Platon. Or les discours d'un Calliclès ou d'un Thrasymaque ne leur apprennent rien qu'ils ne sachent. Comme dit Socrate, on n'entend que cela. « Plaisante justice! » comme dit l'autre. Et l'ordre utile, que l'on voudrait sacré, et la riche proie d'honneur et de richesse promise à l'ambitieux, ce sont les lieux communs de l'histoire. Toutefois la négation de ces choses, tranquille en Socrate, amène sous un jour cru ce qu'on ne dit jamais tout à fait, et peut-être, en achevant la preuve, éveille le doute. Car ce n'est pas un grand parti de faire ce que tous font, mais c'est un grand parti de juger qu'ils ont raison. On rougit plutôt d'une pensée que d'une action. Une action n'engage pas; mais si l'on se lie devant soi-même par quelque terrible maxime, on se prive alors des vertus d'occasion; il faut que l'on s'achève selon la maxime. C'est pourquoi le prudent Protagoras ne pense jamais ce qu'il pense; mais cette prudence ne se trouve qu'en un homme fatigué. Quand la barrière tombe, les coursiers s'élancent, ainsi s'élancent-ils l'un et l'autre, afin d'achever le discours redoutable. Et, comme dit Homère : « Que le frère porte secours au frère. » Platon, tu n'es pas loin.

Or, disent-ils, il se peut que des hommes d'âge et de sérieux se trouvent portés un peu au-delà des lois qu'ils ont faites, ou bien un peu à côté, sans y penser trop. Ou bien, s'ils y pensent, ce n'est qu'un jeu pour eux, qui rend un peu plus libres les mouvements de la gloire assurée. Mais pour nous, qui n'avons rien fait encore ni rien juré, pour nous tout l'avenir est sur le coupant du sabre. Il s'agit de se jeter ici ou là; car cet âge ne fait rien à demi. Eh bien, disent-ils chacun à leur tour, il faut que tout soit décidé ici et là-haut. Des dieux et des hommes le dernier mot. Ou bien toute l'injustice, sans remords, selon l'instinct, selon le désir, selon le plaisir, par les immenses moyens du sang noble et de l'acclamation. Ou bien, s'il est vrai que ce soit mieux ainsi, toute la justice. Mais, Socrate, il ne suffit pas que tu nous dises que cela est mieux; il faut que tu le prouves. Ce reproche que tu es, il faut qu'il parle clair. Car la vertu de nos cahiers et de nos livres, la vertu selon nos maîtres, et selon nos poètes, et selon nos prêtres, ce n'est que prudence, ce n'est que peur. Ce contrat de société, cette religion de l'ordre, cette précaution de ne pas nuire, ce n'est que peur. Et peur de quoi? Les vaincus nous aimeront. La gloire de loin redoute le blâme, et trouve l'applaudissement. Les dieux eux-mêmes, à ce qu'on nous enseigne, se laissent fléchir par l'hécatombe. Il ne s'agit que d'oser. Eh bien, Socrate, nous oserons. Ce qui nous plaira, nous nous y porterons d'un mouvement assuré; car c'est ainsi que l'on surmonte le risque, et l'ennemi devient méprisable par le mépris qu'on en a. Qu'on ne vienne donc pas nous dire de prendre garde, et que, comme nous ferons, il nous sera fait; car c'est ce qui arrive aux faibles, c'est ce qui effraye les faibles, et nous ne nous sentons point faibles. Tu ne le voudrais point. Toi-même, Socrate, si tu trouvais bon d'entreprendre, et s'il n'y avait que le danger entre ton entreprise et toi, tu rougirais d'attendre.

Ou bien c'est qu'il y a autre chose, autre chose que des puissances, autre chose que tu connais et que tu ne dis pas. Non pas ces juges d'opinion, qui ne condamnent que les faibles, mais un juge au dedans, fort dans les forts. Un juge qui n'empêche point; qui n'est que raison et lumière; qu'on ne peut fléchir; qui punit par la volonté même, par cette même volonté qui choisit à la fois l'injustice et le châtiment. Un autre dieu, qui laisse seulement aller les suites intimes, et ainsi qui ne peut pardonner. Mais il faut nous dire comment cela se fait, sans opposer rien à nous-mêmes que nous-mêmes. Sépare donc violemment le juste et l'injuste. Que l'injuste soit honoré des hommes et des dieux, assuré de puissance, d'amis, de richesse, et de longue vie; et prouve-nous, car nous savons que tu le crois, qu'il a pris le mauvais parti, et qu'il s'est nui à lui-même. En revanche dessine le juste tout nu. Qu'il soit méprisé des hommes et des dieux, emprisonné et mis en croix par sa justice même, et prouve-nous qu'il a pris le bon chemin, et qu'il s'est bien servi lui-même, comme le meilleur et le plus sage des amis l'aurait servi. Écoute enfin l'histoire de Gygès. Ce n'était point un méchant homme. Il faisait son métier de berger comme on le fait, mais c'est qu'il ne pouvait pas faire autrement : c'est qu'il ne voyait pas le moyen de faire autrement. Tu sais comment le hasard lui fit trouver un moyen, cet anneau qui le rendait invisible pourvu qu'il tournât le chaton vers le dedans de la main. Ayant découvert par rencontre ce secret merveilleux, il prit seulement le temps de s'assurer là-dessus, et puis le voilà parti, le voilà à la cour. Il tue le roi, il séduit la reine, il règne. Or, si Calliclès et Thrasymaque ont raison, si tous nos maîtres et tous nos poètes ont raison, Gygès a bien fait. Et que le sort nous donne un anneau pareil au sien, nous ferons comme lui. Ne dis point qu'un tel anneau ne fut jamais donné à personne. Ne le dis point, car tu sais bien que tout homme a un tel anneau, dès qu'il ne craint plus que son propre jugement. Allons; dis-nous ce que Gygès ne savait pas; qui l'aurait arrêté tout net s'il l'avait su; qui l'aurait fait jeter peut-être son anneau, comme nous jetterons, nous, le pouvoir, si tu nous instruis; car alors ce serait le pire danger, comme tu l'as dit, que de tout prévoir impunément. Enfin, dis-nous comment Gygès s'est puni lui-même.

C'est ainsi qu'Adimante et Glaucon mirent Socrate en demeure; et c'est ainsi qu'aux deux premiers livres de *La République* s'ajoutèrent les huit autres, où la doctrine de la justice comme santé de l'âme est amplement exposée, et aussi le vrai jugement de Minos, et le grand risque où nous sommes de n'être punis que par nous. Ou plutôt, c'est Platon lui-même qui mit l'ombre de Socrate en demeure, et l'écouta parler comme il avait agi vivant. Et tout est disposé, dans ce *Dialogue* illustre, selon la double prudence de Socrate et de son disciple, de façon à préparer l'esprit du lecteur attentif, de façon à détourner aussi les esprits frivoles. C'est pourquoi il ne servirait point de résumer *La République;* mais on peut, en éclairant surtout les idées que le lecteur n'y trouve point d'abord, effacer l'impression vive et démesurée que font de vaines utopies, et dont même le prudent esprit d'Aristote, chose incroyable, a gardé l'invincible trace. Le fait est que les dix livres de *La République* sont l'épreuve de choix pour l'homme qui prétend savoir lire. Car tout y est, et d'abord que *La République* ne traite point de politique. Socrate s'avise seulement de ceci, qui est une idée inépuisable et presque insondable, que le corps social étant plus gros que l'individu et ainsi plus lisible, c'est dans le corps social qu'il faut chercher d'abord la justice. Or, tous les secrets de la doctrine platonicienne sont ici rassemblés, et comme refermés les uns sur les autres. Car si l'on entendait que l'individu n'est juste que par sa participation à un état juste, on retomberait dans le discours du sophiste sur la justice selon la loi politique, et ce n'est certainement pas cela que Platon veut nous faire entendre; la justice individuelle n'est nullement la justice selon la société. Mais, d'un autre côté, la justice de l'État est prise comme justice individuelle, comme justice propre à ce grand corps. Ainsi il est vrai aussi que l'homme juste tout entier, rapporté à ses diverses puissances, est analogue à l'État tout entier. En sorte que, dans l'État juste, ce n'est pas le guerrier qui est juste, ni l'artisan, ni même le magistrat; mais c'est l'État qui est juste. Et de même dans l'homme ce n'est pas le cœur qui est juste, ni le ventre, ni même la tête; mais c'est l'homme qui est juste. En ce sens on peut dire que l'État et l'individu participent à la même justice; ce qui ne veut point dire que l'homme soit jamais juste par l'État juste dont il serait une partie. Enfin l'on retrouve ici l'idée indivisible, séparée et inséparable. Car la justice ne peut pas plus appartenir à une des parties, soit de l'État, soit de l'homme, que le cinq à un des cinq osselets. Ainsi l'idée est séparable, et même séparée en un sens. Mais, d'un autre côté, qu'y a-t-il de plus substantiel à l'homme, et à lui plus intime et personnel, que sa propre justice? Car n'est-ce pas sa justice propre, sa justice à lui, sur lui mesurée, sur lui éternellement mesurée, qu'il fera par ce gouvernement, soit de telle colère et des autres colères, soit de tel désir et des autres désirs, soit de telle science, composée avec tel sentiment et avec tels appétits? Deux hommes sont différents; deux hommes justes seront différents, et par la même justice. Voilà donc un exemple de plus d'une même formule rigoureusement commune à des solutions différentes. Comme Spinoza dit que l'homme n'a nullement besoin de la perfection du cheval, ainsi nous dirons que l'homme n'a que faire de la justice de son voisin. Par un effet de la réflexion qui étonne toujours, c'est l'obligation de retrouver l'idée dans l'être différent toujours et toujours changeant, qui nous garde de dormir sur la justice d'hier. On oserait dire plus; on oserait dire que c'est la difficulté même de la doctrine théorique, la variété des touches, la distribution inimitable des lumières, enfin la lente initiation, qui assure ici l'efficace de la doctrine pratique. Si donc le résumé qui va suivre avait les caractères de l'évidence faite, c'est la faiblesse souvent des résumés, il faudrait se ressouvenir du présent avertissement.

CHAPITRE X

LE SAC

> La vertu semble donc être une santé, une beauté, un bien-être de l'âme, et le vice, une maladie, une laideur et une faiblesse.
>
> *La République.*

ALLONS au centre. Qu'y a-t-il dans ce sac de peau, que l'on nomme, selon le cas, juste ou injuste, sage ou fou? J'y vois trois animaux en un, et qui font une étrange société. La tête, animal calculant, lieu de mémoire et de combinaison, ressemble assez à quelque Pythagoricien, tout entier au spectacle, et qui oublierait son corps. Toutefois, il ne l'oublierait pas longtemps. Car ce sage est enfermé en compagnie de deux monstres. Le thorax, lieu du cœur, lieu du sentiment, lieu de l'emportement, est tout force, tout richesse, tout colère. Ici réside cette partie de l'amour qui est courage; ici tout est généreux et de pur don; car, dans la colère, c'est la puissance même qui éveille et entretient la puissance; dont le muscle creux est l'image, puisqu'il se réveille lui-même à ses propres coups. Ce monstre, qui résout tout par la force, nous pouvons le nommer lion. Au-dessous du diaphragme se trouve le ventre insatiable dont parle le mendiant d'Homère; et nous le nommerons hydre, non point au hasard, mais afin de rappeler les mille têtes de la fable, et les innombrables désirs qui sont comme couchés et repliés les uns sur les autres, dans les rares moments où tout le ventre dort. Et ce qui habite ici au fond du sac ce n'est point richesse, c'est pauvreté; c'est cette autre partie de l'amour qui est désir et manque. Ici est la partie rampante et peureuse. Et la condition de l'homme, ainsi fait de trois bêtes, est qu'il ne peut cesser de s'irriter, ni cesser de se nourrir. Le sage se trouve ainsi au service du lion et de l'hydre, et dans le plus intime voisinage, de façon que tant qu'il n'a pas mis la paix entre eux d'abord, puis entre eux et lui, pas une autre pensée ne pourra lui venir que de besoin et de colère.

Cette sorte de fable paraît dans *La République* quand se fait le parallèle fameux de l'homme et de l'État. Mais le point difficile de cette analyse était de longtemps éclairé par la distinction, autrefois classique, du désir et de la colère. Un exemple plein de sens et de résonance explique à la fois d'étranges désirs, plus forts que la raison, et une belle colère, alliée de la raison. Un homme aperçut de loin, au bas des remparts, des corps de suppliciés. Il ne put résister au désir de les voir de plus près, désir fait de peur et d'horreur, désir lâche, non pas plus lâche que les autres. Alors, de colère contre lui-même, il dit : « Allez, mes yeux, régalez-vous de ce beau spectacle ! » On reconnaît en cet exemple cet air de négligence par lequel Platon recherche et obtient une attention de choix. Car on s'étonne, et l'on passe, comme aux cadavres, mais on n'oublie point. Platon veut seulement alors montrer que l'opposition est possible entre le désir et la raison dans le même homme, et aussi entre la colère et le désir ; mais une idée étonnante, et de grand prix, nous est en même temps jetée comme en passant, c'est que, dans le conflit entre la colère et le désir, la colère est toujours l'alliée de la raison. Ainsi, si vous voulez comprendre ce que la passion reçoit du désir, qui est peu de chose, et, au contraire, toutes les nuances de l'irritation et de l'emportement qui colorent notre vie moyenne, regardez à cette force galopante, qui s'excite de son propre bruit. Mais si vous voulez toucher le lieu du sentiment, et le secret de ses mouvements partagés entre raison et désir, visez encore ce centre d'enthousiasme, et ce bonheur de dépenser. Les analyses modernes oublient communément ce troisième terme, la colère, et s'évertuent à composer l'homme de désir et de raison seulement. C'est oublier l'honneur ; c'est oublier les jeux jumeaux de l'amour et de la guerre.

Tenant maintenant tout l'homme, nous tenons la justice de l'homme. Nous la tenons, car elle est dans le cercle des chasseurs, comme Socrate dit, mais nous ne l'apercevons pas encore. Détournons-nous ; menons une autre chasse autour de l'État, chasse plus facile ; car, dans l'État, on y circule, on y voit presque tout à découvert. Ici encore une tête et une raison ; ce sont les rois, entendez les sages. Ici la multitude des désirs, qui sont les artisans de tous métiers. Ici le cœur, principe de l'action et de la colère, et ce sont les guerriers. Or, par le gouvernement des sages, trois vertus se montrent. La tempérance est la vertu propre aux artisans, dans un État bien gouverné; car les sages ne permettront point que les monstrueux désirs créent des métiers à leur mesure. Le courage est la vertu propre aux guerriers; car, si les rois sont prudents, cette force ne suivra point sa loi d'emportement; mais les guerriers, semblables à des chiens, s'irriteront et s'apaiseront selon les desseins de leurs maîtres. Enfin la sagesse est la vertu propre des rois; c'est dire qu'ils sauront distinguer la vraisemblance, la coutume, la vraie preuve, et enfin la source des preuves, ainsi qu'il a été ci-dessus expliqué. D'où, revenant à l'homme, autre société, plus fermée, moins aisée à parcourir et à bien connaître, nous définirons aisément la tempérance, le courage, et la sagesse en chaque homme. Mais, remarquez bien ceci, la justice nous échappe encore. Toutefois elle ne peut être longtemps cachée, car nous avons fait revue de tout. Et il reste que la justice, dans l'État comme dans l'homme, consiste dans un certain rapport, qui exprime que les trois ordres, ou les trois puissances, ont le poids et l'importance qui leur convient.

Harmonie, convenance, proportion, dirons-nous. Mais nous ne tenons pas encore l'idée. Il nous faut de nouveau parcourir l'État, et puis l'homme, afin de rechercher en quoi et par quoi cette harmonie et cette proportion sont souvent troublées. L'idée n'apparaîtra que si elle saisit quelque chose, et c'est redescendre dans la caverne. La perfection de l'État n'est pas difficile à concevoir; car la partie qui est propre à gouverner c'est bien clairement celle qui sait, comme il apparaît sur le navire. Et autant que la vraie science réglerait, des guerriers le nombre, l'éducation et les actions, des artisans les métiers, les gains et les entreprises, nous aurions l'aristocratie, ou gouvernement du meilleur, chose miraculeuse, qu'on ne verra sans doute jamais parmi les hommes. Mais que verrons-nous selon le poids de nature, si nous supposons que, dans un État parfait, les rois, selon le penchant de l'homme, car chacun d'eux traîne tout le sac, se laissent aller à oublier les règles sévères de la vraie science ? Premièrement, c'est honneur qui gouvernera. Mais on n'en peut rester là; et il faut que l'État sans tête descende au plus bas; d'abord par le gouvernement des riches, et finalement, à cause du monstrueux développement des métiers et des désirs, qui est inévitable dans un tel régime, par le gouvernement des désirs, ou des artisans, que l'on nomme communément démocratie. État heureux, mais non pas longtemps heureux, car il faut que le plus puissant désir règne, et tel est le tyran. Toute cette analyse est à lire; un abrégé ne peut qu'avertir. Le moindre détail ouvre des vues et des chemins.

Toutefois l'objet politique n'est pas ici le principal. N'oublions pas que ces systèmes politiques ont pour fin de nous expliquer l'intérieur de l'homme. L'objet politique n'est encore qu'une autre fable, un spectacle, qui, parce qu'il va comme il va, et tout naïvement, doit donner leçon au sage, lequel a charge premièrement de lui-même. Et il est toujours vrai que l'amère leçon de ce grand mouvement, dans lequel nous sommes pris, est ce qui nous réveille et nous éclaire à nous-mêmes. Faute d'avoir considéré assez longtemps l'objet politique, dont les secrets sont sous les yeux de chacun, comment saisira-t-on, comme par effraction ou divination, le secret des autres et de soi? Ici les vues les plus profondes, sur l'homme d'honneur, déjà sans tête; et puis sur l'homme riche, vainement établi à la frontière des désirs, et essayant de les gouverner les uns par les autres. Il faut que les désirs prennent le commandement; tous; tous égaux; et voilà l'homme démocratique. Tu n'as pas fini, lecteur, ni moi, d'apprécier à sa valeur ce charmant portrait d'un homme charmant qui ne sait rien se refuser. Comment la passion le guette et le prend tout, c'est ce qui est représenté selon un mouvement épique, et par le moyen des métaphores politiques. Le plus grand des désirs, rassemblant l'armée des désirs, se saisit de la citadelle, enchaîne la raison, et la force à produire des opinions qui plaisent au maître. On ose à peine résumer cette peinture incomparable de la passion, et ensemble du gouvernement tyrannique. Les révolutions n'ont sans doute appris à personne la politique; du moins elles devaient enseigner à beaucoup la connaissance des hommes et le prix de la sagesse. Au reste il est naturel que l'homme revienne de la société à soi, et de régler les autres à se régler soi. Cherchant donc dans *La République* notre propre image, nous avons à comprendre en quel sens un homme peut être dit aristocratique, timocratique, ploutocratique, démocratique, tyrannique. En ce sens, d'abord, qui est le plus extérieur, c'est que chacun de ces hommes est le citoyen de choix dans l'État politique qui le représente. Mais nous devons nous détourner de ce rapport extérieur, qui nous entraînerait à penser politiquement. Bien plutôt il faut reconnaître, en ces types d'homme, des exemples de ce désordre intérieur qui définit l'injustice. Cela nous conduira à former l'idée la plus rare et encore aujourd'hui la plus neuve. Car Platon, lorsqu'il conçoit l'État juste, ne regarde nullement à ses alentours, à ses voisins, aux échanges ou aux guerres qu'il mène. Tout ce que fait l'État juste, par l'impulsion de son harmonie propre, tout cela est juste; et, au rebours, tout ce que fait l'État injuste, entendez mal gouverné, tout cela est injuste. Juger par les effets, ce n'est qu'opinion. Voilà déjà une source de méditations sans fin. Car c'est en formant cette idée assez cachée que l'on saisira peut-être le vrai rapport entre droit et force. Non que la force donne droit, car la force dépend aussi des hasards; seulement on entrevoit que, tous les hasards supposés égaux, la justice intérieure donnerait force. Mais, encore une fois, détournons-nous de politique; détournons-nous des deux Denys et de Dion, si nous pouvons. Un autre gouvernement est remis en nos mains, dont nous ne pouvons point nous démettre. Regardons enfin à l'homme, et formons cette idée que l'homme est juste, non par les occasions et le rapport extérieur, mais par la propre justice qu'il porte en lui, par l'harmonie de ses diverses puissances. L'action extérieure, et disons politique, est toujours ambiguë. On dit qu'il n'est pas juste de prendre le bien d'autrui. Mais quoi? Prendre l'arme d'un fou, ou d'un enfant, n'est-ce pas être juste? Briser la porte du voisin afin d'éteindre le feu, n'est-pas être juste? Bref il n'y a point de règle de justice, qu'intérieure, et tout vol se règle entre désir, colère, et raison. Ne juge point les autres, et juge-toi d'après ton intime politique. Ici est posé l'individu en son indépendance, comme jamais peut-être on ne l'a posé. Car nous n'osons jamais recevoir en tout son sens la maxime fameuse : « Nul n'est méchant volontairement. » Nous savons bien qu'elle implique que l'homme libre ne fait point de faute. Au reste, il n'y a peut-être pas un moraliste qui se prive tout à fait de juger son voisin. Or, si nous suivons Platon, toute notre morale se trouve bornée à nous-mêmes, et au secret de notre conscience. Ce qui est injuste, dit Platon, et ce sont ses propres termes, ce n'est point que tu prennes le bien d'autrui, c'est que tu ne puisses le prendre sans renverser en toi-même l'ordre du supérieur et de l'inférieur. Ici résonne déjà la parole évangélique : « Celui qui désire la femme de son prochain est par cela même adultère. » Mais Platon, non moins fort, est plus subtil, plus cruel, devrait-on dire, à nos paresseuses satisfactions. Car même une action juste, évidemment juste, tu ne peux la faire juste si tu n'es intérieurement juste. Il n'y a point de morale plus forte; et c'est la morale de tout le monde. Car qui admire un homme probe, s'il soupçonne que c'est un composé d'avidité et de lâcheté qui le fait probe ? Et le témoin vrai qui n'est vrai que par peur du juge, qui l'admire ? Et le soldat qui attaque bien malgré lui, et qui ne cesse de fuir au dedans de lui-même, qui l'admirerait ? Mal placé ainsi, il est vrai, pour juger les autres, mais très bien placé, au contraire pour te juger toi.

Nous sommes emportés par le mouvement de cette pensée impétueuse, qui, depuis que Socrate l'a touchée, se meut toujours de dehors au dedans. Retrouver cette assurance de soi, ce centre du jugement, c'est ce qui importe. Mais il reste quelque chose d'obscur dans la doctrine, et voici ce que c'est. Transportant dans l'homme les vertus de l'État, nous avons défini sagesse, tempérance, courage. Est-ce que ces trois vertus ne feraient point justice ? Y aura-t-il encore injustice si l'homme est purgé d'irritation et de convoitise ? Et ces deux vertus de courage et de tempérance ne feront-elles pas, avec la sagesse à laquelle elles sont soumises, cette harmonie qui est la justice ? La justice ne serait donc qu'un nom pour les trois vertus prises ensemble ? On peut s'en tirer ainsi, il me semble. Mais quand on lit Platon, et par cette manière qui est la sienne d'ouvrir tout juste un peu la porte, et souvent de la refermer, on gagne toujours à vouloir comprendre jusqu'au moindre mot. Eh bien, que signifie cette justice, qui n'est ni la sagesse, ni le courage, ni la tempérance, mais en quelque façon un compromis et une composition des trois ? Ce que c'est ? Par exemple limiter la tempérance par le courage, si, se jetant à une entreprise extrême, on passe par précaution les limites du manger et du boire; ou, au contraire, limiter le courage par la tempérance, si on fuit un genre de colère qui est désordre et démesure, quoique la raison l'approuve; ou bien limiter la sagesse elle-même, ce qui est faire la part à l'action et au désir dans une vie bien composée. Ici l'idée se dessine un peu. Maintenant, sous la tempérance, qui n'est que règle négative, pensons la vie en ces besoins qui toujours renaissent, en ces changeants plaisirs, qui accompagnent l'assouvissement. Reconnaître, recevoir en soi cela même, cet animal broutant, et lui permettre d'être, au lieu de le réduire autant qu'on peut selon cet ascétisme que l'on nomme tempérance, n'est-ce pas justice à l'égard d'une partie de soi ? De même que le sage monarque, qui gouverne sur les artisans, s'il les méprisait il ne serait pas juste, puisque lui-même il vit d'eux. Et, par ce côté, il y aurait donc un excès de tempérance, on dirait presque au-delà de nos droits, et qui serait injustice, comme l'intempérance serait injustice au regard de la sagesse? Quant à la colère, source de l'action, ou disons mieux, disons quant à l'emportement, n'y aurait-il point un excès de sagesse, qui serait un refus de vivre selon la nature reçue, et, par une conséquence naturelle, un refus de vivre comme les autres hommes et avec eux? Un oubli de ce monde de colère et de désir ? Une absence aux hommes ? La justice alors supposerait et même exigerait que l'on soit homme et les pieds en terre, et que l'on mène guerre et procès comme tous font, et que l'on soit juge à son tour; qu'enfin l'on comprenne aussi l'inférieure et humble animalité, hors de soi et en soi. Ne le doit-on pas ? C'est ici un peu trop de subtilité sans doute, qui toutefois fait bien saisir que l'équilibre entre le ventre et le cœur, et même la tête, est autre chose que tempérance et courage, autre chose, plus difficile et plus beau, autant qu'il serait plus difficile et plus beau de vivre que de mourir. Cette pensée s'accorde assez à notre rustique Socrate, et non moins à ce Platon devenu vieux qui retourne en Sicile, et médite, selon une formule fameuse depuis, plutôt sur la vie que sur la mort. Voilà un exemple de ces détours, en cette doctrine prodigieusement riche, et de cette secrète correspondance entre la vie retirée et la vie selon les lois de l'État. Il y aurait donc de la fraternité, comme nous disons, dans la justice, au lieu qu'il n'y en a point dans la tempérance ni dans le courage. Platon nous ouvre ces chemins et bien d'autres. Suivant par là, vous retrouverez encore une fois l'idée, l'énigmatique idée, qui toujours nous jette d'objet en objet, et qui ne montre que les objets, non elle-même.

CHAPITRE XI

ER

> Le vice ne saurait connaître ni la vertu ni lui-même.
>
> *La République.*

Après tous ces détours et cette longue exploration des Champs Élyséens, qui sont ici-bas, et de ces ombres plaintives, qui sont ces hommes-ci et nous, voici que la sagesse éclaire un peu ces existences errantes et tâtonnantes ; voici que nous soupçonnons un peu de quoi elles se plaignent, qui elles accusent, et le genre de salut qu'elles espèrent. Les lionceaux demandaient : « Ne se peut-il point que l'injuste soit heureux ? » Mais qui répondra ? Si je parcours l'État tyrannique j'y trouverai des signes de bonheur, et même arrogamment élevés, car les impudents désirs sont maîtres des rues. Il est vrai aussi que les sages sont en prison ; mais je ne les vois pas. N'en est-il pas de même pour l'âme injuste ? Car elle aussi a mis la sagesse au cachot, et l'y a même oubliée. Une telle âme n'a jamais connu ni seulement soupçonné le bonheur du sage. Aussi, cette sorte de fureur qui la tient, il se peut qu'elle la nomme bonheur et même qu'elle nie de bonne foi qu'il y ait un autre bonheur. Mais c'est trop dire sans doute. Pas plus dans l'âme tyrannique que dans l'État tyrannique il n'y a permission de penser. L'homme désir et l'homme colère sont des hommes sans tête. Ils ne pensent guère ; assurément ils ne pensent pas qu'ils pensent. En un sens, ils ont conscience d'être ce qu'ils sont ; mais conscience trouble, à demi endormie, oublieuse, et comme coupée en tronçons. La colère se juge-t-elle et sait-elle qu'elle est colère ? Le désir, qui court et se jette, sait-il qu'il court et se jette ? Un homme riche, et qui vit en riche, se juge-t-il ? La guerre se juge-t-elle elle-même ? Toutes ces vies sont emportées et mécaniques. Elles vivent des signes qu'on leur jette. Comme Orion dans la nécromancie de l'*Odyssée,* ombre de chasseur poursuivant des ombres de bêtes.

Il y a pourtant des injustes qui se plaignent, et qui se disent malheureux. Heureux, disait Socrate, si le choc du malheur les avertissait. Heureux celui qui est puni. Mais c'est ici qu'il faut observer les ombres, et revoir en pensée tous les degrés du savoir. L'opinion jamais ne juge par l'idée. L'ambitieux déçu juge qu'il s'y est mal pris, entendez qu'il essaiera encore le même mensonge, les mêmes intrigues; le malheur le confirme. Le malveillant de même; il cherche quelque nouvelle ruse, quelqu'autre manœuvre; il attend une occasion meilleure, et méprise un peu plus. Un avare volé se plaint d'être volé, il ne se plaint pas d'être avare. Le tyran à son tour emprisonné ne rêve que tyrannie et prison. Le tyran chassé lève une autre armée. Et le vaniteux humilié rêve de vanité triomphante. Ce qu'ils espèrent vaut tout juste ce qu'ils ont perdu. Laissez-les descendre.

Au vrai il n'y a que le sage qui, comparant les trois vies, de désir, de puissance, et de savoir, puisse en juger sainement; car il connaît les trois. La tête jamais ne dévore le reste. Il n'ignore point le plaisir du ventre; chaque jour il y cède; mais il s'en retire et le juge. Il n'ignore point le plaisir du cœur; à chaque minute il y est pris et il s'en déprend. Il les nomme l'un et l'autre, il les ordonne, il les sauve; sa justice propre consiste en cela. C'est donc lui qui est juge. Les désirs et les colères, quelquefois, lassés de rivaliser, espèrent quelque ordre meilleur où le juste serait roi. C'est ainsi que l'âme battue par le malheur se représente une autre vie, quelque Minos, Éaque, ou Rhadamanthe qui lui fera leçon, lui expliquant ses malheurs par l'idée, et y ajoutant encore un peu de souffrance pour la détourner de goûter toujours au même plat. Il y aurait donc quelque espoir pour tous?

Il n'y a point d'espoir. Le sage nous laisse à nous. Dieu nous laisse à nous. Ni l'un ni l'autre ne nous font la grâce de nous punir. Dieu, comme signifie le *Timée*, n'est qu'ordre et sagesse en ces mouvements profondément justes, inhumainement justes, qui achèvent nos actions. « Juste et parfaite est la roue », comme dit l'autre. Les effets répondent aux causes, et chacun a justement ce qu'il voulait, quoique souvent il ne le reconnaisse guère. Le violent a violence, et se plaint. Mais qu'espérait-il ? Il faut enfin juger ces folles espérances et ces folles craintes, qui ajournent la justice. Si loin que nous puissions vivre, ce sera comme maintenant.

Le mouvement naturel de l'imagination poétique est de feindre des temps meilleurs, soit derrière nous, et dont, par notre faute, nous n'avons pas su jouir, soit en avant de nous, où nous apercevons une sorte de récompense. Un certain balancement est toujours la loi de l'imagination, puisqu'en tous ses mouvements la vie imite les retours et les compensations célestes. Dans l'épreuve on pense au bonheur; au contraire, le bonheur craint, et invente des catastrophes. De toute façon, c'est une autre vie que l'on pense ainsi, d'autres situations, d'autres chances. On n'ose guère avouer que l'on voudrait les plaisirs du vice en récompense de la vertu, ni le pouvoir de mépriser en consolation des douleurs de l'humilité; mais cette confuse idée se montre toujours assez et trop dans nos prières. Car c'est le penchant commun de rapporter le bonheur et le malheur à des rencontres, aux aspérités des hommes et des choses, à l'infirmité du corps. En ce jeu de l'autre vie, soit qu'on la regrette, soit qu'on l'espère, l'intention est toujours accomplie et purifiée de rebondissements, par une prévenance des choses; et c'est ce que l'on appelle un meilleur sort. Et ce même pouvoir, cette providence hors de nous, de même qu'elle accomplit les âmes bienveillantes et faibles, redresse aussi les méchants par un choix de circonstances, distribue aux insouciants les trésors de l'avare, et élève au pouvoir celui qui a craint, pendant que le tyran est à son tour esclave ou prisonnier. Ce sont d'autres temps, ce sont d'autres lois, ce sont d'autres vies; ce sont des degrés de purification par l'expérience; ce sont des leçons par l'opinion et par la perception; des mondes mieux faits, ô Timée! Toutefois l'imagination populaire pressent que l'âme résistera aux effets, et ne sera point changée si vite. Car on voit que la perte ne guérit pas le joueur, ni la déception l'ambitieux. D'où ces durées immenses, ce crédit de mille ans et encore de mille ans que l'on accorde à ce progrès providentiel, dont la politique est comme l'image. Ces visions de terre promise flottent entre ciel et terre, comme si la poésie avait charge d'orner nos vies médiocres, ajournant et promettant, promettant toujours qu'opinion vaudra science. Certes Platon a déployé cette poésie, comme en sacrifice à cette vie inférieure que nous ne pouvons pas couper de nous, et qu'il faut bien amuser. Remarquons qu'il l'a déployée toute et jusqu'à décourager les imitateurs, peut-être pour user en nous et épuiser ce plaisir facile de multiplier les temps. Mais il ne faut pas oublier aussi que Platon ne voulait pas aimer les poètes. Il est dur de voir qu'Homère est chassé deux fois de *La République;* avec honneur, avec regret, mais chassé. On voudrait toujours, et c'est le lot de l'homme, gagner sur le sévère entendement, et s'arranger des preuves d'opinion, plus clémentes. Mais voici une grande et terrible prose. En conclusion de *La République,* tout est mis au clair, et tous les temps sont rassemblés en un moment éternel.

Et, c'est l'homme qui y est allé voir. Pris pour mort, conduit chez Pluton, reconnu vivant et ramené, il raconte ce qu'il a vu là-bas. Ce qu'il a vu ? Le spectacle d'abord de la nécessité, et les vrais fuseaux des Parques, qui sont les sept orbites des corps célestes selon la loi. Mais surtout un jugement étrange, et qui commence par une grande voix qui dit : « Dieu est innocent. » Après cela, devant les âmes qui vont revivre, sont jetés des sorts sur la prairie, qui sont comme des paquets; ici une tyrannie, avec tout ce qui l'accompagne, soupçons, mort violente, et le reste; là, une vie d'agriculteur, utile, ignorée, occupée; et ainsi toutes sortes de destins. Les âmes sont invitées à choisir selon un ordre de hasard. Mais n'ayez crainte; s'il se trouve une âme sage parmi les dernières, elle trouvera encore un bon destin; car presque toutes choisissent mal. Et comment autrement, puisque le plus souvent elles n'ont point l'expérience d'une vie humaine ? Comme dira Aristote, c'est l'athlète qui se plaît aux luttes, c'est le géomètre qui se plaît aux preuves, et c'est l'homme de bien qui se plaît à la vertu. Toutefois, parce qu'elles sont privées pour la plupart de la connaissance par l'idée, il leur manque encore autre chose; elles n'ont point l'explication de leur malheur par les vraies causes. Elles croient qu'un tyran est bien imprudent s'il ne se fait pas d'amis; elles ne savent pas qu'un tyran n'a point d'amis. Si le glorieux est humilié, si le prétentieux est sot, si le jaloux est trompé, elles ne voient pas comment les effets résultent des causes en ces destinées; mais plutôt elles croient qu'ils ont eu mauvaise chance, ou qu'ils ont péché par légèreté et inattention. Et ceux qui sont d'un caractère difficile, et rebutés de partout, ils prennent bien la résolution de choisir mieux leurs amis, dans cette nouvelle vie où ils vont entrer. Aussi comme elles sont agitées, ces âmes, à l'idée de choisir, de recommencer tout à neuf, de tout changer, mais sans se changer! Vous devinez que, faute des lumières de la sagesse, tous ces caractères assemblés là choisissent d'être de nouveau comme ils étaient; ainsi l'ivrogne choisit de boire, et le joueur, de jouer, et l'ambitieux, de régner, et l'insolent, de mépriser, pensant tous éviter les suites de ce qu'ils sont comme on évite une borne ou un fossé. J'abrège à regret. Il faudrait transcrire, car ce conte est sans doute le plus beau conte. Er vit, entre autres choses, que l'âme d'Ulysse, qui avait tant vu et tant réfléchi, ne choisissait pas trop mal. Mais bien ou mal choisi, c'est choisi sans retour. Chacun portant le destin de son choix sur l'épaule, on les conduit alors au fleuve Oubli, où tous boivent. Et les voilà de nouveau sur la terre, exerçant leur vaine prudence, et accusant les dieux. Travaillons, dit Socrate après ce récit, travaillons à penser droit, afin de faire un bon choix. Sur ce conseil se ferme *La République*.

Platon maintenant refermé, c'est à nous, je pense, à saisir au mieux le sens de ce conte. Car nous avons aperçu, en notre sinueux voyage, plus d'un éclair qui nous a montré l'homme et l'humaine condition. Nous commençons à savoir un peu que Platon n'a point menti. Nous soupçonnons que ce mélange de raison et d'imagination, que ce sourire et ces contes de bonne femme, sont justement ce qui convient à notre nature enchaînée. Par la vertu de ce conte, nos pensées sont debout, j'entends celles qui dormaient. Peut-être a-t-on compris, d'après tout ce qui précède, que ce n'est pas notre raison qui a tant besoin de raison. Prenons donc occasion de faire maintenant deux ou trois remarques, bien près de terre, et qui nous feront entendre que ce conte est bien pour nous.

Premièrement, je remarque que nos choix sont toujours faits. Nous délibérons après avoir choisi, parce que nous choisissons avant de savoir. Soit un métier; comment le choisit-on? Avant de le connaître. Où je vois premièrement une alerte négligence, et une sorte d'ivresse de se tromper, comme quelquefois pour les mariages. Mais j'y vois aussi une condition naturelle, puisqu'on ne connaît bien un métier qu'après l'avoir fait longtemps. Bref, notre volonté s'attache toujours, si raisonnable qu'elle soit, à sauver ce qu'elle peut d'un choix qui ne fut guère raisonnable. Ainsi nos choix sont toujours derrière nous. Comme le pilote, qui s'arrange du vent et de la vague, après qu'il a choisi de partir. Mais disons aussi que presque tous nous n'ouvrons point le paquet quand nous pourrions. Toujours est-il que chacun autour de nous accuse le destin d'un choix que lui-même a fait. A qui ne pourrions-nous pas dire : « C'est toi qui l'as voulu », ou bien, selon l'esprit de Platon : « C'était dans ton paquet » ?

Personne ne nous croira. Ce choix est oublié. Le fleuve Oubli ne cesse de passer, et nul ne cesse d'y boire. Une prétention étonnante de l'homme est d'avoir une bonne mémoire, et de conter exactement comment, de fil en aiguille, tout est arrivé. Nul ne peut remonter au commencement; nul ne peut rebrousser le temps. Ce que nous appelons souvenirs, ce sont nos pensées de maintenant, nos reproches de maintenant, notre plaidoyer de maintenant. Ce qui fait que nous n'avons jamais un souvenir tout nu, c'est que nous savons ce qui a suivi. Ainsi nous n'avons affaire qu'au maintenant, et il passe. Notre vie passée nous est tout autant inconnue que ces vies antérieures le sont aux âmes après qu'elles ont bu au fleuve Oubli. Et il est vrai que nous avons vécu des milliers de vies, et fait des milliers de choix, dont à peine nous sentons comme derrière nous la présence et ensemble l'absence, et l'inexplicable poids. Rien de nous n'est passé. Le déjà fait nous presse et court devant nous. Quelque étrange que soit cette condition, c'est bien la nôtre. « Il n'est plus temps », c'est le mot des drames; et, si nous pouvions remonter d'instant en instant, à chaque instant ce même mot serait à dire : « Il n'est plus temps. » En vain donc nous essaierions de remonter. S'il y a un remède, et nous vivons de savoir qu'il y en a un, ce remède est dans le savoir même de ces choses, mais selon l'essence, qui n'est point passée, qui ne passe point. Par exemple, ce long entretien de *La République,* si vous le tenez de nouveau avec vous-mêmes, en vous-mêmes, Socrate éternel en vous, et Platon, éternel en vous, dominant tous deux de leurs cercles irréprochables, comme le dieu du *Timée,* si, dis-je, vous conduisez cet entretien, au lieu de vouloir ressaisir ce qui vient de passer, c'est la meilleure préparation à ce choix, puis à cet autre, par lesquels vous serez tout à l'heure engagés. Tout est irréparable, en ce sens qu'il est bien vain de vouloir que nos choix passés aient été autres; mais, pendant que vous récriminez, d'autres choix d'instant en instant vous sont proposés, par lesquels tout peut encore être sauvé. Car nous ne cessons de continuer, et la manière de continuer fait plus que le choix. L'agriculteur ne choisit pas d'être agriculteur, mais il choisit de défricher ici, de drainer là. Le chemin fait, il choisit d'y mettre des pierres, ou de rouler en creusant la boue. Et celui qui est marié ne choisit plus d'être marié, mais il choisit d'être patient, indulgent, juste, ou le contraire. En un sens, nul ne commence; mais, en un autre sens, tous recommencent. Ainsi cette scène que raconte Er le ressuscité est de tous nos moments. Il est toujours bien de faire un bon choix, et le pire n'est jamais le seul à prendre. Mais j'ai remarqué que ceux qui ne pensent pas selon l'essence, entendez le sac, et cette société du sage, du lion et de l'hydre, et qui n'ont point dessiné d'avance en idée la forme au moins de ce qui peut en résulter, j'ai remarqué que ceux-là sont toujours pris, en dépit d'une longue expérience. Comme celui qui n'est pas en colère, il croit de bonne foi qu'il ne sera jamais en colère; et celui qui a bien mangé ne croit pas qu'il aura faim. Ce qu'on voit qui arrive aux autres et à soi n'avertit point, mais frappe seulement. Ainsi, au lieu de l'éternelle avance de celui qui sait, l'éternel retard de celui qui se plaint.

A bien regarder, il dépend de nous de rassembler ces apparences du temps en une pensée hors du temps, ce qui est penser. Chaque moment est notre tout, et chaque moment suffit; il le faut bien, sans quoi, comme dit Héraclite, nous vivons la mort des dieux, ombres chasseresses d'ombres.

Tout est Élyséen et déjà mort en cette vie, si nous vivons selon l'opinion. Mais il y a autre chose, et l'esprit le plus positif ne peut le nier; car, si tout passait, qui saurait que tout passe? Ainsi ton amour change et passe, mais seulement par l'amour qui ne passe point; et, par le courage qui ne passe point, passe et devient le courage; c'est pourquoi encore une fois nos innombrables vies sont éternellement à nous. Cette grande idée a été développée par la révolution chrétienne, et cent fois reprise, jusqu'au mot de Spinoza l'immobile : « Nous sentons et expérimentons que nous sommes éternels ». Mais toujours nous voulons chercher l'éternel ailleurs qu'ici; toujours nous tournons le regard de l'esprit vers quelque autre chose que la présente situation et la présente apparence; ou bien nous attendons de mourir, comme si tout instant n'était pas mourir et revivre. A chaque instant une vie neuve nous est offerte. Aujourd'hui, maintenant, tout de suite, c'est notre seule prise. Ce que je ferai demain, je ne puis le savoir, parce que je ne suis pas à demain. Ce que je puis faire de mieux pour demain, c'est d'être sage, tempérant, courageux, juste, aujourd'hui. Et le passé non plus n'est pas à moi. Même, chose digne de remarque, il ne me tient que par cette folle pensée qu'il me tient; car l'éternel mouvement du *Timée* nous fait des jours neufs et des minutes neuves. Mais notre faute est d'essayer encore une fois la même vieille ruse, en espérant que Dieu changera. C'est pourquoi je me suis attaché au récit de Er, et j'ai voulu prendre pour moi ces choix éternels, et ce jugement, en tous les sens du mot, de moi-même par moi-même à chaque instant. Afin que toi, lecteur, et moi, nous soyons dignes de Platon au moins un beau moment. Car cette présence de l'éternel et j'ose dire cette familiarité avec l'éternel, enfin cet autre monde qui est ce monde, et cette autre vie qui est cette vie, c'est proprement Platon. Et ce sentiment, que j'ai voulu réveiller, qui est comme un céleste amour des choses terrestres, ne sonne en aucun autre comme en lui.

NOTE SUR ARISTOTE

Il y a quelque chose d'excessif et même de violent dans Platon; c'est une philosophie de mécontent, entendez mécontent de soi. Il faudrait penser la pure idée, et l'on ne peut; savoir qu'on ne peut et savoir qu'il le faut, telle est l'instable position, d'où on risque de redescendre; et redescendre ce n'est pas renoncer aux récompenses et à la gloire, bien au contraire. Ainsi, même dans les sciences, nous sommes tentés et menacés. La vie morale exige encore plus ; car, quoi que nous fassions, le lion sera toujours lion et l'hydre toujours hydre. Nos vies futures seront encore des vies humaines ; le sage fuira la puissance, c'est-à-dire la tentation de faire du bien aux autres ; la moindre faute ici serait sans remède. Dieu ne nous aide pas, car il a fermé le monde de toutes parts, et c'est à l'homme de s'arranger de ce mécanisme sans reproche. La nature ne nous aide pas ; elle achève indifféremment nos vices et nos vertus ; aveuglément elle nous condamne ou nous récompense selon notre choix. Il n'y a point de grâce dans Platon, si ce n'est la rencontre d'un sage ; il y a aussi le bonheur de ne pas réussir, mais il n'y faut pas trop compter. Au total la vertu est difficile et menacée. Le vrai parti est monastique, sans paradis et sans Dieu. Cette sévère doctrine ne ment pas et ne promet rien. Il y règne pourtant une lumière de bonheur, mais qu'il faut nourrir de soi. On se fatigue d'être Platonicien, et c'est ce que signifie Aristote.

La philosophie d'Aristote est une philosophie de la nature. Le travail impossible de séparer l'idée est un travail contre la nature. L'idée n'existe pas. Ce qui existe c'est l'individu. Une proposition vraie signifie qu'un attribut est attaché à un être déterminé ; non pas attaché par notre jugement, mais plutôt par son jugement à lui, qui est son développement. Ou, en d'autres termes, le possible selon le rapport, ou selon l'idée n'est rien du tout ; est possible ce qui est possible pour un être existant, comme Socrate ou Callias ; est possible ce que quelqu'un peut. Le changement réel, de quelque nature qu'il soit, est un passage de la puissance à l'acte, passage dont le mouvement n'est que l'apparence extérieure. Ainsi tout est vivant à quelque degré. Dieu est la vie parfaite, ou acte pur ; et il y a dans tout vivant quelque chose de divin. Cette doctrine est conquise par un mouvement toujours repris et presque dans chaque phrase. Car le premier moment est de remarquer l'insuffisance d'une philosophie de la matière, d'une philosophie de la forme, et d'une philosophie du mouvement. Le second moment est d'organiser le mécanisme d'après ces trois principes et sous un premier moteur, de vitesse infinie, et immobile en ce sens. Mais ces rapports extérieurs ne peuvent porter l'être ; il faut penser puissance et acte, et vie divine. Et telle est la philosophie théorique, qui, comme on voit, nous réconcilie à notre nature. De ses propres puissances que chacun fasse science, et le dernier mot de la théologie est qu'il le peut, sans refuser ses propres organes, ni le plaisir de voir. On trouvera dans Hegel un ample développement de cette philosophie de l'inhérence, si bien opposée à la philosophie du rapport qui est celle de Platon. Une différence est toutefois à remarquer. Aristote n'a pas été jusqu'à penser Dieu comme devenir. L'acte pur est immuable finalement; aussi la nature n'a pas d'histoire, mais plutôt elle est un éternel retour des mêmes phrases : comme avant l'enfant il y a eu l'homme fait, de même avant tout commencement de civilisation il y a eu une civilisation plus parfaite; nous recommençons toujours; et c'est par là qu'Aristote reste Platonicien; au lieu que selon Hegel, tout continue, tout est neuf et sera neuf.

L'Aristote moraliste est tel que cette métaphysique panthéiste le fait prévoir. Le bien absolu n'est rien pour personne; le bien de chaque être est impossible à arracher de lui; la justice est impossible à arracher des conditions de la vie, parmi lesquelles il faut compter la famille, le commerce, la politique. Aristote est le père des sociologues. Il y a une justice du roi, une justice de la mère, une justice de l'enfant. Et, encore plus près, il y a une justice de chacun, une tempérance de chacun, enfin une perfection de chacun, qui dépend de ses puissances propres, et résulte de leur développement. De quoi le plaisir et le bonheur sont des signes; car le vrai géomètre est celui qui se plaît à la géométrie, et le vrai tempérant est celui qui se plaît à la tempérance. Il n'est donc point vrai que notre nature soit notre ennemie, notre nature, ni non plus cette nature politique d'où nous sommes nés aussi, ni la grande nature, si profondément harmonieuse à nous. C'est pourquoi il n'est pas raisonnable de se séparer des communs jugements et de la commune pratique, ni des modèles vivants, ni de l'exemple, ni du conseil. L'élève de Platon devait en venir là; et c'est la forme même du Platonisme, c'est le pur désert platonicien, qui devait le rendre aux hommes. Mais comptons alors comme un remords la continuelle polémique. C'est ainsi que nous voyons que du moderne Platonisme, qui est le Kantisme, chacun veut s'évader, et se dire qu'il faut pourtant penser et agir selon le monde. Mais le plus résolu des physiciens ne peut s'empêcher de revenir quelquefois à la pure géométrie, ou au moins de la regretter, comme le plus résolu des politiques revient à la justice première, ou la regrette. Ce sont deux moments ou pulsations de la pensée, élargies en ces deux systèmes de Platon et d'Aristote. La seconde a plus de complaisance. On retrouvera l'une et l'autre dans les querelles du socialisme comme dans la philanthropie des banquiers. Ce n'est pas par hasard que l'Église fut Platonicienne premièrement et Aristotélienne ensuite; et cela éclaire assez bien les querelles de jansénistes et de jésuites, qui sont les formes passagères d'une querelle éternelle. Car il faut vivre; et toutefois, c'est ce que Platon n'a jamais dit. Socrate, après le jugement, adresse cette parole à ses juges : « Nous voilà partis chacun de notre côté, moi pour mourir, et vous pour vivre. Qui a pris le meilleur parti, Dieu le sait. »

IX

DESCARTES

« Même les plus excellents esprits auront besoin de beaucoup de temps et d'attention... »

Principes.

On m'a conté que Pierre Laffite, en un de ses cours toujours inspirés, comme on sait, de la pure doctrine de Comte, élevait de ses deux mains un livre carré, disant : « Voilà la grande œuvre des temps modernes. » C'étaient les *Méditations* de Descartes. Or le disciple, courant à ce précieux livre, aurait été surpris de n'y trouver que théologie au premier aspect, et métaphysique au mieux, genre de méditation dont Comte se gardait. Stendhal dit quelque part que Descartes paraît d'abord, en sa *Méthode,* comme un maître de raison, mais, deux pages plus loin, raisonne comme un moine. A cet exemple, et d'après l'idée téméraire que les moments dépassés ne sont point conservés, le lecteur de Descartes voudra peut-être distinguer l'illustre géomètre, qui subsiste tout, de l'aventureux physicien, depuis longtemps redressé, et encore plus du théologien, qui, après tant d'autres, a mis en preuves ce qu'il croyait; enfin il trouvera des branches mortes en cet arbre encore vigoureux. Cette manière de lire, assez et trop facile, le privera aussi du plus puissant maître à penser que l'on ait vu. Car la partie d'évidence est ouverte, il est vrai, sur des profondeurs; mais cela n'est pas un fait de l'histoire; en n'importe quel homme les idées claires font énigme et scandale dès qu'il s'en contente. Et c'est trop peu aussi de dire que Descartes ouvre la voie; car, soit dans ses hardiesses de physicien, où c'est l'erreur qui se voit d'abord, soit dans ses hardiesses de théologien, bien plus cachées, il marche dans la voie, et bien en avant de nous. Mais non point ange; homme, et chargé de matière comme nous, empêché de passions comme nous, et gouvernant ensemble corps et âme selon la situation humaine. Bref, nul homme n'est plus entier que Descartes ;

nul ne se laisse moins diviser; nul n'a pensé plus près de soi. Sur quoi nous devons suivre le culte humain, qui enterre si bien les morts. Pendant que nous essayons d'accorder ici, de nier là, et enfin d'expliquer par le poids de l'histoire pourquoi il n'a peut-être pas tout dit comme il fallait, lui, par les lois non écrites de la gloire, il subsiste tout.

J'ai dit souvent que ce qui nous manque pour comprendre Descartes, c'est l'intelligence; celui qui n'a pas cruellement éprouvé cela, il faut le plaindre, et lui faire honte de cette géométrie reçue. Toutefois cette remarque ne mènerait pas loin; car si nous n'avons pas, par grâce, le génie de Descartes, qu'y pouvons-nous faire? Lui-même a redressé d'avance, comme on verra, ce jugement de modestie, par la plus forte leçon de courage que l'on ait jamais entendue, puisqu'il a voulu appeler générosité cette puissance en nous qui fait que nous jugeons bien. Sommairement, disons que ce Prince de l'Entendement, mesurant l'entendement même, a refusé de chercher notre perfection par là et Dieu par là, rabaissant hardiment notre pouvoir de comprendre devant l'attribut du vouloir. Nullement pédant, et tout à fait gentilhomme, c'est sa manière propre, comme on l'apercevra, de refuser d'être difficile. Sévère entre tous par là, il nous refuse à chaque ligne cette excuse des paresseux qui voudraient dire que la sottise n'est point vocabulaire. Ainsi ce maître ne demande point respect, mais plutôt attention.

L'HOMME

« Ma seconde maxime était d'être le plus ferme et le plus résolu en mes actions que je pourrais. »

Discours de la Méthode.

L'HOMME est d'une belle époque, et qui n'a pas encore appris l'obéissance. L'ordre n'est point fait. En toute l'Europe, c'est comme une immense guerre civile où chacun se bat pour son compte; et même la mathématique ressemble à une guerre de partisans, où les habiles essaient quelque botte secrète. Tout homme est d'épée et d'entreprise, et choisit son maître. Nul ne trouve alors devant soi de ces devoirs tout écrits, qui de nos passions font sagesse. Il faut prendre parti. Descartes participe à ce mouvement, il ne s'en étonne point. Ce voyageur, ce militaire, cet homme de main ne nous est guère connu; mais ce que nous savons de sa vie, quoique purement extérieur, et sans aucune vue sur les mouvements secrets, ne nous permet pas de l'oublier. Nous savons qu'il servit comme volontaire sous Maurice de Nassau, bientôt prince d'Orange; qu'après deux ans il passa à l'armée du duc de Bavière; deux ans plus tard, on le retrouve sous les ordres du comte de Bucquoy qu'il suivit vraisemblablement jusqu'en Hongrie. Enfin, après six ou sept ans de libres voyages, il se trouve en spectateur au siège de La Rochelle, et y reprend le service dans l'armée du roi jusqu'à la victoire. Voilà du moins la légende, telle qu'on la trouve dans Baillet. Il y a bien de l'incertitude en ces détails, et même les historiens rejettent le dernier épisode, prouvant que Descartes venait d'arriver en Hollande au moment où La Rochelle fut prise. Toutefois, il faut dire que cet épisode n'aurait pas été inventé ni cru s'il ne s'était accordé au personnage; et, dès que l'on veut connaître le caractère, les mœurs et les mouvements d'un homme, la légende n'est pas à mépriser.

Ce n'est donc point ici un clerc douillet, mais un homme vif et dur, impatient de délibérer, qui décide, qui tranche, qui se risque. Si lentes que fussent les guerres en ce temps-là, et quoiqu'elles laissassent du temps pour la curiosité, et du temps pour la réflexion, elles étaient fort brutales à des moments. Nous ne savons rien de Descartes combattant, si ce n'est que la tradition nous rapporte de lui deux mouvements très militaires. On sait que Descartes, passant dans la Frise Occidentale sur un bateau, avec un seul domestique, devina un complot de bateliers, soudain tira l'épée, et les tint en respect. Il avait alors environ vingt-cinq ans. Un peu plus tard, et près de ses trente ans, on raconte qu'il se battit contre un rival, en présence de dames, à l'une desquelles il faisait sa cour, et que, l'ayant désarmé, il lui fit grâce. C'était le temps des duels, et Descartes, faute d'une parade, aurait très bien pu mourir en une sotte querelle, comme mourut Sévigné. On aime à savoir qu'un sage se distingue des autres hommes, non par moins de folie, mais par plus de raison. Au reste, le lecteur trouvera dans le *Discours de la Méthode,* sous le titre : *Quelques règles de la morale tirées de cette méthode,* une doctrine de l'action à laquelle il ne manque rien. Descartes, perdu en une forêt, et n'apercevant aucune raison de suivre un chemin plutôt qu'un autre, Descartes choisit pourtant, s'en tient à ce qu'il a choisi comme si ce qu'il a choisi était le plus raisonnable, et, par cette fermeté et cette suite, par cette fidélité à soi dans l'exécution, sauve ce choix de hasard, et le fait bon. Cette célèbre image, si nous la considérons assez, doit nous faire retrouver la démarche et même le geste de l'homme qui sut le mieux douter quand il fallait, croire quand il fallait, et toujours s'assurer de soi. Il est bon de dire ici que cet homme décidé dormait beaucoup, et restait volontiers couché même sans dormir. Ces contrastes, ces loisirs sans mesure, cette sorte de paresse que chacun emploie comme il veut, sont propres à la vie militaire, et font scandale au contraire dans les travaux de la paix. Descartes, dès le collège, échappait par faveur à la règle commune. Qu'il se soit jeté ensuite, et par choix, dans l'existence militaire, cela étonnerait si cette existence était la plus strictement réglée qui soit; mais il n'en est rien; la vie militaire se règle en réalité sur les nécessités extérieures. On peut penser que Descartes a toujours supporté sans peine les contraintes de l'événement pur, mais qu'il supportait fort mal les autres. Nous voilà à tenter de comprendre ce solitaire, et cette existence volontairement exilée. En ses jeunes années, il fut quelquefois homme de société; à deux reprises, il vécut à Paris comme on vivait, goûtant fort la conversation, la musique et tous les honnêtes divertissements. Mais il n'y était jamais régulier, se cachant tout à coup en quelque faubourg; ses amis le retrouvaient par hasard et le ramenaient, semble-t-il, sans peine. Ces traits ne sont point d'un misanthrope. En ses voyages, qui, au sortir de ses campagnes militaires, le conduisirent en toutes les parties de l'Allemagne, dans les Frises, en Hollande, en Angleterre, en Italie, nous le voyons marcher à petites journées, s'arrêter où il se plaît, rechercher tous les spectacles de la nature, et aussi le spectacle humain, couronnement à Francfort, jubilé à Rome. Et même, dans les vingt années qu'il passa ensuite en Hollande, il changeait encore de lieu fort souvent, toujours bien logé et bien servi, ayant jardin et chevaux pour la promenade, enfin liberté et loisir, les plus grands biens à ses yeux. Même le plus humain en lui fut en dehors de l'ordre, comme cette Francine, sa propre fille, qu'il éleva jusqu'à l'âge de cinq ans comme eût fait une mère, qu'il perdit et qu'il pleura. Quel homme n'admirera, non sans un peu de frayeur peut-être, cette existence appuyée seulement sur elle-même, repoussant et attirant, selon ses lois propres, tous les esprits en travail ? Ce roi d'esprit, qui traitait en égal avec la princesse Élisabeth, et que la flotte suédoise attendait au Zuyderzée, jusqu'à ce qu'il lui plût de partir pour le froid pays où il devait mourir, reçut en sa solitude, vers ses quarante-neuf ans, un cordonnier du nom de Rembrantsz, bon mathématicien, qui se fit connaître plus tard comme astronome, et avec qui il s'entretint plus d'une fois.

Ceux qui voudront bien lire le *Discours de la Méthode* comme ils liraient Montaigne, sentiront que Descartes est bien éloigné de révolte et de Fronde ; mais ils sentiront aussi que l'ordre politique y est pris tel quel, et sans aucune nuance de religion. Il y a un peu de mépris dans cette sorte d'obéissance. On le devine d'après cette existence militaire, qui choisit ses devoirs comme des exercices de patience, et aussi par cette fuite, qui, sous couleur de chercher un climat convenable, s'arrête au pays le plus libre et le moins encombré de majesté qui fût alors en Europe. Il est juste aussi de remarquer que les théologiens de ce pays ne le laissèrent en paix, après d'ardentes querelles, que sur l'intervention de hauts personnages, parmi lesquels peut-être l'ambassadeur de France ; et cela nous garde d'ordonner les forces selon les idées. Un des points de la doctrine cartésienne est que l'esprit se sauve et même gouverne par ce désordre des forces cosmiques qui ne pensent point. Comprenez ici ce regard noir. Toutefois il faut mettre à part, comme il faisait, l'autorité de sa religion propre, à laquelle il se soumettait de libre mouvement, et sans aucune hypocrisie, ainsi que j'essaierai de l'expliquer. Il reste une défiance, aussi sans hypocrisie aucune, à l'égard des cercles, des conversations, et enfin de l'ordre humain autant qu'il a la prétention de penser. Cela peut choquer. Il importe même beaucoup que le lecteur cultivé de ce temps-ci sente le choc, et se trouve comme déplacé un moment d'une époque où l'on ne sait plus obéir sans croire, et où l'on a coutume, en revanche, de se mettre à plusieurs pour penser. Cet avertissement porte plus loin qu'on ne croit, et l'on en trouvera la suite dans la doctrine, par ce trait essentiel, quoique difficilement saisissable, que les idées elles-mêmes y sont, d'une certaine manière, renvoyées à tous les genres de mécanismes finis, ce qui condamne d'avance les époques de vie collective, qui toujours reviendront, où le bon sens est compté comme un fruit de l'association. Les idées sont alors comme des machines. Or, il est bon de noter, comme une vue d'abord facile et de grande conséquence, que les machines sont partout en Descartes, mais partout définies, partout renvoyées à l'objet, partout nettoyées d'esprit, comme en effet elles sont. Et, sous ce rapport, il est bon que le lecteur garde en sa pensée, et en place centrale, le paradoxe assez connu de l'animal machine; ce sévère jugement, qui veut redresser l'homme, est profondément étranger dans tout régime intellectuel où les doctrines font objet; il faut alors que la controverse, et finalement l'essai, méthodes que l'on ose dire animales, soient les ordinaires moyens de la réflexion. D'après ce sentiment qui peu à peu s'éclairera, on jugera aussi de ces discussions étonnantes, qui sont à la suite des *Méditations,* où se font voir ensemble une politesse voulue, avec un commencement de mépris, bientôt marqué. Considérez à présent ce beau portrait qui nous reste, et ne vous trompez point à la sévérité qui en est le caractère. Les enfants se trompent souvent aux pères, parce qu'ils n'ont pas assez l'idée des travaux auxquels est due cette vie facile de l'enfance. Mme de Sévigné écrit à sa fille : « Votre père, Descartes. » Ce mot sonne bien ici, et en tous ses sens. Il traduit un mouvement de réflexion qui est le souvenir, et par lequel l'ordre établi rend hommage au créateur. C'est de la même manière que l'idée périrait toute sans le souvenir, au moins, du jugement qui l'a faite. C'est remonter à la source des idées. Nous devons apprendre ce pieux retour, qui est penser, et savoir dire aussi : « Notre père, Descartes. »

LE DOUTE

« Je ne saurais aujourd'hui trop accorder à ma défiance, puisqu'il n'est pas maintenant question d'agir, mais seulement de méditer et de connaître. »

Médit. I.

JE ne résumerai point ces célèbres démarches après lesquelles Descartes, assis au coin de son feu, finit par se séparer de toutes ces choses qui l'entourent et presque de son propre corps, pour se retrouver seul en sa pensée; deux fois seul, puisque de cette solitude et de ce silence nocturne, de cela même il s'est retiré. Cette prière de l'homme des nouveaux temps, qui est premièrement prière à soi, c'est dans les *Méditations* qu'on la trouvera. Cette effusion, cette paix, cette force retranchée en soi et qui se meut toute selon sa loi intérieure, cela surpasse toute notre prose, et même nos poètes. Il n'y a point d'abrégé qui donne l'équivalent de ce mouvement sublime. Mais plutôt, nous donnant cette vue de Descartes méditant, méditons là-dessus à notre tour, sans négliger aucune circonstance, comme ces disciples qui imitent le geste et la voix du maître, et, sans le savoir, donnent ainsi une aide de corps et de nature à leurs premières pensées. Nuit et silence; une paix bien gouvernée s'étend autour; les choses familières sont en place. Descartes se lève, marche jusqu'à la fenêtre, jette un regard dans la rue, aperçoit des hommes en manteaux, ceux-là même que Rembrandt dessine, revient à son fauteuil, libre de hâte et de crainte. Certes cela est à considérer. Car il arrive que les hommes doutent des choses, et se touchent eux-mêmes comme pour s'éveiller; oui, mais dans un extrême malheur, ou dans un tumulte humain, ou devant quelque grande convulsion de la nature. En de telles circonstances, Descartes serait plutôt un homme de main, comme on a vu, Descartes, aux yeux de qui l'irrésolution était le plus grand des maux. Mais, maintenant qu'il médite, ce n'est point une inquiétude qui le saisit, ni aucune sorte de frisson. Il n'est point devant le Sphinx, ni à quelque tournant de route où il faudrait décider. Toutes les passions, au contraire, sont apaisées; la belle prose en témoigne. Remarquons bien ce mouvement; il choisit pour ce doute hyperbolique le temps où il est assuré de tout. Voici le trait; il doute parce qu'il le veut. C'est la marque de Descartes en toutes ses recherches, même géométriques, même physiques, qu'il ne reconnaît le beau titre de pensées qu'aux pensées qu'il dirige et qu'il forme comme par décret. Son doute n'est point au-dessous de la croyance, mais au-dessus. Il s'assure d'abord; et puis il doute sur ce qu'il croit; il essaie cette solidité du monde; il ne l'ébranle point. Le vertige serait chose du monde et passion de l'âme; l'irrésolution, de même. Rien de pareil ici. Bien plutôt, comme il résisterait devant les menaces du monde, le voilà maintenant qui se refuse à la confiance même, et qui défait fil à fil, avec précaution, ces choses si bien tissées. Ici, le regard du physicien; ici l'existence nue devant la pensée nue. Ce n'est pas en une tempête que les vrais tourbillons se montrent, mais plutôt en ce morceau de cire, qu'il manie, qu'il approche du feu. On trouvera, dans cette célèbre analyse, encore un exemple de ce doute conduit, cherché, gouverné. Au reste n'importe quel objet est vrai et suffisant; et celui-là même qui dort exprime la nature tout entière, sans aucun risque d'erreur; mais non point pour lui. Observer, c'est refuser ce tout du monde, se donner de l'air en quelque sorte, et du recul. Rien n'apparaît que par le doute; et, en suivant cette idée, nous aurons à dire que la célèbre Méthode, en toutes ses démarches, n'est que par le doute, qui permet le choix selon l'esprit. En la moindre pensée de Descartes est cet éveil, cette crainte de rêver selon le vrai. Encore mieux toutefois dans cette première démarche, qui va délibérément jusqu'à la supposition d'un esprit absolument trompeur, toute la puissance de l'esprit est essayée une fois. L'entendement y est dépassé, ce qui est entendre; l'esprit se découvre enfin à lui-même sans autre fonction ni moyen que le doute, l'indubitable doute. « S'il me trompe, je suis », telle est sa première pensée de Dieu. Car ce n'est pas peu d'avoir cette idée-là, qu'il pourrait bien me tromper. Il a cette puissance de me tromper, soit; mais j'ai cette puissance de me défier. Elle suffit. Je suis esprit.

Descartes marque ici un temps d'arrêt. Il faut l'imiter. Il faut méditer sur cette richesse et pauvreté ensemble. C'est là qu'il faudra toujours revenir. Mais richesse? Quelle richesse? Tout ce qui est naturellement cru est déchu du rang de pensée. Toutes ces fidèles apparences, oui, et tout cet ordre qui nourrit notre corps, mais qui n'a point mandat de gouverner nos pensées. Nous sommes privés d'appeler vérité ce qui plaît au corps; c'est une fausse richesse que nous perdons là. Regardons de plus près, nous autres; nous y gagnons de croire comme il faut. La nature est assez forte, et de toute façon il faut s'y fier, non pas toutefois jusqu'à lui laisser le gouvernement de nos pensées. Je veux encore ici revenir à l'homme, qui, dans le *Discours de la Méthode*, se montre si bien en pied. Cette croyance de religion, Descartes s'y fie, tout comme aux mœurs, comme aux lois; mais aussi il ne tourne point ses investigations par là. Il ne se paie point de mauvaises raisons; il ne veut point du tout de raison. « Conserver, écrit-il en ce manuel de l'homme d'action que je citais, conserver la religion dans laquelle Dieu m'a fait la grâce de naître. » Il a dit d'abord et du même ton : « Obéir aux lois et aux coutumes de mon pays. » Tout cela est très sérieux, par ce parti de croire qui vient de savoir bien ce que c'est qu'examiner. La première sagesse, et qui éclate même dans la géométrie, est de ne point tout examiner. Et c'est sans doute par une faible idée de l'entendement, toujours mêlé à l'imagination dans nos ambitieuses pensées, que nous ne cessons point d'appliquer l'entendement à tout. Il y a donc un art de croire, que Montaigne aussi savait, quoique par un doute moins conduit, moins actif, moins fort, enfin par une réflexion diffuse. Ici l'esprit ose bien plus, et, par une séparation et un refus sans exemple, soutient l'art de penser sur l'art de croire, définis tous deux par la séparation même, violente une fois, violente toujours. Cette précaution mène loin.

Il faut suivre maintenant le doute en action, le doute, créateur de l'ordre. Au vrai, dans nos moindres pensées, ce qui fait que nous avançons et gagnons quelque chose est toujours que, doutant de ce qui paraît, nous rabaissons ce que nous pensions d'abord au rang de ce qui mérite seulement d'être cru. La marche de la réflexion est toujours de déposer ce qui occupait notre vue, et de le mettre sous nos pieds comme des fascines. Mais c'est la géométrie qui en donne le meilleur exemple, et le plus facile, surtout dans ses commencements. Car l'imagination, quoique disciplinée, ne cesse pas de se jouer dans les figures, et de nous offrir ses preuves agréables, qui ne sont toutefois que des croyances. Descartes ne méprisait point ce secours des figures, comme on peut voir dans les *Règles pour la direction de l'esprit*; et il a dit plus d'une fois explicitement que, dans la mathématique, l'imagination et l'entendement sont toujours ensemble. Mais il n'en est aussi que plus attentif à refuser les preuves d'imagination. Suivez cette idée d'après vos connaissances d'écolier. Remarquez que les premières propositions du géomètre sont de celles que chacun peut croire; et la première opinion ici est qu'il n'est pas besoin de tant de peine pour démontrer ce que chacun voit aisément. Or, c'est là-dessus qu'il faut douter, et sévèrement douter, sans quoi on peut bien appliquer la géométrie, mais on ne peut nullement l'inventer. C'est le doute renouvelé, le doute hyperbolique, qui fait être la droite. Toutes nos pensées correctes concernant la droite supposent que nous rejetions continuellement ce que le tracé voudrait nous dire, ce qu'il ne cesse jamais de nous dire, et qui a un air de vérité. D'où aussi ce beau scrupule de demander expressément ce que l'auditeur accepterait sans peine. Et la règle des règles, qui est de ne jamais laisser entrer dans la définition que ce qu'on y a une fois reçu, fait paraître cette police de l'esprit par volonté, qui est au-dessus de l'entendement, et qui éclaire l'entendement, cependant que la figure, renvoyée aux choses, et purement chose, règle les mouvements de l'imagination et tient le corps en respect. Tel est le géomètre en ordre de bataille. Retrouvons, dans le premier jugement du métaphysicien, cette discipline des puissances inséparables, tenues à leur rang, imagination, entendement, volonté, qui soutient toujours le vrai géomètre.

Recueillons, donc, cette leçon de force. Sur le douteux, il faut croire; le doute n'y ajoutera rien, n'y éclairera rien. C'est décider, c'est prendre parti. Lisez la deuxième règle de morale, dans le *Discours,* vous y trouverez Descartes en une forêt, où, parce que tout est douteux selon la nature, l'esprit prend un parti tout nu, sans ombre de preuve; et cela même est une raison de persévérer. Au contraire, dans l'assurance même que donne la nature, en cette chambre bien close, en cette ville bien policée, dans le moment de ce sommeil agréable que la veille même nous offre, et de ce songe aux yeux ouverts, quand se montrent les preuves d'usage, quand le parti, descendu dans le corps, offre visage de raison, c'est alors que l'esprit refuse, et ainsi commence d'être pour soi. En sorte que c'est l'objet même qui porte le doute, disons même l'idée, autant qu'elle est objet et étalée. Ce degré de l'idée à l'esprit, ce pas étonnant, ce recul, cette opposition de soi pensé à soi pensant, c'est la méthode, et c'est l'âme de l'âme.

DIEU

« Que si vous entendez seulement ce qui est très parfait dans le genre des corps, cela n'est point le vrai Dieu. »

Rép. aux Deuxièmes objections.

Il faut premièrement considérer ici d'un œil cartésien, et sans aucune nuance de religion, cette immense existence qui nous tient de toutes parts, qui est tellement plus puissante que nous, mais qui n'est pourtant que mécanique. Mécanique, c'est-à-dire extérieure à soi. Cette idée sera plus loin, je l'espère, tirée tout à fait hors de l'image, et l'on saura ce que c'est que matière. Toujours est-il qu'il n'y a point dans les *Principes,* où, de tourbillons en tourbillons, cet univers est comme étalé, la moindre marque d'effroi ou seulement d'étonnement. Bien plutôt Descartes a exprimé avec force l'imperfection radicale qui est attachée à ce genre de grandeur, et qui consiste en ceci que rien n'y est en soi, et que cette espèce d'être par défaut nous renvoie toujours, soit à ses alentours, sans quoi il ne serait point comme il est, soit à ses parties, dont il est composé. Ce double rapport, qui est toujours de composé à composant, définit ce que Hegel nommait la fausse infinité; cette idée est profondément cartésienne. Aussi ce n'est point par là que nous devons chercher cette perfection qui existe par droit, et dont le moins parfait est une suite et une dépendance. Encore une fois, il ne s'agit ici que de ne point prendre l'image pour l'idée, ni le mesuré pour le mesurant. Rien n'avertit mieux peut-être à ce sujet-là que le souci que fait voir notre philosophe, en ses *Réponses,* de n'être point pris pour un saint Thomas à peine renouvelé. Or, saint Thomas argumentait ainsi. Par le nom de Dieu, on entend un être tel que rien de plus grand ne puisse être conçu; mais c'est plus grand d'être en effet et dans l'entendement que d'être seulement dans l'entendement; Dieu est donc, par sa définition, en effet et dans l'entendement. Cet argument plaît. Mais qui ne voit que l'extérieur y est pris comme grandeur vraie et perfection vraie? Qui ne voit que l'imagination veut y étaler ses grandeurs d'apparence, au vrai insuffisantes par essence? Cet argument se retrouve sous diverses formes au cours de l'histoire, et l'on attribuait déjà à Aristote, mais faussement à ce que je crois, l'argument célèbre de la première cause, ou du commencement absolu; les causes, disait-on, nous renvoient à d'autres causes, et rien n'est suffisant; il faut donc s'arrêter. Il suffit de dire ici que la philosophie d'Aristote, quoique profondément opposée à celle de Descartes, comme la doctrine de l'animal machine suffit à le faire voir, ne se contente pourtant point de poursuivre le rapport extérieur selon les pièges de l'imagination, et que, par le rapport de la puissance à l'acte, elle touche à la grande idée que nous devons former maintenant. Il n'en est pas moins qu'au regard d'Aristote c'est l'univers qui enferme le grand secret, l'univers, dont Descartes, moderne en cela et plus qu'aucun de nous, au contraire se détourne, et par une vue d'entendement, comme peut-être on l'apercevra à la fin. Mais comme on ne peut tout dire à la fois, il suffit présentement de ne vouloir point chercher la perfection en cette poussière cosmique, de mille façons agitée et secouée, et enfin de savoir que c'est vers le sujet pensant qu'il faut chercher perfection. Sans cette remarque, qui en Descartes revient partout, et qui nous ramène toujours au « Je pense donc je suis », les célèbres preuves, surtout ramassées comme elles sont dans le *Discours,* seraient impénétrables.

Ce commentaire veut être utile au lecteur. Il ne dispense point de lire. Le mieux est donc que je retrouve l'idée capitale en suivant les chemins qui me paraissent les plus naturels et faciles; après cela, on aura chance de reconnaître que les célèbres preuves de Descartes n'ont qu'un sens et n'en peuvent avoir qu'un. Descartes a donc gagné cette étonnante victoire de s'égaler, par le doute, au prince des ténèbres ou malin génie, supposé aussi puissant qu'on voudra. D'où me vient donc, demande-t-il, cette puissance qui défie toute puissance? Non point certes de ce que je forme telle idée de géomètre et puis telle autre. Assurément, ces idées me satisfont tout à fait. Mais, outre que le doute hyperbolique les atteint encore dès que je les compose et que je les conduis un peu loin, puisqu'il faut alors que je me fie à ma mémoire, il est assez clair pour moi que je ne sais pas tout, et qu'il y a, même dans l'art de combiner, d'immenses domaines qui sont aussi inaccessibles pour moi que ces autres cieux derrière les cieux. Je sais que je me trompe souvent, mais il est encore bien plus évident que j'ignore beaucoup et que j'ignorerai toujours beaucoup. Comme entendement, je suis donc limité; je connais ici mon imperfection, ce qui suppose déjà que j'ai quelque idée de la perfection. Mais tout n'est point dit encore. Cette idée de la perfection, qui me conduirait à chercher comme autour de mes idées quelque totalité des idées, est encore négative. Dire que je ne sais pas tout est la même chose que dire que je ne suis point partout; ainsi l'infinité d'un entendement ressemble à la fausse infinité des choses, qui toujours renvoient à d'autres. Et, dans le fond, si je n'étais qu'entendement, j'ignorerais, je ne saurais pas que j'ignore. Mais pourquoi chercher par là, quand j'ai part à la perfection, à la positive perfection, par ce pouvoir de douter qui me rend plus fort que tout pouvoir de tromper? Dieu est par là, et non pas contre moi et ennemi, mais pour moi et ami. J'ai secours contre le malin génie, et ce secours est de Dieu à n'en pas douter. Or, ce pouvoir de douter, c'est le libre arbitre même. Et Descartes nous enlève ici toute occasion d'hésiter sur ce qu'il veut nous faire entendre, remarquant qu'on ne peut avoir du libre arbitre plus ou moins, mais qu'on l'a infini, ou bien qu'on ne l'a pas du tout. Toutefois, serrant cette idée de plus près, je veux une bonne fois juger, comme de ce point élevé du doute, d'où je vois loin, cette fausse infinité et toute étalée. Non seulement je la juge, d'après ce rapport extérieur qui suppose, de l'autre côté de la limite, toujours quelque autre chose; mais, bien plus, découvrant cette loi de dépasser, qui m'emporte au loin, et même plus loin que le plus loin, je m'aperçois que le pouvoir de penser la limite enferme d'avance que toute limite sera dépassée. Et le rapport tout près de moi, comme de un à deux, enferme d'avance toute suite de nombres, et toute suite de suites. Bien loin que je puisse prévoir que cette addition d'objet à objet finira par dépasser mon pouvoir d'ajouter, tout au contraire j'aperçois clairement qu'il n'en sera jamais rien. Ainsi paraît, enfermant d'avance l'infinité des parties, ainsi paraît l'autre infinité, qui est sans parties. Enfin se montre le pouvoir de juger, d'emblée dépassant, même dans le concevoir, toute accumulation possible du concevoir.

Dieu n'est donc point entendement parfait; et, de même qu'il ne s'agit point de passer du petit au grand, et de ce qui n'occupe qu'un lieu à ce qui occuperait tout le lieu, de même, et par les mêmes raisons, il ne s'agit point de passer de ce qui sait une chose et puis une autre à ce qui saurait tout. Le rapport extérieur se montre encore ici, par ceci que la variété des idées n'a de sens que comme un reflet de la variété des choses, c'est-à-dire de cette existence mécanique qui nous renvoie toujours à quelque autre objet. Cette étendue d'idées et ce désert d'idées ne nous approche point de perfection, mais nous fait sentir au contraire une imperfection radicale. Cela paraîtra peut-être encore mieux quand nous en serons à la théorie de l'erreur. Mais, dès à présent, il faut écarter cette interprétation, commune, on peut le dire, à tous les Cartésiens petits et grands, et que Spinoza a mise en forme pour l'effroi de tous, je veux dire cette immensité d'entendement où tout est compris et compté, « étalé et abstrait », comme dit Lagneau; enfin ce Dieu objet, pour ne pas dire ce Dieu chose.

Dieu est esprit. Là-dessus tous s'accordent. Mais qu'est-ce qu'esprit? Voilà le point. Ce n'est pas sans raison que je demandais un temps d'arrêt tout à l'heure, et une suffisante méditation sur ce pouvoir de douter de tout à la rigueur, qui est l'âme de toutes nos pensées. Maintenant essayons de retrouver par nos petits moyens cette puissante idée, que Descartes n'explique guère, mais qu'en revanche il pose en toutes ses avenues, sans l'atténuer jamais. N'est-il pas de bon sens que savoir une chose après une autre n'est pas savoir mieux, mais que c'est toujours la même opération, bien ou mal recommencée? Nous honorons tous, sous le nom de jugement, un savoir limité, mais parfait en ses limites. Et nul sage n'a jamais remplacé le problème de savoir bien par le problème de savoir beaucoup. Il n'y aurait point de vérité pour personne si le savoir s'augmentait à la manière des choses et dépendait de l'étendue. C'est dire que les preuves n'arrivent point sur nous comme des météores, qui forceraient les heureux témoins. Au contraire, toutes les preuves sont voulues et faites, et jamais ne sont subies, et la réflexion ne cesse jamais d'éprouver les idées et de les dissoudre par le refus; telle est l'âme des preuves. « En ce sens, dit Jules Lagneau, le scepticisme est le vrai. » Cette forte idée n'est pas aisée à développer. Le majestueux édifice des connaissances acquises s'y oppose toujours. Descartes a du moins éclairé la route, et jusqu'à éblouir, par la doctrine de la liberté en Dieu. Quoiqu'il soit étourdissant de soutenir que les vérités sont telles en Dieu parce qu'il les veut, ce n'est pourtant qu'une forte manière de dire ce qui s'est montré ci-dessus bien plus près de nous, à savoir que la perfection est au-dessus de l'entendement.

Revenons à l'humain le plus proche; nous n'avons pas loin à revenir. Je crois que la doctrine qui vient d'être sommairement exposée est le texte de nos méditations à venir, je dis pratiques et urgentes. La libre pensée, tant et si vainement décriée, a sans nul doute une valeur de religion. Mais il y aura toujours deux religions, dont l'une médite et l'autre administre. L'opposition du janséniste et du jésuite n'est pas d'un moment; car l'esprit humain ne vit pas de lui-même; il lui faut des vérités et des preuves, et un accord d'assemblée. Toutefois, chacun sent bien aussi qu'il n'y aurait pas de preuves si Dieu n'était au-dessus des preuves. Il y aurait donc un refus à ce monde des choses, et à ce monde aussi des preuves achevées et finies, un refus qui serait l'âme de la religion. Ici est le germe de l'irréligion, et les théologiens, qui menèrent une guerre si dure contre Descartes, le sentaient bien. Ce monde thomiste, ce monde des preuves administrées, fera toujours sommation et menace au solitaire qui prend pour centre de religion la fonction ascétique de douter quelquefois de tout. Mais toujours, en revanche, l'Atlas qui porte ces choses fera au moins le geste de les déposer, osant dire, et de par Dieu, qu'il n'y a point de choses jugées dans le domaine de l'esprit. Bref l'hérésie ne cessera jamais de sauver l'Église. Car il y a deux manières de craindre Dieu. L'esprit fort craint le Dieu extérieur; l'esprit faible craint le Dieu intérieur, charge lourde en effet. L'invisible et le visible développeront toujours ainsi leur opposition, qui est corrélation.

En Descartes, l'accord est fait, par une vue supérieure à nos vues. Descartes eut, comme on sait, des visions prophétiques à la suite de quoi il fit vœu d'aller à Lorette, et y alla en effet. Jeux de l'imagination, ces rêves et ces pèlerinages, au regard du penseur qui écrivit les *Méditations*.

Mais de ce que Dieu est premièrement le Dieu de nos pensées, ce qui revient à dire que Dieu est véridique, il ne suit pas seulement que nous ne sommes jamais trompés que par nos passions; il suit encore qu'il n'y a rien qui soit faux dans les apparences, et que finalement la structure du corps humain en doit rendre compte. Par exemple, cette superstition qu'il nous conte qu'il avait, de préférer les visages où les yeux louchaient un peu, n'est fausse que par les raisons de fantaisie qu'on en voudrait donner; mais elle est vraie autant qu'elle exprime une expérience ou empreinte autrefois reçue et qui a joint ce genre de visage à la joie d'aimer. De la même manière cette apparence du soleil à deux cents pas dans le brouillard, si opposée à première vue à l'idée du soleil que forme l'astronome, doit pourtant être expliquée, et l'est en effet, par la structure des yeux et par le brouillard. Et c'est même de cette apparence, mesurée au réticule, mesure qui est apparence encore, que, par refuser et conserver ensemble, l'astronome approche d'évaluer l'immense distance et, par la distance, l'immense grandeur, la masse, les mouvements. C'est de la même manière que l'angle est mesuré d'après la longueur de l'ombre, et qu'aussi le bâton brisé, apparence interrogée par des siècles d'hommes, nous fait connaître la surface de l'eau et le mouvement même de la lumière. Et si le penser ne peut pas toujours confirmer le croire, car il faudrait donc savoir tout, du moins en toutes nos perceptions est distingué ce qui vient du corps humain et y doit être renvoyé, de façon qu'il n'y ait plus d'idoles; et c'est par de telles remarques, en leur ample développement, que s'achève cette grande idée que Dieu ne peut nous tromper. Ainsi celui qui a le mieux distingué ces deux puissances, d'entendre et d'imaginer, est aussi celui qui s'accommode le mieux de les joindre. Certainement donc il va à Lorette comme il va en tous lieux de spectacle et de société, en vue de connaître et éprouver l'union de l'âme et du corps; mais sans doute y éprouvait-il encore quelque chose de mieux, l'accord de ces deux puissances, et de la même manière que dans ce rêve prophétique, où sans doute les images furent de parfaits symboles. Mais il faut avoir médité longtemps sur le *Traité des Passions* si l'on veut pouvoir développer cette médecine supérieure, à laquelle il dut, si on l'en croit, de prolonger sa vie jusqu'à la cinquantaine, contre la prédiction des médecins.

LE MORCEAU DE CIRE

> « Il faut donc demeurer d'accord que je ne saurais pas même comprendre par l'imagination ce que c'est que ce morceau de cire, et qu'il n'y a que mon entendement seul qui le comprenne.
>
> *Médit. II.*

On comprend que je me prive de citer, et de mettre ici Descartes en morceaux. Quelques lignes seulement : « Prenons par exemple ce morceau de cire; il vient tout fraîchement d'être tiré de la ruche, il n'a pas encore perdu la douceur du miel qu'il contenait, il retient encore quelque chose de l'odeur des fleurs dont il a été recueilli... » Il faut lire tout ce passage de la *Deuxième Méditation,* et plus d'une fois. Il nous suffit maintenant de retrouver Descartes vivant, Descartes devant la chose, Descartes en qui perception et attention ne sont jamais séparées. C'est un beau trait de lui d'avoir attendu de rencontrer la neige pour en penser quelque chose, heureux alors, selon sa propre expression, que les idées lui tombassent du ciel. Ce n'est pas ici un homme qui arrange ses idées au mieux, mais bien plutôt il pense l'univers présent, et il ne pense rien d'autre, comme on a vu aussi dans ses méditations sur le doute, où c'est des corps présents et perçus, le feu, la lampe, les manteaux, que l'âme rebondit. Telle est la règle de réflexion, toujours méconnue. Mais il s'agit maintenant de savoir ce que je pense d'un corps réel. Et cette célèbre analyse du morceau de cire consiste en ceci, que j'en puis changer la forme en le maniant, la solidité en l'approchant du feu, jusqu'à voir périr couleur, odeur et consistance, je dirais jusqu'à voir perdue cette cire, en vapeur, en flamme, en fumée. « La même cire demeure-t-elle encore après ce changement ? Il faut avouer qu'elle demeure ; personne n'en doute, personne n'en juge autrement. » La cire n'est donc point cette odeur, cette couleur, cette consistance, cette figure. Les sens ne la saisissent point en son être ; c'est l'entendement qui la doit poursuivre. Mais non point hors de la perception ; quoi que je doive penser du morceau de cire, « c'est le même que j'ai toujours cru que c'était au commencement ». Mais qu'en dois-je penser ?

Ici le lecteur méditant tombe comme dans un trou. Il ne faut pas avoir peur, mais plutôt, délivrés maintenant de l'image, suivre intrépidement une idée dont personne ne doute. Je brûle donc cette cire, ou bien je la volatilise ; elle se perd en cet univers ; mais l'entendement l'y suit toujours. Les atomes, comme nous disons, de carbone et d'hydrogène, ne sont point détruits ; ils ont leur lieu et place. Mais posons encore qu'ils soient détruits, nous n'entendons pas par là autre chose que ceci, c'est qu'ils soient dissociés ou divisés, méconnaissables en des arrangements nouveaux dont nous n'avons peut-être pas l'idée ; mais enfin, les morceaux ou fragments ou éléments de cette cire, quels qu'ils puissent être, sont certainement quelque part, loin ou près, en telle direction ou en telle autre, séparés ou agglomérés, se rapprochant de tels éléments, s'éloignant de tels autres, contrariant ou favorisant ici ou là quelque mouvement de feu ou de vapeur, ou bien pris de nouveau dans quelque solide, feuille d'arbre ou coquillage. Je les ai perdus de vue, je ne sais pas dire précisément ce qu'ils sont ni où ils sont, mais ils sont parties de cet univers ; ils n'en sont point sortis. Je répète, avec notre philosophe : « Personne n'en doute, personne n'en juge autrement. »

Ils sont quelque part, ici ou là ; je ne puis vaincre cette pensée. Aucun d'eux n'est en même temps ici et là ; c'est dire qu'ils tombent sous des dimensions déterminées, qu'un certain rapport de direction et de résistance est vrai à chaque instant entre eux et les autres choses. Tel est leur être, dont je ne puis les dépouiller. Qu'est-ce donc que cette existence, qui peut être rompue et dispersée de mille manières, mais qui ne cesse point de concourir avec toutes les autres choses, poussant et poussée, pressant et pressée ?

Ici regardons bien. La chose étendue de Descartes a fait scandale aux yeux de presque tous les penseurs. Je dis bien aux yeux ; car, sous le nom d'étendue, ils veulent se représenter un vêtement sans déchirure qui recouvre toutes choses, ou bien un espace vide qui les contient toutes. Or, disent-ils, cela n'est qu'une forme de notre représentation, et comme un rapport jeté d'une chose à l'autre, selon lequel elles sont jugées loin ou près, grandes ou petites. Or, puisqu'il faut dépouiller cette étendue des couleurs, des sons, des contacts, comme l'analyse ci-dessus exposée nous y invite, et qu'il faut même nier de la chose réelle toute forme déterminée qui lui appartiendrait en propre, il reste quelque forme indéterminée et creuse, comme serait l'espace des géomètres, où toutes les formes et tous les mouvements sont également possibles. Et c'est un peu trop fort, pensent-ils, de dire que la matière se réduit à cela et n'est que cette forme vide. En quoi ils se laissent conduire encore une fois par l'imagination. Entre autres choses qui étonneront longtemps, Descartes a dit, et plus d'une fois, que les mathématiques exercent principalement l'imagination. Cela nous invite à former ici non point l'image de l'étendue, mais l'idée même de l'étendue, et par l'entendement seul, c'est-à-dire à penser l'extérieur absolument, l'existence matérielle seule, enfin la chose nue. Or, nous y étions, sans abandonner un seul moment l'idée commune, l'idée dont personne ne doute ; nous y étions, mais à la condition de tirer tout à fait l'idée hors de l'image. Qu'est-ce donc que cette existence extérieure ? Qu'en dois-je penser correctement, si je la déshabille, comme dit énergiquement Descartes, et la considère toute nue ? Ce que je trouve, c'est l'étendue absolument, c'est-à-dire ce qui est extérieur dans le sens plein du mot, et, si l'on ose dire, essentiellement extérieur. Quand nous disons que notre cire, même perdue en fumée et vapeur, est certainement quelque part, nous voulons dire qu'elle eſt en rapport de voisinage et d'échange avec d'autres choses, de façon qu'elle soit changée de leurs changements, et eux réciproquement des siens. A cela se borne son être; elle n'eſt aussi ce qu'elle eſt que par cette dépendance réciproque entre ses parties; et c'eſt ce que la mécanique nous représente et nous permet d'imaginer. Mais il faut encore surmonter ces images, où nous mettons quelque chose de nous-mêmes, enfin former maintenant l'idée même de l'exiſtence. Et cette idée consiſte en ceci, qu'aucune chose matérielle, comme telle, n'a une nature intérieure et propre, mais qu'au contraire toute chose matérielle eſt absolument dissoute en ses parties et en les parties de ses parties, chacune d'elles n'ayant propriété que les modifications qu'elle reçoit des voisines et, de proche en proche, de toutes.

Les atomiſtes ont, bien avant Descartes, saisi ce caractère de la chose; et tout leur effort eſt à dire que l'atome n'eſt rien par lui-même, et au contraire reçoit du choc des autres toutes ses propriétés, en sorte que la science des choses revient à former des combinaisons, gravitations, courants et flux d'atomes. Or, à suivre Descartes rigoureusement, dans sa sévère analyse, on reconnaît que l'atome eſt comme un être auxiliaire, et, à proprement parler, un secours d'imagination. On lui laisse solidité et forme; mais dans solidité et forme se retrouve encore le rapport extérieur, ou rapport de composition. La chose réduite à elle, ou l'exiſtence nue, c'eſt que jamais aucune de ses parties n'eſt quelque chose en soi, mais qu'au contraire tout de la chose eſt extérieur, de façon que la plus petite partie n'eſt à chaque moment ce qu'elle eſt, que par le flux, le frottement, la pression de toutes les autres choses. Encore une fois, nul ne pense autrement, s'il pense. Mais l'imagination nous persuade toujours que le poids eſt dans la chose pesante elle-même, et inhérent à elle, que la couleur eſt dans la chose colorée, et inhérente à elle. Pourtant chacun sait, dès qu'il eſt un peu inſtruit, que le poids de ce morceau de plomb change du pôle à l'équateur, et même, à bien regarder, selon la lune; et chacun sait bien aussi que telle couleur n'eſt qu'une façon de renvoyer la lumière, et qui dépend du flux de la lumière aussi, en sorte que si la lumière n'avait des rayons jaunes, l'or serait noir. Il faut appeler qualités occultes ces qualités qui sont supposées inhérentes à telle partie de matière, et qui devraient subsister encore à l'intérieur de la chose, quand tout, autour, serait changé. Il n'y a point de telles qualités, les physiciens le savent; mais Descartes est sans doute le seul qui ait formé l'idée qui les exclut absolument. L'existence est ici pensée comme telle, et la nécessité pure se montre, pour la première fois peut-être, bien distincte de la fatalité; car rien n'est dit et rien n'est pensé en cette poussière tourbillonnante qui use enfin toutes choses, belles ou laides, d'un même frottement, d'après la loi de fer qui soumet n'importe quel être à tout ce qui n'est pas lui. Nous n'avons pas fini de former cette idée virile, par laquelle l'existence du monde est enfin posée. C'est ici que trouve son terme, par une forte contemplation, cette dialectique interminable qui de nos rêves voudrait faire un monde. C'est qu'il fallait former l'idée de l'existence pure, sans aucun mélange. Et, puisque les qualités occultes reviennent toujours par l'empire de l'imagination, cette analyse du morceau de cire sonnera toujours comme le plus beau poème. Car l'idée mythologique laisse échapper la beauté du monde, si profondément sentie par tous. Et au contraire la seule idée de cette mer continuellement secouée et déroulée, et de tout l'univers autour, extérieur aussi à lui-même, sans projet et sans pensée aucune, touche enfin au sublime pressenti par les poètes, d'après le sentiment d'une vraie grandeur, on dirait cornélienne, qui surmonte cette fausse grandeur.

Je dirai peu du mouvement, et seulement pour signaler que Descartes a toujours été attentif à le retirer en quelque sorte de la chose mue pour le répartir aux alentours, ou plutôt pour le penser comme un rapport entre la chose et d'autres choses. On s'étonnera de trouver dans les *Principes,* et sans aucune ambiguïté ni restriction, une doctrine encore aujourd'hui nouvelle, d'après laquelle le mouvement n'est qu'une relation entre un corps et les corps voisins. Cette idée plaît d'abord, par des jeux d'imagination qui s'y rapportent; mais elle dépasse bientôt la mesure des esprits moyens, par ceci que, les qualités occultes ou inhérentes devant être niées ici encore, il faut que la force vive, ou l'élan de la masse, soit détachée de la chose mue et rapportée au champ environnant. Car supposer en un corps qui se meut une force intime, et comme un mouvement concentré et en réserve, c'est bien vouloir penser que c'est réellement ce corps qui se meut, mais c'est oublier la loi de l'existence, d'après laquelle un changement est déterminé entièrement par la situation et le changement des objets autour. Toute force inhérente est mythologique, comme toute qualité inhérente est mythologique. La puissance du calcul, et la fidélité à la foi jurée, sont sans doute nos seules ressources si nous voulons ici vaincre tout à fait l'antique image d'un désir dans la flèche qui vole. Je laisse aux héros de l'entendement cette idée difficile; j'admire seulement que Descartes, sans l'avoir suivie bien loin, l'ait du moins formée. Il est plus aisé de comprendre pourquoi les Cartésiens résistèrent aux idées des Newtoniens concernant l'action à distance. Au vrai ces forces centrales n'étaient que des abrégés, et je ne pense pas que la doctrine cartésienne, d'après laquelle une partie n'est mue ou déplacée que par ses voisines, trouve aujourd'hui des contradicteurs. Si l'on regarde maintenant à ces atomes d'aujourd'hui, aussi compliqués que des mondes, on conclura, il me semble, que notre physique est toute cartésienne; mais peut-être, d'après ces explications, et si insuffisantes qu'elles soient, espérera-t-on de comprendre qu'il n'en pouvait être autrement.

GÉOMÈTRE ET PHYSICIEN

« Supposant même de l'ordre entre ceux qui ne se précèdent point naturellement les uns les autres. »

Disc. de la Méthode.

Afin de ne pas me perdre dans des résumés qui n'expliqueraient rien, je considérerai seulement deux exemples, qui n'offrent point de difficultés supérieures, et qui sont propres à faire voir ce que c'est que l'esprit cartésien devant la nature. Premièrement, en sa *Dioptrique,* Descartes veut comprendre comment se peut représenter la déviation de la lumière, soit par réflexion, soit par réfraction. Il suppose une bille lancée; toutefois ce n'est point sur cette hypothèse que je veux attirer l'attention, mais plutôt sur l'analyse même de ce mouvement, supposé que la bille rencontre, soit un obstacle dur qui la renvoie, soit un obstacle faible qui seulement la ralentit. Voici l'analyse, pour laquelle il n'est pas besoin de figure. Dans la première supposition, la bille rencontre un obstacle dur, c'est-à-dire tel qu'il puisse changer la direction, mais non pas la vitesse, du mouvement. Cet obstacle est plan; selon l'entendement, il ne peut être autre; et, bien mieux, le plan ne peut faire obstacle qu'à un mouvement qui le rencontre normalement; une telle rencontre est la perfection de la rencontre ou, si l'on veut, un tel obstacle est la perfection de l'obstacle. Observez comment le géomètre éclaire la mécanique en y transportant sa constante méthode, qui détermine toujours le fait par l'idée. La rencontre étant ainsi définie, l'obstacle étant parfaitement dur, et le mouvement ne pouvant qu'être renvoyé, il est clair qu'il le sera selon la normale même, puisque, tout étant égal autour de la normale, il n'y a pas de raison pour que la bille, elle-même parfaitement ronde, soit déviée d'un côté plutôt que de l'autre. Ce genre de raisonnement étonne toujours ceux qui ne savent point penser l'idée dans l'image. Mais voici une autre invention de géomètre, et d'immense portée. Considérons le cas où la bille rencontre obliquement le plan. Qu'est-ce à dire, obliquement? Cela ne peut être défini par le plan, car, par rapport au plan, je ne vois que deux directions qui ne soient pas ambiguës; le mouvement normal au plan le rencontre absolument; le mouvement parallèle au plan ne le rencontre absolument pas. C'est à ces deux mouvements qu'il faut ramener le mouvement oblique, et il suffit pour cela de supposer, à la place du mouvement oblique, deux mouvements ensemble, l'un normal au plan, l'autre parallèle. Il est traité du premier comme il a été dit plus haut; et, quant à l'autre mouvement, puisqu'il ne rencontre jamais le plan, il doit seulement être continué le même, en direction et en vitesse. La recomposition des deux, après la rencontre, donne aisément le tracé du mouvement réfléchi, et la loi d'égalité entre l'angle d'incidence et l'angle de réflexion. J'insiste sur le procédé de décomposition, employé maintenant si souvent qu'on n'y pense plus guère. Ce que j'y trouve de hardi, et bien propre à distinguer l'entendement de l'imagination, c'est qu'en un sens la bille rencontre le plan, en un sens non; et c'est ce qu'on ne comprendra point si l'on ne sait pas ce que c'est qu'un plan.

L'exemple de la réfraction fait encore mieux paraître, peut-être, cette force d'esprit. On suppose maintenant que la bille traverse un plan, comme serait une toile tendue, en perdant seulement quelque chose de sa vitesse; et l'on retrouve ici encore, par la même analyse du mouvement oblique, ce mouvement parallèle qui ne rencontre pas du tout la toile. Ici l'imagination ne peut point du tout se substituer à l'entendement, parce qu'une partie du mouvement semble rester d'un côté de la toile; aussi j'ai vu que des esprits, que je croyais géomètres, résistaient ici, disant que cette analyse est fausse, et ne réussit que par hasard. Toujours est-il qu'en suivant les définitions, on arrive très simplement, par la recomposition des deux mouvements, l'un qui a perdu de sa vitesse, et l'autre qui s'est continué le même, à déterminer les angles d'incidence et de réfraction d'après le rapport des vitesses dans les deux milieux. Laissant de côté le problème d'optique qui mènerait fort loin, je veux seulement que le lecteur admire ici cette hardiesse du géomètre qui décide que l'obstacle plan traversé, quelle qu'en soit la nature, ne peut diminuer la vitesse du projectile que selon la normale au plan; ce n'est pourtant que refuser les effets qui ne résultent point de la définition du plan. Aucun exemple n'est plus propre à faire comprendre ce que c'est qu'une idée et ce que c'est qu'un événement. Au sujet des actions et réactions entre un fluide et un plan résistant, problème que le moulin à vent proposait déjà, on a assez dit que nul ne sait exactement ce qui se passe dans le heurt oblique de l'air contre la toile tendue; c'est qu'aussi une toile tendue n'est pas un plan; c'est que l'air s'attache de mille manières aux inégalités de la surface, et qu'il y rebondit; c'est que la pression même déforme la surface. On essaie donc des milliers de fois, et le succès vaut connaissance. Or, ce genre de connaissance est celui que Descartes refuse toujours, et jusque dans la mathématique, où les trouvailles heureuses des praticiens devancent quelquefois la démarche assurée du vrai géomètre. La méthode, qui prescrit d'aller du simple au complexe, impose au contraire de reconstruire, selon des définitions, un événement théorique qui s'expliquera entièrement par elles. Et la question est seulement de savoir ce qui arrivera selon l'idée. L'écart entre l'idée et l'événement révélera d'autres conditions, qu'il faudra définir de façon qu'elles puissent entrer dans le problème. Cette marche assurée, que la géométrie nous enseigne, est trop souvent oubliée dès qu'il faut choisir entre pouvoir et savoir. Or, il ne manque pas de praticiens infidèles, et dans la mathématique même. C'est ainsi que, faute d'avoir assez réfléchi, et en géomètre, sur cet exemple simple, on admettra, comme il faut bien, mais on admettra sans savoir pourquoi, que toute pression contre un plan est normale au plan. C'est le propre des esprits faibles de présenter comme une supposition arbitraire, mais qui réussit, une idée qu'ils ne savent plus former. L'arrogant pragmatisme résulte en réalité de ce que l'imagination remplace par de simples procédés les idées de l'entendement. J'ai choisi ces deux exemples parce que l'idée qui leur est commune, de remplacer une oblique par ses projections sur deux axes bien déterminés, outre qu'elle couvre toute notre mécanique et toute notre physique, est l'idée mère de la géométrie analytique, immortelle invention de Descartes.

La théorie de l'aimant, que l'on trouve dans les *Principes,* fera paraître ensemble le géomètre et l'homme des tourbillons. Descartes s'est d'abord présenté à lui-même toutes les expériences connues sur le rapport des aimants aux aimants et des aimants à la terre. Portons seulement notre attention sur ceci qu'un aimant libre, au voisinage d'un aimant fixé, se tourne jusqu'à ce que les pôles de nom contraire soient en regard l'un de l'autre et le plus près possible l'un de l'autre. Où notre philosophe se garde de reconnaître quelque attraction ou répulsion à distance, mais aperçoit les effets d'un flux invisible de particules, d'abord sortant d'un des aimants et ne pouvant entrer dans l'autre, mais le heurtant et détournant, puis, quand les pôles de nom contraire sont en regard, passant aisément de l'un dans l'autre, ce qui les maintient en cette position et même les rapprocherait. Je passe sur les détails, mais je retiens l'invention propre au géomètre; ce sont ces parties cannelées, c'est-à-dire tournées en vis, dont il y a deux espèces, dont les unes se vissent à droite et les autres à gauche, ce qui permet, les unes ne pouvant jamais passer dans les canaux qui conviennent aux autres, de concevoir un double flux circulant en deux sens à l'intérieur de la terre, sortant chacun par un des pôles, contournant la terre avant de rentrer dans l'autre, et traversant les aimants en ce parcours. On remarquera que la différence de ces deux espèces de particules est géométrique et qu'elle répond pour l'entendement à cette dualité des pôles qui est le principal fait de l'aimant. Il est vrai aussi que cette condition ne suffit pas, et qu'il faut encore supposer, dans les conduits des métaux, de petits obstacles pliables, plus souples dans le fer, plus rigides dans l'acier et la pierre d'aimant, et qui, une fois couchés dans un sens par un premier passage, gênent ou même empêchent tout à fait le passage en sens inverse. Tout cela supposé, qui revient à des chocs et des rencontres, il faut reconnaître que les paradoxes de l'aimant sont tous expliqués, les parties cannelées circulant bien plus aisément dans l'aimant, l'acier et le fer que dans l'air, où, au contraire, elles sont en partie rebutées, en partie déformées et usées, en partie renvoyées, ce qui explique le double flux à l'intérieur de l'aimant et autour; où nos physiciens doivent reconnaître le principal de leurs pensées là-dessus, et peut-être toutes, s'ils veulent bien, encore cette fois, tirer l'idée hors de l'image.

Je veux donner un regard aussi, mais sommairement, à la théorie de l'arc-en-ciel, que Descartes conduisit aussitôt à la perfection, par une vue purement géométrique. L'arc-en-ciel devait être, pour le physicien, le phénomène de choix, par ces cercles qu'il trace dans l'apparence, et qui avertissaient énergiquement et devaient réveiller l'esprit géomètre. Il suffit de découvrir que l'angle de réfraction dépend des couleurs pour expliquer ces cercles colorés dont la perfection est d'abord miraculeuse. Et cet exemple était propre à faire saisir la différence entre ce qui paraît et ce qui est, puisque deux hommes ne voient jamais en même temps le même arc-en-ciel. J'ai voulu faire entrevoir, en ces raccourcis, que, parmi tant d'observateurs scrupuleux, Descartes est peut-être le seul qui, devant les merveilles du monde, soit resté strictement fidèle à l'esprit.

L'ANIMAL

« Car il n'y a en nous qu'une seule âme, et cette âme n'a en soi aucune diversité de parties; la même qui est sensitive est raisonnable, et tous ses appétits sont des volontés. »

Tr. des Passions.

Ici éclate la puissance de l'esprit, et cette force de refus qui lui est propre. Car croire que notre chien pense, sent, et veut, c'est notre lot, comme c'est notre lot de croire que le poids de cette boule de plomb est en elle. Et même il faut dire que l'apparence de reproche ou de prière dans les yeux d'un animal familier est parmi les plus touchantes, et réellement impossible à vaincre tout à fait. Aussi l'on peut parier que le lecteur rejettera avec une sorte de colère le célèbre paradoxe de l'animal-machine, tel qu'il est présenté dans le *Discours*. C'est qu'il n'est fondé ici que sur des raisons extérieures, et qui paraîtront toujours faibles, si l'on ne fait pas attention que les difficiles méditations du philosophe concernant la chose pensante et la chose étendue conduisaient là tout droit et y conduiront toujours. Mais c'est une occasion aussi d'estimer à son juste prix le sévère entendement, car c'est l'idée d'humanité qui se montre ici, et qui se sépare. Une charité, si l'on ose dire, qui va jusqu'à l'animal, sera toujours faible, par ceci que la sympathie ainsi étendue, et encore fortifiée par le jugement de l'esprit, ne dispense point l'homme d'exercer sa puissance de défense et de conquête, ce qui, par un raisonnement familier à tous, mettra en question l'humanité même. Au lieu qu'en suivant l'héroïque jugement cartésien, c'est par notre force, et non par notre faiblesse, que nous aurons respect de l'homme. Je demande donc qu'usant de franchise avec lui-même, le lecteur renvoie ici la croyance à son rang, et qu'il ne pense point ici selon les rencontres, mais selon les vraies notions. Qu'il se remette donc en l'esprit l'opposition même de l'esprit et du corps. L'esprit est indivisible, et se montre aisément supérieur à toute immensité des choses, puisqu'il la dépasse aussitôt et sans peine; le corps est au contraire absolument divisé, mais plutôt essentiellement division, et sans pensée aucune, ni rien qui y ressemble. Descartes devait donc refuser un sens quelconque à cette expression commune qu'une âme est dans un corps. Comment autrement? Comment ce qui pense tous les corps et leurs différences, et leurs distances, et tous leurs rapports, serait-il enfermé dans les limites d'un corps? Mais, plus rigoureusement encore, disons qu'en un corps, et par la notion même de corps, tout est en dehors et extérieur, jusque-là que la nature même d'un corps ne lui soit jamais intérieure; tel est le principe du mécanisme. En sorte que, quand Descartes aurait voulu faire quelque exception pour les corps vivants, d'après leur structure et leurs étonnantes actions, il ne le pouvait point. Cette idée, sévèrement maintenue, a assuré au philosophe plus de deux siècles d'avance en ces difficiles recherches sur la nature humaine, où nos propres passions nous bouchent la vue.

Il fallait donc considérer le mécanisme du corps vivant comme on fait l'aimant, où il faut remarquer qu'un enfant supposerait bien aisément des sympathies et des antipathies. Ce n'était que reconnaître, en quelque force vitale prétendue, ou en quelque âme végétative, encore une de ces qualités occultes, définies comme inhérentes au corps, et définies aussi d'après ce qu'il s'agit d'expliquer, comme est la vertu dormitive de l'opium, mais comme est aussi la chaleur dans le corps chaud, le poids dans la masse, et la masse elle-même, d'après le jugement des ignorants. Et il faut convenir que l'instinct, de nos jours, est encore pour beaucoup d'hommes une propriété inhérente aux corps vivants; mais c'est peut-être qu'ils n'ont point surmonté d'abord réellement les difficultés de la physique, imaginant encore la chaleur comme un être migrateur qui passe d'un corps dans un autre. Descartes ne pouvait s'y tromper, attentif toujours à ce qu'il pensait dans chacune de ses pensées. Mieux qu'aucun autre peut-être, et pour les siècles d'hommes à venir, il a séparé ce qui est sentiment dans la couleur, et l'a détaché de la chose, contre ce que le sentiment nous conseille, et même nous impose, disant que ce soleil, centre d'un tourbillon, d'où sont dirigées toutes ces pressions qui font lumière dans nos yeux, n'est que situation et régime de mouvement, sans cet éclat et cette chaleur que tous lui renvoient en leur hymne de gratitude. C'était ramener en nous plaisir et souffrance, et enfin toute l'âme en notre âme. Pareillement, ne point vouloir chercher comment l'aimant attire l'aimant ou le repousse, mais chercher seulement quel est l'invisible tourbillon dont le choc et le remous pressent les aimants de côté et d'autre, n'est-ce point vaincre une apparence bien puissante, et nier ici énergiquement une sorte d'âme minérale? L'âme des bêtes n'est point d'autre espèce. Penser l'amour et le désir en ces mouvements des bêtes, comme en n'importe quel mouvement, c'est ne rien penser. Homère disait que la flèche désire la blessure; qui a vaincu tout à fait cette métaphore, il a vaincu toutes les autres, et toute mythologie. Dès que les corps vivants sont des corps, ils tombent sous la notion de corps, ils ne reçoivent plus que le rapport extérieur, ou, si l'on veut, mécanique, et tout est dit. Il reste à expliquer la nutrition et le mouvement des vivants par la combinaison de parties plus ou moins ténues, plus ou moins mobiles, d'après cette idée directrice que la structure, le mouvement, la situation, devront rendre compte de tout. Descartes a poussé cette physiologie positive bien plus loin qu'on ne dit. Après Harvey, et dans un temps où cette découverte était livrée aux disputeurs, il a retrouvé la circulation du sang et décrit les valvules du cœur. S'il s'est trompé sur le mécanisme des battements du cœur, encore s'est-il trompé comme il faut, voulant expliquer l'issue brusque du sang par une dilatation due à la chaleur; c'était toujours soumettre la biologie à la physique. Toutefois, parce qu'il n'a pas reconnu un muscle dans le cœur, et parce qu'il s'est représenté trop sommairement la contraction musculaire, c'est par là surtout que ses vues de physiologie sont dépassées. Pour le système nerveux, au contraire, où il y a plus à concevoir qu'à observer, il a dit le principal, expliquant assez bien, par la rapide et invisible circulation de corpuscules dans les nerfs, ce cheminement du choc depuis les sens jusqu'au cerveau, et, en retour, cette irradiation vers les muscles, selon des chemins qui dépendent de la situation à la fois et de la coutume, ce qui rend compte des réactions. Tel est, sommairement, l'animal-machine.

L'homme-machine en est une suite, et toute la théorie des passions, autant qu'elle dépend du corps humain, est conduite d'après cette supposition. Au vrai, la peur, la colère, les mouvements de l'amour, le rire, les larmes, font sentir à chacun de nous, de la façon la moins équivoque, que nos pensées sont liées, dans le fait, à des mouvements qui ne dépendent pas plus de nous que les mouvements de la vie. Que je tremble, que je fuie, que je m'irrite, que je frappe, cela ne requiert pas plus des motifs, des pensées, une volonté, que si la pupille de l'œil se rétrécit devant une vive lumière. On sait trop que le gouvernement de soi ne va pas sans de grandes difficultés, souvent même insurmontables; et cela s'explique assez par l'intime dépendance qui nous joint à cet animal machine de forme humaine, lequel réagit d'abord comme il vit, et sans notre permission. Mais aussi on n'y doit supposer aucune malice, ni aucun genre d'âme inférieure, aucune pensée séparée et comme perdue, enfin rien de ce que l'esprit paresseux rassemble sous le nom d'inconscient. Si l'on réfléchit sur cette doctrine, qui risque d'être toujours populaire, on y retrouvera une erreur aimée. L'animal fut longtemps adoré, par cette pensée qu'on lui supposait; l'amitié que l'on ne peut toujours s'empêcher de montrer pour les animaux familiers est aussi une sorte de culte. Un penchant bien plus fort nous porte à supposer des pensées en notre semblable d'après ses actions; toutefois le plus rapide examen fait comprendre qu'il faut en rabattre, et que la justice interdit de supposer en nos semblables d'autres pensées que celles qu'ils avouent, ou bien d'autres pensées que des généreuses et avouables. Mais nous ne manquons guère de supposer en nous-mêmes des pensées d'après nos mouvements; ainsi nous nous composons un caractère d'après l'humeur, et une humeur d'après des actions et réactions qui nous sont étrangères, et qui résultent seulement des circonstances. Par exemple d'après un brusque mouvement devant un homme que je vois pour la première fois, j'aime à penser que son caractère et le mien se révèlent comme ils seront toujours, ce qui revient à supposer des pensées dormantes qui s'affrontent sans la permission du jugement. Et, puisqu'il est assez clair que, dès que l'on suppose de telles pensées, on les a réellement, cet exemple et tant d'autres font comprendre qu'il faut choisir, et qu'il s'agit ici bien moins d'une recherche du vrai que d'une police de l'esprit.

Descartes choisit donc de n'être, en son humeur, que chose mécanique; et par ce décret nos passions sont renvoyées à l'ordre des choses. Ce ne sont jamais que mouvements, maniables plus ou moins selon qu'on les connaît, comme sont les mouvements de la nature autour de nous. Et c'est ici le lieu de remarquer que la philosophie de Descartes est tout à fait purgée de fatalité. On le comprendra par cette remarque que la fatalité consiste en un mélange indigeste de l'esprit et du corps, où la pensée est comme une pièce sourde et aveugle dans un mécanisme, et où, en revanche, les forces mécaniques participent de cette suite, de cette obstination et même de ces ruses qui sont propres à la pensée. L'opposition entre la liberté et la nécessité ne se change en corrélation que si l'on a d'abord défait ce mauvais mélange.

L'UNION DE L'ÂME ET DU CORPS

> « Toutefois, j'ai ici à considérer que je suis homme. »
>
> *Première Méditation.*

QUE le cours de nos pensées dépende beaucoup de ces mouvements qui se font machinalement dans le corps, c'est ce que chacun éprouve par une fièvre, par une peur, par une colère. Qu'en retour, la volonté puisse changer grandement le corps, par le pouvoir qu'elle a de le mouvoir et de le retenir, c'est ce que connaissent ceux qui ont maîtrisé la peur et gouverné leur corps en des actions difficiles, et c'est ce que Descartes ne met jamais en doute. Et chacun sait bien que, dans les cas ordinaires, il peut allonger le bras, se lever, marcher, s'il le veut; mais chacun sait aussi que, dès qu'il néglige de vouloir et qu'il reste dans l'irrésolution, le corps se charge de fuir, d'esquiver, de trembler, et même d'essayer, soit par des mouvements de coutume, soit par les seuls mouvements de la vie. Le problème humain se trouve ainsi posé en chacun. Il n'y a que l'extrême maladie et l'extrême terreur qui réduisent l'homme à l'état de machine pure. Et, comme cette limite de la volonté dépend beaucoup aussi de ce qu'on ose, il faut donc toujours, sans se préoccuper de la limite, se gouverner soi-même le mieux qu'on peut. C'est pourquoi Descartes, allant ici au bout du problème, appelle générosité, dans son *Traité des Passions,* le sentiment que l'on a de son libre arbitre, joint, selon sa forte expression, à la ferme résolution de n'en manquer jamais. Par cette vue hardie et sans précédent, Descartes est homme d'action, et maître de pratique pour tout l'avenir humain; car, quelques doutes que l'on puisse former concernant la puissance de la volonté, ces doutes n'ont de sens ni de limites que sous la condition que l'on essaie de tout son cœur. Quand on ne fait que mettre en lumière une fois de plus cette idée royale, c'est une raison suffisante pour écrire sur Descartes après tant d'autres.

Que l'âme agisse sur le corps, et le corps sur l'âme, c'est donc un fait de l'homme. Mais ce n'est qu'un fait. Le premier courage et le plus profond courage est de se tenir là. Essayons de construire une représentation mécanique de cette union; il est clair que nous ne le pourrons pas, parce qu'un des termes, la pensée, comprend, enveloppe, et d'une certaine manière contient l'autre, le corps; l'autre et l'univers autour. Cet immense pouvoir, qui mesure les lieux et les distances, ne peut revenir à s'accrocher comme une chose à ce petit mécanisme. Enfin ce qui conçoit la mécanique repousse le rapport mécanique. Il faut un corps pour pousser ou heurter un corps; l'action mécanique se joue de partie à partie. Cette âme, qui connaît son propre corps, le monde et Dieu, ne peut connaître qu'elle pousse le corps comme un doigt pousse un rouage, ni se voir logée dans le corps comme un pilote invisible. Qu'on y pense bien, il y a une contradiction ridicule à enfermer l'âme dans le corps, dans ce même corps qu'elle connaît limité et environné par tant d'autres choses. Et comment ce qui enferme d'avance tous les lieux possibles, qui en fait la comparaison, pour qui le loin et le près sont ensemble, c'est-à-dire en rapport, qui ne sépare jamais sans joindre, qui ne peut rien penser hors de soi sans le penser par cela même en soi, qui ne connaît la limite que dépassée, qui est enfin le tout de tout, et même encore le tout des possibles, comment cet arbitre universel serait-il prisonnier dans une partie, et borné là? Attaché là, oui; mais ce n'est pas la même chose. Que la suite de nos pensées dépende de ce sac de peau, dont les limites nous sont si familières; que nous ne puissions contempler le tout que du poste où nous sommes, que cette position ne puisse être changée que par mouvement et travail, avec peine et risque, nous le savons d'abord confusément, par la sommation de la douleur, et nous ne cessons jamais de l'apprendre. Mais cette dépendance ne ressemble nullement à cette condition des corps, qui est que chaque partie est limitée et portée et mue par les autres. Notre corps est soumis à cette loi de l'existence, idée que Spinoza développera amplement; c'est par ce frottement et cette usure que nous serons chassés quelque jour de l'existence; mais ce n'est nullement ainsi qu'une pensée suit une pensée; car c'est le tout de l'univers qui devient autre en notre représentation, pendant que dans notre corps une partie chasse l'autre. Et c'est ce que l'expérience fera finalement sentir à ceux qui cherchent sans préjugé. Toutefois ne pas savoir où est l'âme, ne pas pouvoir dire si la volonté, la mémoire, la combinaison sont ici ou là, ce n'est rien encore, et ce n'est que sagesse forcée. Il faut savoir que ces questions n'ont point de sens et que toute l'âme est liée à tout le corps. Là-dessus, Descartes est ample et suffisant, allant jusqu'à dire, et plus d'une fois, que c'est seulement par la vie de société, de divertissement, d'action et de voyage, que l'on connaît l'union de l'âme et du corps. Avis donc aux hommes de cabinet. A force de chercher, bien vainement, comment cela est possible, ils oublieront que cela est.

Toutefois Descartes n'ignore pas cette relation singulière qui ramène toujours au cerveau celui qui cherche le siège de l'âme. Il suit depuis les yeux jusqu'au cerveau la marche du choc le long des cordons nerveux; il sait que la coupure du nerf supprime la vision, le toucher, la douleur, selon les cas; et, au rebours, il sait que l'on peut souffrir d'un membre que l'on n'a plus. L'âme lui semble donc unie plus spécialement au cerveau, puisqu'il ne cesse de se répéter à lui-même que l'âme est jointe à tout le corps indivisiblement. Il cherche donc quelque partie du cerveau où tous les mouvements du corps viennent se rassembler; il croit la trouver dans la glande pinéale, et, là-dessus, aucun physiologiste ne le suivra; n'empêche que, par cette vue, il écarte tout à fait ce mirage des localisations cérébrales qui a vainement occupé tant d'hommes éminents, et qu'enfin il ne se lasse pas de dire que l'âme n'est pas en cette glande plutôt qu'en aucun autre lieu, que cela n'a point de sens, et qu'il faut seulement penser que tel mouvement de la glande, qui toujours rassemble tous les mouvements du corps, correspond à un certain changement dans nos pensées, et qu'inversement tel vouloir meut cette glande de telle façon, et, par cet intermédiaire, le corps entier toujours. D'où ressort, si l'on y fait attention, cette grande idée que, comme l'âme ne se divise point, et agit toute sur tout le corps, au rebours ce n'est jamais tel petit mouvement d'une partie du corps qui change telle de nos pensées, mais que c'est tout le corps, indivisible aussi en un sens par les nerfs et le cerveau, qui traduit les mouvements vitaux, la nourriture, les battements du cœur, les gestes et les actions ensemble, par une action sur l'âme qu'il n'est pas au pouvoir de l'esprit de représenter. Il ne manque point de physiologistes, et principalement dans l'école française, qui sont enfin arrivés, par les chemins de l'expérience tâtonnante, à prendre cette idée directrice comme la meilleure qu'ils sachent, jusqu'à considérer ce dualisme de Descartes comme la vérité expérimentale la mieux assurée. Au vrai, il s'agit moins ici d'une vérité d'expérience que d'une de ces présuppositions, comme sont les géométriques, qui relèvent de l'entendement législateur, et qui seules peuvent donner un sens à une expérience quelconque. Ainsi le Prince de l'Entendement n'a pas fini de gouverner nos pensées.

Comment psychologie et physiologie ainsi jointes conduisent à une doctrine des passions, la plus vivante, la plus neuve, la plus accessible au lecteur cultivé, la plus obscure aux philosophes, c'est ce qu'il n'est point facile d'expliquer plus brièvement que Descartes lui-même. Le *Traité des Passions de l'âme,* si célèbre et si peu lu, est de toutes les œuvres de Descartes celle qui se laisse le moins résumer. Œuvre d'homme, si fortement bornée à l'homme, d'emblée accessible à tout homme soucieux de se gouverner. Au reste il n'a fait qu'y mettre en ordre ce qu'il proposait, en ses lettres, à la princesse Élisabeth, contre les chagrins, contre l'ambition trompée, contre la fureur, contre la fièvre lente, enfin contre les tumultes d'une âme fière, toujours en querelle avec elle-même. Mais qui donc, en ce monde d'égaux, tous promus à la pensée, qui donc n'est pas prince et exilé? J'annonce, sans crainte aucune de me tromper, que le lecteur, s'il n'est point gâté par la manie de réfuter, trouvera dans ce livre étonnant de suffisantes lumières sur la condition réelle de l'esprit humain, sur le jeu des émotions et des sentiments qui ne cessent de colorer nos pensées, et, par-dessus tout, sur ce compagnon difficile, sur la mécanique étonnante qu'est notre corps, si près de nous, si intime à nous, et si étrangère. Mais aussi ce livre n'est point de ceux qu'on pourrait lire une fois et dont on garderait l'essentiel en sa mémoire. Soit dans l'analyse des pensées, soit dans la description des gestes et des mouvements secrets, c'est le détail qui importe, et c'est la puissance du style rustique et beau qui soulève. Disons seulement ici qu'on trouvera trois choses dans ce *Traité*, et qui sont inséparables, quoique formant trois ordres distincts. Une physiologie des passions, d'abord, qui n'emprunte rien aux pensées, et qui dépend seulement des mouvements par lesquels le corps humain s'accroît et se conserve; puis une psychologie des passions, qui n'emprunte rien aux organes, et qui fait connaître que les passions sont passions de l'âme; enfin une doctrine du libre arbitre, sans laquelle il faut reconnaître que le nom même de passion, si énergique, n'aurait point de sens. C'est l'affaire du lecteur attentif de faire tenir ces trois ordres en un tout qui lui représentera fidèlement sa propre vie.

IMAGINATION, ENTENDEMENT, VOLONTÉ

> « Il n'y a que la volonté seule ou la seule liberté du franc arbitre que j'expérimente en moi être si grande, que je ne conçois point l'idée d'aucune autre plus ample et plus étendue; en sorte que c'est elle principalement qui me fait connaître que je porte l'image et la ressemblance de Dieu. »
>
> *Médit. IV.*

PUISQU'IL faut revenir à la connaissance, et avant de dire quelque chose de la célèbre méthode, il n'est pas mauvais de rassembler sous la réflexion trois ordres, au lieu de deux et puis deux. Ce qui intéresse ici tout homme, ce n'est pas tant d'opposer deux à deux ces trois termes, que de saisir ce continuel passage de l'inférieur au supérieur, qui fait toutes nos pensées. Car peut-être ne comprend-on jamais bien que l'imagination n'est pas l'entendement, tant que l'on n'a point dépassé l'entendement. Et c'est une loi assez cachée, mais dont on saisit du moins les effets, que ceux qui veulent rester au terme moyen retombent aussitôt au-dessous. Il faut donc faire, et plus d'une fois, comme une revue de ces trois ordres, à travers lesquels Pascal s'est élevé si haut, mais qui sont en chaque ligne de Descartes comme une création continuée.

Premièrement, la situation de l'esprit humain est telle qu'il exprime d'abord et toujours les changements et vicissitudes du corps humain, et qu'il n'enchaîne d'abord que selon le mouvement des humeurs, ce qui est imaginer. Mais, secondement, l'esprit humain exprime aussi la nature des choses, pourvu qu'il se délivre, autant que cela se peut, de cet empêchement qui résulte des affections du corps humain et c'est entendre. Par exemple, le soleil est, premièrement et toujours, ce mouvement parti de l'œil et répercuté en tout le corps ; et, toutes les fois qu'un rayon de soleil nous éblouit, nous retournons là ; mais enfin l'astronome mesure le soleil, le renvoie à sa distance, et tente même de dire de quels gaz il est fait. Toutefois il faut comprendre, et c'est le troisième point, que cette purification ne se fait pas seule, et comme par un mécanisme qui serait bien monté en Descartes et moins bien en presque tous ; mais, au contraire, que toute la puissance du vouloir est à l'œuvre dans la connaissance, ce qui est juger. Ces trois notions étant rassemblées et tenues en ordre, de façon qu'elles restent distinctes aussi comme il faut, on arriverait peut-être à apercevoir ici une théorie de la connaissance qui est bien loin d'être développée toute, mais qui se présente du moins comme un abrégé irréprochable. Et c'est pourquoi l'on n'a point fini de réfuter Descartes, ni de revenir à Descartes. Comme on voit dans les *Réponses* qu'il répète toujours la même chose, et non sans impatience, parce qu'il ne voit point le moyen de faire paraître facile ce qui est difficile, ainsi nos faibles objections le laissent entier, et l'on peut dire qu'il nous attend toujours.

L'âme étant intimement jointe à un corps vivant qui réagit énergiquement et sans cesse devant ce qui le conserve et ce qui le menace, il ne se peut point que ces mouvements ne se traduisent en de vives affections dans l'âme, qui sont plaisirs, douleurs, désirs, craintes. Mais, parce que l'âme est indivisible, ces affections de l'âme sont aussi des pensées. C'est dire que l'âme se représente d'abord et toujours un univers selon les réactions du corps. Par exemple, de ce qu'un chat nous a griffés en notre enfance, ou de ce qu'un mets nous a donné par accident quelque dégoût, nous nous défions par la suite de ce genre de bêtes et de ce genre de mets, jugeant que les chats sont de perfides bêtes, et que la salade est nuisible à la santé. C'est tout à fait de la même manière que nous jugeons que l'affection du bleu et du rouge est dans la chose même, ou bien la chaleur, ou bien le poids. Dans le fait, nous arrivons tous à redresser quelques-unes de ces erreurs.

Descartes conte qu'il trouva quelque agrément aux visages féminins dont les yeux louchaient un peu, jusqu'au jour où il se souvint qu'une amie de son enfance et tendrement aimée, avait aussi ce défaut. Avant qu'il eût fait cette réflexion, la joie du philosophe était donc jetée comme une couleur de beauté sur certains visages, sans qu'il sût pourquoi. Ici paraît une cause de nos erreurs, qui est que nous n'entendons point, ou que nous entendons mal, ce qui est dans notre jugement. Mais cette cause n'est que de privation; ignorer n'est point se tromper. Et puisque nous pouvons nous préserver de l'erreur si nous suspendons notre jugement, il apparaît que la cause positive de nos erreurs est que, sans attendre de savoir, nous nous précipitons à juger. Ainsi, dans l'imagination se montre toute la pensée, soit que je la nomme entendement quand elle estime les formes et les distances de l'objet qui plaît ou déplaît, soit que je la nomme volonté lorsqu'elle s'élance à juger que ce qui plaît ou déplaît est en effet utile ou nuisible. Une imagination qui n'enfermerait ni idée ni jugement ne serait plus du tout une pensée; il faudrait la définir comme un mouvement du corps humain seulement; telle est l'image nue. Voilà déjà une idée d'avenir, et à laquelle beaucoup reviennent, c'est que l'image qui n'est qu'image n'est rien du tout dans l'esprit.

L'autre idée, selon laquelle l'entendement conçoit et la volonté juge, a quelque apparence d'artifice; car qu'est-ce que concevoir sans juger, et, comme dit le prudent Spinoza, qu'est-ce que se représenter un cheval ailé sinon affirmer qu'un cheval a des ailes? La volonté serait donc partout dans les idées; et, puisqu'il y a une nécessité dans les idées qui définit l'entendement, la volonté se trouvera donc déterminée aussi. Pour parler autrement, tout n'est pas libre dans la pensée libre; et même, dans ce qui est éminemment pensée, il n'y a plus rien de libre; par exemple, je ne puis pas penser que deux cordes égales dans le cercle ne soient pas à la même distance du centre. J'ai connu de bons esprits qui reviennent toujours se heurter là, disant qu'on ne pense point comme on veut. On sait que Descartes a tenu ferme ici, refusant de soumettre Dieu aux vérités. Mais quoi de l'homme?

En de tels passages, où l'on soupçonne que l'esprit humain s'empiège lui-même, comme dit Montaigne, on connaît le prix d'un auteur auquel on puisse se fier tout à fait. J'en connais deux, Platon et Descartes. Prenons donc de Descartes le courage qu'il faut pour tenir ensemble et fermement deux idées, sans voir d'abord comment elles s'accordent, sans se hâter d'en sacrifier une. Commençant par l'entendement, je crois bon pour chacun d'éprouver encore une fois les meilleures preuves, soit d'arithmétique, soit de géométrie, soit de mécanique, et de suivre même dans l'*Analytique* de Kant tout le système de l'entendement, d'où l'on éprouvera que l'entendement est quelque chose. Et il est très important que le mélange d'imagination, que l'on trouve toujours en telle ou telle preuve, ne nous impose point ce qu'on pourrait appeler un doute d'humeur, ou un doute de fantaisie. Il y a une sorte de honte à combattre l'entendement en restant au-dessous de l'entendement, ce qui est prendre la difficulté de comprendre pour une raison de douter. Le vrai doute, comme on l'a dit plus haut, n'est pas au-dessous de l'entendement, mais au-dessus. Enfin l'on ne mérite jamais assez de douter. Descartes savait déjà plus de choses qu'homme au monde, lorsqu'il s'avisa de douter de tout. Dans le fond, il se peut bien, comme Jules Lagneau le donnait à entendre, que la notion de liberté soit manquée en presque tous, par une notion paresseuse de la nécessité antagoniste, de même qu'il est déjà clair que la liberté pratique est souvent sans prises, faute d'un obstacle premièrement estimé selon son invincible résistance. Il n'y a d'esprit fort que par le savoir, dont Pascal est le modèle, mais trop peu suivi en ce qu'il a appris, trop tôt suivi en ce qu'il défait. Avant de douter, donc, soyons assurés.

Toutefois l'autre idée, d'un esprit libre en toutes ses démarches, ne doit point non plus être oubliée. Cela ne se peut. Car, puisqu'il y a mal penser et bien penser, c'est donc que la meilleure ordonnance dans les idées ne paraît point seule, et qu'il faut s'y mettre. Poussant même l'idée à son extrême, je demande ce que serait un penseur qui penserait réellement que le jugement se fait de lui-même et qu'il n'a qu'à l'attendre. Ce serait une sorte de fou lucide; mais ces deux termes se repoussent. Il n'y a de conscience au monde que si l'on refuse l'apparence; ou bien, pour dire autrement, il n'y a d'apparence que refusée. Dans le fait, les plus puissantes idées, et les plus précises, ne paraissent que si on veut. Sans considérer d'autre exemple que la ligne droite, il est clair qu'elle n'existe point, qu'elle n'est jamais donnée ni conservée, et qu'elle n'est pensée que si on en jure. Ce beau jeu de faire l'idée et de la soutenir, jusqu'à savoir qu'elle périt toute par la moindre négligence de ce que l'on se doit à soi-même, c'est le jeu du vrai géomètre. Et ceux qui croient que les idées existent et nous attendent retombent à l'imagination. C'est ainsi qu'il arrive qu'en comptant bien je perds les nombres, comme il en est pour les machines à calculer, qui n'enferment aucun nombre, mais seulement des caractères et des pièces de mécanisme. Allant jusqu'à saisir qu'il n'y a point de souvenir d'un nombre, ni d'aucune idée, mais seulement d'un mécanisme correspondant, on se connaîtra créateur encore de ce qui ne peut être autre; et telle est peut-être la condition humaine.

Homme, seulement homme, cela n'a peut-être point de sens. Cet appel à Dieu libre, libre devant les vérités, libre de les faire être, libre de les faire autres, est bien touchant dans un homme qui n'est qu'homme. Car d'où sait-il Dieu? Mais n'est-ce pas une manière de dire que le jugement en l'homme est autant au-dessus de l'entendement que l'entendement lui-même est au-dessus de l'imagination? Nous n'avons pour la plupart qu'une faible expérience de ce que c'est qu'inventer. N'est-ce pas comme si l'on disait que nous n'avons qu'une faible connaissance de Dieu? Il nous semble que le meilleur ordre des idées nous soit donné dans la nature, et que nous n'ayons qu'à découvrir cet ordre; mais c'est sans doute mal prier, et adorer, comme on dit, la créature et non le créateur. Si l'on ne se trompe point sur cette détermination des idées qui vient des choses, et si on sait la renvoyer à l'imagination, on devinera, même dans la pensée du physicien, une étonnante liberté. Je veux me borner là-dessus à rapporter, d'après les *Principes,* quelques traits de Descartes, en vérité presque violents, et qui nous invitent à chercher un Descartes bien au-dessus de nos communes preuves, toutes chargées de matière. On s'étonnera toujours de lire, dans les *Principes,* que l'ordre suivi en effet par le créateur n'importe guère au physicien, et que « l'on connaîtrait mieux quelle a été la nature d'Adam et celle des arbres du Paradis si on avait examiné comment les enfants se forment au ventre de leurs mères, et comment les plantes sortent de leurs semences, que si l'on avait seulement considéré quels ils ont été quand Dieu les a créés ». Voilà de nouveau Descartes entier et Descartes osant, et l'expérience subordonnée de loin au salut de l'esprit. Partant de là, on arrivera peut-être à comprendre les paradoxes de ce dogmatique, frappant comme à coups redoublés sur notre épaisse carapace, quand il annonce en ses titres : « Qu'il n'est pas vraisemblable que les causes desquelles on peut déduire tous les phénomènes soient fausses. Que leur fausseté n'empêche pas que ce qui en sera déduit ne soit vrai. » Ici paraît, si je sais bien voir, la grandeur de l'esprit et l'appel au Dieu vivant.

LA MÉTHODE

« J'ai déjà protesté plusieurs fois, ô chair, que je ne voulais point avoir affaire avec ceux qui ne se veulent servir que de l'imagination, et non point de l'entendement. »

Réponses aux Cinquièmes Objections.

J'ABORDE, par ce chemin, la *Méthode* comme je voulais. Car il n'est pas difficile de sentir la force d'esprit la plus rare, et même écrasante, dans les célèbres pages du *Discours*; mais il est commun aussi qu'on perde ce sentiment justement devant les quatre fameuses règles, où nous trouvons trop vite la charte de nos faibles pensées. Je ne crois pas qu'il y ait un seul commentateur qui ne se soit trompé plus d'une fois ici. Il suffit, et chacun en a l'expérience, de se laisser descendre, en trouvant enfin un Descartes pour son propre usage. Mais quand, au contraire, on a déshabillé l'homme de tout ce monde, et qu'on arrive à l'apercevoir, dans un éclair, fort de Dieu seulement, la *Méthode* se montre comme le poème de la foi. « Supposant même de l'ordre entre les objets qui ne se précèdent point naturellement les uns les autres. » Il faut arriver à ceci que cette pensée si connue étonne et même scandalise. Car ce n'est point du tout se soumettre à l'expérience, ni au monde tel que Dieu l'a fait. Cette méthode est donc héroïque.

Contre la foi, il n'est que la foi. Certes, on peut bien dire que nous nous trompons souvent par trop croire; mais, dans un autre sens, on peut dire, et c'est mieux dire, que celui qui n'ose point douter ne sait point croire assez. Dès que le doute n'est plus faiblesse, mais force, l'esprit revient, sûr de penser comme il faut s'il suit seulement sa propre loi. Descartes a toujours cru que ce grand univers signifie un esprit infiniment plus clairvoyant et plus puissant que le nôtre; telle est la foi des petits enfants; mais il n'a jamais cru que ces touchantes apparitions pussent donner la loi à nos pensées. Éprouvant donc sa propre puissance dans ses premières inventions, il devait retrouver Dieu par là, le même Dieu, le

Dieu des bonnes femmes. C'était connaître le législateur de la nature, mais dans l'esprit, non dans la nature; non point comme entendement seulement, ni même principalement; le propre de Descartes, il faut y penser toujours, c'est d'avoir reconnu la perfection de l'esprit dans la volonté qui décide. Que Dieu ne soit point trompeur, cela ne veut pas dire seulement que ce qui paraît en cet univers ne fait qu'un avec le vrai; cela veut dire aussi que c'est nous qui nous trompons, faute d'exercer intrépidement notre vrai pouvoir. L'harmonie entre la nature et l'esprit n'annonce nullement que l'existence sera juge de l'essence, et tel est le sens neuf de cette preuve ontologique, si souvent interrogée et secouée par des esprits trop engagés dans l'imagination, que le jugement s'y oriente toujours de la perfection à l'existence au lieu de revenir de l'existence à la perfection. C'est dire que c'est bien le vrai qui apparaît, mais aussi que l'apparence n'est pourtant pas le vrai. C'est la pensée libre qui est vraie. Tel est le sens de l'ordre.

Dès que l'on traite de la méthode, c'est l'ordre qui se montre; mais si l'on croit que l'idée est facile, on la manquera. Car un chien même, ou une poule, reconnaît un ordre de choses, et attend, ou même cherche, le suivant après le précédent, qui n'est que le compagnon ordinaire, comme dit Hume. Et de ce que nous comptons ainsi, par la coutume de produire les mots dans un certain ordre, il ne faut point dire que cette image, écrite et comme gravée dans notre corps, est l'idée même. Bien mieux, l'ordre contemplé par les sens, et si aisément reconnu, soit en des grandeurs croissantes, soit en des sons, soit en des couleurs, ne donne encore qu'une image de l'ordre. On ne peut épuiser l'idée d'ordre; peut-être définit-elle toute la logique réelle. Peut-être ne pensons-nous jamais que par séries, c'est-à-dire en ordonnant les termes de notre recherche, quels qu'ils puissent être, de façon que la même relation se montre toujours entre le précédent et le suivant. L'ordre des sciences tel que Comte l'a conçu, Mathématique, Astronomie, Physique, Chimie, Biologie, Sociologie, est un exemple de séries sans reproche à ce qu'il semble. Seulement il est rare qu'on trouve des séries suffisantes, on peut dire pleines, hors des recherches mathématiques. Mais il suffit ici de suivre Descartes et d'essayer et d'explorer comme il fait ce chemin neuf. Descartes a écrit pour lui-même, dans les *Règles pour la direction de l'esprit,* que la découverte d'une moyenne proportionnelle, si aisée par le calcul ordinaire, n'est pourtant point satisfaisante pour l'esprit, si on ne construit la série pleine où sont pris les nombres proposés. C'est que, dans une série par produit, chaque terme est moyenne proportionnelle entre le précédent et le suivant; et cette relation est l'idée même de la série. Cet exemple, si vous vous donnez la série simple, deux, quatre, huit, seize, etc., est peut-être le meilleur si l'on veut comprendre les quatre fameuses règles. Car il apparaît d'abord que cette série n'est pas la première dans l'ordre des séries, et que la suite des nombres est la première et la plus simple de toutes, où l'on prend les termes de l'autre, ce qui est un exemple de la deuxième règle. La troisième définit l'ordre, et la quatrième ramène l'esprit à l'importance d'un ordre plein, c'est-à-dire où il ne manque aucun terme. Pour la première règle, elle est, à ce que je crois, la plus obscure de toutes; car il est commun que l'on prenne pour évident ce qui ne l'est point; ainsi la règle est formelle, on dirait presque verbale, tant qu'on ne pense pas que les trois autres règles lui fournissent un objet. C'est dire qu'il ne suffit pas d'attendre l'évidence, ni même de la chercher comme on cherche dans la nature quelque objet rare et précieux, mais qu'il faut la faire toute, non pas selon la loi de l'objet, mais selon la loi de l'esprit. Règle qui prescrit le doute et le refus, non pas une fois, mais toujours. Au vrai qu'est-ce qu'analyser, sinon choisir et ajourner? Et qu'est l'ordre cartésien, sinon un refus à ce monde donné tout et indivisible, un refus à cette pesante preuve de présence et de fait qui nous persuade toujours trop? Former des idées, ce n'est pas peindre le monde en soi-même, selon ce qui touche d'abord et sollicite; mais c'est, tout au contraire, fixer son attention sur ce qui n'intéresserait point, le simple, la série, et la loi de ces choses qui n'existent pas. Et la quatrième règle, ou règle du dénombrement, doit être considérée attentivement sous ce rapport; car cette revue générale est ce qui donne un sens à deux ou trois termes que l'on se propose particulièrement, et par le secours de l'imagination ou de la perception, ce qui est tout un ici. L'entendement saisit d'une certaine manière toute la série, non pas seulement par l'indéfini, qui est d'expérience, mais par une réflexion sur l'infinité de l'esprit, qui est en acte et définit toute puissance. On ne peut, comme je disais, épuiser l'idée d'ordre. Toujours est-il qu'elle signifie principalement deux choses d'importance. La première est que l'inférieur porte le supérieur, ce qui est comme une leçon de modestie, qui s'étend à tous les ordres. L'autre est une leçon de puissance au contraire, et fait éprouver, par la réflexion, que l'esprit enferme toute grandeur, et que la nature extérieure au contraire, extérieure dans le plein sens, ne nous étonne d'abord que par une irrémédiable insuffisance, irrémédiable, mais que l'esprit, par opposition à soi, juge essentielle. Dès lors, la complication n'étonne plus, et, en même temps qu'on l'ajourne, on la domine déjà. Ce qui est enfin à remarquer, c'est que l'idée d'ordre est partout dans Descartes, dont la pensée la plus familière est qu'avant de connaître une chose il faut en connaître d'abord plusieurs autres; et c'est toujours refuser d'abord cette nature, qui nous jette tout à la fois. Entre Bacon, curieux de tout, et de magie comme de physique, et la patience invincible de Descartes, il y a l'abîme des *Méditations*. Qui ne saisit, dans l'accent même du *Discours de la Méthode,* cette force de refus, qui ayant tracé l'immense série, Mathématiques, Physique, Passions de l'âme, esquisse, et plus qu'esquisse de la série célèbre de Comte que je citais, réserve toutes les questions de politique, ce qui est les renvoyer à leur place, et s'en délivrer? Exemple de ce mouvement de l'esprit qui toujours dépasse; et c'est ainsi que l'entendement se limite. L'épreuve donc des idées claires, si souvent travesties, c'est que la liberté s'y essaie, soit pour les faire, soit pour les défaire. Ce double travail est ce qui fait l'idée; elle n'est que par là. Prise comme suffisante, elle serait image aussitôt. Par exemple le mouvement, qui est ou n'est pas selon la relation; ou bien les hypothèses, qui tiennent par le jugement seul, et qu'il saurait aussi bien défaire. Cette sagesse, si supérieure à nos vues les plus hardies, éclate dans les *Principes*; j'ai voulu en donner ci-dessus quelque idée par les effets; mais il est bon de revenir aux mathématiques, en suivant l'exemple de modestie que nous donne Descartes en ses *Règles pour la direction de l'esprit,* si l'on veut d'abord comprendre que l'idée ne ressemble pas à l'objet. Il n'y a point de droites dans la nature; si l'on se tient ferme là, sans aucun complaisance, il naît une vive lumière à cet autre monde. Évidence accordée et même décidée; foi et doute ensemble. Cette liberté d'esprit étourdit. Descartes s'est certainement élevé jusqu'à cette vue, qui nous dépasse de loin, que le choix d'une image et comme d'un vêtement de nos pensées, par exemple une droite tracée, n'altère pas plus l'idée que le choix d'un système de numération ne change les nombres. Comme on voit par la théorie de l'aimant, où il est clair que les parties cannelées, ou toute autre supposition, servent seulement à faire entendre, à ceux qui font attention, quelque loi absolue qui est la chose même. L'idée de l'étendue, représentée à l'imagination par une sorte de paysage plus ou moins bariolé, modelé, creusé, est encore propre à faire entendre qu'il y a loin de l'image à l'idée. Lorsqu'on dit que, selon Descartes, toutes les idées claires sont vraies, il ne faut pas espérer qu'on s'en tirera à bon compte. Il n'y a communément qu'un court moment où l'on découvre ces choses, et il est bien aisé de les oublier. Pour les rares hommes qui les devinent, il est encore plus vite fait de les laisser en l'esprit, et de ne point faire résonner là-contre le monde antagoniste; encore bien plus vite fait de subordonner les idées à ce mécanisme étranger, au lieu d'apercevoir soudain dans les apparences la confirmation de la liberté intime, ce qui est découvrir le secret de Dieu. Nous savons peu de chose de cette illumination de Descartes en sa nuit célèbre du 10 novembre 1619. Il est clair que les idées y étaient, et l'ordre; que l'esprit, maître de l'ordre, y parut en sa place, et que l'éclatante imagination confirma les deux. Rêve et pensée ensemble, accord d'entendement et d'imagination par une beauté inexprimable, de ceci que Dieu ne trompe point. Nous autres, qui sommes sujets à prendre l'imagination pour la pensée, nous ne comprenons pas aisément comment la vraie foi confirmait la naïve croyance, et comment la révélation, pour la première fois peut-être, se fit toute. Encore bien moins pouvons-nous comprendre qu'un pèlerinage à Lorette soit, parmi les mouvements de société, un de ceux qui s'accordent le mieux avec la liberté de l'esprit. Non qu'il approchât de ce rêve qui est la récompense du sage; mais du moins il pouvait le commémorer. Disons seulement, sur cette religion, ensemble secrète et publique, libre et soumise, jansénisme enfin fleurissant, que si l'on appelle grâce un mouvement spontané du corps humain, qui s'accorde avec ce qu'exige l'entendement, on n'altère point le sens du mot, mais au contraire on le confirme.

SUR LE TRAITÉ DES PASSIONS

> « ... mais si on pense seulement à élargir la prunelle, on a beau en avoir la volonté, on ne l'élargit point pour cela. »
>
> *Pass.* 44.

Il ne s'agit pas maintenant de philosopher, c'est-à-dire d'accorder ensemble les parties d'un grand système, chose qui ne presse point, mais bien de comprendre un peu la nature des passions, et ce que peuvent, pour les modérer, soit nos actes, soit nos pensées. Ce problème nous presse tous; il n'attend pas. Voici qu'une faible déception, et que je devrais mépriser, agite à la fois mon cœur et mes pensées, instituant en moi un état d'inquiétude où il me semble que l'agitation corporelle est la suite de certaines pensées, et, non moins évidemment, que la suite et la couleur de mes pensées dépendent de l'agitation de mon corps. Que dois-je penser de ces pensées, qui ne semblent pas de moi, et qui sont si bien de moi? Plus avant, qu'en dois-je faire, et qu'en puis-je faire? Ce ton de tristesse, qui recouvre parfois jusqu'à mes joies, comment le dissoudre? Comment me laver par raison de cette mélancolie, quand ma raison elle-même semble me trahir et plaider contre moi, quand les plus faibles raisons d'être triste me paraissent pesantes et principales, de cela seul que je me sens triste? Et cette inquiétude du corps, faite de mille petits mouvements sur lesquels je n'ai point prise, comment la guérir sans avoir recours au médecin? Mais le médecin lui-même, qu'y pourra-t-il, sinon y donner importance, ou bien me remettre à moi-même le soin de mieux régler mes pensées? Ces questions se posent à chacun, tout près de lui et devant lui. Chacun recherche ici les conseils d'un sage et bon ami. C'est pourquoi je veux vous faire entrer de plain-pied dans la conversation d'un grand esprit, qui souvent fut mélancolique comme vous êtes, qui sentit aussi vivement que vous comment tristesse ressemble à maladie, et qui prit de bonne heure le parti d'être à lui-même son propre médecin; au surplus qui fit la guerre, voyagea, connut toutes sortes d'hommes, et se trouva même quelquefois en familiarité avec les grandeurs de ce monde.

A cet effet, je ferai de larges emprunts aux lettres que Descartes écrivit à la princesse Élisabeth, où l'on trouve toutes les idées que le *Traité des Passions* rassemble et met en ordre, d'abord sans autre dessein que d'aider un peu une nature emportée et de plus éprouvée par de grands et publics malheurs, où la violence des passions semble avoir eu grande part. Au reste, l'autre élève de Descartes, la reine Christine de Suède, n'avait pas moins besoin des leçons de la sagesse. Et qui n'en a pas besoin? Ce qui est propre à Descartes, et ce qui fait qu'il doit attirer encore maintenant à lui comme un aimant tous les êtres qui sont en difficulté avec eux-mêmes, c'est, avec une résignation toute chrétienne à l'égard des événements inévitables, une hardiesse admirable contre le sort, et une volonté de conduire sa vie au mieux, sans que l'idée de la fatalité l'ait jamais touché ni même effleuré. Voici ce qu'on lit dans une des premières lettres de Descartes à la princesse Élisabeth : « Souvent l'indisposition qui est dans le corps empêche que la volonté ne soit libre, comme il arrive aussi quand nous dormons; car le plus philosophe du monde ne saurait s'empêcher d'avoir de mauvais songes, lorsque son tempérament l'y dispose. Toutefois, l'expérience fait voir que si l'on a eu souvent quelque pensée pendant qu'on a eu l'esprit en liberté, elle revient encore après, quelque indisposition qu'ait le corps. Ainsi je me puis vanter que mes songes ne me représentent jamais rien de fâcheux, et sans doute qu'on a grand avantage de s'être dès longtemps accoutumé à n'avoir point de tristes pensées ». Vous trouvez ici la foi à l'ouvrage, et Dieu invoqué comme il faut. Mais voici mieux. Un peu plus tard, écrivant à la même, Descartes se confie davantage, et parle en médecin de l'âme. Je ne puis résumer ni abréger ces pages incomparables, qui appartiennent de droit au *Bréviaire* des hommes nouveaux.

« Je n'ai pu lire la lettre que Votre Altesse m'a fait l'honneur de m'écrire, sans avoir des ressentiments extrêmes, de voir qu'une vertu si rare et si accomplie ne soit pas accompagnée de la santé ni des prospérités qu'elle mérite, et je conçois aisément la multitude des déplaisirs qui se présentent continuellement à elle, et qui sont d'autant plus difficiles à surmonter, que souvent ils sont de telle nature, que la vraie raison n'ordonne pas qu'on s'oppose directement à eux, et qu'on tâche de les chasser; ce sont des ennemis domestiques avec lesquels étant contraint de converser, on est obligé de se tenir sans cesse sur ses gardes, afin d'empêcher qu'ils ne nuisent; et je ne trouve à cela qu'un seul remède, qui est d'en divertir son imagination et ses sens le plus qu'il est possible, et de n'employer que l'entendement seul à les considérer, lorsqu'on y est obligé par la prudence. On peut, ce me semble, aisément remarquer ici la différence qui est entre l'entendement et l'imagination ou le sens; car elle est telle, que je crois qu'une personne qui aurait d'ailleurs toute sorte de sujet d'être contente, mais qui verrait continuellement représenter devant soi des tragédies, dont tous les actes fussent funestes, et qui ne s'occuperait qu'à considérer des objets de tristesse et de pitié, qu'elle sût être feints et fabuleux, en sorte qu'ils ne fissent que tirer des larmes de ses yeux, et émouvoir son imagination, sans toucher son entendement; je crois, dis-je, que cela seul suffirait pour accoutumer son cœur à se resserrer, et à jeter des soupirs; ensuite de quoi la circulation du sang étant retardée et ralentie, les plus grossières parties de ce sang, s'attachant les unes aux autres, pourraient facilement lui opiler la rate, en s'embarrassant et s'arrêtant dans ses pores; et les plus subtiles, retenant leur agitation, lui pourraient altérer le poumon, et causer une toux qui à la longue serait fort à craindre. Et au contraire, une personne qui aurait une infinité de véritables sujets de déplaisir, mais qui s'étudierait avec tant de soin à en détourner son imagination, qu'elle ne pensât jamais à eux que lorsque la nécessité des affaires l'y obligerait, et qu'elle employât tout le reste de son temps à ne considérer que des objets qui lui pussent apporter du contentement et de la joie, outre que cela lui serait grandement utile pour juger plus sainement des choses qui lui importeraient, pour ce qu'elle les regarderait sans passion, je ne doute point que cela seul ne fût capable de la remettre en santé, bien que sa rate et ses poumons fussent déjà fort mal disposés par le mauvais tempérament du sang que cause la tristesse, principalement si elle se servait aussi des remèdes de la médecine, pour résoudre cette partie du sang qui cause des obstructions ; à quoi je juge que les eaux de Spa sont très propres ; surtout si Votre Altesse observe en les prenant ce que les médecins ont coutume de recommander, qui est qu'il se faut entièrement délivrer l'esprit de toutes sortes de pensées tristes, et même aussi de toutes sortes de méditations sérieuses touchant les sciences, et ne s'occuper qu'à imiter ceux qui, en regardant la verdeur d'un bois, les couleurs d'une fleur, le vol d'un oiseau, et telles choses qui ne requièrent aucune attention, se persuadent qu'ils ne pensent à rien ; ce qui n'est pas perdre le temps, mais le bien employer ; car on peut cependant se satisfaire, par l'espérance que par ce moyen on recouvrera une parfaite santé, laquelle est le fondement de tous les autres biens qu'on peut avoir en cette vie. Je sais bien que je n'écris rien ici que Votre Altesse ne sache mieux que moi, et que ce n'est pas tant la théorie que la pratique qui est difficile en ceci ; mais la faveur extrême qu'elle me fait de témoigner qu'elle n'a pas désagréable d'entendre mes sentiments me fait prendre la liberté de les écrire tels qu'ils sont, et me donne encore celle d'ajouter ici que j'ai expérimenté en moi-même qu'un mal presque semblable, et même plus dangereux, s'est guéri par le remède que je viens de dire ; car étant né d'une mère qui mourut peu de jours après ma naissance d'un mal de poumon, causé par quelques déplaisirs, j'avais hérité d'elle une toux sèche, et une couleur pâle, que j'ai gardées jusques à l'âge de plus de vingt ans, et qui faisaient que tous les médecins qui m'ont vu avant ce temps-là me condamnaient à mourir jeune ; mais je crois que l'inclination que j'ai toujours eue à regarder les choses qui se présentaient du biais qui me les pouvait rendre le plus agréables, et à faire que mon principal contentement ne dépendît que de moi seul, est cause que cette indisposition, qui m'était comme naturelle, s'est peu à peu entièrement passée. » Le lecteur a maintenant une vue sommaire, mais exacte et frappante, de ce qui est expliqué amplement dans le *Traité des Passions*. Toutefois je ne crois pas avoir assez fait pour adoucir les abords de cet ouvrage un peu abrupt. « D'autant, écrit Descartes à quelqu'un qui le pressait de publier ce traité, que je ne l'avais composé que pour être lu par une princesse dont l'esprit est tellement au-dessus du commun qu'elle conçoit sans aucune peine ce qui semble être le plus difficile à nos docteurs, je ne m'étais arrêté à y expliquer que ce que je pensais être nouveau. » Il est vrai que Descartes s'était promis de le corriger. « J'avoue, écrit-il au même, que j'ai été plus longtemps à revoir ce petit traité que je n'avais été ci-devant à le composer, et que néanmoins je n'y ai ajouté que peu de choses, et n'ai rien changé au discours, lequel est si simple et si bref, qu'il fera connaître que mon dessein n'a pas été d'expliquer les passions en orateur, ni même en philosophe moral, mais seulement en physicien. Ainsi je prévois que ce traité n'aura pas meilleure fortune que mes autres écrits ; et bien que son titre convie peut-être davantage de personnes à le lire, il n'y aura néanmoins que ceux qui prendront la peine de l'examiner avec soin auxquels il puisse satisfaire. »

La difficulté que je prévois pour le lecteur est celle que j'ai moi-même rencontrée autrefois, à savoir que le détail étant partout clair et attachant, l'ensemble ne se laisse pas d'abord saisir. J'essaierai donc de faire trois groupes de ces courts articles, en les rattachant à trois idées. La première consiste en ceci que les vraies causes de nos passions ne sont jamais dans nos opinions, mais bien dans les mouvements involontaires qui agitent et secouent le corps humain d'après sa structure et les fluides qui y circulent ; et c'est une vue de l'homme-machine d'après le paradoxe célèbre de l'animal-machine. La deuxième idée est que les passions sont dans l'âme, c'est-à-dire sont des pensées, qui dépendent il est vrai des affections du corps, mais qui n'en offrent pas moins une variété qu'il faut encore décrire. Ces deux idées sont exposées ensemble presque partout, dans les trois parties de l'ouvrage. Quant à la troisième idée, qui ne se montre qu'épisodiquement dans la dernière partie du *Traité,* c'est pourtant celle qui porte la seconde ; car les passions ne sont telles dans l'âme, et ne peuvent recevoir ce nom si expressif de passions, que par opposition à une pensée libre dans son fond, d'un bien autre ordre et d'une bien autre valeur que les événements physiques du corps, et même que les pensées serves par lesquels nous nous traduisons à nous-mêmes ces événements. C'est ici que, pour ma part, j'ai appris et compris que sans le sentiment du sublime, non ainsi nommé par Descartes, mais exactement décrit par lui sous le nom de générosité, nous ne pouvons faire paraître comme ils sont les sentiments les plus communs, ni les passions, ni même les émotions, plus près du corps cependant, et presque sans pensée. Qu'est-ce que la peur dans l'âme, si cette peur n'est point du tout surmontée ? Mais il faut revenir plus près de Descartes, et selon les trois idées que je viens de dire.

L'HOMME-MACHINE

«Je ne suis pas seulement logé dans mon corps ainsi qu'un pilote en son navire. »

Médit. VI.

Le lecteur n'aura pas de peine à se représenter la structure du corps humain d'après le squelette qui en forme l'armature, d'après les muscles qui sont accrochés sur le squelette, et, selon qu'ils se gonflent ou se détendent, font tourner les os autour des articulations. Le cours du sang est assez connu de tous pour qu'on n'y insiste point; de même les relations entre la respiration et la circulation. Enfin tout le monde sait, au moins sommairement, que l'on trouve en toutes les parties du corps une ramification de nerfs, dans lesquels il circule quelque chose qu'on ne connaît pas, qui remonte des sens, par des centres subordonnés fort nombreux, jusqu'à un centre principal qui est le cerveau, et qui retourne de ces centres jusqu'aux muscles et les excite par un courant ou une vibration ou comme on voudra dire, de façon qu'ils se contractent et tirent sur les parties du squelette. Il s'agit maintenant de considérer ces choses en physicien, et de remarquer que cette machine compliquée participe naturellement, selon sa forme, au mouvement des choses qui l'environnent. Par exemple, si le sol vient à manquer, ce corps tombe selon sa forme et son poids; mais l'agencement des parties explique dans ce cas-là des contractures, des changements de forme, enfin une agitation désordonnée dont la cause est que les choses heurtent et blessent la surface du corps, ce qui, par le retentissement dans le réseau des nerfs, met en mouvement tous les muscles, quelques-uns plus, quelques-uns moins; et ces mouvements désordonnés d'un homme qui tombe sont tout aussi involontaires que la chute elle-même.

Or, l'expérience permet de faire, au sujet de ces mouvements involontaires du corps vivant, trois remarques d'importance. La première, qui éclaire beaucoup les émotions, est qu'un mouvement involontaire d'une partie du corps s'étend toujours plus ou moins à toutes les autres. Par exemple si, venant à glisser, je retrouve mon équilibre par un mouvement involontaire des jambes, il ne se peut point que le buste, les bras, la tête ne fassent aussi d'autres mouvements, qui sont bien loin d'être tous utiles; et, par répercussion, tout l'intérieur du corps se trouve soudain profondément troublé, la respiration coupée, le cœur agité, le cours du sang modifié, ce qui fait pâlir ou rougir, ce qui peut aussi provoquer une petite sueur. Descartes, comme le lecteur s'en assurera amplement, a fait grande attention à tous ces mouvements du sang dans les émotions; et il n'a point ignoré que les larmes, signe commun à des émotions de tout genre, sont comme une sueur qui résulte d'un changement dans le cours du sang. Bref nos mouvements involontaires sont bien loin de se borner à ce que la situation exige; mais ils s'irradient au contraire toujours plus ou moins dans le corps entier, par la circulation des liquides qui y sont, et par une circulation plus subtile qui se fait dans les nerfs, et que Descartes explique par les esprits animaux, corps plus petits et plus mobiles que ceux qui sont dans l'air ou dans la flamme.

Cette supposition en vaut bien une autre, et nous ne savons pas encore aujourd'hui ce qui se passe dans les nerfs quand ils transmettent un choc, une pression, ou la subtile action de la lumière. Toutefois, le lecteur sera peut-être choqué, à ce sujet-là, d'une simplification qui lui paraîtra puérile, c'est que Descartes suit les esprits animaux depuis le sang qui les extrait des aliments jusqu'au cerveau et aux nerfs où le sang les transporte, et où il les fait entrer par une sorte de filtration. Ici manque notre chimie. Les corpuscules, quels qu'ils soient, qui passent des aliments dans nos muscles et dans nos nerfs, sont certainement séparés et recomposés, formant des édifices fort complexes, et différents selon les organes. Et, par exemple, lorsque les muscles se contractent, ce n'est pas que les esprits animaux, amenés par les nerfs, entrent dans les muscles et les gonflent, comme Descartes le pensait; mais plutôt ce sont les édifices moléculaires dont les muscles sont composés qui se changent comme par une explosion, sous le choc venu des nerfs, et produisent mouvement et chaleur par cette décomposition. Et peut-être la circulation dans les nerfs résulte-t-elle d'un changement du même genre, quoique différent, qui se fait de proche en proche de la même manière qu'une traînée de poudre s'allume. Toutefois ces connaissances, si Descartes les avait eues, n'auraient pas beaucoup changé sa doctrine des passions. Ce qui importe ici, c'est que l'on se représente la liaison de tous les mouvements dans la mécanique du corps; car c'est cela même, si l'on y fait attention, qui étonne le passionné, et bientôt le désespère. Ne pas faire souvent ce qu'il veut, et faire toujours en même temps autre chose qu'il ne veut point, c'est la grande humiliation de l'homme. Et une connaissance, même sommaire, des causes, suffit pour consoler de l'humiliation et pour y fournir un remède.

Il est à propos, puisqu'il s'agit maintenant de cette irradiation dans tout le corps, de préparer un peu le lecteur à cette hypothèse de la glande pinéale, suspendue au centre du cerveau, rassemblant en elle tous les mouvements des esprits, et les transmettant à l'âme, et, au rebours, transformant en mouvements des esprits les volontés de l'âme. Nos physiologistes ne manqueront pas ici de rire, ayant cru découvrir, au contraire, que telle partie du cerveau est spécialement liée, quant aux mouvements qui s'y passent, à telle combinaison de pensées, à tel souvenir, à telle volonté. Toutefois il faut dire que, depuis les téméraires hypothèses de Gall sur ce sujet-ci, et après un siècle d'ardentes recherches, les physiologistes n'ont pu garder des positions que Comte lui-même avait crues solides, et qu'ils ont renoncé à chercher dans le cerveau quelque centre qui serait comme l'organe de la vénération, ou du souvenir, ou du calcul; mais ils vont plutôt à cette conclusion que la moindre fonction de l'esprit est liée toujours à l'activité du cerveau tout entier et même de tout le corps. Cela revient à dire, d'un côté qu'il n'y a point de fonctions réellement séparables dans la pensée, comme l'analyse de la connaissance, du sentiment et de la volonté le fait comprendre; et, d'un autre côté, qu'il n'y a point non plus de mouvements réellement séparables dans le corps. Or, Descartes les aurait conduits là; d'abord par cette idée que la pensée n'ayant point de parties est liée indivisiblement à tout le corps; et aussi par cette hypothèse même des fonctions de la glande pinéale, qui doit être prise, après cet avertissement, comme un secours d'imagination, en vue de nous représenter justement que tous les mouvements du corps agissent toujours ensemble sur l'âme, et que l'âme à son tour modifie toujours tous les mouvements du corps ensemble. Ces remarques sont pour détourner le lecteur de penser que la physiologie cartésienne est trop sommaire et que sa doctrine des passions ne vaut pas mieux. Au vrai je ne crois pas que, sur cette difficile question du rapport de notre corps à nos pensées, on puisse trouver encore aujourd'hui de meilleur maître que Descartes, et de mieux propre à ramener l'esprit dans le bon chemin.

Les autres remarques ne font point de difficulté. Chacun sait que, quoique tous les mouvements du corps soient liés toujours, il y a néanmoins des réactions de nature, bien clairement orientées, et qui sans doute correspondent à quelque mécanisme monté et relativement indépendant. Ainsi une vive lumière fait que je ferme involontairement les yeux; la moindre menace vers mes yeux produit aussi le même effet, comme Descartes l'a remarqué. Ces mouvements se produisent automatiquement; toutefois ils sont accompagnés souvent d'autres mouvements, qui ne sont pas toujours volontaires, comme d'élever la main devant les yeux; et une observation attentive fera voir que ces mouvements sont toujours au moins esquissés, et accompagnés d'autres mouvements, comme ceux que produit toute surprise, arrêt de la marche, recul de la tête, respiration coupée, trouble du cœur.

Dernière remarque enfin, qui n'est ignorée de personne, c'est que les mouvements du corps, volontaires ou non, y laissent des marques, ou des traces, ou des plis, surtout lorsqu'ils sont répétés de façon que, quand nous sommes émus dans la suite, nous faisons plutôt ces mouvements que d'autres, ou tout au moins nous les mêlons aux mouvements que la situation nouvelle exige. C'est ainsi qu'un certain mouvement devient habituel; d'où il suit qu'un mouvement se trouvant lié à un autre, une idée aussi se trouve liée à une autre par ce seul fait que nous les avons eues souvent ensemble, ou, pour parler autrement, que nous avons fait souvent deux mouvements ensemble. L'association des idées, qui est l'effet d'une association de mouvements, est amplement décrite par Descartes en ce *Traité*. Voici sur ce même sujet un passage d'une lettre à Chanut, ambassadeur près la reine de Suède, qui sera tout à fait à sa place dans cette sorte de préface au *Traité des Passions*.

« Les objets qui touchent nos sens meuvent, par l'entremise des nerfs, quelques parties de notre cerveau, et y font comme certains plis, qui se défont lorsque l'objet cesse d'agir; mais la partie où ils ont été faits demeure par après disposée à être pliée derechef en la même façon par un autre objet qui ressemble en quelque chose au précédent, encore qu'il ne lui ressemble pas en tout. Par exemple, lorsque j'étais enfant j'aimais une fille de mon âge, qui était un peu louche; au moyen de quoi l'impression qui se faisait par la vue en mon cerveau, quand je regardais ses yeux égarés, se joignit tellement à celle qui s'y faisait aussi pour émouvoir en moi la passion de l'amour, que longtemps après, en voyant des personnes louches, je me sentais plus enclin à les aimer qu'à en aimer d'autres, pour cela seul qu'elles avaient ce défaut; et je ne savais pas néanmoins que ce fût pour cela. Au contraire, depuis que j'y ai fait réflexion, et que j'ai reconnu que c'était un défaut, je n'en ai plus été ému. »

Ces remarques étant bien tenues ensemble sous le regard, on peut former l'idée de ce mécanisme sans pensée aucune, qui ne cesse jamais de changer nos pensées. Et le dernier exemple est propre à faire saisir le contraste entre ce qui est réellement et ce que nous croyons tous. Car ce qui est réellement, ce n'est point du tout une opinion concernant les personnes louches, mais c'est seulement une rencontre de mouvements dans notre corps qui fait qu'aisément dans la suite, et par des causes purement mécaniques, nous passons de ceux par lesquels nous percevons qu'une personne louche à ceux qui accompagnent naturellement l'amour. Mais, faute d'une vue suffisante sur la mécanique du corps, nous croyons tous que ce passage se fait par une pensée, quoiqu'indistincte; et cette pensée, dont nous n'avons point conscience, nous paraît néanmoins appartenir à notre âme, et avoir été formée par jugement comme les autres, mais sans que nous le sachions. De cette interprétation, qui est naturelle et commune, est sortie, par réflexion et mise en système, la doctrine de l'inconscient, dont on comprend que la destinée soit d'être toujours populaire. Il est bon de remarquer que Descartes, sans la connaître précisément, la nie pourtant avec force, séparant, par des raisons de doctrine, ce qui n'est que corps et mouvement de ce qui est âme et pensée, et repoussant énergiquement l'idée même d'une partie inférieure de l'âme, qu'on voudrait nommer sensitive. Cette doctrine est partout dans le *Traité des Passions*. Dès que nous ne formons plus nos pensées, ce ne sont plus des pensées ce sont des mouvements, dans lesquels nous ne devons jamais supposer des motifs, des raisonnements, des doutes, et choses semblables, mais seulement une vitesse, une direction, jointes à une forme déterminée, et à une certaine résistance du corps qui se meut et des corps immédiatement voisins. Tout le prétendu mystère de nos pensées sourdes, comme Leibniz voudra les nommer, vient de ce que nous interprétons les mouvements de notre propre corps, autant que notre pensée en reçoit les effets, comme des oracles qui signifieraient bien plus que chocs, frottements, déviations et choses de ce genre. Les raisons de choisir entre deux doctrines si fortement opposées sont amples et difficiles; mais, puisque dans le fond il faut toujours choisir entre l'ordre et le désordre, je veux remarquer ici une raison de ne pas choisir la doctrine de l'inconscient, qui est que la supposition d'une pensée comme expliquant un simple mouvement du corps, même si elle est fausse, devient vraie par cela seulement qu'on y croit, puisqu'on forme cette pensée. Par exemple, si je tremble devant quelque objet sans en trouver d'abord une raison, je dois choisir d'expliquer ce tremblement par la seule disposition physique des parties de mon corps; car si je forme quelque pressentiment au sujet de cet objet, essayant de tirer au clair une pensée que je crois que j'en ai, je forme en effet une telle pensée, jugeant que cet objet m'a déjà nui ou me nuira, d'après des raisons vraisemblables; et c'est surtout par de telles opinions que les passions nous sont funestes. La doctrine de Descartes, même séparée de ses vraies preuves, est encore telle ici qu'on puisse la choisir par provision contre les erreurs les plus communes.

LES PASSIONS DE L'ÂME

> «... Au lieu que, si vous remuez la plume d'une autre façon presque semblable, la seule différence qui sera en ce peu de mouvement leur peut donner des pensées toutes contraires, de paix, de repos, de douceur... »
>
> *Princ.* IV, 197.

L'ANIMAL fait voir souvent les signes de la joie, de la colère, ou de la peur; quelquefois même, quand il s'agit d'un animal familier comme un chien, nous croyons qu'il exprime par ses mouvement soit la reconnaissance, soit la honte, soit le repentir. Toutefois il y a plus d'une raison de juger que nous lui prêtons ici des pensées qu'il n'a point; et l'idée opposée, qui est que l'animal produit par le seul mécanisme tous ces signes éloquents, éclaire beaucoup, au contraire, les passions de l'homme, si nous arrivons à comprendre que même sans y penser du tout, nous ne produirions pas moins au dehors la plupart des signes de la pitié, de l'indignation, du dégoût, sans en rien éprouver. D'où l'on conçoit deux choses; la première, qui a été ci-dessus exposée, c'est que tout ce qu'il y a de déraisonnable dans les passions a pour cause la mécanique de notre corps; la deuxième, c'est qu'il n'y a de passions que dans l'âme, c'est-à-dire qu'autant que ces aveugles mouvements du corps changent nos opinions et nos résolutions. Nous sentons les passions non pas comme des mouvements dans notre corps, mais comme un trouble involontaire, et même insurmontable, dans nos pensées. Par exemple, les mouvements corporels qui causent la peur nous font juger qu'un certain objet est fort redoutable, nous font douter du succès, et nous détournent en même temps de vouloir et d'oser. Ce n'est pas que le tremblement de nos membres et les battements précipités de notre cœur ne nous soient pas alors connus, car l'âme peut percevoir aussi ces choses; mais elles ne sont jamais perçues distinctement ni complètement; et cette connaissance n'est pas le principal dans les passions, qui se manifestent surtout par des jugements faux ou incertains, dont pourtant nous sommes très assurés. Descartes écrit à la princesse Élisabeth : « Toutes nos passions nous représentent les biens à la recherche desquels elles nous incitent beaucoup plus grands qu'ils ne sont véritablement... Ce que nous devons soigneusement remarquer afin que, lorsque nous sommes émus de quelque passion, nous suspendions notre jugement jusqu'à ce qu'elle soit apaisée ». Cette idée des passions et ce remède aux passions paraissent amplement dans le *Traité,* dont je ne ferai pas ici d'extraits. Je retiens seulement que nos passions s'élèvent, en nous et pour nous, comme une apparence dans nos perceptions, nos opinions, et nos projets, ou bien comme un tourbillon de vaines pensées, dont nous ne sommes point maîtres, et que nous ne pouvons nous empêcher de croire vraies, d'où nous venons à estimer, à mépriser, à haïr, à craindre, sans discernement ni mesure, et toujours à hésiter, comme à défaire et refaire nos résolutions, par la succession d'opinions opposées dont nous sommes tour à tour persuadés. Puisqu'ainsi figurent dans nos passions toutes sortes d'objets, présents, passés ou à venir, et des opinions concernant les biens et les maux qui en peuvent résulter nous pouvons décrire en ces passions beaucoup de différences dont chacun a l'expérience, et ainsi les énumérer, comparer et classer, sans considérer d'abord à quels mouvements du corps elles doivent être rapportées. Cette description, que l'on peut nommer psychologique, occupe la plus grande part du *Traité,* surtout dans la deuxième et dans la troisième partie. Ces définitions si bien nuancées, et dans un si beau langage, auraient encore tout leur prix quand bien même on voudrait ignorer les mouvements cachés du corps qu'elles traduisent dans le commun langage.

Sur l'ordre des passions principales, et sur la filiation des passions particulières, je n'aperçois rien qui ne confirme l'usage commun des mots, et qui, en même temps ne l'éclaire. Seule l'admiration, la première de toutes les passions selon Descartes, et qui, pense-t-il, n'intéresse pas le cœur, pourrait être mal prise. Et comme il ne s'agit point du tout, pour le lecteur auquel je pense, de réfuter Descartes, mais plutôt de se remettre à l'école sous le maître le plus clairvoyant que l'on vit jamais, je veux proposer ici une ou deux remarques qui m'ont été fort utiles. Premièrement il faut entendre que le mot d'admiration est pris dans le sens ancien, qui le rapproche d'étonnement; mais il s'agit ici de l'étonnement intellectuel et non point du choc de la surprise. Descartes connaît les effets de ce choc, qui sont vifs, et qui rendent d'abord presque invincibles les moindres passions; aussi ne dirait-il point qu'une telle surprise n'intéresse pas le cœur. L'admiration n'intéresse dans le corps que le cerveau; elle est passion en ce sens que les mouvements des esprits qui l'accompagnent sont étrangers aux plis de la coutume, et l'on pourrait même dire que c'est pour cette raison qu'ils ne coulent point aussitôt dans les membres, et qu'ainsi le corps est immobile en cette passion. Et sans doute fallait-il un Descartes pour apercevoir ce qu'il y a de passion dans la première touche de l'intelligence, et avant même que l'on suppose que l'objet nouveau nous peut nuire ou servir. C'est un trait de génie d'avoir séparé de peur et même d'espérance la première curiosité, sans la couper pourtant du corps. Et cette autre remarque n'en est que plus belle, d'avoir aperçu que l'admiration est la première de toutes les passions, et se trouve à l'origine de toutes. Il y a une sorte d'avide contemplation, sans mélange d'aucun sentiment, et aussi sans esprit ou presque, qui est la marque propre de l'animal pensant; c'est qu'il livre alors les parties vierges de son cerveau à des mouvements neufs, qui se font avec une vivacité incomparable, mais d'ailleurs sans aucun plaisir réel et sans l'idée d'aucune fin ni d'aucun usage. Tel est, selon Descartes, ce qu'éprouvent d'abord les voyageurs, et qui, peut être sans aucune suite, sinon que, par l'accoutumance, les effets de l'admiration cessent bientôt de se produire, et qu'il faut chercher quelque autre objet. En quoi l'on s'aperçoit bien que l'admiration est une passion de l'âme; et Descartes la distingue très scrupuleusement de cette prise du jugement, qui la peut suivre, mais qui est bien loin de la suivre toujours. Et il me semble que la doctrine commune de l'attention est redressée ici de deux manières; car nous ne devons point confondre l'attention avec cette surprise animale qui nous tient haletants, ni non plus, avec cette curiosité vulgaire qui puise tout l'objet comme une boisson, et n'en fait jamais ni idée ni action. Voilà un trait étonnant de l'homme, et qui explique peut-être tout l'ennui. On a remarqué que les sauvages ouvrent de grands yeux devant nos machines, et bientôt après n'y pensent plus; cela, si l'on y réfléchissait, donnerait de grandes vues sur la difficulté d'instruire, et sur les vrais moyens. Le lecteur, s'il s'arrête ici assez, apprendra à lire Descartes comme il faut, et sera gardé pour toujours de réfuter témérairement.

Un autre avertissement me paraît non moins utile, en ce qui concerne l'union des passions au corps. Car le lecteur va se trouver en présence de descriptions très simples et très précises des mouvements du sang, du poumon, de la rate, en chacune des passions. Et l'observation de la rougeur, de la pâleur, des larmes et du rire ne paraîtra pas suffisante pour porter ces hardies suppositions. L'idée capitale, quoique l'auteur l'exprime fortement plus d'une fois, pourrait bien rester cachée au lecteur, comme elle me l'a été longtemps. Le *Traité des Passions* ne suppose que du bon sens et une sommaire connaissance du corps humain; il n'en est pas moins difficile à lire, par ce touffu et ce mélange de notions dont aucun autre ouvrage que je sache n'offre l'exemple.

Cette idée est peut-être mieux séparée, plus saisissable en certaines lettres, dont je veux donner ici quelques extraits. « Il y a une telle liaison, écrit Descartes à la princesse Élisabeth, entre notre âme et notre corps, que les pensées qui ont accompagné quelques mouvements du corps, dès le commencement de notre vie, les accompagnent encore à présent, en sorte que si les mêmes mouvements sont excités derechef dans le corps par quelque cause extérieure, ils excitent aussi en l'âme les mêmes pensées, et réciproquement si nous avons les mêmes pensées, elles produisent les mêmes mouvements ». Et voici comment Descartes pense ce principe dans les faits, répondant à une objection de la princesse à ce point de doctrine que la tristesse donne appétit, où Descartes avait supposé d'abord en tous ce qu'il avait éprouvé de lui-même. « Je crois bien que la tristesse ôte l'appétit à plusieurs; mais pour ce que j'ai toujours éprouvé en moi qu'elle l'augmente, je m'étais réglé là-dessus. Et j'estime que la différence qui arrive en cela vient de ce que ce premier sujet de tristesse, que quelques-uns ont eu au commencement de leur vie, a été qu'ils ne recevaient pas assez de nourriture, et que celui des autres a été que celle qu'ils recevaient leur était nuisible; et en ceux-ci le mouvement des esprits qui ôte l'appétit est toujours depuis demeuré joint avec la passion de la tristesse. » Qui attendrait, en de tels détails, d'apparence si impénétrable, un raisonnement aussi précis et aussi fort ? La même vigueur de doctrine se retrouve dans une lettre à Chanut :

« Je prouve, écrit le philosophe, que la haine a moins de vigueur que l'amour, par l'origine de l'une et de l'autre; car s'il est vrai que nos premiers sentiments d'amour soient venus de ce que notre cœur recevait abondance de nourriture qui lui était convenable, et, au contraire, que nos premiers sentiments de haine aient été causés par un aliment nuisible qui venait au cœur, et que maintenant les mêmes mouvements accompagnent encore les mêmes passions... il est évident que, lorsque nous aimons, tout le plus pur sang de nos veines coule abondamment vers le cœur... au lieu que si nous avons de la haine, l'amertume du fiel et l'aigreur de la rate, se mêlant avec notre sang est cause... qu'on demeure plus faible, plus froid, et plus timide. » N'est-ce pas comme si l'ombre de Descartes répondait à quelque difficulté d'apparence raisonnable, que vous élèverez peut-être, disant que de telles descriptions dépassent ce que nous savons, et, à plus forte raison, ce qu'il savait ? Et tout me semble ici tiré au clair. Car nous ne savons pas tout à fait ce qui se passe quand notre corps reçoit une nourriture favorable, et, au rebours, quand il est comme envahi par des substances qui lui nuisent; mais nous pouvons l'étudier autant que nous voulons, et nous en connaissons aisément le principal; cette joie purement organique, ou cette tristesse, peut donc être décrite selon une méthode positive, comme nous disons. D'un autre côté l'idée que tout amour et toute haine, que toute tristesse et toute joie, quelles que soient les pensées qui les accompagnent, restent toujours liés à ces premiers mouvements par lesquels nous nous fortifions de bonne nourriture, ou nous repoussons la mauvaise, ou bien nous jouissons de suffisance, ou bien nous souffrons d'insuffisante nourriture, cette idée est invincible, et ouvre encore aujourd'hui un grand chemin, qu'on n'a certainement pas assez suivi. D'où Descartes a tiré hardiment que l'amour et la joie sont bonnes pour la santé, et la haine et la tristesse mauvaises, quoiqu'à des degrés différents. Spinoza a labouré en tous sens ce riche héritage; il en a fait fleurir le plus étonnant système. Mais ici nous trouvons mieux; nous trouvons l'idée à l'état naissant, prête pour d'autres combinaisons encore; de sain et immédiat usage pour tous. Telle est cette morale perçante, qui va aux racines.

LA GÉNÉROSITÉ

> « Il n'y a en nous qu'une seule âme, et cette âme n'a en soi aucune diversité de parties; la même qui est sensitive est raisonnable, et tous ses appétits sont des volontés. »
>
> *Pass.* 47.

TOUT l'homme n'est pas encore, en cette sage administration des forces de vie. La loi paraît, mais le gouvernement ne se montre pas. En cette âme, qui n'est qu'ajustement, unité du corps, reflet, rien ne pense, parce que rien ne doute; et, parce que rien ne pense, rien non plus ne souffre. La pointe extrême du doute et le plus haut refus, le Descartes enfin des *Méditations,* c'est la commune pensée. Il n'y a aucun genre de conscience qui ne soit toute la conscience. Il n'y a point de souffrance sourde. Mécanisme de corps ou mécanisme d'âme est toujours bien comme il est; il n'y a de désordre que refusé. La plus petite passion veut donc une grande âme, non serve. Nous concevons un fou, c'est-à-dire un homme qui se prend absolument comme il est; mais lui ne peut se savoir lui-même; il est tout dans le fait accompli. Or ce refus d'être accompli, d'être fait, Descartes nous avertit qu'il le nommerait aussi bien magnanimité, vertu, dit-il, peu connue dans l'école; mais le mot de générosité lui paraît encore meilleur. Ce n'est pas ici un froid courage, et qui se retire, comme semble quelquefois la vertu stoïque, c'est une positive richesse et une puissance d'oser. On la nomme communément le libre arbitre; mais, puisqu'il faut mettre en avant les mots les plus parlants, je la nommerai foi. Cela pour détourner l'attention du lecteur de ces subtilités d'école, invincibles, mais aussi hors de lieu, concernant le libre arbitre; contre lesquelles je propose seulement une remarque non moins subtile, que Renouvier jugeait suffisante, c'est que, si l'on pouvait prouver le libre arbitre, il serait donc nécessairement, et ferait partie des inévitables conséquences. Il n'y a rien de plus absurde; mais il n'y a pas aussi de piège où tant de penseurs se soient mieux pris. Cette notion du libre arbitre n'est pas à ce niveau; elle est d'un autre ordre; il faut la prendre comme elle est. Le mot de générosité est le meilleur ici, parce qu'il nous pique le mieux, parce qu'il nous rapproche de nous, et même qu'il nous redescend jusqu'à notre plus basse colère, où en effet le vouloir se trouve, dès qu'elle est sue. L'homme reconnaît alors que, du moment qu'il est pour lui-même, il n'est pas homme à demi. Assurément, il est généreux de penser. Mais généreux exprime encore autre chose; c'est une ferme résolution qui ne repose que sur soi. A qui n'ose pas vouloir, à qui n'ose pas croire qu'on peut vouloir, comment prouver qu'il est libre? C'est une raison de se fier à soi. Cette position est cornélienne. Polyeucte, du même mouvement que Descartes, s'élève jusqu'à Dieu par la résolution d'être tout à fait un homme. D'où l'on voit qu'un style et une époque sont quelque chose, et que, préliminairement à l'ordre, il y a des moments de haute solitude.

Prenons le héros comme guide. Qu'est-ce que le héros, si ce n'est l'homme qui choisit de croire à soi? Mais il faut prendre parti et tenir parti; car de cela seul que je délibère, et que j'examine si je puis, la nécessité me prend. Selon la nature des choses, tout se fait par les causes, et cette expérience ne cesse jamais de nous prouver que nous ne changeons rien, que nous ne faisons rien, que nous ne pouvons rien. Une grande âme n'a rien d'autre à vaincre que ces preuves-là; mais elle doit les vaincre; car il est vil de vivre selon de telles preuves; et même, à bien regarder, c'est cela seulement qui est vil. Il n'est point vil d'être vaincu quelquefois; mais il est vil de décréter, si l'on peut ainsi dire, qu'on le sera toujours.

Ce que le héros s'ordonne à lui-même, c'est donc de croire et d'oser. La vertu est premièrement une pensée, et tout héros est philosophe. Mais il n'y a sans doute que Descartes qui ait bien su le grand secret du héros, à savoir que la pensée aussi suppose générosité. On connaît cette doctrine des *Méditations,* selon laquelle c'est la volonté qui juge, et c'est la volonté qui doute. Il ne sert point de résumer Descartes; ce qui est utile, c'est d'exprimer autrement ces mêmes idées, ou d'y aller par d'autres chemins. Considérez seulement qu'une pensée qui résulterait d'une mécanique d'entendement, de la même manière que la machine à compter fait une somme, ne serait plus ni vraie ni fausse; ce serait un produit de nature. Descartes est le géomètre qui a compris que la géométrie n'est pas un produit de nature, et qu'une ligne droite n'est que voulue, et soutenue comme par un serment. Et de même son doute n'est point un doute honteux ni de faiblesse; c'est un doute généreux, et de force; et ce doute est ce qui éclaire toute preuve au monde, et d'abord la preuve du géomètre. Il faut avouer que Descartes n'a pas daigné s'expliquer beaucoup là-dessus. Aussi est-ce dans le *Traité des Passions* que cette fière position est tout à fait éclairée. Mais il faut lire de près, dans la *Troisième partie,* les précieux articles qui concernent l'orgueil, la bassesse, et l'humilité vertueuse; on y apercevra, après la générosité, la charité, qui coule de même source. Pascal est là tout entier; il ne manque rien des trois ordres, si justement fameux. Mais ce genre d'esprit, qui est l'esprit, m'apparaît dans Descartes en vraie grandeur, par ceci qu'il adhère aux trois ordres ensemble, et fortement, soucieux d'accomplir sa condition d'homme, corps, entendement, volonté.

On s'est demandé si Descartes n'était pas initié à la confrérie mystique des Rose-Croix. Il se peut qu'il se soit enquis de ses secrets; il est certain qu'il les a dominés, par cette vue de géométrie, qui reconnaissait les trois ordres ensemble dans la géométrie même. Ainsi il n'y avait qu'un mystère au monde, qui était l'union de l'âme et du corps. Je laisse au lecteur de suivre cette idée que l'âme, ne recevant point de distinction de parties, ne peut être qu'unie indivisiblement à tout le corps, ce qui écarte toutes les liaisons du genre mécanique et conduit à comprendre enfin ce que dit Descartes plus d'une fois, que

« c'est en usant seulement de la vie et des conversations ordinaires qu'on apprend à concevoir l'union de l'âme et du corps ». Mais quand on en est aussi sur ce point de mystique raisonnable, on ne peut refuser que les plus hautes démarches de l'esprit soient incorporées, et puissent directement changer cette physique du corps, si étroitement liée aux mouvements de l'univers mécanique. Qu'il y ait ainsi communication de la générosité à la joie, et de la joie à la santé, c'est ce que Descartes exprime fortement à la princesse Élisabeth, comme on l'a vu déjà. Ces précieuses lettres méritent toutes d'êtres lues et méditées. J'en veux donner encore ici quelques extraits, qui serviront à faire entendre que le miracle du libre arbitre ne trouve point ses limites, dès qu'on se garde de le vouloir représenter comme un rouage fini et qui agirait mécaniquement. Voici d'abord comme une esquisse du héros : « Il me semble que la différence qui est entre les plus grandes âmes et celles qui sont basses et vulgaires consiste principalement en ce que les âmes vulgaires se laissent aller à leurs passions, et ne sont heureuses ou malheureuses que selon que les choses qui leur surviennent sont agréables ou déplaisantes, au lieu que les autres ont des raisonnements si forts et si puissants que, bien qu'elles aient aussi des passions, et même souvent de plus violentes que celles du commun, leur raison demeure néanmoins toujours la maîtresse... »

Mais voici une application hardie de la règle, et qui prolonge jusque dans les secrets du corps l'action du libre arbitre. « La cause la plus ordinaire de la fièvre lente est la tristesse; et l'opiniâtreté de la fortune à persécuter votre maison vous donne continuellement des sujets de fâcherie, qui sont si publics et si éclatants, qu'il n'est pas besoin d'user beaucoup de conjectures, ni être fort dans les affaires, pour juger que c'est en cela que consiste la principale cause de votre indisposition; et il est à craindre que vous n'en puissiez être du tout délivrée, si ce n'est que, par la force de votre vertu, vous rendiez votre âme contente, malgré les disgrâces de la fortune. »

Ces textes sont justement célèbres. En voici deux autres qui font voir, ce qui éclairera tout à fait la position de l'homme libre, que la joie ainsi conquise par libre jugement importe aussi aux actions. « Comme la santé du corps et la présence des objets agréables aident beaucoup à l'esprit pour chasser hors de soi toutes les passions qui participent de la tristesse, et donner entrée à celles qui participent de la joie; ainsi réciproquement, lorsque l'esprit est plein de joie, cela sert beaucoup à faire que le corps se porte mieux, et que les objets présents paraissent plus agréables; et même aussi j'ose croire que la joie intérieure a quelque secrète force pour se rendre la fortune plus favorable. » Cette dernière formule marque à merveille ce que peut la foi dans les affaires de ce monde. Voici la même idée exprimée autrement, et peut-être encore mieux. « Votre Altesse me permettra... de lui souhaiter principalement de la satisfaction d'esprit et de la joie, comme étant non seulement le fruit qu'on attend de tous les autres biens, mais aussi souvent un moyen qui augmente les grâces qu'on a pour les acquérir.»

Le commentaire ici serait sans fin. Toutes les méprises concernant l'optimisme viennent de ce qu'on ne le prend point comme voulu, et qu'on en veut chercher des preuves, comme on cherche, non moins vainement, des preuves du libre arbitre. Ce qui est surtout à remarquer, c'est Descartes en action, et aux prises avec le monde, en tout notre semblable et notre proche ami. Au reste celui qui a nommé générosité le sentiment du libre arbitre, et qui le met au nombre des passions, dit assez, par cela seul, pour faire entendre que le vouloir est incorporé et participe à la création continuée. Bref, les trois ordres sont ensemble, et font un seul homme, indivisible. Même les erreurs d'imagination sont des pensées, sans quoi elles ne seraient pour personne; un spectre, ou seulement le soleil à deux cents pas, c'est le « Je pense » qui le porte; et le « Je pense » est toujours, en nos moindres pensées, ce qu'il est dans les célèbres *Méditations*. Le centre, le fort et le réduit de ma propre existence est dans ce pouvoir de douter, qui fait les preuves. Par cette démarche hardie, et que nul ne veut refuser, le surnaturel est mis en sa place, non point au-dessous de l'homme, ni hors de lui.

La religion de Descartes est simple et naïve en son extérieur; en son intérieur, et par le sens neuf qu'il trouve en de vieilles preuves, elle est presque impénétrable. C'est d'après le rude et amical *Traité* qu'on peut la comprendre; car c'est parce que l'homme peut et doit se sauver lui-même, c'est par là seulement que Dieu y paraît. D'après l'ensemble du *Traité des Passions,* il sera évident pour le lecteur que Descartes ne met jamais en doute que le libre arbitre en chacun soit efficace; mais il faut le lire d'assez près si l'on veut comprendre que le doute là-dessus n'est point raisonnable puisque dans l'action même il décide contre. Douter métaphysiquement de sa propre volonté, chose si commune, c'est exactement manquer de volonté. En suivant cette idée, et en revenant à Descartes plus d'une fois, on saisira finalement la doctrine pratique en toute son ampleur, qui enferme qu'un tel doute n'est point permis. Ici nous touchons presque à cette mystique positive selon laquelle le premier objet de la foi est la foi elle-même. Ici nous voyons à l'œuvre cette religion secrète.

REMÈDES AUX PASSIONS

> « Comme nous avons été enfants, avant que d'être hommes. »
>
> Pr. I, I.

Puisqu'il s'agit ici de la conduite de la vie, qui est ce qui intéresse le plus un homme, et puisque toute la nature humaine se trouve maintenant rassemblée comme en un tableau, le lecteur voudra savoir quel usage il doit faire de ses passions, et quel remède à leurs excès Descartes propose. On en trouvera plus d'un, si l'on lit attentivement le *Traité*; et ces leçons de sagesse sont si fortes, si naturellement amenées, enfin si bien à leur place, que j'hésite à les rapporter ici en morceaux, coupées de ce beau tissu où science, jugement et grandeur d'âme sont partout entrelacés. Selon mon opinion, cette revue des passions de l'âme, ce mouvement et ce pas surtout que l'on imite de Descartes en les lisant, est le principal remède aux passions et le plus efficace. Toutefois, s'il est utile de promettre et d'annoncer, voici, en suivant l'ordre des idées qui ont été ci-dessus exposées, comment on pourrait résumer cette sagesse cartésienne, trop peu connue.

La puissance d'une passion, le commencement, le paroxysme, l'apaisement, le retour dépendent premièrement de ces mouvements de la vie, sur lesquels nous n'avons aucune prise directe. Mais ce n'est pas peu si dans ces tempêtes corporelles nous reconnaissons la nature matérielle comme elle est, c'est-à-dire sans dessein ni pensée aucune, sans rien de mystérieux ni de fatal, une partie poussant l'autre. C'est déjà éloigner de soi et tenir comme à distance de vue ce tourbillon si proche, ce tourbillon de sang et d'esprits animaux. C'est le mesurer, c'est le juger, et en quelque sorte s'en arranger comme du temps qu'il fait. Nous avons longue coutume de vivre dans un monde qui n'a point d'égards, et qui est bien plus fort que nous, dans lequel pourtant nous trouvons passage. Heureux celui qui retrouve cette même nature aveugle, indifférente, maniable plus ou moins comme tout mécanisme, dans ses propres colères, dans ses haines, dans ses tristesses, et jusque dans ses désespoirs. D'autant plus que, si nous n'avons aucun pouvoir sur notre cœur, ni sur le cours des esprits, nous avons une action directe sur les mouvements de nos membres, soit pour les régler, soit pour les retenir. La coutume et l'exercice contribuent beaucoup à développer ce pouvoir; il est clair que, par ce moyen, nous modifions indirectement et même beaucoup les mouvements involontaires de la vie, puisque tout se tient en cette machine de muscles et de nerfs. Nul n'ignore qu'une action difficile, et que l'on sait faire, est ce qu'il y a de plus efficace contre la peur. Et, comme dit Descartes avec force, et non sans le mépris qui convient, puisque l'on arrive bien à dresser un chien de chasse, contre ses instincts naturels, à ne point fuir au coup de fusil et à ne point se jeter sur le gibier, qui nous empêche d'employer la même industrie et les mêmes ruses à nous dresser nous-mêmes ? C'est par cette méthode, que l'on peut dire athlétique, que l'homme poli reste maître au moins de ses gestes. Mais il faut savoir, et c'est ce que le *Traité* nous enseigne, que par ce moyen purement extérieur, on arrive aussi à changer beaucoup les mouvements intérieurs, c'est-à-dire la passion elle-même. Toutefois, c'est ce qu'on ne voudra pas croire tant qu'on n'aura pas bien compris que les passions dépendent des mouvements corporels bien plutôt que des pensées.

Ce sont nos pensées, en effet, qui nous importunent. L'homme passionné ne dit point que son cœur bat trop vite, mais il se déroule à lui-même une suite de brillantes et persuasives raisons. En cet état, il ne peut juger. Le moins qu'il puisse faire, s'il sait que la passion le trompe, c'est de s'abstenir de juger. Il peut souvent mieux, s'il rappelle à lui des maximes familières, et auxquelles il a souvent réfléchi quand il était libre de passion. Les stoïques enseignaient cette partie de la sagesse, qui n'est pas peu, mais qui aussi n'est pas tout. Descartes, homme vif, homme de premier mouvement, n'y compte point trop dans les crises, et nous enseigne que c'est déjà beaucoup de ne point se croire soi-même, et de juger tout au moins qu'on est hors d'état de juger. En quoi il est humain et près de nous. S'il m'est permis de mettre en lumière une idée qui lui est toujours présente et qui risque de nous l'être moins, j'ajouterai que la foi en soi-même, et la certitude que l'on triomphera à la fin pourvu qu'on le veuille, est la plus forte contre cette apparence de fatalité, qui est, pourrait-on dire, la constante réponse des passions à la réflexion. Telles sont nos armes contre les pensées brillantes et folles que le mouvement des esprits entretient en nous.

Je veux appeler l'attention du lecteur sur deux idées encore, mais qui sont, celles-là, fort difficiles, et que Descartes n'a guère expliquées. Qu'il y ait des passions favorables à la vie, comme l'amour et la joie, et d'autres qui nous étranglent au contraire au dedans, comme la haine et la tristesse, c'est un des points les plus importants du *Traité,* mais non des plus difficiles. Nous sommes avertis. Mais sommes-nous armés ? Dépend-il de nous d'éprouver l'amour ou la haine ? Un événement, une action, un être se montrent. Selon qu'ils contrarient notre propre être, ou au contraire, l'étendent et le développent nous aurons des passions heureuses ou malheureuses. Ici brille devant nos yeux, au moins un court moment, cette remarque de Descartes que les mêmes actions, auxquelles nous porte la haine, peuvent aussi résulter de l'amour, puisqu'éloigner de soi un mal, c'est aussi bien attirer à soi le bien qui y est directement contraire. Spinoza, qui commente ici utilement son maître, enseigne qu'il vaut mieux se nourrir par amour de la vie que par crainte de la mort, et punir, si l'on est juge, par amour de l'ordre que par haine et colère devant le crime. De même, dirai-je, il vaut mieux redresser l'enfant par un amour de ce qu'il y a de bon en lui que par une tristesse ou une colère que l'on peut sentir à le voir méchant ou sot. L'amour de la liberté est aussi plus sain que cette haine que l'on entretient si aisément à l'égard du tyran. Ces exemples, et tant d'autres que l'on inventerait, n'ouvrent pourtant pas un chemin facile. A ne considérer que les motifs, il n'y a pas loin de la haine à l'amour; mais à considérer le régime du corps d'après les vues admirables de Descartes, il y a bien loin de la haine à l'amour. Sans doute Descartes, et Spinoza après lui, veut-il dire que ce n'est pas peu, si l'on change les motifs, et que par ce moyen l'humeur triste n'est plus du moins soutenue par nos pensées. Mais le bilieux est-il délivré pour cela de cette aigre manière d'aimer qui souvent est la sienne? Et ne pourrait-on pas dire, au rebours de nos philosophes, que la même passion, qu'elle soit dite amour ou haine par celui qui l'éprouve, se traduit souvent, selon les humeurs et la santé, par des affections qui ne répondent guère aux opinions? Cette remarque ne mord point sur la description spinoziste, où il est présupposé que tout le cours des passions dépend de la nécessité universelle. En Descartes, puisqu'il a juré de se gouverner, ou voudrait comprendre comment un jugement autrement orienté, mais qui ne change pas l'action, disposerait autrement le corps. Sans doute faut-il distinguer l'action réelle, comme de frapper, de ces actions imaginaires, mais déjà esquissées dans le corps, et qui accompagnent presque toutes nos pensées. Et ces actions sont bien différentes dans le justicier, selon qu'il pense à détruire ou à fonder, à nuire ou à secourir. Cette idée est bonne à suivre, toutefois il me semble que Descartes nous laisse ici sans recours. Mais c'est peut-être, comme j'ai voulu expliquer plus haut, que nous ne pensons pas l'union de l'âme et du corps comme il faudrait.

Enfin, on aimera lire dans le *Traité* que toutes les passions sont bonnes et même les plus violentes, pourvu qu'on les sache bien gouverner. Chacun sent bien que sans les passions, et mêmes conservées, il n'y aurait point de sage. Descartes a fortement montré, et sans doute le premier au monde, que les mouvements de l'amour et de la haine sont utiles à la conservation de notre corps. Mais ce n'est pas encore assez dire. Descartes, tel que je le vois, homme de premier mouvement, décidé, grand voyageur, curieux de tous spectacles et toujours en quête de perceptions, Descartes devait savoir et sentir mieux qu'aucun homme que l'esprit ne commence rien, et que le premier départ de nos vertus, de nos résolutions, et même de nos pensées est dans les secousses de la nature, non pas une fois, mais toujours. Ce qui se voit du moins dans ce beau style, où la phrase reprend, redresse et achève toujours un mouvement d'enfance. Et c'est par cet art de découvrir toujours à nouveau ce qu'il sait, qu'il s'assure si bien de lui-même. Bon compagnon en cela, et surtout dans ce *Traité*. Promptement au-dessus de nous dans la moindre de ses pensées; mais aussitôt il revient. D'où il me semble qu'à le lire seulement on prend quelque air et quelque mouvement de cette grande âme.

X

HEGEL

La philosophie de Hegel est un aristotélisme. Par rapport à Platon et à Descartes, il s'agit donc maintenant de l'autre philosophie, qui recherche la conscience sous ses dehors, et qui pense l'esprit du monde. Ayant fait nourriture de la philosophie de Platon, j'ai usé de cette autre comme de remède et m'en suis bien trouvé. Platon convient à ceux qui sont en difficulté avec eux-mêmes. Aristote, Hegel, et même Leibniz, sont plutôt des naturalistes. On choisira. Dans le fait, la philosophie hegelienne est celle qui a remué les peuples, par le Marxisme, et cela est à considérer. Laissant le travail de l'historien, qui n'est pas de mon métier, je veux seulement mettre en lumière un bon nombre d'idées profondes et souterraines, sans critiquer les moyens. Le platonisme n'est que critique de soi; les fruits en sont cachés. Dans la présente étude, il faut que la critique se taise. C'est assez avertir, car nous avons à faire un long voyage. La philosophie de Hegel est divisée en trois parties, qui sont la Logique, la Philosophie et la Nature, et la Philosophie de l'Esprit. Cette dernière partie elle-même comprend l'Esprit Subjectif, l'Esprit Objectif, l'Esprit Absolu. L'Esprit Objectif, c'est Famille, Société, État, Histoire; l'Esprit Absolu se développe en trois degrés, l'Art, la Religion, la Philosophie. Il n'est pas inutile de se placer d'abord au point d'arrivée; car au départ la logique bouche les avenues; beaucoup y restent, alors que l'esprit de la logique hegelienne est en ceci, qu'on n'y peut rester. C'est dire que ce penseur fut et est mal compris souvent, et surtout misérablement discuté. En route maintenant.

LA LOGIQUE

La pensée n'est pas un petit accident en quelqu'un. Presque tous nos biens et nos maux viennent de pensées. Nous connaissons assez bien une suite de pensées qui fait l'histoire de la Philosophie; combien abstraite et aérienne à côté des réelles pensées d'Ésope, de César, de Napoléon, d'un banquier, d'un marchand, d'un juge, d'un gendarme, d'un terrassier! Toutefois, il apparaît assez clairement que ce n'est pas d'une bonne méthode de commencer par ces dernières pensées, les plus efficaces certes, mais les plus impénétrables qui soient. Au contraire la suite des systèmes philosophiques nous offre un spectacle abstrait et transparent. Que sont les doctrines? Des thèses non pas différentes mais opposées, et dont on dirait que chacune d'elles définit l'autre. L'être des Éléates et le non-être d'Héraclite sont l'exemple le plus frappant; chacun dit non à l'autre, et tous les deux ont une espèce de raison. L'arbitre voudrait, selon le mot de Platon, faire comme les enfants et choisir les deux. C'est de la même manière, mais moins abstraitement, que l'atome s'oppose à la monade; selon l'atome, chaque être exclut tous les autres, et se trouve à l'égard de tous les autres dans un rapport purement extérieur; selon la monade chaque être contient tous les autres et les pense tous ensemble selon une unité sans parties. Les deux ont du vrai; mais il faut pourtant choisir, et l'on ne peut choisir. Le spectateur de bonne foi commence à se dire qu'il se trouve entraîné dans une immense aventure. Il n'existe que la matière; bon; mais creusée jusqu'aux forces et jusqu'à l'atomisme, la matière est une pensée, et même très abstraite. Le monde est hors de moi; mais le monde est en moi. Tout est objectif, je le veux, et je m'en tiens aux êtres particuliers; mais, par cela même, tout est subjectif.

Ces pensées sont livresques; mais la morale nous presse. Toute vertu est d'intention, certes cela se prouve; mais toute vertu aussi est de société. Vous ne pourrez que sauter d'un extrême à l'autre. Et chacun des deux termes éclaire l'autre. L'idée de moralité n'est pas une idée en l'air, correctement dessinée à la pointe de la plume; c'est toujours, au contraire, une révolte de l'esprit tout entier contre l'ordre du droit. Mais faisons attention à ces mouvements de tout l'esprit à l'égard de lui-même. L'idée de moralité n'est pas l'idée d'un plaideur mécontent; c'est un drame à l'intérieur de l'esprit. D'où chacun revient à une morale kantienne, de soi en soi, car il n'y a pas d'autre porte. Mais on n'y peut rester; l'appui manque. On revient inévitablement à l'ordre extérieur, qui a cet avantage d'exister. On y revient, mais non pas le même; on ne s'y fie plus immédiatement; il est jugé et comme transpercé par les raisons opposées. Telle est l'histoire intime de beaucoup d'hommes raisonnables, qui, après avoir affirmé, puis nié, la morale pure, la retrouvent dans l'obéissance; et c'est ce que Hegel nomme des moments dépassés et conservés. Voilà comment l'esprit réel se fait une philosophie réelle. Les passions seraient un autre exemple; car il faut bien les surmonter; mais qui ne voit que le meilleur de nos pensées est en des passions sauvées?

Ces vues suffisent à présent. Il est assez rappelé au lecteur que la contradiction n'est pas un petit accident dans nos pensées, mais qu'au contraire nous ne pensons que par contradictions surmontées. Et, par cette autre remarque, que les thèses opposées sont toujours abstraites par rapport à la solution, qui est plus concrète, nous sommes presque de plain-pied dans les abstractions de la logique hegelienne, car les mêmes mouvements s'y retrouvent. L'atome n'est qu'un moment, et une sorte de remède aux contradictions que l'on rencontre dans l'idée naïve de l'être extérieur et qui se suffit à lui-même. Et l'on ne peut rester à l'atome; il faut qu'on l'interprète comme une définition et comme un rapport; d'où nous sommes jetés dans le vide de l'essence, tissu de théorèmes sans aucun rapport. Il faudra après cela que la pensée revienne à elle-même, totale et indivisible comme elle est car les rapports ne se pensent pas eux-mêmes, et leurs termes sont à la fois distincts et unis. Unité mère de toutes ces pensées, d'où ces pensées doivent sortir comme d'un germe, telle est la Notion, et bientôt l'Idée, qui nous jettera finalement dans la nature. La logique se nie alors par son propre mouvement. D'après ces sommaires explications, on trouvera déjà un grand sens à cette construction en marche qui veut nous entraîner de l'être à l'essence et au-delà de l'essence, où, comme nous dirions, de la physique naïve à la physique mathématique, et enfin à l'esprit vivant qui a su traverser ce désert.

La logique de l'ordre, qui est la logique, exige que nous commencions par le commencement, c'est-à-dire par ce qui est le plus abstrait et le plus simple. Les Éléates ont spéculé sur l'être, se défendant d'en rien penser sinon qu'il est, ce qui a fait un système clos et un système vide. Le sophiste, en face d'eux, s'amusait à prouver que c'est le non-être qui est. Approchons plus près. L'être absolu est exactement l'être auquel ne convient aucun attribut, ni le repos, ni le mouvement, ni la grandeur, ni la forme. Cet être ne peut rien être; il est le non-être. On peut tourner dans ce cercle de discours; mais il est clair qu'il faut en sortir, et que penser c'est en sortir. Quelle idée nous permettra de penser ensemble ces contraires? Non pas marcher, comme faisait Diogène; car cette solution, qui est certainement une solution, est trop loin du problème. Nous cherchons l'idée la plus prochaine, encore abstraite, mais composée des deux autres, ou plutôt les assemblant en un tissu déjà plus réel, et les sauvant par là. Cette idée se trouve dans l'histoire comme un produit; c'est le devenir d'Héraclite. Mais n'allez pas l'entendre comme un simple possible, comme si vous disiez : « Il n'y a pas seulement l'être, il y a aussi le devenir. » Vous auriez perdu votre première journée d'apprenti. Non, non. Au lieu de penser être en face du non-être, et de vous laisser jeter de l'un à l'autre, vous formez maintenant une idée positive, et plus concrète d'un degré, qui implique que l'être ne cesse de passer au non-être, et que le non-être ne cesse de passer à l'être. Seulement il ne s'agit plus d'un jeu sophistique; il s'agit d'une idée commune; d'une idée que tout le monde a. Et, par l'impossibilité que le contraire ne passe pas aussitôt dans son contraire, vous pensez fortement le devenir. Dans le devenir vous conservez être et non-être, et identiques, mais justement comme ils peuvent l'être; c'est-à-dire que ce qui est cesse aussitôt d'être; et que ce qui n'est pas commence aussitôt d'être. Le devenir n'attend pas; le devenir ne s'arrête jamais; telle est la solution réelle, et nous voilà partis.

Si vous avez compris, en ce passage si simple, qu'une porte vient de se fermer derrière vous, vous êtes déjà un peu hegelien. Certes il y aurait de l'espoir pour la paresse si vous pouviez penser que le devenir s'arrête quelquefois. Mais vous le ne pouvez point, si vous pensez attentivement que l'être passe dans le non-être. Ainsi il n'y a plus de terre ferme derrière vous; il n'y en aura plus jamais, et vous le savez. A ce point de l'attention vous avez éprouvé ce mouvement basculant d'abord sur place, et puis ce départ irrésistible, ce passage dirigé et irrévocable qui nous précipite pour toujours dans l'océan héraclitéen. J'anticipe; nous n'en sommes pas encore à la nature; il se trouvera dans la logique encore plus d'un compromis, encore plus d'un essai pour stabiliser nos pensées. Toutefois ce premier moment enferme déjà l'esprit de cet immense système; et je crois utile de réfléchir assez longtemps là-dessus.

Se jeter dans l'existence mouvante du haut des sommets arides de l'abstraction, c'est le mouvement de tous. Tout y contribue, l'univers, la famille, le métier, la fonction. L'homme est un fonctionnaire qui a dit adieu à des pensées. Mais ce mouvement d'esprit, ainsi considéré comme psychologique, physiologique, social, historique, c'est l'énigme, c'est l'illisible. La logique de l'ordre veut une chute simplifiée et une trajectoire calculable. Nous nous jetons d'une idée à une idée; et ce mouvement définit la Logique, qui est la première partie du système. Et certes ce n'est pas de petite importance de découvrir que la métaphysique, c'est-à-dire la spéculation sur les idées éternelles, est une métaphysique du devenir. La raison du changement se trouve donc dans la pensée même, ce qui achemine à supposer, en retour, que le changement même du monde pourrait bien être l'effet d'une dialectique cachée. On aperçoit alors, comme d'un lieu élevé, que la pensée est homogène à l'expérience, c'est-à-dire que l'expérience est maniable à la pensée. Autrement, la pensée avec ses formes invariables, comme en Kant, n'est capable que de se représenter le réel; elle n'y entre point; elle n'y est pas chez elle. En sorte que ce qui se montre ici ce sont les premières articulations d'une doctrine de l'action. Cela dit, n'oublions pas qu'il nous faut parcourir la logique, c'est-à-dire la suite des mouvements et basculements intérieurs propres à la pensée séparée, afin d'étaler tout au long l'insuffisance de la logique, c'est-à-dire la nécessité d'une philosophie de la nature.

Comme je ne puis exposer en détail tous ces passages, ce qui me conduirait à écrire bien plus de pages que Hegel lui-même, je reviens encore un peu sur ce mouvement dialectique initial, au sujet duquel il y a tant de méprises. Car il est vrai que Hegel a édifié un Panlogisme (pour parler jargon); mais cela veut dire seulement ceci, c'est que le même mouvement qui a mis au jour l'insuffisance de la logique est le même qui nous conduira à la contemplation de la nature en sa variété, puis à l'action, par un retour à l'esprit vivant. Il n'y a au monde, tel est le postulat hegelien, que des retournements de l'esprit sur lui-même, par l'impossibilité de rester jamais sur une pensée. Maintenant, conclure que ces retournements ou mouvements de tout l'esprit ressemblent à ce que nous appelons des raisonnements logiques, c'est-à-dire tautologiques, c'est une méprise grossière. La logique de Hegel est la vraie logique, c'est-à-dire la pensée formelle, ou séparée, mais qui ne peut rester telle et qui marche à sa propre négation, découvrant, par ce mouvement même, le secret de la nature et le secret de l'action. C'est la logique réelle, celle qui déporte aussitôt le penseur véritable, le penseur qui ne se contente point de tourner en cercle. Aussi nous pouvons bien prévoir que le ressort de cette logique sera tout autre que le faible ressort d'une logique tournant dans sa cage, comme on voit dans le *Parménide* de Platon. Or, le ressort de la logique, c'est qu'on ne peut pas aller et revenir ainsi; et c'est certainement ce que Platon veut nous faire entendre. Penser l'un immobile, l'être immobile, l'être un, et toujours revenir là, ou, au rebours, penser la multitude, le changement insaisissable, l'être qui n'est pas, et toujours en revenir là, c'est comme un refus de penser. Songez que la nature nous attend, et la société, et la morale, et la religion. Il y a une disposition évidente ici entre nos outils intellectuels et le travail que nous avons à faire. C'est ainsi que nous sommes chassés de cette pensée; mais il ne s'agit pas de fuir. Parménide disait comme un défi : « L'être est et le non-être n'est pas, tu ne sortiras pas de cette pensée. » Le propre de l'esprit vivant est d'en sortir. Mais comment? En trouvant quelle est la pensée qui vient ensuite; ici, c'est le devenir. Parlant du *Parménide* de Platon, je mêlais tout à l'heure à l'être et au non-être l'un et le multiple; et c'est bien ainsi qu'on pense quand on veut seulement s'évader; mais c'est une faute contre la logique; il faut commencer par le pur commencement, lequel nous fait passer au devenir, un peu moins abstrait, encore bien abstrait. L'un et le multiple auront leur place aussi. Le lecteur pourra, dès ce commencement, comparer à Hegel notre Hamelin, et déjà comprendre que ce travail, qu'on le conduise selon un ordre ou l'autre, est toujours le même travail; il s'agit de dépasser les jeux de l'abstraction, et le moyen est de les épuiser, ce qui est les laisser derrière soi pour toujours, comme une enfance. Et je ne dirai pas qu'il n'y ait qu'un ordre; c'est que je n'en sais rien; comme l'ordre de la ligne droite à l'angle, au triangle, au cercle, aux polygones, rien ne dit qu'il soit absolument le meilleur jusqu'au détail; car il y a du jugement et non pas seulement du raisonnement dans cette suite; et c'est ici sans doute qu'il faudrait dire que si l'esprit était conduit en de telles séries par une sorte de nécessité mécanique, l'esprit ne serait plus l'esprit. Cette pensée, qui est de Lagneau, jette de vives lueurs; ici, en ce point de difficulté, je m'éclaire comme je peux. Lucien Herr, qui était un hegelien né, m'a dit un jour que le passage, en Hegel, était toujours de sentiment. Voilà ce qui est difficile à comprendre; mais du moins le présent exemple est clair entre tous. Non, l'opposition première d'être et de non-être ne contient pas le devenir; si elle le contenait, nous ne ferions que développer une logique tautologique. Penser le devenir en partant de la première opposition, c'est découvrir le terme suivant selon la logique de l'ordre. Et la dialectique de Hegel est ainsi une continuelle invention, dont la règle est qu'elle rende compte, par complication progressive, de la Science, de la Nature, et de l'Humanité comme elles sont, telles qu'on les voit, et dont la règle stricte, en chaque passage, est de former, d'une impossibilité apparente, les idées telles que chacun les a. Déduire est donc ici, comme partout, un mot ambigu et dangereux; comme on voit dans les sciences démonstratives, où la déduction ne se fait pas par syllogismes, mais par une construction tout inventée du terme le plus proche après celui que l'on a compris. L'aventure, car c'en est une, est l'œuvre du jugement et relève du jugement.

Après cet avertissement je me permets de chercher un passage abrégé qui me conduise à l'essence à travers l'être; car telle est la marche de la logique, et telle est aussi la marche de tout esprit en travail quel que soit son objet; et il est bon, pour la clarté même, que je fasse ici de grands pas. Par le devenir, nous sommes à l'expérience, mais la plus naïve qui se puisse concevoir. Le monde d'Héraclite, le quelque chose, considéré comme suffisant, c'est la qualité. Une chose est blanche, lourde, humide; c'est prise ainsi qu'elle devient. Et de tels exemples font voir aussitôt que la qualité prise en soi se nie elle-même. « Une chose est ce qu'elle est dans sa limite et par sa limite », *(Omnis determinatio est negatio)*. L'apprenti peut s'éclairer aisément en cette marche abstraite, en se redisant à lui-même que le bleu n'est tel que par rapport à d'autres couleurs; ce qui n'est pas d'abord évident, mais le sera si l'on pense à d'autres qualités comme pesant, chaud, électrisé, qui réellement n'ont de sens que par des différences; car un corps ne peut être dit électrisé que par rapport à un autre. Et qui suivra cette idée, d'exemple en exemple, verra apparaître le désert de l'essence, et un monde tissé de rapports. Car on a beau dire que la qualité est sentie immédiatement, et sans aucune comparaison, par exemple tel bleu, on ne peut pas penser ce bleu hors du degré et de la mesure; ainsi c'est la qualité même qui nous conduit à la qualité. Qu'on me pardonne de franchir ici plusieurs échelons d'un seul mouvement. Mon dessein est de faire entendre que ce chemin est celui que tout esprit parcourt, toutefois sans savoir assez quelles sont les abstractions qu'il laisse derrière lui.

C'est ainsi que le passage de la qualité à la quantité se trouverait fait sans que nous y prenions garde. C'est pourquoi il faut revenir. Dans le domaine de la qualité, l'un n'est pas l'autre, l'un refuse l'autre; mais aussi l'un a besoin de l'autre. De ce double rapport, attractif et répulsif, entre l'un et l'autre un, chacun suffisant et insuffisant, résulte le nombre, et le propre du nombre est de se dépasser lui-même. « Grandeur, dit Hegel, être variable, mais qui, malgré sa variabilité, demeure toujours le même. » On remarquera comme on est promptement conduit à cet invariable devenir, dont la suite des nombres offre l'exemple le plus simple. La mathématique serait donc la représentation parfaite du devenir; tout esprit doit passer par là. Telle est la pure essence; mais beaucoup voudraient penser l'unité et la multiplicité comme des choses. L'atomisme se trouve placé entre qualité et quantité comme un foyer de contradictions. On y doit venir, mais il faut le dépasser. L'atome marque une hésitation entre la chose qui ne peut être une chose, et l'idée qu'on ne veut pas reconnaître en cette chose. La vérité de l'atome c'est la quantité, et la quantité se développe à travers le nombre, le degré et la mesure. Vous trouverez, dans l'auteur même, d'amples et lucides développements sur ces difficiles questions. Mais je ne dois pas perdre de vue l'ensemble.

Quantité, c'est qualité supprimée. Vous remarquerez dans Hamelin la marche inverse. Du rapport, qui est au commencement de tout, naît la quantité; et, par l'insuffisance de la quantité, qui est extérieure, à elle-même abstraite, sans contenu, naît la qualité, unité plus concrète. Il ne s'agit point de choisir; ce ne sont pas ici des dogmes. On voit bien qu'Hamelin va, comme son maître Renouvier, à un monadisme, pour avoir pris la qualité comme un refuge après l'abstraite quantité. Passer de la quantité à la qualité, c'est revenir à soi et se détourner du monde; c'est prendre la conscience comme suprême concret; tel est le mouvement hamelinien, qui est l'idéalisme. Le mouvement hegelien va au contraire à l'objet, ou plutôt se fait tout dans l'objet, comme le premier terme l'exige. L'être n'est pas plutôt l'être du moi que l'être des choses, et la qualité naïvement pensée, c'est la qualité des objets; de même l'atome est d'abord pris comme objet; et c'est prise comme objet que l'essence sera insuffisante et creuse; ce qui exigera une nature. Le moi, en ces démarches, ne s'apparaît pas à lui-même; la conscience de soi suppose d'autres conditions, physiologiques et politiques. C'est d'après l'ensemble qu'il faut juger, et Hegel me paraît plus près qu'Hamelin de représenter la marche commune de l'esprit; car, dans le fait, l'atomisme et la mathématique universelle ne sont point des pensées premières. Elles supposent avant elles ce qu'on peut appeler la sophistique de l'être, et la qualité surmontée. Ce mouvement est de toute science. Et l'on prévoit que Hegel va d'abord à l'objet et à la vérité de l'objet par une voie tant de fois suivie. Le moi se perd d'abord dans ce matérialisme de la quantité, abstraction qui s'ignore, et ne se retrouvera que par une autre relation à la nature, qui fera naître le moi concret, concret et universel à la fois. Aussi, et par opposition, on comprend qu'il n'y aura point de Philosophie de la Nature dans Hamelin; et cela mérite grande attention. Le supérieur porté par l'inférieur et se sauvant de là par réelle civilisation, c'est toute la *Philosophie de l'Esprit* de Hegel. Je me borne maintenant à cette remarque, que le lecteur ne manquera pas de suivre.

Par la quantité nous passons à l'essence; et voici le progrès en résumé : « Dans l'être tout est immédiat; dans l'essence tout est relatif. » L'essence, c'est ce que nous appelons science, ou représentation de l'Univers par nombres, distances, mouvement, force, énergie. Qu'une telle science laisse échapper l'être réel, qu'elle n'explique pas le vivant, et encore moins le pensant, on l'a montré mille fois. Mais c'est réfuter vainement. L'essence est un moment de la pensée, un moment abstrait par lequel il faut passer, sans quoi on ne peut le dépasser. L'arc-en-ciel n'est rien de plus qu'une loi ou une composition de lois; la pluie, de même. Ces abstractions ne sont pourtant ni arc-en-ciel, ni pluie. Tel est le désert de l'essence. C'est le réel sans rien de réel.

Mais quel est le progrès depuis l'être ? En ceci que, par l'élaboration de la quantité, l'identité pure et la négation sont maintenant ensemble. Le plus et le moins ont remplacé le oui et le non. Oui et non tout en se supposant s'excluent; plus et moins se supposent, et sont toujours pensés ensemble. L'opposition est réalisée. « La voie vers l'est est en même temps la voie vers l'ouest. » Le positif est négatif du négatif, comme le négatif est négatif du positif. Les idées se nouent. Ce qui n'était qu'abstrait et idéalité pure dans la quantité veut être maintenant l'étoffe du monde. Mais, parce que c'est le rapport qui existe, et en quelque sorte la relativité en soi, on comprend cette contradiction qui est dans l'essence et qui fait dire qu'elle apparaît seulement, qu'elle n'est que phénomène. L'existence ainsi représentée n'est alors qu'une écorce, et le terme corrélatif est la chose en soi, inconnaissable par sa nature. Telle est la position de Kant. Et parce que, d'après cette position même, la chose en soi n'explique nullement le phénomène, de même que la connaissance aussi avancée qu'on voudra du phénomène ne nous approche pas de la chose en soi, voici que la science de l'être se nie elle-même, et que, comme dit Hegel, le fondement ou raison d'être se réduit au phénomène lui-même. Car l'attraction, par exemple, revient à dire comment est le système solaire. « Ce qui sort de la raison d'être, c'est elle-même, et c'est en cela que réside le formalisme de la raison d'être. »

Tout homme qui s'instruit passe de l'être à l'essence, et à l'extrême de l'essence, qui est le phénomène. Je veux l'expliquer par un seul exemple, centre illustre de disputes, c'est le mouvement. Le mouvement n'est pas; le mouvement passe continuellement de l'être ici à ne plus être ici; on reconnaît la logique de l'être, et l'impuissance du

oui et du non. Mais suivons. Le mouvement n'est pas une qualité qui appartienne à un être; il n'est pas inhérent. Il se détermine en quantité; une distance a augmenté, l'autre a diminué. Le mouvement n'est pas en soi; au contraire il se détermine par l'extérieur, et il est tout extérieur. Le mouvement est relatif. Bon. Mais alors il n'est qu'une idée, ou une représentation; il n'est qu'essence, c'est-à-dire représentation calculée et construite, et, comme on dit, théorie d'une chose. Il n'y a que les naïfs pour croire que notre mécanisme universel est réellement le monde. De la réalité nous sommes donc renvoyés à l'idéalité; mais qu'est-ce que l'idéalité toute seule? Lagneau disait : « S'il n'y a que des idées, il n'y a plus d'idées. » Ainsi l'essence est nécessairement pensée comme représentant une existence, que pourtant elle ne peut atteindre. Ce qu'exprime Hegel en disant que l'essence est par elle-même apparence. Non pas apparence immédiate, comme serait un fantôme, mais apparence qui exige et contient son contraire, la chose en soi. Tel est le phénomène. On ferait les mêmes remarques sur l'espace, qui, comme le mouvement, est hors de lui-même et pur rapport. On s'étonnera un peu plus de trouver dans une qualité comme la chaleur la même dialectique; pourtant si vous dites qu'un corps est chaud, vous devez penser aussi qu'il est froid, comme Platon savait déjà le dire. Le degré nous fixe; mais nous passons alors à la quantité. Il faut que je laisse le lecteur suivre ces analyses qui sont sans fin. Peut-être voit-on assez ce qu'est le passage à l'essence, non pas pour Hegel seulement, mais en tout esprit. Quoi que veuillent dire nos paresseux historiens, il ne s'agit pas ici de juger Hegel, mais de juger nos propres pensées. L'essence est le domaine propre où les hommes d'entendement s'élèvent promptement par la mathématique, et sur lequel ils prétendent rester. Ces idées sur le monde sont-elles fausses? Sont-elles vraies? Elles sont fausses si l'on y reste; elles sont vraies comme passage, vraies à titre de moments supprimés et conservés. Au jugement des anciens atomistes, c'est l'essence qui existe; mais, comme ils ne réfléchissent pas là-dessus, et ignorent leur propre pensée, ils se heurtent aux contradictions, aux rapports, aux corrélations, comme le mouvement, le vide, le plein; ils s'y heurtent comme à des choses; jusqu'à ce que, par la réflexion que la chose elle-même nous reste

parfaitement inconnue, ils comprennent que l'essence n'est que phénomène. Par ce mouvement de réflexion, le vide de l'essence se développe, si l'on peut ainsi dire, et devient explicite, et cela nous approche de la connaissance de l'esprit. Hegel dit bien : « Le phénomène l'emporte sur le simple être. »

La dialectique de l'essence est très belle à suivre, à travers Possibilité, Réalité, Nécessité, puis par les trois termes, que les Kantiens connaissent bien, qui sont Substance, Causalité, Action réciproque. C'est bien la logique transcendantale, mais en mouvement, ce qui va la jeter hors d'elle-même, comme la logique du oui et du non s'est trouvée jetée hors d'elle-même. Par exemple nous pensons par substance, en chimistes, ou par causes, en physiciens, ou par action réciproque, comme font les astronomes. Seulement, alors que Kant juxtapose, Hegel surmonte. Par la substance, tout serait immuable; ainsi nous sommes renvoyés à penser le changement par la cause; et la cause passant dans l'effet, sans quoi elle ne serait point cause, nous retrouvons la fuite de toutes choses. Mais ce développement linéaire ne représente pas la réalité. Il nous faut tenir la cause par les conditions et lier tout le devenir à lui-même, ce qui en un sens ramène la substance, c'est-à-dire le tout comme condition des parties. Le troisième principe est ainsi la vérité des deux autres. Kant avait vu que le troisième terme rassemble les deux premiers, mais aux yeux de Hegel cette description immobile est sans vérité. La vérité est dans le passage. Le fait est que tout homme, devant un empoisonnement ou une inondation, pense d'abord la substance, arsenic ou eau, puis la liaison de cause à effet, décomposition ou démolition; mais il faut qu'il arrive à penser les corrélations, c'est-à-dire l'action réciproque de toutes les choses, car l'arsenic est tantôt poison, tantôt remède, et la pluie n'est pas absolument cause de l'inondation, mais aussi les vents, les marées, et même les travaux des hommes. Par ces exemples, je veux donner au lecteur le désir de suivre toute cette dialectique, qui me paraît sans faute. Il reste à préparer le passage prochain, qui est important et difficile, et en même temps à donner quelque idée de l'obscurité hegelienne, et aussi du jugement hegelien, qui n'a point d'équivalent.

Le rapport est l'étoffe du phénomène. Quand on dit

que le phénomène apparaît, on exprime ce développement vers l'autre, vers la condition, vers l'extérieur, qui va toujours à sauver l'unité et la totalité du monde phénoménal. Mais ici s'offre le jeu sans fin des oppositions entre forme et contenu, entre extérieur et intérieur. Car invinciblement tout est forme dans la connaissance phénoménale, et tout y est extérieur. Mais on ne peut s'empêcher d'y chercher un contenu. Voyez la contradiction ; l'énergie n'est que quantité constante, la matière n'est que poids ou masse ; tout se résout en rapports ; et, au niveau où nous sommes, ces oppositions n'ont point de fin. Et, selon Hegel, cette exigence d'un contenu s'exprime par la force, la force des physiciens, qui veut être substance et ne peut l'être. La force est quelque chose de plus intérieur que le mouvement ; elle est comme l'intérieur du mouvement ; du moins elle voudrait l'être ; toutefois, à regarder de plus près, elle se dissout en rapports. La force de gravitation n'est ni dans le corps qui tombe, ni dans la terre, elle est entre les deux, elle dépend des deux. Ainsi nous flottons entre deux conceptions : la force est autre chose que ses manifestations ; la force n'est rien d'autre que sa manifestation. Il est clair que la pensée, ou plutôt l'action pensée, serait ici requise pour rassembler matière et forme ; et c'est bien par là que Hegel nous conduit, ce qui revient à penser l'identité de la forme et du contenu, ou bien de l'intérieur et de l'extérieur. Mais là-dessus Hegel n'a que des profondeurs. Et voici en quels termes il anticipe : « Ce qui n'est qu'un côté intérieur n'est aussi qu'un côté extérieur, et inversement. » Et citant le mot de Gœthe : « Il faut briser l'enveloppe extérieure », Hegel conclut énigmatiquement : « En réalité lorsqu'il considère l'essence de la nature comme une existence purement intérieure, c'est alors qu'il n'en connaît que l'enveloppe extérieure. » Certes je puis comprendre, par une sorte de pratique, que ce n'est pas en me retirant du monde extérieur que je pénétrerai dans l'intérieur de l'esprit. Je crois comprendre aussi qu'on ne gagne pas beaucoup à mettre le corps dans l'esprit, au lieu de loger l'esprit dans le corps. Il est remarquable aussi que la mathématique universelle soit précisément le matérialisme universel. Toutefois cette unité de la forme et du contenu, au degré où nous sommes, se fait en quelque façon malgré nous. Ces séparations et réunions ne doivent pas rester à l'état abstrait; il est clair que nous allons à la conquête du monde moral et politique, non point d'un saut, mais en dépassant selon l'ordre les représentations insuffisantes dont l'entassement barre le chemin à beaucoup. Hegel anticipe en ce passage, comme un penseur qui sait où il va : « Lorsque l'homme, dit-il, n'est moral qu'intérieurement, et que son être extérieur ne s'accorde pas avec l'intérieur, l'un des deux côtés est aussi faux et aussi vide que l'autre. » La même chose, et plus évidemment, est à dire de la moralité purement extérieure. La société en un sens est extérieure et étrangère à la moralité; mais aussi la société ainsi pensée est sans vérité aucune. La vraie société est intimement liée à la moralité; elle lui est comme substantielle. Mais cela ne sera pas assez compris sans une longue suite de médiations; et c'est par ces médiations mêmes, non autrement, que l'union se fera.

« Pour ce qui concerne la nature, il faut dire qu'elle n'est pas seulement extérieure pour l'esprit, mais qu'elle est elle-même l'extériorité en général, et cela en ce sens que l'idée qui fait le contenu commun de la nature et de l'esprit n'existe qu'extérieurement dans la nature, et, par cela même, n'y existe qu'intérieurement. » Il faut vaincre cette obscurité pleine de sens. Il faut comprendre que dans l'enfant, « la raison est purement intérieure d'abord, et par cela même purement extérieure ». « La raison devient extérieure par l'éducation, et réciproquement la doctrine extérieure devient propre et intérieure. » C'est de la même manière que les politiques conçoivent, bien superficiellement, la peine comme seulement utile par l'exemple. La vraie peine n'est que la suite de la volonté du coupable. Aussi ne faut-il point lire l'histoire comme une suite de circonstances qui ont déterminé par l'extérieur la conduite des grands hommes. Dans l'action réelle, la volonté et les circonstances ne se séparent point. « Les grands hommes ont voulu ce qu'ils ont fait et ont fait ce qu'ils ont voulu. » Il est clair tout au moins que nos faibles pensées sont ici énergiquement secouées. Comment séparer la pensée du sculpteur et le coup de marteau? Toute action est faite de détails; imagine-t-on une pensée qui n'y descendrait point? Nous rêvons l'action; le grand homme pense et fait son action. C'est le moment de mépriser l'entendement qui toujours sépare; car nous sommes à ce passage où la logique périt dans son contraire.

La logique hegelienne se développe par trois moments, qui sont l'être, l'essence et la notion. Les deux premiers moments sont maintenant derrière nous. L'essence, à mesure qu'elle se détermine à travers substance et causalité jusqu'à l'action réciproque, ne fait que mieux mettre au jour son caractère purement phénoménal; l'essence n'est que rapport et inexistence; nous avons grand besoin de l'être. Mais reviendrons-nous à l'être pur et simple? Ce serait recommencer, traverser de nouveau la dialectique de l'être, et revenir à l'essence. Le phénoménisme, moment dépassé et conservé, nous conduit à autre chose, à l'existence du sujet qui pense les rapports. Car l'essence apparaît finalement indivisible, par l'action réciproque, et ainsi nous fait saisir le véritable caractère du sujet, qui est l'unité absolue, la totalité absolue, l'intériorité absolue. Le moi, dit Hegel, est un exemple de la notion, mais la plante, l'animal, qui se développent à partir du germe, en sont aussi. Passer au moi, développer le moi, ce serait aller trop vite, ce serait vouloir en finir trop tôt avec la logique; ce serait oublier la philosophie de la nature. L'exposition de la notion du moi appartient à la philosophie de l'esprit, qui suppose elle-même la philosophie de la nature; et cela veut dire que le moi se développe dans un corps vivant et dans l'univers, par une délivrance et une victoire. Ici, à ce bord extrême de la logique, où nous sommes, ce sont des pensées qui sortent de pensées. Nous recherchons les conditions d'une pensée vraie; nous les cherchons dans le jugement et dans le raisonnement, examinant encore, et renvoyant au niveau de l'être ou de l'essence les jugements sans vérité et les raisonnements sans vérité. En cet examen consiste la doctrine de la notion, qui a pour objet de nous faire entendre que les jugements vrais et les raisonnements vrais supposent un être de nature qui, en les faisant, se développe. Et cette conception de syllogisme réel est tellement loin de nos habitudes, que je crois utile d'insister principalement là-dessus. Cette doctrine du jugement, et du syllogisme ou raisonnement qui développe le jugement, est très amplement exposée dans Hegel. Ne perdons pas le fil conducteur. Il y a des jugements selon l'être et des raisonnements selon l'être; tel est le contenu principal de la célèbre logique d'Aristote. A ce niveau un jugement comme celui-ci : Socrate est courageux, ne se distingue pas de cet autre : l'homme est mortel, ni de cet autre : l'or est un métal; et ces jugements entrent dans des syllogismes par d'autres jugements que nous rapprochons de ceux-là : un homme courageux ne craint pas la mort, Alexandre est homme, un métal est fusible. Le lien de raisonnement est simplement formel, c'est-à-dire de grammaire. Les jugements selon l'essence sont des jugements de science à proprement parler, comme : ce corps est pesant, chaud, électrisé; il y a entre le degré, les relations, et une nécessité des relations, nécessité que le raisonnement selon l'essence développera. Aussi trouvons-nous maintenant des syllogismes qui serrent la nature de plus près. L'induction, l'analogie, le syllogisme hypothétique et disjonctif, marquent les degrés du raisonnement selon l'essence. On remarquera que le mot Syllogisme est pris ici dans le sens le plus étendu. Et, ce qui me paraît principalement à remarquer, c'est le syllogisme hypothétique, par quoi l'on démontre par exemple que si un triangle est supposé, la somme de ses angles est nécessairement égale à deux droits. Ici se montre le vide de l'essence; car la nécessité éclate, mais le sujet manque, l'existence manque; un tel raisonnement ne saisit que la forme d'une existence possible. De même, si l'on veut démontrer que tout métal est fusible, ou que l'or est un métal, il faudra présupposer une définition du métal par des relations réciproques entre une propriété et une autre. Un genre, comme métal, courageux, homme, est toujours hypothétique; cette condition, qui n'est qu'implicite dans le raisonnement selon l'être, est explicitement posée dans l'essence, en sorte que la question de savoir si Socrate est courageux ou non, si Socrate craint la mort ou non, est remplacée, au niveau de l'essence, par cette autre : quelles sont les relations nécessaires entre courage et vertu, entre courage et crainte, c'est-à-dire entre des attributs; le sujet s'est perdu. Selon l'essence, tout consiste en des relations entre des attributs, vitesse, masse, poids, courage, tempérance, et il n'y a plus de sujets.

La notion c'est le sujet véritable. Le jugement selon la notion est celui qui lie l'attribut au sujet, mais dans le sujet même; le raisonnement selon la notion est celui qui développe la nature du sujet. « La plante, en se développant de son germe, fait son jugement »; elle fait son jugement et son raisonnement, entendez qu'elle devient de mieux en mieux ce qu'elle eſt. Cet exemple, qui d'abord étonne, exprime bien que le jugement selon la notion ne joint pas au sujet un attribut qui lui étranger, mais plutôt développe le sujet lui-même. Leibniz, ariſtotélicien lui aussi, a tiré de grands paradoxes de cette simple proposition que dans tout jugement vrai l'attribut eſt inhérent au sujet. Afin de suivre la pensée de Hegel et de l'accorder plus aisément à la nôtre, souvenons-nous que les exemples qu'il donne du jugement selon la notion sont ceux qui ont pour prédicats le vrai, le beau, le juſte. Quand je dis qu'un homme eſt juſte, c'eſt à sa propre notion que je le compare. Un athlète qui eſt beau, c'eſt un homme développé. Une belle maison eſt par excellence une maison. « Le prédicat, dit Hegel, eſt l'âme du sujet, par laquelle celui-ci, en tant que corps de cette âme, eſt complètement déterminé. » L'exemple de Socrate courageux eſt celui qui éclairera le mieux ces formules redoutées où se marque si bien l'obscurité hegelienne.

Un jugement se développe par des preuves, c'eſt-à-dire par des médiations. Socrate eſt courageux, car celui qui méprise la mort eſt courageux, et Socrate méprise la mort; car celui qui juge sainement de ce qui eſt à craindre eſt courageux, et Socrate juge ainsi; car celui qui eſt maître de lui-même dans les dangers, etc... celui qui met la liberté au-dessus des autres biens, etc... Voilà beaucoup de syllogismes possibles, mais selon l'être, ou, au mieux, selon l'essence, suivant que les attributs seront plus ou moins fortement liés. De telles déterminations sont extérieures. Ce n'eſt pas ainsi que Socrate eſt courageux. Socrate s'eſt fait courageux par ses propres pensées à travers diverses situations, et ses pensées consiſtent bien en des médiations du genre de celles que je proposais; Socrate a jugé que la mort n'était pas à craindre, que le tyran était malheureux, qu'une vie esclave n'était pas digne d'un homme, et ainsi du reſte; seulement ici ces pensées sont vraies; et Socrate lui-même eſt un homme vrai, un homme selon la notion, mais disons plutôt Socrate lui-même, Socrate selon sa propre notion. On aperçoit que ce qui eſt nécessité dans le jugement extérieur eſt ici liberté dans le sens le plus plein. Ainsi la notion eſt un être autre que l'être abſtrait; c'eſt un être qui se développe de son propre fonds, un être qui eſt en puissance tout ce qu'il sera. Rappelons les formules ariſtotéliciennes, d'après lesquelles le possible abstrait n'est point réellement possible, et le réel possible c'est le possible pour quelqu'un. Il n'existe au monde que des sujets véritables, qui produisent d'eux-mêmes leurs attributs. Si tout développement est intérieur absolument, si la vérité des idées est réalisée comme Socrate par Socrate, et s'il n'y a point de jugement vrai hors d'un tel développement, il faut dire que tout être pense et que tout pensant est nature. « Dieu est le vivant éternel et parfait », cette formule d'Aristote par laquelle Hegel clôt son *Encyclopédie* nous donne le terme de cette construction gigantesque. Et nous sommes en mesure de comprendre comment se fait le passage de la logique à la nature. Car nous cherchions l'objet et d'abord nous le perdions; nous le trouvons sous la forme de sujet réel; rien d'autre ne peut être; rien d'autre ne peut porter des attributs. La notion était d'abord pensée comme subjective, mais puisqu'elle prend valeur d'objet, et que c'est le plus vivant dans la nature qui est le plus notion et objet, la notion reçoit finalement le grand nom d'idée, et l'Idée c'est la Nature.

On discerne aisément ce qui est aristotélicien en cette doctrine. En Hegel comme en Aristote la pensée est objet et nature, et cette philosophie devrait être dite naturaliste. Cela signifie que c'est du vivant, du dormant, de l'animal qu'il faut tirer pensée. Aucune pensée ne peut venir à aucun être de l'extérieur; il faut qu'elle s'éveille de lui, il faut qu'elle soit développement interne. La sagesse ne s'exporte pas. Même la constitution d'un peuple est quelque chose d'interne et d'individuel, car il faut toujours que la forme et le contenu soient identiques; et cela va directement contre toutes les idéologies du genre platonicien. Ce qui est imitation et importation est sans vérité, comme la vertu empruntée au voisin. Le passage du sommeil à la veille est le type de la pensée vraie. La civilisation véritable est faite de ces pensées vraies, moins parfaites en un sens que des pensées logiques, mais pensées réelles et non plus seulement formelles. De même le vrai artiste crée selon l'idée intérieure et le faux artiste selon l'idée empruntée. « Le métier, disait Aristote, est principe dans un autre; la nature est principe dans l'être même. »

Tout cela est aristotélicien. Qu'est-ce qui est propre à Hegel? C'est le développement sans fin. Aristote, partant des vivants périssables, arrive à concevoir un vivant éternel, un acte pur. Tout est parfait et achevé, et le changement lui-même porte la marque du parfait par ces retours éternels qui sont explicitement dans Aristote. En ce sens il y a dans la philosophie naturaliste d'Aristote quelque chose de ce que Platon en avait prédit, peut-être; car tout ce changement n'est donc qu'illusion? Il reste quelque chose de cette absolue vanité dans Hegel, puisque le devenir est comme un jeu divin qui n'a point de but, qui mourrait à son but. Mais peut-être ne savons-nous pas porter cette pensée; peut-être cette philosophie du devenir est-elle plus puissante même que celui qui l'a formée. Le devenir absolu est quelque chose de plus que l'acte pur d'Aristote. Les Allemands disent quelquefois que cette sagesse est propre à eux; toujours est-il qu'ils en ont été profondément remués. Les Marxistes, qui sont des Hegeliens, développent cette idée par l'action; et en cela, quoi qu'ils en pensent, ils sont dans la doctrine. Car il est selon la doctrine de penser que la doctrine meut le penseur, et le déporte irrésistiblement vers quelque chose de nouveau, toujours. C'est qu'il y a quelque chose de positif, ou mieux d'actif, dans ce refus sans fin. La dialectique recommence toujours en la moindre de nos pensées, et c'est par là, comme on le comprendra mieux dans la suite, que nos pensées sont des actions. Et c'est cela penser, c'est cela qui est vrai. La perfection, en n'importe quel genre, est toujours à faire, et exactement dans le faire. En ce savoir, qui serait le grand secret, il y a des degrés, et comme une philosophie de la philosophie, qui serait la philosophie. Par exemple on peut soutenir, encore abstraitement, qu'un état social n'est jamais vrai ni juste, qu'il appelle sa propre négation, et que la destinée de l'homme est de détruire en créant. Mais par l'intérieur on jugera mieux en décidant que ce qui fait le mal d'une institution, si parfaite qu'on la suppose, c'est le retour à l'être abstrait et mécanique, c'est le bien sans âme, et la paresse de la pensée. Tout retomberait de soi au système mort. Ainsi juger, dans le sens intérieur, voilà le devoir, voilà ce qu'il y a de divin en nous. Ce qui est en repos ne peut être bon. C'est ce que figure la nature par mort et naissance sans fin; mais la simple nature ne fait que se recommencer; de cela l'esprit, qui est la vie de la vie, se délivre par l'histoire; l'histoire est le vrai. Développement que l'Aristotélisme a manqué. Par quoi manqué ? Faute d'avoir mis en marche la dialectique comme vérité. Tel est le sens de la Logique hegelienne. L'idée vraie n'est pas repos ; l'idée est active ; elle n'a de valeur qu'en se dépassant. Penser ce n'est point contempler, c'est s'opposer à soi, se diviser contre soi, et se mieux rassembler ; par négation du caractère exclusif du sujet, et c'est science ; par négation du caractère exclusif de l'objet, et c'est action ; ce qui va à réaliser l'identité de la forme et du contenu. Et puisque le développement logique conduit à penser, sous le nom de réel, cette identité enveloppée, et qui doit tirer tout de son propre fonds, l'Idée, cette intuition de soi non encore développée, ne pouvait être que nature, ou prisonnière. N'entendez pas par là que la nature sorte de la logique par une déduction selon l'identité ; au contraire la nature est ce qui manque à la logique ; mais cela même éclaire la nature ; elle est encore énigme, elle n'est plus muette tout à fait.

LA PHILOSOPHIE DE LA NATURE

GŒTHE et Hegel s'entendaient fort bien. On connaît l'étrange théorie de Gœthe sur les couleurs, considérées comme mélanges en diverses proportions de la lumière et de l'obscurité. D'après ces vues, Gœthe niait intrépidement la décomposition de la lumière par le prisme. On trouvera dans la physique de Hegel ces mêmes erreurs, et bien d'autres. Je n'y insisterai pas beaucoup ; j'abrégerai ici encore plus qu'ailleurs. Mais j'essaierai pourtant de faire voir assez le beau et le vrai de cette téméraire entreprise. C'est comme un essai de religion. Il s'agit de montrer, après tant d'autres, que la nature offre au moins des traces de l'esprit. Toute théologie est surabondante ici, et faible souvent dans ses preuves. Mais nous avons maintenant sur la théologie cet avantage marqué, c'est que la logique nous a tracé un portrait de l'esprit mieux ordonné, mieux articulé, plus distinct que le naïf anthropomorphisme ne pouvait le faire. Or, de cette logique la nature nous offre comme une image brisée. Certaines parties sont plus aisées à lire, d'autres moins. Et peut-on renoncer à lire ? Car de toute façon il faut bien lire le semblable, l'homme, qui n'est que chose et énigme en un sens, mais en qui l'esprit parle pourtant. De l'homme à l'animal, qui n'a fait le passage? Les degrés mêmes du monde animal n'ont de sens que par la supposition d'esprit qui s'agite dans ces formes, et qui cherche à se délivrer. Même la plante, où le rapport extérieur l'emporte, où l'unité et l'identité se séparent d'elles-mêmes, peut encore nous offrir une image dégradée de nous-mêmes autant que nous manquons à l'esprit. Ce qui est digne d'être remarqué, c'est qu'à l'autre extrême, dans le monde mécanique et inerte, nous trouvons comme un tracé, et presque sans écart, de nos pensées les plus abstraites. Les êtres qui ne font que tomber ou graviter sont comme des théorèmes en action; le rapport extérieur les régit comme il régit nos pensées les plus maigres. En sorte qu'il s'en faut de peu que le monde en sa variété ne nous offre l'image de la logique et des divisions de la logique. Une partie de la nature serait selon l'être abstrait, et l'autre à l'opposé selon la notion. Les théologiens ont toujours tiré grand parti de l'ordre astronomique comme aussi de la structure des vivants. Entre ces deux ordres, le mécanisme et l'organisme, se trouvent placées la physique et la chimie, qui seraient donc selon l'essence, c'est-à-dire selon la relation pure. Mais qu'est-ce que la relation devenue objet? la lumière, le son, l'électricité, la chaleur sont bien quelque chose comme cela; car ce ne sont point des objets, mais par elles tous les objets communiquent. Ces propriétés physiques réalisent la distance et le temps. La chimie, par opposition, nous ramène à la figure de l'objet, et au travail qui se fait à l'intérieur de l'objet. La formation du cristal, notamment, est une sorte d'individuation mécanique. On devine que cette partie intermédiaire de la Philosophie de la Nature est la plus périlleuse. Et toutefois nous devons nous remettre en familiarité avec le développement aristotélique, qui est juste à l'opposé de l'esprit cartésien. Descartes niait la pensée animale; on ne s'étonne pas après cela qu'il réduise la qualité à la quantité. Ici, par un préjugé contraire, nous présupposons que l'esprit, évidemment esquissé dans la forme organique, même inférieure, doit se retrouver encore dans les grands faits de la Chimie et de la Physique. Mais aussi, contre l'analyse cartésienne, nous devons tenter de penser la qualité comme réelle. Ici je retrouve la position de Gœthe contre Newton ; c'est par ce chemin qu'on pourrait comprendre la théorie de Gœthe autrement que comme une erreur énorme. Je ne puis dire que je sois arrivé à comprendre cela tout à fait. Avouons que, même en considérant la nature comme un immense vivant, on y trouvera des parties presque impossibles à interpréter de cette manière. On se guérirait de critiquer si l'on nommait poésie ou mythologie cette recherche divinatoire. Et il faut pourtant bien que cet esprit en sommeil, que nous nommons nature, soit dessiné ou tout au moins esquissé comme tel à tous risques. Car si l'esprit humain ne s'éveille pas de la vie organique, s'il n'est battu de toutes parts par la vie universelle, la philosophie de l'esprit ne sera qu'une logique recommencée. Je voudrais même dire que ce qui reste d'incertitude en ce poème de la nature, définit au mieux la situation humaine, en partie inhumaine, par quoi la pensée arrive à l'existence.

Poème en trois chants. Nous devons suivre d'abord ces corps gravitants, selon nombre, espace, temps, force ; selon l'esprit, mais sans esprit ; le centre est au dehors ; tout est dehors et extérieur dans cette pensée dégradée. En revanche tout y est clair pour le spectateur ; car l'espace, le temps et le mouvement y développent une logique réelle. L'espace réel c'est l'espace pensé selon la dialectique abstraite. La ligne nie le point, la surface nie la ligne, et, par cette négation de la négation, le tout de l'espace est rétabli. Un tel espace n'est rien. La négation de l'espace fait paraître le temps ; car niez toute grandeur d'espace, il y a encore durée pour tout point. Le temps est l'extériorité pure, comme si le point, réduit à la pure négation en soi, s'échappait encore de lui-même. Et l'intuition du temps comme extériorité ramène l'espace ; seulement le point est maintenant plus concret ; c'est le lieu, identité réalisée du temps et de l'espace ; et le lieu qui se nie lui-même et passe dans un autre lieu, c'est le mouvement. La matière est l'unité négative de l'attraction et de la répulsion ; c'est le nombre de la logique, mais avec intuition. La gravitation est la mécanique absolue. Je ne veux donner qu'un tracé sommaire de cette construction hardie. Il ne s'agit pas maintenant de savoir si ces formes abstraites sont rangées selon la logique de l'ordre, mais seulement de juger si notre logique est la logique de la nature. Lorsque Kant concluait que l'entendement est par

vivant qui se nourrit, dort, s'accroît, se reproduit en un autre et d'abord en lui-même, la pensée et l'action reposant toujours sur l'instinct. Ici, par des dégradations dont le sens est assez clair, l'esprit se trouve lié à la nature vivante tout entière, et, par cet intermédiaire, à la nature inorganique elle-même. Le difficile est de comprendre que ce naturalisme soit encore une sorte de logique, et que l'ombre de la dialectique se reconnaisse encore dans l'animal et même dans la plante. Mais ce passage, qui est propre à Hegel, et qui caractérise cette pensée, qui en toutes ses parties est poème, sera moins mystérieux si l'on a d'abord assez compris l'âme de la logique hegelienne, qui est jugement et non raisonnement, c'est-à-dire invention des pensées selon l'ordre; car de cet ordre même il résulte que l'esprit concret se développe selon un autre ordre qui est famille, société, histoire, par naissance, croissance, passions, maladies, vieillissement et mort. Que ces deux ordres soient au fond le même, *una eademque res,* cela est, comme en Spinoza, l'objet d'une intuition qui soutient le système en toutes ses parties, mais, cette fois, système en mouvement. *L'Ethique* est en marche; et l'amour de Dieu est Dieu.

Mais nous devons renouer le fil dialectique. Les corps, chimiquement considérés, vont à une sorte d'individualité par un tassement mécanique; et toutefois la chaleur, puissance extérieure, les change et les dissout; même le cristal, qui fait voir une sorte de reproduction de la forme en elle-même, dépend absolument des circonstances extérieures. A cette fluidité s'oppose la permanence propre et immanente de l'être organisé, lequel agit et réagit en se conservant contre les puissances les plus diverses, et en qui la matière passe sans que la forme change. Cette durée de l'organisme ne va pas sans épreuve, et l'activité chimique reprend finalement l'avantage dans la mort. Mais l'esprit triomphe dans la reproduction; et l'esprit humain triomphe encore autrement, dans l'histoire, dans l'art, dans la religion, dans la philosophie. La partie de cette Odyssée de l'esprit, selon un beau mot de Schelling, où l'esprit se sauve à peine du naufrage, est maintenant notre objet. La plante n'est encore qu'une image brisée de l'esprit. La forme se conserve contre l'assaut des forces cosmiques; mais l'individualité s'y produit encore comme extérieure à elle-même. L'accroissement se fait par la reproduction d'un autre individu; le bourgeon n'est pas un membre; il est semblable à la plante; d'où d'autres modes de reproduction, greffe, marcotte, bouture, à côté de la reproduction par la graine, qui est une image meilleure du développement de l'esprit. La plante ne fait donc que sortir d'elle-même. La destruction du végétal par l'animal qui en fait sa nourriture est ainsi le symbole du mouvement dialectique qui nie l'individualité de la plante d'après le rapport extérieur qui s'y reproduit sans cesse. L'animal réalise au contraire l'unité pour soi, c'est-à-dire indivisible, réellement sans parties. De cela nous n'apercevons que les signes extérieurs; mais toujours est-il assez clair que les parties n'ont point d'existence indépendante. La main coupée retombe au chimisme; la main vivante est donc tout l'organisme; elle n'est ce qu'elle est que par les autres parties. Le sentir, qui est propre à l'animal, suppose et exprime cette unité indivisible; car ce n'est point la partie qui sent, mais c'est le tout qui se sent lui-même dans toutes les parties. L'espace, c'est-à-dire le rapport extérieur, n'a donc plus ici de sens; il est surmonté. Dire que l'animal sent, c'est dire qu'il se sent, et qu'en lui il sent toute la nature. « Le voir et l'entendre ne sont que des formes de ma transparence et de ma clarté pour moi-même. » Dans l'animal, donc, existe la vraie unité subjective, l'âme simple, qui est distribuée, sans être divisée, dans l'extériorité du corps. Aussi ne faut-il point chercher en quelle partie de l'organisme se trouve l'âme. « Il y a bien des millions de points où l'âme est présente, mais elle n'est pas pour cela dans un point, dans une partie du corps, ni même dans le corps, car l'extériorité de l'espace (comme dit Hegel : « l'être en dehors ») n'est plus vraie pour l'âme. C'est ce point de la subjectivité qu'il faut choisir et ne pas perdre de vue. » L'âme est partout où elle connaît, et le sentiment de son propre être est aussi la connaissance de l'univers. L'animal a donc avec l'objet un autre rapport que le rapport pratique; déjà il contemple. « Ainsi la vie animale est l'absolu idéalisme. »

L'âme est donc l'universel, puisque son contraire elle l'est, et puisqu'il n'y a rien au monde qu'elle ne soit. Mais elle n'est d'abord l'universel qu'en soi, par le sentir, non pour soi, comme elle serait par la pensée. L'en soi désigne la suffisance d'un être, le pour soi enferme une réflexion; et la pensée, comme disait Aristote, est la pensée de la pensée. On approche de saisir ce que c'est que sentir sans penser en considérant l'exemple de l'homme purement sensible, qui sent ses désirs, mais ne les juge point, c'est-à-dire ne se saisit pas par la pensée comme être universel. Telle est l'existence animale de l'homme. Et l'on voit que la dialectique animale ne s'achève pas dans l'animalité. L'extériorité y est niée en soi, mais elle n'est pas encore niée pour le sujet. C'est ainsi que l'homme naïf se croit extérieur aux choses qu'il connaît; et pourtant il domine déjà cette contradiction puisqu'il sent son propre tout dans chaque partie; seulement il n'a pas conscience de ce pouvoir.

L'organisme animal se reproduit; ce caractère, considéré comme extérieur, est déjà assez frappant. Toutefois il faut le comprendre par la dialectique. Dans le sentir est contenu une opposition du moi et du monde, par ceci qu'étant tout en un sens, en un autre sens je ne suis que moi. Cette opposition n'est pas pensée ainsi dans l'animal; elle est seulement sentie, et cette disproportion sentie en lui est le désir. Il n'y a que le vivant qui sente le manque, et il sent le manque parce qu'il sent; c'est dire qu'il n'y a que lui dans la nature où la notion existe comme unité de soi-même et de son contraire. Ici le supérieur explique l'inférieur. « Le terme qui contient la contradiction en lui-même et qui peut la porter, c'est le sujet, et c'est là ce qui fait son infinité. » Ce sont les êtres supérieurs qui ont le privilège de sentir la douleur. Privilège, car manquer c'est posséder. « Les natures élevées vivent ainsi dans la contradiction et c'est là leur privilège. » Mais ce développement appartient à la philosophie de l'esprit.

L'animal se meut selon l'instinct, c'est-à-dire à la fois selon son unité propre et selon l'ensemble des forces naturelles, sans penser cette opposition, c'est-à-dire sans savoir ni vouloir. « Les migrations des animaux, par exemple des poissons d'une mer à l'autre, traduisent cette vie en commun avec la nature. De même les peuples de la nature sentent la marche de la nature et des saisons, au lieu que l'esprit fait de la nuit le jour. » L'animal n'est rien qu'une forme armée qui, dans son action extérieure, de préhension et d'assimilation, s'affirme elle-même et se reproduit. L'instinct artistique, qui par exemple construit les nids, n'est que la suite de l'instinct plastique qui conserve et accroît le corps vivant. L'animal, ayant rendu adéquat à lui-même l'objet extérieur, se retrouve lui-même dans cet objet et s'y complaît. De même par la voix il se perçoit lui-même dans le monde. Le chant des oiseaux est comme une jouissance immédiate de soi, immédiate, donc encore sans savoir.

Ce ne sont que remarques, et préparations. Il faut comprendre de plus haut et plus profondément le drame de la reproduction et de la mort. Que l'individuel soit en même temps l'universel, cela est contenu dans le désir, car ce qui manque n'a de sens que par rapport à un type vrai. La notion, architecte sans conscience, dépasse le fait de l'existence individuelle; elle est déjà pensée; mais il s'en faut qu'elle soit pensée de la pensée. L'homme instruit et cultivé s'approche de l'esprit réel et concret quand il pose le genre universel, l'homme, comme modèle de lui-même. Mais cela suppose un long détour et l'appui de l'Esprit Objectif, Art, Société, Religion. C'est ce qu'exposera la Philosophie de l'Esprit; mais il faut anticiper si l'on veut comprendre dans l'animal ce que Hegel nomme le processus du genre. C'est par le genre que l'on juge des monstres; et tout animal est un monstre en quelque façon, car aucun animal ne réalise le genre. Mais aussi tout animal est gouverné par le genre, car cette contradiction encore obscure entre ce qu'il est et ce qu'il devrait être est ce qui le meut, l'amène à se reproduire, et finalement le fait mourir. La maladie, comme le manque, n'est que la contradiction entre l'indépendance des parties et l'unité du tout. Le rapport des sexes n'est que l'effet de cet intime mécontentement de soi, qui sans fin engendre par la mort. Seulement la vie animale ne fait que se recommencer elle-même. « La fin de la nature est de s'annuler elle-même, de briser l'enveloppe de l'existence immédiate et sensible, de se brûler comme le phénix pour renaître de cette existence extérieure. » Mais il faut jeter les yeux en avant, sur les destins de l'esprit, pour comprendre tout à fait le sens de la mort. La maladie originaire de l'animal, plus sensible en l'homme, le germe mortel qu'il porte dans son sein, c'est la disproportion qui existe entre lui et l'universel. Aux yeux de celui qui sait cela, la mort, qui efface la nature, est moins négation qu'affirmation. « Au-dessus de cette mort de la nature, au-dessus de cette enveloppe inanimée s'élève une nature plus belle; au-dessus s'élève l'esprit. »

LA PHILOSOPHIE DE L'ESPRIT

L'Esprit s'élève des profondeurs, voilà ce que signifie la Philosophie de la nature. Dans le système d'Hamelin, plus rigoureux, moins poème, l'esprit se cristallise depuis l'abstrait; une conscience finalement se forme; une nature est dessinée; mais elle n'est que le miroir d'une conscience; et il n'y a d'autre donné, en somme, pour une conscience, que ce qui est voulu par une autre; le monde est une cité d'esprits, et l'apparence d'un monde mécanique ne fait que traduire des fautes, des déchéances, ou peut-être l'irréparable du fait accompli. L'histoire n'y trouve point sa substance. Tel est le pur idéalisme, intransigeant, paradoxal. J'ai déjà remarqué que Hegel, dans sa logique, suit de plus près l'histoire des doctrines, cherchant dans le jeu des systèmes, « Panthéon des formes divines », et selon leur ordre, le terme suivant qui lui manque, et qu'il lui faut. C'est qu'il ne perd point de vue l'autre forme, le grand opposé, sous la domination de qui nous devons vivre, vaincre, penser, agir, mourir. Ce que signifie la logique de Hegel, c'est que la logique ne suffit pas. Bien loin qu'elle nous conduise jusqu'à l'être concret, au contraire elle nous met au bord du vide, d'où il faut d'abord que nous tombions en pleine nature. Les biographes racontent que Hegel dit un jour devant les montagnes : « C'est ainsi. » Ce moment de pensée, cette acceptation, c'est le mouvement de la vie, ou, si l'on veut, la respiration de la vie après une pensée. La chute dans la nature, c'est le grand soupir. Ce qui n'est que lassitude et marque de dépendance en tout homme est toutefois mieux déterminé ici par un mouvement logique rassemblé, suivi, purifié; car, d'un côté les formes logiques dessinent comme une ombre de nature qui permet d'ordonner le chaos; d'un autre côté, ce que l'on trouve dans la nature comme marque de Dieu fait mieux paraître l'immense creux d'ombre d'où nous sortons, où nous rentrons, par réveil et sommeil, par naissance et mort. Certes, il ne faut pas oublier la formule célèbre qui est comme l'épigraphe de l'œuvre : « Tout ce qui est rationnel est réel; tout ce qui est réel est rationnel. » L'esquisse d'une philosophie de la nature suffit pour qu'on le croie; elle ne suffit pas pour qu'on le pense; et l'imperfection tant de fois reprochée à cette partie du système est elle-même pleine de sens; et quand on l'adapterait à notre physique, ce qui est aisé à faire, on ne saisirait toujours, dans cette mer du monde, que des traits d'esprit isolés, et de rares apparitions d'Ulysse nageant. L'écart demeurerait ample et suffisant entre la *Logique* et la *Philosophie de l'Esprit*. Entre notre destin logique et notre destin réel il faut une nature. Ce qu'il y a de réel et d'efficace dans la philosophie de Hegel, ce qui fait qu'elle est entrée non seulement dans l'histoire de la philosophie, mais dans l'histoire du monde, repose donc sur cette partie du système que l'on juge faible et que l'on voudrait mépriser. Toute la force de cette partie est qu'elle est faible et le sera toujours, quelque divination qu'on y apporte.

Le principe de la Philosophie de l'Esprit, c'est que les manières de penser, les erreurs corrigées, le développement, la conquête de soi, tout cela dépend premièrement des nécessités naturelles et vitales. L'esprit humain s'est sauvé et se sauve de la masse du monde; non seulement de sa propre vie, mais d'une multitude vivante et d'une multitude inerte. Et la suite fera voir en quoi cette histoire de l'esprit diffère d'une logique. On en peut juger déjà d'après les divisions de cet ample édifice, si bien appuyé sur la terre. Esprit subjectif, Esprit objectif, Esprit absolu, tels sont les grands moments. Sous le titre d'Esprit subjectif, nous devons faire tenir une Anthropologie, qui est comme l'histoire naturelle de nos pensées, une Phénoménologie, qui décrit le malaise de la conscience naturelle, une Psychologie, qui relève jusqu'à l'universel cette connaissance de soi. Mais l'homme réel n'apparaît pas encore. L'Esprit objectif fait voir comment l'esprit humain se développe selon ses œuvres. Ici le droit, la morale, la vie sociale, l'État, l'histoire humaine, sont présentés comme des conditions de nature, et déjà des images de soi sculptées par lesquelles l'esprit se connaît. D'après ces préparations on apercevra déjà que l'Esprit absolu n'est nullement cet extrême abstrait que nous attendrions, ni quelque définition informe de l'Éternel, mais exactement la description et reconstruction de ce qui porte le signe de l'éternel, de cette histoire au-dessus de l'histoire que sont l'Art, la Religion, et la Philosophie. Toute l'étendue du système étant maintenant circonscrite, nous avons à parcourir les parties selon l'ordre. Et, parce qu'un exposé de la doctrine hegelienne risque toujours de ressembler à une table des matières, je suivrai encore ici cette méthode, de développer assez amplement une idée en chacune des parties, une idée qui puisse éclairer la marche. Pour le reste, le lecteur sera renvoyé à Hegel lui-même, bien plus riche au détail, bien plus savant, bien plus vivant qu'on ne dit.

L'ESPRIT SUBJECTIF

L'Anthropologie décrit le dessous de l'esprit; et il faut faire ici grande attention. Cette description, qui ne peut se faire que du dehors, car l'homme au premier éveil et à l'enfance ne se sait pas lui-même, est pourtant éclairée par la dialectique, car ce premier moment est abstrait et sans différences. L'âme naturelle est en soi et non pour soi. Privée encore des médiations par lesquelles elle se délivrera, elle subit, résume et unifie tout l'organisme et toute la nature, sans discuter avec soi, sans rien séparer de soi, sans rien nier de soi. C'est un état de naïveté et d'enfance; nul ne peut s'en séparer complètement. Dans le sommeil et dans les rêves chacun revient à cet état sibyllin. L'âme prophétique connaît en un sens toutes choses, car elle vit avec la vie planétaire universelle, avec les climats, les saisons, les heures du jour, dans une intimité où rien ne se divise; et c'est pourquoi aussi l'âme prophétique connaît pour les autres, non pour soi. On peut dire aussi qu'une telle âme vit selon la sensation pure; mais il faut se garder ici des abstractions de l'entendement. Ce qui distingue la sensation du sentiment, c'est un état de dispersion et d'extériorité; mais cela ne veut point dire que cette dispersion et extériorité soient représentées dans une perception; une telle représentation, qui donne aux sensations une existence distincte et séparée, suppose une séparation de soi d'avec soi, une opposition entre la vie intérieure et la vie extérieure, enfin l'état immédiat dominé, ce qui marque le passage à la conscience. Au premier moment, au contraire, tout est ensemble, rien n'est ni loin ni près, car toute sensation est d'abord toute l'âme; et cet état est presque inexprimable, puisque la conscience aussitôt le dissout en objet et sujet, en perceptions et souvenirs, en petits et grands événements, tout en place et comme en perspective. Nous n'avons ici que les dispositions de l'humeur, et les mouvement du génie, choses appréciables seulement du dehors, même par celui qui en est le sujet. Toujours est-il que cette vie immédiate de l'esprit est ce qui rend compte du talent en chacun, de la manière propre dont il découvre les idées, de ses passions, de ses malheurs et de ses bonheurs. Les différences de race reposent sur cet obscur commencement des pensées. Ce qui ne veut pas dire que les races se trouvent déterminées soit à la liberté, soit à l'esclavage, ni que l'individu trouve dans sa nature immédiate un destin tout fait. Cela veut dire que la pensée humaine doit se délivrer, et ne le peut jamais sans peine. « Tout homme a des accès de méchanceté, mais l'homme moral sait comment les vaincre. »

Méchanceté ? Oui, car cette vie immédiate n'est pas paisible; elle ne peut l'être. L'homme, parce qu'il est virtuellement raisonnable, ne peut pas ne pas sentir une contradiction entre une vie dépendante et esclave et l'autre vie qui doit être la sienne. D'où l'on comprend que la simple humeur soit toujours brumeuse et mélancolique, souvent irritée. La folie n'est que cet état où l'on revient et d'où l'on ne peut plus sortir. On s'étonne de la folie, parce que l'on connaît mal l'état de naïveté et d'enfance; on ne le connaît que lorsqu'on en est sorti, lorsqu'on l'a dominé. Il y a de la folie dans la pensée naturelle. Au lieu de demander pourquoi la folie, il faut se poser la question inverse : comment l'âme arrive-t-elle à sortir de cet état à la fois sibyllin et convulsif qui lui est naturel ? Cette profonde idée, et que l'on tente vainement de refuser, circule dans toute la philosophie de l'esprit. La première conscience est une conscience malade. L'adolescent est l'être qui blâme, qui s'indigne, qui méprise. La morale se dresse devant le droit comme une colère; le plus haut point de la pure morale est l'ironie; de même le premier moment de la société est le combat. Ce qui est le propre de ce puissant génie, et ce qu'on retrouve autrement dit en Comte, c'est que le remède est au dehors, dans ce monde qu'il faut reconnaître et aménager. Ainsi le jeune homme devient homme par l'action et le métier. En même temps que l'action surmonte l'obstacle et organise les choses, en même temps aussi le poids du corps vivant s'allège, comme si ces puissances étaient ordonnées, éloignées de nous, et reprises comme des moyens mécaniques, de même que la nature extérieure est renvoyée en son lieu et dominée. « La liberté de l'esprit n'est pas l'indépendance qui existe hors de son contraire, mais l'indépendance qu'on obtient en triomphant du contraire, non en fuyant le contraire, mais en luttant avec lui et en le soumettant. C'est là l'indépendance concrète et réelle. »

Le moment de la délivrance, c'est l'habitude. Et voilà un exemple, à mes yeux hors de prix, d'une fonction exactement mise à sa place, et qui s'éclaire par cela seul. Car nous avons tous l'expérience d'une subite colère contre le corps maladroit; c'est une folie d'un moment; c'est un bref retour à la vie de l'âme naturelle; et c'est bien l'habitude qui nous réconcilie à nous-mêmes. L'habitude, selon le sens propre de ce mot, c'est bien une prise de possession du corps par la pensée. Le corps n'est plus un être hostile, qui s'insurge contre moi; il se trouve pénétré par l'âme, et devient son instrument; mais en même temps le corps est pensé comme tel; le corps est comme fluide, et la pensée s'y exprime sans engager dans ces actes la conscience et la réflexion; tel est l'état heureux de l'athlète, pour qui vouloir et exécuter sont une seule chose. « L'âme se manifeste, mais elle se retire aussi de ses manifestations, en les marquant ainsi de la forme de l'être mécanique, d'une œuvre purement naturelle. » Cette possession de soi est à l'opposé de l'âme prophétique, qui tremble toute en son corps, dont elle ne se divise point. Aussi cette sorte de timidité absolue, aussitôt irritée, ne se connaît point. Chacun reconnaîtra cette primitive nature d'après des retours d'inspiration éclairés d'une lueur indirecte; le moment supprimé est aussi conservé; repris et dominé sous la forme de signe, il est poésie. Mais, au lieu d'en être possédé, on le possède; habitude. Tel est bien le passage à la conscience, et la première apparition de l'esprit. « Les déterminations idéales de l'âme prennent la forme d'un simple être, de l'être qui est extérieur à lui-même; et, par contre, le corps se trouve soumis. » Ainsi l'âme s'allège et se délivre du monde, et son propre être lui est spectacle, soit qu'elle sente, soit qu'elle perçoive, soit qu'elle se souvienne. Mais il importe de marquer ici les nuances; car c'est le supérieur qui éclaire l'inférieur; la faible conscience suppose la plus haute conscience; et par exemple l'ébauche d'un souvenir retombe au néant, comme un rêve, sans le secours d'une connaissance universelle des temps, des lieux, des personnes; et la perception sans aucune science se réduit à cet éveil encore sans objet, qui ne subsiste que par le réveil plein. Le sentir même est soumis à cette loi que, si l'on ne fait absolument que sentir, on ne sent point; sentir, c'est savoir qu'on sent. La Psychologie décrira cette conscience universelle de soi. La Phénoménologie, qui est la suite de l'Anthropologie, a pour objet ce degré intermédiaire où la conscience ne fait que naître de la nuit naturelle, et reste en péril d'y retourner.

Péril n'est pas un vain mot. La Phénoménologie est le récit du drame de la conscience malheureuse; et, pour bien comprendre cette inquiétude absolue, il faut d'abord avoir bien saisi l'enfance courroucée de l'esprit, la convulsion Pythique, la folie, qui sont des crises exceptionnelles en un sens, mais que nous retrouvons pourtant à la racine de toutes nos pensées. Le drame de la peur, si promptement surmonté par l'homme raisonnable, nous présente comme en un éclair cette difficulté entre nous et nous. Ce sentiment d'une nature intérieurement divisée, toujours au-dessus ou au-dessous d'elle-même, se traduit par des mouvements alternés d'orgueil et d'humiliation. Le Stoïcien et le Chrétien nous offrent deux partis violents, qui suppriment un des termes, mais qui ne cessent pas d'être inquiets de la présence du terme supprimé. L'opposition du maître et de l'esclave, qui aura sa place dans le développement ultérieur, représente cela même. L'homme ici sépare de lui la partie humiliée de lui-même, et essaie de l'oublier, mais ne peut l'oublier. Et au rebours, réduit dans l'esclave à la condition humiliée, il se console par le travail, sans pouvoir éteindre en lui l'insupportable lueur du droit. Aucun des deux ne peut effacer le droit de l'autre. Ce conflit est le grand moteur de l'histoire; mais il faut comprendre maintenant que ce conflit est d'abord à l'intérieur de tout homme. Le drame politique est donc absolument de pensée; les besoins n'y sont pour rien; on conçoit un système immobile des travaux, par le sommeil de l'esprit. Ainsi ce drame d'homme à homme, dans lequel nous sommes embarqués bien évidemment, n'est que l'image dans l'histoire du drame en chacun. L'âme aperçoit en même temps sa faiblesse et sa grandeur. Le Christianisme est la conscience de cela même, et la conscience s'atteint dans le Christ comme dans un objet symbolique; ici la reconnaissance d'un des extrêmes par l'autre, on dirait presque le pardon de chacun des deux à l'autre. Je ne puis donner ici que l'ombre de l'histoire hegelienne comme épopée de l'esprit; cette puissante et inimitable poésie ne se résume point. L'idée proprement hegelienne, et dont le contour est parfaitement arrêté, c'est que la solution ne peut surgir de la conscience individuelle, attendu qu'elle ne peut se développer assez sans l'appui de la société, c'est-à-dire sans l'histoire. Cela veut dire que l'esprit sort de la nature et doit surmonter cette nature, l'opposer à lui, la façonner, en faire comme une chose raisonnable, tel le monument, telle l'institution, et non pas par la seule pensée, mais par l'action pensée. L'esprit hegelien, que l'on cherche souvent dans les nuées de l'abstraction, conduit au contraire à ceci que la pleine conscience de soi suppose une organisation de l'inférieur où se réconcilient l'esprit et la nature; et c'est en ce sens qu'une dialectique matérialiste pouvait être anticipée et peut être comprise d'après cette Philosophie de l'Histoire, logique tourmentée, qui ne se sépare de son contenu que pour le reprendre, et qui ne l'accepte que pour le changer. Philosophie de l'action; non pas pleinement pour lui, qui se satisfait, comme on verra, de la monarchie constitutionnelle; mais, selon ses principes mêmes, ce point final n'importe guère; une suite de l'Hegelianisme était à prévoir, puisque l'esprit de cette philosophie est un devenir irrité qui jamais ne s'arrête. Le développement n'y est pas un moyen de l'esprit, mais c'est l'esprit même. Nous n'aurons jamais fini de nous sauver. Ces anticipations sont substantielles à la Phénoménologie, qui est la première âme de l'œuvre.

Il faut maintenant dessiner, en traits plus retenus, le mouvement qui va par degrés de la simple conscience à la conscience universelle de soi. Les trois moments sont la conscience qui sent, la conscience qui perçoit, enfin l'entendement; et il est bon que l'on s'étonne de trouver l'entendement ici; car c'est sa place. L'entendement est déjà universel par ses principes; mais il ne l'est pas pour soi. A ce degré comme aux deux précédents, il s'agit d'objets, non de sujets; et il faut comprendre que la conscience phénoménologique ne cesse jamais de considérer ce développement dialectique du moi comme s'il avait lieu dans l'objet. La conscience sensible est tout entière en son contraire, l'objet extérieur comme tel; et cet objet est connu sans médiation. C'est une présence étrangère à moi et intimement unie à moi. Telle est la rêverie devant les choses. « Le rapport de la conscience à l'objet, c'est la certitude simple et immédiate qu'elle a de l'objet. » Cet état est fugitif, il est toujours derrière nous; cette première perception qui n'est pas encore perception n'est un premier moment que dans le second. « Je voyais, et je ne savais pas ce que je voyais »; qui n'a fait cette remarque? Oui, mais nous la faisons quand nous savons, quand nous avons reconnu l'objet, quand nous le connaissons à sa place. La vérité de la rêverie, c'est la perception attentive; et la perception est devant nous comme un être complexe et ordonné, déterminé par des relations de qualité, de grandeurs, de distances, qui, à la réflexion, supposent la pensée, mais qui, dans la perception même, sont pensées comme inhérentes à l'objet. L'ouvrier pensant de ces choses s'ignore lui-même. L'attention à l'objet nous ramène à cet état où il y a conscience très claire en un sens, mais non pourtant conscience de soi. Au fond c'est la conscience de soi qui est la vérité de toute conscience; mais la perception suppose un témoin encore plus proche et sans lequel elle ne serait rien; c'est l'entendement.

En ce passage Hegel caractérise la Critique de Kant comme une philosophie de la perception, qui va du reste jusqu'à l'entendement, mais non pas plus loin. Dans le fait nous voyons que, dans la Logique Transcendantale, l'unité formelle du Je Pense ne se distingue pas de la liaison des objets dans l'expérience. Certes cette philosophie est vraie en un sens; seulement elle reste séparée d'une philosophie de la nature, qui la précéderait, et d'une philosophie du moi qui la suivrait; elle n'est qu'un moment qui, par lui-même et seul, est sans vérité. Ce n'est pas que l'entendement kantien soit tout à fait sans yeux; toutefois il revient toujours à l'objet. Hegel, éclairé par le degré qui suivra, dépeint mieux, il me semble, l'entendement aveugle. Car il est vrai que les rapports de perception sont pensés par l'entendement comme universels, et d'après sa propre nature intérieure et universelle; mais le propre de l'entendement est de ne rien savoir de soi. L'entendement c'est proprement l'esprit hors de lui-même, et comme dispersé dans la nature, mais retrouvant sa propre unité par la représentation d'une nature selon des lois. Lucrèce pense le monde, mais Lucrèce ne pense pas qu'il pense le monde. Dans l'atome, le mouvement, le vide, Lucrèce voit sa propre image; toutefois il ne la reconnaît pas. Cette unité, comme dit Hegel, est encore chose morte. Comme l'entendement éclaire la perception, et, par la perception, la sensation, il faut la conscience de soi pour éclairer l'entendement. Et c'est dans le vivant, dans le spectacle du vivant, et surtout du vivant semblable, que la conscience prendra l'intuition de sa propre unité. Mais cette histoire dialectique vaut surtout parce qu'elle nous retient aux échelons inférieurs, préparant une matière déjà élaborée pour ce qui suivra. Nous devons donc, même en notre marche précipitée, méditer encore un moment sur cet entendement perdu dans le monde, qui veut ignorer les contradictions, et qui ne peut. Il ne peut, car la conscience, comme dit Hegel, est toujours le double ou la moitié d'elle-même. La science est-elle manière de voir, ou vérité? Le mouvement est-il relation ou propriété? L'atome est-il chose ou idée? Conscience inquiète; conscience malade. Mais il y a un ascétisme de l'entendement qui se forme à ne point poser ces questions. L'ennui et le vide du pur phénomène arrive presque à s'ignorer lui-même.

Quand on se trouverait soi par ce chemin, on trouverait un maigre soi-même, trop loin de la chair et du sang. Voici maintenant le réel passage, l'impétueux passage, où le vivant pensant se heurte à lui-même autre. Étrange chemin de la raison! Mais c'est celui de l'esprit plongé dans la nature. Ce mouvement est à mon goût le plus beau de tout Hegel, et celui aussi qui nous fait le mieux comprendre que la Philosophie de l'Esprit n'est pas une logique; en même temps ce drame si neuf est très près de l'homme réel, et éclaire toutes les passions. Trois temps, et trois titres admirables : l'Égoïsme destructeur, le Combat, Maître et Serviteur.

L'égoïsme destructeur, c'est l'égoïsme sans le moi; idée par elle-même profonde. En nommant ici le désir, on risque de franchir un degré de trop, car c'est à peine désir ce mouvement de briser si remarquable dans l'enfant. Toutefois nous sommes au-dessus du besoin; la conquête et la destruction ont toujours dépassé le besoin. Ce désir encore enveloppé est une pensée d'objet, une pensée qui ne peut se contenter d'elle-même. Prendre et détruire, c'est la première solution de la contradiction qui est attachée à la conscience, si obscure qu'elle soit encore. Ce n'est plus réagir, c'est agir; et l'agir est dialectique. On pourrait dire que l'agir est l'achèvement de la curiosité; et la curiosité est un mouvement dialectique. L'être qui n'a point de conscience n'a point de désir, parce qu'il n'est point divisé; il est tout. Au contraire la conscience suppose que le moi est séparé de l'objet; mais, comme cette séparation se fait à l'intérieur de l'âme même, l'âme est aussitôt coupée d'elle-même, et cette contradiction ne peut être supportée. Au sentiment que cela n'est point moi s'oppose le sentiment que tout cela est à moi. A un degré inférieur de la pensée, l'extérieur par lui-même irrite. « Le sujet voit quelque chose qui fait partie de sa propre essence et qui cependant lui fait défaut »; ainsi « en satisfaisant le désir, il détruit l'indépendance de l'objet ». Réfléchissons ici sur l'ambition et l'avidité insatiables de l'homme, et comme elles vont au delà du besoin. L'objet est plein de virtualités; il est promesse toujours. Mais la curiosité ne serait pas tyrannique comme elle est, si cette virtualité en l'objet n'était pas au fond de moi. Et parce que je la reconnais comme étrangère, je ne sais d'abord que soumettre l'objet à moi. L'esprit doit reprendre l'objet, et ne sait d'abord que violence pour y parvenir. Telle est la guerre aux choses, aux animaux, à tout ce qui est autre. Mais ce mouvement de guerre extérieure est au fond un mouvement de guerre dans l'âme elle-même, aux prises avec une contradiction qu'il faut surmonter, qui renaît toujours, et qui irrite. Qui peut méconnaître dans l'esprit de domination un mécontentement de soi?

L'irritation est encore plus vive, et de plus haute source, lorsque le moi, parmi ces objets qui se permettent d'exister, reconnaît un autre moi, un semblable. Le désir de conquête marque comme un empire à reconquérir; mais si un autre moi est reconnu, de mêmes attributs, mon univers aurait donc deux maîtres? Le moi trouve en obstacle sa propre image, et indépendante. « Contradiction extraordinaire, que, pendant que le moi est l'être absolument universel, absolument pénétrable, que ne brise aucune limite, pendant qu'il est l'essence commune à tous les hommes, et que, par suite, les deux moi qui sont ici en rapport forment un seul et même être identique et une seule lumière, ces moi sont en même temps deux êtres qui subsistent dans une complète dureté et rigidité. » Ici est un combat. Combat à la vie et à la mort. L'un et l'autre posent leur vie « comme une chose sans valeur ». Le fait n'est pas douteux; nos plus cruels combats ne sont pas pour l'existence, mais bien pour l'honneur. Comme dit Hegel, éclairant soudain l'histoire privée et publique. « La liberté demande que le sujet conscient de lui-même ne laisse pas subsister sa naturalité, et ne la tolère pas chez l'autre, ainsi qu'il mette en jeu sa vie et la vie de l'autre. » Mais la société réelle ne peut naître par ce moyen, car « le survivant est aussi peu reconnu que le mort ». Ce combat « ne peut avoir lieu que dans le simple état de nature; il est encore éloigné de la sphère de la Société civile et de l'État; car dans l'État se trouve déjà le contenu de ce qui fait l'enjeu de ce combat, c'est-à-dire la reconnaissance de la liberté ». Cela veut dire que, dans l'ordre du droit, le moment du combat est dépassé. Il y a donc bien une philosophie de la guerre dans Hegel, mais sans aucune ressemblance avec la farouche doctrine de Hobbes. Hegel le dit explicitement : « La force, qui est le fondement de ce moment, n'est pas pour cela le fondement du droit. » Ce qui est expliqué ici, c'est cette période tumultueuse, irritée, pleine de défis et d'orgueilleuses menaces, qui toujours précède, et de nouveau en chaque homme, l'avènement du droit. Les hommes ne sont pas immédiatement amis; il s'en faut. Ils sont plutôt immédiatement ennemis, ou, pour mieux parler, rivaux, par une division à l'intérieur d'eux-mêmes. Ici est touché dans l'homme le point de dispute, le point d'honneur et de tyrannie. En quelques traits de dialectique, l'histoire est dessinée, qui est l'histoire de l'orgueil, de la colère et du courage. Histoire sanglante qui s'explique non par l'inférieur, mais par le supérieur enchaîné. L'homme, parce qu'il est aussi nature, ne porte pas aisément la pensée. Son premier mouvement, d'après une juste prétention à l'universel, c'est la violence. Et ce mouvement se retrouve encore dans la moindre discussion. Il se voit en clair dans l'esprit révolutionnaire comme il s'est vu dans l'esprit dogmatique, immédiatement persécuteur toujours. L'homme n'est pas un compagnon facile. Le courage lui est propre, et l'indignation lui est propre, par sa prétention de penser. C'est parce que l'homme pense que l'homme est fanatique. Sans ce grand motif, il ne mettrait pas en jeu délibérément son existence finie, comme il fait. Ce développement serait sans fin. Convenons que ces vues sur les passions vont bien au delà des faibles systèmes de l'entendement, telles qu'on les trouve dans La Rochefoucauld ou Bentham. Retenons une idée qui, dès qu'on la considère, ne peut plus être écartée, c'est que la conscience de soi ne peut être conçue que par rapport au semblable reconnu comme tel. Ce simple énoncé renouvelle de fond en comble un problème toujours pris trop abstraitement, c'est-à-dire trop logiquement.

La conscience universelle, qui est proprement la conscience, suppose la reconnaissance réciproque de deux moi; c'est pourquoi la mort n'avance à rien. Il reste que la soumission de l'un forme entre le maître et l'esclave un commencement de société. Les hommes ne pensent presque que maître et serviteur; c'est par cette double méditation que la civilisation est faite. Mais il est presque impossible de circonscrire cette immense idée, qui est toujours à l'œuvre, et peut-être dans toutes nos pensées. Du côté du maître nous trouvons et retrouverons toujours oisiveté, paresse, égoïsme, colère, essai de méconnaître l'esclave; et, en revanche, souci de l'ordre, prévoyance, art de police et d'administration; avarice au total, c'est-à-dire méconnaissance de la valeur humaine, adoration de la valeur matérielle. Du côté de l'esclave nous trouvons et trouverons toujours travail, invention, patience, égoïsme dominé, étude constante du maître, pensée de ce que le maître devrait être, méditation sur la justice; en revanche, insouciance, turbulence, puérilité; au total, un sentiment juste des valeurs réelles, qui toujours éclatent dans l'épreuve. Il suffit d'apercevoir que l'esclave a tout avantage sur le maître. « Le maître devient l'esclave de l'esclave par la paresse; l'esclave devient le maître du maître par le travail. » L'histoire serait donc une révolution sans fin. Il n'y a de vertus que les vertus d'esclave : « Le serviteur, en travaillant pour le maître, use sa volonté individuelle et égoïste, et supprime l'immédiateté du

désir; cette abdication et la crainte du maître amènent le commencement de la sagesse et le passage à la conscience de soi universelle. » Essayons de comprendre ici cette autre logique qu'est l'histoire, et les moyens de l'esclave, choses que le maître ne peut comprendre.

Je me suis attardé aux brouillards de la Phénoménologie; c'est la partie féconde et neuve; tout l'esprit hegelien y est. La Psychologie, qui vient ensuite, nous est mieux connue et je ne la résumerai même point. Ce qui me paraît seulement à remarquer, c'est que les fonctions de perception, d'imagination, de mémoire, de raison, outre qu'elles sont disposées selon l'ordre, sont présentées comme universelles, et concernent l'esprit humain, non l'esprit individuel. Quoique sous le titre de Psychologie nous confondions l'anthropologie et la phénoménologie avec la détermination des conditions de toute pensée, néanmoins la psychologie est toujours et éminemment, qu'on le veuille ou non, la science de l'esprit, et non pas l'histoire intime de tel ou tel. Ainsi c'est la raison qui l'éclaire toute. Et c'est dans Hegel, premier ici entre tous, que nous pouvons apprendre le juste rapport de l'inférieur au supérieur, l'un portant et l'autre éclairant.

Quant à l'insuffisance de la psychologie, d'où nous devons passer à l'Esprit Objectif, elle résulte d'une contradiction évidente entre la prétention à l'universel et l'évidente subjectivité de l'expérience; car par la psychologie je sais tout esprit et tout autre moi; mais par elle je ne sais que moi. Dans le fait l'esprit existe autrement, et s'instruit autrement. Il ne se connaît pas en soi et ne se fait pas libre en soi; il se connaît dans ses œuvres, et il est libre par ses œuvres. Dans le fait la psychologie suppose la culture humaine, l'expérience humaine, le commerce, le droit, la cité, aussi la poésie et la religion. Son vrai nom est philosophie. Il n'est pas vrai, par exemple, que l'esprit universel se connaisse jamais comme tel sans passer par la religion et par l'art, qui sont des produits mêlés de la nature et de l'esprit. Je place ici ces remarques, que Hegel ne prend pas la peine de faire. Il se contente d'opposer à l'esprit théorétique, qui reproduit universellement l'objet, l'esprit pratique, qui développe en objet ses déterminations subjectives, et de rassembler les deux termes dans l'esprit libre, réellement producteur. C'est ce qui suivra qui explique ce passage dialectique; au reste

ce qui est vrai partout, à savoir que la dialectique n'est qu'une mise en ordre, est plus évident encore ici.

L'ESPRIT OBJECTIF

Ce qui fait l'esprit réel, c'est ce qu'il fait. Séparé de l'œuvre, il n'est que subjectivité inexprimable. Même vivant il n'est pour soi que par le signe, et encore mieux par le signe écrit. Lire est un grand moment de la pensée. Mais ce n'est pas la pensée enfermée en elle-même qui invente le signe; le signe est un objet parmi d'autres. L'art est le signe par excellence. Sans les œuvres de l'art que serait la religion? Et que penserait la philosophie si elle ne pensait pas la religion? Toutefois l'art n'est pas non plus séparable de la civilisation, c'est-à-dire des mœurs et du droit, des constitutions, des guerres, des révolutions, de l'histoire humaine enfin; telle est la vie de l'esprit. Nous cherchons, par dialectique descendante, les conditions qui manquent, de degré en degré. Comme la logique éclaire la philosophie de l'esprit, ainsi toujours le terme abstrait, supprimé et conservé, est ce qui permet de retrouver l'esprit dans son œuvre; mais les œuvres de l'esprit sont des énigmes, pour qui n'a pas suivi l'ordre. Par exemple, il n'est pas difficile de concevoir l'État d'après le rapport extérieur, c'est-à-dire d'après la méthode atomistique, qui est propre à l'entendement. Les individus ne peuvent vivre sans association, et l'association, en ses conditions extérieures, prudence, intérêt, échange, sûreté, définit le droit. Ce droit est marqué de nécessité; la nature y est représentée selon l'essence, mais l'esprit n'y est pas. Et la fiction propre à cette connaissance prématurée, c'est que c'est l'individu qui fait la réalité de l'État. Et encore pas tant par les perfections propres de l'individu, comme science, sagesse, liberté, moralité, mais plutôt par un renoncement et une diminution de l'individu, qui, comme disait le sophiste, sacrifie quelque chose de sa liberté et de son esprit pour conserver son être. L'individu n'est ainsi qu'un élément mécanique, et l'État n'est qu'un agrégat sans pensée. Or il faut que ce raisonnement s'accomplisse, et qu'on y reconnaisse, en le traversant, l'insuffisance de la logique. Sans quoi

droit fondé seulement sur l'utile et la nécessité n'est plus que force et menace, et c'est trop peu. Or, selon Hegel, la liberté abstraite ne fait rien et la volonté n'existe pas hors de l'action. L'esprit est objectif lorsque la liberté se met en rapport avec le monde extérieur; et l'activité finale de la volonté consiste à réaliser sa notion, la liberté, dans cette sphère objective et extérieure. « Cette réalité en tant qu'existence de la libre volonté, c'est le droit. Considérées relativement à la volonté subjective, les déterminations du droit constituent les devoirs et les mœurs. » Ainsi c'est par le droit que le devoir trouve réalité. Comme on voit dans les métiers et les fonctions, où l'ordre du droit nous dicte si énergiquement nos devoirs, de juge, de père, de médecin, par opposition à la conscience solitaire, qui se perd dans une abstraite dialectique des devoirs, et n'en peut jamais sortir. C'est seulement dans la sphère de la vie sociale que le droit et le devoir atteignent leur vérité. Par exemple ce n'est pas seulement un droit de posséder la chose comme propriété, c'est un devoir; autrement dit c'est un devoir d'exister comme personne. Le droit est donc la moralité en tant qu'elle arrive à l'existence; et la sphère du droit ne comprend pas seulement le droit civil; elle enveloppe la moralité, la politique, et l'histoire universelle. Tel est le grand domaine que nous avons maintenant à explorer selon l'ordre.

La libre volonté doit d'abord se donner l'existence, et la première matière de cette existence c'est la chose; la première forme de la liberté réelle doit donc être conçue comme propriété; ainsi la propriété n'est pas une forme accidentelle du droit; c'est le droit, car c'est la liberté existante; c'est la trace de l'action, trace reconnue comme signe du moi. La chose alors n'est plus seulement chose, elle est un moment de la personnalité elle-même. La propriété est dans une chose, et c'est par là que la personne libre participe à l'existence. Mais il faut aussi que la propriété soit reconnue. Il n'y a donc que le contrat qui fonde explicitement la propriété. « La propriété n'est que par la volonté d'une autre personne. » Cette volonté en entraîne d'autres, car un contrat nouveau dépend de l'ancien contrat, et toute propriété s'établit en respect de toute propriété. La simple reconnaissance développe ainsi une sorte de société. « Je possède en vertu d'une volonté commune. » Toutefois les contrats ne forment pas d'abord un système. Simplement l'homme se fie à tel homme et à tel autre. Par exemple les Juifs persécutés formaient entre eux une société secrète de commerce et de crédit, tenant le gouvernement et les lois dans un état d'indifférence, ou même comme objet de défiance. Il reste de cet esprit en tout homme; et c'est vouloir fonder la société sur l'esprit, directement et sans les médiations nécessaires. C'est pourquoi ce premier moment est le moment du droit abstrait.

Avant de développer la dialectique du droit abstrait, il est à propos de remarquer que deux idées importantes se trouvent ici en place, idées que l'histoire, après Hegel, mettra en lumière et en action; ce sont les idées connexes de travail et de valeur. Dans le travail est enfermée la notion d'une suite d'actions, chacune selon les traces de la précédente, ce qui entretient et renouvelle la propriété par de nouveaux signes; dont le champ cultivé et aménagé est l'image la plus frappante. Dans la notion de travail est contenu aussi le rapport des travaux, qui réalise la société mercantile. Et, si l'on n'oublie pas que la propriété est reconnue comme œuvre de la personne libre, on ne cherchera pas la valeur dans la chose seulement; on remontera jusqu'au travail, et à la valeur des valeurs, qui est l'esprit libre. Les doctrines économiques propres à l'entendement ne pouvaient découvrir cette notion jusqu'aux racines; c'est que, expliquant la société seulement par le besoin et la nécessité, elles ne savent point joindre l'esprit à la chose, et, perdant l'esprit, perdent le droit. On admirera ici la fécondité d'une dialectique qui se meut par toutes les puissances de l'homme, et qui incorpore l'âme par le travail; mais disons, pour nous détourner d'une idée abstraite, le travail sur la chose. Et cette condition de la pensée définit l'homme des nouveaux âges, par l'unité retrouvée de la logique et de l'action. Ces idées sont bien loin d'être parvenues à leur plein développement; elles sont, on peut le dire, le texte unique des réflexions efficaces dans le siècle de Hegel et dans celui-ci. L'Aristotélisme continue donc à tracer son sillon, pendant que l'esprit platonicien se perd en utopies et constitutions séparées. Ce que l'entendement exprime en disant que la justice idéale ne suffit pas, et qu'il faut avoir égard aussi aux besoins, au travail, enfin aux nécessités inférieures. Mais c'est trop peu dire; car la justice ne se réalise qu'en passant dans l'objet par le travail; et cette dialectique du droit est toute la justice; disons plus précisément que c'est le passage qui est justice, et qu'il n'y a point d'autre justice. Comparant cette idée aux faits de ce monde humain qui nous entoure, nous apprécierons mieux la puissance de cette métaphysique du devenir.

Il faut revenir. Le droit abstrait se meut à travers des contradictions; et, en un sens, c'est toujours la logique qui recommence. Nous sommes ici de nouveau dans la doctrine de l'être, dans la sphère du oui et du non. Parce que le droit abstrait refuse les relations, par exemple le droit des tiers, les précédents, la jurisprudence, la loi, qui forment le tissu du droit réel, il se forme des apparences du droit, ou plutôt, car cette expression dépasse le présent moment dialectique, il se forme en chacun l'évidence du droit. Ou j'ai tort, ou j'ai raison. Il ne s'agit pas ici du conflit entre le juste et l'injuste, conflit que le droit abstrait résout aisément par la peine. Il s'agit d'un conflit entre le juste et le juste, c'est-à-dire des prétentions inconciliables entre plaideurs de bonne foi. C'est que la reconnaissance du droit d'autrui est encore abstraite. C'est moi qui en suis juge. Je n'ai pas encore reconnu la société comme ma propre substance, comme l'esprit réel. C'est pourquoi le droit abstrait est continuellement en révolte et se nie lui-même. Le mouvement naturel en chacun de nous est de s'en rapporter à l'arbitre par la certitude que l'on a, et de nier l'arbitre s'il ne nous donne pas raison. Tel est l'état naïf du droit. Il n'y a que l'avoué et l'avocat qui reconnaissent ici les apparences du droit, toutes vraies comme sont les apparences, mais vraies seulement comme moments dépassés et conservés. Disons que le contrat suppose un système des contrats; ainsi un contrat ne peut être juste en lui-même. Quelques précautions que l'on prenne, le droit n'y peut tenir tout entier, et c'est la suite du développement qui le montrera. C'est donc de ce commencement abstrait du droit que renaissent les procès et les passions du plaideur. Toutefois ce n'est que la première atteinte du droit, et il n'y a pas ici de faute.

La deuxième négation du droit est une violation d'un autre genre, c'est la fraude. Ici je ne suis point dupe d'une apparence; c'est moi qui mets en avant une apparence destinée à tromper les autres. Mais enfin je reconnais encore le droit d'une certaine manière, puisque je produis volontairement l'apparence du droit. Ici se dessine notre nature moyenne. Car le plaideur est souvent de bonne foi, mais il ne l'est pas toujours tout à fait. Il se croit fondé à produire des apparences, c'est-à-dire à plaider, pourvu que l'autre le puisse aussi. Mais cette permission que se donne le plaideur n'est raisonnable et juste que par un système existant de toutes les apparences possibles; et cela suppose un droit organique. Ici se trouve la vérité de toute la jurisprudence, trop souvent et très légèrement jugée comme un inutile fatras.

La troisième violation est le crime, et le crime est une négation du droit en lui-même. Ici je n'invoque plus le droit; je ne cherche plus à produire l'apparence du droit. Et c'est cela qui est crime dans le crime. De même ce qui est vengeance dans la vengeance, suite naturelle du crime, c'est une volonté qui punit, une volonté qui veut rétablir le droit. La vengeance contient donc la notion de la peine. Et la notion de la peine est ainsi bien plus près de la vengeance que de la précaution. Ici encore la peine naturelle, ou vengeance, conduit, par les apparences, les contradictions, les suites sans fin, à la peine organisée, c'est-à-dire à la société proprement dite, avec ses lois, ses fonctions et ses pouvoirs. La perfection de la peine se rencontre lorsque le criminel avoue le fait, reconnaît l'intention criminelle, et même affirme la loi du crime comme sa propre loi; car il doit alors accepter la peine comme un effet de sa propre volonté. Ainsi la peine réalise la loi formelle du crime; et le droit devient réel par la violation supprimée. « Le sentiment universel des peuples et des individus, relativement au crime, est et a toujours été que le crime mérite le châtiment, et qu'il faut rendre au criminel ce qu'il a fait aux autres »; entendez, le traiter selon sa propre loi. Ici apparaît la faiblesse de ces doctrines de belle apparence, et en réalité inhumaines, d'après lesquelles la peine se justifie par une nécessité de circonstance; mais on y reconnaîtra aussi une conception de la société à laquelle il manque l'esprit; car ce n'est pas l'esprit du sociologue qui est l'esprit social. Substantiellement il y a une connexion suivant laquelle « le crime, en tant que volonté qui s'annule elle-même, renferme en lui-même son propre anéantissement, lequel apparaît comme peine ». Il ne s'agit donc pas de supprimer le crime parce qu'il a produit un mal, mais bien de le supprimer parce qu'il a violé le droit en tant que droit. Peut-être comprendra-t-on, sur cet exemple, que la dialectique travaille maintenant dans l'objet même.

Ces analyses empiètent naturellement sur le droit réel, car c'est toujours le moment suivant qui éclaire le précédent. Mais rétablissons le droit abstrait, fondé seulement sur les contrats, sur l'arbitrage spontané, sur la vengeance. Il ne se peut pas que ce droit abstrait n'enferme une ébauche des pouvoirs, des fonctions, des sanctions; toute l'imperfection du droit s'y montre, rachetée pourtant par l'existence. C'est de cet état que la morale rebondit, et c'est par cette opposition que le droit s'organise. Remarquons que dans le fait la moralité est toujours une négation du droit, comme on voit dans Antigone. Et, ce qu'il faut comprendre maintenant, c'est l'insuffisance de la morale pure, et le vide où nécessairement elle tombe. C'est ici que trouve sa place la doctrine pratique de Kant. Elle est assez connue pour qu'on n'y insiste point. L'opposition entre le devoir et le bien revient à l'opposition de la forme et du contenu. Méprisant le contenu, qui est le droit et la loi sociale, je me reconnais libre en moi-même, et cette liberté seule m'oblige; l'essentiel ce sont alors mes vues, mes intentions et mes fins; l'extérieur est posé comme indifférent. Nul n'est juge de moi. Moi seul suis juge. Mais ce moment de la moralité pure est le moment de l'anarchie pure. L'individu en appelle à soi, mais « son appel exclusivement à soi-même est immédiatement opposé à ce qu'il veut être, à savoir une règle pour un mode d'agir rationnel, et ayant une valeur universelle et absolue ».

Dans cette position extrême, la loi s'efface devant la liberté même de la volonté; c'est cette liberté qui est le bien; mais parce que le mal a comme le bien son origine dans la volonté, la volonté réduite à elle seule est aussi bien mauvaise que bonne. Il y a ambiguïté à tout instant entre le devoir pur et la simple satisfaction de soi-même. Et, sous un autre aspect, le bien étant volonté et le mal objet, « tout ce que je veux est bien; tout ce que je fais est mal ». Ce point extrême, propre à l'adolescence, est le point de l'ironie, c'est-à-dire de la disproportion absolue entre l'idéal et le réel. L'examen de conscience trouve toujours à reprendre; il trouve toujours à soupçonner les passions et la fantaisie. D'un autre côté l'objet, la réalité, l'existence, sont posés comme sans valeur. Justice pure, toujours irritée et méchante. Mais c'est le moment même où la nature, par l'amour, va fonder la famille, et changer profondément la question.

On comprend comment se fait le passage à la moralité sociale, qui se développe par famille, société civile, État. Par l'intercession de la famille, l'orgueilleux esprit anarchiste est amené à reconnaître que l'existence a aussi des droits, et à rechercher l'existence organisée par l'esprit, la société, l'esprit réel enfin. L'expérience sociale immédiate rend misanthrope; la famille, la cité, l'État, sont des médiations nécessaires. Chacun sentira ici quelque chose de profondément vrai. Il faut vivre humainement, avoir famille, métier, fonction, être honoré, participer à l'esprit d'un peuple, y vérifier, y confronter, y retremper la moralité pure; agir afin de vouloir. Ce passage est d'importance dans n'importe quelle doctrine morale. Car rester dans sa propre conscience et ne s'occuper absolument que de son propre salut, c'est inhumain. Et, à l'opposé, diviniser la société, définir comme devoir ce qu'elle impose, éteindre la réflexion intérieure, tout cela c'est éteindre la moralité intérieure; et, sans le contrôle continuel du jugement moral, les résultats sont inhumains aussi. Il faut donc passer à la vie sociale sans se perdre soi-même, sans perdre l'esprit. C'est pourquoi les médiations importent; et par exemple le moment de la moralité pure doit être dépassé, mais conservé. Au vrai toute la dialectique se rassemble dans les moments ultérieurs; ou, pour mieux dire encore, nos moindres pensées parcourent de nouveau tous les moments dialectiques, et ne sont des pensées que par là. Car qu'est-ce qu'une pensée, une pensée toute seule, une pensée qui ne dénoue point et qui ne noue point?

Que l'amour, le mariage, la famille, soient régulateurs de nos pensées adolescentes, et que cette situation nouvelle nous somme de penser ensemble le droit et la morale, c'est-à-dire de penser plus réel et plus vrai, c'est ce que personne ne niera. Mais, dans le système de Hegel, et par la marche même de sa dialectique, on comprend mieux pourquoi l'homme se lie, et à quoi il se lie. D'un côté l'esprit revient ici à la nature et même y redescend, comme pour prendre pied, par ennui des idées errantes et flottantes. Il est clair que ce passage dialectique n'est pas seulement logique; c'est l'homme naturel qui aime.

Toutefois ce changement, même selon la pure animalité, n'est pas étranger aux oppositions et aux solutions de la logique. L'animal qui se reproduit témoigne par là d'une imperfection qu'il sent dans son propre être, ou, comme dit Hegel, d'une disproportion entre lui et son genre, entre l'individuel et l'universel. Reconnaissance du semblable dans l'autre, opposition surmontée, nouvelle naissance, en tout cela la logique peut se reconnaître; mais cette dialectique naturelle est enveloppée de ténèbres profondes. Ici comme ailleurs, c'est le moment suivant qui éclaire le précédent. Le même drame se retrouve dans la conscience de l'homme; car le moi pensant se pense comme universel et législateur; et devant son semblable, devant l'autre moi, il ne peut méconnaître cet autre pensant, son égal, mais il ne veut point le reconnaître. La Phénoménologie, comme on l'a vu, ne résout cette opposition que par une société, si l'on peut dire société, du maître et de l'esclave, qui se développe par force et ruse, sans que le genre humain y soit réellement pensé. La pensée adolescente se meut dans cette recherche, où la contradiction éclate toujours entre la nature qui sépare et l'esprit qui voudrait unir. A ce niveau du droit abstrait, le droit ne cesse de guetter le droit. L'amour exige une autre union, et l'amour humain reconnaît que c'est la même union. D'où ce décisif passage, où le droit est surmonté et en même temps fondé. En cette double reconnaissance, de nature et d'esprit, il reste encore quelque chose du combat, de la domination et de la servitude; mais ce sont des moments supprimés et conservés. J'insiste un peu ici pour faire entendre que la dialectique hegelienne serre la nature humaine et le jeu des passions de bien plus près qu'on ne croit. C'en est assez pour que l'on comprenne que l'amour humain ne peut s'achever que par une reconnaissance plus étendue et plus libre de la communauté humaine. Le mariage est un moment du droit, et le mariage est la vérité de l'amour. Ce moment dialectique, qui importe tant pour assurer la réalité des pensées et la continuité des actions, est soutenu de deux côtés, par la société, qui le règle et le confirme, et par la nature, qui réalise l'union dans l'enfant. Que la famille se développe en trois moments, le mariage, l'éducation, le bien de famille, cela est bien aisé à comprendre. Mais aussi ces analyses devront être reprises, et appliquées à notre expérience, si l'on veut que la sociologie touche terre.

La société civile se forme de familles, par la reconnaissance mutuelle, par les liens du métier et du commerce, et par la commune défense. Et, parce que cette société possède une unité de fait, cette unité n'est pas encore explicitement une pensée. La cité n'est pas encore l'État. Toutefois on chercherait vainement dans l'histoire une cité de familles d'artisans, de commerçants, qui ne serait point du tout un État. Il faut penser, ici comme dans toute dialectique, que le moment précédent n'est que par le suivant. Au vrai, dans tout État, la société civile, qui est la société des intérêts, se reforme toujours en double opposition, devant la famille, qui repousse le droit, quoiqu'elle ne puisse s'en passer, et devant l'État, qui, à la manière d'une famille pensée, exige que le droit strict soit surmonté. La société civile essaie vainement de vivre selon le droit abstrait, c'est-à-dire d'après la solidarité des intérêts; et l'analyse politique selon l'entendement essaie toujours ici quelque système atomique d'après le rapport extérieur. L'État est bien autre chose. L'unité n'y est plus subie, mais voulue. La reconnaissance y est de confiance, d'obéissance et d'amour, comme dans la famille; mais elle y est comme pensée. L'individu y reconnaît la condition objective, donnée, de sa pensée universelle. C'est pourquoi de sa pensée la plus libre il adhère à l'État. C'est ainsi que le droit abstrait est surmonté, et en même temps sauvé. « Le principe des États modernes contient cette force et cette profondeur extraordinaire qu'il laisse au principe de la subjectivité l'indépendance de son existence et de ses intérêts personnels et particuliers, tout en ramenant en même temps ce principe à son unité substantielle.» Ces idées sont développées dans Hegel avec une ampleur et une précision admirables. Ce qui nous intéresse, en ce raccourci, c'est la marche dialectique; car l'idée, « ce dieu réel », travaille à présent dans l'objet même. Or, quelle est, dans la société civile, l'âme enveloppée qui dessine déjà les contours de l'État? Deux institutions y sont des pensées, à savoir la police et la corporation. Sous ces deux rapports il est clair que l'individu ne peut continuer à vivre de commerce et d'échange, sans jamais le savoir; au contraire il pense ici le bien commun comme son propre bien. Sous ce double aspect, c'est l'ordre qui se montre, et, corrélativement, une adhésion d'esprit qui est bien au-dessus du contrat, où le gain et la perte sont balancés.

Ainsi se fait l'État, par un concert des pensées. Mais il faut entendre que le concert des pensées se fait aussi par l'État. Car il ne s'agit pas ici de pensées logiques toujours abstraites, ni de pensées phénoménologiques, toujours errantes, mais de pensées réelles, qui se forment à travers les monuments, les institutions, les cérémonies et les fonctions de l'État. La forme et le contenu ne font qu'un. Par exemple, il ne faut pas demander qui fait les lois. Personne ne fait les lois. Elles ne résultent pas d'une méditation abstraite. Les lois sont des coutumes pensées; elles forment des mœurs, et elles sont des libertés. La manière dont les lois sont faites et changées, d'après le concours de la jurisprudence et des usages, donne une idée de cette pensée réelle, de cet Esprit objet qui termine les divagations subjectives. Pareillement nul ne fait les Constitutions. Toute constitution est sortie de l'esprit d'un peuple par un développement interne; ou, pour mieux dire, toute constitution est l'esprit d'un peuple. Cette individualité de l'État, et cette certitude qu'il a de lui-même se traduit dans une personne réelle, qui est le monarque, de quelque nom qu'on l'appelle. Et il n'y a rien de moins arbitraire que la décision du vrai roi.

Les rapports entre les États font l'histoire du monde. La force y a une grande part. Mais celui qui a compris ce que c'est que l'esprit d'un peuple sait lire l'histoire du monde; c'est l'histoire de l'Esprit Immanent qui se reconnaît lui-même, qui s'oppose à lui-même, qui se délivre en surmontant, dans une dialectique sans fin. Les peuples tour à tour dominent, sont dominés, disparaissent; mais l'esprit continue. On ne peut nier, par exemple, que l'esprit grec et l'esprit judaïque, si fortement opposés, ne se trouvent à la fois dépassés et sauvés l'un et l'autre par la révolution chrétienne. Et cet exemple, même sommairement rappelé, fait entendre que les peuples ne sont que les serviteurs de l'Esprit, qui s'affirme sur leurs ruines. Esprit absolu, sous la triple forme de l'Art, de la Religion et de la Philosophie.

Mais avant de retracer cette Histoire absolue, qui est la vérité de l'histoire, il est à propos de déterminer encore d'un peu plus près cet esprit historique, qui est l'esprit hégélien, vivant et agissant. L'histoire du monde est « le mouvement par lequel la substance spirituelle entre en possession de sa liberté ». La loi interne de l'idée, c'est-à-dire la dialectique, est ce qui mène le monde des hommes. Mais il ne faut pas entendre par là que les idées abstraites soient ce qui détermine les constitutions, les révolutions et tous les autres événements politiques. « L'esprit non seulement plane sur l'histoire comme il plane sur les eaux, mais il en fait la trame et il en est le seul principe moteur. » Il ne peut y avoir ici de méprise, puisque toute la philosophie de Hegel veut montrer que le devenir réel de l'esprit n'est pas logique mais histoire. Cela revient à dire que l'esprit juridique est plutôt dans le juge que dans le théoricien du droit, que l'esprit politique est plutôt dans le roi que dans l'historien, que l'esprit corporatif est plutôt dans l'artisan fidèle à son métier que dans l'orateur qui annonce l'avenir des corporations, enfin qu'il y a plus de pensée réelle dans l'œuvre d'art que dans le critique. Ces remarques définissent l'histoire, autant qu'elles rétablissent le lien entre l'esprit et la nature. Et l'on comprend que l'histoire ne peut jamais être déduite de la logique, et que la dialectique interne, par laquelle l'histoire se déduit elle-même en son devoir, diffère profondément de la dialectique externe ou abstraite. Qu'est-ce à dire ? Que l'esprit réel dans l'histoire agit par des pensées étroitement jointes aux travaux et aux fonctions, comme aussi aux plus stricts besoins. L'esprit ne peut rien que de sa place. L'esprit ne peut rien qu'autant qu'il est organique. Et ces remarques nous approchent de ce que des Hegeliens, qui se croient infidèles, nomment la dialectique matérialiste. Nous avons bien compris maintenant que la raison vient à l'homme par des voies humbles et détournées. Il n'y a peut-être de « ruse de la Raison » qu'aux yeux de la pensée abstraite; et, du moment que nous sommes nature dans la nature, il est naturel que les pensées les mieux liées à l'objet soient aussi les plus efficaces.

L'ESPRIT ABSOLU

L'HISTOIRE universelle est l'histoire de l'esprit. La vie et la mort des nations, les échanges, luttes et conquêtes, font paraître un développement absolu. Un trésor s'accroît sans cesse, et sans cesse se renouvelle sans rien perdre de lui-même; tout homme s'y reconnaît, ou plutôt y reconnaît que sa propre nature se dépasse elle-même. La religion est comme le centre de cette culture absolue; mais c'est l'art qui annonce la religion et c'est la philosophie qui comprend que le développement qui va de l'art à la religion se fait à l'intérieur de l'esprit. L'art est comme la naissance de l'esprit absolu. Dans l'extrême confusion des pensées, et au milieu des contradictions où l'âme se combat elle-même et se divise d'elle-même, l'éternel apparaît; c'est l'œuvre d'art. Chacun comprend ce langage universel bien mieux que sa propre langue. Cette grande écriture dit d'abord tout et répond à tout. Tel est d'abord le dieu. Et il sera toujours le dieu qu'on ne discute point. En ce sens l'art dépasse la religion et toujours l'éclaire d'une certaine manière. Car cette harmonie sentie dans l'œuvre d'art entre le bas et le haut, entre la nature et l'esprit, réalise la preuve ontologique, et d'avance assure nos pensées. Mais d'un autre côté, l'œuvre d'art est énigmatique; l'expression y dépasse la forme. Ainsi le dieu est interrogé et doit rendre compte de cette puissance qu'il exerce; la pensée qui se développe ainsi par une méditation sur l'art, c'est la religion; et la dialectique propre à la religion fait entrer dans l'histoire même l'art immobile. L'histoire de l'art est ainsi une esquisse de l'histoire de la religion. Mais ce n'est pas la religion même qui écrit cette double histoire. Toute religion est énigme à son tour, tant qu'on la prend comme une rencontre. La philosophie seule connaît en toute religion un moment de la religion, et dans la religion un moment de l'esprit absolu. Au reste la philosophie est elle-même histoire, et, pourrait-on dire, histoire de l'histoire, en ce sens que toute l'histoire se réfléchit et se rassemble en elle, mais toujours dans un développement sans fin; et ceux qui s'en étonnent ne savent pas ce que c'est qu'esprit.

L'ART

L'ART est une sorte d'épreuve pour toute philosophie. Les œuvres d'art sont bien des choses, et sont bien aussi des pensées. La suite des belles œuvres est donc comme un livre à déchiffrer; et les petits moyens viennent échouer là. L'immense instrument hegelien, dont le lecteur se fait maintenant quelque idée, n'était pas sans proportion avec l'immense objet d'un culte universel, d'un culte qui n'a guère d'incrédules. L'esthétique de Hegel règne sur l'esthétique par les puissants détails, qui sont sans réplique. Je veux donner seulement ici une idée des promesses, ambitieuses à souhait, que Hegel a amplement tenues.

L'Idée est le mot le plus fort du vocabulaire hegelien. L'Idée c'est la notion, c'est-à-dire la pensée, non plus discursive, mais formant d'elle-même ses attributs par un développement interne. Socrate courageux, ce n'est point un jugement qui rassemble deux termes étrangers; c'est le sujet lui-même, Socrate, qui forme son jugement selon la notion. Mais, même dans Socrate, la notion n'est pas identique à l'objet, c'est-à-dire à Socrate de chair; d'où le combat, la souffrance et la mort. L'idée, c'est la notion identique à l'objet; et dire que cette identité est dans l'œuvre belle c'est dire que la statue est plus homme que l'homme. Toutefois, à interroger la suite des œuvres, il semble que la peinture soit encore mieux l'homme, et la musique encore mieux. C'est donc que l'idée se développe selon une dialectique cachée, dont la religion nous découvre quelque chose, mais que la philosophie seule mettra au clair. L'art est muet; il fixe en ses images les moments de cette dialectique; il les change en objets immuables. Toutes nos pensées nous attendent et nous attendront dans cette longue allée des Sphinx; et c'est ce qu'exprime le mot Idée.

Maintenant comment lire cette histoire? Il y a des formes, comme la pagode hindoue et le sphinx égyptien (ce qui ne veut pas dire qu'elles soient du même temps, car il y a des recommencements) où nous saisissons une disproportion entre l'idée et la chose; et si nous nous reportons aux religions et aux philosophies correspondantes, nous apercevons pourquoi; c'est que l'idée est abstraite et indéterminée. En un sens tout objet l'exprime; en un sens nul objet ne l'exprime. Cet art ne choisit point; il trouve Dieu partout; en sorte que c'est l'insuffisance même de l'objet qui exprime l'idée. Tel est l'art symbolique. L'architecture domine ici, parce que l'artiste dresse comme un immense décor pour des pensées démesurées. L'art juif qui refuse la forme matérielle, et qui se réfugie dans une poésie qui elle-même renonce à exprimer l'idée, traduit sans doute l'état final de cette recherche tumultueuse.

A l'opposé, dans l'art chrétien, nous remarquons une disproportion encore, mais cette fois parce que l'idée est concrète au plus haut degré; elle ne trouve sa réalité que dans le monde intérieur de la conscience. Ainsi la forme extérieure devient indifférente à l'idée, le visage humain n'exprime plus que l'âme, c'est-à-dire la subjectivité infinie. Le corps humain n'est plus adoré; encore moins les bêtes et les forces végétales qui sont rabaissées au rang d'ornements. Même l'image de Dieu fait homme exprime que l'âme personnelle est la plus haute valeur. Tel est l'art romantique.

Un si grand changement n'est explicable que par la médiation de l'art classique, précieux moment d'harmonie et de réconciliation entre l'âme et le corps. Afin de bien entendre la statue de l'athlète, et la mythologie olympienne, qui forment comme un court règne de la pure beauté, reconnaissons d'abord dans l'art symbolique le langage même de l'âme naturelle, qui est comme plongée dans la nature, et vit sans division avec les saisons et les forces. L'esprit embrasse tout, retentit de tout, et prophétise, livré à une sorte de folie. L'esprit ne s'exprime que dans un rêve monstrueux et tourmenté, ce que représente le mélange de la forme animale à la forme humaine. Cette inspiration errante trouve une sorte de repos dans l'art égyptien, repos sans liberté, culte de la coutume et de la mort.

L'art classique, par opposition, nous représente le moment de l'habitude, c'est-à-dire la prise de possession du corps propre séparé maintenant des autres. La forme humaine seule représente l'esprit. Tout dieu a la forme humaine. Alors disparaît le respect pour la force mystérieuse aveugle et stupide qui se manifeste dans la vie animale. L'individualité humaine se pense comme suffisante, parfaite et libre. Homère nous a laissé une image admirable de l'humanité athlétique, qui se gouverne elle-même, rejetant à l'objet les anciens dieux. Les nouveaux dieux sont des athlètes immortels, qui jouissent sans fin du repos de l'existence actuelle, de la satisfaction intime, et d'une grandeur puisée dans une existence finie. La vie divine n'est que la vie humaine continuée. Révolution mémorable, et que la légende a conservée, racontant la victoire des Dieux nouveaux sur les Dieux anciens, Dieux de boue et de sang, Ouranos, Géa, Chronos, les Titans, Briarée aux cent bras. La statue athlétique signifie aussi cette victoire. Mais, parce que tout moment dépassé est aussi un moment conservé, nous voyons autour du pur paganisme une escorte des anciens dieux enchaînés, de la même manière que l'arbre sacré revit dans la couronne de feuilles de la colonne. J'essaie de donner un peu l'idée de ces remarques hegeliennes, toujours appuyées d'un côté au puissant système, de l'autre à quelque belle forme. Je conçois la puissance du mouvement hegelien, qui certes n'a pas fini de nous étonner; les Hegeliens n'ont pas été nourris d'abstractions.

Une sommaire revue des arts particuliers éclairera encore un peu cette ample histoire, qui, comme on voit, ne peut se comprendre sans une dialectique de la religion. Il faut compter cinq arts principaux qui sont Architecture, Sculpture, Peinture, Musique et Poésie. Ils sont rangés de façon que l'on suive de l'un à l'autre un allégement de matière, et comme une poursuite de l'esprit jusqu'à ses profondeurs. Entendez non pas les profondeurs de la nature végétale et animale, mais les profondeurs de la conscience humaine. Je ne vois pas comment l'on pourrait concevoir l'Hegelianisme comme une sorte de panthéisme, quand il a si bien défini le panthéisme, et quand il l'a si explicitement dépassé. L'Hegelianisme serait plutôt, il me semble, un Humanisme. Car l'anthropomorphisme, dit Hegel à propos des dieux olympiens, n'est certes pas une petite chose. « Le christianisme a poussé beaucoup plus loin l'anthropomorphisme; car, dans la doctrine chrétienne, Dieu n'est pas seulement une personnification divine sous la forme humaine; il est à la fois véritablement Dieu et véritablement homme. » Qu'on pardonne cette parenthèse; je ne plaide pas pour Hegel; il n'a pas besoin de moi. Je mets seulement en garde contre des leçons de mépris, données souvent de haut, et dont je n'aperçois pas les raisons.

L'architecture correspond à la forme symbolique de l'art. Entendez que les formes architecturales ne sont jamais que des signes; l'idée est exprimée, mais non incorporée. C'est ainsi que la fameuse tour de Babylone était symbolique par ses sept étages, symbolique aussi de la communauté du travail, et signe de société. De même les monuments en forme de colonne sont les signes de la fécondité, élevés quelquefois, par un double symbolisme, à la gloire du soleil. Les formes vivantes, soit alignées, soit entassées comme autour d'une colonne, sont aussi plutôt les caractères d'un langage. Au lieu qu'une statue ou un portrait ne signifient point à la manière d'un langage. Aussi, en même temps que l'art classique délivre la forme humaine, et la propose pour elle-même, il rabaisse le temple au rang d'une demeure, et y marque seulement, par les proportions et les lignes, l'œuvre de l'homme séparée de l'homme. L'architecture classique donc, par l'angle droit, le fronton, la colonne, représente l'harmonie du supporté et du supportant, et ne représente rien d'autre; elle est comme nettoyée de tout symbole. Les deux opposés se rassemblent dans l'architecture romantique, où il est clair que la symbolique revient par l'abondance des formes organiques, mais où pourtant l'ornement est subordonné à la construction elle-même; car la cathédrale est bien une maison, qui a une fin déterminée, et qui le montre. Toutefois les deux principes sont ramenés à l'unité, de façon qu'on ne puisse méconnaître l'harmonie des formes architectoniques avec l'esprit le plus intime du Christianisme. La stricte clôture, le mouvement vertical des piliers continué par l'ogive, les vitraux même, symboles d'une autre lumière, différente de la lumière naturelle, tout ramène l'âme à la méditation intérieure.

L'histoire de la sculpture exprime encore plus fortement cette quête de l'esprit, par une sorte de religion et de philosophie sans paroles. Dans l'art symbolique, la statue est liée au monument, ou bien est elle-même monument. Les formes végétales, animales et humaines expriment par leur mélange l'aveugle puissance de la nature divinisée. Dans l'art classique, la forme humaine se sépare, de manière à représenter l'esprit indépendant et suffisant qui la gouverne sans opposition. C'est pourquoi l'esprit n'y est pas réfugié au visage, comme dans le portrait; au contraire il paraît répandu sur toute la surface; « la statue sans yeux nous regarde de tout son corps ». L'animalité est surmontée dans l'homme même, et c'est ce qu'exprime le profil grec, si souvent interrogé. La face animale, par la saillie du museau, qui entraîne le nez, donne l'expression d'une simple appropriation aux fonctions inférieures, sans aucun caractère de spiritualité. Au contraire, dans le visage classique, le front et les yeux forment le centre principal, et retiennent le nez dans le système des sens contemplatifs. La bouche se retire et se subordonne, dessinée plutôt selon la volonté que selon le désir. Toutefois aucune partie ne signifie une violence domptée. La statue classique, exprime toute l'heureux moment de la paix entre l'âme et le corps. Court moment. La statue romantique exprime tout à fait autre chose, à savoir « la séparation des principes qui, dans l'unité objective de la sculpture, au foyer du repos, du calme et de l'indépendance absolue qui la caractérisent, sont contenus l'un dans l'autre et fondus ensemble ». L'esprit, dans son recueillement, se manifeste dans la forme extérieure, « mais d'une manière telle que la forme extérieure elle-même montre qu'elle est seulement la manifestation d'un sujet qui existe autrement et pour lui-même ». Par où l'on comprend assez un genre de sculpture qui marque le mépris du corps humain; mais par où l'on comprend aussi que la sculpture n'est pas le plus puissant moyen d'un art qui veut exprimer la subjectivité infinie.

La subjectivité est étrangère à l'espace, qui est la loi de l'objet. Comme changement du sentiment total et indivisible, elle doit se réduire à une succession de moments, c'est-à-dire tendre à s'exprimer sous la forme du temps seul. Ce n'est que dans la musique que l'on arrive à cette négation de l'espace. Toutefois, dans la peinture, l'étendue est déjà rabaissée, par négation d'une des dimensions. « La peinture devient un miroir de l'esprit, où la spiritualité se révèle en détruisant l'existence réelle, en la transformant en une simple apparence qui est du domaine de l'esprit et qui s'adresse à l'esprit. » Cette raison nous conduit à placer le centre de la peinture dans le monde romantique, c'est-à-dire chrétien. C'est alors l'amour, et au fond l'amour divin, qui résout les contradictions de l'âme infinie. L'objet de la peinture fut d'abord proprement religieux; la mystique sut donner au visage peint l'expression de la vitalité intérieure; mais la peinture répandit cette vie et cet amour sur les portraits, et même sur l'image des objets les plus ordinaires, d'après cette double idée, d'un côté, que toutes les âmes enferment une valeur divine, de l'autre que la piété, en relevant les actions les plus communes, donne aussi grâce aux plus humbles objets. Je me borne à esquisser ici un développement que l'on devine ample et riche, et qui, comme tout développement hegelien, exige qu'on le prolonge selon l'histoire.

Le caractère spirituel de la musique et de la poésie est plus aisément saisissable. Un tracé abstrait suffira pour terminer ce grand système d'esthétique, qui n'a point d'équivalent. La musique approche d'exprimer la spiritualité pure, en détruisant la forme visible. Le son a ce caractère de s'évanouir aussitôt qu'il est né. « A peine l'oreille en a-t-elle été frappée qu'il rentre dans le silence. L'impression pénètre au dedans, et les sons ne résonnent plus que dans les profondeurs de l'âme, émue et ébranlée dans ce qu'elle a de plus intime. » Toutefois les lois rigoureuses de l'harmonie, analogues à ce qu'est pour l'architecture la loi de pesanteur, font que l'expression des sentiments les plus profonds s'accorde avec la plus rigoureuse observation des règles de l'entendement. Seulement l'étendue est niée, et les constructions musicales glissent dans le temps, et se soutiennent seulement par la mesure. « La mesure du son pénètre dans le moi, le saisit dans son existence simple, la met en mouvement et l'entraîne dans son rythme cadencé. » La poésie est une sorte de musique, mais qui joint à ce pouvoir magique l'expression par le commun langage de tous les objets des arts sans exception et de la nature même, les ramenant dans l'esprit, où ils trouvent une nouvelle existence, à une unité vivante et organique. Mais par cela même le signe se trouve rabaissé. L'élément matériel de l'art est finalement nié, ce qui conduit à la destruction de l'art lui-même, et annonce le passage à la pensée religieuse. C'est la comédie qui annonce la décadence de l'ancien langage de l'Art « où les peuples ont déposé leurs pensées les plus intimes et leurs plus riches intuitions ». Entre ces deux extrêmes, l'architecture et la poésie, on voit que la sculpture, la peinture et la musique tiennent le milieu, et ce milieu est le domaine du beau. Par le sublime de l'architecture, quelque chose commence; par le sublime de la poésie quelque chose finit. « L'art, avec sa haute destination, est quelque chose de passé; il a perdu pour nous sa vérité et sa vie; nous le considérons d'une manière trop spéculative pour qu'il reprenne dans les mœurs la place élevée qu'il y occupait autrefois, quand il avait le privilège de satisfaire par lui-même pleinement les intelligences. » J'ai voulu noter cet accent de mélancolie. D'une certaine manière la philosophie de Hegel rend toute ce son-là, car elle est un voyage selon l'irrévocable temps. Mais, par l'annonce d'un avenir neuf, cette philosophie nourrit l'espoir aussi.

LA RELIGION

L'art est déjà religion. Temples, statues, peinture, musique forment une religion sans paroles, refermée sur elle-même, énigmatique. Et l'on a pu remarquer, d'après ce qui précède, que la philosophie de l'art ne cesse d'éclairer l'art par la religion. La religion se trouve donc placée comme un moyen terme, ou comme un degré de la dialectique, entre l'art et la philosophie. Toutefois, de ce que la religion exprime par discours et rapports ce que l'art signifie absolument, par exemple la beauté d'un dieu olympien, il ne faudrait pas conclure que la religion est une philosophie de l'art. Car il est vrai que la religion est la pensée de la pensée de l'art; mais cela c'est la philosophie qui le sait. Si donc l'on veut saisir la religion dans sa vérité, il faut se garder de franchir trop vite l'échelle dialectique. La religion est la vérité de l'art; la philosophie est la vérité de la religion; mais ce développement même est ce qui fait la vérité de la religion. Une religion iconoclaste est une religion qui coupe ses propres racines. Et certes la religion doit nier l'image miraculeuse; c'est en cela qu'elle est religion; mais elle doit conserver aussi, selon une loi qui nous est maintenant familière, le terme supprimé. De même une philosophie iconoclaste, c'est-à-dire qui voudrait se développer sans le fond religieux, serait une philosophie abstraite, c'est-à-dire séparée. Ce serait une logique; et la logique est maintenant loin derrière nous; conservée certes, comme directrice de toutes nos pensées; mais dépassée en ce sens que c'est dans la nature même et dans l'histoire que nous devons retrouver la logique. Savoir la religion, c'est retrouver la marche dialectique de l'art à la religion et de la religion à la philosophie, et c'est encore retrouver le même progrès dans la religion même. Toujours l'esprit se développe selon sa loi, c'est-à-dire de l'être à l'idée par l'essence. L'art est, par rapport à la religion, le moment de l'être; chaque œuvre se produit comme suffisante et indépendante; mais, inévitablement la philosophie de l'art retrouve en toutes ces œuvres le témoignage d'un esprit au travail; toutefois non sans la médiation de la religion; car la religion est une pensée de l'art, pensée qui se développe en soi, non pour soi, de la même manière que la science brise la logique de l'être, mais sans savoir qu'elle la brise. La religion n'est pas encore la pensée qui se sait comme telle; elle se développe selon la représentation et à travers les représentations. Et la représentation est au-dessus de l'image; la représentation surmonte l'image, et, par la mémoire et le discours, s'élève à une valeur universelle. Mais, afin de mieux penser la religion à sa place, il faut remarquer que la même marche, de l'être à l'idée par l'essence, se retrouve encore dans la religion. Il y aura une religion immédiate, comme est par exemple la magie, et une religion des moyens ou rapports, telle la religion juive, ou la grecque, ou la romaine; enfin une religion absolue, qui est la chrétienne, par ce dogme que la médiation se fait dans l'unité absolue de l'esprit. C'est ainsi que la notion réalisait l'unité de l'être et de l'essence; tout est médiation dans la science, c'est-à-dire au niveau de l'essence, mais cette médiation ne se sait pas comme œuvre de l'esprit. Même quand cette grande construction serait laissée à l'état de projet, il faut convenir que cette implication de la logique en elle-même, et ce recommencement dans le détail sur le modèle d'un premier ensemble, cette superposition enfin de rapports à trois termes, être, essence, idée, forme un admirable portrait, et mouvant, de nos moindres pensées. L'anticipation aristotélicienne, que la pensée est la pensée de la pensée, n'est pas loin maintenant de prendre corps. Mais c'est aussi là que se trouve l'obscurité du système. Je dirai seulement ceci que ce système est le seul peut-être qui, en restant système, s'obscurcisse assez pour nous rendre sensible la nécessité de toujours recommencer. Comprendre que cette dialectique se produit elle-même sans fin, c'est comprendre Hegel, c'est-à-dire donner un objet suffisant à l'immense idée du devenir, qui s'est montrée abstraite au premier pas de la logique.

Le remède à ce mouvement qui nous emporte, et qui bien aisément nous ferait prendre la Philosophie pour la religion, c'est la dialectique intérieure qui recommence en elle-même, toujours depuis la nature, dont nous sortons, et d'où naissent toutes nos pensées. Ne prenons donc point la religion comme la plus profonde pensée, quoiqu'elle y conduise; au contraire considérons la religion comme un fait de nature, aussi refermé sur lui-même que l'art, mais enveloppé pourtant d'une dialectique qui le porte hors de lui-même, et le fait fleurir, en quelque sorte, sans le séparer de ses racines. Et comment cette dialectique fait paraître enfin le dieu réel, c'est ce qu'il faut essayer de comprendre d'après ce que nous savons déjà de l'esprit objectif. Au fond la difficulté est de comprendre que la philosophie de Hegel n'est pas une logique, mais une philosophie de la nature. Et voici encore une fois le chemin. Le droit est d'abord chose de nature; il se produit au dedans des travaux et des échanges; et c'est déjà le droit; mais la réalité du droit est le développement même du droit, par la médiation de la moralité, de la famille, de la société civile, de l'État. L'État c'est le droit enfin existant, où le citoyen trouve ses devoirs et sa liberté; et ce n'est pas dans sa pensée subjective que le citoyen peut trouver cela; il reconnaît au contraire que cette dialectique dans l'objet, c'est-à-dire cette histoire réelle du droit, est le droit vrai, où se rassemblent enfin la forme et le contenu. Seulement cette histoire n'est pas la plus haute histoire : l'humanité n'y est pas encore toute développée. Une histoire absolue commence avec l'art et la religion. Et il n'est pas inutile d'insister sur ceci que l'art est le premier état de la religion. De même que le droit, à mesure qu'il se développe, est aussi plus réel et plus concret, de même la religion est bien loin d'être un abstrait par rapport à l'art; au contraire elle est le suprême concret, l'existence même de la nature et de l'esprit réconciliés. Tel est le sens de l'incarnation. Les anciennes religions se meuvent en des contradictions qu'elles ne peuvent surmonter; c'est qu'elles sont abstraites. Et toute religion, même l'absolue, est encore abstraite quand on commence à y penser. Toutes les propositions des théologiens, qu'il faut aimer Dieu, que l'homme ne peut rien sans la grâce, que Dieu s'est fait homme et qu'il est mort pour nous, ont d'abord un sens extérieur; ce sont des pensées que nous formons, et où nous ne pouvons rester; et il est d'abord difficile de comprendre que l'obéissance à Dieu est notre liberté même, comme il est déjà difficile de comprendre que l'obéissance aux lois est la liberté même du citoyen. C'est pourquoi penser la religion et se demander ensuite si elle est vraie, c'est manquer la religion. La preuve de la religion c'est la religion existante; et la preuve ontologique en son développement est la pensée de Dieu. Dans le même sens on peut dire qu'un État seulement possible n'est nullement un État. C'est que l'État vrai s'est développé à partir de la nature, comme une plante, selon une dialectique intérieure. De même il n'y a qu'une religion, qui s'est développée à travers les religions; et Hegel dit expressément qu'il faut réconcilier les religions fausses avec la vraie, qui les contient comme des moments supprimés et conservés.

Voici ce mouvement dialectique en résumé. J'ai essayé d'éviter, en ce court exposé de Hegel, l'apparence d'une table des matières; mais c'est un inconvénient auquel on ne peut échapper tout à fait. Les plus anciennes religions doivent être dites religions de la nature, et la magie est la première de toutes ces religions. La plante vit selon la nature, sans aucune scission, et son action n'est que son désir. La magie offre presque la même naïveté, la même union intime et confiante, où l'on discerne pourtant déjà ce trait commun à toutes les religions, à savoir que le spirituel, de quelque façon qu'on le représente, a pour l'homme un plus haut prix que la nature. Dans cette enfance de la religion, on croit que c'est faute de savoir désirer qu'on se trouve incapable d'obtenir. La religion vraie est toute en ce commencement, mais virtuellement. Il faut que des scissions et contradictions se produisent, que l'on reconnaît comme des combats de l'âme avec elle-même dans les religions de la Chine et de l'Inde, de la

Perse, de la Syrie, de l'Égypte. Mais l'âme ne s'est pas encore reconnue elle-même comme le lieu de ces combats; l'objet domine.

Par opposition à ces grandes esquisses qui tuent l'âme, il faut décrire les religions de la libre subjectivité, parmi lesquelles la religion grecque et la juive s'opposent vigoureusement. La religion juive, ou religion du sublime, écrase l'âme humaine par l'immensité d'un dieu sans forme qui est esprit, mais d'un autre côté relève l'âme par cette connaissance même. A l'opposé la religion grecque, ou religion de la beauté, divinise la personne humaine, heureuse en soi et suffisante; d'où cet Olympe politique. Les stoïciens purifient ce paganisme d'un côté en ramenant les dieux à la raison, de l'autre en exaltant la valeur de l'âme; mais ils amènent ainsi à un état de séparation abstraite l'opposition entre le destin et la liberté. De même que la philosophie ne peut faire une œuvre d'art, de même la philosophie ne pouvait faire l'unité de l'esprit et de la nature comme religion vraie. La religion vraie est née de l'histoire religieuse comme la philosophie est née de l'histoire de la philosophie. Dire que l'esprit absolu est religion, c'est dire que la religion, par sa dialectique propre, a produit une représentation à laquelle il ne manque rien. Mais il est clair aussi que les hommes manquent souvent à cette représentation qui leur est apportée par l'histoire, y retrouvant aisément le destin séparé ou la liberté nue, et enfin sous les noms nouveaux, toutes les religions anciennes. Mais qu'est donc la religion absolue?

Parvenu à ce point d'extrême difficulté, je veux faire grande attention à ne pas dire plus que je ne sais. Ce qui m'a ramené à Hegel, et m'a entraîné à reconstruire autant que je pouvais ce puissant système, ce sont des idées perçantes qu'on y rencontre souvent, qui redressent, qui éclairent, enfin qui rétablissent l'homme. Je n'ai écrit ces pages que pour proposer de nouveau quelques-unes de ces idées au lecteur qui n'attache pas grand prix à l'unité d'un système. La Philosophie du droit et l'Esthétique sont des parties qui brillent par elles-mêmes. On se sent porté vers les problèmes réels, et l'on découvre que l'obscurité proverbiale de cette philosophie n'est que l'obscurité réelle des problèmes. D'où l'on vient à suivre encore Hegel en d'autres questions; et, d'après mon expérience, c'est toujours avec profit. Or je crois que les vues de Hegel sur la religion nous approchent comme par touches de la religion vraie, celle que l'on soupçonne dans un saint ou dans un docteur mystique, religion qui n'est pas la philosophie. Comprendre, ici, ce n'est pas dépasser, et, par exemple, juger l'incarnation, la résurrection, la rédemption comme des mythes pleins de sens; ce serait la même erreur que de comprendre ce que dit une statue comme un discours, que l'on peut traduire; la statue dit bien plus; et la simple perception, c'est le propre de l'art, dépasse tous les discours. Or, que tout soit dans l'esprit, et que la conscience ne puisse connaître ses limites sans les franchir, en sorte qu'en elle-même elle prouvera ce qui lui manque, ou encore que la trinité des théologiens représente un mouvement de pensée qu'on ne peut refuser, c'est ce que tout le système éclaire assez; et telle est la religion en celui qui n'a point de religion. Il y a plus d'une manière ingénieuse de comprendre ce que d'autres croient. Mais la philosophie de Hegel n'est pas une logique; c'est une philosophie de la nature. Et ceux qui auront un peu compris ce que c'est que l'esprit objectif pourront entrevoir en quel sens la religion est une histoire vraie. Le Dieu idéal n'est pas plus le Dieu vrai que l'État idéal n'est l'État vrai. De même que Jupiter est plus vrai dans l'œuvre de Phidias que dans les récits homériques, de même, et à un degré plus élevé de réalité, l'incarnation historique est plus vraie que l'incarnation seulement conçue. La religion seule résout les problèmes que la religion pose; et, comme Hegel dit explicitement, « les hommes n'ont pas dû attendre la philosophie pour acquérir la conscience de la vérité ». Si l'on demande donc ce que c'est que la religion, c'est le développement historique qui répondra. Tout le travail de Hegel, après que, sous le nom de logique, il eut développé ce qui n'est que possible, fut de retrouver l'esprit dans la nature, puis dans l'homme, puis dans l'histoire. Et cette partie de divination, mais strictement orientée, c'est la partie vivante de la pensée hegelienne. Ainsi, dans le moment où je me demande si je crois ce que dit Hegel de la Trinité et du Christ, je découvre que cette question convient à une philosophie de l'entendement, aux yeux de qui l'existence est une sorte de moindre être. Cette remarque éclaire le jugement aussi dans la politique, car l'esprit d'un peuple n'est jamais dans ce qu'il aurait dû faire, mais dans ce qu'il a fait.

LA PHILOSOPHIE

Il reste peu à dire de la Philosophie, puisque ce long chemin que j'ai voulu parcourir, trop vite sans doute, est la philosophie même. Et la première chose qui est à remarquer, c'est que la philosophie ne supprime rien de ce qu'elle dépasse. Ce qui vient d'être dit de la religion pourra aider à le comprendre. L'Esthétique de Hegel est sans rivale; mais pourquoi? Parce qu'elle se garde de glisser de l'idée dans l'art à l'idée de l'art. Expressément : « L'artiste doit quitter cette pâle région que l'on appelle vulgairement l'idéal, pour entrer dans le monde réel, et délivrer l'esprit. » La philosophie délivre aussi l'esprit, mais d'une autre manière, qu'on ne peut même pas dire supérieure, puisque la perfection de l'art est propre à l'art, et que l'esprit spéculatif ne peut nullement y conduire. « Si l'artiste pense à la manière du philosophe, il produit alors une œuvre précisément opposée à celle de l'art. » Mais voici qu'apparaît le prix de l'ordre, et le sens de cette ample dialectique. On ne peut point dire que, s'il n'y avait point de philosophie il n'y aurait point d'art; mais en revanche on doit dire que s'il n'y avait point d'art, il n'y aurait point de philosophie. Cette pensée même appartient à la philosophie. En remontant encore dans la chaîne des médiations, on pourrait dire aussi que la politique ne suppose point la philosophie, et qu'en revanche la philosophie suppose la politique; et cela même ce n'est pas la politique qui le sait, c'est la philosophie qui le sait. La philosophie se sait donc elle-même comme une histoire; c'est dire qu'elle ne peut point et qu'elle ne veut point se séparer de cette suite réelle où se superposent les États, les Arts, et les Religions; c'est redire que la philosophie n'est pas une logique, et que la suite réelle des doctrines, compliquée comme elle est par toute l'histoire humaine qui la porte, est la philosophie elle-même. Chaque doctrine est un moment d'une dialectique réelle; chaque doctrine est vraie à son rang; et cette dialectique est vraie par son implication dans la dialectique religieuse, esthétique, politique, biologique, qui forme l'indivisible histoire de l'esprit. L'idée marxiste se trouve maintenant éclairée comme il faut, étant, si l'on peut ainsi dire, l'exemple d'elle-même. Lisez à présent le texte aristotélicien, qui pieusement clôt l'*Encyclopédie :* vous pourrez entrevoir comment se réalise, dans l'Hegelianisme, la double idée de la pensée comme pensée de la pensée, et de Dieu comme vivant éternel.

[illegible] biologique qui forge l'indivisible [illegible] [illegible] [illegible] [illegible] comme il faut, [illegible] si l'on peut dire, [illegible] l'ensemble d'elle-même. [illegible] puisqu'il [illegible] histo- [illegible] [illegible] [illegible] dans l'accomplissement la double idée de la [illegible] de la pensée, et de Dieu comme vivant éternel.

XI

81 CHAPITRES SUR L'ESPRIT ET LES PASSIONS

ἀεὶ ὁ θεὸς γεωμέτρει

AVANT-PROPOS

Quelques-uns de mes lecteurs ont souvent regretté de ne trouver ni ordre ni classement dans les courts chapitres que j'ai publiés jusqu'ici. Ayant eu des loisirs forcés par le malheur et les hasards de ces temps-ci, j'ai voulu essayer si l'ordre ne gâterait pas la matière. Et, comme je ne voyais pas de raison qui me détournât d'aborder même les problèmes les plus arides, à condition de n'en dire que ce que j'en savais, il s'est trouvé que j'ai composé une espèce de Traité de Philosophie. Mais comme un tel titre enferme trop de promesses, et que je crains par-dessus tout d'aller au-delà de ce qui m'est familier, par cette funeste idée d'être complet, qui gâte tant de livres, j'ai donc choisi un titre moins ambitieux. Je ne crois point pourtant qu'aucune partie importante de la Philosophie théorique et pratique soit omise dans ce qui suivra, hors les polémiques, qui n'instruisent personne. Mais si ce livre tombait sous le jugement de quelque philosophe de métier, cette seule pensée gâterait le plaisir que j'ai trouvé à l'écrire, qui fut vif. En ce temps où les plaisirs sont rares, il m'a paru que c'était une raison suffisante pour faire un livre.

Le 19 juillet 1916.

INTRODUCTION

Le mot Philosophie, pris dans son sens le plus vulgaire, enferme l'essentiel de la notion. C'est, aux yeux de chacun, une évaluation exacte des biens et des maux ayant pour effet de régler les désirs, les ambitions, les craintes et les regrets. Cette évaluation enferme une connaissance des choses, par exemple s'il s'agit de vaincre une superstition ridicule ou un vain présage; elle enferme aussi une connaissance des passions elles-mêmes et un art de les modérer. Il ne manque rien à cette esquisse de la connaissance philosophique. L'on voit qu'elle vise toujours à la doctrine éthique, ou morale, et aussi qu'elle se fonde sur le jugement de chacun, sans autre secours que les conseils des sages. Cela n'enferme pas que le philosophe sache beaucoup, car un juste sentiment des difficultés et le recensement exact de ce que nous ignorons peut être un moyen de sagesse; mais cela enferme que le philosophe sache bien ce qu'il sait, et par son propre effort. Toute sa force est dans un ferme jugement, contre la mort, contre la maladie, contre un rêve, contre une déception. Cette notion de la philosophie est familière à tous et elle suffit.

Si on la développe, on aperçoit un champ immense et plein de broussailles, c'est la connaissance des passions et de leurs causes. Et ces causes sont de deux espèces; il y a des causes mécaniques contre lesquelles nous ne pouvons pas beaucoup, quoique leur connaissance exacte soit de nature à nous délivrer déjà, comme nous verrons; il y a des causes d'ordre moral, qui sont des erreurs d'interprétation, comme si, par exemple, entendant un bruit réel, j'éprouve une peur sans mesure et je crois que les voleurs sont dans la maison. Et ces fausses idées ne peuvent être redressées que par une connaissance plus exacte des choses et du corps humain lui-même, qui réagit continuellement contre les choses, et presque toujours sans notre permission, par exemple quand mon cœur bat et quand mes mains tremblent.

On voit par là que, si la philosophie est strictement une éthique, elle est, par cela même, une sorte de connaissance universelle, qui toutefois se distingue par sa fin des connaissances qui ont pour objet de satisfaire nos passions ou seulement notre curiosité. Toute connaissance est bonne au philosophe, autant qu'elle conduit à la sagesse; mais l'objet véritable est toujours une bonne police de l'esprit. Par cette vue, on passe naturellement à l'idée d'une critique de la connaissance. Car la première attention à nos propres erreurs nous fait voir qu'il y a des connaissances obscurcies par les passions, et aussi une immense étendue de connaissances invérifiables et pour nous sans objet, et qui ont deux sources, le langage, qui se prête sans résistance à toutes les combinaisons de mots, et les passions encore, qui inventent un autre univers, plein de dieux et de forces fatales, et qui y cherchent des aides magiques et des présages. Et chacun comprend qu'il y a ici à critiquer et à fonder, c'est-à-dire à tirer de la critique des religions une science de la nature humaine, mère de tous les dieux. On appelle réflexion ce mouvement critique qui, de toutes les connaissances, revient toujours à celui qui les forme, en vue de le rendre plus sage.

La vraie méthode pour former la notion de philosophie, c'est de penser qu'il y eut des philosophes. Le disciple devra se tracer à lui-même le portrait de ces hommes étranges qui jugeaient les rois, le bonheur, la vertu et le crime, les dieux mêmes et enfin tout. Ce qui est plus remarquable, c'est que ces hommes furent toujours admirés, et souvent honorés par les rois eux-mêmes. Joseph en Égypte expliquait les songes; c'est ainsi qu'il devint premier ministre. Admirez ici l'art de débrouiller les passions, de deviner la peur, le soupçon, le remords, enfin tout ce qui est caché dans un roi. D'après l'exemple de Joseph on comprendra qu'en tous les temps, et en toutes les civilisations, il y eut des philosophes, hommes modérateurs, hommes de bon conseil, médecins de l'âme en quelque sorte. Les astrologues, si puissants auprès des tyrans, furent sans doute des philosophes très rusés, qui feignaient de voir l'avenir dans les conjonctions des astres, et qui en réalité devinaient l'avenir d'après les passions du tyran, d'après une vue supérieure de la politique. Ce fut toujours le sort des philosophes d'être crus d'après une vue plus perçante qu'on leur supposait, alors qu'ils jugeaient d'après le bon sens. Faites donc maintenant le portrait de l'astrologue de Tibère, et de Tibère qui n'était pas moins fin.

Décrivez les passions de l'un et de l'autre dans ce jeu serré. Aidez-vous de la première scène du *Wallenstein* de Schiller; et aussi de ce que Schiller et Gœthe en disent dans leurs lettres. Vous êtes ici en pleine réalité humaine, dans ce terrible camp, où la force, la colère et la cupidité font tout; c'est une forme de civilisation. Si vous y reconnaissez l'homme qui est autour de vous, et vos propres sentiments, vous aurez fait déjà un grand progrès. Mais il ne s'agit point de rêver; il faut écrire et que ce soit beau. Ce sera beau si c'est humain. Poussez hardiment dans cette direction, c'est celle du vrai philosophe. Si vous doutez là-dessus, ouvrez seulement Platon n'importe où, et écartez tout de suite l'idée que Platon est difficile. Ce que je propose ici de Platon n'est ni caché, ni difficile, ni discutable. Faites ce pas, qui est décisif pour la culture.

Le lecteur ne s'étonnera pas qu'un bref traité commence, en quelque façon, par la fin, et procède de la police des opinions à la police des mœurs, au lieu de remonter péniblement des passions et de leurs crises à l'examen plus froid qui les corrige un peu en même temps que l'âge les refroidit.

LIVRE PREMIER

DE LA CONNAISSANCE PAR LES SENS

CHAPITRE PREMIER

DE L'ANTICIPATION DANS LA CONNAISSANCE PAR LES SENS

L'IDÉE naïve de chacun, c'est qu'un paysage se présente à nous comme un objet auquel nous ne pouvons rien changer, et que nous n'avons qu'à en recevoir l'empreinte. Ce sont les fous seulement, selon l'opinion commune, qui verront dans cet univers étalé des objets qui n'y sont point; et ceux qui, par jeu, voudraient mêler leurs imaginations aux choses sont des artistes en paroles surtout, et qui ne trompent personne. Quant aux prévisions que chacun fait, comme d'attendre un cavalier si l'on entend seulement le pas du cheval, elles n'ont jamais forme d'objet; je ne vois pas ce cheval tant qu'il n'est pas visible par les jeux de lumière; et quand je dis que j'imagine le cheval, je forme tout au plus une esquisse sans solidité, une esquisse que je ne puis fixer. Telle est l'idée naïve de la perception.

Mais, sur cet exemple même, la critique peut déjà s'exercer. Si la vue est gênée par le brouillard, ou s'il fait nuit, et s'il se présente quelque forme mal dessinée qui ressemble un peu à un cheval, ne jurerait-on pas quelquefois qu'on l'a réellement vu, alors qu'il n'en est rien? Ici, une anticipation, vraie ou fausse, peut bien prendre l'apparence d'un objet. Mais ne discutons pas si la chose perçue est alors changée ou non, ou si c'est seulement notre langage qui nous jette dans l'erreur; car il y a mieux à dire, sommairement ceci, que tout est anticipation dans la perception des choses.

Examinons bien. Cet horizon lointain, je ne le vois pas lointain; je juge qu'il est loin d'après sa couleur, d'après la grandeur relative des choses que j'y vois, d'après la confusion des détails, et l'interposition d'autres objets qui me le cachent en partie. Ce qui prouve qu'ici je juge, c'est que les peintres savent bien me donner cette perception d'une montagne lointaine, en imitant les apparences sur une toile. Mais pourtant je vois cet horizon là-bas, aussi clairement là-bas que je vois cet arbre clairement près de moi; et toutes ces distances, je les perçois. Que serait le paysage sans cette armature de distances, je n'en puis rien dire; une espèce de lueur confuse sur mes yeux, peut-être. Poursuivons. Je ne vois point le relief de ce médaillon, si sensible d'après les ombres; et chacun peut deviner aisément que l'enfant apprend à voir ces choses, en interprétant les contours et les couleurs. Il est encore bien plus évident que je n'entends pas cette cloche au loin, là-bas, et ainsi du reste.

On soutient communément que c'est le toucher qui nous instruit, et par constatation pure et simple, sans aucune interprétation. Mais il n'en est rien. Je ne touche pas ce dé cubique. Non. Je touche successivement des arêtes, des pointes, des plans durs et lisses, et réunissant toutes ces apparences en un seul objet, je juge que cet objet est cubique. Exercez-vous sur d'autres exemples, car cette analyse conduit fort loin, et il importe de bien assurer ses premiers pas. Au surplus, il est assez clair que je ne puis pas constater comme un fait donné à mes sens que ce dé cubique et dur est en même temps blanc de partout, et marqué de points noirs. Je ne le vois jamais en même temps de partout, et jamais les faces visibles ne sont colorées de même en même temps, pas plus du reste que je ne les vois égales en même temps. Mais pourtant c'est un cube que je vois, à faces égales, et toutes également blanches. Et je vois cette chose même que je touche. Platon, dans son *Thééthète,* demandait par quel sens je connais l'union des perceptions des différents sens en un objet.

Revenons à ce dé. Je reconnais six taches noires sur une des faces. On ne fera pas difficulté d'admettre que c'est là une opération d'entendement, dont les sens fournissent seulement la matière. Il est clair que, parcourant ces taches noires, et retenant l'ordre et la place de chacune, je forme enfin, et non sans peine au commencement l'idée qu'elles sont six, c'est-à-dire deux fois trois, qui font cinq et un. Apercevez-vous la ressemblance entre cette action de compter et cette autre opération par laquelle je reconnais que des apparences successives, pour la main et pour l'œil, me font connaître un cube? Par où il apparaîtrait que la perception est déjà une fonction d'entendement, et, pour en revenir à mon paysage, que l'esprit le plus raisonnable y met de lui-même bien plus qu'il ne croit. Car cette distance de l'horizon est jugée et conclue aussi, quoique sans paroles. Et nous voilà déjà mis en garde contre l'idée naïve dont je parlais.

Regardons de plus près. Cette distance de l'horizon n'est pas une chose parmi les choses, mais un rapport des choses à moi, un rapport pensé, conclu, jugé, ou comme on voudra dire. Ce qui fait apparaître l'importante distinction qu'il faut faire entre la forme et la matière de notre connaissance. Cet ordre et ces relations qui soutiennent le paysage et tout objet, qui le déterminent, qui en font quelque chose de réel, de solide, de vrai, ces relations et cet ordre sont de forme, et définiront la fonction pensée. Et qui ne voit qu'un fou ou un passionné sont des hommes qui voient leurs propres erreurs de jugement dans les choses, et les prennent pour des choses présentes et solides? On peut voir ici l'exemple de la connaissance philosophique, définie plus haut en termes abstraits. Ainsi dès les premiers pas, nous apercevons très bien à quelle fin nous allons. Et cette remarque, en toute question, est propre à distinguer la recherche philosophique de toutes les vaines disputes qui voudraient prendre ce beau nom.

CHAPITRE II

DES ILLUSIONS DES SENS

La connaissance par les sens est l'occasion d'erreurs sur la distance, sur la grandeur, sur la forme des objets. Souvent notre jugement est explicite et nous le redressons d'après l'expérience; notre entendement est alors bien éveillé. Les illusions diffèrent des erreurs en ce que le jugement y est implicite, au point que c'est l'apparence même des choses qui nous semble changée. Par exemple, si nous voyons quelque panorama habilement peint, nous croyons saisir comme des objets la distance et la profondeur; la toile se creuse devant nos regards. Aussi voulons-nous toujours expliquer les illusions par quelque infirmité de nos sens, notre œil étant fait ainsi ou notre oreille. C'est faire un grand pas dans la connaissance philosophique que d'apercevoir dans presque toutes, et de deviner dans les autres une opération d'entendement et enfin un jugement qui prend pour nous forme d'objet. J'expliquerai ici quelques exemples simples renvoyant pour les autres à l'*Optique physiologique* d'Helmholtz, où l'on trouvera ample matière à réflexion.

Certes quand je sens un corps lourd sur ma main, c'est bien son poids qui agit, et il me semble que mes opinions n'y changent rien. Mais voici une illusion étonnante. Si vous faites soupeser par quelqu'un divers objets de même poids, mais de volumes très différents, une balle de plomb, un cube de bois, une grande boîte de carton, il trouvera toujours que les plus gros sont les plus légers. L'effet est plus sensible encore s'il s'agit de corps de même nature, par exemple de tubes de bronze plus ou moins gros, toujours de même poids. L'illusion persiste si les corps sont tenus pas un anneau et un crochet; mais, dans ce cas-là, si les yeux sont bandés, l'illusion disparaît. Et je dis bien illusion, car ces différences de poids imaginaires sont senties sur les doigts aussi clairement que le chaud ou le froid. Il est pourtant évident, d'après les circonstances que j'ai rappelées, que cette erreur d'évaluation résulte d'un piège tendu à l'entendement; car, d'ordinaire, les objets les plus gros sont les plus lourds; et ainsi, d'après la vue, nous attendons que les plus gros pèsent en effet le plus; et comme l'impression ne donne rien de tel, nous revenons sur notre premier jugement, et, les sentant moins lourds que nous n'attendions, nous les jugeons et finalement sentons plus légers que les autres. On voit bien dans cet exemple que nous percevons ici encore par relation et comparaison, et que l'anticipation, cette fois trompée, prend encore forme d'objet.

On analyse aisément de même les plus célèbres illusions de la vue. Je signale notamment ces images dessinées exprès où un réverbère et un homme selon la perspective ont exactement la même grandeur, ce que pourtant nous ne pouvons croire, dès que nous ne mesurons plus. Ici encore c'est un jugement qui agrandit l'objet. Mais examinons plus attentivement. L'objet n'est point changé, parce qu'un objet en lui-même n'a aucune grandeur; la grandeur est toujours comparée, et ainsi la grandeur de ces deux objets, et de tous les objets, forme un tout indivisible et réellement sans parties; les grandeurs sont jugées ensemble. Par où l'on voit qu'il ne faut pas confondre les choses matérielles, toujours séparées et formées de parties extérieures les unes aux autres, et la pensée de ces choses, dans laquelle aucune division ne peut être reçue. Si obscure que soit maintenant cette distinction, si difficile qu'elle doive rester toujours à penser, retenez-la au passage. En un sens, et considérées comme matérielles, les choses sont divisées en parties, et l'une n'est pas l'autre; mais en un sens, et considérées comme des pensées, les perceptions des choses sont indivisibles, et sans parties. Cette unité est de forme, cela va de soi. Je n'anticipe point; nous avons dès maintenant à exposer en première esquisse cette forme qu'on appelle l'espace, et dont les géomètres savent tant de choses par entendement, mais non hors de la connaissance sensible, comme nous verrons.

Pour préparer encore mieux cette difficile exposition, j'invite le lecteur à réfléchir sur l'exemple du stéréoscope, après que la théorie et le maniement de cet appareil lui seront redevenus familiers. Ici encore le relief semble sauter aux yeux; il est pourtant conclu d'une apparence qui ne ressemble nullement à un relief, c'est à savoir, d'une différence entre les apparences des mêmes choses pour chacun de nos yeux. C'est assez dire que ces distances à nous, qui font le relief, ne sont pas comme distances dans les données, mais sont plutôt pensées comme distances, ce qui rejette chaque chose à sa place selon le mot fameux d'Anaxagore : « Tout était ensemble; mais vint l'entendement qui mit tout en ordre. »

Le lecteur aperçoit peut-être déjà que la connaissance par les sens a quelque chose d'une science; il aura à comprendre plus tard que toute science consiste en une perception plus exacte des choses. Tout notre effort est maintenant à retrouver l'entendement dans les sens, comme il sera plus loin à retrouver les sens dans l'entendement, toujours distinguant matière et forme, mais refusant de les séparer. Tâche assez ardue pour que nous négligions là-dessus les discours polémiques, toujours un peu à côté, et dangereux, comme tous les combats, pour ceux qui n'ont pas fait assez l'exercice.

CHAPITRE III

DE LA PERCEPTION DU MOUVEMENT

Les illusions concernant le mouvement des choses s'analysent aisément et sont fort connues. Par exemple, il suffit que l'observateur soit en mouvement pour que les choses semblent courir en sens contraire. Même, par l'effet des mouvements inégaux des choses, certaines choses paraissent courir plus vite que d'autres; et la lune à son lever semblera courir dans le même sens que le voyageur. Par un effet du même genre, si le voyageur tourne le dos à l'objet dont il s'approche, le fond de l'horizon lui semblera s'approcher et venir vers lui. Là-dessus, observez et expliquez; vous n'y trouverez pas grande difficulté. En revanche, l'interprétation de ces exemples, une fois qu'on les connaît bien, est très ardue, et peut servir d'épreuve pour cette force hardie de l'esprit, nécessaire au philosophe. Voici de quel côté un apprenti philosophe pourra conduire ses réflexions. Il considérera d'abord qu'il n'y a aucune différence entre le mouvement réel perçu et le mouvement imaginaire que l'on prête aux arbres ou à la lune, aucune différence, entendez dans la perception que l'on a. Secondement l'on fera attention que ces mouvements imaginaires sont perçus seulement par relation, ce qui fera voir ici encore l'entendement à l'œuvre, et pensant un mouvement afin d'expliquer des apparences, ce qui est déjà méthode de science à parler strictement, quoique sans langage. Et surtout l'on comprendra peut-être que les points de comparaison, les positions successives du mobile, les distances variables, tout cela est retenu et ramassé en un tout qui est le mouvement perçu. Ainsi il s'en faut bien que notre perception du mouvement consiste à le suivre seulement, en changeant toujours de lieu comme fait le mobile lui-même. Le subtil Zénon disait bien que le mobile n'est jamais en mouvement puisque à chaque instant il est exactement où il est. Je reviendrai sur les autres difficultés du même genre; mais nous pouvons comprendre déjà que le mouvement est un tout indivisible, et que nous le percevons et pensons tout entier, toutes les positions du mobile étant saisies en même temps, quoique le mobile ne les occupe que successivement. Ainsi ce n'est point le fait du mouvement que nous saisissons dans la perception, mais réellement son idée immobile, et le mouvement par cette idée. On pardonnera cette excursion trop rapide dans le domaine entier de la connaissance; ces analyses ne se divisent point. Remarquez encore que, de même que nous comptons des unités en les parcourant et laissant aller, mais en les retenant aussi toutes, ainsi nous percevons le mouvement en le laissant aller, oui, mais le long d'un chemin anticipé et conservé, tracé entre des points fixes, et pour tout dire immobile. Quand on a déjà un peu médité là-dessus, rien n'est plus utile à considérer que ces illusions que l'on se donne à volonté, en pensant telle ou telle forme du mouvement; ainsi, quand on fait tourner un tire-bouchon, on perçoit une translation selon l'axe, sans rotation, si l'on veut; ou, encore, on peut changer dans l'apparence, le sens de la rotation d'un moulin à vent ou d'un anémomètre, pourvu que l'on décide d'orienter l'axe autrement. Ainsi un autre choix de points fixes fait naître un autre mouvement. La notion du mouvement relatif apparaît ainsi dans la connaissance sans paroles.

Tout ce qui a été dit ici de la perception du mouvement s'applique au toucher, et notamment à la connaissance que nous avons de nos propres mouvements, par des contacts ou des tensions, avec ou sans l'aide de la vue. On jugera sans peine que l'idée de sensations originales, donnant le mouvement comme d'autres donnent la couleur et le son, est une idée creuse. C'est toujours par le mouvement pensé que j'arrive au mouvement senti; et c'est dans l'ensemble d'un mouvement qu'une partie de mouvement est partie de mouvement. Peut-être arriverez-vous promptement à décider que les discussions connues sur le sens musculaire sont étrangères à la connaissance philosophique. Ce n'est en effet qu'une vaine dialectique dont la théorie sera comprise plus tard, après que le langage aura été décrit et examiné, comme un étrange objet dont on peut faire à peu près ce qu'on veut.

CHAPITRE IV

L'ÉDUCATION DES SENS

L'OBSERVATION de certains aveugles guéris de la cataracte congénitale a appelé l'attention des philosophes sur ce que les plus grands ont toujours su deviner, c'est qu'on apprend à voir, c'est-à-dire à interpréter les apparences fournies par les lumières, les ombres et les couleurs. Certes les observations médicales de ce genre sont toujours bonnes à connaître; mais il est plus conforme à la méthode philosophique d'analyser notre vision elle-même, et d'y distinguer ce qui nous est présenté de ce que nous devinons. Il est assez évident, pour cet horizon de forêts, que la vue nous le présente non pas éloigné, mais bleuâtre, par l'interposition des couches d'air; seulement nous savons tous ce que cela signifie. De même nous savons interpréter la perspective, qui est particulièrement instructive lorsque des objets de même grandeur, comme des colonnes, des fenêtres, les arbres d'une avenue, sont situés à des distances différentes de nous et paraissent ainsi d'autant plus petits qu'ils sont plus éloignés. Ces remarques sont très aisées à faire, dès que l'attention est attirée de ce côté-là. Mais quelquefois l'entendement naïf s'élève, au nom de ce qu'il sait être vrai, contre les apparences que l'on veut lui décrire. Par exemple, un homme qui n'a pas assez observé soutiendra très bien que ces arbres là-bas sont du même vert que ceux d'ici et seulement plus éloignés. Un autre, s'essayant au dessin, ne voudra pas d'abord qu'un homme, dans l'apparence, soit plus petit qu'un parapluie. J'ai connu quelqu'un qui ne voulait pas admettre que nos yeux nous présentent deux images de chaque chose; il suffit pourtant de fixer les yeux sur un objet assez rapproché, comme un crayon, pour que les images des objets éloignés se dédoublent aussitôt; mais l'entendement naïf nie ces apparences d'après ce raisonnement assez fort : « Cela n'est pas; je ne puis donc pas le voir. » Les peintres, au contraire, sont conduits, par leur métier, à ne plus faire attention à la vérité des choses, mais seulement à l'apparence comme telle, qu'ils s'efforcent de reproduire.

Les choses en mouvement instruisent mieux le philosophe. Ici les apparences sont plus fortes, et le vrai de la chose est affirmé seulement sans qu'on puisse arriver à le voir. Il n'est pas de voyageur emporté à grande vitesse qui puisse s'empêcher de voir ce qu'il sait pourtant n'être pas, par exemple les arbres et les poteaux courir et tout le paysage tourner comme une roue qui aurait son axe vers l'horizon. Le plus grand astronome voit les étoiles se déplacer dans le ciel, quoiqu'il sache bien que c'est la terre en réalité qui tourne sur l'axe des pôles. Il est donc assez clair, dès que l'on pense à ces choses, qu'il faut apprendre, par observation et raisonnement, à reconstituer le vrai des choses d'après les apparences, et que c'est ici la main qui est l'institutrice de l'œil. Que l'oreille doive aussi s'instruire, et que nous apprenions peu à peu à évaluer, d'après le son, la direction et la distance de l'objet sonore, c'est-à-dire les mouvements que nous aurions à faire pour le voir et le toucher, c'est ce qui est encore plus évident; un chasseur, un artilleur continuent cette éducation par des observations classées et des expériences méthodiques; on peut juger d'après cela du travail d'un enfant qui s'exerce, non sans méprises, à saisir ce qu'il voit et à regarder ce qu'il entend.

Le plus difficile est sans doute d'apercevoir que le sens du toucher, éducateur des autres, a dû lui-même s'instruire. Il est connu qu'un homme qui devient aveugle apprend à interpréter beaucoup d'impressions tactiles qu'il ne remarquait même pas auparavant. Par exemple, en touchant la main de son ami, il devinera mille choses que nous lisons d'ordinaire sur le visage. Partant de là, et en remontant, on peut se faire une idée des expériences de l'enfant sur le mou et sur le dur, sur le poli et le rugueux, et tout ce qu'on en peut conclure concernant les saveurs, odeurs et couleurs des choses. Il est clair aussi que, parmi ces connaissances, il faut considérer avec attention la connaissance de notre propre corps. Qu'elle ne puisse être immédiate, cela résulte de la notion même de lieu ou de distance, qui enferme des rapports, et par conséquent ne peut être donnée dans aucune impression immédiate. Ainsi, dans cette connaissance de notre corps et des choses qui nous semble toute donnée, en réalité tout est appris. Quant au détail et à l'ordre, on peut s'exercer utilement à les deviner, mais sans s'obstiner à vouloir plus que le vraisemblable. Autrement on tomberait dans des discussions subtiles et sans fin, étrangères à la vraie philosophie.

CHAPITRE V

DE LA SENSATION

Ce qui est perçu dans une distance et dans tous les rapports de lieu qui supposent des distances, comme sont les reliefs, les formes et les grandeurs, c'est toujours l'effet d'un mouvement simplement possible; il importe de réfléchir longtemps là-dessus, car c'est de là que dérivent les caractères paradoxaux de l'espace des géomètres, forme de toutes choses, et qui n'a rien d'une chose. Par exemple, ce que je perçois comme relief, ce n'est pas un relief actuel, je veux dire connu par le toucher dans le moment même; ce sont des signes que je connais et qui me font prévoir ce que je percevrais avec les mains si je les portais en avant. Cela est vrai de toute distance, qui n'est jamais qu'anticipation. Je reviendrai là-dessus. Je veux suivre à présent une réflexion qui sans doute se présente d'elle-même à votre esprit, c'est que tout n'est pas anticipation. Ces signes, comme tels, sont bien donnés actuellement; ce sont des faits à proprement parler; et si j'y regarde de près, ce sont des faits de mes yeux, de mes oreilles, de mes mains. Je puis interpréter mal un bourdonnement d'oreilles, mais toujours est-il que je le sens; quand il ne résulterait que du sang qui circule dans les vaisseaux, toujours est-il que je le sens. Je me trompe sur un relief, mais je sens bien cette lumière et cette ombre; et quand cette ombre ne viendrait que d'une fatigue de mon œil, il n'en est pas moins vrai que je la sens, comme il est vrai que je sens ces couleurs trompeuses qui suivent les lumières vives ou bien ces formes changeantes et indistinctes dans la nuit noire, si j'ai lu trop longtemps. Il se peut que, par un préjugé, j'interprête mal des pressions sur mes doigts; mais encore est-il que je les sens. Et si le vin me semble amer parce que j'ai la fièvre, toujours est-il vrai que je sens cette amertume. Il faut toujours qu'il y ait quelque chose de donné actuellement, sur quoi je raisonne, d'après quoi je devine et j'anticipe. Et le mouvement, apparent ou réel, ne serait point perçu sans quelque changement dans les couleurs et les lumières. Rien n'est plus simple ni plus aisément reçu; je perçois les choses d'après ce que je sens par leur action physique sur mon corps; et ce premier donné, sans quoi je ne percevrais rien, c'est ce que l'on appelle sensation. Mais cela posé, il reste à faire deux remarques d'importance. D'abord il ne faut pas ici s'égarer dans les chemins des physiologistes, et vouloir entendre par sensation des mouvements physiques produits par les choses dans les organes des sens ou dans le cerveau. Parler ainsi, c'est décrire une perception composée, et en grande partie imaginaire, par laquelle le physiologiste se représente la structure du corps humain et les ripostes aux actions extérieures. Pensez bien à cette méprise si commune quoique assez grossière. Je dois considérer une perception que j'ai, et chercher, par l'élimination de ce qui est appris ou conclu, à déterminer ce qui est seulement présenté. J'arrive par là à ma seconde remarque, c'est qu'il n'est pas si facile de connaître ce qu'est la sensation sans anticipation aucune. Car je puis bien dire, pour la vue, que le donné consiste en des taches de couleur juxtaposées. Mais qui ne voit que c'est encore là une perception simplifiée, dans laquelle je veux rapporter toutes les couleurs à un tableau sans relief, situé à quelque distance de mes yeux? La pure sensation de couleur est certainement quelque chose de plus simple, et qui ne devrait même pas être sentie dans telle ou telle partie de mon corps, car sentir ainsi, c'est encore percevoir, j'entends connaître des formes, des dimensions et des situations. Il faudrait donc, pour saisir la sensation pure, penser sans penser en quelque sorte. De quoi certains états inexprimables de rêverie, de demi-sommeil, de premier éveil peuvent bien nous rapprocher, de même que les premières impressions d'un aveugle à qui la vue est révélée; mais justement il ne sait qu'en dire, et il n'en garde pas plus de souvenir que nous n'en gardons de nos premières impressions d'enfant. Ces remarques sont pour écarter cette idéologie grossière, d'après laquelle nos sensations se suivent, se distinguent, s'enchaînent, s'évoquent, comme les faits les plus nets de tous et les mieux circonscrits. Nous aurons à dire qu'un fait est autre chose que ce premier choc et que cette première rencontre de l'objet et du sujet. Il y faudra distinguer la matière et la forme, ainsi que la perception la plus simple nous en avertit déjà.

Il y a un autre chemin bien plus ardu, et à peine exploré, pour distinguer perception et sensation. Il faut alors considérer la qualité et la quantité, et les définir par leurs caractères, ce qui jette aussitôt dans les spéculations les plus difficiles, et c'est une des parties de la *Critique de la Raison Pure* qui donnent le plus de peine au lecteur. Essayons ici encore de décrire exactement ce que c'est que grandeur et ce que c'est que qualité. Quand la grandeur s'accroît, par exemple quand je tire une ligne ou quand je compte, les parties de la quantité s'ajoutent en restant distinctes. Quand la qualité s'accroît, par exemple quand une lumière devient de plus en plus vive, ce qui s'ajoute à la clarté s'y incorpore sans aucune distinction. On pourrait bien dire que la lumière est changée, que la lumière que j'appelle plus vive est réellement une autre lumière, qu'un bleu plus riche est réellement un autre bleu, une pression plus forte, une autre pression, et ainsi du reste. Pourtant, je suis invinciblement porté à me représenter une lumière s'accroissant, en intensité seulement, depuis la plus faible impression jusqu'à l'éclat qui m'éblouit. Cette grandeur, qui peut ainsi croître et décroître dans le temps seulement, est proprement ce qu'on appelle l'intensité. Mais il semble que ce ne soit pas la qualité pure, et que nous nous aidions ici de la grandeur proprement dite, pour y ranger sous notre regard ces intensités juxtaposées. Dans la sensation pure, il n'y aurait jamais ni accroissement, ni diminution, ni grandeur à proprement parler, mais seulement changement et nouveauté. Chose inexprimable. Mais enfin il est permis de s'en approcher en raffinant sur l'expression, comme beaucoup l'ont tenté, cherchant à décrire les impressions originaires ou données immédiates, telles qu'elles seraient avant toute géométrie. Mais il suffit de définir ici ces recherches subtiles et de prévoir que le langage ne les traduira jamais qu'imparfaitement. L'étude spéciale de la mémoire expliquera mieux, sans doute, qu'il est vain de rechercher la première expérience, ou la première impression. Ces entreprises enferment, semble-t-il, la perception justement la plus audacieuse, et qui interprète le plus.

CHAPITRE VI

DE L'ESPACE

PEUT-ÊTRE le lecteur commence-t-il à saisir dans son sens plein ce beau mot de représentation, si heureusement employé par quelques bons philosophes. Les choses ne nous sont point présentées, mais nous nous les présentons, ou mieux nous nous les représentons. Dans notre perception, si simple qu'on veuille la prendre, il y a toujours souvenir, reconstitution, résumé d'expériences. Seulement il est utile de distinguer ce qui est jugement parlé, et déjà science, de ce qui est intuition. L'intuitif s'oppose au discursif comme la connaissance immédiate, du moins en apparence, s'oppose à la connaissance que nous formons par recherche, rappel et raisonnement. Or, notre perception est toujours complétée et commentée par des discours, des rapprochements, des conjectures; par exemple je me dis que cette ligne d'arbres marque telle route, ou que ce triangle sombre est la pointe de tel clocher; ou encore je me dis que tel ronflement annonce telle voiture automobile; et l'on pourrait bien croire que ces connaissances sont intuitives au sens vulgaire du mot; mais il s'agit justement, dans le présent chapitre, de faire apparaître une connaissance intuitive dans le sens le plus rigoureux, c'est-à-dire qui traduit des connaissances, et même très précises, par quelque caractère de la représentation qui nous touche comme une chose.

Je vois cet horizon fort loin. A parler rigoureusement et d'après ce que m'annoncent mes yeux, il est présent par sa couleur aussi bien que le reste, ou non distant si l'on veut; mais cette distance pourtant me touche comme une chose; elle est même la vérité de la chose, ce que je puis tirer de cette couleur bleuâtre. Cette distance qui m'apparaît si bien et qui fait même apparaître tout le reste, donnant un sens aux grandeurs, aux formes et aux couleurs, n'est pourtant pas une chose, faites-y bien attention. Cette distance n'est nullement une propriété de cet horizon. Non, mais un rapport de ces choses à d'autres et à moi. Si je veux la connaître, cette distance, en la parcourant, je la supprime; en un sens, j'en aurai bien alors l'expérience quoique toujours par représentation; mais telle que je la vois maintenant, telle que je crois la sentir maintenant, telle que je la pense maintenant, je la connais, j'en ai toute l'expérience possible. C'est qu'elle est de moi, non des choses; je la pose, je la trace, je la détermine. Vraie ou fausse, elle est toujours distance, rapport indivisible, non point parcourue en fait, ses parties étant ajoutées les unes aux autres, mais posée toute, et ensuite divisée et parcourue, et donnant d'avance un sens à la division et au parcours.

Une direction offre plus clairement encore les mêmes caractères, car elle ordonne les choses par rapport aux rotations de mon corps, mais elle n'est pourtant pas une chose; elle détermine; elle est de forme, et définie ou posée, non pas reçue. Tous les paradoxes sur l'espace sont ici ramassés, et toutes les difficultés sur lesquelles on passe souvent trop vite, comme si elles étaient des inventions d'auteur. Distance et direction, ce sont les deux armes du géomètre; et nous ne serons pas surpris qu'il les connaisse si bien, non pas sans le secours d'aucune chose, mais sur des choses arbitrairement prises, blanc sur noir, points, lignes et angles. Mais n'anticipons pas trop.

J'ai choisi, parmi les distances, celle qu'on nomme la profondeur, parce que les caractères de l'espace, qui n est pas, mais qui est posé, et qui détermine l'expérience, y apparaissent plus aisément. Considérez maintenant les autres distances qui sont comme étalées devant vos yeux, ou ces distances invisibles, distances d'aveugle, qui déterminent un effort à faire, vous reconnaîtrez que ces distances sont des distances aussi, c'est-à-dire des rapports indivisibles, de même espèce que la profondeur. Et n'allez pas prendre non plus pour surfaces ces couleurs miroitantes. Croyez-vous que ce paysage, que vous voulez étaler sur un plan, dessine par lui-même un plan, j'entends par ses couleurs riches ou pauvres, plaisantes ou tristes à voir? Pour vous détourner de cette illusion, je vous fais remarquer seulement que ce plan n'a de sens que par une profondeur qui vous sépare de lui. Et quant aux surfaces qui se présentent obliquement, et que vous redressez en pensée, comme celle de cet étang, ou bien la courbe de cette côte, donnant ainsi un sens et une place à chaque chose, pensant la vérité dans l'apparence, et comprenant l'apparence dans ces formes rigoureuses, c'est encore plus évident. Quant aux volumes, ils sont toujours devinés, posés, pensés, car on n'y entre point, sinon en les divisant, en découvrant et devinant d'autres surfaces, et d'autres volumes derrière.

Revenons maintenant à notre dé cubique qui, sans doute, vous instruira mieux. Chacun peut savoir ce que c'est qu'un cube, par des définitions, arêtes égales, angles égaux, faces égales. Mais nul ne voit le cube ainsi; nul ne le touche ainsi. Se représenter la forme de ce dé cubique, c'est maintenir et affirmer dans l'expérience cette forme qu'aucune expérience ne fait voir ni toucher; bien mieux, c'est expliquer toutes les apparences, les perspectives et jusqu'aux ombres portées, par d'autres positions de directions et de distances où la science apparaît déjà. Mais dessinez divers aspects de ce cube et admirez comme vous reconnaissez la même forme. Faites mieux. Dessinez le cube avec toutes ses arêtes visibles, comme s'il était fait de tringles de fer, et exercez-vous à le penser sous deux aspects, tantôt vu d'un côté et par-dessus, tantôt vu de l'autre côté et par-dessous; vous verrez l'apparence prendre forme et sens au commandement. Il n'est peut-être pas d'expérience philosophique qui soit plus propre que celle-là à orienter pour toujours la réflexion dans les vrais chemins. Disons, pour résumer, que nous percevons les choses dans l'espace, mais que l'espace n'est pas un objet des sens, quoique les objets des sens ne soient ordonnés, distingués et perçus que par l'espace. Disons que l'espace est continu, c'est-à-dire indivisible, qu'il est par lui-même sans grandeur ni forme, quoiqu'il soit le père des grandeurs et des formes, et enfin qu'il n'existe nullement à la manière d'un caillou. Par où il apparaîtra déjà que des questions comme celles-ci, l'espace est-il fini ou infini, n'ont aucun sens. Mais il y aura lieu de revenir plus d'une fois là-dessus. Dans ce passage difficile consultez vos forces. Vous savez un peu maintenant ce que c'est que philosopher; si ce genre de recherche ne vous donne pas de joie, c'est un signe des dieux. Laissez ce livre.

CHAPITRE VII

LES SENS ET L'ENTENDEMENT

Il faut pourtant que j'anticipe un peu. Les recherches sur la perception, assez faciles et fort étendues, ne sont qu'un jeu si l'on ne se porte tout de suite aux difficultés véritables. Et j'y veux insister. Chacun sait que Kant, dans sa *Critique,* veut considérer l'espace comme une forme de la sensibilité, et non comme une construction de l'entendement. Il est clair que je suis plutôt conduit, par les analyses qui précèdent, à écarter tout à fait cette image transparente et encadrante d'un espace sensible, pour y substituer des rapports de science au sens propre du mot. Dans un traité élémentaire, cette différence n'importe pas beaucoup. Lorsque Kant traite de l'espace comme il fait, il n'oublie jamais que l'espace est une forme, et, pour l'apprenti, c'est cela qui importe. Maintenant, quand il ajoute que l'espace est une forme de la sensibilité, il met l'accent sur ceci, que les propriétés de l'espace ne peuvent être toutes ramenées à ces rapports intelligibles que la science compose, et qui sont la forme de la connaissance claire. Là-dessus, lisez Hamelin, qui traite raisonnablement de la chose.

Ce qui rend la question obscure, c'est que les mathématiciens se plaisent à dire que l'espace à trois dimensions, trois coordonnées fixant toujours un point, est un fait de notre expérience, étranger à la nécessité véritable. Cette question réservée, je ne vois point que l'espace comme je l'ai décrit diffère de ce que l'on appelle proprement la forme dans les opérations de l'esprit. Il se peut aussi que les mathématiciens soient trompés par l'algèbre, ou bien que les trois dimensions soient moins pures de tout alliage avec les données de l'expérience que l'idée même de la distance et de la direction. Mais n'entrons pas ici dans ces détails. Il s'agit d'éveiller le lecteur, non de l'accabler, et de lui révéler sa puissance plutôt que sa faiblesse.

M'attachant surtout à décrire la connaissance humaine telle qu'elle est, j'insiste sur la parenté bien frappante qui nous apparaît déjà entre les anticipations de forme géométrique qui nous font voir les choses loin ou près, et les formes de la science proprement dite. Ce ne sont que des remarques; je n'oublie pas la fin, et je me résigne à n'arriver pas à une doctrine achevée en système; la police des opinions et des mœurs peut s'exercer utilement avant que les discussions soient closes entre les hommes.

Qu'il n'y ait point de science de la sensation, c'est ce que tous les philosophes d'importance, et notamment Platon et Descartes, ont fortement montré. Nous sommes préparés, il me semble, à comprendre exactement le sens de cette formule connue. Il est clair que l'on n'évalue les intensités qu'en les rapportant à des longueurs. Par exemple, deux sons d'insensité égale sont deux sons qui produiront à la même distance le même déplacement sur une membrane. Deux températures seront comparées par la dilatation d'une même masse de mercure convenablement disposée. Les calories sont comptées d'après un poids de glace changée en eau, et le poids lui-même est mesuré par un équilibre stable d'un levier tournant. Ainsi nous voyons que la science substitue aux données sensibles les éléments géométriques que nous avons décrits; et tout ce qu'on peut savoir d'une intensité se réduit en somme à des mesures de longueurs. Mais ce n'est là qu'un fait de science, que l'analyse directe doit éclaircir.

La perception est exactement une anticipation de nos mouvements et de leurs effets. Et sans doute la fin est toujours d'obtenir ou d'écarter quelque sensation, comme si je veux cueillir un fruit ou éviter le choc d'une pierre. Bien percevoir, c'est connaître d'avance quel mouvement j'aurai à faire pour arriver à ces fins. Celui qui perçoit bien sait d'avance ce qu'il a à faire. Le chasseur perçoit bien s'il sait retrouver ses chiens qu'il entend, il perçoit bien s'il sait atteindre la perdrix qui s'envole. L'enfant perçoit mal lorsqu'il veut saisir la lune avec ses mains, et ainsi du reste. Donc ce qu'il y a de vrai, ou de douteux, ou de faux dans la perception, c'est cette évaluation, si sensible surtout à la vue dans la perspective et le relief, mais sensible aussi pour l'ouïe et l'odorat, et même sans doute pour un toucher exercé, quand les mains d'un aveugle palpent. Quant à la sensation elle-même, elle n'est ni douteuse, ni fausse, ni par conséquent vraie; elle est actuelle toujours dès qu'on l'a. Ainsi ce qui est faux dans la perception d'un fantôme, ce n'est point ce que nos yeux nous font éprouver, lueur fugitive ou tache colorée, mais bien notre anticipation. Voir un fantôme c'est supposer, d'après les impressions visuelles, qu'en allongeant la main on toucherait quelque être animé; ou bien encore c'est supposer que ce que je vois maintenant devant la fenêtre, je le verrai encore devant l'armoire si je fais un certain mouvement. Mais pour ce que j'éprouve actuellement, sans aucun doute je l'éprouve; il n'y a point de science de cela puisqu'il n'y a point d'erreur de cela. Toute étude de ce que je ressens consiste toujours à savoir ce que cela signifie, et comment cela varie avec mes mouvements. On voit par là qu'un objet c'est quelque chose qui a essentiellement position et forme, ou, pour mieux dire, que ce qu'il y a de vrai dans un objet, c'est un ensemble de relations spatiales qui définissent sa forme, sa position et toutes ses propriétés. Réfléchissez maintenant à ceci qu'un astronome ne fait pas autre chose que de déterminer ses objets par de telles relations, jusqu'à prononcer, après bien des perceptions mesurées, que c'est la terre qui tourne autour du soleil et autres choses semblables, et à prédire ce qui arrivera de ces mouvements, par exemple les éclipses, visibles de tel lieu. Il suffit maintenant de ces remarques.

CHAPITRE VIII

DE L'OBJET

Lorsque Démocrite voulait soutenir que le soleil et la lune sont véritablement comme nous les voyons, grands comme ils ont l'air d'être, et à la distance où nous croyons les voir, il savait bien à quoi sa doctrine l'obligeait. Nul ne peut être assuré d'échapper aux aventures, dès qu'il s'embarque. Il est admis communément aujourd'hui, même pour ceux qui n'en connaissent pas bien les preuves, que le soleil est fort éloigné de nous, beaucoup plus que la lune, et donc qu'il est beaucoup plus gros que la lune, quoique leurs grandeurs apparentes soient à peu près les mêmes, comme cela est sensible dans les éclipses. On ne peut donc soutenir que l'objet que nous appelons soleil, le vrai soleil, soit cette boule éblouissante; autant vaudrait dire que le vrai soleil est cette douleur de l'œil quand nous le regardons imprudemment. Il faut donc rechercher comment on est arrivé à poser ce vrai soleil, que personne ne peut voir ni imaginer, pas plus que je ne puis voir le cube que je sais pourtant être un cube. J'en vois des signes, comme je vois des signes du vrai soleil; et, parmi les signes du vrai soleil, de sa grandeur, de son mouvement apparent et de son mouvement vrai, l'ombre tournante d'un bâton n'importe pas moins que le disque de l'astre vu à travers les lunettes noircies. En sorte que le vrai soleil est aussi bien déterminé, et quelquefois mieux, par un de ces signes que par l'autre. On voit ici qu'un objet est déterminé par ses rapports à d'autres, et au fond à tous les autres. Un objet considéré seul n'est point vrai, ou pour parler autrement, il n'est point objet. C'est dire qu'un objet consiste dans un système de rapports indivisibles, ou encore que l'objet est pensé, et non pas senti. Si vous méditez de nouveau sur l'exemple du cube, qui est parmi les plus simples, vous comprendrez bien le paradoxe que Démocrite tentait vainement de repousser.

Honnêtement, il faut décrire le monde comme on le voit; et ce n'est pas simple, car on ne le voit pas comme on le sent; et chacun sait bien qu'il n'est pas non plus comme on le voit. Changez de place, faites le tour de cet homme, son image sera toujours une tache sombre, et la terre sera toujours une couleur plus claire qui le circonscrit. Mais vous savez bien qu'il est autre chose, qu'il s'agit de déterminer d'après ces signes-là et d'autres. Et ceux qui voudraient dire que c'est le toucher qui est juge ne gagnent rien; car ils ne diront pas que cet homme est cette impression sur ma main, et puis cette autre, et puis cette autre. Nous savons au contraire qu'il n'a pas tant changé par un simple mouvement de ma main; et en somme il faut bien que nous réunissions ces apparences en système, jusqu'à dire que ces mille aspects nous font connaître le même homme. C'est tout à fait de la même manière que je décide, quand je danse au clair de lune, que ce n'est pas la lune qui danse. Un petit pâtre sait cela, et déjà par science.

Les anciens astronomes pensaient que l'étoile du matin et l'étoile du soir étaient deux astres différents. C'est que Vénus, planète plus rapprochée du soleil que nous, ne fait pas son tour du ciel comme les autres. Ainsi, faute de connaître les rapports convenables, ils n'arrivaient point à relier ensemble ces deux systèmes d'apparences, comme nous faisons aujourd'hui. Il est utile à ce sujet de comparer les différents systèmes astronomiques; on y voit par quelle méthode on retrouve un seul objet sous l'apparence de plusieurs, par l'invention d'un mouvement convenable des objets mêmes et aussi de l'observateur. Mais ce n'est pas par d'autres méthodes que j'arrive à savoir si c'est mon train qui se met en marche, ou l'autre. Et il m'arrive de penser : « Voici l'hirondelle qui est revenue », quand je n'ai vu pourtant qu'une ombre sur le ciel près de la grange souterraine où je sais qu'elle a son nid tous les ans. Supposition fort étendue, et fausse sans doute en partie, car il se peut que ce ne soit pas la même hirondelle. Toutefois on y voit à plein comment l'entendement construit ses systèmes et détermine les vrais objets.

Ainsi demander pourquoi avec deux yeux on ne voit qu'un objet, c'est trop peu demander. Il faut demander pourquoi avec deux mains on ne touche qu'un cube, pourquoi l'on dit que l'on touche l'objet même que l'on voit, que l'on entend, que l'on flaire, que l'on goûte; car ce seraient bien autant d'objets, et très différents si l'on s'en tenait aux apparences. Par ces remarques se définit, il me semble, peu à peu, cet étrange pouvoir de penser que la plupart des hommes veulent reconnaître seulement dans les discours bien faits que l'on tient aux autres ou à soi-même. On aperçoit déjà que les esprits pensent un monde commun d'après les apparences où chacun se trouve d'abord seul, et où le fou passe toute sa vie.

CHAPITRE IX

DE L'IMAGINATION

En définissant l'imagination comme une perception fausse, on met l'accent sur ce qui importe peut-être le plus. Car on serait tenté de considérer l'imagination comme un jeu intérieur, et de la pensée avec elle-même, jeu libre et sans objet réel. Ainsi on laisserait échapper ce qui importe le plus, à savoir le rapport de l'imagination aux états et aux mouvements de notre corps. Le pouvoir d'imaginer doit être considéré dans la perception d'abord, lorsque, d'après des données nettement saisies, nous nous risquons à deviner beaucoup. Et il est assez clair que la perception ne se distingue alors de l'imaginaiton que par une liaison de toutes nos expériences, et une vérification à chaque instant de toutes nos anticipations. Mais, dans la perception la plus rigoureuse, l'imagination circule toujours; à chaque instant elle se montre et elle est éliminée, par une enquête prompte, par un petit changement de l'observateur, par un jugement ferme enfin. Le prix de ce jugement ferme qui exorcise apparaît surtout dans le jeu des passions, par exemple la nuit, quand la peur nous guette. Et même, dans le grand jour, les dieux courent d'arbre en arbre. Cela se comprend bien; nous sommes si lestes à juger, et sur de si faibles indices, que notre perception vraie est une lutte continuelle contre des erreurs voltigeantes. On voit qu'il ne faut pas chercher bien loin la source de nos rêveries.

Mais il arrive souvent aussi que ce sont les organes de nos sens qui par eux-mêmes fournissent matière à nos inventions. Par eux-mêmes, entendons-le bien; notre corps ne cesse jamais d'être modifié de mille manières par les causes extérieures; mais il faut bien remarquer aussi que l'état de nos organes et les mouvements mêmes de la vie fournissent des impressions faibles, assez frappantes dans le silence des autres. C'est ainsi que le sang fiévreux bourdonne dans les oreilles, que la bouche sent une amertume, que des frissons et des fourmillements courent sur notre peau. Il n'en faut pas plus pour que nous nous représentions des objets pendant un court instant; et c'est proprement ce que l'on appelle rêver.

Enfin souvent nous cherchons ou plutôt nous forgeons des images, par nos mouvements. Ici la vue ne joue qu'un rôle effacé, si ce n'est que nos gestes ou mieux notre crayon dessinent des formes que nos yeux suivent, ou bien encore que de vifs mouvements des yeux brouillent les perceptions réelles et font courir des dieux. L'ouïe est bien plus directement modifiée par nos paroles; notre parole est un objet réel, que nous percevons, même si nous parlons à voix basse. Surtout le sens du toucher se donne à lui-même des impressions par chacun de nos mouvements; je puis m'enchaîner, m'étrangler, me frapper moi-même; et ces fortes impressions ne sont sans doute pas les moindres preuves dans le délire des fous. On aperçoit ici la liaison de l'imagination aux passions. Celui qui s'enfuit perçoit mal toutes choses, devine encore plus mal ce qui se passe derrière lui, redouble par son action désordonnée les mouvements du cœur et des poumons, éveille les échos par sa course. Tout mouvement déréglé trouble l'univers perçu. Ainsi nous sommes conservateurs et architectes de ce monde continuellement, comme aussi inventeurs de démons et de fausses preuves dès que nous nous abandonnons aux mouvements convulsifs. Au reste l'univers est assez riche pour fournir toujours quelque ombre d'objet à nos égarements. Et dans tout fait d'imagination on retrouvera toujours trois espèces de causes, le monde extérieur, l'état du corps, les mouvements. Toutefois il n'est pas mauvais de distinguer trois espèces d'imagination. D'abord l'imagination réglée, qui ne se trompe que par trop d'audace, mais toujours selon une méthode et sous le contrôle de l'expérience; telles sont les réflexions d'un policier sur des empreintes ou sur un peu de poussière; telle est l'erreur du chasseur qui tue son chien. L'autre imagination qui se détourne des choses et ferme les yeux, attentive surtout aux mouvements de la vie et aux faibles impressions qui en résultent, pourrait être appelée la fantaisie. Elle ne se mêle point aux choses, comme fait la réglée; le réveil est brusque alors et total, au lieu que dans l'imagination réglée le réveil est de chaque instant. Enfin l'imagination passionnée se définirait surtout par les mouvements convulsifs et la vocifération.

Il existe aussi une imagination réglée, mais en un autre sens, et qui participe des trois, c'est l'imagination poétique dont nous traiterons plus tard. Considérez seulement ici comment le poète cherche l'inspiration, tantôt percevant les choses, mais sans géométrie, tantôt somnolant, tantôt gesticulant et vociférant. D'autres poésies, comme architecture et peinture, prennent plus à l'objet, d'autres, comme la danse et la musique, prennent toute leur matière dans le corps même du sujet. Mais l'art dépend aussi des passions et surtout des cérémonies; il n'est donc pas à propos d'y insister maintenant.

CHAPITRE X

DE L'IMAGINATION PAR LES DIFFÉRENTS SENS

IMAGINER, c'est toujours penser un objet et se représenter son action possible sur tous nos sens. Une imagination qui ne serait que visuelle ne serait plus imagination du tout; ce ne serait qu'une impression colorée sans situation et sans forme. À mesure que l'on tend à réduire les images à des phénomènes du corps humain, on se guérit de l'imagination. Qu'est-ce qu'imaginer un fantôme, sinon le voir en un lieu, et se représenter par quels mouvements on le toucherait? Faute d'avoir assez réfléchi là-dessus, nos philosophes d'occasion décrivent une imagination seulement visuelle, une autre seulement tactile, et des types d'hommes qui y correspondent, sans que ces recherches conduisent bien loin. Il n'est pas facile d'apercevoir que toute image visuelle, puisqu'elle enferme toujours relief et distance, enferme par cela même un certain commentaire des muscles. Il fallait donc s'attendre à des réponses ambiguës ou trop complaisantes. Et, pour tout dire là-dessus, il n'y a point d'images, il n'y a que des objets imaginaires. Cet exemple montre bien que la réflexion doit précéder ici les recherches et les éclairer toujours.

Cette réserve faite, il est permis d'examiner comment nous imaginons par chacun de nos sens. Pour le goût et l'odorat il y a sans doute peu de chose à dire, sinon que les objets réels fournissent moins de matière à l'imagination que ne font les réactions du corps, surtout involontaires comme sont les mouvements de nausée. Et aussi que l'imagination par les autres sens détermine souvent celle-là; chacun sait que l'aspect d'un mets d'ailleurs agréable au goût peut le faire paraître mauvais par anticipation. Il arrive aussi quelquefois qu'une sensibilité plus raffinée ou aiguisée par la maladie fasse apparaître des odeurs ou des saveurs ordinairement très faibles; ainsi l'imagination se trouve vraie, mais à notre insu. Et au reste il n'y a point d'imagination qui ne soit vraie en quelque façon; car l'univers ne cesse jamais d'agir sur nous de mille manières, et nous n'avons sans doute pas de rêve, si extravagant qu'il soit, dont quelque objet réel ne soit l'occasion. Imaginer ce serait donc toujours percevoir quelque chose, mais mal.

Ce même caractère n'est pas moins sensible pour l'imagination visuelle, quoiqu'on n'y pense pas toujours assez. Il est clair que les nuages, ou les feuillages épais, ou encore les lignes confuses et entrecroisées d'un vieux plafond ou d'un papier de tenture sont fort propres à nous faire imaginer des têtes d'hommes ou des monstres. Chacun sait que le demi-jour et le jeu des ombres, comme aussi une lumière trop vive, produisent le même effet. Les fumées et le feu sont favorables aussi aux rêveurs.

Il faut décrire maintenant ce que nos propres yeux fournissent à nos rêveries, surtout lorsqu'ils sont fermés. Chacun peut, en fermant vivement les yeux, observer l'image d'un objet fortement éclairé, ce qui n'est qu'un ébranlement continué, ou bien une image négative avec couleur complémentaire, ce qui est un effet de fatigue. Et sans doute notre rétine n'est-elle jamais parfaitement au repos; les pressions, les excitations électriques y font apparaître des lueurs, comme chacun sait. Et les grands liseurs connaissent ces houppes colorées et changeantes qui sont sans doute la première trame de nos rêves. J'ai vu plusieurs fois, dans les instants qui précèdent le sommeil, ces formes mobiles se transformer en images d'hommes ou de maisons, mais il faut de l'attention et une critique éveillée pour apercevoir ces choses. Les passionnés aiment mieux dire qu'ils voient les images des choses à l'intérieur d'eux-mêmes, sans vouloir expliquer ce qu'ils entendent par là. Selon mon opinion, toute image visuelle est extérieure à moi et extérieure à elle-même, par sa nature d'image. Et la forêt où je me promène en rêve n'est pas dans mon corps; mais c'est mon corps qui est en elle. Que faites-vous, dira-t-on, des yeux de l'âme? Mais les yeux de l'âme, ce sont mes yeux.

Il faut considérer enfin l'effet de mes propres mouvements, évidemment de première importance quand j'imagine le mouvement des choses. Le moindre mouvement de ma tête fait mouvoir toutes choses. Ajoutons que mon mouvement est propre à brouiller les images, et que le clignement des yeux fait revivre les images complémentaires, comme chacun peut s'en assurer. Mais le fait le plus important est ici le geste des mains, qui dessine devant nos yeux la chose absente, et naturellement surtout le dessin et le modelage, qui fixent nos rêves en objets véritables. Je ne considère ici que le crayon errant, qui nous étonne nous-mêmes par ses rencontres. Ainsi nous sommes ramenés à l'idée principale de ce chapitre, c'est que nous n'inventons pas autant qu'on pourrait croire. Il m'est arrivé plus d'une fois de me dire : j'imagine en ce moment un rouge vif, et d'apercevoir dans le même instant la bordure rouge d'un cahier devant moi.

Les mêmes choses sont à dire, et mieux connues peut-être, de l'imagination auditive. D'abord que tous les bruits confus, du vent, de la cascade, d'une voiture, d'une foule, font des paroles et des musiques. La marche d'un train nous propose un rythme. Il faut dire aussi que la respiration et le battement du sang agissent sur nos oreilles et y produisent des bourdonnements, sifflements, tintements. Surtout nous parlons, chantons et dansons, ce qui fixe les images auditives et en appelle d'autres. N'entrons point ici dans l'étude de l'inspiration musicale. Disons seulement que, dans les rêves, les voix que nous croyons entendre sont sans doute souvent notre voix même, les cris, nos propres cris, les chants, nos propres chants. Avec cela nous battons des rythmes par le souffle, les muscles, le sang. Voilà des symphonies toutes faites.

Il reste à traiter du toucher. Et ce n'est pas difficile. Car premièrement les choses ne cessent jamais d'agir sur nous, par froid et chaud, souffle, pression, frottement. En second lieu notre toucher est continuellement modifié par les mouvements de la vie, par fatigue, crampes, fièvre, lésion. Nous croyons sentir des pincements, des torsions, des vrilles, des scies. Ou bien encore nous imaginons des liens autour de la poitrine, une main brutale à notre gorge, un poids écrasant sur nous. Et enfin nos mouvements légers ou vifs nous donnent des impressions bien réelles. Un homme qui rêve qu'il se bat peut se donner des coups de poing. Il peut se lier les bras, se heurter contre un mur, se raidir, se tordre. Telle est la source de nos rêveries les plus tragiques; et nous ne le soupçonnons point. Mais nous touchons ici aux passions. Ample matière, et l'on ne peut tout dire à la fois.

CHAPITRE XI

DE L'ASSOCIATION D'IDÉES

La suite de nos pensées est réglée communément sur les objets qui se présentent à nous. Mais comme on l'a vu, ces objets ne sont perçus qu'après nombre d'essais, d'esquisses et de suppositions; cet homme là-bas, j'ai cru d'abord que c'était le facteur; cette voiture, que c'était celle du boucher, cette feuille au vent, que c'était un oiseau. Ainsi chacune de nos perceptions termine une recherche rapide, un échafaudage de perceptions fausses et mal déterminées, auxquelles le langage, qui ne s'arrête jamais, donne une espèce de précision. Donc, à propos de chaque objet, je pense naturellement à beaucoup d'autres qui lui ressemblent, en ce sens que leur forme explique passablement mes impressions. C'est là qu'il faut chercher la source de la plupart de ces évocations que les auteurs considèrent comme des associations par ressemblance. L'erreur est ici de croire que nos idées s'enchaînent dans notre esprit comme si, retirés dans une chambre bien fermée, nous comptions nos trésors. En réalité, penser c'est percevoir, toujours; et même rêver, c'est encore percevoir, mais mal. Il importe de tenir ferme cette idée directrice si l'on veut redresser les méditations faciles, et souvent purement dialectiques, des auteurs sur ce sujet-ci.

Il arrive aussi que, par la fatigue des sens, nous percevons des images complémentaires des choses, comme le violet après le jaune. Les exemples de ce genre sont assez rares; mais il eſt naturel de penser que toujours, et pour tous nos sens, une impression un peu vive nous rend en quelque façon insensibles à certaines actions, et par conséquent nous dispose à en remarquer d'autres; ainsi s'expliquent sans doute beaucoup de prétendues associations par contraste. Un voyageur me contait que lorsqu'il fermait ses yeux, fatigués par le sable algérien, il pensait à un paysage lunaire de Norvège.

Il faut enfin considérer le langage comme réglant par son cours automatique tout ce qui, dans notre pensée, est autre chose que perception; et d'ailleurs cela est perception encore, car nous percevons notre langage. Or, souvent nous disons un mot pour un autre, et ces maladresses tiennent à deux causes principales; ou bien nous glissons à quelque mot semblable à celui qui serait attendu, mais plus facile à prononcer, et c'est encore une espèce d'association par ressemblance; ou bien les organes de la parole, fatigués d'une certaine flexion ou tension, tombent d'eux-mêmes dans quelque disposition qui les repose. De là plus d'une rupture étrange dans nos méditations.

Mais disons aussi que souvent la chaîne de nos pensées nous échappe, et que nous nous trouvons fort loin de notre première pensée sans pouvoir nous rappeler par quel chemin nous l'avons quittée. C'est l'oubli, presque toujours, qui fait que la suite de nos idées nous semble si capricieuse.

Quant aux associations par contiguïté, comme on dit, soit dans l'espace, soit dans le temps, ce sont des faits de mémoire rapide, qui ne s'expliquent eux aussi que par une étude du souvenir complet. Je ne puis penser à telle cathédrale sans penser à la marchande de fleurs qui est à côté; fort bien, mais c'est de la même manière que je pense aussi aux vieilles maisons, à la ville, à la route qui y conduit. Et toutes ces revues topographiques enferment plus de pensée qu'on ne croit. Mais l'ordre de succession, surtout, est évidemment retrouvé par science, comme nous dirons. Assurément il y a de l'automate dans la mémoire, mais non pas tant qu'on veut le dire, et toujours dans l'action, entendez dans le langage. Ces remarques ont pour but de mettre le lecteur en garde contre ces constructions idéologiques où les idées et images sont prises comme des termes invariables apparaissant l'un après l'autre sur l'écran. Que cette mécanique de la pensée soit bien puérile, c'est ce que l'étude de la mémoire achèvera de montrer.

Ajoutons que ces fameuses lois de l'association des idées n'expliquent rien. Qu'une orange me fasse penser à la terre, cela n'est nullement expliqué par la ressemblance; car une orange ressemble encore plus à une pomme, à une balle, ou à une autre orange. Et dans cet exemple il est assez clair que la prétendue association n'est que le souvenir rapide d'une leçon d'astronomie, où l'on comparaît les aspérités de l'écorce à la hauteur des montagnes sur notre globe, et c'est donc une analogie, c'est-à-dire une pensée véritable, qui porte ici l'imagination.

CHAPITRE XII

DE LA MÉMOIRE

PERCEVOIR, c'est toujours se représenter. Il y a donc dans notre perception, si simple qu'elle soit, toujours une mémoire qu'on peut appeler implicite. Toutes nos expériences sont ramassées dans chaque expérience. Percevoir par les yeux une allée bordée d'arbres, c'est se souvenir que l'on a parcouru cette allée-là ou d'autres, que l'on a touché des arbres, compris les jeux de l'ombre et de la perspective, et ainsi du reste; et comme les ombres, par exemple, dépendent du soleil, et que la perception du soleil, toujours indirecte, enferme elle-même une multitude d'expériences, je dis que toutes nos expériences sont ramassées dans chaque expérience. Mais cette remarque même fait bien comprendre qu'il s'agit ici d'une mémoire implicite, et non d'un souvenir à proprement parler. Pour percevoir cette allée d'arbres comme il faut, il n'est pas nécessaire que je pense à telle promenade que j'ai faite, encore moins que je la pense dans tel moment du passé. On pourrait appeler mémoire diligente cette mémoire qui ne fait qu'éclairer le présent et l'avenir prochain sans développer jamais le passé devant nous; et l'on pourrait appeler mémoire rêveuse celle qui, au contraire, prend occasion du présent pour pas qu'on connaît mal ce qui se passe le long des nerfs et dans le cerveau; c'est que le cerveau, les nerfs et le cheminement qu'on suppose, aussi bien que le milieu physique et la chose même, sont une perception au milieu d'autres perceptions, indivisible comme toutes, et pensée comme toutes, avec des rapports, des distances, des parties extérieures les unes aux autres; et le cerveau, en ces images, n'est jamais qu'une partie du monde, qui ne peut contenir le tout. Pour parler autrement, il n'y a dans le cerveau que des parties de cerveau, et il ne s'y peut inscrire que des formes et mouvements de ces parties. Au reste ces formes et ces mouvements sont parfaitement ignorés du penseur, au moment où il pense le monde d'après ses impressions et ses souvenirs. C'est ma pensée qui seule est une pensée pour moi; tout le reste est chose. Et, pour tout dire, dans un cerveau agrandi autant qu'on voudra, on ne pensera toujours que cerveau, et nullement les autres choses de l'univers. C'est par des remarques de ce genre que l'esprit apparaît enfin dans son œuvre, et incorporé à son œuvre, organisateur, démiurge dans ce monde, comme le Dieu des anciens.

Ces principes sont assez connus des vrais philosophes; mais j'ai remarqué qu'en traitant de la mémoire ils les oublient trop. Disons donc ce qui peut être conservé dans le corps, et quel genre de traces, et avec quels effets. Le corps vivant a premièrement la propriété de se mouvoir selon sa forme et selon les résistances qui l'entourent. De plus le corps vivant apprend à se mouvoir. En quoi il faut sans doute distinguer deux choses : la nutrition des muscles, excitée par l'exercice, et qui modifie ainsi la forme des muscles intéressés de façon à rendre plus aisé le mouvement qu'on leur fait faire souvent. Ce sont là de vraies traces auxquelles on ne fait pas assez attention. Maintenant on peut supposer encore, quoique ce soit moins visible, des chemins plus faciles tracés par les nerfs, les centres et enfin le cerveau, de façon que, à la suite d'une impression, certains muscles soient plus énergiquement excités que d'autres. Voilà tout ce que le corps vivant peut faire et tout ce qu'il peut conserver. Ce n'est pas peu, comme on voit par cette habileté machinale que l'on observe chez les artisans, les gymnastes et les musiciens, qui est d'ailleurs bien plus souple et bien plus modifiée par l'attention volontaire que l'on ne croit, modèle de toute succession. Et peut-être cette opinion prendra quelque évidence lorsque le rapport de la théorie à l'expérience aura été examiné. Toujours est-il que, dans le fait, les hommes discuteraient sans fin, entre eux et à l'intérieur d'eux-mêmes, sur l'ordre de leurs souvenirs, s'ils n'avaient pas les séries numériques du calendrier.

Il faut aussi distinguer la succession dans les choses et la succession pour nous. Le bruit du canon ne suit pas l'éclair du coup, mais il le suit pour moi, si je suis loin. Seulement il faut dire que, pour celui qui traite de la mémoire, l'ordre de succession dans les choses n'est pas le principal; il n'est considéré qu'accessoirement, lorsque nous n'avons pas d'autre moyen d'ordonner l'histoire de notre propre vie.

Si je cherche maintenant dans notre expérience où nous pouvons trouver des ordres de succession invariables, j'en aperçois de deux sortes. L'ordre des choses, d'abord, impose à nos perceptions une espèce d'ordre. Lorsque j'indique un chemin à suivre, je décris à la fois un ordre de choses coexistantes, et une succession bien déterminée de perceptions. « Vous trouverez d'abord une cabane, ensuite un carrefour, ensuite une borne, puis un chemin creux. » A dire vrai, il y a plus d'un chemin pour aller d'un lieu à un autre, et mille manières de parcourir l'univers. Parmi les choses coexistantes, rien n'est avant ni après, si ce n'est par rapport à un projet bien déterminé. Mais, dès que l'on se donne un parcours, et un sens du mouvement, l'ordre de succession se trouve déterminé en même temps que l'ordre des choses coexistantes. Et lorsque je veux ordonner mes souvenirs de voyage, il n'est pas inutile de savoir que Lyon se trouve entre Paris et Marseille. Toutefois la détermination de l'ordre de succession n'est précise que pour des mouvements simplifiés, le long d'une ligne continue, sur laquelle on marquerait des points bien distincts. Cet ordre est analogue à l'ordre des nombres, avec cette différence que la succession est possible en deux sens, en partant d'un point quelconque. Mais étudiez cette espèce de voyage le long d'une ligne, vous verrez que la succession des points ne peut pas être intervertie n'importe comment. Il faudra toujours atteindre un certain point avant d'en atteindre un autre. Et, selon mon opinion, cette espèce de voyage abstrait est aussi le type et le modèle de tout voyage. Dans cette étude de la mémoire, de quelque côté qu'on la prenne, on aperçoit toujours à l'œuvre la pensée réfléchie, s'aidant de ses formes et de ses notations propres. Et je ne vois pas pourquoi l'on s'en étonnerait.

L'autre succession est celle des événements dans le monde. Ici les termes passés disparaissent; on ne les retrouvera plus jamais. Édouard VII n'a été couronné qu'une fois, il n'est mort qu'une fois. Je n'ai été reçu qu'une fois à un certain examen. Un coup de canon jette à bas ce qui restait d'un clocher; la ruine suit le clocher; et je ne reverrai jamais le clocher dans l'état où il était à l'instant qui a précédé la chute. Sans doute il faut une longue expérience, et les leçons d'autrui, et encore des idées auxiliaires, pour connaître et reconstituer l'ordre des événements. Il est clair que chacun fait ce travail dès qu'il se souvient, et qu'il argumente avec lui-même, invoquant, à tort ou à raison, le possible et l'impossible. Ici encore un tracé simplifié nous est fourni par ces expériences de laboratoire que l'on peut recommencer plusieurs fois en remettant les choses dans l'état initial. C'est dire que l'idée de causalité est présente ici dans la succession, comme vérité de la succession. Il arrive à chacun de dire : « C'était avant la mort du président Carnot, car je le vis, ce jour-là », ou bien : « C'était avant le baccalauréat, car j'étudiais dans tel lycée à cette époque. » L'art de vérifier les dates ne consiste qu'à rattacher les événements flottants à des successions fixes et bien déterminées, qui sont enfin celles des événements astronomiques. Et je crois que, sans des secours de ce genre, nous serions dans le doute, et sans remède, au sujet des événements les plus importants de notre vie. Anticipons. C'est par l'idée théorique de la succession, c'est-à-dire par le rapport de cause à effet, que nous percevons la succession dans l'expérience. Ou bien il faudrait soutenir que nos souvenirs nous reviennent en chapelet, toujours dans le même ordre, comme une chose à nous, automatiquement conservée, ce qui n'est point. Dans le fait nos souvenirs s'offrent capricieusement, et leur ordre véritable doit être retrouvé sans cesse d'après des idées, vraies ou fausses, correspondant à une science plus ou moins avancée, mais toujours science.

L'automatisme, entendez la mémoire motrice, nous fournit bien des séries auxiliaires, utilisées à chaque instant; mais il n'y en a qu'un petit nombre dont nous soyons sûrs; telles sont la suite des nombres, les jours de la semaine, les mois, les lettres de l'alphabet, les couleurs du prisme, les notes de la gamme, la suite des tons, les principaux faits de l'histoire. Mais la peine que nous prenons pour fixer ces séries et les reproduire sans faute fait bien voir que nous manquons d'une mémoire naturelle et toute instinctive qui déroulerait les événements passés dans l'ordre où nous les avons perçus.

En somme on peut dire que la succession pour nous est déterminée par la succession vraie, et la succession vraie par l'idée de cause, qui n'est que l'idée théorique de la succession. Ces idées importantes ne peuvent être éclaircies dans ce chapitre; elles devaient y être présentées.

CHAPITRE XV

LE SENTIMENT DE LA DURÉE

Les développements qui précèdent tendent visiblement à cette conclusion que la connaissance instinctive du temps suppose toujours quelque idée des successions régulières, et aussi quelque secours d'institution. Mais il faut se demander si, en dehors de cette connaissance, que chacun éprouve tous les jours, nous n'avons pas une expérience plus intime de notre propre temps, ou, pour mieux parler, de notre durée ou vieillissement. Cet examen peut donner quelque idée de ce que c'est que la psychologie pure, et du débat entre les psychologues et ceux qu'ils appellent intellectualistes.

Je veux donc faire abstraction des objets extérieurs et connaître seulement ce que j'éprouve dans le recueillement avec moi-même. Et dans cette pensée rêveuse, je veux encore effacer les souvenirs ordonnés et datés, c'est-à-dire tout ce qui a forme d'objet. Je considère ce que j'éprouve, sans vouloir savoir d'où cela vient ni ce que cela signifie. On peut espérer qu'on y parviendra en de courts moments, tout étant mêlé alors, et la couleur n'étant pas plus objet que ne l'est l'odeur de rose, et tout cela n'étant qu'impression en moi, pour moi, de moi. Je me trouverai donc en face du sujet seul, ou dans le pur subjectif, comme on dit. Au moins, j'en approche. Et, quoique je ne pense plus aux mouvements, aux changements dans l'objet, et encore moins aux astres et aux horloges, néanmoins il me semble que j'ai le sentiment immédiat d'un temps en moi. D'abord, si mes impressions changent, aussitôt l'impression première, tout entière, prend le caractère du passé, et est en quelque sorte repoussée dans le passé par celle qui survient. Mais, même sans aucun changement, si je considère ce que j'éprouve, cette seule réflexion éclairant un peu tout le reste forme avec tout le reste un moment nouveau et actuel, l'autre état sans réflexion glissant aussitôt dans le passé. Cette chaîne de moments, qui glisse d'avant en arrière, tombe bientôt dans une espèce de nuit.

Et disons encore que, si je n'avais cette expérience, c'est vainement qu'on me parlerait du temps, car les mouvements ne sont point du temps. L'aiguille de ma montre change de lieu, mais ne décrit pas un temps. Le caractère propre du temps, c'est qu'il est une altération irréparable. Le moment passé ne peut plus jamais être présent. Quand les mêmes impressions reviendraient toutes, je suis celui qui les a déjà éprouvées. Chaque printemps vient saluer un être qui en a déjà vu d'autres. En ce sens toute conscience vieillit sans remède, comme nous voyons que tout vivant vieillit. Tel serait donc le temps véritable dont les mouvements ne nous donneraient que l'image. Et ce temps n'est qu'en moi et que pour moi. Dès que je me représente un corps, je puis concevoir que ses parties reviennent toutes dans leur premier état, et des millions de fois ainsi. Rien n'y serait donc passé. Mais pour moi le témoin, la seconde impression que j'en ai ne se substitue pas à la première, elle s'y ajoute. Je vieillis parce que j'accumule.

Ces remarques, sur lesquelles on peut raffiner beaucoup, contribuent à une description complète de la pensée du temps ; c'en est la matière. Et il est bon en effet d'avertir le lecteur que les moments ne se juxtaposent pas en nous comme des secondes parcourues par une aiguille. Mais il faut comprendre aussi que cette vie de pur sentiment, que j'ai voulu décrire, tend au sommeil, c'est-à-dire à l'inconscience. Nous ne pouvons la saisir et la décrire que sous des formes, et par des métaphores tirées de l'espace et du mouvement, c'est-à-dire de l'objet.

Ainsi il semble que l'objet ne s'étalerait point devant nous avec ses parties distinctes et leurs changements, sans l'unité de la conscience; car une autre chose n'est qu'elle; mais moi je suis tout. En revanche l'unité du sujet n'apparaît jamais sans aucune perception d'objet. C'est là qu'ont porté les méditations les plus suivies de Kant, et les plus difficiles. Et il me semble aussi qu'il est également vrai qu'on ne se souvient que de soi-même, selon un mot assez frappant, mais aussi qu'on ne se souvient que des choses, la vérité des choses donnant seule un sens à nos sentiments intimes de la durée, tout à fait de la même manière que l'image d'un mouvement donne seule un sens à ce que j'éprouve lorsque j'allonge le bras. Et enfin, autant que j'ai conscience, je suis toujours entendement. Cela ne tend qu'à supprimer des divisions un peu trop commodes, et assez puériles, d'après lesquelles nous pourrions par exemple quelquefois sentir sans penser, et quelquefois penser sans sentir. Séparer et joindre, et en même temps, c'est la principale difficulté des recherches philosophiques.

CHAPITRE XVI

DU TEMPS

On croira faire preuve de quelque esprit philosophique en critiquant d'abord ce titre, et en se plaisant à dire qu'il n'y a point le temps, mais des temps, entendez un temps intime pour chaque être, et qu'il n'y a aucun temps dans l'objet comme tel. Ces réflexions ne sont pas mauvaises pour commencer, et pour se débarrasser d'abord de cette erreur grossière que le temps consiste en un certain mouvement régulier, comme du soleil ou d'une montre, ou des étoiles. Mais on ne peut s'en tenir là; il faut décrire ce que nous pensons sous ce mot; et nous pensons un temps unique, commun à tous et à toute chose. Les paradoxes plus précis des modernes physiciens qui veulent un temps local, variable selon certains mouvements de l'observateur, par exemple plus rapides que la lumière, font encore mieux ressortir la notion du temps unique. Car cela revient à dire que nous n'avons pas de moyen absolu de constater l'en même temps de deux actions. Mais cela même n'aurait pas de sens, si nous ne savions qu'il y a un en même temps de tout.

En même temps que l'aiguille des secondes avance sur le cadran de ma montre, à chaque division il se passe quelque chose partout, qui n'est ni avant, ni après. Je puis ne jamais découvrir à la rigueur dans l'expérience ce rapport entre deux changements que j'appelle simultanéité; mais je ne puis penser qu'en même temps qu'un changement en moi il ne se produise pas d'autres changements partout, d'autres événements partout; et, de même, qu'il y en a eu d'autres avant et qu'il y en aura d'autres après, en même temps que d'autres en moi. Je vis dans le même temps qu'une nébuleuse lointaine se condense ou se raréfie. Il y a un moment pour elle qui est commun à elle et à moi, et, bien mieux, tous les moments sont communs à nous deux et à toutes choses. Dans un même temps, dans un temps unique, dans le temps enfin, toutes choses deviennent. Il serait absurde de vouloir penser que le temps cesse ou s'arrête pour l'une, continue pour l'autre. Ce que Kant exprimait dans cette espèce d'axiome : deux temps différents sont nécessairement successifs. Comme deux ou trois espaces sont des parties de l'espace unique, et parties coexistantes, ainsi deux ou trois temps sont des parties du temps unique, mais successives. Examinez et retournez cette pensée de toutes les manières, et saisissez ici cette méthode philosophique, qui consiste à savoir ce que je pense dans une notion, en faisant bien attention de n'en pas considérer une autre à sa place. C'est justement ce qui arrive à tous ceux qui voudraient dire qu'un temps va plus vite qu'un autre, avance ou retarde sur un autre; ils devraient dire mouvement et non pas temps. Car le mouvement a une vitesse, ou plutôt plusieurs mouvements sont comparables en vitesse, mais dans un même temps. On dit que deux mobiles ont la même vitesse lorsqu'ils parcourent un même espace dans le même temps. Mais une vitesse du temps, cela n'est point supportable, si l'on y pense bien, car il faudrait un autre temps pour comparer les vitesses de deux temps; c'est dire que ces deux temps sont des montres, et que le vrai temps est ce temps unique où tous les mouvements peuvent être comparés.

En un sens on pourrait dire que la méditation sur le

temps est la véritable épreuve du philosophe. Car il n'y a point d'image du temps, ni d'intuition sensible du temps. Il faut donc le manquer tout à fait, ce qui est une erreur assez grossière, ou le saisir dans ses purs rapports, qui sont en même temps, avant, après. Mais il faut dire que l'espace donne lieu à des méprises du même genre; car, il n'y a point non plus d'image de l'espace; la véritable droite n'a point de parties et ne se trace point. L'espace n'a ni grandeur ni forme; ce sont les choses qui, par l'espace, ont grandeur et forme. Et c'est le sens du paradoxe connu de Poincaré : « Le géomètre fait de la géométrie avec de l'espace, comme il en fait avec de la craie »; il veut dire avec l'espace sensible, mais purifié, comme serait le grand vide bleu du ciel. Et cet espace imaginé n'est pas plus l'espace qu'un mouvement sans différences n'est le temps. Ce mouvement se fait dans le temps, ainsi que tous les autres. Il est seulement commode pour fixer au mieux l'en même temps de deux changements.

Le temps ne manque jamais. Il n'a ni commencement ni fin. Tout temps est une suite de temps. Le temps est continu et indivisible. Voilà des propositions qui ne sont proprement évidentes que si l'on s'est délivré des images faciles qui nous représentent le temps par un mouvement. Par exemple se demander si le temps est fait d'instants indivisibles, c'est substituer un mouvement au temps; et encore l'image d'un mouvement, car le mouvement est autre chose aussi pour l'entendement qu'une succession d'épisodes. Et c'est sans doute pour avoir matérialisé le temps que la vaine dialectique s'est plu à inventer l'éternel. Encore ici il faut distinguer l'idée de la chose, mais non les séparer. Nous pensons ainsi. Et ce n'est pas de petite importance de savoir exactement ce que nous pensons dans nos jugements ordinaires. Concluons que le temps est aussi bien que l'espace une forme de l'expérience universelle. Ces vérités ne sont pas nouvelles; mais il est toujours nouveau de les bien entendre.

CHAPITRE XVII

LE SUBJECTIF ET L'OBJECTIF

VOILÀ des mots un peu barbares, mais que l'usage impose. Et comment expliquer autrement ces deux éléments de toute connaissance, ces impressions sans forme et sans lien qui sont de moi seulement, et tout cet univers en ordre, représenté, véritable, et objet enfin? Cela suffirait si la réflexion n'avait à se garder ici d'une erreur au fond dialectique, j'entends qui est due au langage, qui fait, comme le lecteur l'a compris, le squelette de nos rêveries et de nos rêves. Je veux parler de cette vie intérieure dont beaucoup de philosophes traitent sans précaution, laissant croire qu'il se déroule un temps en chacun, porteur de souvenirs propres et de pensées cachées. Mais ce n'est, comme on l'a vu, qu'un déroulement de discours, ornés de quelques images, ou plutôt de quelques choses réelles, saisies au passage, et mal perçues, c'est-à-dire mal liées aux autres. Pensez à ces rêves dont nous avons dit tout ce qu'il en faut dire, en disant que ce sont toujours des perceptions incomplètes; car il arrive qu'un rayon de soleil sur mes paupières, avant de me réveiller au vrai monde, me porte à imaginer des scènes fantastiques, d'incendies ou d'éclairs, que mon langage aussitôt décrit et complète, que mes récits plus tard achèveront; il est clair que l'on compose ses rêves encore en les racontant. Toujours ainsi se développe notre vie intérieure, toujours faite d'impressions traduites en objets, mais sans aller jusqu'à la perception complète. Ou bien alors c'est qu'on s'éveille; et s'éveiller, c'est exactement chercher la vérité des choses, par mouvements des yeux et des mains. Nos rêves ne sont qu'un passage entre l'absence de perceptions, qui est absence de recherche, et la présence réelle des choses par effort de critique; ces essais paresseux, ce sont nos rêves; et il est très important de le bien comprendre, en vue d'une connaissance exacte des passions.

Mais aussi regardez bien comment cette vie intérieure se construit. Tant que le fantôme est pris pour vrai, je le pense hors de moi; il ne rentre en moi que par le même effort de critique qui fait paraître l'ordre des choses et les véritables objets. Comment saurai-je que j'ai dormi, que j'ai rêvé, sinon par la pensée d'un temps mesuré et commun, qui suppose une vérité des objets? Et mes souvenirs sont d'objets réels et rangés, que je pense toujours dans ce monde, absents et loin, plutôt que passés. Quand je me souviens d'une ville que j'ai vue, je pense bien qu'elle existe encore pour d'autres; et si je sais qu'elle est détruite, je pense encore que ses ruines existent, et que j'y retrouverais chaque pierre ou tout au moins la poussière de chaque pierre. Cette idée que rien ne s'est perdu, si importante comme on sait pour la pensée rigoureuse, est déjà le soutien du souvenir le moins étudié. On ne dira jamais assez que la mémoire du temps est liée à la mémoire des lieux. Notre histoire, c'est notre voyage dans ce monde réel; et nos changements sont pensés dans les changements extérieurs, dans les changements de l'objet, où tout se conserve en changeant seulement de place. Je suis moi par une suite unique de perceptions vraies; c'est là le principal du souvenir, tout le reste s'y accroche; et ce n'est pas sans raison que les plus raffinés cherchent leurs anciens sentiments en recherchant d'abord les choses, ou leurs débris. Je ne me pense que par le monde. Ce que Kant a exprimé dans un théorème assez obscur, disant que la conscience de soi suffit à prouver l'existence des choses extérieures. Il veut expliquer qu'il n'y a point à sauter en quelque sorte d'une vie d'apparences subjectives à l'objet véritable, mais qu'au contraire ce n'est que par l'objet véritable que les apparences apparaissent; et, par exemple, il est bien clair qu'il n'y a de perspectives que d'un vrai cube; et ma manière de le voir suppose toujours que je le pense comme il est, non comme je le vois. Je me borne à indiquer, ici comme ailleurs, le point difficile, où la réflexion philosophique doit se prendre. Retenons bien, comme idée directrice déjà, qu'une pensée sans objets est une pensée sans règle, et bavarde seulement, comme aussi une expérience sans jugement ne peut saisir la chose, deux vérités que l'histoire des sciences montre assez, mais communément de manière à étonner sans instruire.

LIVRE DEUXIÈME

L'EXPÉRIENCE MÉTHODIQUE

CHAPITRE PREMIER

L'EXPÉRIENCE ERRANTE

Il se trouve déjà une certaine méthode dans la simple perception, comme on l'a vu, mais implicite, par quoi chacun trouve à interpréter des signes annonciateurs, tels que le bruit d'un pas ou d'une serrure, ou la fumée, ou l'odeur, sans parler des profils et perspectives qui annoncent des choses et des distances. Ces connaissances s'acquièrent par une recherche véritable, qui consiste toujours à répéter les essais, en éliminant l'accidentel, mais presque toujours sans volonté expresse et souvent même par une sorte d'empreinte plus marquée que laissent les liaisons constantes. Connaissance sans paroles qui s'acquiert presque toute avant la parole, et qui se perfectionne durant la vie.

Les occupations ordinaires y font beaucoup. Le marin reconnaît les vaisseaux de fort loin, et les courants et les bas fonds d'après la couleur de l'eau. Il voit venir le coup de vent par les rides; et même, par le ciel et la saison, il arrive à prévoir la pluie et les orages; le paysan aussi, d'après d'autres signes. Mais il s'y mêle de nos jours des connaissances apprises et une circulation d'idées que le marin et le paysan n'entendent point à proprement parler. Et ces secours étrangers ferment plutôt les chemins de la recherche. J'ai remarqué que les paysans ignorent maintenant tout à fait les planètes et les étoiles et même ne les remarquent point, quoique cela s'offre à leurs yeux; ils l'ont dans l'almanach. Les pêcheurs de l'île de Groix ont une science à eux de se diriger par des sondages, et ils y sont étonnants. Mais, pour le compas, ils n'ont que des procédés appris; et par exemple, connaissant l'angle qu'il faut prendre pour aller à la Rochelle, ils n'ont point l'idée qu'un autre angle, voisin de celui-là, les mènerait tout droit au banc de pêche où ils vont. Retenons que, pour se servir d'une carte, il faut faire un long détour d'idée en idée. A quoi ne suffit pas l'expérience d'un seul homme, ni même cet enseignement que l'on donne en montrant les choses et en parlant; il y faut des écrits, et une langue faite exprès, qui est celle des géomètres.

L'expérience des artisans conduit plus près, semble-t-il, de la science véritable, surtout dans les cas où se rencontrent les deux circonstances favorables, à savoir l'objet façonné et l'outil. Car l'objet façonné, par exemple une table, est l'occasion d'une expérience continuée et naturellement bien conduite, par la forme même de l'objet et par l'usage qu'on en fait; et cet objet est déjà une abstraction en quelque sorte. Mais l'outil, façonné aussi, est plus abstrait encore, et sa forme exprime déjà assez des relations géométriques et mécaniques. La roue, la poulie, la manivelle, comme le coin, la hache et le clou, offrent déjà le cercle, le plan, et le levier aux méditations de quelque Archimède préhistorique. Encore l'outil représente des circonstances invariables, ce qui soulage et guide déjà l'esprit dans la difficile recherche des causes. Ceux qui voudraient parcourir cet immense sujet devront bien considérer, par raisons mécaniques, la naissance et le perfectionnement de chaque outil, jusqu'à la courbe de la faulx, afin d'éclairer une histoire trop pauvre en documents.

Il est important de dire que tous les métiers n'instruisent pas de la même manière. Et j'en vois ici trois principaux à distinguer. L'industrie d'artisan, d'abord, qui, parce qu'elle procède par essais et retouches, en éliminant toujours les circonstances accessoires, arrive bientôt à des lois empiriques véritables et à l'idée déterministe. L'agriculture, plus tâtonnante, plus prudente, parce qu'elle ne peut agir sur les causes principales, pluie, neige, grêle, gelée; ainsi l'espérance de l'agriculteur est autre chose que l'espérance de l'artisan; il s'y mêle plus d'attente et plus de prière peut-être; de là une religion plus fataliste, et plus poétique aussi, qui cherche ses signes dans le ciel. Le troisième groupe de métiers est celui des dresseurs d'animaux, chien, cheval, bœuf, éléphant, auxquels je joindrais, sans intention ironique, le métier de chef, d'avocat, de juge, car la persuasion et le dressage se ressemblent assez; et l'éducateur, surtout des jeunes enfants, voudra sa place aussi dans ce groupe-là. Ici les procédés vont à l'aveugle, et l'esprit est déconcerté par la variété des natures; et toujours les effets et les causes sont profondément cachés; mais aussi un procédé devient souvent bon par l'obstination seule, par exemple un certain mot. Ici se fortifie sans doute, par les différences, les surprises, les caprices et les succès bien frappants aussi, une pensée proprement fétichiste et une magie, par la puissance de l'imitation, des signes et des paroles.

On peut dire que c'est toujours dans ses propres œuvres que l'esprit a dû lire ses premières vérités et ses premières erreurs, l'agriculteur remarquant mieux la marche des corps célestes et le retour des saisons, l'artisan découvrant des relations plus précises, surtout géométriques et mécaniques, mais qui limitent trop l'esprit peut-être. Et enfin le dresseur de bêtes devient audacieux par le succès, jusqu'à tenir ferme ensemble, par jugement ou volonté comme on voudra dire, des termes tout à fait étrangers les uns aux autres, comme ces chasseurs sauvages qui ne veulent point que l'on nomme, même à voix basse, l'animal que l'on poursuit. Et je tiens que ces erreurs des mages, intrépidement soutenues, montrent mieux la véritable puissance de l'esprit que ne font les clairs et sûrs procédés des artisans. Car c'est ainsi que l'on pense, je dis même utilement, en jetant des ponts sur des abîmes.

CHAPITRE II

DE L'OBSERVATION

Afin d'éviter de traiter de l'esprit d'observation trop en l'air, disons, en suivant cette idée si naturelle des trois principaux métiers, qu'il y a bien trois méthodes

d'observer. La plus ancienne, je crois, et la plus commune est celle du mage, toujours dirigée vers les hommes ou vers les animaux familiers, en vue de les rendre favorables et obéissants. Remarquez que chacun, et même l'enfant, veut être mage dans son petit cercle. Cette attention est portée par le désir toujours; même réglée par volonté, elle est passionnée toujours; elle est prière et commandement. Le médecin, le thaumaturge, le chef ont naturellement ce regard qui fait naître et grandir à la fin ce qu'il cherche. Dans l'ordre humain, et même dans le cercle des animaux domestiques, le miracle naît à chaque instant d'une prière ardente et d'une ferme espérance. Et n'oublions pas que cette physique est la plus ancienne, la plus importante pour tous, si ce n'est pour Robinson, la première enfin pour chacun, car l'enfant n'a d'autre moyen d'obtenir que la prière. De là tant de systèmes du monde, naïvement construits d'après cet ordre humain des amis et des ennemis. Cette méditation intrépide, qui tire tout de soi, porte toute recherche comme la mer porte les navires. Descartes cherchait la physique en Dieu. Prenez le temps de considérer le portrait du Prince de l'Entendement, comme j'aime à l'appeler, vous y verrez la naïveté avec la puissance; mais pour traiter de Descartes comme il faut, une meilleure préparation est nécessaire. Comprenez seulement ici comment la pensée est née de la prière.

En contraste avec la pensée ambitieuse, je mets aussitôt la pensée ouvrière, qui n'observe que ce qu'elle fait. Méthode sûre, qui domine la physique des modernes, et en un sens l'écrase. Car ce n'est plus que la chose qui est mise ici à la question. Et que peut-elle répondre? Nier seulement, comme les auteurs l'ont bien vu. Réfuter seulement. Les machines, levier, poulie, roue, plan incliné, étaient toutes connues quand les principes de la mécanique étaient encore profondément cachés. C'est pour cette raison peut-être que Platon veut appeler serviles tous les métiers manuels. Il est assez clair que, par une pratique victorieuse, les idées sont bientôt mises au rang des outils, comme l'histoire de la télégraphie sans fil le fait bien voir. Et donc il faut réagir contre cette idée trop aisément admise que l'expérimentation est la reine des méthodes. Il faut seulement faire la part des œuvres et des outils dans la recherche expérimentale.

Mais il faut aussi que l'outil et la main s'arrêtent et que l'esprit interroge la nature déliée.

Ainsi est-on ramené à l'idée de l'observation pure et simple, qui n'a trouvé d'abord à s'exercer que sur les spectacles du ciel, parce que l'homme n'y peut rien changer. C'est là que l'homme a appris à former par méditation et interrogation muette l'idée même de la chose. Non sans volonté, non sans obstination, non sans un sentiment juste, c'est que la chose n'y pouvait rien de plus, et que la vérité de la chose était entièrement à faire, et par décret. Celui qui inventa la sphère céleste, le pôle et le méridien ne changea rien dans le monde, mais il en fit déjà apparaître l'ordre et les lois. Serviteur en un sens, dompteur en un sens. Tel est le double mouvement de Thalès immobile.

CHAPITRE III

L'ENTENDEMENT OBSERVATEUR

Tout le monde sait et dit que celui qui observe sans idée observe en vain. Mais communément on va chercher l'idée directrice trop loin de la chose, ou mieux à côté de la chose, comme un modèle mécanique. L'analyse de la perception nous a déjà préparés à déterminer la chose même par l'idée, l'idée étant armature, ou squelette, ou forme de la chose, comme les grands auteurs l'ont dit si bien. Cela sera plus clair par des exemples. Helmholtz, au commencement de son beau *Traité d'Acoustique,* conseille d'aller observer longtemps les vagues de la mer et les sillages des vaisseaux, surtout aux points où les ondes s'entrecroisent. Or, pour l'observateur naïf, les ondes courent sur l'eau en élargissant leurs cercles; et remarquez que cela suppose déjà une conception qui ordonne les apparences, mais inexacte; car si l'on considère attentivement, d'après ce que chacun sait de l'eau dans les pompes ou dans les vases, l'effet produit par un corps solide immergé assez brusquement, on aperçoit que l'eau n'est pas repoussée, mais soulevée tout autour, et aussi qu'elle ne peut rester ainsi en montagne, mais qu'elle redescend, produisant de nouveau le même effet

qu'un corps qui y tomberait, c'est-à-dire soulevant les parties voisines et ainsi de proche en proche, de façon que le balancement de l'eau est dans le sens de la pesanteur, tantôt au-dessus, tantôt au-dessous du niveau. Il faut arriver par entendement à cette perception nouvelle, qui ordonne mieux les apparences. D'après cela, percevoir aussi les croisements d'ondes, et deux mouvements se composant, quelquefois jusqu'à laisser l'eau immobile en certains points; mais ce repos doit participer, je dis pour l'œil, à ces deux systèmes d'ondes; sans cela vous ne percevez point du tout l'objet véritable, mais des apparences informes, comme au premier réveil ou dans la rêverie paresseuse. Au reste cet ordre doit être maintenu; à la moindre complaisance, aussitôt tout se brouille selon la physique des enfants et des sauvages. Je le remarquai bien au lac d'Annecy un jour que, sur le quai de pierre, j'observais de belles ondes réfléchies. Mais la chose n'était perçue dans sa vérité que par police d'entendement, et vigilante; dès que je laissais les ondes courir, la réflexion des ondes n'était plus que miracle; la loi s'effaçait en même temps que l'objet.

Un autre exemple fera mieux saisir encore ce que sont ces idées immanentes, par lesquelles seules une claire représentation de la chose est possible. Les apparences célestes sont bien éloignées par elles-mêmes de cet ordre qu'on remarque dans un traité de cosmographie. Mais on se tromperait beaucoup si l'on pensait que les idées sont seulement dans le traité, comme un langage descriptif dont la chose perçue se passerait bien. Le mouvement des étoiles de jour en jour, le glissement de la lune vers l'est, le glissement plus lent du soleil, les apparitions de Vénus tantôt avant le soleil, tantôt après, le tour des autres planètes avec leur marche rétrograde, tout cela souvent caché par les nuages, toujours en partie invisible par la lumière du soleil, ne laisserait rien de net à la mémoire sans un système de formes invisibles, par rapport auxquelles tout s'ordonne et se mesure. Je veux parler de cette sphère céleste, seulement pensée et posée, nullement existante, de cet axe du monde, de ces pôles, de ce méridien, de cet équateur qui sont comme la voûte, les piliers et les arceaux de cet édifice. A quoi répond une autre géométrie de main d'artisan, le gnomon, le cadran solaire, la lunette méridienne et son cercle divisé, sans compter le pendule, les montres et autres mécaniques, qui font voir clairement comment toute l'industrie et toutes les sciences concourent avec la géométrie pour la plus simple des observations. On voit bien alors quel immense travail les hommes ont dû continuer pour se représenter seulement les mouvements de la lune. Et c'est encore par géométrie immanente, substantielle à la chose, que nous connaissons la lune à sa distance, et le soleil et les planètes et leurs mouvements. Par exemple il a fallu changer les formes pour retrouver le mouvement des planètes et percevoir enfin des apparences qui se tiennent, et non plus des apparitions fantastiques. Et cela conduit jusqu'à la gravitation qui, à la bien prendre, n'est pas une construction extérieure aux choses du ciel, mais l'armature même de ces choses, ou plutôt la forme qui fait que ces choses sont des choses, et non de vains rêves, qui permet de les retrouver dans les apparences et enfin de s'y retrouver, comme le langage populaire le dit si bien.

Mais considérons, sans viser si loin, l'exemple, le plus simple, d'une pierre qui tombe. Ce n'est qu'une ombre sur mes yeux ou un frisson de mon corps, si je ne sais voir. Mais la chute comme objet est tout à fait autre chose. Car il faut alors que je me dessine le mouvement, la trajectoire, les circonstances, ce qui ne peut se faire sans les formes que j'y pense, inertie, vitesse, accélération. A quoi m'aidera l'expérimentation, soit de chute ralentie, soit de chute mesurée. Mais cette méthode d'artisan ne crée point les formes; au contraire elle les suppose, ou bien elle n'est que tâtonnement d'aveugle. La chute des corps fut comme un mauvais rêve pour les meilleurs esprits jusqu'à Galilée; et l'on a assez dit que les expériences informes, surtout si on les multiplie, trompent encore plus que la chose toute seule. Et c'est le mal des statistiques, qu'elles paient l'entendement en fausse monnaie. C'est toujours par la considération de la chose et par l'effort suivi pour la percevoir seulement, pour se la représenter seulement, que naissent ces rapports invisibles, pensés, posés, qui sont inertie, vitesse, accélération, force, inséparables, aussi essentiels à la perception d'une chute que la distance pensée est essentielle à la perception de cet horizon, de ce clocher, de cette allée bordée d'arbres. Le monde n'est point donné avant les lois; il devient monde et objet à mesure que ses lois se découvrent, comme les deux étoiles fantastiques du matin et du soir se sont réunies en une seule Vénus, seulement sur la trajectoire keplerienne, non ailleurs. Ainsi, par les idées, le monde existe comme objet, et enfin l'apparence est apparence, comme l'ombre de cet arbre est l'ombre de cet arbre, par le soleil et par toute l'astronomie, et par toute l'optique. Si les ignorants ne parlaient pas mieux qu'ils ne pensent, ces rapports seraient mieux visibles.

CHAPITRE IV

DE L'ANALOGIE ET DE LA RESSEMBLANCE

Un cheval de bronze ressemble à un cheval, et est analogue à un homme de bronze. Dans cet exemple, on comprend que le mot analogie a conservé son sens ancien; il désigne non pas une communauté de caractères qui disposeraient le corps de la même manière, soit pour le sentir, soit pour l'agir, mais bien une identité de rapports, qui parle à l'entendement seul. C'est pourquoi les analogies les plus parfaites sont aussi les plus cachées. Il y a analogie entre la self-induction et la masse, sans aucune ressemblance; analogie entre une route en pente et une vis, presque sans ressemblance; entre la vis et le moulin à vent, entre l'engrenage et le levier, entre courant électrique et canalisation hydraulique; mais qu'on se garde d'inventer ici quelque ressemblance, de peur de substituer l'imagination à l'entendement. Analogie aussi entre chute et gravitation; analogie entre oxydation, combustion, respiration. Analogie encore entre une réaction exothermique et la chute d'un poids, entre un corps chimiquement inerte et un poids par terre. Analogie entre un aimant et un solénoïde, entre les ondes hertziennes et la lumière. Analogie entre les sections coniques et l'équation générale du second degré, entre une tangente et une dérivée, entre une parabole et la suite des carrés. Cette énumération d'exemples en désordre est pour faire apercevoir l'étendue et les difficultés de la question, et aussi pour écarter l'idée d'un système des analogies, impossible à présenter sans d'immenses développements.

En réfléchissant sur ces exemples on peut comprendre d'abord que les analogies sont quelquefois sans aucune ressemblance, quelquefois compliquées par des ressemblances grossières propres à égarer l'esprit et à lui faire prendre une comparaison pour une preuve. Aussi que certaines analogies sont en quelque sorte constatées par des expériences apprêtées dont les travaux de Faraday donnent un bon exemple; d'autres fois saisies par un observateur puissant, et toujours reconstruites d'après quelques formes simples qui dessinent alors des faits nouveaux, comme lorsque Newton voulut dire que la lune tombe sur la terre; d'autres fois enfin construites presque à l'état de pureté au moyen d'objets convenables comme points et lignes sur le papier. On peut s'assurer, même par réflexion sommaire, que la source de l'analogie et les modèles de l'analogie se trouvent dans la mathématique la plus haute, où les ressemblances sont alors éliminées, ne laissant plus subsister que l'identité des rapports dans la différence des objets. Je dois avertir ici qu'il convient d'appeler objets les figures du géomètre et les signes de l'algébriste. Et encore est-il vrai de dire que la géométrie offre à l'imagination de fausses preuves par ressemblance; ce n'est sans doute que dans la plus haute mathématique que s'exercent les yeux de l'observateur, comme il faut, par la sévérité des signes. Ensuite physicien, mathématicien d'abord. Maxwell connaissait ces pièges lorsqu'il représentait l'induction électrique par une grosse masse sphérique entre deux petites; ce modèle mécanique était assez grossier pour ne tromper personne. Il y a sans doute un art, mais bien caché, d'amuser l'imagination de façon qu'elle marche d'une certaine manière avec l'entendement sans que leurs chemins se rencontrent.

CHAPITRE V

DE L'HYPOTHÈSE ET DE LA CONJECTURE

L'esprit du lecteur est sans doute assez préparé maintenant à ne plus confondre les hypothèses, qui sont des formes de l'entendement selon les lois, avec les conjectures qui sont des jeux d'imagination plus ou moins réglés. Le juge ne fait que conjecture quand il suppose que tel accusé est coupable, ou qu'il s'est échappé par la fenêtre, ou que telles empreintes viennent de lui; mais s'il relie selon la mécanique une position du couteau avec une attitude de l'assassin, il fait une espèce d'hypothèse, reconstruisant un mouvement d'après deux vestiges; car le mouvement est toujours de l'esprit, et toujours reconstruit; c'est la forme du changement, et le changement sensible est la matière du mouvement. Mais les hypothèses véritables sont rares dans les recherches de ce genre. Le médecin, quand il suppose que c'est le chloroforme qui a endormi la victime, fait une conjecture; mais s'il se construit quelque idée, par molécules s'échangeant, de l'action du chloroforme sur les nerfs, c'est alors une véritable hypothèse. On voit d'après cela que la conjecture pose une existence, et l'hypothèse, une essence. Et l'on voit aussi que les sciences ne sont que trop chargées de conjectures. Disons une bonne fois qu'une existence ne doit jamais être posée ni supposée, mais seulement constatée. Celui qui réfléchira là-dessus avec un peu de suite découvrira de la confusion, en ce temps, jusque dans les meilleurs livres.

Demander si une hypothèse est vraie ou fausse, c'est demander si le cercle existe. Mais ce qui existe, c'est telle roue, saisie par la forme cercle, ou tel astre, saisi par la forme ellipse, et d'abord déterminé par les formes sphère, équateur, méridien. Pendant le temps que vous voulez repousser cette idée, demandez-vous si les axes et les vecteurs de Maxwell et ses contours et ses tubes ne lui apportent pas le même genre de secours, tout à fait comme la distance, bien plus simplement, explique la perspective et les effets de parallaxe.

La force, tant de fois méconnue, offre encore un bon exemple; mais il faut la joindre au système des formes hors duquel elle n'a point de sens; car une droite ne part pas d'un caillou, mais d'un point et ne limite pas un champ, mais une surface. Il y a peu de mouvements qui ne soient retardés, accélérés ou infléchis; à la rigueur il n'y en a point. Le mouvement uniforme est une idée, si on le construit selon l'inertie seulement. C'est un mouvement non relié, et qui n'est donc nulle part; mais l'entendement le pose comme élément; c'est la droite de la mécanique. Partant de quoi est définie la vitesse qui ne saisit encore rien au monde. Mais patience. La vitesse permet de définir la vitesse de la vitesse ou accélération, par où l'on définit, pour la masse posée invariable, des forces égales, inégales, mesurables. Après quoi, pour une force posée invariable, on définit, par l'accélération toujours, des masses égales, inégales, mesurables. Voilà de quoi saisir un bon nombre de mouvements liés, comme les chutes et gravitations en font voir. Mais sans ces formes, ou peut-être d'autres, toujours de même source, on ne saura pas plus saisir le plus simple des mouvements réels que le pâtre ne saura déterminer les apparences célestes sans alignements ni cercles.

Considérez maintenant cette force, toujours entre deux mobiles, relation non chose, nullement effort dans le bras, nullement tendance ni tension interne dans aucune chose. Car ces images, trop communes même dans les ouvrages composés, ne sont que fétichisme et qualités occultes, comme lorsqu'on disait que le poids de la pierre était en elle comme une disposition à tomber, comme un sentiment ou une pensée autant dire; ce sont des pensées de sauvage.

L'atome est encore une belle hypothèse, qui exprime justement que, dans un système selon la vraie science, il n'y a rien d'intérieur à rien, ni de ramassé, mais que tout est relation externe. Aussi la grandeur n'a rien à voir avec l'atome; par l'idée de l'atome est posé simplement un corps dans l'intérieur duquel il n'y a rien à considérer. Demandez-vous après cela s'il existe des atomes, et courez même les voir chez quelque montreur d'atomes. Vous demanderez en même temps à voir le méridien et l'équateur.

CHAPITRE VI

ÉLOGE DE DESCARTES

Ce qui nous manque toujours pour comprendre Descartes, c'est l'intelligence. Clair souvent d'apparence, de façon qu'aisément on le suit, ou bien on le réfute. Presque impénétrable partout. Nul homme peut-être n'a mieux conçu pour lui-même; mais trop solitaire peut-être; encore solitaire lorsqu'il parle. Son langage n'avertit point; il est selon la coutume. Descartes n'a pas créé un langage, ni refait sa religion non plus, ni ses passions, ni ses humeurs; tout cela ensemble, éclairé par le dedans, son langage si naturel nous l'apporte. Loin de changer le sens des mots, au contraire, il entend chaque mot dans tous ses sens à la fois, comme doit un homme. Le Dieu des *Méditations,* c'est le Dieu des bonnes femmes. Il écrit le *Traité des Passions* comme il va à Lorette. Et l'illumination de sa fameuse nuit, c'est un miracle et c'est sa pensée. Descartes est ici, et partout, entier et indivisible. Nul n'a philosophé plus près de soi. Le sentiment devient pensée, sans rien perdre. L'homme s'y retrouve tout, et le lecteur s'y perd. Ce regard noir ne promet pas plus. Il n'encourage guère, quoique poli. Par là il faut comprendre cet esprit conservateur et assez méprisant qui se défend de révolution. Car il n'a rien renié de lui jeune, et il a tout changé, mais non dans la structure; en esprit seulement, sans révolution et sans rues neuves.

Ayant pensé avec suite, une bonne fois, à distinguer la pensée et l'étendue, il n'a plus craint de confusion ensuite, ni aucune difficulté. Tout fut renvoyé en son lieu. Toute âme en l'esprit, sans en laisser traîner dans les choses; et en échange tous les mouvements renvoyés à la chose étendue, et toutes les passions rejetées dans le corps, choses redoutables, mais maniables et finies. Mais tout cela passe bien, sans que le lecteur y pense trop, au lieu que l'animal-machine ne passe point du tout. Par les mêmes causes qui font que le sens commun se contente aisément des autres choses, il résiste là. Parce que, s'arrêtant aux petites raisons, toujours contestables, il ne voit pas que l'auteur répète ici encore les mêmes choses, mais plus fortement. À savoir que, dans aucune chose, il n'y a rien que parties et mouvements, tout y étant étalé, sans aucun mystère ramassé, sans aucun embryon de pensée, qui serait désir, tendance ou force. Que tout mouvement est mécanique seulement, et toute matière, géométrique seulement. Qu'il ne faut donc point s'arrêter aux mouvements du chien qui reconnaît son maître; qu'au reste, les passions de l'homme, colère, envie, haine, imitent encore bien mieux la pensée et le raisonnement, quoiqu'il soit fou de s'y laisser prendre, car il n'y a là-dedans ni jugement, ni connaissance, ni preuve, mais seulement des gestes et du bruit. Qu'ainsi il ne faut point dire du tout que les animaux pensent, puisque la seule preuve, qui serait qu'un chien rêvât devant un triangle tracé par lui, manque tout à fait. Et pour combien d'hommes cette précaution n'est-elle pas bonne aussi? Mais il y a bientôt trois siècles que le portrait de Descartes attend que l'on comprenne, sans espérer trop.

CHAPITRE VII

LE FAIT

On dit bien partout que nos connaissances sont réglées sur les faits et limitées là. Mais on ne l'entend pas assez. L'expérience est bien la forme de toutes nos connaissances sans exception; mais non point ce dont on part, avant toute idée, ni ce qui décide entre une idée et l'autre. Le fait, c'est l'objet même, constitué par science et déterminé par des idées, et en un sens par toutes les idées. Il faut être bien savant pour saisir un fait.

C'est un fait que la terre tourne; et il est clair que pour saisir ce fait, il faut ramasser et joindre, selon des rapports élaborés, beaucoup d'autres faits, qui enferment aussi des conditions du même genre. D'abord que les étoiles tournent d'orient en occident, et tous les corps célestes aussi, comme autour d'un axe immobile. Aussi que les étoiles sont merveilleusement loin et de grande masse. Aussi que certaines planètes tournent sur elles-mêmes, comme on peut voir. Aussi que les retards de la lune, du soleil et des planètes, s'expliquent si l'on pose que la terre est une des planètes, et la lune, son satellite. Aussi que la pesanteur augmente si l'on va de l'équateur au pôle; et cela suppose des idées mécaniques et physiques encore, et la mesure par le pendule.

Mais considérons le fait le plus simple, que les étoiles tournent. Cela ne se constate encore que par observations répétées, souvenir, représentation, mesure. Quant à cet autre fait, que les étoiles sont fort loin, et quelques-unes relativement près, il est bien remarquable aussi, si on l'examine, par les hypothèses qui le portent. Car les étoiles les plus rapprochées n'offrent d'effets de parallaxe que pour un observateur transporté le long de l'orbite terrestre; nos bases terrestres sont trop petites. Et c'est pourtant un fait, qu'il y a des étoiles moins éloignées que d'autres. Un fait aussi, que la lune est bien plus rapprochée de nous que le soleil, et plus petite. Tout cet édifice de faits est géométrique.

C'est un fait encore que l'accélération de la pesanteur est de 9 m 81 à Paris; mais, pour celui qui le constate, il y a beaucoup à comprendre, les idées d'abord, et puis les instruments par les idées. Le plan incliné et la machine d'Atwood le prouvent assez, et même le cylindre enregistreur, à la fois chronomètre et géométrie tournante. La mesure des chaleurs spécifiques n'enferme pas moins de connaissances. Et non pas des connaissances accessoires, mais des hypothèses ou idées posées sans lesquelles l'expérience ne serait pas.

Chacun, dans la science qu'il connaît le mieux, pourra chercher et suivre de tels exemples; il sera bien étonné de découvrir dans la plus simple expérience toutes ces idées élaborées dont il se sert comme d'instruments pour saisir et pour déterminer. Jusque dans l'histoire, où il verra qu'un simple fait, Louis XIV mort en telle année, enferme la connaissance de la suite de l'histoire, de la critique, et aussi de l'astronomie. Mais pourquoi insister, lorsqu'il est clair que la forme cubique de ce dé est un fait aussi, mais déterminé par l'idée du cube, laquelle ne peut être saisie ni par les yeux, ni par les mains. Je renvoie le lecteur à ce que j'en ai dit, qui suffit.

CHAPITRE VIII

DES CAUSES

PROBLÈME surchargé, et terme ambigu. On entend par cause tantôt une personne, comme dans l'histoire ou dans les procès criminels, tantôt une chose. Et, si c'est une personne, on entend bien, en disant qu'elle est cause qu'elle commence quelque chose dont par la suite elle répondra, en sorte qu'il s'agit bien ici de la cause première, dont il sera traité sous le nom de libre vouloir.

Si c'est une chose, ou un état des choses, qui en détermine un autre après lui, on entend bien, au contraire, que cette chose ou cet état des choses est à son tour déterminé par un état antécédent, toute cause étant aussi effet et tout effet étant aussi cause, comme par exemple, dans une traînée de poudre, chaque grain en brûlant est cause que le suivant s'enflamme. Et ce sont là des causes secondes, comme on dit. On voit que ces deux espèces de causes se distinguent comme le sujet et l'objet, ou, si l'on veut, comme l'esprit et la chose.

Or le fétichisme, toujours puissant sur l'imagination, se meut dans l'entre-deux, voulant toujours entendre par cause je ne sais quelle âme ou esprit agissant dans la chose et se manifestant par un pouvoir ou une propriété. Ce qui sera le plus sensible dans l'exemple où on l'attend le moins. Voici une pierre assez lourde, et qui tombera si je la laisse; la cause qui fait qu'elle tombera, et qui fait aussi qu'elle presse et pousse contre ma main, c'est bien son poids, comme on dit, et ce poids est en elle. Mais pourtant non, pas plus que la valeur n'est dans l'or, autre fétiche, ou l'amertume dans l'aloès. La pierre pèse, cela veut dire qu'il s'exerce, entre la pierre et la terre, une force qui dépend de la distance, et des deux masses; ainsi la terre pèse sur ma main aussi bien que la pierre; et cette force de pesanteur n'est pas plus cachée dans la terre que dans la pierre, mais est entre deux, et commune aux deux; c'est un rapport pensé, ou une forme, comme nous disons. Mais qui ne voit que l'imagination nous fait ici inventer quelque effort dans la pierre, qui lutte contre notre effort, et se trouve seulement moins capricieux que le nôtre? Cette idolâtrie est bien forte; l'imagination ne s'y arrachera jamais; le tout est de n'en être pas dupe, et de n'en point juger par cette main crispée.

Mais on voit aussi que c'est par le même mouvement de passion que nous voulons prêter une pensée au chien qui attend sa soupe ou à l'homme ivre ou bien fou de colère qui produit des sons injurieux. Il en faut donc revenir à la forte pensée de Descartes, autant qu'on peut, et prononcer que cet esprit, qui se représente les choses par distances, forces et autres rapports, ne peut jamais être caché dans l'une d'elles, non pas même dans notre propre corps, puisqu'il le joint à d'autres et le connaît parmi les autres. Et tenant ferme là-dessus, nous ne voudrons pas non plus supposer des âmes intérieures aux choses et prisonnières ; car toute âme saisit le monde, plus ou moins clairement, plus ou moins éveillée, mais toujours tout indivisiblement. La connaissance que je puis avoir des étoiles n'a pas ajouté une partie à ma perception d'enfant, elle l'a seulement éclaircie ; elle l'a grandie, si l'on peut dire, du dedans, sans y rien ajouter. Il faut donc dire que toute conscience ou pensée est un univers, en qui sont toutes choses, et qui ne peut être dans aucune chose. Ainsi, bien loin de supposer une intention de volonté dans la pierre qui pèse, je ne dois même pas en supposer en cet animal qui se ramasse pour bondir ; car s'il pense, c'est tout l'univers qu'il pense et lui dedans ; ce que Leibniz sut bien dire par ses monades, mais sans se délivrer tout à fait de cette idée que les monades sont des parties ou composants. Descartes, moins soucieux de l'opinion, avait vu plus loin. Ainsi, voulant traiter de la cause dans l'objet, ou mieux de la cause comme objet, rejetons l'objet à lui-même et n'y voyons qu'étendue, entendez rapport extérieur absolument, jusque dans le corps vivant ; c'est la clef du vrai savoir, et de la vraie liberté, comme nous verrons.

Après cela, et appuyés sur cette puissante idée, source unique de toute physique virile et efficace, nous devons seulement distinguer la cause de la loi, ce qu'on ne fait pas assez. Car, par exemple, le nuage n'est pas cause de la pluie par lui-même, il y faut encore un refroidissement tel que les gouttes grossissent et parviennent au sol avant d'être de nouveau vaporisées ; et, quand toutes ces causes, comme on dit mal, sont réunies, c'est la pluie même. Aussi, quand toutes les conditions de l'ébullition de l'eau, une certaine pression, une certaine température, une certaine tension de surface des petites bulles sont réunies, c'est l'ébullition même ; et tant que l'ébullition n'est pas, la cause, je veux dire l'ensemble des causes suffisantes, n'est pas non plus. Ainsi, dans de tels exemples, le rapport de succession échappe. Et ce n'est que dans le langage commun qu'il est permis d'appeler cause la dernière circonstance, et sur laquelle souvent aussi nous avons pouvoir, comme ce petit cristal dans une solution sursaturée ; car il est clair que la solution est cause aussi bien. Pareillement l'on ne doit pas dire, à parler rigoureusement, que l'accélération d'un corps céleste à un moment est cause de son mouvement à l'instant suivant; car les causes seraient ici les positions des autres astres à chaque instant, dont tout mouvement gravitant est fonction. Et, par cet exemple, on voit aussi que le rapport de cause à effet ne peut s'entendre que d'un état de l'univers à l'état suivant, ou de l'état d'un système clos à l'état suivant, autant qu'il y a des systèmes clos. Une chaîne réelle des causes ne peut donc être pensée que par une loi de devenir dirigée, entendez qui a un sens, de même que, dans la série des nombres, ce sont les premiers qui forment ou produisent les suivants, mais non pas inversement. Or une telle loi n'est apparue que tard aux physiciens, c'est celle d'après laquelle un système clos, de ressorts, d'explosifs, de corps chimiques plus ou moins actifs, change de lui-même vers un état d'équilibre mécanique, avec élévation de température. Ainsi un mur dressé, un canon chargé, un arc bandé, un stock de charbon, un réservoir de pétrole, une poudrière, un corps vivant, seraient des causes au sens strict. Mais le sens de ce mot s'étend toujours un peu, jusqu'aux circonstances maniables, et même jusqu'aux conditions mécaniques d'un fait, dès qu'elles sont clairement expliquées. En ce sens on dit même, par exemple, que la cause des mouvements célestes est la loi de gravitation, et cela est sans inconvénient, puisqu'on n'est pas ramené par là aux causes occultes, bien au contraire.

CHAPITRE IX

DES FINS

On connaît la formule de Bacon : Causes finales, vierges consacrées au seigneur, stériles. Mais voilà un bon exemple pour montrer comment des idées, abstraites et vaines dès qu'on se fie au langage, reprennent sens et vie au contact de l'objet, et finalement nous aident à saisir quelque chose, ce qui est l'épreuve de toute idée. Certes, quand on dit que le Créateur a mis cette ailette à la graine du tilleul pour que le vent puisse l'emporter au loin et en terrain découvert, on n'explique rien par là; non plus en disant qu'il a donné des ailes aux oiseaux afin qu'ils puissent voler. Mais dès que l'on cherchera à développer ces propositions, elles échapperont tout à fait au ridicule. Car il est pourtant vrai que l'ailette de la graine sert bien à la semer quelque part où elle sera mieux qu'à l'ombre d'un gros arbre; et vrai aussi que l'aile de l'oiseau est faite de façon qu'il puisse voler. Et personne n'échappe à la nécessité de supposer qu'elle est faite pour le vol, dès qu'il veut en comprendre la structure; car il cherchera alors l'utilité des plumes cambrées de telle façon, et des os creux, et des muscles, en supposant que rien dans cette machine naturelle n'est inutile. Ainsi de la question : « A quelle fin? » on passe naturellement au Comment, c'est-à-dire à la recherche des causes et conditions. La plume de l'oiseau est faite pour voler, car les plumes juxtaposées font soupape en un sens, non en l'autre, et ainsi du reste. Et Claude Bernard n'avait pas tort de poser que le foie devait servir à quelque chose, pourvu qu'il recherchât à quoi, et surtout comment. Par où l'on voit qu'une idée théologique peut bien être bonne au moins comme directrice, sans dispenser jamais d'une perception reconstruite selon la géométrie et les formes. Si un homme se contente de dire que Dieu a fait l'aile pour le vol, il n'a rien dans l'esprit que des mots; mais s'il sait comment l'aile est utile pour le vol, il connaît la chose par les causes, comme on dit; et l'idée qu'il y ajoute d'un Dieu artisan n'altère en rien l'idée qu'il a de la chose. Darwin lui-même conserve de la cause finale ce qu'il faut lorsqu'il cherche en quoi un certain caractère, comme d'être aveugle pour un crabe dans une caverne obscure, peut donner avantage à celui-là sur les autres; car il s'agit d'examiner comment cela lui serait nuisible d'avoir des yeux inutiles. Et c'est bien l'idée d'utilité qui, dans tel objet, rattache la fin à la cause; car l'utilité posée, c'est la fin; mais l'utilité expliquée, c'est la cause, ou la loi, ou l'objet même expliqué, comme on voudra dire.

Cela est bien sensible quand on étudie quelque mécanique que l'on ne connaît pas bien. On se demande, au sujet de chaque chose : à quoi cela sert-il? Et, pour le découvrir, on fait jouer cette pièce lentement et autant que possible seule, afin de rechercher de quoi elle est cause, ou, pour mieux parler, à quoi elle est liée dans le système. Ainsi on passe aisément de l'idée directrice de fin à l'idée constitutive de cause ou de condition. Et il faut bien penser que l'idée de la fin poursuivie, toujours féconde si l'on ne s'arrête pas simplement à l'énoncer, vient tout autant des outils et mécaniques que de la théologie raisonneuse.

Il y a un peu plus d'obscurité lorsque les causes finales réussissent encore comme directrices dans la reconstruction des phénomènes naturels, par exemple lorsqu'on se dit que la lumière réfractée doit suivre le chemin minimum, et en général que la nature doit aller à son but par les moyens les plus simples. Mais ces fictions ne sont fictions que hors du travail et pour ceux qui en parlent en l'air. Dans le travail de recherche même, que l'on pense ou non aux fins de la nature, il y a toujours lieu d'essayer l'hypothèse la plus simple, toujours la meilleure si elle suffit. Et c'est nous qui suivons ici, dans nos suppositions, notre bon sens d'ouvriers, préférant, sans nul doute, le système copernicien à quelque complication imitée de Ptolémée, ou une seule Vénus à deux étoiles.

Dans le fond le métier de penser est une lutte contre les séductions et apparences. Toute la philosophie se définit par là finalement. Il s'agit de se délivrer d'un univers merveilleux, qui accable comme un rêve, et enfin de vaincre cette fantasmagorie. Sûrement de chasser les faux dieux toujours, ce qui revient à réduire cette énorme nature au plus simple, par dénombrement exact. Art du sévère Descartes, mal compris, parce qu'on ne voit pas assez que les passions les plus folles, de prophètes et de visionnaires, qui multiplient les êtres à loisir, sont déjà vaincues par le froid dénombrement des forces. Évasion, sérieux travail.

CHAPITRE X

DES LOIS NATURELLES

L'ORDRE de la nature s'entend en deux sens. D'abord en ce sens qu'il y a dans ce monde une certaine simplicité et un certain retour des mêmes choses; par exemple, une soixantaine de corps simples seulement et non pas un million ou deux. Aussi des solides, c'est-à-dire

des corps que l'on retrouve en même forme et en même place le plus souvent. S'il n'y avait que des fluides, à quoi fixer notre mécanique? Et s'il y avait des corps nouveaux toujours, le chimiste s'y perdrait. Cela c'est une bonne chance, dont on ne peut pas dire qu'elle durera toujours. On peut bien ici remonter jusqu'à Dieu par dialectique, et prononcer, par des raisonnements faciles et à portée de chacun, qu'un maître excellent de toutes choses n'a pas voulu que l'intelligence humaine fût sans objet, ni non plus sans épreuve. Ce genre de philosophie, que j'appelle transcendante, est aussi naturel à l'homme que le gazouiller aux oiseaux. Mais la force véritable de ces développements n'est point dans les preuves, cent fois démolies, cent fois restaurées, mais plutôt dans cette idée, d'abord, qu'il y a conformité, naturellement, entre les conditions extérieures et la vie elle-même, et enfin la pensée que nous y trouvons si étroitement jointe. Mais, en serrant l'idée de plus près, on y trouve que cette affirmation est toute de nous, et, pour tout dire, le premier et continuel ressort de la pensée. Espérance ou foi, et mieux encore volonté de penser tant qu'on pourra. Car si l'on s'arrêtait aux petites choses, et aux apparences du berceau, quelle variété sans fin et que de miracles! Le délire, même des fous à lier, n'est que le cours naturel des pensées, si l'on peut les appeler ainsi, mais sans gouvernement, sans ce mépris par décret pour tout ce qui réclame audience, visions, présages et feux follets. L'univers serait bien fluide, si nous consentions. Mais le jugement est roi de ces choses, et fils de Dieu, tant qu'il pourra tenir. J'aime à penser que je porte ce monde et qu'il tombera avec moi. Tenons ferme par choix, telle est l'âme de la philosophie.

Tel est, en esquisse, le royaume de la raison. La législation de l'entendement en diffère assez; l'esprit y sent moins sa liberté, mais mieux son pouvoir. Car, si fluide que puisse être la nature, et quand un tourbillon sans retour remplacerait les saisons, il faudrait bien que cela soit pensé, tant bien que mal, par distances, directions, forces, vitesses, masses, tensions, pressions, le nombre, l'algèbre et la géométrie régnant toujours. La physique serait seulement plus difficile, mais non pas autre. Ces lois naturelles, ou ces formes, ce sont nos outils et nos instruments; et quand la course d'un astre serait com-

pliquée à l'infini, comme cela est du reste si l'on va à la dernière précision, nous ne l'en saisirions pas moins par droite, circonférence, ellipse, par forces, masses et accélérations. Car ces éléments sont ceux du mouvement lui-même, et le mouvement est de forme, et non pas donné tout fait par les images du premier éveil. Exactement, un mouvement sans loi ne serait plus un mouvement du tout. Percevoir un mouvement, comme on l'a assez dit, c'est coordonner des changements avec l'idée d'un mobile restant le même, et de distances changées sans discontinuité. Le mouvement enfin, même dans la simple perception, est représenté, déterminé, indivisible; il est par lui-même la loi de ce changement; et à mesure que cette loi est plus complète, et éclaircit mieux le trajet continu, à mesure le mouvement est mieux un mouvement, et un mouvement réel, parce que ses rapports avec tout le reste sont plus déterminés. C'est d'après cette méthode que l'entendement a passé du système de Ptolémée aux systèmes modernes, reliant de mieux en mieux les apparences, et mettant de l'ordre en cette nature des astrologues, sans y rien changer, en la séparant seulement de nos passions.

Ceux qui admirent que la nature se prête si bien aux vêtements du géomètre, méconnaissent deux choses. D'abord ils méconnaissent la souplesse et toutes les ressources de l'instrument mathématique, qui, par complication progressive, dessinera toujours mieux les contours, saisira toujours mieux les rapports, orientera et mesurera mieux les forces, sans gauchir la ligne droite pour cela. C'est ce que n'ont pas bien saisi ceux qui remettent toujours les principes en question, comme l'inertie ou mouvement uniforme, et autres hypothèses solides. Ce qui est aussi sot que si l'on voulait infléchir les trois axes pour inscrire un mouvement courbé, ou bien tordre l'équateur pour un bolide. Mais, comme disait bien Platon, c'est le droit qui est juge du courbe, et le fini et achevé qui est juge de l'indéfini. Et ce sont les vieux nombres entiers qui portent le calcul différentiel. Par ces remarques, on voudra bien comprendre en quel sens toute loi est *a priori,* quoique toute connaissance soit d'expérience. Mais, ici encore, n'oubliez pas de joindre fortement l'idée et la chose. La seconde méprise consiste à croire que la nature, hors des formes mathématiques,

soit réellement quelque chose, et puisse dire oui ou non. Cette erreur vient de ce que nous appelons nature ce qui est une science à demi faite déjà, déjà repoussée de nous à distance convenable. Car la perception du mouvement des étoiles, d'Orient en Occident, est une supposition déjà, et très raisonnable, mais qui ne s'accorde pas avec les retards du soleil et de la lune et les caprices des planètes. Et même les illusions sur le mouvement, comme on l'a vu, procèdent d'un jugement ferme, et d'une supposition que la nature n'a pas dictée; nos erreurs sont toutes des pensées. La nature ne nous trompe pas; elle ne dit rien; elle n'est rien. Mais nous en pourrions mieux juger par nos rêves, qui ne sont que des perceptions moins attentives; ce qui nous laisse un peu deviner comment s'exprimerait la nature non encore enchaînée. Tous les aspects seraient des choses, tous nos mouvements, des changements partout; nos souvenirs, nos projets, nos craintes, autant d'êtres. Océan de fureurs et de larmes. Sans loi. Il ne faut donc pas demander si nous sommes sûrs que notre loi supposée est bien la loi des choses; car c'est vouloir que la nature primitive ait un ordre en elle, qu'il y ait d'autres mouvements derrière les mouvements et d'autres objets derrière les objets. Non pas; c'est plutôt le chaos, avant la création. Et à chaque éveil, oui, l'esprit flotte sur les eaux un petit moment. D'où l'on voit que l'entendement régit l'expérience, que la raison la devance et que, sous ces conditions seulement, l'expérience éclaire l'un et l'autre.

CHAPITRE XI

DES PRINCIPES

Un système des principes est toujours sujet à discussion; car on peut dire les mêmes choses avec d'autres mots. Nous entrons ici, en anticipant de peu, dans la connaissance proprement discursive. Et les principes ne sont que de brefs discours, en forme de règle ou de maxime, propres à rappeler l'esprit à lui-même, dans le moment où les apparences se brouillent, par exemple devant une prédiction vérifiée, ou un miracle de jongleur, ou bien quelque découverte physique qui semble renverser tout, comme fut celle du radium un moment. Encore faut-il distinguer les principes de l'entendement d'avec les préceptes de la raison. Nul ne l'a fait aussi bien que Kant, chez qui vous trouverez aussi un exposé systématique des uns et des autres, que je n'ai pas l'intention d'expliquer ni de résumer ici. Mais essayons de dire ce qui importe le plus. La mathématique forme par elle-même un système des principes de l'entendement, c'est-à-dire un inventaire des formes sous lesquelles il nous faut saisir n'importe quoi dans l'expérience, sous peine de ne rien saisir du tout. Ce qui s'exprimera par des principes généraux du genre de ceux-ci : Il n'est point d'objet ni de fait dans l'expérience qui ne soit lié à tous les autres par des rapports d'espace et de temps. Il n'est point de changement en système clos qui, aux fuites près, ne laisse subsister quelque quantité invariable. Faites attention, au sujet de ce dernier principe, qu'il n'est que la définition même du changement. Le langage, qui se passe si bien d'idées, nous fait croire que nous pouvons penser quelque changement sans conservation de ce qui change. Et c'est bien ce qui arrive dans les apparences, où, à dire vrai, rien ne se conserve jamais, rien ne se retrouve jamais. Mais justement il faut porter toute l'attention sur ce point; de telles apparences, par elles-mêmes, ne sont connues de personne. Quand je dis que la muscade du faiseur de tours a disparu, j'exprime deux choses à la fois, savoir que, dans les apparences, elle n'est plus, mais, qu'en réalité, elle est quelque part; sans cette dernière certitude, la première remarque n'aurait plus de sens. Il ne manque pas d'apparences qui s'effacent pour toujours, et que j'appelle erreurs, illusions, souvenirs, dont je ne me soucie guère. Aussi la grande affaire du faiseur de tours est de me donner et conserver l'idée que la muscade n'est pas un de ces fantômes-là. Saisissez bien, en partant de là, le genre de preuve qui convient à un principe de l'entendement. S'il nous était donné, d'un côté, une nature où tout serait réel conformément à l'apparence, et avant tout travail de l'entendement, de l'autre, un entendement sans objet et cherchant ses principes, l'accord entre l'un et l'autre ne pourrait être demandé qu'à la dialectique théologique, qui prouverait par exemple, que le Créateur des choses n'a pu vouloir nous tromper; preuve bien faible s'il n'y a rien dessous. Mais qu'y a-t-il dessous ? Un univers dont le réel, par travail d'entendement, se définit par cette condition même que l'objet subsiste sous le changement continuel des apparences. Ce cube, qui se montre sous tant d'aspects, est justement pensé invariable, et ces apparences, elles aussi, ne sont apparences que d'après les directions, distances et mouvements. L'apparence ne peut pas plus anéantir ce cube qu'elle ne l'a posé. L'objet, c'est ce qui subsiste. Et le changement comme objet, c'est le changement sous lequel l'objet subsiste. Nous n'avons pas ici à choisir entre le chaos et l'ordre, mais entre la réalité et le néant. Le néant, parce que l'ordre en nous, de souvenirs et d'affections et de projets, ne se soutient que par l'ordre des choses, comme il a été dit : « Être ou ne pas être, soi et toutes choses, il faut choisir »; ainsi parlait Jules Lagneau qui fut mon maître, mais dont je n'ose me dire le disciple, à cause de ces petits chemins que j'ai dû tracer péniblement pour moi-même avant de comprendre, comme par rencontre, quelques-unes des formules qu'il m'a laissées en mémoire.

Afin d'éclairer cette preuve, j'y en veux joindre une autre, assez élaborée dans la *Critique de la Raison Pure,* concernant le fameux principe de causalité. Voici cette preuve. Si la nature nous offrait des successions réelles toujours, on pourrait se demander si ces successions enferment toujours quelque loi, d'après laquelle l'antécédent détermine ce qui suit et non autre chose. Mais, dans le fait, tout est successif dans ma perception, et par exemple, les maisons d'une rue se suivent pour moi quand je me promène. Puisqu'enfin je distingue là-dedans les successions véritables des choses simultanées mais successivement connues, il faut donc qu'il y ait une vérité des successions vraies, qui est le rapport de causalité justement. Et c'est par là que je distingue cette succession d'apparence, quand je parcours une ville, de la succession réelle, flammes, fumée, ruines; et en somme il y a toujours une vérité de la succession, autre que la succession apparente. Autrement dit, il n'y a point de succession vraie sans loi de succession. Ainsi la succession comme objet, c'est la causalité même. Et tel est le genre de preuve qui convient aux principes de l'entendement.

Pour les principes de la raison, il faut dire qu'ils sont

à un niveau plus abstrait, que la nature les soutient moins, et que l'esprit les suit par préférence, comme des règles pour sa santé. Par exemple, qu'un événement qui est contre l'ordre jusque-là connu, et qui ne s'est produit qu'une fois, doit être attribué au jeu de l'imagination et de la passion plutôt qu'à un caprice des choses. Ou encore qu'il faut s'efforcer d'économiser les hypothèses; que la supposition la plus simple est aussi la première à essayer, qu'il faut juger de l'inconnu d'après le connu, et, pour tout dire, se garder des passions c'est-à-dire des opinions émouvantes, plutôt que de courir après des merveilles extérieures, avec grand souci de n'en pas perdre une seule. Ces préceptes sont plutôt de volonté que d'expérience, et trop peu pratiqués parce qu'on ne les prend point pour ce qu'ils sont; ce sont des jugements à proprement parler, et de l'ordre moral. On n'en peut sentir le prix tant que l'on n'a pas assez connu les pièges des passions et les facilités du langage. Il faut, pour tout dire, que l'esprit résiste et se refuse. Ne pas trop interroger les fous, et point du tout les chevaux compteurs, cela concerne la dignité du souverain.

CHAPITRE XII

DU MÉCANISME

Le mécanisme est cette doctrine de l'univers d'après laquelle tous les changements sont des mouvements. Par exemple la pression des gaz s'explique par un mouvement vif de leurs particules. La lumière est une vibration. Les corps solides sont des systèmes d'atomes gravitants. Dans cette hypothèse du mécanisme universel, il faut aussi comprendre les atomes et les forces et l'inertie, car tout cela se tient. Que l'entendement impose ici sa propre loi à toutes nos représentations, cela ne fait pas doute. Il faut comprendre ainsi, ou ne pas comprendre du tout.

Mais c'est le grand secret du philosophe qu'aucune preuve ne se soutient d'elle-même et qu'il y a toujours quelque attaque aux preuves, qui les fait fléchir si elles gardent seulement la défensive à la manière des réseaux barbelés. L'esprit n'est pas fort derrière ses preuves, mais seulement dedans, et les poussant toujours. Et l'exemple de ce mécanisme universel est propre à le bien faire comprendre. Car que pourriez-vous répondre à l'attaque de quelque sceptique ou mystique, qui voudrait supposer que nos représentations sont seulement pour l'utilité matérielle, mais ne dévoilent nullement ce qui est, et que ce qui est pourrait bien n'être pas perçu par les yeux et les mains, mais qu'il faut peut-être le deviner ou pressentir par d'autres voies ? C'est ici le lieu de faire voir que la philosophie est bien une éthique et non une vaine curiosité.

Lucrèce, poussant avec courage les recherches de tant d'autres qu'on appelle atomistes, parmi lesquels Démocrite et Épicure sont les plus célèbres, a mis en vive lumière l'âme de ces profonds systèmes, qui était une volonté fermement tendue contre les passions, les miracles, les prophètes et les dieux. Mais le prisonnier s'est tué dans son évasion. Chose étonnante, explicable pourtant par une ivresse, ou par une indignation, ou peut-être, ce qui n'est que la cause cachée de ces passions toujours vivaces, par une substitution de l'imagination à l'entendement, commune chez le disciple. Lucrèce oublie tout à fait le constructeur de ces choses et le briseur d'idoles, l'esprit enfin qui, par-dessus les abîmes, tend d'abord ses mouvements simples, et les essaie, et les complique, comme un filet qui saisira et ramènera enfin toute cette richesse pour en faire l'exact inventaire. Il oubliait en cela que le mécanisme est proprement la preuve de la liberté, en même temps qu'il en est le moyen et l'instrument. Car la nature supporte ce prodigieux système, mais elle ne l'offre point.

La représentation du changement par le mouvement est bien un préjugé. Oui. Même dans le cas le plus simple de cette bille qui roule, rien dans les apparences n'impose l'hypothèse du mouvement; et ce n'est toujours pas la bille qui le présente, puisqu'elle n'est jamais en même temps que dans un lieu, comme le subtil Zénon l'avait remarqué. Et rien n'empêche de supposer que la bille est détruite aussitôt, et qu'une autre bille naît à côté, comme il est vrai dans le cinématographe, où ce n'est point le même cheval qui court, mais des images différentes qui se remplacent sur l'écran. Seulement le mouvement est préféré et choisi; et le mécanisme est de même préféré et choisi; non comme facile, certes, car rêver est le plus facile, mais comme libérateur, exorciseur, arme de l'esprit contre tous sortilèges. Soutenu par la nature qui le vérifie, oui, mais qui le vérifie à la condition que l'esprit le pose, le maintienne, le construise, le complique assez. Le physicien paresseux perd sa preuve. Et il retombe aux peurs de l'enfant, aux faux dieux, aux esprits partout, oubliant le dieu et l'esprit. Ou plutôt, cachant l'esprit dans la matière, il travestit la nécessité en une volonté inflexible qui va à ses fins par tous moyens, et dont la fatalité est le vrai nom. Ici, nous tenons notre ennemi. Le vrai physicien, au contraire, enlève toute apparence de liberté aux forces de la nature, et, en face du mécanisme, délivre son esprit du même coup.

Assurément, il est difficile et même pénible, car les passions s'y jettent, c'est leur guerre, de refuser de l'esprit à ces feuilles d'arbre, qui trouvent chacune leur forme. Il est difficile de vouloir, bien avant de savoir, que ces différences ne soient pourtant, dans le germe, que forme et disposition des éléments, lesquels dans l'air et la lumière, donneront à ces stalactites de carbone, ici, la forme lierre, et là, la forme platane, de la même manière que naissent les cristaux arborescents dans une solution concentrée. Il est facile, au contraire, de se coucher et de dormir, et d'imaginer quelque architecte invisible caché dans le germe et qui réalise peu à peu son plan préféré. Ce sont les mêmes rêveurs qui s'abandonnent au miracle des médiums et des spirites, disant que nous ne savons pas tout, et inventant des forces sans mesure et des esprits cachés dans les tables. Mais il faut que l'esprit triomphe des esprits. Lucrèce y a perdu son âme, mais Descartes non. Attention là.

LIVRE TROISIÈME

DE LA CONNAISSANCE DISCURSIVE

CHAPITRE PREMIER

DU LANGAGE

AVANT d'examiner comment la connaissance peut s'étendre et s'assurer par le discours seulement, il faut traiter du langage. Dans tout ce qui nous reste à décrire, d'inventions abstraites, de fantaisies, de passions, d'institutions, le langage est roi. Il s'agit, dans une exposition resserrée, d'étaler dans toute son étendue ce beau domaine qui s'étend des profondeurs de la musique aux sommets de l'algèbre. Mais admirez d'abord comment les jeux du langage prennent l'esprit dans leurs pièges. Il faut, disent les auteurs, s'entendre pour créer une langue, et donc savoir parler avant d'apprendre à parler. Ce puéril argument est un exemple parfait des artifices dialectiques, qui sont pris pour philosophie par ceux qui n'ont pas appris à penser d'abord sans parler.

L'action humaine, j'entends le mouvement pour frapper, donner, prendre, fuir, est ce qui nous intéresse le plus au monde, et la seule chose au monde qui intéresse l'enfant, car c'est de là que lui viennent tous biens et tous maux dans les premières années. Ces actions sont les premiers signes, et les comprendre ce n'est autre chose, d'abord, que d'en éprouver les effets. Puisque l'homme apprend à deviner les choses qui approchent d'après des signes, il ne faut pas s'étonner qu'il apprenne aussi, bien vite, à deviner ce qu'un homme va faire, d'après ses moindres mouvements. Il ne s'agit que de décrire l'immense domaine des signes humains. A cette fin, on peut distinguer d'abord l'esquisse de l'action ou son commencement, qui font assez prévoir la suite; et telle est l'origine de presque tous les gestes, comme montrer le poing, tendre la main, croiser les bras, hausser les épaules. On passe naturellement de là à la préparation des actions, qui est l'attitude. On devine qu'un homme à genoux et face contre terre ne va pas combattre, qu'un homme qui tourne le dos ne craint point, qu'un homme qui se ramasse va bondir, et ainsi du reste. Enfin, il faut noter aussi les effets accessoires de cette préparation des actions, lesquels résultent de la fabrique du corps humain telle que chacun la connaît d'après la physiologie la plus sommaire. Telles sont la rougeur et la pâleur, les larmes, le tremblement, les mouvements du nez et des joues, le cri enfin, qui est l'effet naturel de toute contraction des muscles; et il faut faire grande attention à ce dernier signe, destiné à supplanter les autres et à engendrer jusquà l'algèbre, par un détour qu'il faut ici décrire. Mais auparavant il faut faire remarquer que la pensée, qui n'est au naturel qu'action retenue, offre aussi des signes bien clairs, qui sont l'arrêt même, l'attention marquée par le jeu des yeux et les mouvements calculés, enfin les mouvements des mains par lesquels, d'avance, nous palpons ou mesurons la chose vue, ou simplement nous favorisons la vue et l'ouïe. Toutes ces choses sont assez connues, il suffit de les rappeler, et de dire que nous savons interpréter les signes des animaux, surtout domestiques, aussi bien que des hommes. Le cavalier devine ce que le cheval va faire, d'après l'allure et les oreilles. Il faut maintenant considérer que le langage est fils de société. Au reste l'homme isolé d'abord, et s'alliant ensuite à l'homme, n'est qu'une fiction ridicule. Je ne veux pas me priver de citer ici, après d'autres, une forte parole d'Agassiz : « Comme la bruyère a toujours été lande, l'homme a toujours été société. » Et l'homme vit en société déjà avant sa naissance. Ainsi le langage est né en même temps que l'homme; et c'est par le langage toujours que nous éprouvons la puissance des hommes en société; l'homme fuit quand les hommes fuient c'est là parler et comprendre, sans contrainte à proprement parler. Comprenons donc comment l'imitation, qui n'est que l'éducation, simplifie et unifie naturellement les signes, qui deviennent par là l'expression de la société même. Les cérémonies consistent ainsi toujours en des signes rituels, d'où sont sorties la mimique et la danse, toujours liées au culte. D'où un langage déjà conventionnel de gestes et de cris.

Il reste à comprendre pourquoi la voix a dominé, car c'est tout le secret de la transformation du langage. L'homme a parlé son geste ; pourquoi ? Darwin en donne une forte raison, qui est que le cri est compris aussi la nuit. Il y a d'autres raisons encore ; le cri provoque l'attention, au lieu que le geste la suppose déjà ; le cri enfin accompagne l'action, le geste l'interrompt. Pensons à une vie d'actions et de surprises, nous verrons naître les cris modulés, accompagnant d'abord le geste, naturellement plus clair, pour le remplacer ensuite. Ainsi naît un langage vocal conventionnel. Mais comme l'écriture, qui n'est que le geste fixé, est utile aussi, l'homme apprend à écrire sa parole, c'est-à-dire à représenter, par les dessins les plus simples du geste écrit, les sons et les articulations. Cette écriture dut être chantée d'abord, comme la musique ; et puis les yeux surent lire, et s'attachèrent à la figure des lettres ou orthographe, même quand les sons, toujours simplifiés et fondus comme on sait, n'y correspondent plus exactement. Ainsi, par l'écriture, les mots sont des objets fixes que les yeux savent dénombrer, que les mains savent grouper et transposer. Toutefois quoique ces caractères échappent ainsi au mouvement des passions il s'est toujours exercé un effort bien naturel, pour retrouver dans ces signes la puissance magique des gestes et des cris qu'ils remplacent. Mais n'insistons pas maintenant sur cette magie du langage. Il s'agit dans ce qui va suivre, d'un langage défini, ou du moins qui veut l'être, et d'un jeu qui consiste à penser avec les mots seulement. On peut appeler discursive cette connaissance autant qu'elle est légitime ; et l'abus en peut être dialectique.

CHAPITRE II

DE LA CONVERSATION

Chacun sait que dans les rencontres de loisir l'échange des idées, si l'on peut ainsi dire, se fait par des formules connues d'avance. L'esprit s'y joue tout au plus dans les mots, comme en des variations, sans autre plaisir que la surprise. Je vois là un reste des anciennes cérémonies, où l'on avait assez de bonheur à confirmer les signes. Tels sont les vrais plaisirs de société. L'esprit en révolte n'y apporterait qu'une guerre stérile. La dispute vive surprend et rend stupide, par la nécessité de suivre l'adversaire sur son terrain. Mais aussi il faut être enfant pour croire que les victoires en discours établissent jamais quelque vérité. L'imagination est déjà assez puissante sur les formes mal définies; et il existe même des sophismes de géométrie qui étonnent un moment. A bien plus forte raison, quand on argumente sans figures, et avec les mots seulement, il n'est rien d'absurde qu'on ne formule, rien de raisonnable qu'on ne puisse contester; car les mots n'ont point d'attaches selon le vrai, et, en revanche, ils ont, comme leur origine le fait assez comprendre, une puissance d'émouvoir qui va toujours au delà de leur sens, et qui fait preuve pour l'animal, sans qu'il sache seulement de quoi.

Ce n'est pas qu'on puisse toujours laisser l'arène aux bavards, aux emportés, aux charlatans. Mais la discussion arrive tout juste à troubler cette magie des paroles par de sèches et précises questions, encore pleines de pièges pour les autres et pour soi-même. Sans compter que la fatigue termine tout par des semblants d'accord et une paix pleine de récriminations à part soi. On peut admirer ici la profonde sagesse catholique, qui n'a pas voulu que les graves problèmes fussent livrés à de telles improvisations. Mais les Sages de la Grèce, et Platon lui-même étaient encore à la recherche d'un art de persuader et d'un art de convaincre, et l'on peut voir dans les immortels *Dialogues* le contraste, peut-être cherché, après tout, entre les discussions mot à mot qui jettent l'esprit dans le désordre, et les belles invocations, utiles surtout à relire, et qui font de si puissants éclairs. Mais il faut être bien au-dessus du discours pour lire Platon. Toujours est-il que bien des hommes, et non des médiocres, espèrent encore beaucoup d'une discussion serrée, où l'on porte des coups comme ceux-ci : « de deux choses l'une », ou bien : « je vous mets ici en contradiction avec vous-même ». Nul n'en est plus au Bocardo et Baralipton de l'école; mais que de vaines discussions dans la longue enfance de la sagesse, d'après cette idée séduisante que la contradictoire d'une fausse est nécessairement vraie, ce qui ferait qu'en réfutant on prouve! Mais l'univers s'en moque.

Il ne se moque pourtant point de nos angles, ni de nos triangles égaux ou semblables, ni du cercle, ni de l'ellipse, ni de la parabole. Ces choses sont élaborées par dialectique, les choses dont on parle étant d'abord définies par des paroles et ne pouvant l'être autrement, et puis le penseur se faisant à lui-même toutes les objections possibles, jusqu'à la conclusion inébranlable. Cette puissance de la dialectique mathématicienne a toujours étourdi un peu les penseurs, et encore plus peut-être lorsque le langage plus abstrait de l'algèbre sembla s'approcher davantage des secrets de la nature, au moins de l'astronomique, mécanique et physique. Et ce livre-ci a pour objet d'éclairer tout à fait ces difficultés, à savoir d'expliquer ce que peut la logique pure, que l'on devrait appeler rhétorique, et pourquoi la mathématique peut beaucoup plus. « La colombe, dit Kant, pourrait croire qu'elle volerait encore mieux dans le vide. » Tout à fait ainsi le mathématicien, ne pensant plus assez à ce qui reste encore d'objet devant ses yeux et sous ses mains, pourrait bien croire qu'il penserait plus avant encore avec des mots seulement. D'où sont nés ces jeux dialectiques, tour à tour trop estimés et trop méprisés, que l'on appelle théologie, psychologie, magie, gros de vérités, mais vêtus de passions, de façon que toute leur vertu persuasive est attribuée trop souvent à un syllogisme bien fait, ou bien à une réfutation sans réplique.

C'est Aristote, celui des philosophes peut-être qui argumente le moins, c'est Aristote, élève de Platon, qui eut l'idée de mettre en doctrine l'art de discuter, si puissant sans doute sur sa jeunesse. Et des siècles de subtilité n'ont pas ajouté grand-chose à son prodigieux système de tous les arguments possibles mis en forme. Et si on le lisait sans préjugé, on n'y verrait plus cette logique ou science des paroles et en même temps science des raisons, mais plutôt la vraie rhétorique qui traite de ce que le langage tout seul doit à l'entendement. Mais qu'on la nomme comme on voudra. C'est donc comme une grammaire générale qu'il faut maintenant examiner sur quelques exemples, renvoyant le lecteur, pour les détails et le système, à n'importe quel traité de logique. Dès que l'on connaît leur secret, ils sont tous bons.

CHAPITRE III

DE LA LOGIQUE OU RHÉTORIQUE

Il y a une rhétorique appliquée qui examine si une proposition du langage convient ou non à l'objet; cette rhétorique accompagne toute science. Par exemple, pour contrôler cette proposition, tout juste est heureux, il s'agit d'examiner les mots et les objets. La rhétorique pure, qu'on appelle communément logique, s'occupe seulement de l'équivalence des propositions, ou, si l'on veut, de l'identité du sens sous la diversité des paroles. On peut dire encore qu'elle examine comment on peut tirer d'une ou plusieurs propositions une nouvelle manière de dire, sans considérer les objets, mais d'après les mots seulement. Ainsi de la proposition tout juste est heureux, on peut tirer que quelque heureux est juste, et non pas que tout heureux est juste. Mais de la négative, aucun injuste n'est heureux, on peut tirer qu'aucun heureux n'est injuste.

Afin qu'on ne soit pas tenté de considérer ici les objets, ni d'engager avec soi quelque discussion sur le bonheur ou sur la justice, il est avantageux de représenter les termes par des lettres, ainsi qu'Aristote le faisait déjà. Ainsi de quelque A est B on tirera que quelque B est A, et de quelque A n'est pas B, on ne tirera rien du tout. On voit ici que l'on pourrait exposer ces conséquences par une espèce d'algèbre comme les logisticiens de nos jours l'ont essayé. Les principes ici rappelés sur des exemples simples pourront servir à juger ces immenses travaux, toujours trop estimés d'après la peine qu'on prend à les suivre.

L'opposition des propositions de mêmes termes donne encore lieu à des remarques simples, mais fort utiles en ce qu'elles nous font saisir le sens des mots tout, quelque, aucun; c'est donc comme une grammaire générale en quelque sorte. S'il est posé que tout A est B est une proposition vraie, la proposition contraire aucun A n'est B est fausse; mais si la première est fausse, la seconde peut être vraie ou fausse. Il n'en est pas de même pour les contradictoires tout A est B, et quelque A n'est pas B; car de ce que l'une est vraie ou fausse, il faut tirer que l'autre est fausse ou vraie.

La conversation use encore de ces manières de dire, où il serait plus utile d'examiner la proposition même que le raisonnement de pure forme par lequel on en fait sortir une autre. Les propositions tirées de l'expérience se présentent plutôt sous la forme qu'on nomme hypothétique, si A est, B est aussi, équivalente d'ailleurs à la première, comme si l'on disait que si un homme est juste, il est heureux. Cette autre manière de dire conduira à une analyse un peu différente. On raisonnera ainsi. Si A est, B est; or A est, donc B est; or B n'est pas, donc A n'est pas, puisque si A est, B est. Et l'on voit que les propositions A n'est pas ou B est ne conduisent à rien; il faudrait avoir ajouté à la première que si A n'est pas, B n'est pas. Les objets n'y font rien; on considère seulement ce qui est dit, et si ce qui est dit enferme ou non telle autre manière de dire.

Pour achever en peu de mots cette esquisse, on peut passer de cette dernière forme aux syllogismes classiques. Au lieu de dire si A est B est, disons : tout ce qui est A est B. Si nous ajoutons la proposition X est A, nous serons amenés à la conclusion X est B; comme aussi de de ce que A exclut B, autre forme de si A est B n'est pas, de ce que X est A, nous concluons que X n'est pas B. X, c'est tout, ou quelque, ou un, pourvu que ce soit le même X. Et voilà le syllogisme de la première figure : tout envieux est triste, tout ambitieux est envieux, tout ambitieux est triste. Et si, partant de la même supposition, tout ce qui est A est B, on pose que X n'est pas B, ou si A exclut B, que X est B, on aura la conclusion que

X n'est pas A, ce qui est le syllogisme de la seconde figure. Cette méthode d'amener ces deux figures me semble la plus naturelle, sans compter qu'elle les distingue bien du syllogisme de la troisième figure, que j'appelle syllogisme par exemple. Il consiste, celui-là, à conclure, si X, quelque, tout ou un, est à la fois A et B, que A et B se trouvent quelquefois ensemble, ou que, comme on dit, quelque A est B. Pour les modes, qui diffèrent selon tout ou quelque, est ou n'est pas, on travaillera utilement à les retrouver tous, ce qu'on ne fera point sans attention.

Le principe de ces transformations n'est pas difficile à trouver; c'est qu'il faut que l'entendement reconnaisse la même pensée sous deux formes, ou, en d'autres termes, qu'il n'est pas permis de tirer d'une pensée écrite une autre pensée écrite sans avoir égard aux objets. Le célèbre principe d'identité s'offre ainsi de lui-même, dans les études de logique, comme un avertissement au dialecticien qui espérerait augmenter ses connaissances en opérant sur des mots définis seulement. Tel est le prix d'une étude un peu aride, qui, si on la conduit en toute rigueur, montre assez que tout raisonnement sans perception enferme certainement des fautes, s'il avance. Toutes ces fautes, si naturelles, viennent de ce que l'on enrichit peu à peu le sens des mots par la considération des objets, et cela sans le dire et même sans le savoir.

CHAPITRE IV

COMMENTAIRES

Il est à propos ici d'aller chasser dans les broussailles de l'école. Un terme comme végétal s'entend de deux manières; ou comme désignant un nombre d'êtres auxquels il convient, c'est-à-dire une collection; il est alors pris en extension; ou comme attaché à une définition, par exemple que le végétal est un vivant qui se reproduit par germes et qui fixe par chlorophylle le carbone atmosphérique; il est pris alors en compréhension. L'étrange est qu'on peut lire un syllogisme selon un système ou l'autre. En extension, si aucun des envieux qu'on a pu observer n'est au nombre des heureux, et si tous les vaniteux font voir qu'ils sont parmi les envieux il faut conclure qu'aucun vaniteux n'est au nombre des heureux. Cela se représente bien par des cercles inclus les uns dans les autres ou extérieurs les uns aux autres, la collection des envieux comprenant toute celle des vaniteux, et les tenant hors du cercle des heureux. En compréhension, c'est tout autre chose. Si, de la définition du triangle isocèle, il résulte nécessairement qu'il a deux angles égaux et si tout triangle au centre d'un cercle est nécessairement isocèle, il en résulte que tout triangle tel a nécessairement deux angles égaux. Ou encore si heureux est un attribut du sage, toujours et nécessairement, et si sage peut être un attribut de l'homme, il en résulte qu'heureux peut l'être aussi. On peut tracer des cercles pour figurer ces rapports, mais groupés tout à fait autrement comme on voit sans peine, car c'est alors une définition qui enferme ou exclut un caractère; et le quelque et le tout sont remplacés par le possible et le nécessaire. Lus d'une manière ou d'une autre, les syllogismes vont du même train. Comme ce sont là deux manières de penser aussi distinctes que la vulgaire et la méthodique, l'une tirant sa preuve d'un nombre d'exemples, et l'autre d'une idée, c'est un signe de plus que la logique ou rhétorique ne touche ni aux choses ni à la recherche, mais concerne la manière de dire seulement.

Les trois figures du syllogisme conduisent dans les mêmes chemins, si on les compare entre elles. Car les deux premières, puisqu'elles développent deux hypothétiques jointes, conviennent à l'expression des preuves théoriques. La troisième figure est tout à fait autre, puisqu'elle prouve toujours par l'exemple; aussi peut-on remarquer que sa conclusion n'est jamais universelle. Mais comme on peut lire les unes et les autres en compréhension ou en extension, cela fait voir que la logique n'enferme pas les méthodes, mais en offre tout au plus quelque reflet. C'est ainsi que, dans la troisième, le sujet, ou la chose, est moyen terme, et disparaît dans la conclusion, ce qui fait voir que la pensée vulgaire, surtout frappée par l'accumulation des exemples, aboutit à des formules au lieu de saisir l'être individuel; au lieu que, dans les deux premières, le sujet, c'est-à-dire la chose, est réellement sujet de la conclusion; c'est tel triangle qui a deux angles égaux, et ces deux-là, mais nécessairement, par d'autres caractères qu'on y a d'abord reconnus. Et, s'il s'agit d'un champ, on dira encore, précautions prises : autant que ce champ est triangle isocèle, autant il a deux angles égaux, et les erreurs sont liées par là. Ainsi la vraie science saisit les choses de la nature par approximation, c'est-à-dire en limitant les erreurs en quantité, au lieu que la vulgaire, à force d'expériences, parvient à une espèce de probabilité. On donne souvent le nom d'induction à cette preuve par accumulation; on ne considère pas assez que, dans les recherches méthodiques, une seule expérience fait preuve, dès que la théorie l'encadre d'assez près; et si on répète alors l'expérience, c'est plutôt pour la mieux percevoir que pour fortifier la preuve. Maintenant, pour poser seulement un jalon dans un fourré presque inextricable et où je n'entrerai pas plus avant, j'avertis qu'il y a une probabilité aveugle, qui compte les succès sans soupçonner seulement les causes, et une probabilité clairvoyante, dont les résultats sont dus à un système mécanique clos, comme un jeu de cartes, ou deux dés et un gobelet, ou une roulette. Je m'excuse d'avoir parlé ici un peu de tout; c'est le défaut des Commentaires.

CHAPITRE V

DE LA GÉOMÉTRIE

La géométrie est un inventaire des formes, en vue de déterminer des relations de distance et de grandeur entre les objets de l'expérience. Sa loi est de compliquer progressivement les formes en partant des plus simples; son succès est tel qu'il n'est point de problème géométrique qui ne se puisse résoudre par des triangles égaux ou semblables, le triangle étant la plus simple des figures terminées, comme la droite est la plus simple des lignes, et qu'il n'est point de courbe qui ne s'inscrive toute sur trois axes rectilignes. Ce sont d'abord le point et la droite, à la fois distance et direction; et puis la distinction de deux mouvements, le mouvement le long d'une droite et la rotation de la droite autour d'un point fixé, d'où sortent l'angle et le cercle, qui ne font qu'un. En partant de là se développent deux ordres de recherches : l'un, des figures planes et des rapports des lignes aux surfaces et enfin aux volumes; l'autre, des angles et de leur rapport à des droites convenablement choisies comme sinus et tangente. La dernière conquête eﬆ celle des courbes, dont les coniques sont les principales.

C'eﬆ un préjugé assez ancien que la connaissance a sa fin en elle-même; et l'enseignement, par un effet peut-être inévitable, donnerait à la géométrie l'apparence d'une science qui ne cherche rien hors de ses figures. Il faut donc répéter que la connaissance n'a d'autre objet que les choses mêmes, en vue de prévoir les mouvements que nous avons à faire pour nous procurer certaines impressions et en écarter d'autres. Ainsi la géométrie a pour fin l'orientation, l'arpentage et le cubage, applications qui couvrent le domaine entier des sciences. Et l'artifice principal que nous y employons, comme Comte l'a fait remarquer, c'eﬆ de mesurer le moins de lignes qu'il se peut et le plus possible d'angles, ce qui jette dans de grands calculs. De toute façon, il s'agit d'enfermer les choses dans un réseau de droites et de courbes approchant de la forme réelle, laquelle n'eﬆ d'ailleurs forme que par ce réseau même, comme le lecteur l'a déjà assez compris.

Par ces remarques, il eﬆ possible d'aborder, sans obﬆacles artificiels, le problème maintenant classique des poﬆulats. On sait, d'après la logique même, que les raisonnements géométriques n'iraient pas loin, si quelque nouvelle donnée, en forme de proposition non ambiguë, ne leur était fournie. Et c'eﬆ toujours quelque figure nouvelle, obtenue par combinaison des anciennes et définie en même temps dans le langage, ce qui fait déjà assez voir que la géométrie ne se passe pas d'objets. Mais les auteurs reconnaissent encore des poﬆulats ou demandes, sans lesquels on ne pourrait aller plus avant. Une suffisante étude de la perception permet de montrer que ces poﬆulats sont des définitions encore. Il faut seulement bien diﬆinguer les objets imaginaires, tracés sur le papier, des formes de l'esprit qui en sont comme le vrai, et desquelles traite le vrai géomètre. Ainsi la droite eﬆ définie au mieux par le mouvement d'un point constamment dirigé vers un autre; la droite est ainsi la direction même; mais les auteurs veulent que la plus courte distance, essentielle aussi à la droite, soit demandée ou postulée. Considérons pourtant ce que c'est que la direction; c'est d'abord un rapport immédiat entre nous et une chose inaccessible; c'est une anticipation. Qu'il n'y en ait qu'une entre deux points, cela résulte de la définition même, si on ne se laisse point tromper par l'imagination ni par une grossière figure; car, pour en distinguer deux, il faudrait avoir égard à deux points intermédiaires au moins, ce qui va contre la définition, puisque le rapport est entre deux points seulement. Deux droites qui passent par les deux mêmes points n'en font qu'une quant à l'idée; il ne s'agit donc que de ne point confondre l'idée avec le tracé. Quand on ajoute que la droite est le plus court chemin d'un point à l'autre, peut-être s'exprime-t-on mal. Car il y a autant de chemins qu'on veut dans le monde; mais, d'un point à un autre point, sans rien considérer d'autre, il n'y a qu'une distance, comme il n'y a qu'une droite. La droite entre deux points est la distance même entre deux points et cette distance ne peut devenir plus courte que par mouvement du point, toujours selon la même direction; ou encore, une distance plus courte déterminerait un point plus rapproché sur la même ligne. Ces diverses distances ne sont jamais comparées que sur la même droite; et ainsi, si une autre distance était trouvée plus courte, cela voudrait dire, et cela ne peut avoir d'autre sens, qu'elle ne joindrait pas un des points à l'autre.

Mais faisons bien attention aussi que cette propriété de la droite, comme la droite même, ne peut être pensée sans expérience. S'il n'y a point d'objet, c'est-à-dire de diversité sensible, la droite n'est plus rien. Aussi le géomètre se donne-t-il la diversité suffisante, et la moins trompeuse, en distinguant les points par des signes de convention seulement. Et le point lui-même est une chose seulement distincte d'une autre par la distance; à quoi une grosse tache conviendra aussi bien qu'une petite, pourvu qu'on ne fasse pas attention à leur grosseur ni à leur forme; si l'on y faisait attention, on aurait en chacun d'eux plusieurs objets, non un seul. C'est ainsi que le géomètre, par volonté, maintient le sens non ambigu de ses termes, et lutte contre les apparences.

Comme la droite unique définit la distance, ainsi la parallèle unique définit la rotation. Si les droites étaient des choses à rechercher dans le monde, on pourrait bien se demander s'il n'y a qu'une parallèle à une droite par un point donné; mais les droites sont posées et maintenues. Faites tourner une droite autour d'un point; elle fait avec une autre tous les angles possibles, y compris l'angle nul. Pourquoi veut-on qu'un angle nul détermine moins une position de la droite que ne fait un angle d'un demi-droit par exemple? A quoi l'on dira que l'angle d'un demi-droit détermine deux droites. Oui, deux pour l'imagination grossière, non pas deux si l'on compte les angles dans un sens convenu, comme il faut le faire dès que l'on veut décrire les quantités de la rotation sans ambiguïté aucune. Et pourquoi veut-on alors qu'il y ait plusieurs droites d'angle nul? J'entends, vous ne savez plus ce qui se passe à droite et à gauche quand l'angle devient nul; et c'est plus loin que tous vos voyages. Mais il ne s'agit pas de voyages; il ne s'y passe rien que selon ce que vous avez dit. Ne confondez pas le tracé et l'idée. Au reste, rien n'empêche de dire qu'il y a plusieurs parallèles, et on l'a tenté, sans trouver ensuite la moindre contradiction dans cette géométrie contre Euclide. Et je le crois bien; il n'y a de contradictions dans le discours que celles qu'on y met. Les choses ne disent rien et ne contredisent rien. Et, du reste, autant que cette géométrie trouvera des objets à saisir, elle est bonne. Sinon ce n'est qu'un jeu.

CHAPITRE VI

DE LA MÉCANIQUE

Il faut dire quelque chose de la mécanique, que l'on considère communément comme la première application de la géométrie à l'expérience. On oublie en cela que la géométrie et même l'algèbre, comme aussi l'arithmétique, et comme toutes les sciences, sont des sciences de la nature. Mais pour la mécanique, c'est encore plus évident. C'est pourquoi il faut montrer ici encore cette même méthode de reconstruction en partant des simples.

Je considérerai des exemples connus, mais bien frappants. Je lance une pierre en l'air verticalement; elle retombe selon la même ligne; il ne s'agit que de décrire correctement ce qui s'est passé. Et voici ce que c'est, selon la pure mécanique; je négligerai seulement la résistance de l'air, afin que mon exemple ne soit pas surchargé. Premièrement j'ai communiqué à la pierre un mouvement vers le haut d'une certaine vitesse, soit vingt mètres par seconde. Par l'inertie, qui est négation de force simplement, cette pierre ira tout droit sans fin, toujours avec cette vitesse. Bon. Mais tous les corps tombent; ce mouvement de la pierre n'empêche point qu'elle tombe, ainsi que tout corps libre au voisinage de la terre. Elle tombe, cela veut dire qu'elle parcourt verticalement d'un mouvement accéléré près de cinq mètres dans la première seconde; ainsi en même temps elle a monté de vingt mètres et elle est descendue de cinq; la voilà à quinze mètres en l'air. A la fin de la deuxième seconde, toujours courant, elle serait à trente-cinq mètres, car elle a toujours sa vitesse de vingt mètres; oui, mais en même temps elle a tombé, pendant cette deuxième seconde, de quinze mètres environ. Au total, la voilà à vingt mètres en l'air seulement. Suivez cette analyse, vous verrez la pierre redescendre et rencontrer enfin le sol, ce qui met fin à son mouvement. J'ai analysé ce cas si simple avec rigueur et paradoxalement, comme il le faudrait absolument pour d'autres exemples, afin de faire apparaître le principe de la composition des mouvements, dont on voit clairement que ce n'est pas l'expérience qui le suggère, mais au contraire qu'il fait passer les apparences à l'état d'expérience ou d'objet. Et l'on voit bien aussi que si la résis tance de l'air a été négligée, il serait aisé de l'introduire comme une force accélératrice, si je puis me permettre ce pléonasme, mais dirigée en sens inverse du mouvement. Le mouvement d'un obus s'analyse de même; le mouvement d'une planète, de même.

Je veux rappeler ici encore un bel exemple de cette composition des mouvements, dû à Descartes, et livré depuis aux critiques des hommes du métier, ce qui fait voir que science et réflexion sont deux choses. Descartes, donc, analyse le mouvement d'une bille supposée élastique et qui rencontre un plan dur; je laisse ces définitions. Il examine d'abord le cas le plus simple, où la balle tombe normalement sur le plan; elle rebondit selon la même route, car, par les définitions, tout est identique autour de la normale. Mais voici l'analyse audacieuse. Je lance la balle obliquement; il me plaît de considérer ce mouvement comme résultant de deux autres que ferait la bille en même temps, l'un normal au plan, et l'autre parallèle au plan. Le premier est renvoyé normalement, le second se continue sans obstacle, ce qui donne, par une construction simple, l'égalité de l'angle de réflexion à l'angle d'incidence. Rien n'éclaire mieux que la peur des esprits faibles devant cette hardie décomposition. Ils n'ont pas vu ce que c'est que plan, et qu'une rencontre oblique n'est rien, le plan ne définissant que la direction normale à lui. Ainsi cette analyse ne fait que maintenir l'idée, en rejetant les preuves d'imagination que donne le jeu de billard. Telle est la sévérité du jugement, sans laquelle il n'y a point de chemin véritable vers la haute analyse, où l'esprit ordonne lui-même tous ses objets.

L'idée de travail est encore une de ces idées simples, et qui a illuminé la mécanique moderne sans qu'on sache au juste quel est le Thalès observateur à qui elle s'est montrée dans sa pureté. Un seau d'eau est élevé d'un mètre, voilà un travail; deux seaux d'eau sont élevés d'un mètre, voilà un travail double qui a à vaincre un poids double. Mais j'élève un seau d'eau de deux mètres; voilà encore un travail double. D'où l'idée que, d'après cette unité de travail, un seau d'eau élevé d'un mètre, le travail pour dix seaux, élevés de quinze mètres, s'obtiendra en multipliant le poids ou la force par la longueur. Et si tous ces seaux retombent sans obstacle, leur choc au sol se mesurera par ce travail même, qui s'appellera alors force vive. Mais voici des applications bien plus étonnantes. En général lorsque l'on met un corps solide en mouvement, toutes ses parties vont du même train; ce n'est que translation. Mais dès qu'un des points du corps est fixé, on peut obtenir une rotation, dans laquelle il est clair que toutes les parties ne font pas le même chemin dans le même temps. Ainsi sont les leviers et les roues. Les poulies montées en moufle donnent aussi un mouvement plus rapide de certaines parties; et la presse hydraulique aussi. Décidant que ces arrangements, qu'on appelle machines, ne peuvent rendre d'autre travail que celui qu'on dépense à les mouvoir, on écrit dans tous les cas FL = F'L' d'où il suit que les forces sont entre elles inversement comme les chemins parcourus. Ainsi je saisis d'un coup la puissance d'une grue à engrenages, ou hydraulique, sans regarder seulement comment le mouvement se communique. Mais j'avoue qu'une analyse, dans chaque cas, des poulies, des engrenages qui sont leviers, ou des pressions, éclaire mieux l'esprit que cette opération presque machinale. Et cet exemple nous conduit à l'algèbre, étonnante machine à raisonner.

CHAPITRE VII

DE L'ARITHMÉTIQUE ET DE L'ALGÈBRE

Pour les fins que l'on se propose ici, il n'est pas nécessaire de séparer ces deux sciences, ni d'en décrire l'étendue et les profondeurs. Il faut seulement les considérer comme sciences des choses encore, et rechercher toujours dans un objet bien perçu la source de ces combinaisons transformables dont les réponses sont souvent aussi étonnantes pour le calculateur lui-même que les merveilles de la nature. Réellement, il ne s'agit ici que d'expériences sur les nombres, expériences impossibles dans la perception commune.

Une multitude accable bientôt l'esprit, si elle n'est pas rangée; et tout rangement est géométrique. Distribuer une boule de pain à chacun des hommes d'un bataillon, c'est déjà compter, mais machinalement. Vérifier en rangeant les hommes, et les boules de pain devant eux, c'est déjà penser le rapport d'égalité. Mais l'industrie la plus simple impose des groupements qui sont de meilleurs objets pour l'observateur. Le jardinage conduit à des distances selon une règle et à des alignements où l'entendement peut lire les lois des produits de deux facteurs. Les boîtes où l'on range d'autres boîtes et les piles de boulets conduisent plus loin. Il ne faut pas mépriser le boulier compteur et les jeux de cubes. L'entendement trouve ici le rapport de nombre à l'état de pureté, autant qu'il perçoit bien la chose. Par exemple concevoir qu'une arête de cube doublée entraîne huit fois le premier petit cube, c'est reconnaître l'équivalence numérique entre une suite de cubes alignés et un empilement formant lui-même un cube. Ceux qui craignent de faire sortir une science si étendue de si petits commencements n'ont pas bien saisi l'œuvre de l'entendement dans la perception des objets. Il n'y a pas plus de confusion dans le ciel perçu par un petit pâtre que dans ce cube fait de cubes perçu par un enfant qui n'a pas encore fait trois et un avec deux fois deux.

Il se fait naturellement une vigoureuse réaction des algébristes contre ces vues trop simples, et un effort pour démontrer ces premières propositions sans aucune représentation d'objet. Ce qui n'a de succès que parce qu'on oublie que les chiffres, les lettres et les signes sont aussi des objets distribués, rangés et transposés par la plume. Et toute la puissance de l'algèbre vient justement de ce qu'elle remplace la considération des choses mêmes par le maniement de ces symboles, dont la disposition finale, traduite en langage commun, donne enfin une solution, bien plus pénible et souvent impossible par une méthode plus naturelle. Un problème scolaire d'arithmétique, traité par l'algèbre, donnera assez l'idée de cette machine à calculer, qui réduit le travail de l'entendement à reconnaître la disposition des symboles sur le papier, et à ne la point changer témérairement, par exemple à changer le signe, s'il transporte un terme d'un membre à l'autre.

J'invite ici le lecteur à retrouver ces rapports si simples, et gros de tant de combinaisons, dans le développement de la formule bien connue dite binôme de Newton. Il y verra, notamment, comment l'on calcule les combinaisons toujours par des groupements simples, qui font voir que, par rapport aux symboles juxtaposés $a\ b$, il y a trois places pour le symbole c et seulement trois. Mais surtout, quand il aura formé un certain nombre des termes de la somme $a + b$ multipliée plusieurs fois par elle-même, il verra apparaître des lois de succession des exposants et une symétrie des coefficients qui lui feront entrevoir la fonction de l'objet comme tel dans l'expérience apprêtée de l'algébriste. Les déterminants offriraient un exemple peut-être plus frappant encore de ce retour des naïves figures propres à vérifier les comptes. Mais ces rapports sont partout dans l'algèbre, et bien frappants dès qu'on est averti. Comme les courbes géométriques peuvent représenter des rapports physiques jusqu'à en proposer souvent des conséquences non encore essayées, ainsi l'algèbre peut représenter la géométrie et toutes choses, mais par des rapports de même espèce, quoique plus simples et plus lisibles, qui sont des rapports d'objets artificiels groupés et rangés par la plume, et dans lesquels éclatent aussi des surprises et des orages.

CHAPITRE VIII

DE LA VAINE DIALECTIQUE

La mathématique a toujours inspiré à l'esprit humain de grandes espérances. Puisqu'il était évident que l'on pouvait, par des raisonnements, devancer l'expérience, et même découvrir des rapports de nombre très certains, comme entre les grandeurs dites incommensurables, et que l'expérience est hors d'état de jamais vérifier, il l'était aussi que le pouvoir de penser s'étend bien au-delà de ce que les sens perçoivent. Il s'ajoutait à cela que la vraie philosophie arrivait toujours, et non sans raisons assez fortes, à nous mettre en garde contre les sens et à en appeler de leurs décisions à quelque autre juge. Aussi que la matière, toujours réduite à un mécanisme abstrait ainsi qu'on l'a vu, était bien incapable de se juger et de se comprendre elle-même. Enfin les recherches de l'ordre moral, sur une justice, une franchise, une amitié que nul n'a jamais rencontrées dans l'expérience, semblent pourtant contenir quelque chose de plus respectable et de plus solide que la sagesse des proverbes, toujours attentive aux conséquences. Voilà plus d'une raison de ne point mépriser d'avance les raisonnements abstraits. Mais il y a quelque chose de plus dans l'apparence logique, qui fait qu'elle est aimée sans mesure.

Sans entrer encore dans l'étude des passions, on peut comprendre que l'expérience naïve est très loin de ressembler à l'expérience purifiée. Les rêves, qui laissent des souvenirs si frappants, et complétés encore par les récits qu'on en fait, qui nous représentent des voyages où le corps n'a point de part, des résurrections, des apparitions, sans compter les présages que les passions vérifient si souvent, devaient donner et ont donné en effet aux hommes l'idée d'un monde désordonné, sur qui les désirs et les prières avaient plus de puissance que les outils et les machines simples. Et, comme la persuasion et même la simple affirmation ont grande prise sur les humeurs et la fantaisie, comme aussi les prédictions sur la destinée, les accords et les oppositions de paroles ont toujours su émouvoir. La consonance même, qui fait si bien empreinte, semble encore répondre à notre attente et terminer nos doutes. Disons aussi que le rythme et le chant, surtout en commun, nous éveillent beaucoup plus profondément que le sens ordinaire des paroles ne le voudrait. D'où vient que la poésie et l'éloquence soutiennent si bien les preuves. Mais le jeu de mots, la réponse imprévue et attendue en un sens, ce que l'on appelle enfin l'esprit et le trait, comptent encore beaucoup dans les discussions les plus serrées, et bien plus même qu'on n'ose l'avouer. Que dire alors de ces éclairs de logique, de ces formes entrevues, de ces imitations et symétries, premières parures de toutes les religions, premières esquisses de toute théologie? Tout s'unit ici, le jugement et les passions, pour chercher avidement un sens à cette musique plus subtile, dont les sophistes dans Platon nous donnent assez bien l'idée. Et le style plus sévère en garde quelque chose, plus émouvant par la surprise. Oui, plus la forme est nue, plus ces rapports de mots sont frappants.

Le portrait d'un homme lui ressemble; si vous frappez le portrait vous blessez l'homme, par cette ressemblance. L'épée du roi est la reine des épées. Ce n'est pas au hasard que Gœthe fait dire à Méphistophélès : « Vin vient de raisin, raisin vient de vigne, vigne est bois; le bois peut donner le vin. » C'est le thème de toutes les incantations. Les croyances de coutume sont plutôt animales; ce qui est humain c'est la preuve parlée. Toutes ces étranges superstitions des primitifs, si amplement étudiées, ressemblent plutôt à la théologie abstraite et déductive qu'à des inductions précipitées. Toute magie est une dialectique. Il ne faut donc pas s'étonner si toute dialectique est magie encore. Je lisais hier ce vieil argument, pour les peines éternelles, que Dieu étant infini, l'offense l'est aussi, et que donc la peine doit être infinie.

Ce trait a terminé plus d'une discussion; ce n'est pourtant qu'un jeu de mots. En suivant cette idée, si l'on peut dire, on trouve qu'il fallait le supplice d'un Dieu pour racheter nos péchés. Ce sont de naïves équations. Quoi que vaille l'idée, voilà une plaisante preuve. Mais ces preuves plaisent. Le talion était fondé sur plus d'une raison, mais il plaisait d'abord par la ressemblance du crime et de la peine, et aussi par le retour des sons. Raisonner est souvent comme rimer.

Qu'on mesure d'après cela la puissance de raisonnements bien mieux conduits qui, sous les titres de métaphysique ou de théologie, font comparaître les mots les plus riches, les plus émouvants, les plus ambigus de tous. Contre quoi une étude exacte de la logique pure, et une réflexion attentive sur les preuves du mathématicien est la meilleure précaution. Car, pour trouver le faible d'un argument un peu subtil, il faut d'abord n'être pas pressé; formons plutôt un préjugé raisonnable contre tous les arguments. Mais il n'est pas inutile pourtant d'en examiner quelques-uns, en vue de vérifier les principes.

CHAPITRE IX

EXAMEN DE QUELQUES RAISONNEMENTS MÉTAPHYSIQUES

J'ai trouvé dans Hume, qui l'a pris de quelque théologien, un beau raisonnement sur les causes. Il s'agit de prouver que tout a une cause; et voici comment raisonne le théologien. Supposons qu'un être existe, qui n'ait point de cause; il viendrait donc du néant; et le néant, qui n'est rien, ne peut rien produire. Mais, dit Hume, supposer qu'une chose qui n'aurait point de cause vient alors du néant, c'est justement supposer que tout ce qui arrive vient d'autre chose; et c'est justement ce qui est en question. J'ajoute que, pour l'auditeur naïf, l'attention est détournée de ce passage par l'argument du néant qui ne peut rien produire; et ce morceau ne me paraît pas meilleur que l'autre, car je n'ai du néant aucune espèce d'idée et je n'en pense rien; comment pourrais-je en dire quelque chose? Mais les mots permettent tout.

On peut lire Hume pour s'assurer qu'un grand démolisseur est le plus utile des hommes si l'on veut bâtir proprement. J'y ai trouvé cette remarque d'importance que l'imagination peut lier toutes les images n'importe comment, ce qui écarte les petits systèmes du modèle anglais où la machine produit des chaînes de pensées à l'image de l'univers. Peut-être saisirez-vous bien, au sujet des causes, la position intermédiaire du philosophe, si difficile à tenir, et qui rend la lecture de Kant si pénible au commencement. Car il faut pourtant bien que ce mécanisme des physiciens soit fondé de quelque façon. En sorte que notre théologien conclut bien, quoiqu'il raisonne mal. Tout état de choses dans l'expérience est un changement d'un état antérieur selon des lois; mais cette liaison, sans laquelle il n'y aurait point d'expérience de la succession, n'est pourtant rien du tout hors de toute expérience; la logique pure ou rhétorique ne peut rien pour l'établir.

Ces remarques ne sont pas inutiles à méditer si l'on veut surmonter l'argument célèbre de la cause première, si imposant qu'il faut avoir pris fortement position dans la logique stricte si l'on veut le repousser tout à fait. Voici l'argument. Un état de choses n'aurait pu exister si un autre état de choses ne l'avait précédé, et si un autre état n'avait précédé celui-là. Ainsi sans fin. Bon. Mais dès qu'un état de choses existe, toutes ses conditions d'existence, entendez bien toutes, sont données ou ont été données; le compte en est fait, achevé, terminé par l'existence même de la chose. C'est donc dire oui et non à la fois que de dire que ces conditions sont un infini, ce qui veut dire un inachevé. L'idée qu'avant une cause il y en a une autre, et ainsi sans fin, ne suffit donc pas. Ce qu'on exprime aussi en disant que l'infini actuel ou réalisé implique contradiction. Il faut donc une cause, elle-même sans cause, c'est-à-dire première, qui achève la série des conditions; car enfin l'état actuel existe, il n'attend pas. Il porte avec lui ses causes suffisantes. A partir de là les conclusions s'enchaînent, soit que l'on admette la cause sans cause comme unique et divine, soit que l'on réserve simplement la place pour une cause non causée qui serait liberté, et vraisemblablement multiple comme la morale le veut. Mais laissons les conséquences; voyons l'argument.

Première remarque, on arrive ainsi par le principe même que tout a une cause, à nier ce principe, puisqu'on arrive à une cause elle-même sans cause; preuve qu'il y a ici quelque piège des mots. Deuxièmement, si l'on prend la relation de cause dans la représentation des changements, on s'aperçoit que l'état des choses qui suit résulte d'un état immédiatement précédent, aussi voisin de l'autre qu'on voudra, ou, autrement dit, qu'il y a continuité dans le changement, comme il apparaît pour le système planétaire où, bien clairement, tout état de ces corps gravitant dépend d'un autre état infiniment voisin, et celui-là d'un autre. Voyez comme le langage ici nous trompe. Je dis un état et un autre, mais entre les deux j'en trouverai de différents autant que je voudrai. Quand je parle de toutes les causes, je n'entends donc pas un nombre de causes. Et, dès qu'il n'y a plus de nombre, l'impossibilité logique de l'infini actuel disparaît. Le plus petit intervalle enfermera aussi bien autant de causes que je voudrai; mais ce nombre, si je compte les causes, n'est pas hors de moi qui compte; et c'est moi-même que je prends au piège dans mon propre compte, au lieu de saisir la nature. Troisièmement, il y a une ambiguïté presque effrayante dans le terme d'infini, dès que la formation des nombres n'est plus considérée; car il désigne aussi bien l'achevé et le parfait que l'inachevé et l'imparfait. En sorte que je pourrais bien dire que ce devenir infini suffit à expliquer la chose, parce que l'infini suffit à tout. Mais un mot ne suffit à rien.

Leibniz nous a laissé un argument métaphysique encore plus frappant, en ce que l'infini ne se forme plus dans le passé, mais porterait présentement la chose. Un composé, dit-il, n'existe que si ses composants existent. Si ces composants sont eux-mêmes composés, nous sommes renvoyés à d'autres composants et ainsi sans fin. Mais si la chose composée existe, dès maintenant ses composants existent; ils sont donc simples, mais absolument simples; ce sont des âmes. Le jeu logique n'a rien produit de plus brillant. Toutefois, sans demander comment des composants simples peuvent ensemble donner la grandeur, ce qui n'est qu'un autre jeu, je remarque seulement que les choses, si l'on veut être logique, peuvent bien n'être réellement ni composées ni simples; car ce dilemme est de nous; et il n'est ni prouvé ni vraisemblable que le langage soit aussi riche que la nature. En voilà assez pour mettre le lecteur en défiance à l'égard des raisonnements sans perception. Cette précaution est contre les passions qui prouvent si bien ce qu'elles veulent.

CHAPITRE X

DE LA PSYCHOLOGIE

C'est ici qu'il faut traiter de cette science mal définie, car elle est dialectique dans toutes ses parties. L'une, qui traite de l'âme et d'une vie après la mort, est bien clairement métaphysique; mais l'autre, qui traite de nos pensées et de nos affections en se fondant sur l'expérience, est dominée par les mots bien plus qu'on ne croit.

Le mot Je est le sujet, apparent ou caché, de toutes nos pensées. Quoi que je tente de dessiner ou de formuler sur le présent, le passé ou l'avenir, c'est toujours une pensée de moi que je forme ou que j'ai, et en même temps une affection que j'éprouve. Ce petit mot est invariable dans toutes mes pensées. Je change, je vieillis, je renonce, je me convertis; le sujet de ces propositions est toujours le même mot. Ainsi la proposition : je ne suis plus moi, je suis autre, se détruit elle-même. De même la proposition fantaisiste : je suis deux, car c'est l'invariable Je qui est tout cela. D'après cette logique si naturelle, la proposition Je n'existe pas est impossible. Et me voilà immortel, par le pouvoir des mots. Tel est le fond des arguments par lesquels on prouve que l'âme est immortelle; tel est le texte des expériences prétendues, qui nous font retrouver le long de notre vie le même Je toujours identique. Ainsi ce petit mot, qui désigne si bien mon corps et mes actions, qui les sépare si nettement des autres hommes et de tout le reste, est la source d'une dialectique dès qu'on veut l'opposer à lui-même, le séparer de lui-même, le conduire à ses propres funérailles.

Cette idée de l'éternité de la personne, comme de l'identité par-dessus tous changements et malheurs, est, à dire vrai, un jugement d'ordre moral, et le plus beau peut-être. J'ajoute que cette forme pure de l'identité est ce qui fait que nos pensées sont des pensées; car on ne peut rien reconnaître sans se reconnaître aussi, ni rien continuer, quand ce ne serait qu'un mouvement perçu, sans se continuer soi-même aussi. Mais cette remarque fait voir que ce Je, sujet de toute pensée, n'est qu'un autre nom de l'entendement toujours un, et toujours liant toutes les apparences en une seule expérience. L'investigation s'arrête là. Car supposer que je perçois deux mondes séparés, c'est supposer aussi que je suis deux, ce qui, par absurdité, termine tout. Seulement ceux qui ne font pas attention aux mots se croient en présence réellement d'une chose impalpable, une, durable, immuable, d'une substance, enfin, comme on dit. De là des formules comme celle-ci : je ne me souviens que de moi-même, qui sont de simples identités; car dire que je me souviens, c'est dire autant. Ici les mots nous servent trop bien; par réflexion nous sommes trop sûrs du succès; l'objet manque, et la pensée n'a plus d'appui. Une des conditions de la réflexion, c'est qu'il faut trouver la pensée dans son œuvre, et soutenant l'objet; mais cette condition est bien cachée; le premier mouvement est de se retirer en soi, où l'on ne trouve que des paroles. C est pourquoi je n'ai pas de chapitre sur la connaissance de soi; tout ce livre y sert, mais par voie indirecte, par approches, ou par éclairs, comme on se voit dans une eau agitée. La question qui nous intéresse le plus n'est pas la plus simple; je ne puis que le regretter. En dépit de ce Je qui ne change point, ce n'est pas un petit travail que de rester soi.

Ce qui est ici à noter surtout, c'est que la psychologie dite expérimentale et même la psychologie physiologique ont tout rattaché à cette frêle armature. Il n'est point peut-être de méprise plus instructive que celle-là. « Le moi n'est qu'une collection d'états de conscience »; cette formule de Hume fait voir les limites de cet esprit, si vigoureux pour détruire, si naïf dès qu'il rebâtit; car ne dirait-on pas que les états de conscience se promènent comme des choses? Cet empirisme prétendu est dialectique jusqu'aux détails. Il dit une sensation, une image, un souvenir, comme on dit une pierre, un couteau, un fruit; et il vous compose de tout cela une âme bien cousue; mais il n'existe point d'âme bien ou mal cousue. Lagneau, homme profond et inconnu, était soucieux de prouver que Dieu n'existe pas, car, disait-il, exister, c'est être pris avec d'autres choses dans le tissu de l'expérience. Et que dire de ce qui pense en moi et tout autour, aussi loin que le monde veut s'étendre? Cela saisit et n'est point saisi. Toujours est-il qu'une mécanique ingénieuse peut bien remuer comme une fourmi, mais non penser. Encore bien moins peut-on dire que les parties de cette machine seront perception, mémoire, sentiment. Toute perception a les mêmes dimensions que le monde, et elle est sentiment partout, mémoire partout, anticipation partout. La pensée n'est pas plus en moi que hors de moi, car le hors de moi est pensé aussi, et les deux toujours pensés ensemble.

Vous jugerez après cela sans indulgence ces jeux de paroles qui recomposent le moi substance comme un long ruban au-dedans de nous; et encore plus sévèrement jugerez-vous cette physiologie de l'âme qui va cherchant un casier pour la mémoire, un autre pour l'imagination, un pour la vision, et ainsi du reste, et interprétant d'après cela des expériences ambiguës. Il est assez établi, par l'exemple des sciences les moins compliquées, que tout le difficile est de constituer des faits. Le cerveau pensant est ainsi modelé d'après l'âme pensante et à son image. Et ce beau travail nous ramènerait à l'âme voyageuse, si les spirites étaient plus adroits. Mais laissons ce matérialisme sans géométrie.

LIVRE QUATRIÈME

DE L'ACTION

CHAPITRE PREMIER

DU JUGEMENT

Que l'esprit reçoive la vérité comme la cire reçoit l'empreinte, c'est une opinion si aisée à redresser que le lecteur la considérera avec mépris peut-être. Elle règne pourtant sur presque tous les livres, et sur tous les esprits qui n'ont pas assez inventé en s'instruisant. La faute en est au premier enseignement, qui n'a jamais assez d'égard pour ces erreurs hardies que l'esprit enfant formerait par ses démarches naturelles. Le plus ferme jugement, dès qu'il s'essaie, se trouve pris dans des preuves irréprochables, jusqu'à ne pouvoir même en changer la forme, par l'impossibilité de mieux dire. L'esprit en reste accablé, au lieu de cette forte prise que l'on voit chez ceux qui ont appris seuls; mais ceux-là s'empêtrent souvent, par la difficulté des choses et la puissance des passions. Les plus heureux sont ceux qu'une folle ambition de tout savoir ne travaille pas, quoiqu'ils aient tout loisir pour s'instruire comme il faut; ceux-là considèrent naturellement, et il n'est pas de mouvement d'esprit plus juste, que la preuve d'autrui est comme indiscrète; ils la connaissent assez, ils la devinent aux préliminaires. Même importunés, même écoutant et comprenant les parties, ils savent ne pas les lier et faire tenir debout par cette attention décisive que le marchand de preuves guette dans leurs yeux. Tous les éléments de ce monde qui allait naître retombent au chaos, faute d'un créateur. Semblable à ces lutteurs, toujours prudents à saisir ce qu'on leur offre. On réfléchit mal dans une prison de preuves. D'autres craignent les fausses preuves, eux la vraie. Jeu de prince.

On ne juge pas comme on veut, mais on ne juge que si on veut. Les naïfs se demandent comment on peut se refuser aux preuves; mais rien n'est plus facile. Une preuve ou une objection n'ont pas même assez de mon consentement; il faut que je leur donne vie et armes. Les consentements faciles nous trompent là-dessus. Pour moi, j'observe souvent qu'une preuve connue, reçue même en son entier, recopiée même, je dis une preuve des sciences exactes, reste comme un corps mort devant moi. Je la sais bonne, mais elle ne me le prouve point; c'est par grand travail que je la ressuscite; plus je me laisse aller, moins elle me prend. Mais aussi elle est neuve à chaque fois qu'elle renaît. Naïve à chaque fois. Si vous n'êtes pas ainsi, prenez Platon pour maître.

Les preuves sont œuvre d'homme; l'univers du moins est ce qu'il est. Bon. Mais il ne se montre pas comme il est. Ouvrez les yeux, c'est un monde d'erreurs qui entre. Ici tout veut être redressé. L'expérience ne corrige que les plus grosses erreurs, et bien mal. Dès que les choses ne peuvent plus nuire ni servir, il est bien aisé de les ignorer. Un homme de lettres s'étonnait d'entendre dire que les étoiles tournent d'Orient en Occident. « Si elles tournaient, on le saurait », disait-il. Mais c'est peu de chose que de voir tourner les étoiles. Le mouvement des planètes est bien plus caché. Nos passions, nos souvenirs, nos rêves embrouillent encore ce tableau. La variété des erreurs et des croyances suffit à nous rappeler que l'erreur est notre état naturel, l'erreur, ou plutôt la confusion, l'incohérence, la mobilité des pensées. D'où l'on ne sort que par un décret qui est d'abord refus, doute, attente. « Supposant même de l'ordre entre des choses qui ne se précèdent point naturellement les unes les autres ». Ainsi parle Descartes.

Les prêcheurs de toute foi ont bien compris ces choses, mais sur d'autres exemples. Dès qu'il s'agit de vertu ou de perfection, ceux qui y pensent un peu ont bientôt compris que ces choses-là, qui justement ne sont point, ne sont point pensées si elles ne sont voulues, et, bien mieux, contre les leçons de l'expérience. Aussi disent-ils bien que la bonne volonté doit aider les preuves et que

Dieu ne se montre qu'à ceux qui l'en prient. Mais ils ne le découvrent que par les effets extérieurs, voulant toujours un Dieu qui existe à la manière du monde, mais caché. Il est pourtant assez clair que la justice entre les hommes n'existe pas, et qu'il faut la faire. Et, par une rencontre assez ordinaire, il se trouve que le double sens du mot jugement nous instruirait assez, si nous savions lire. Mais de quelles profondeurs humaines est sorti ce troisième sens, qui lie si bien les deux autres, et d'après lequel le jugement est cette décision prompte qui n'attend point que les preuves la forcent, qui achève et ferme un contour par un décret hardi, tenant compte aussi de ce qu'on devine, de ce qui est ignoré, de ce que l'homme doit à l'homme, mais sans peur, et prenant pour soi le risque ? Ce sont des dieux d'un moment.

CHAPITRE II

DE L'INSTINCT

L'INSTINCT des animaux ne propose qu'un problème de physique, à la vérité fort difficile dans le détail, mais assez simple quant aux principes. Il faut seulement considérer l'élément moteur qui est le muscle, dans lequel, lorsqu'il est nourri, il se fait comme une explosion diffuse, avec transformation pour une petite partie en chaleur, pour le principal en mouvement. Ce mouvement est un changement de la forme fuselée en la forme arrondie, changement que l'on appelle contraction. Sans que l'on connaisse le mécanisme intime de cette décomposition explosive, on peut déjà écrire que l'énergie retrouvée en chaleur et mouvement ne dépasse jamais le travail accumulé que représentent, aux yeux du chimiste, les aliments et les éléments musculaires qui s'en sont nourris. L'occasion de cette décharge est, soit dans une excitation extérieure directe, soit dans l'action d'un courant ou d'une traînée de réactions chimiques, comme on voudra dire, qui se transmet le long d'un nerf. Un animal, considéré comme moteur de lui-même, se compose, chez les vivants les plus parfaits, d'une carcasse à articulations, interne ou externe, sur laquelle sont attachés des muscles extenseurs et fléchisseurs; et les nerfs font communiquer toutes les parties motrices entre elles par des centres subordonnés et enfin par un centre principal qu'on nomme cerveau. Le détail est fort compliqué. Ajoutons, pour compléter l'esquisse, les organes des sens qui sont des parties plus sensibles que d'autres aux faibles actions du milieu extérieur.

Si l'on se délivre maintenant, par précaution de méthode, de l'idée d'un pilote logé au centre principal, recevant des messages et envoyant aux muscles des instructions, il reste un moteur à explosions, fort compliqué et capable d'une grande variété de mouvements. Ces mouvements sont limités par l'armature articulée, par l'action de la pesanteur, par la puissance des muscles antagonistes; et cette puissance elle-même dépend du travail immédiatement antérieur, de l'élimination des déchets, et de la nutrition ordinaire, laquelle est excitée, ainsi que l'élimination, par le mouvement même de chaque partie. Il faut dire aussi qu'une excitation en un point ne se transmet pas aussitôt partout, ni aussi forte; cela dépend du trajet nerveux, et vraisemblablement du travail déjà fourni immédiatement auparavant par les éléments transmetteurs. Cela posé et retenu, il est naturel de supposer que toute excitation s'irradie en tous sens par mille chemins, de façon que l'animal agit toujours en se contractant tout, comme on voit assez si l'on remarque que le premier éveil met d'abord en mouvement les parties les plus légères, et les plus libres, oreilles ou queue, comme Darwin l'a montré. Et ces premiers mouvements sont les signes de ceux qui suivront. Il est clair qu'un animal excité ne fera pas pour cela n'importe quel mouvement, par exemple qu'un cheval ne se mettra pas à ruer s'il ne peut baisser la tête. Disons que l'explosion se fera jour selon la ligne de moindre résistance, d'ailleurs fort difficile à déterminer. Remarquez seulement qu'en posant que les actions d'un animal dépendent de sa forme, de son attitude et des objets résistants qui l'entourent, on circonscrit déjà le problème. L'huître ne fait guère qu'un mouvement; l'écureuil, qui est comme une huître composée, en fait beaucoup plus. Le fourmilion, qui est entre deux, ne fait guère au fond de son trou qu'un mouvement brusque de la tête, ce qui lui donne déjà l'apparence d'un rusé chasseur; c'est que la pesanteur travaille pour lui.

La structure du corps humain ne diffère pas beaucoup de celle du singe ou de l'écureuil; et les réactions de l'instinct se produisent en lui selon sa forme, sa puissance, son attitude, et aussi selon les obstacles. Mais l'homme pense; j'entends qu'il perçoit son corps et les mouvements de son corps, même les moindres, plus ou moins nettement, sans compter les plaisirs et les douleurs qui résultent de ces mouvements mêmes, ou de l'action des objets. Telle est notre première pensée, et notre constante pensée; ces soubresauts, ces frissons, ce mouvement de la vie nous accompagnent en toutes nos recherches, et à chaque instant nous en détournent, tout l'univers se repliant sur nous en quelque sorte, pour ne plus se distinguer enfin de nos mouvements, soubresauts et frémissements perçus ensemble. Ainsi la tempête, d'abord spectacle au dehors, puis menace à nos portes, finit par être en nous tempête, mais tempête de muscles seulement, tremblement, horreur, fuite éperdue, chute, effort des mains, toux, nausée, cris. Pour le témoin sans passion, cet homme-là n'est que l'animal-machine, se mouvant comme nous l'avons dit.

En ce sens, il y a une pensée instinctive, ou, pour mieux dire, une pensée qui redescend vers l'instinct, puis s'en sauve, et y retombe, ou bien s'y repose, ou bien s'y jette. Nous touchons ici aux passions; elles seront amplement décrites plus loin d'après ces vues. Il suffit ici de dessiner à grands traits cette suite d'actions mécaniques qui assurent en tout temps la nutrition, la respiration, l'élimination, le salut immédiat. A travers quoi nous arrivons à penser le monde et ce mécanisme même du corps, comme on l'a vu, mais non sans retomber toujours au chaos crépusculaire, jusqu'à cette confusion de toutes choses dont aucun souvenir ne reste, qui est délire ou sommeil. Rien n'empêche, d'après cela, d'inventer par jeu une espèce de mythologie de la pensée animale; mais ce n'est qu'un jeu; car il faudrait la circonscrire bien au-dessous des sentiments et des passions. L'ordre seul, par jugement et géométrie, fait apparaître le désordre. Et qu'est-ce enfin qu'une pensée sans penseur?

CHAPITRE III

DU FATALISME

Le fatalisme est une disposition à croire que tout ce qui arrivera dans le monde est écrit ou prédit, de façon que, quand nous le saurions, nos efforts ne feraient pas manquer la prédiction, mais au contraire, par détour imprévu, la réaliseraient. Cette doctrine est souvent présentée théologiquement, l'avenir ne pouvant pas être caché à un Dieu très clairvoyant; il est vrai que cette belle conclusion enchaîne Dieu aussitôt; sa puissance réclame contre sa prévoyance. Mais nous avons jugé ces jeux de paroles. Bien loin qu'ils fondent jamais quelque croyance, ils ne sont supportés que parce qu'ils mettent en arguments d'apparence ce qui est déjà l'objet d'une croyance ferme, et mieux fondée que sur des mots. Le fatalisme ne dérive pas de la théologie; je dirais plutôt qu'il la fonde. Selon le naïf polythéisme, le destin est au-dessus des dieux.

La doctrine de la prédestination, si souvent mal comprise, approche mieux des sources de cette croyance si naturelle, si commune, si funeste. Car ils n'entendent pas, par la prédestination, que Dieu tendra des pièges au condamné qui s'efforce d'être juste, mais au contraire que, quelles que soient les occasions extérieures, les grâces, et même les miracles, le plus intime du caractère ne change jamais et empoisonne de son vice préféré même la pratique de la vertu. Par exemple celui qui est trompeur dans le fond se fera, au mieux, trompeur pour le bien de l'État, ou peut-être poète, honoré peut-être des hommes, toujours le même devant le juge. Cette rude doctrine trouve assez de preuves dans l'observation des péchés, des repentirs, et même des expiations. Toutefois ce caractère que l'on suppose est encore une idole abstraite, qui convient assez à la psychologie dialectique. Heureusement les hommes dépendent moins de leur propre fond, et plus de leurs actions, comme les religions ordinaires l'ont discerné. Mais qui ne voit le danger de ces condamnations? Ce sont presque des malédictions déjà. L'enfant et même l'homme ne sont que trop disposés à lire une destinée dans leurs fautes. Si l'autorité du juge y ajoute encore, les voilà à désespérer d'eux-mêmes et à se montrer avec fureur tels qu'on croit qu'ils sont et tels qu'ils croient être. Nous touchons ici le plus secret des passions.

La prédiction d'un devin ou d'une sorcière, si elle dépend de causes extérieures et inanimées, peut se trouver vérifiée soit par hasard, soit par l'effet d'une connaissance plus avancée des signes, soit par une finesse des sens qui permet de les mieux remarquer. Il faut dire là-dessus qu'on oublie presque toutes les prédictions; ce n'est souvent que leur succès qui nous les rappelle. Mais le crédit qu'on apporte aux prophètes tient à des causes plus importantes et plus cachées. Souvent l'accomplissement dépend de nous-mêmes ou de ceux qui nous entourent; et il est clair que, dans beaucoup de cas, la crainte ou l'espérance font alors arriver la chose. La crainte d'un accident funeste ne dispose pas bien à l'éviter, surtout si l'on penche à croire qu'on n'y échappera pas. Mais si c'est la haine d'un homme que je crains, ou seulement l'attaque d'un chien, l'idée que j'en ai s'exprime toujours assez pour faire naître ce que j'attends. Si l'avenir annoncé dépend de moi seul, j'en trouverai bientôt les signes en moi-même; le bon moyen d'échapper au crime, à la folie, à la timidité, au désir de la chair ou simplement à la sottise n'est certainement pas d'y toujours penser. En revanche, croire que l'on est sauvé du mensonge ou de l'envie, ou de la brutalité, ce n'est pas un faible secours. Par ces causes, l'autorité des prophètes n'est pas près de finir.

Mais ces croyances vivent sur un fonds plus riche. Chacun est prophète de soi à soi. Car nos actions d'instinct, par le mécanisme qui a été décrit ci-dessus, commencent d'elles-mêmes, et sont perçues en même temps. Le mouvement hardi s'annonce par allégresse, qui n'est que sentiment de l'éveil des muscles nourris et reposés; la colère s'annonce par crispation en tumulte, chaleur du sang, souffle, cris, paroles; la peur, encore mieux. Toutes les démarches de l'ambition, de l'amour, de la vanité nous sont prévisibles à la manière des mouvements d'autrui, avec cette différence que nous les prenons en main et les dirigeons et les poussons à l'achèvement à mesure que nous les nommons, ce qui fait que cette prophétie de soi à soi ne manque jamais d'être vérifiée; car le jugement éclairé, qui nie l'âme de ces choses, et les renvoie, comme il faut, à un mécanisme fortuit, veut un long détour de doctrine que l'expérience de l'âge ne remplace nullement. Ainsi comme l'instinct est le premier objet de l'esprit, le fatalisme est aussi sa première doctrine. Le héros d'Homère dit naïvement : « Je sens dans mes pieds et mes mains, je sens qu'un dieu me pousse. » L'animal pensant doit passer par cette idée-là.

CHAPITRE IV

DE L'HABITUDE

On met communément l'habitude trop bas. J'y vois une souplesse étonnante, bien au-dessus d'un mécanisme obstiné qui chercherait toujours les mêmes chemins. Par la puissance de l'habitude, on voit le danseur ou l'escrimeur se tirer des embarras soudains avant que le jugement les ait mesurés; mais il y a aussi, dans ceux qui ont pratiqué ces exercices, une aisance et une liberté de mouvements qui font que le jugement est aussitôt suivi d'exécution. A quoi s'opposent souvent les habitudes. Seulement il faut bien remarquer que, si je ne sais pas valser à l'envers, ce n'est pas l'habitude de valser dans l'autre sens qui s'y oppose, et ce n'est pas d'être bon cavalier qui m'empêchera d'être bon tireur au fusil, bon violoniste, bon rameur. Il est clair qu'un acrobate, maître en certains tours de souplesse, en fera bien aisément d'autres. De même l'exercice de la parole ou de la composition écrite finit par délivrer de ces tours de phrase que l'on dit habituels, mais qui ne reviennent si souvent que parce que l'on ne s'est pas habitué aux autres. Ces remarques sont pour arrêter l'improvisateur, au seuil de cette analyse périlleuse. Car on est tenté de décrire une machine humaine qui agirait sans intervention du haut commandement. Mais le musicien, le gymnaste, l'escrimeur se moquent de nos systèmes. J'en appelle ici à tous ceux qui ont appris à faire quelque action difficile. Quand mon maître d'armes distinguait, en jargon alsacien, les tireurs de moyens et les tireurs de jugement, il m'apprenait la philosophie aussi.

C'est une erreur de dire qu'une action que l'on sait faire se fait ensuite sans attention. Le distrait est, il me semble, un homme qui laisse courir ses actions; mais aussi il est assez ridicule, par cette méthode en petits morceaux. L'animal n'est point distrait; il n'est qu'étourdi. Il faut insister là-dessus. Il n'est point vrai qu'un bon cavalier monte bien sans jugement. Il n'est point vrai qu'un bon ouvrier ajuste bien sans jugement. Je dirais plutôt que le jugement ici, par la vertu de l'habitude, est obéi aussitôt, sans mouvements inutiles. Et j'ai ouï dire que la moindre idée ou réflexion de traverse précipite le gymnaste. Preuve que son corps, sans un continuel commandement, ne sait plus où aller; s'il se raccroche, c'est d'instinct. Et je ne crois même pas que cet art de tomber sans mal, qu'ils ont si bien, soit jamais sans jugement.

L'animal montre une souplesse du même genre, mais par l'absence de jugement. Nous sommes communément entre deux. L'instinct, dans notre pensée naturelle, devient passion, contracture, maladresse. La rançon de la pensée, c'est qu'il faut bien penser. Comme nous ne savons pas agir sans penser, nous ne pouvons agir comme il faut sans y bien penser. La peur de mal faire y est le principal obstacle comme on sait; et ce genre de peur est toujours le principal dans toute peur. Mais cette peur n'est que le sentiment d'une multitude d'actions qui commencent et se contrarient. Pour la vaincre, et faire ce qu'on veut, il faut ne faire que ce qu'on veut, par exemple allonger le bras sans que le pied parte, ou bien ouvrir une serrure rebelle sans grincer des dents, ou bien encore tenir l'archet sans le serrer, monter sans retenir son souffle. Le plus simple exercice est un combat contre les passions, surtout contre la peur, la vanité, l'impatience.

Convenons maintenant qu'il y a deux manières d'apprendre, et que l'habitude n'est pas l'instinct, ni le prolongement de l'instinct. L'animal, et l'homme autant qu'il est animal, apprend par contrainte des objets ou par imitation machinale, toujours par répétition. De quoi l'on peut rendre compte d'abord par la nutrition des muscles que le mouvement excite et fortifie, encore, si l'on veut, par les traces qui sont laissées dans les nerfs ou dans les centres nerveux, et qui font que les réactions répétées s'inscrivent par des chemins de moindre résistance. Encore est-il à remarquer que les meilleurs signes par lesquels on puisse faire obéir un cheval sont toujours des pressions ou contraintes, qui gênent certains mouvements et en favorisent d'autres. Cette activité machinale ne ressemble jamais à l'intelligence, et j'ai toujours pensé que le dressage des animaux, bien loin de prouver qu'ils comprennent, suppose au contraire une entière stupidité. L'homme apprend tout à fait autrement, non pas par répétition machinale, mais par recommencement, toujours sous la condition d'une attention soutenue, disons autrement, sous la condition que les mouvements exécutés soient voulus et libres, sans que le corps en fasse d'autres. Il est bien vrai que toute contraction musculaire éveille aussitôt les muscles voisins, et souvent même les muscles antagonistes, de façon que nos membres se raidissent, se fatiguent et n'avancent point; mais je crois que la cause principale de ce désordre du corps est la confusion des idées augmentée encore par la peur de se tromper, si funeste dans toutes les actions. Remarquez que, dans tous les exercices, la victoire est soudaine. Dès que le jugement forme une perception claire et que le corps suit, tout est su. L'attrait des habitudes et leur puissance naturelle viennent de ce bonheur que l'on trouve à faire ce que l'on fait bien, même battre les cartes.

Mais il se joint à cette raison, qui explique déjà assez les récréations des oisifs, un jugement bien trompeur, sous l'idée fataliste, c'est que nos habitudes sont nos maîtresses, et que, dès qu'elles nous tirent et nous appellent par de petits mouvements, nous ne pouvons absolument pas leur résister. Un homme d'âge, et contraint par sa santé de prendre un nouvel emploi, loin de son métier, de ses amis, de ses plaisirs, disait : « On se passe de beaucoup de choses. » Et tous ceux qui ont fait la guerre peuvent dire qu'il est aussi vite fait de changer d'existence que de changer d'habit. Mais d'avance on ne le croit point. La guérison des habitudes funestes consiste à faire voir, par l'expérience, que l'habitude tire toute sa force de ce faux jugement. Mais la guérison ne dure aussi qu'autant que dure le traitement; une seule expérience contraire rétablit l'esprit dans son erreur. Ceux qui ont souffert des passions se reconnaîtront ici. Qu'ils essaient de comprendre, mais par réflexion, pourquoi la guérison fut si aisée, et la rechute si prompte. Mais comprenez bien, c'est de première importance, qu'il suffit de se croire esclave pour l'être en effet. Rien n'éclaire mieux le libre arbitre.

CHAPITRE V

DU DÉTERMINISME

On peut prédire ce qui arrivera dans un système clos, ou à peu près clos, par exemple dans un calorimètre, dans un circuit électrique, dans le système solaire, si l'on considère les positions des astres seulement. Non seulement un ensemble de causes ou de conditions détermine rigoureusement un ensemble d'effets, mais encore le travail ou, comme on dit, l'énergie, qui comprend aussi le travail moléculaire supposé, se retrouve dans l'effet en quantité égale, quelles que soient les transformations. Par exemple la chute d'une certaine masse, depuis une certaine hauteur, se traduira toujours par la même vitesse à l'arrivée, et le choc, s'il transforme en chaleur ce travail accumulé, fondra toujours le même poids de glace à zéro. Les vivants n'échappent point à cette loi. Autant qu'on peut isoler un animal, l'énergie qu'il dissipe en mouvement et en chaleur égale l'énergie chimique enfermée dans ses aliments, diminuée de celle qui subsiste dans les excrétions. Voilà ce que l'entendement pose, en prenant pour modèle les opérations mathématiques, qui sont des systèmes parfaitement clos. Pour les systèmes imparfaitement clos, la vérification est toujours ce qu'on peut attendre, d'après le soin qu'on a apporté à exclure des causes étrangères. Il n'y a aucune raison de supposer que des causes encore mal mesurées échappent à cette règle, et même, comme il a été expliqué, une telle supposition ne peut être faite qu'en paroles et que tant qu'on ne sait pas de quoi on parle. Il est donc inévitable qu'un esprit exercé aux sciences étende encore cette idée déterministe à tous les systèmes réels, grands ou petits.

Ces temps de destruction mécanique ont offert des exemples tragiques de cette détermination par les causes sur lesquels des millions d'hommes ont réfléchi inévitablement. Un peu moins de poudre dans la charge, l'obus allait moins loin, j'étais mort. L'accident le plus ordinaire donne lieu à des remarques du même genre; si ce passant avait trébuché, cette ardoise ne l'aurait point tué. Ainsi se forme l'idée déterministe populaire, moins rigoureuse que la scientifique, mais tout aussi raisonnable. Seulement l'idée fataliste s'y mêle, on voit bien pourquoi, à cause des actions et des passions qui sont toujours mêlées aux événements que l'on remarque. On conclut que cet homme devait mourir là, et que c'était sa destinée, ramenant ainsi en scène cette opinion de sauvage que les précautions ne servent pas contre le dieu, ni contre le mauvais sort. Cette confusion est cause que les hommes peu instruits acceptent volontiers l'idée déterministe; elle répond au fatalisme, superstition bien forte et bien naturelle comme on l'a vu.

Ce sont pourtant des doctrines opposées; l'une chasserait l'autre si l'on regardait bien. L'idée fataliste c'est que ce qui est écrit ou prédit se réalisera quelles que soient les causes; les fables d'Eschyle tué par la chute d'une maison, et du fils du roi qui périt par l'image d'un lion nous montrent cette superstition à l'état naïf. Et le proverbe dit de même que l'homme qui est né pour être noyé ne sera jamais pendu. Au lieu que, selon le déterminisme, le plus petit changement écarte de grands malheurs, ce qui fait qu'un malheur bien clairement prédit n'arriverait point. Mais on sait que le fataliste ne se rend pas pour si peu. Si le malheur a été évité, c'est que fatalement il devait l'être. Il était écrit que tu guérirais, mais il l'était aussi que tu prendrais le remède, que tu demanderais le médecin, et ainsi de suite. Le fatalisme se transforme ainsi en un déterminisme théologique; et l'oracle devient un dieu parfaitement instruit, qui voit d'avance les effets parce qu'il voit aussi les causes. Il reste à disputer si c'est la bonté de Dieu ou sa sagesse qui l'emportera. Ces jeux de paroles sont sans fin, mais l'expérience la plus rigoureuse semble décider que le Créateur ne change jamais le cours des choses, et reste fidèle aux lois qu'il a instituées. Par ce détour, on revient à dire que l'homme qui sera noyé par des causes ne sera certainement pas pendu. Au lieu d'être attiré par un destin propre à lui, il est pris dans une immense machine dont il n'est qu'un rouage. Sa volonté elle-même suit ses actions; les mêmes causes qui le font agir le font aussi vouloir. Chacun sait qu'une certaine espèce de fous font ce qu'on leur suggère, et qu'ils veulent aussi ce qu'ils font, ce qui fait qu'ils croient faire ce qu'ils veulent. Prouvez que nous ne sommes pas tous ainsi.

Ce qui achève d'engourdir l'esprit, c'est que, par un déterminisme bien éclairci, tout reste en place. Un bon conseil est toujours bon à suivre, que je le suive par nécessité ou non. La délibération n'est pas moins naturelle, soit que je pèse les motifs avant de me décider librement, soit que je cherche à prévoir, par l'examen des motifs, ce que je ferai par nécessité. La décision a le même aspect, soit que je jure de faire, soit que je sois sûr que je ferai. Les promesses aussi. L'action aussi, l'un disant qu'il a fait ce qu'il a voulu, l'autre qu'il a voulu justement ce qu'il ne pouvait pas ne pas faire. Ainsi le déterminisme rend compte des sentiments, des croyances, des hésitations, des résolutions. La sagesse, disait Spinoza, te délivre et te sauve autant, que ce soit par nécessité ou non. Sur quoi disputons-nous donc?

CHAPITRE VI

DE L'UNION DE L'AME ET DU CORPS

Je ne dispute point. Je contemple avec attention, sans aucun respect, ce vaste mécanisme qui ne promet rien, qui ne veut rien, qui ne m'aime point, qui ne me hait point. L'esprit qui le contemple me paraît au moins son égal, pénétrant même en lui au-delà de ce qu'il montre, et, s'il ne le dépasse point en étendue, l'égalant toujours. Non que l'esprit me semble s'étaler sur les choses, et se diviser et disperser pour les saisir; au contraire, c'est par l'unité de l'esprit, sans parties ni distances, qu'il y a des parties et des distances; car la partie par elle-même n'est qu'elle, et n'est donc point partie; et la distance entre deux parties leur est extrinsèque aussi. Il n'est donc pas à craindre que cette âme sans parties et qui comprend toutes choses, aille s'enfermer dans quelque trou de taupe. Réfléchis un moment; si ton âme était dans ton corps, elle ne pourrait point penser la distance de ton corps à d'autres. L'ouvrier de ce grand réseau, il faut qu'il y soit partout à la fois et tout entier partout; comment y serait-il pris? N'aie pas peur. Fie-toi à ton âme.

Mais tout cela, dit le psychologue, toutes ces distances, cette terre, ces étoiles, tout cela est dans mon âme et mon âme est dans mon corps. Toutefois je trahis ici le psychologue; ce n'est point cela précisément qu'il dit; ce qui le préoccupe, en tous ses discours, c'est qu'il craint de dire cela. Dans ce jeu de l'intérieur et de l'extérieur, du contenant et du contenu, ce serait un scandale en vérité, si l'on venait à dire que ce corps mien, entouré de corps innombrables, étant dans mon âme, je sais pourtant que cet univers est à son tour dans ce corps mien, qui n'en est qu'une faible partie. Je veux te faire rougir ici, lecteur, si tu as suivi dans les psychologues cette doctrine cabriolante, d'après laquelle l'action des choses extérieures produit dans l'âme une sensation d'abord, sur quoi l'âme se représente en elle cette chose extérieure et toutes les autres. Mais l'autre extérieur, d'où venait la première action, où donc est-il? Est-ce lui que l'âme retrouve, et sort-elle d'elle-même? Au vrai, c'est l'animal agissant que vous décrivez ici; et il est vrai qu'une action des choses y entre et qu'une réaction en sort. Mais par sens, cerveau, muscles; vous ne ferez pas tenir une âme là-dedans. J'entends bien qu'il vous plaît de voir un petit moment par ses yeux, et puis vous revenez à votre poste d'observateur. Mais ce jeu n'est pas sérieux; les âmes n'émigrent pas ainsi d'un corps à l'autre. De quelque façon que mon esprit soit attaché à mon corps, il l'est bien.

C'est cette attache qu'il faut considérer, autant qu'on le peut. Elle est sensible par ce point de vue d'où, à chaque instant, je pense le monde, et qui ne change que par des mouvements de mon corps. Si je veux voir ce clocher caché par un arbre, il faut que mon corps change de lieu. Et la douleur, encore, dès qu'il est lésé, me fait sentir qu'il est mien. Enfin il est mien aussi par l'obéissance. Le mouvement que je veux faire, aussitôt mon corps le fait ou l'essaie. Voilà tout ce que je sais de l'union de l'âme et du corps, si je comprends, sous l'idée de douleur, l'attention détournée, l'abattement, la stupeur. Je connais mon esclavage; mais ne comptez pas que j'y ajoute comme à plaisir, et contre le bon sens.

Il est clair que mon esprit n'est pas un des rouages de mon corps, ni une partie de l'univers. Il est le tout de tout. Je ne fais pas ici de conjecture. Je décris simplement. Ma première pensée est une perception de l'univers, à laquelle rien ne manque, dans laquelle rien n'entrera ensuite comme par des portes, mais que j'éclaircirai simplement. Trouver le point d'attache entre cet immense pouvoir de connaître et ce petit objet qui lui impose un centre, des conditions, un point de vue, cela passe notre mécanique et toute mécanique. Notre esclavage est donc de fait, non de théorie. Et dans le fait nous ne pourrions jamais trouver un esclavage sans limite; nous n'y trouvons même pas un esclavage constant. L'homme pâtit et agit, imite et invente. Je le prends comme je le trouve. Et je l'aime ainsi, au travail, sans désespoir vrai, et traînant ce cadavre, comme dit l'autre.

CHAPITRE VII

DU LIBRE ARBITRE ET DE LA FOI

Libre arbitre est mieux dit que liberté. Ces vieux mots apportent en eux l'idée capitale du juge, dont toute liberté dépend. Il n'échappe à personne que, sans jugement, il n'y a point de liberté du tout. L'instinct commence, les passions suivent, et les motifs ne sont que des signes émouvants. C'est déjà autre chose si d'abord le jugement renvoie les premiers mouvements à leur source; ce mécanisme, laissé à lui-même, trouve bientôt son équilibre. Ensuite, parmi les motifs d'agir, les uns périssent en même temps que la passion, et, comme elle, à peine nés. Les autres sont représentés par juste perception, suivis jusqu'aux effets; enfin la route est explorée. Ou bien, pour des raisons préalables, je refuse au motif de la faire vivre seulement; car c'est une sagesse aussi de ne pas examiner, et un honnête homme ne s'amuse pas à chercher comment il pourrait voler sans être pris, encore moins comment il pourrait violer ou séduire. Ou bien encore, allant droit aux images, il les réduit à d'exactes perceptions. De toute façon, il est bien loin de celui qui se regarde vivre, curieux de savoir jusqu'où ses désirs le conduiront. N'oublions pas le parti royal, qui est de ne point même considérer les petites choses, car le sage sait que tout est changement et dissolution dans les jeux d'images, quand le jugement ne les retient point. Par ces descriptions où l'homme de bonne foi se reconnaîtra, nous sommes bien au-dessus déjà de ces inventaires mécaniques, et encore sans géométrie, où les motifs paraissent comme des plaignants ou des solliciteurs. Ici les motifs n'existent que par la grâce du juge. Encore bien plus mépriserons-nous cette balance, où le juge essaierait ses motifs comme des poids. Autant qu'on peut se faire une idée d'un fou tranquille, c'est ainsi qu'il penserait. Et prenons garde aussi à ceci, c'est que si j'analyse en psychologue ma délibération au sujet d'une promenade, mes motifs semblent alors à l'écart comme des choses. Mais pourquoi ? Parce que mon jugement examine alors la nécessité et le libre arbitre, non la promenade. L'expérience d'un acte libre ne peut consister qu'à agir librement, au lieu de réfléchir sur le problème du libre arbitre. Ne cherchez donc point la liberté dans des exemples de professeur.

Pour l'exécution, il y a beaucoup à dire aussi, et du même genre. Car l'exécution suppose une suite d'actes et un chemin qui change les perspectives et éclaircit les motifs, pour peu qu'on regarde. Et souvent la délibération suppose plus d'un essai. L'action est comme une enquête encore. C'est encore folie, et assez commune aux passions, que de se lier au parti qu'on a pris imprudemment. Et dans cette idée populaire qu'une fois mal lancé on ne peut plus se retenir, je reconnais l'idole fataliste. Par là se définit l'obstination, qui n'est jamais sans colère. Inversement une volonté suivie ne se croit point quitte quand elle a décidé, et ne s'arrête point aux obstacles ; et c'est persévérance alors, par recherche et délibération de nouveau. Il y a plus de deux chemins et des carrefours partout. La volonté se montre moins par des décrets que par une foi constante en soi-même et un regard franc à chaque pas.

Il faut considérer aussi le pouvoir moteur, qu'on décrit très mal en considérant le sentiment de l'effort contrarié, qui ramène l'attention justement où il ne faudrait point.

Le pouvoir d'agir s'exerce d'abord par volonté suivie, par travail gymnastique, qui rend le corps obéissant, toujours en dénouant l'effort. Dans l'action même, l'attention se détache tout à fait du corps; le pianiste pense la musique, et les doigts suivent, aussi vifs que la pensée, comme on dit. Si l'on considérait mieux l'homme libre, on se délivrerait tout à fait de cette idée que l'âme agissante est cachée dans le corps comme le mécanicien dans la machine. On dirait mieux en disant que la pensée va en éclaireur et que le corps marche après elle. Mais ce sont des images mécaniques; l'esprit est à la fois dehors et dedans. Nullement objet ou chose; nullement poussé ni poussant.

Je ne puis vous montrer le libre arbitre comme on fait voir un ressort caché. L'esprit ne se saisit pas lui-même; il ne retrouve ses idées que dans les objets. Ne comptons pas le libre arbitre au nombre des choses qui existent. Il est trop clair qu'on peut le perdre; il suffit qu'on y consente. Et nul ne peut le délivrer que lui-même. C'est donc assez d'avoir levé les obstacles d'imagination; la réflexion ne peut faire plus. S'il y avait quelque preuve du libre arbitre, je vous déterminerais donc par là. C'est ce que Renouvier a dit en d'autres termes; le principal c'est qu'il faut se faire libre. Vouloir enfin. Et ce n'est pas une remarque sans importance, puisque tant d'hommes s'irritent dès que je les veux libres. Mais ne craignez pas d'être libres malgré vous; je n'y puis rien. Ici est la foi dans sa pureté; ici apparaissent les preuves théologiques, si longtemps détournées de leur objet propre, car c'est la Foi même qui est Dieu.

Il faut croire au bien, car il n'est pas; par exemple à la justice, car elle n'est pas. Non pas croire qu'elle est aimée et désirée, car cela n'y ajoute rien; mais croire que je la ferai. Un marxiste croit qu'elle se fera sans nous et par les forces. Mais qu'ils suivent cette idée; cette justice qui se fera n'est même plus justice; ce n'est qu'un état des choses; et l'idée que je m'en fais, de même. Et si tout se fait seul, et ma pensée aussi bien, aucune pensée non plus ne vaut mieux qu'une autre, car chacun n'a jamais que celle qu'il peut avoir par les forces. Et notre marxiste doit attendre qu'une vérité aussi en remplace une autre. J'ai connu de ces penseurs qui se laissent penser comme d'autres se laissent vivre. Le vrai penseur ce serait donc le fou, qui croit ce qui lui vient à l'esprit? Mais remontons de cet enfer. Il faut bien que je laisse le malade qui ne veut pas guérir.

CHAPITRE VIII

DE DIEU, DE L'ESPÉRANCE ET DE LA CHARITÉ

Je ne sais quel philosophe anglais, d'esprit vigoureux et libre certes, a dit que l'idée de Dieu est la plus utile aux tyrans. C'est une raison d'être athée par précaution car la liberté marche la première. Et si je crois en Dieu, j'ose dire que ce sera toujours avec prudence. C'est trop de deux juges; il n'en faut qu'un. Ainsi jamais je ne jugerai du vrai ni du juste d'après Dieu; mais au contraire je jugerai Dieu d'après ce que je sais du vrai et du juste. Et c'est une règle de prudence contre le dieu des gouvernements. Si vous échappez en disant que Dieu est en effet tout ce qui est vrai et juste, je veux pourtant encore que ce qui fait soit supérieur à ce qui est. Cela revient à dire que rien de ce qui est n'est dieu. Il faut que je tienne l'objet ou qu'il me tienne. Et si la perfection est adorable, que dirons-nous de celui qui la juge? Il y a mieux encore pourtant, c'est celui qui la fait. Ma foi j'adore l'homme juste, courageux et bon dès qu'il se montre. Là-dessus, je ne crains ni dieu, ni diable.

Mais peut-être Dieu est-il l'objet propre du sentiment, comme le libre arbitre l'est de la foi. Car je sens Dieu en tous mes actes, et mes frères les hommes le sentent comme moi; c'est pourquoi ils se pressent tant d'adorer ce qu'ils ne comprennent pas. Et, sans parler des cultes de fantaisie, qui résultent de perceptions fausses, il n'est guère d'homme qui ait quelque idée triomphante sans qu'il en fasse honneur à son maître. Ce mouvement est beau; ce n'est qu'une manière de se sauver des petites causes, qui rendent lâche et paresseux.

Servir et honorer Dieu, cela sonne bien à l'égard du troupeau animal et du peuple des désirs. Oui le servir, mais non vouloir ou attendre qu'il nous serve. Aussi dans le fatras des livres sacrés, j'ai trouvé fortes et touchantes ces images de Dieu faible et nu et démuni, comme s'il ne donnait que ce qu'il reçoit; de Dieu flagellé et crucifié; de Dieu qui demande et attend, sans forcer jamais; de Dieu pourtant qu'on n'implore jamais en vain, comme si toute la vertu de Dieu était dans la prière; de Dieu consolateur, non vengeur. Mais la théologie gâte tout, par jeux d'imagination et de logique. Le mouvement des persécuteurs est plus juste, quoique aveugle, car ils vengent Dieu.

Ce monde qui m'entoure ne m'est pas étranger ni contraire. En vrai fils de la terre, j'aime le spectacle des choses, la suite des heures et des saisons. Non par fantaisie; il est à remarquer que le fantastique, comme lutins et génies voltigeants, fait plutôt aimer la maison et les hommes. L'amour de la nature ne vient que de cette paix et de cet ordre que la perception droite y découvre. Qu'on puisse se fier aux choses et ne craindre aucun miracle, cela fait aimer la solitude. Il y a une sagesse enfin dans les plus terribles choses, qui ne promet pas beaucoup, mais aussi qui ne trompe point. Quoi qu'il arrive, il sera toujours selon l'ordre et la mesure. Et cette sécurité d'esprit double le plaisir de nos sens, quand la nature nous est favorable et bonne. Les bienfaits d'un homme laissent plus à craindre, et je sais pourquoi Jean-Jacques fuyait les villes.

L'amitié est pourtant au-dessus. L'amitié, non la société. La société est comme une amitié forcée; l'amitié est une société libre, où la contradiction elle-même plaît, par la pensée commune qu'elle fait encore ressortir. S'il n'y a qu'un monde et qu'une vérité, il faut bien qu'il n'y ait qu'un esprit. Certes cela n'est jamais compris tout à fait; mais le spectacle des choses, surtout inhumaines et hors de nos prises, est souvent l'occasion de le sentir avec force. Sans pouvoir former aucune idée de cette parenté entre tous les esprits et toutes les choses, nous voulons croire que nos meilleures volontés trouveront le chemin dans les choses et même parmi les hommes. Ainsi renaît l'espérance, mais toujours la foi marche la première. Deux proverbes en témoignent qui disent : « Aide-toi, le ciel t'aidera », et « La fortune aime les audacieux ». Les doctrines de la grâce et de la prière n'ont pu méconnaître l'ordre humain; il a bien fallu subordonner le droit de grâce à la volonté du pécheur. Le Dieu objet est trop lourd.

Il faut plus de fermeté, de confiance en soi et de suite pour aimer les hommes. Je dis aimer par préjugé, non d'amitié. Malgré passions et désordre; malgré l'ordre de société qui est souvent pire; malgré la haine, j'entends qui vous vise. Ceux qui n'arrivent pas à aimer leurs ennemis sont ceux qui attendent un mouvement d'amitié ou de compassion. L'amour dont je parle ici est tout voulu; il va droit à la raison enchaînée; et les signes ne manquent jamais. C'est pourquoi cette espérance est ferme et décidée plus que l'autre, quoiqu'elle reçoive moins de récompenses. Son nom est charité, et la sagesse théologique l'a mise avec la foi et l'espérance, au nombre des vertus, ce qui avertit assez que la bonne volonté y doit suffire, et que l'humeur la plus favorable ne les remplace point. Comme ces vertus, trop oubliées par les philosophes, ne déterminent aucun genre d'action, mais les éclairent toutes, c'est pour cela que je les mets ici comme trois lampes à porter devant soi, pour tous chemins.

CHAPITRE IX

DU GÉNIE

Le génie, c'est l'action aisée, sans délibération, sans erreur et imprévisible. Peut-être pour le comprendre faut-il considérer seulement les improvisateurs, et saisir, si on le peut, l'entrée en scène de cette liberté réglée et infaillible. Sur quoi la musique peut nous instruire, du moins par conjecture; car il y a quelque chose de si naturel et de si attendu dans la belle musique que je crois qu'un chanteur qui écouterait le son, sans se détourner vers autre chose, trouverait dans cet objet ce qui y est annoncé et qui en est la suite; mais cette attention pleine est impossible avec le retour sur soi, le scrupule et l'idée préconçue; il ne s'agit pas ici de prévoir, mais de faire; si l'on attend, tout change, car un son prolongé annonce autre chose qu'un son bref; et de même un silence. Un général décide de même, sur le moment, non d'après les conseils ou le plan, mais d'après l'objet seulement; car telle est l'œuvre libre. De même pour le peintre, un coup de pinceau vient après l'autre, et un mot après l'autre pour l'écrivain. Michel-Ange considéra un bloc de marbre, et y vit son David, et sans doute le fit, avec cette vivacité que l'on sait, sans autre modèle que cette statue qui sortait un peu mieux du marbre après chaque coup de maillet. J'avoue que la manière de nos peintres et de nos sculpteurs auxquels il faut deux objets, le modèle et l'œuvre, ne s'accorde guère avec ces vues. Mais peut-on concevoir qu'un général ordonne une bataille sur le modèle d'une autre? Au sujet de l'écrivain, je remarque que les règles de la versification ont toujours favorisé l'inspiration; mais que sont ces règles, sinon un moyen de ramener l'attention à l'œuvre et de la détourner du modèle? Quant à la prose je ne sais qu'en dire; car je ne crois pourtant pas que ce qui n'est pas vers soit prose, mais la prose est le dernier né des arts, et sans doute le plus caché. Toujours est-il que dans l'art du dessin, où l'on suit pourtant le modèle, il y a un mouvement qui continue ou termine le dessin d'après le dessin même; et de là vient que la plus rare beauté dans un dessin n'est pas la ressemblance. Pour l'architecture, je dis la plus belle, et en même temps la plus naturelle, il se peut bien que, même dans l'exécution, il y ait plus d'un égard à ce qui est fait déjà, et qu'ainsi le commencement soit beau surtout par ce qui le continue. Contre quoi n'irait pas la manière d'écrire de Molière et surtout de Shakespeare; car le beau n'y est pas dans le sujet, ni dans ce qui est ordonné d'avance, mais plutôt dans ce qu'on appelle les hasards du ciseau, disons dans le libre jugement, en même temps action, et qui continue comme il faut. Cette grâce est visible dans les ornements et dans les beaux meubles, dont les parures ressemblent à la musique, en ce qu'elles montrent la nécessité et la liberté ensemble.

D'après cela, ce qui serait le plus éloigné du génie, ce serait la mesure et la définition de soi; il y a toujours de la prétention dans les œuvres du caractère. Car chacun est tout neuf, s'il ose; mais c'est la simplicité qui ose; et ainsi le jugement nu se trouve en face de l'objet nu; l'objet alors emplit la conscience; et le sujet ne s'y cherche plus. Il fallait le prévoir, par une exacte analyse, au lieu de chercher dans le génie quelque chose toujours de l'inspiration des sibylles, un mécanisme enfin, encore un objet. Et il ne se peut pas que l'on pense à l'objet comme il faut et en même temps à soi. L'esclave de plume se connaît trop par l'œuvre qu'il veut faire; mais l'artiste ne se connaît que par l'œuvre faite; heureux s'il ne se définit point par là.

CHAPITRE X

DU DOUTE

Le fou ne doute jamais, ni dans son action ni dans sa pensée. Comme c'est folie de jeter tout le corps avec le poing, c'est folie aussi de trop croire à des ruses, à des haines, à des peurs, à ses propres actions et même à ses propres défauts. Le doute serait donc la couronne du sage. Descartes l'a assez dit, si seulement l'on comprend qu'après une idée il faut en former une autre et que le chemin est le même vers toutes. Mais on veut pourtant que Descartes n'ait douté qu'une fois. Le douteur a une allure ferme et décidée qui trompera toujours.

L'action du fou est à corps perdu. La peur combat très mal. Effet d'une croyance lourde, qui livre l'action aux forces. Mais l'action libre, comme du bon escrimeur, est douteuse à tout instant, et puissante par là. Vive et prompte, mais non emportée. Soudaine dans le départ et dans l'arrêt. Toujours prête au détour, au recul, au retour, selon le jugement. Toute action, d'inventeur, de gouverneur, de sauveteur, trouve ici son modèle, et l'action de guerre même, dans son tout et dans ses parties. Je n'oublie point l'action de l'artisan, plus harmonieuse encore et plus riche de sagesse peut-être, par la solidité de l'objet, et par ce loisir d'un instant que les autres actions ne laissent pas assez; toutefois moins directe contre les passions, parce qu'elle ne les éveille point. Actions pesées, actions pensées. Ainsi la gymnastique est la première leçon de sagesse, comme Platon voulait.

Spinoza, disciple plein de précautions, à ce point qu'il semble arrêter tout, a voulu avec raison que l'on distingue l'incertitude et le doute. Beaucoup disent qu'ils doutent, parce qu'ils ne sont assurés de rien. Mais la timidité et la maladresse ne font pas l'escrimeur. Ainsi le désespoir ne fait pas le penseur. Qui n'est assuré de rien ne peut douter; car de quoi douterait-il? Au vrai ces prétendus douteurs ont plutôt des croyances d'un moment. Ainsi agit, si l'on peut dire, un homme qui trébuche sur un tas de briques.

Chacun doute le mieux de ce qu'il connaît aussi le mieux. Non point, comme le spectateur veut dire, parce qu'il a éprouvé la faiblesse des preuves; au contraire, parce qu'il en a éprouvé la force. Qui a fait peut défaire. Jusqu'au détail; il est d'expérience que la preuve est essayée par un doute plein et fort. S'il craint de douter, la preuve reste faible. Euclide est un homme qui a su douter, contre l'évidence. Et la géométrie non euclidienne a dessiné l'autre d'un trait encore plus ferme. Je doute encore sur ce doute-là; ainsi naissent les idées, et renaissent.

On voudrait les pouvoir laisser en place, comme un maçon les pierres. Mais il n'y a point de mémoire des idées; mémoire des mots seulement. Il faut donc retrouver toujours les preuves, et encore douter pour cela. « C'est la peine qui est bonne », disait un ancien. Aussi je n'espère pas beaucoup de ceux qui traînent leurs écrits. Jean-Jacques conte qu'il les oubliait dès qu'ils étaient en forme. Mais c'est peut-être que le dernier regard du jugement n'en laissait rien debout; ainsi la même glaise servait pour d'autres statues. Non pas sévérité pour soi, ce n'est plus le temps, mais plutôt indulgence et oubli. Il faut se pardonner d'avoir fait un livre et il y a un art de délier pour soi, dès qu'on a lié pour les autres. Ainsi la pensée n'a jamais d'autre objet que les choses; et cela suffit.

Pour toi, lecteur, maintenant. Il y a un doute planant, qui n'est qu'incertitude. Ce n'est pas ainsi qu'il faut lire. Mais douter avec amour et foi, comme lui a fait. Douter sérieusement, non tristement. La théologie a tout gâté; il faudrait donc gagner le ciel comme beaucoup gagnent le pain. Mais le pain que l'on gagne en chantant est le meilleur. Il y aurait beaucoup à dire sur le sérieux. Car il n'est pas difficile d'être triste; c'est la pente; mais il est difficile et beau d'être heureux. Aussi faut-il être toujours plus fort que les preuves. Car ce n'est rien de bon, que ces idées qui viennent à l'assaut, surtout si l'on court aux armes. A ces moments-là, Socrate riait. Lecteur, au sortir de ces landes arides qu'il a bien fallu traverser, je souhaite que jeunesse te garde.

LIVRE CINQUIÈME

DES PASSIONS

CHAPITRE PREMIER

DU BONHEUR ET DE L'ENNUI

On dit communément que tous les hommes poursuivent le bonheur. Je dirais plutôt qu'ils le désirent, et encore en paroles, d'après l'opinion d'autrui. Car le bonheur n'est pas quelque chose que l'on poursuit, mais quelque chose que l'on a. Hors de cette possession il n'est qu'un mot. Mais il est ordinaire que l'on attache beaucoup de prix aux objets et trop peu de prix à soi. Aussi l'un voudrait se réjouir de la richesse, l'autre de la musique, l'autre des sciences. Mais c'est le commerçant qui aime la richesse, et le musicien la musique, et le savant la science. En acte, comme Aristote disait si bien. En sorte qu'il n'est point de chose qui plaise, si on la reçoit, et qu'il n'en est presque point qui ne plaise, si on la fait, même de donner et recevoir des coups. Ainsi toutes les peines peuvent faire partie du bonheur, si seulement on les cherche en vue d'une action réglée et difficile, comme de dompter un cheval. Un jardin ne plaît pas, si on ne l'a pas fait. Une femme ne plaît pas, si on ne l'a conquise. Même le pouvoir ennuie celui qui l'a reçu sans peine. Le gymnaste a du bonheur à sauter, et le coureur à courir; le spectateur n'a que du plaisir. Aussi les enfants ne manquent pas le vrai chemin lorsqu'ils disent qu'ils veulent être coureurs ou gymnastes; et aussitôt ils s'y mettent, mais aussitôt ils se trompent, passant par-dessus les peines et s'imaginant qu'ils y sont arrivés. Les pères et les mères sont soulevés un petit moment, et retombent assis. Cependant le gymnaste est heureux de ce qu'il a fait et de ce qu'il va faire; il le repasse dans ses bras et dans ses jambes, il l'essaie et ainsi le sent. Ainsi l'usurier, ainsi le conquérant, ainsi l'amoureux. Chacun fait son bonheur.

On dit souvent que le bonheur plaît en imagination et de loin, et qu'il s'évanouit lorsqu'on veut le prendre. Cela est ambigu. Car le bon coureur est heureux en imagination si l'on veut, dans le moment qu'il se repose; mais l'imagination travaille alors dans le corps qui est son domaine propre; le coureur sait bien ce que c'est qu'une couronne, et qu'il est beau et bon de la gagner, non de l'avoir. Et c'est un des effets de l'action de remettre ainsi tout en ordre. Seulement on peut se promettre du bonheur aussi par cette imagination en paroles qui est à la portée de chacun. L'autre imagination se dépense alors en attente et inquiétude; et la première expérience ne donne rien que de la peine. C'est ainsi que celui qui ne sait pas jouer aux cartes se demande quel plaisir on peut bien y trouver. Il faut donner avant de recevoir, et tourner toujours l'espérance vers soi, non vers les choses; et le bonheur est bien récompense, mais à celui qui l'a mérité sans le chercher. Ainsi, c'est par vouloir que nous avons nos joies, mais non par vouloir nos joies.

Je ne traite pas ici des vrais maux, contre lesquels la prudence de chacun et le savoir accumulé s'évertuent, sans jamais faire assez. Je traite des maux qu'on peut appeler imaginaires, autant qu'ils résultent seulement de nos erreurs. C'est pourquoi je commence par l'ennui, mal sans forme, trop commun, et origine cachée de toutes les passions peut-être. C'est la pensée qui s'ennuie. Il y aurait bien une sorte d'ennui du corps, lorsqu'il est vigoureux et reposé, car les jambes courent alors d'elles-mêmes; mais aussi le remède n'est pas loin; et cette courte agitation est bientôt jeu ou action, comme on voit chez l'animal et chez le sage aussi, qui ne réfléchit pas sur ces mouvements. L'ennui est entre deux. Il suppose le loisir et la force, mais il ne naît point de là, car ce sont deux biens. L'ennui naît d'un jugement qui condamne tout essai, par une erreur de doctrine. Une action ne plaît jamais au commencement; ce n'est que la nécessité qui nous pousse à apprendre. On ne devrait donc jamais décider du plaisir que l'on aura, et encore moins du bonheur, car le bonheur ne nous force point. Mais si l'on en décide, tout est perdu. Il est sot de dire : « Je voudrais être sûr d'y trouver du plaisir »; mais je plains celui qui dit : « Je suis sûr de n'en point trouver. » Donc premièrement celui qui s'ennuie est un homme qui a beaucoup de choses sans peine, et qui se voit envié par d'autres qui se donnent mille peines pour les avoir. De là une idée funeste : « Je devrais être heureux. » Deuxièmement notre homme ne manque pas de goût, par toutes les belles choses qu'il a; d'où vient que, dès qu'il essaie de faire, il compare trop; et le premier plaisir d'avoir peint, ou chanté, ou versifié, est gâté par le mépris qu'il a de ses œuvres; le bon goût est une parure de vieillard. Troisièmement, cet homme n'est pas sans puissance sur lui-même, par la politesse; aussi sait-il bien arrêter tous ses départs de nature par cet autre décret plus funeste encore : « Je ne puis être heureux. » Ainsi se fait-il un caractère, et l'expérience y répond, comme on pense bien. Cet œil dessèche toutes les joies. Mais non pas par abondance de joie, car on ne s'en lasse point. Non pas du tout comme un homme qui repousse les aliments, parce qu'il a trop mangé; mais plutôt comme un malade d'imagination, qui s'est condamné au régime. On ne pense jamais assez à ces jugements sur soi, qui font l'expérience. Par exemple l'idée qu'on est maladroit fait qu'on l'est, ou timide, ou trompé, ou malheureux aux cartes; mais il y a d'heureuses rencontres. Au lieu que l'ennuyé fait toute l'expérience. Sans compter qu'à toutes ces prédictions sur soi, trop réalisées, il trouve quelque plaisir d'esprit. Voilà la passion toute nue.

CHAPITRE II

DE LA PASSION DU JEU

La passion du jeu est souvent le remède que va chercher l'ennui supérieur. Mais il faut dire que toute passion enferme un ennui des autres choses, et par décret aussi, comme on verra. Considérons ici les jeux de hasard, où l'on risque tous ses biens. J'y remarque d'abord un désir de gagner mieux nourri que nos désirs ordinaires, en ce sens que l'événement qui donne gagné n'eſt pas moins possible que le contraire, dès qu'on joue. La passion du jeu peut commencer par là; mais plus souvent elle commence par ennui et imitation; d'autant que, si l'on s'abſtient cela entraîne le soupçon d'avarice ou de prudence, toujours mal supporté. De toute façon, le désir de gagner eſt effacé bientôt par le plaisir d'essayer sa chance. On peut remarquer que les naïfs joueurs croient toujours qu'ils ont deviné quelle carte va sortir, ou quelle espèce de carte, ou quelle couleur. Il n'arrive pas que ce pressentiment soit toujours trompé; de là des triomphes bien vifs; même si l'on perd. Si l'on gagne, on jouit de ce pouvoir magique comme d'un accord de grâce entre la chose et soi. Ce sentiment n'eſt point petit; ces coups de hasard ramènent à l'enfance même une vieille momie. Ajoutons que ces essais se font dans un monde clos, qui répond promptement et sans ambiguïté; aussi dans un monde où un autre essai ne dépend point du précédent, quoique sans liberté. D'où il suit que, l'idole fataliſte étant adorée, il n'y a pourtant point ce désespoir que donnent souvent les essais véritables, dans un monde où tout s'enchaîne inexorablement; au contraire le culte naïf des fétiches y trouve sa place, et l'espérance y eſt toujours jeune; et enfin chacun sait que le monde véritable ne répond jamais aux impatients comme ils voudraient; ce n'eſt jamais oui, ni non; il faut tirer la réponse de soi, selon la sévère ordonnance qui place l'espérance après la foi; mais le jeu répond toujours oui ou non; au lieu de continuer, l'on recommence.

Mais observez le piège. Le jeu n'attend pas. Au premier mouvement avertisseur, il faut y courir. Ce n'eſt plus ici un désir seulement, que l'on sent par les mouvements du corps; c'eſt un appel et un présage. Cela éclaire toutes les passions, car le pressentiment y joue toujours son rôle; mais dans le jeu, l'occasion passe vite; il n'en reſte rien; il faut y courir. Et si l'on résiſte, cette vertu eſt promptement punie par des regrets. On s'interdit, alors, les promesses à soi. Ainsi eſt inſtitué dans chaque joueur un art de jouer, qui n'eſt que l'art d'interroger son propre corps et d'obéir sans balancer. Or, tant que le cœur bat et que les muscles vivent, les oracles ne manquent point. Attendez pourtant, ce n'eſt encore que badinage; attendez le jugement dernier. Car, chez les jeunes surtout, l'esprit est prompt à penser de nouveau le monde véritable et toute la vie. Après tant de leçons le jugement fataliste joint finalement le présent à l'avenir, malgré la roulette. Et il se forme cette funeste certitude que nul n'échappe au destin dans le grand jeu. D'où cette volonté de tout perdre et de se perdre, par quoi la passion du jeu finit souvent avec le joueur. Et je crois bien que la peur des conséquences agit moins, pour tant de suicides, que l'idée fataliste selon laquelle toute image émouvante est un ordre auquel on sait bien qu'on ne peut qu'obéir. Cette fatalité est dans toutes les passions jeunes. C'est par de tels mouvements que l'on tue ce qu'on aime, ou que l'on cherche la mort dans la bataille. D'où les anciens ont fait ce proverbe que Jupiter bouche la vue à ceux qu'il veut perdre. Mais c'est parler en spectateur. Si je veux qu'il coure à la mort, le vrai jeu n'est pas de la lui cacher, mais de la lui montrer inévitable, et de faire qu'en même temps les mouvements de son corps la lui annoncent. Et ce n'est là que le vertige exactement décrit. La passion du jeu est propre à montrer comment on peut être esclave de soi, puisque la catastrophe extérieure est d'un moment et ne détermine nullement ce qui va suivre. Toutes les autres passions agissent sur les hommes et sur les choses; l'amour fait naître l'amour; la haine, la haine; la colère, la colère; et ainsi ces passions nous soumettent en un sens à une nécessité extérieure, quoique le plaisir de jouer, le fatalisme et l'appétit du malheur soient le principal dans toutes. Mais décrivons ces étranges folies, chacune pour elle-même; car ce n'est point à saisir l'idée, mais à saisir par l'idée que l'on prend des forces.

CHAPITRE III

DE L'AMOUR

Le désir de chair, si vif, si tôt oublié, si aisé aussi à satisfaire, peut bien donner lieu à une sorte de passion; c'est à voir; mais cette passion n'est pas l'amour. Quant au désir louable de fonder une heureuse famille, il est à peu près ici ce qu'est le désir de gagner pour le joueur. Je décris maintenant une espèce de folie qui ressemble au jeu par certains côtés, mais qui ressemble surtout à l'ambition. L'erreur la plus grave serait de vouloir expliquer l'amour par les désirs animaux. L'acte de chair n'y est désiré que comme une preuve de puissance sur un autre être, mais libre, raisonnable, fier. Personne n'aimera une folle; aucun amant ne songera seulement à violence ou surprise. Je la veux sage et inaccessible, si ce n'est pour moi, et encore de bon vouloir et même avec bonheur. Rien ne plaît mieux que les signes de la vertu et du jugement, chez une femme jeune et belle. J'ai cru observer que la jalousie vient principalement de ce que l'on croit reconnaître des désirs, de la faiblesse ou de la dépendance chez celle que l'on voudrait reine; cette idée n'entre pas dans le poème. Et l'amour est un poème, quelque chose que l'on fait, que l'on compose, que l'on veut.

Non pourtant quelque chose de libre; car on aimerait alors ce qui est aimable, au lieu de maudire et d'adorer en même temps, comme il arrive à chacun. L'idée fataliste règne encore ici, mais sans doute mieux et plus intimement adorée que dans les autres passions. Car tout se passe dans l'univers humain, où des signes sont toujours échangés, par les moindres mouvements, sans qu'on y pense. Aussi dès que l'on réfléchit sur un présage bien clair, comme des yeux riants ou sérieux, un son de voix ou seulement un silence, les souvenirs viennent en foule, et l'avenir est annoncé. Ces pressentiments tromperaient souvent, si la curiosité ne ramenait du côté de l'oracle; ainsi, par l'idée de savoir si la prédiction est bonne, la prédiction est vérifiée. Cet événement fait éclater de nouveaux signes. Et ce qui fait voir que l'interprétation des signes est la vraie nourriture de l'amour, c'est que l'amour se fortifie par les obstacles.

Par l'attente encore plus. Nous ne sommes guère attentifs à ces mouvements de notre corps, si émouvants à sentir déjà quand les causes sont de peu. L'attente seule, qui paralyse un mouvement par l'autre, et nous occupe à ces événements musculaires, cause souvent l'impatience et même la colère, si la pensée n'est pas occupée d'autre chose. Mais l'attente d'une action un peu difficile, et que l'on commence cent fois, peut donner une espèce de courte maladie, comme savent les candidats, les orateurs, les acteurs, les musiciens. Encore prennent-ils la chose comme un mal inévitable, sans conséquence et comme étranger. Mais il n'en est plus ainsi dans l'attente de celle qu'on aime. Car le temps se passe à s'interroger soi-même; ainsi le tumulte de l'attente entre dans les pensées; et la question : « Viendra-t-elle ? » ne se distingue pas de cette autre : « M'aimera-t-elle assez ? » Les auteurs ont décrit plus d'une fois le roulement de voiture et le coup de sonnette. Par le mécanisme du corps, n'importe quel bruit, surtout attendu et inattendu, nous trouble jusqu'aux sources de la vie; oui, même un chien qui aboie; seulement l'on n'y pense que pour en rire. Mais dès que ces émotions sont des signes de soi à soi, l'avenir se trouve décidé. Tout est mirage, tout concourt à tromper l'amoureux qui s'interroge; car l'attente fait qu'il doute s'il est aimé; mais l'attente fait aussi qu'il ne doute plus s'il aime, quoiqu'il n'ait pas délibéré là-dessus.

Je ne crois pas qu'il y ait de femme assez rusée pour faire attendre ainsi l'amoureux de propos délibéré. Au reste l'amoureux attend bientôt avant l'heure et toujours. Toute passion enferme un ennui royal des autres choses; royal, j'entends par décret. Mais les manœuvres de coquetterie, presque toujours innocentes, font des attentes à chaque instant, surtout dans la vie de société où la politesse exige beaucoup, et l'éducation qu'on donne aux filles, et non sans raison, exige encore plus. Je ne sais pas trop comment aiment les femmes, et le dise qui pourra; j'ose à peine dire que l'instinct de chair a des mouvements plus imprévus que chez l'homme et qui s'irradient mieux; il y aurait attente là aussi, et mêlée de peur; ainsi elles sont portées à dissimuler davantage, parce qu'elles n'éprouvent pas toujours à propos. J'ai pu remarquer que les hommes qui ont un peu de cette pudeur naturelle, et quelque crainte de l'amour, sont aussi plus aimés. Les signes alors se font attendre, et étonnent comme des éclairs; au lieu que la coquetterie vulgaire et étudiée, qui jette les signes comme un bavardage, décourage les passions. Le malheur veut qu'une femme attachée à ses devoirs, et qui lutte contre elle-même, soit la plus dangereuse des coquettes par cela seul. Ainsi il n'y a que les drames bien noirs qui se nouent. Le tragique n'est pas tant dans les massacres qui peuvent en résulter, que dans ce jugement fataliste, qui prévoit si bien une

CHAPITRE V

DE L'AMBITION

On dit souvent que l'ambition succède à l'amour, et l'avarice à l'ambition, selon le cours de l'âge. On voit assez clairement pourquoi l'âge glace les amours, comment les moyens de plaire changent avec les années, et quel genre de puissance peut appartenir à un vieillard. La maturité de l'âge transforme déjà l'amour en une sorte d'ambition. Il y a une sûreté de soi, un mépris de beaucoup de choses, un air d'indifférence, qui agissent sur l'esprit le mieux prévenu. Ainsi un amoureux fatigué exerce naturellement cette autre puissance qui lui vient. Mais la passion est moins dans le désir de puissance que dans cet appétit d'obéir, qu'on pourrait appeler l'ambition humiliée. Un parvenu ne peut oublier qu'il a passé par ces chemins-là. Le grand ambitieux se compose beaucoup, et ne se laisse jamais aller jusqu'à l'admiration; ou bien alors, il la cache. Mais, par un mécanisme que le lecteur comprendra, celui qui fait profession de n'être guère ému ou de ne le point montrer arrive souvent à un calme vide; sa passion propre, c'est plutôt l'ennui. L'ennui des rois est sans mesure. Et tout pouvoir royal, j'entends par majesté, ennuie celui qui l'exerce.

L'ambition humiliée ne s'ennuie pas. Elle désire, attend, intrigue, tremble, enrage, et adore d'autant plus. Le métier de dieu n'est pas difficile; il n'y faut qu'une majesté passable, et faire attendre quelque faveur, grande ou petite. C'est l'adorateur qui divinise, par cette belle peur qu'il a toujours de ne pas trouver ce qui pourrait plaire. L'aisance et la simplicité, même par simple politesse, diminuent les souffrances de l'ambition et ses joies aussi. Au contraire, un peu de sauvagerie mêlée à l'ambition rend les succès plus enivrants et les échecs plus cruels aussi. Car le solliciteur se craint lui-même et se comprime, à grands efforts de ses muscles, et se travaille d'avance; de là ces peurs de candidat et d'acteur, mais propres à l'acteur, qui viennent de ce que l'on veut paraître. La condition du menteur est de surveiller et contrarier ses mouvements naturels, ce qui exige un grand effort de contracture, jusqu'à gêner les fonctions de la vie. De là vient cette rougeur, pour un mensonge à l'improviste. De là aussi, avant le mensonge étudié, cette peur de soi, ce tremblement, cette fiévreuse attente. Dont le dieu profite; car le solliciteur attribue toujours ce trouble à la majesté du dieu, et non aux vraies causes. Il faut toujours que les mouvements du corps signifient et annoncent, et toutes les passions viennent de là. L'ambitieux, dès qu'il se livre aux puissances, arrive aussitôt à les craindre et de là à les envier. Ainsi le roi donne du prix aux faveurs, et la crainte au roi.

Il y a donc une coquetterie des puissants, dans l'art de donner audience. Beaucoup y sont pris; le plus sage est de n'y point aller, ou d'être insolent si l'on ne peut mieux. Mais qu'il est facile de ne rien demander! Au lieu que, ce que l'on a demandé, bientôt on le désire. Si nous savions ne rien faire, nos passions n'iraient pas loin. J'ai vu des désirs, que je croyais vifs, s'user bien vite, même en y pensant, faute d'action seulement. Mais que de désirs sont nés d'une première action! Comme l'on voit qu'un homme s'attache à une opinion, simplement parce qu'il l'a soutenue. Et il arrive que deux amis manquent de se brouiller par une discussion vive sur des sujets dont ils ne se souciaient point. D'où ils ne manquent pas de conclure qu'il y avait quelque haine secrète là-dessous, dont ils cherchent les causes. Bien vainement; il n'y avait d'autres causes en jeu que la voix mal posée, la respiration gênée, la gorge contractée, la fatigue enfin. L'ardeur de persuader fait partie de l'ambition. La manie du plaideur aussi.

Mais il faut dire un mot des rivalités, qui fouettent si bien l'ambition; d'abord par l'imitation des passions, qui nous fait désirer bien plus ce que nous voyons qu'un autre désire; aussi par l'imitation de la haine et de la colère qu'il montre; encore par les ruses qu'on lui prête, les calomnies répétées; et surtout par les amis imprudents, qui entrent dans les querelles. L'ambition humiliée ne se développe amplement que dans les familles, où il est ordinaire que tous imitent le chef et déraisonnent avec lui. On dit que les biens sont naturellement désirés et que c'est cela même qui les définit. Mais, hors un petit nombre de biens, c'est parce que l'on commence à désirer, à vouloir, à poursuivre, que les biens sont des biens. Cela est commun à toutes les passions; mais aussi il y a de l'ambition dans toutes.

CHAPITRE VI

DE L'AVARICE

Il est du grand avare comme du grand ambitieux; les jeux de la passion ne s'y font voir que par quelques petitesses; même, j'en cherche vainement dans Grandet et Gobseck. Il faudrait une connaissance étendue du commerce, du crédit et de la banque, pour analyser leurs immenses entreprises, leur fermeté, leur esprit de décision, leur audace même, leur stricte probité aussi, et la noble confiance qu'ils ont en quelques-uns, sans se tromper aux apparences. J'ajoute qu'il y a une profonde sagesse dans cette aversion pour la dépense inutile; aussi dans cette vue que l'on domine mieux le troupeau humain par la richesse que par la majesté. Il vaut mieux ne pas nommer passion une action suivie, réglée par l'intelligence, et suivant une espèce de justice, bien supérieure aux mouvements de la vanité, de la convoitise, et même de la pitié. Il n'est pas nécessaire non plus d'inventer quelque étrange amour de l'or pour expliquer l'avarice du mendiant; car il est tenu à sa vie mendiante jusqu'à ce qu'il ait raisonnablement assez; mais qui peut se vanter d'avoir assez? Enfin les escrocs, les pillages, les guerres rendent assez compte des trésors enfouis. Je ne vois point trace de folie là-dedans.

Mais j'en vois dans cette autre avarice bien commune, que l'on nomme souvent prodigalité et qui n'est que désordre. Il y a un désir de posséder qui fait le voleur; mais l'amour de la propriété fait l'avare; il jouit alors de son droit, plutôt que de la chose; et sa victoire propre c'est de faire valoir un droit incontestable et qui force l'assentiment. Entre les deux s'agite la multitude de ces avares d'un moment, qui, sans mépriser tout à fait le droit, se repaissent surtout de possession et d'usage, se donnant ainsi une richesse, une puissance, et, pour tout dire, un droit d'apparence qui les trompe eux-mêmes.

Cette illusion n'est nullement méprisée lorsqu'un paysan emprunte au-delà de ses forces, et s'étourdit de travail. Je n'y vois d'aveuglement passionné que dans ce mauvais calcul des échéances et ce faux jugement réglé sur le désir et qui fait dire qu'on paiera; c'est trop compter sur soi; mais qui ne comprend cette allégresse à la perspective d'une suite de travaux que l'on sait bien faire, et des beaux jours complices? Celui-là promet de soi, et paiera de soi; hélas, il ne paiera que trop.

Je viens à celui qui ne paie jamais, et qui promet tout, par le désir d'avoir. Ici est l'avarice, à proprement parler, nuisible, ridicule et malheureuse. Il faut le voir, visitant cette maison de campagne qui n'est pas payée, qui ne peut l'être, et la faisant bien clore; car c'est le droit qui plaît au prodigue; c'est le droit qu'il étale; et c'est justement ce qu'il a le moins. Saisissez la différence entre un droit bien solide et l'apparence d'un droit. Le riche ne cherche pas à paraître; mais l'emprunteur vit de paraître; il veut une propriété qui se jette aux yeux; c'est pourquoi il dépense. On oublie trop, en considérant le prodigue, que dépenser est une manière d'acquérir. Ne vous étonnez point si l'emprunteur dépense; l'or n'est à lui que par cet usage, nullement par réflexion, car c'est le prêteur qui a droit. Ainsi le fol emprunteur est condamné à la folle dépense. On a souvent remarqué que la prodigalité folle se guérit par la richesse réelle et solide. On comprend pourquoi. Remarquez comment tout fortifie cette illusion de l'emprunteur. Son droit n'est pas contesté par ceux qu'il paye; il ne l'est même pas par le prêteur, qui disparaît jusqu'à l'échéance. Il faudrait au prodigue un grand effort d'attention; mais il s'en garde bien. On dit souvent que le prodigue se détourne de penser à ses comptes; mais souvent il est plus rusé; il les embrouille avec application; et l'on sait que la vérité ne se montre jamais si l'on ne la cherche. Il reste une preuve bien émouvante, dans ce silence des autres, c'est le geste qui paie et qui prend. Mais aussi la chose acquise ne plaît pas longtemps; un autre l'aura à vil prix.

Les émotions de l'emprunteur ressemblent, pour le reste, à celles de l'ambitieux humilié, et conduisent aux mêmes erreurs. Ce sont les mêmes terreurs d'antichambre, et la même adoration mêlée de crainte et d'envie; d'où un vif désir encore de ressembler au vrai riche, et même de l'éclipser aux yeux des sots, en faisant les dépenses qu'il pourrait faire. Mais, comme il faut que ces dépenses soient publiques, l'emprunteur ne prête point. C'est assez parlé d'une espèce d'hommes facile à pénétrer, et assez commune, à qui il suffirait, pour se guérir, de savoir comme elle est méprisée; aussi font-ils société entre eux.

CHAPITRE VII

DE LA MISANTHROPIE

DEUX poltrons bien armés se rencontrèrent une nuit sur le pont d'Asnières. Il y eut du sang. Rien n'est plus aisé à expliquer ni plus utile à analyser que cette guerre privée; elle fait voir comment les passions arrivent à leur violence, par l'excès de la précaution. Le mouvement de la peur, même sans cause réelle, est si puissant sur nous et si pénible, que nous voulons toujours y voir un avertissement. Chacun de nos poltrons ralentit sa marche et se détourne; rien ne ressemble plus à une attaque par ruse que les manœuvres de la prudence; la peur en fut redoublée en chacun; l'un d'eux peut-être voulut passer vite; l'autre montra son arme. Tels sont les effets d'une folle défiance et d'une mauvaise interprétation des signes.

Il n'est pas naturel à l'adolescence de voir partout des ennemis. Mais le jeune homme arrive souvent à se défier trop dans l'âge mûr, pour avoir cru d'abord aux promesses de politesse. Dans l'état d'équilibre et de force heureuse, il y a un jeu vif et aisé des muscles et du sang et un sourire contagieux; ce qui fait que l'homme jeune croit éprouver une sympathie dès l'abord, qui serait un pressentiment d'amitié; à quoi les signes échangés concourent; on y est toujours pris. Je plains celui qui trouve trop de facilité à ses débuts. Il vaut mieux ne pas trop avoir à attendre des autres; car il faut une sagesse supérieure pour ne rien supposer jamais des intentions et des pensées d'un homme. On devine quel est le chemin de la déception à la défiance. Beaucoup l'ont parcouru, mais sans prudence; ainsi ils sont dupes de la défiance aussi. Les signes ne manquent jamais. Tout homme rend des oracles, par la fatigue, par l'humeur, par le souci, par le chagrin, par l'ennui, et même par les jeux de la lumière. Rien ne trompe mieux qu'un regard dur ou distrait, ou bien quelque signe d'impatience, ou un sourire mal venu; ce sont les effets de la vie, comme les mouvements des fourmis. L'homme est souvent à cent lieues de penser à vous; vous l'occupez beaucoup s'il est seulement aussi défiant que vous-même, et par les mêmes causes. La solitude et la réflexion travaillent sur ces signes; c'est ainsi que l'on s'invente des ennemis; et, comme ils s'offensent de vos pensées, dès qu'ils les devinent, c'est ainsi que l'on se fait des ennemis. Quels que soient les signes, c'est toujours folie. Les hommes n'ont pas tant de profondeur.

Un vrai observateur n'a point ce regard attentif aux signes. Il se détourne de ces mouvements expressifs qui n'expriment rien; c'est au repos qu'il veut saisir l'homme, plutôt dans la forme que dans le mouvement, et du coin de l'œil, comme on arrive à voir les étoiles les moins visibles. Mais s'il observait par l'idée, il s'apercevrait qu'il devine toujours trop. Et ce mauvais art de deviner si l'on est soi-même dans le jeu, peut conduire à une espèce de folie assez dangereuse, comme on sait. Mais cette amère expérience réussit toujours trop. Il faudrait juger en bon physiologiste: « Voici un muscle fatigué; voilà des jambes qui ont besoin de mouvements; ceci est un bâillement retenu; voilà un homme qui a faim; la lumière gêne ses yeux; son faux-col l'étrangle; ses chaussures le blessent; ce corset manque de bienveillance; ce fauteuil reçoit mal; c'est là un homme qui voudrait se gratter. » J'ai connu une raisonneuse qui faisait quelquefois à son chef de justes réclamations; et souvent elle recommençait ses discours en elle-même, se demandant si elle lui avait bien dit ce qui convenait. Ce chef était sourd.

Nul n'essaie de comprendre une crise nerveuse, sinon par ses causes de nature. Ainsi, dès que nous tenons l'idée vraie de la cause, la colère même n'est plus que du bruit, et les menaces de même. Il est difficile seulement de ne pas croire aux aveux; il le faut pourtant. Car il en est de l'aveu d'une faute comme de ces récits d'un rêve, où l'on invente en parlant. Le vrai chemin du pardon, ce n'est pas de comprendre la faute par ses motifs, mais plutôt de la comprendre par ses causes. Indulgence en un sens, sévérité en un autre; car, dans les moindres fautes comme dans les pires, on en vient toujours au roi fainéant. C'est ce qui faisait dire aux stoïciens que toutes les fautes sont égales. J'en viens par là à conseiller de ne pas trop se haïr soi-même; il arrive plus souvent qu'on ne croit que la misanthropie aille jusque-là; et nous nous trompons tout autant, sur nos gestes, sur nos paroles et même sur nos actes, que si nous voulons juger les autres. Parmi les paroles qui sont à regretter, combien sont méditées? Mais notre erreur est de les peser ensuite, et de chercher en nous-mêmes un mauvais vouloir qui n'y est point, ou, encore pis, une nature méchante; il n'y a rien de méchant ni de bon dans ce mécanisme; rien ne t'enchaîne, ni tes fautes ni tes vertus. En bref, il y a deux erreurs, qui sont de croire que les hommes sont bienveillants et de croire qu'ils sont malveillants; ces deux erreurs se tiennent.

CHAPITRE VIII

DES MALADES IMAGINAIRES

Il n'est pas question ici de ceux qui se croient malades sans l'être, et qui sont rares. Il s'agit de ceux qui aggravent leurs maladies par l'inquiétude d'imagination, ce qui est le cas de presque tous et aussi de ceux qui sont malades par peur de l'être et qui sont nombreux. Cette puissance de l'imagination est bien connue, et a été amplement étudiée dans ses effets. Mais, pour les causes, il semble que chacun s'étudie à être ignorant. Certes nous ne savons pas comment nos idées se traduisent par des mouvements corporels, et même nous ne le saurons jamais; nous savons seulement que nous ne formons jamais d'idées sans des mouvements corporels. En considérant seulement dans cette liaison ce qui est le plus connu, à savoir que par jugement nous faisons marcher nos muscles, on explique déjà la plus grande partie des effets de l'imagination, et peut-être tous. Nous pouvons nous tuer par couteau ou pendaison, ou en nous jetant au précipice; les actions retenues n'ont guère moins de puissance, quoiqu'elles agissent plus lentement.

Un malade peut s'aider à guérir par massage ou friction; il peut se nuire par mouvements d'impatience ou de fureur; ce sont là réellement des effets de l'imagination à proprement parler, qui n'a de réel, dans ses fantaisies, que les mouvements du corps qui les font naître. Mais d'autres mouvements que ceux-là, bien que moins sensibles aux yeux, agissent tout autant sur la santé. Les mouvements de la respiration sont ralentis, gênés et même suspendus par toute attente et préparation. Cela tient à notre mécanique, qui exige, pour tout effort, que le thorax soit bien rempli d'air, afin d'offrir une attache plus solide à tous nos muscles. Au reste cela se fait naturellement, les muscles s'éveillant les uns les autres par voisinage et communications nerveuses; mais un faux jugement y ajoute quelquefois, comme lorsque nous montons une côte assez longue ou un grand escalier; nous prenons alors une espèce de résolution qui paralyse notre souffle; et le cœur aussi réagit par mécanisme. Cet exemple fait voir qu'une attente craintive ralentit réellement la vie. Puisqu'une crainte nous oppresse, on voit que la crainte d'étouffer ajoute au mal. Quand on s'étrangle en buvant, il se produit comme une terreur en tumulte dans tout le corps, que l'on peut arriver à dompter par gymnastique, comme chacun peut l'essayer, comme aussi de ne point se frotter l'œil quand un moucheron s'y met.

Dans les maladies plus graves et plus lentes, il y a une surveillance de soi et une attente des signes qui nuit par une volonté de guérir mal gouvernée. L'anxiété et même la simple attention à soi ne vont point sans un resserrement de tous les muscles, qui ralentit la nutrition et l'élimination. On se retient de vivre, par la peur de mourir. Il y a tout un système musculaire sur lequel la volonté n'a point d'action directe, c'est celui qui règle les mouvements de digestion; mais il est impossible que ces muscles ne prennent point de contracture ou de spasme par la contagion des autres. Ajoutons que le sang, outre qu'il se trouve moins baigné d'oxygène, s'encrasse encore par tout ce travail inutile; l'inquiétude contenue ne remue point le corps, mais elle fatigue autant qu'un violent effort. Ces effets agissent à leur tour comme des signes; les effets de la crainte augmentent la crainte; la pensée étrangle la vie.

L'insomnie est une étrange maladie qui souvent résulte

seulement d'une condamnation de soi. La veille n'a rien de pénible par elle-même, si l'on ne pense pas à soi; mais souvent le passionné attend le sommeil comme un repos; et, même sans pensées pénibles, il arrive que l'on s'étonne de ne pas dormir, et que l'on prend de l'inquiétude; d'où une contracture d'impatience, et bientôt des mouvements qui éloignent le sommeil; car s'inquiéter c'est s'éveiller, et vouloir c'est s'éveiller. Le souvenir de cette lutte pénible occupe même les heures du jour, et la nuit est mauvaise par prédiction, que dis-je, par prédilection, car l'idole fataliste est adorée. J'ai connu des malades qui s'irritaient quand on leur prouvait qu'ils avaient dormi. Le remède est de comprendre d'abord l'insomnie par ces causes, et de se délivrer ainsi du soin de dormir. Mais on peut apprendre à dormir presque dès qu'on le veut, comme on apprend à faire n'importe quelle action. D'abord rester immobile, mais sans aucune raideur ni contracture, et s'appliquer à bien reposer toutes les parties du corps selon la pesanteur, en assouplissant et relâchant tous les muscles; aussi en écartant les pensées désagréables, si l'on en a; et cela est plus facile qu'on ne croit; mais j'avoue que si on ne le croit pas possible, c'est alors impossible.

Je viens au mélancolique, qui n'a point d'autre maladie que sa tristesse; mais entendez que tristesse est réellement maladie, asphyxie lente, fatigue par peur de la vie. J'avoue qu'il ne manque pas de malheurs réels, et que celui qui les attend ne tarde pas à avoir raison; mais s'il y pense trop, il trouve de plus un mal certain et immédiat dans son corps inquiet; et ce pressentiment aggrave la tristesse et ainsi se vérifie aussitôt; c'est une porte d'enfer. Par bonheur la plupart en sont détournés par d'autres causes et n'y reviennent que dans la solitude oisive. Contre quoi ce n'est pas un petit remède de comprendre que l'on est toujours triste si l'on y consent. Par où l'on voit que l'appétit de mourir est au fond de toute tristesse et de toute passion, et que la crainte de mourir n'y est pas contraire. Il y a plus d'une manière de se tuer, dont la plus commune est de s'abandonner. La crainte de se tuer, jointe à l'idée fataliste, est l'image grossie de toutes nos passions, et souvent leur dernier effet. Dès que l'on pense, il faut apprendre à ne pas mourir.

place; mais, dans mon idée, il l'a toute, et tout ce livre n'est qu'une méditation sur la guerre, d'où seulement se trouvent écartées, par un autre choix des mots, des images trop émouvantes, et qui appellent un peu trop la guerre contre la guerre.

CHAPITRE XII

DES LARMES

On peut considérer les larmes comme une sorte de saignée naturelle, liée à ce système amortisseur du sang qui a son centre dans les fosses nasales. Les larmes marquent donc un soulagement, et comme la solution d'une crise. C'est ce que l'on saisit bien sur le visage du tout petit enfant, où l'on voit se former de ces vagues qui sont l'indice d'un grand travail musculaire, mais sans action. Cette tempête finit en rire ou en larmes selon la violence de la crise. Chez l'adulte, les médecins considèrent les larmes comme une solution favorable de ces états d'extrême contracture qui peuvent conduire à la mort ou à la folie. On s'explique par là qu'une rosée de larmes exprime nos joies les plus profondes; mais toujours après un étonnement ou un saisissement. Le sublime nous touche aux larmes, sans doute par un double mouvement; car le sublime au premier moment nous accable; mais aussitôt le jugement comprend et domine; de là un sentiment souverain qui s'élargit et couvre le monde, et, par réaction contre l'étonnement, ces douces larmes. On s'étonne que beaucoup de cœurs secs aillent pleurer au théâtre; c'est qu'il leur faut la déclamation et la puissance des signes autour d'eux pour que leur vraie puissance leur soit sensible un moment. Il s'y mêle sans doute alors quelque retour sur soi et quelque pitié; aussi c'est bientôt fait de se tromper là-dessus; et peut-être le spectateur se trompe lui-même; peut-être croit-il s'enivrer d'une pitié qui ne coûte rien. Nos joies nous trompent autant que nos douleurs.

Les larmes suivent aussi le paroxysme de la douleur, ou plutôt de la fureur; elles seraient donc toujours soulagement et signe de consolation. Aussi les larmes ne sont-elles point proprement le signe du chagrin. Ce sont plutôt les sanglots, toujours suivis de larmes. L'horreur est comme un mélange de peur et de colère; c'est une contracture qui ne peut durer, mais qui ne finit pas non plus subitement. Après la première détente et le premier flot de larmes, le malheur apparaît de nouveau, et la crispation suit; le malheureux se sent mourir encore une fois et cherche de nouveau les larmes; bientôt il s'y jette en s'abandonnant tout; mais la fureur revient encore par soubresauts. Les sanglots consistent dans ce mouvement saccadé de la cage pulmonaire; ce sont des soupirs interrompus. Le soupir suit naturellement la contracture, lorsque l'idée de la peine se trouve écartée au moins pour un moment.

Il me semble que l'on apprend à pleurer, et que, dans les moments où tout s'arrête et où la violence contre soi effraie, on cherche les larmes; les enfants s'y jettent et en quelque sorte s'y cachent, pour ne plus voir leur peine. L'homme fort qui retient ses sanglots passe un mauvais moment; mais il échappe aussi au sentiment de sa propre faiblesse, si vif dès qu'on se livre aux larmes; car il faut alors tout espérer des autres et ne plus compter sur soi. Je disais que les larmes soulagent; mais ce n'est vrai que physiquement; ce n'est qu'à moitié vrai. Dès qu'on se livre aux larmes, on est soulagé du désespoir absolu, qui suspend la vie et promptement la détruirait, mais aussi on sent mieux sa propre impuissance; elle est figurée par ces efforts subits et l'effondrement qui les suit aussitôt. A moins que, par réflexion et jugement, l'homme renvoie au mécanisme pur ces convulsions tragiques, et donne cette permission à la nature. On pleure alors sans sanglots; et même, à travers les larmes, on discerne mieux son malheur et on le circonscrit déjà, comme le paysan après la grêle.

Qu'il y ait une pudeur des larmes, et que la politesse ne permette pas d'en trop montrer, cela se comprend, car c'est interroger un peu trop rudement sur des douleurs que l'autre veut peut-être cacher; aussi les femmes en deuil ont le visage voilé. Mais les assistants ne l'ont point, peut-être parce que la contagion des larmes peut être bonne pour celle qui vient d'être touchée, et d'un chagrin dont les causes sont connues et publiques. Telle est la sagesse des cérémonies, dont il sera parlé amplement ont point du tout, surtout avec vivacité et sans que l'on puisse prévoir. Tel eſt le badinage; et les passions sont assez redoutables par le sérieux pour que le badinage mérite encore ce beau nom d'esprit. Ce sens étendu eſt comme un avertissement. L'esprit veille et sauve, quand il ne peut mieux, comme ces génies tracassiers des légendes qui renversent la marmite.

LIVRE SIXIÈME

DES VERTUS

CHAPITRE PREMIER

DU COURAGE

Si disposé que l'on soit à prêter aux animaux toutes sortes de sentiments et d'intentions, on ne peut pourtant pas supposer du courage même dans les plus féroces. C'est merveille comme, après avoir donné un moment l'image de l'audace la plus déterminée, ils s'enfuient ou se cachent le plus simplement du monde. On définit souvent l'homme par la raison, et cette définition convient à tous, et même aux fous, si l'on sait apercevoir la raison dans les passions, car ce n'est pas peu de chose que de se tromper; mais on pourrait aussi définir l'homme par le courage, car rien n'est plus commun, on pourrait dire plus ordinaire, et le premier venu, dans une catastrophe ou dans une guerre, s'élève d'un mouvement aisé, et sans fureur animale, au-dessus des circonstances les plus terrifiantes. Le misanthrope devrait considérer de bonne foi que la vertu la plus belle est aussi la plus commune; il aimerait cette noble espèce et lui-même aussi.

Je définirais bien l'homme par la peur aussi; car je ne puis penser que l'animal ait peur; il fuit, ce n'est pas la même chose; et tous ces efforts d'idolâtrie pour laisser à l'animal quelque faible sentiment, même de ses maux, sont décidément vains. La raison est entière, clairvoyante et inflexible dans la peur même; la peur est royale, comme le courage. Ce qui fait peur, c'est toujours cette imagination déréglée, dans le silence des choses, dans l'éloignement du danger, oui, ces apparitions arbitraires, ces miracles d'un moment, ces dieux et ces génies partout, ce danger sans corps et sans forme, cette nature animée. Mais l'horreur est dans ces yeux sages à qui il n'est pas permis de recevoir ces folles apparences; le mal de la peur, c'est la contemplation d'une déchéance, ou d'un désordre, hors de soi, en soi. Il y a une grande honte dans la peur. Mais ce n'est qu'une épreuve aussi et qui annonce un fier courage. Car ce petit monde effrayant ne tient que par toi, et ta peur aussi ne tient debout que par ton courage. Ce scandale annonce autre chose, car qui se rend à sa peur tombe dans la nuit sans pensée. Veut-on comprendre enfin que la conscience morale, c'est la conscience même?

On a assez remarqué que la peur est plus grande de loin, et diminue quand on approche. Et ce n'est point parce qu'on imagine le danger plus redoutable qu'il n'est; ce n'est pas pour cela, car à l'approche d'un danger véritable on se reprend encore. C'est proprement l'imagination qui fait peur, par l'instabilité des objets imaginaires, par les mouvements précipités et interrompus qui sont l'effet et en même temps la cause de ces apparences, enfin par une impuissance d'agir qui tient moins à la puissance de l'objet qu'aux faibles prises qu'il nous offre. Nul n'est brave contre les fantômes. Aussi le brave va-t-il à la chose réelle avec une sorte d'allégresse, non sans retours de peur, jusqu'au moment où l'action difficile, jointe à la perception exacte, le délivre tout à fait. On dit quelquefois qu'alors il donne sa vie; mais il faut bien l'entendre; il se donne non à la mort, mais à l'action. C'est pourquoi on voit que, dans les guerres, la peur et la haine sont à l'arrière ensemble, et le courage en avant, avec le pardon. Car, comme je l'ai expliqué, on ne hait que par colère, qui est peur au fond; je hais celui qui m'a fait peur; mais celui qui m'aide à être libre, lucide et invulnérable, en me montrant l'image du héros résolu, celui-là je l'aime déjà.

Une des causes de la guerre est l'impatience qu'on a de la craindre. Le pressentiment aussi que cet état ne peut durer, et que le plus beau courage est au fond de cette crainte-là; la guerre est comme un rendez-vous que l'on se donne; c'est pourquoi ils sont si pressés d'y aller. Mais pourquoi? Par cet esclavage de tous les jours, qui vient de ce que nous ne savons pas séparer le respect de l'obéissance. Quoi ? Tant d'hommes pour mourir, et si peu pour braver les pouvoirs ? Il ne manque pourtant pas d'occasions d'oser. Oser estimer les valeurs véritables, le policier, si haut qu'il soit, pour ce qu'il est, le menteur pour ce qu'il est, le flatteur pour ce qu'il est, et tous selon l'esprit, pardonnant même tout par la vue claire, ce qui est plus dangereux encore. Mais tous ces guerriers vivent à genoux; ils tremblent pour un roi, pour un inspecteur, pour un préfet. Ce n'est qu'à la guerre qu'ils trouvent l'occasion de vivre une fois ou deux avant de mourir.

CHAPITRE II

DE LA TEMPÉRANCE

On juge mal de l'intempérance; on la craint trop par ses effets les plus visibles, mais on ne saisit point sa poésie propre et sa puissance. Les anciens, mieux éclairés par la sagesse traditionnelle, n'ont point manqué d'attribuer les transports de l'intempérance, et l'exaltation orgiaque dont les plaisirs n'étaient que l'occasion, à quelque dieu perturbateur que l'on apaisait par des cérémonies et comme par une ivresse réglée. Et, par cette même vue, leurs sages attachaient plus de prix que nous à toutes les formes de la décence; au lieu que nous oublions trop nos vrais motifs et notre vraie puissance, voulant réduire la tempérance à une abstinence par peur. Ainsi, visant l'individu, nous ne le touchons point, tandis que l'antique cérémonial arrivait à l'âme par de meilleurs chemins.

On se trompe beaucoup si l'on prend l'ivresse alcoolique pour une folie animale seulement. L'ivresse n'est qu'une occasion d'être intempérant; ou plutôt, comme l'indique assez ce mot à plusieurs sens, l'ivresse est toujours d'esprit. Le poète l'a bien vu; et je ne prends point légèrement l'entrée du clown de Shakespeare avec sa bouteille. Il est remarquable que le plus parfait bouffon soit l'anglais, comme la plus parfaite cérémonie est l'anglaise. L'intempérance serait donc comme une victoire sur une pudeur qui sangle jusqu'à étouffer. Comment ne pas voir aussi que la plus redoutable intempérance eſt contre le vêtement? Or c'eſt le plaisir des sens qui eſt redoublé par ce mouvement de révolte; de même le plaisir de boire a besoin du secours de l'esprit. Ce que disait Figaro en peu de paroles, définissant l'homme une fois de plus, et mieux qu'il ne croit.

Il y a des bouffons sans vin; rien n'eſt plus méprisé. Mais il y a aussi une extravagance dont la moindre trace sonne aux oreilles et fait rougir, comme indécente. Par là se découvre un lien entre les folies de l'amour et l'impudence des amuseurs. Intempérance aussi dans le chant, dans la déclamation, et jusque dans la manière d'écrire. Il faut appeler éloquence ce mouvement convulsif contre la pudeur d'usage, lorsqu'il la fait oublier. Mais la sage Consuelo eſt mieux gouvernée, et il faut convenir que George Sand a égalé les plus grands auteurs lorsqu'elle a dessiné cette figure-là. J'ai connu plus d'un artiſte impudent, et d'autres étranglés de pudeur, non sans force, mais toujours sans grâce; l'équilibre souverain, dans ces périlleux exercices, je ne l'ai guère vu. Ce n'eſt point résiſtance qu'il faudrait, ni lutte, mais plutôt délivrance. La sobriété mesure encore mieux ses mouvements que la pudeur. Ainsi marchaient les Dieux.

On se tromperait donc si l'on croyait que l'on arrive jamais à la sobriété par ne pas boire, ou bien à la tempérance par fuir tous les genres d'abuser. Je vois là une erreur sur l'objet; car l'objet qui plaît n'eſt pas si redoutable. Et ici trouve sa place cette demi-vérité qu'il eſt bon de céder aussi à la nature. Mais ce qui eſt si facile aux animaux et même aux enfants ne l'eſt pas à nous autres. Le moindre plaisir en vérité nous trouble trop. Quelle profondeur dans cette mythologie selon laquelle une faute originelle gâte les joies de nature! Et la vraie faute eſt toujours de ne point croire. L'esprit déchaîné achève le mal, mais c'eſt l'esprit enchaîné qui le commence. Un esprit libre peut s'enivrer par rencontre, mais il ne le regrettera pas assez pour se condamner à s'enivrer encore. J'avoue que d'autres fautes contre la tempérance sont plus à craindre par le mal que l'on peut faire à d'autres êtres par le partage des plaisirs, et à tous par le scandale. C'eſt pourquoi il eſt sage d'accepter les règles de la vie ordinaire et les mœurs communes, qui éloigneront assez l'occasion pourvu que l'esprit ait d'autres affaires. Mais il ne faut pas que l'esprit sente ces liens. Car la tentation est alors de les rompre; et le plaisir attire par le sacrilège. Plutôt que d'adorer ces coutumes, il vaudrait mieux ne pas les juger du tout. Il y a ainsi une autre pureté, qui est belle comme le sommeil.

CHAPITRE III

DE LA SINCÉRITÉ

LORSQUE l'on a prouvé, par raisons abstraites ou par sentiment, qu'il n'est jamais permis de mentir, il se trouve que l'on a mal servi la cause de la vertu; car il est connu qu'une loi inapplicable affaiblit un peu l'autorité des autres lois. Peut-être vaudrait-il mieux régler les discours d'après la loi supérieure de la justice; mais il y a aussi un mal à soi-même et une déchéance dans le mensonge; il y a donc une vertu de sincérité, qui toutefois n'est pas située au niveau des discours ordinaires. De là vient que tant de mensonges sont excusés et quelques-uns même loués et certainement honorables.

La loi punit la médisance, et les mœurs les plus sévères s'accordent ici avec la loi. Cela fait voir que la pleine franchise, à tout propos, à l'égard de tout et de tous, n'est pas louable. Le témoin doit la vérité au juge, mais non à n'importe qui. Personne n'approuvera que l'on rappelle une ancienne faute, maintenant expiée et réparée. Il est donc bon souvent de se taire; et se taire, à la rigueur, c'est déjà mentir. Mais la sincérité n'est point à ce niveau-là. Qu'on n'essaie même pas de dire que l'on doit toute sa pensée à son ami. Quelle duplicité et lâcheté souvent dans cette morale qui veut être rigoureuse, et que l'on ne peut formuler pourtant sans un mensonge à soi-même! Quoi? je dois dire à mon ami que je lui vois l'amaigrissement, la fatigue, la vieillesse, de plats discours, ou de ces répétitions machinales, signes fâcheux de la faiblesse ou de l'âge? Vais-je même lui dire que je pense à une faute depuis longtemps pardonnée, si j'y pense? Ou bien si je remarque en lui quelque disgrâce physique à laquelle je n'ai pu m'accoutumer, vais-je le lui dire? Non pas.

Mais au contraire je lui dirai ce qui peut éveiller le meilleur de lui, et ainsi consoler l'autre. Ou bien vais-je rappeler les vices ou les lâchetés d'un mort que l'on pleure ? Il y aurait pourtant lâcheté quelquefois à ne pas les voir, à les couvrir; oui, mais lâcheté plus grande à les dire. Ne nous trompons pas sur ce besoin de dire ce qui nous vient à l'esprit; ce besoin est animal; ce n'est qu'impulsion et passion. Le fou dit tout ce qui lui vient.

Il y a beaucoup de ces fous-là qui ne sont pas enfermés. Je n'aime pas cette fureur bavarde, qui vous jette son humeur au visage; je la haïrais en moi-même, ayant eu sujet d'en rougir plus d'une fois, si l'âge, la bienveillance de mes amis et un certain goût de la solitude ne m'en avaient guéri un peu. Il y a une forte raison de ne pas dire au premier arrivant ce qui vient à l'esprit, c'est qu'on ne le pense point; aussi n'y a-t-il rien de plus trompeur que cette sincérité de premier mouvement. Il faut plus de précautions dans le jeu des paroles, d'où dépend souvent l'avenir des autres et de soi. Il n'y a rien de plus commun que de s'obstiner sur ce que l'on a dit par fantaisie; mais quand on saurait pardonner à soi-même, et, mieux encore oublier ce qui fut mal dit et mal pensé, on ne saurait toujours pas l'effacer dans la mémoire de l'autre; car on dit trop que les hommes croient aisément ce qui les flatte; mais je dirais bien qu'ils croient plus aisément encore ce qui les blesse. S'il faut quelquefois démasquer et punir un vil coquin, ou gâter un peu son triomphe, cela concerne la justice. Mais, hors de ces obligations strictes, l'expérience de l'humeur et des passions nous conseille d'attendre; et les opinions sur d'autres ne sont jamais assez assurées pour que l'on ose condamner. Toute condamnation pèse. Surtout je tiens qu'on ne doit pas dire aux enfants ce que l'on croit d'eux, si ce n'est bon; et le mieux serait de n'en croire que le meilleur, et des hommes aussi. Et puisqu'enfin il faut parler quelquefois sans peser tout, il ne faut donc parler ni de soi ni des autres, mais plutôt des choses, parce que nos jugements ne leur font rien.

L'éducation et les manières conduisent à une telle prudence, par l'expérience des effets. Et l'on dit souvent que cette bienveillance est mensonge; en quoi on ne se trompe pas tout à fait. Car il y a une dissimulation qui fortifie les pensées malveillantes; et il y a une éloquence intérieure par laquelle on se venge souvent des plats discours et des flatteries de convention. Cet état est le plus violent dans les passions; car il s'ajoute à la tristesse et à la colère la peur de parler ou de se trahir; c'est une vie étranglée qui marque sur les passions; ce trouble s'ajoute à la timidité et souvent l'explique toute, et la conversation est vide et ennuyeuse avec ces gens-là; leur travail est de ne rien dire en parlant beaucoup. Il n'y a donc de vertu dans la politesse qu'autant qu'on y cède, et que l'on laisse aller et se dissoudre tous ces jugements que la politesse force à cacher. En sorte que la politesse est mensonge dans ceux qui ont des passions et qui s'y attachent, mais sincérité dans ceux qui consentent à n'avoir que de l'humeur ou qui sérieusement s'y efforcent. Il y a enfin deux manières de ne point mentir; l'une qui est de dire tout ce qui vient, et qui ne vaut rien; l'autre qui est de ne pas trop croire aux improvisations de l'humeur. Prise ainsi, la conversation polie est bonne. Alceste s'appliquait mal à être sincère. Il ne faut qu'un effort de bienveillance et de sagesse pour que la sincérité soit facile.

Pour les pensées proprement dites, mieux étudiées, et bien assurées par la lecture, la confrontation, l'exploration par tous chemins, et enfin par toutes les épreuves, il ne faut pas non plus que le besoin de les dire soit pris pour un devoir. Mais c'est un plaisir assez vif pour que les confidences des auteurs ne nous manquent jamais. Si l'on y cède, que ce soit toujours par écrit, car la mémoire déforme trop; que ce soit toujours assez serré pour qu'on ne puisse le lire en courant; et que toutes les nuances y soient, et tous les doutes, et les harmonies qui offrent plus d'un sens, comme l'honnête langue classique le permet à ceux qui l'aiment, en récompense.

CHAPITRE IV

DE LA JUSTICE

On dit « un esprit juste », et cette expression embrasse beaucoup plus que les égards qu'on doit aux autres. Le mot droit présente la même admirable ambiguïté.

Utile avertissement au premier regard sur ce vaste objet; car ce qui est droit, c'est déjà une idée. Mais l'esprit juste est encore quelque chose de plus que l'esprit qui forme une idée et qui s'y tient ferme, ne voulant point que sa définition soit courbée par aucun essai d'expérience. L'esprit juste, il me semble, est celui qui ne met point trop d'importance aux petites choses ni aux petits malheurs, ni aux flatteries, ni au tumulte humain, ni à la plainte, ni même au mépris, ce que l'esprit droit ne sait pas toujours faire. C'est pourquoi Platon, homme divin, voulut considérer dans la justice l'harmonie intérieure seulement, et le bon gouvernement de soi, ce qui fait que sa *République* est un traité de l'âme juste principalement et de la société juste par épisode. A cet exemple, je me garderai de considérer jamais la justice comme quelque chose d'existant qu'il faut accepter; car la justice est une chose qu'il faut faire et refaire, sans aucun secours étranger, par soi seul, et aussi bien à l'égard d'un homme qu'on ne connaît point, qu'on n'a jamais vu.

La force semble être l'injustice même; mais on parlerait mieux en disant que la force est étrangère à la justice; car on ne dit pas qu'un loup est injuste. Toutefois le loup raisonneur de la fable est injuste, car il veut être approuvé; ici se montre l'injustice, qui serait donc une prétention d'esprit. Le loup voudrait que le mouton n'ait rien à répondre, ou tout au moins qu'un arbitre permette; et l'arbitre, c'est le loup lui-même. Ici les mots nous avertissent assez; il est clair que la justice relève du jugement, et que le succès n'y fait rien. Plaider, c'est argumenter. Rendre justice, c'est juger. Peser des raisons, non des forces. La première justice est donc une investigation d'esprit et un examen des raisons. Le parti pris est par lui-même injustice; et même celui qui se trouve favorisé, et qui de plus croit avoir raison, ne croira jamais qu'on lui a rendu bonne justice à lui tant qu'on n'a pas fait justice à l'autre, en examinant aussi ses raisons de bonne foi; de bonne foi, j'entends en leur cherchant toute la force possible, ce que l'institution des avocats réalise passablement. On trouve des plaideurs qui sont assez contents lorsque leur avocat a bien dit tout ce qu'il y avait à dire. Et beaucoup ne voudraient point gagner si leur tort était mis en lumière en même temps. Aussi veulent-ils que l'adversaire ait toute permission d'argumenter; sans quoi le possesseur non troublé garderait toujours une espèce d'inquiétude. Et la fureur de posséder est une fureur d'esprit, qui craint plus une objection qu'un voleur. L'injustice est humaine comme la justice, et grande comme la justice, en un sens.

D'après cela, la persécution serait l'injustice même; entendez, non pas toute violence, mais la violence qui a pour fin d'empêcher la revendication. Et le triomphe de l'injuste c'est bien d'être approuvé et loué. C'est pourquoi la révolte est d'abord dans la parole, et ne passe aux actions que pour sauver la parole. On ne sait pas quelle condition on ne ferait accepter aux hommes, s'ils gardaient le droit de remontrance; mais aussi il y a une faute plus sévèrement réprimée que toutes les autres, c'est d'avoir raison contre le tyran. Retenons que la justice suppose certainement un état de nos relations avec nos semblables qui ait leur libre et franche approbation, et la nôtre.

Cette idée si simple trouve déjà son application dans les échanges et dans tous les contrats. D'abord il n'y faut rien d'ambigu, sans quoi ils pourraient approuver tous deux, sans approuver la même chose. Il n'y faut non plus aucun mensonge ni tromperie; ainsi la [illegible] justice exige que j'instruise mon acheteur d[illegible] je sais de la chose que je lui vends; mais, pa[illegible] il doit m'instruire de ce qu'il sait sur les pièces de monnaie qu'il me donne en échange. J'ai connu des hommes qui jugeaient assez innocent de passer une pièce suspecte qu'eux-mêmes avaient reçue sans y faire attention; mais ce n'est pas juste, tant qu'on n'est pas assuré de la libre approbation de celui à qui on la donne. Et la règle est celle-ci, que l'autre contractant n'ait jamais occasion de dire : « Si j'avais su. » Ou bien contentez-vous d'être riche; n'essayez pas d'être juste encore avec. Car il n'y a point de subtilité ici; tout est clair, du moment que l'approbation de l'autre vous manque, et surtout quand vous reconnaissez vous-même qu'il ne se trompe point. Erreur n'est pas compte. Et il importe peu que vous-même ayez ignoré la chose à ce moment-là, je dis ignoré de bonne foi, c'est-à-dire sans moyen de vous en instruire. J'ai acheté une vieille gravure avec son cadre; je n'ai point acheté ces billets de banque que j'y trouve cachés; il n'est pas toujours facile de savoir à qui ils sont, mais raison eſt au fond des passions les plus folles, comme on l'a assez vu. Ainsi la charité n'eſt qu'un pressentiment de la juſtice. Et la pleine juſtice eſt à supposer toujours le fondement et la règle de juſtice, à vouloir, enfin, tout l'homme aussi éclairé que soi. Car chacun sait que ce n'eſt pas être juſte que de supposer aisément l'autre insouciant, capable de tout croire, et toujours content. La juſtice eſt donc l'égalité posée, puis supposée et enfin aperçue. Ceux qui ont connu ce regard plus commun qu'on ne croit qui ne s'arrête ni aux gentillesses, ni aux flatteries, ni à la fausse majeſté, ni à la folie étudiée comme un rôle, mais qui fait l'honneur, au plus puissant juge de police comme au plus méprisé des criminels, de les considérer sous l'idée d'égalité supérieure, savent assez ce que c'eſt que le juſticier.

CHAPITRE VI

ENCORE DE LA JUSTICE

[illegible] difficulté principale, dans les contrats, eſt que l'on [illegible] bien faire la part des autres, lorsque [illegible] l'on [illegible] soi-même quelque objet dont ils n'au- [illegible] peut-être rien tiré, par exemple un terrain qu'ils n'auraient pas pu conserver, un champ qu'ils n'auraient pas su amender, une mine qui n'aurait pas été exploitée par eux. Le travail humain, par la réunion de plusieurs et par les machines prend ainsi une valeur nouvelle que le maître détient naturellement et qu'il n'eſt pas toujours disposé à rendre, quoique le plus souvent il ne nie pas la dette. L'organisateur songe toujours à conserver une bonne partie de cette richesse comme un trésor commun qui, dans ses mains, permettra d'utiliser encore mieux le travail humain, dans l'intérêt de tous. On sait assez que, dans les coopérations, les chefs élus n'ont pas toujours la liberté nécessaire pour inſtituer de nouvelles méthodes de travail. Il eſt assez clair aussi que les progrès de l'induſtrie reſtituent déjà à l'acheteur une partie des avances du producteur, sans compter les avantages pour la sûreté, contre la maladie, contre l'ignorance, et même contre les pouvoirs tyranniques, qui résultent des nouvelles conditions du travail. Les vices d'une telle organisation ne sont pas sans remèdes, et l'on oublie toujours trop l'état de servitude et d'ignorance où se trouvait le paysan avant que l'industrie eût assaini et embelli de toutes manières la vie campagnarde. Et, tout compte fait, nul ne sait comment on pourrait ralentir ce mouvement d'industrie. Mais il est né, de la situation même, un grand nombre de solutions, comme assurances, retraites, part aux bénéfices, ou simplement conservation des richesses en vue de multiplier la production. Ces solutions sont toutes bonnes, et même celle de l'avare le moins ingénieux; car en conservant tout l'or qu'il voudra, il ne prive personne d'aucun produit et ne fait qu'accaparer un instrument d'échange, au reste pour un temps. Ces maux sont petits, et ne répondent pas, à beaucoup près, aux maux que l'on doit toujours attendre des passions, aussi modérées qu'on les suppose. L'injustice n'est point là.

On blâmerait, au contraire, un avare qui, par une espèce de folie soudaine, paierait quelques milliers d'ouvriers pour un travail entièrement inutile, comme de creuser un grand trou, et d'y remettre ensuite la terre. On le blâmerait, d'abord parce qu'il pourrait aussi bien payer ces ouvriers pour qu'ils se reposent, ou pour qu'ils travaillent à quelque jardin ou maison pour eux-mêmes; en allant plus au fond, on le blâmerait parce que ce travail perdu serait comme un bien dérobé à tous, en sorte que, par ce caprice, il y aurait moins de légumes, moins de vêtements, moins de meubles, enfin moins d'objets utiles dans le monde, et sans remède; cela équivaudrait à brûler des meules de blé ou des magasins d'habillements; et il est clair que, si on brûlait tout ce qui est utilisable, ce serait une grande misère pour tous, quoique cette folie procurât comme on dit du travail à tout le monde. Ces circonstances supposées font bien comprendre que les hommes ont besoin de produits et non pas de travail, et que faire travailler en vain c'est dissiper la richesse commune.

Or le riche a cette puissance, et même sans passer pour fou ou méchant, attendu qu'il trouve tout établis des métiers fort difficiles, comme tailleurs de diamants, brocheurs d'étoffes, dentellières, brodeuses, dont les ouvriers ne vivraient point sans lui. Et les produits de ce genre ont presque toujours une beauté, même pour les yeux ce que le tyran croit avoir qui m'intéresse, mais ce qu'il a. Or, par toute la force du monde, il n'aura pas un droit, pas plus qu'en achetant une montre à vil prix d'un enfant qui l'a trouvée je n'en deviens, à mes propres yeux, le légitime propriétaire. Au reste la première excuse de l'usurier, et qui ne suffit même pas, est bien toujours celle-ci : après tout je ne l'ai point forcé.

Il y a un peu plus d'ambiguïté si le juste résiste au tyran par la force. Il soutient alors son droit comme on dit. Mais cette imprudence, si naturelle, revient à l'idée du jugement de Dieu, d'après laquelle le droit triomphe finalement; idée d'enfant, sans fondement aucun dans l'expérience ni dans la raison, et où surtout je vois une sorte de promesse; le tyran peut croire qu'on le reconnaîtra s'il triomphe; et ainsi la révolte fortifie le pouvoir du tyran si elle échoue. Mais il faut voir au fond de cette naïve croyance d'après laquelle un puissant juge donnerait la victoire à celui qui a raison. Le droit est découvert par arguments et preuves, non autrement, par la pensée, non autrement. Et la vraie résistance ici est donc de parler et d'écrire selon sa conscience, malgré l'exil, malgré la prison et jusqu'à la mort. On ne peut s'étonner de ce triomphe de l'esprit chrétien par toute la terre, quand on voit que les martyrs savaient si bien mener cette espèce de guerre de l'esprit, où le vainqueur est celui qui s'interdit de frapper. Ce fut le premier appel à l'esprit et la première guerre de ce genre que l'histoire ait conservée. Hommes de peu de foi, dirai-je à mon tour, puisque cette expérience même ne fait pas que vous jetiez vos armes. Mais je dis aussi : Hommes de peu de courage; car je vous vois trop faibles dans la vraie résistance, et j'aperçois plus d'une espèce de peur dans ces prises d'armes.

CHAPITRE VIII

DE LA SAGESSE

La sagesse est la vertu propre de l'entendement; mais il ne faut pas entendre d'après cela qu'elle est le nom commun de toutes les autres vertus. Quand les vertus ne sont que par sagesse, il y manque souvent l'audace et le feu inventeur, car le mal le plus contraire à la sagesse c'est exactement la sottise, j'entends l'erreur par précipitation ou prévention; et les vertus du sage qui n'est que sage sont toutes des précautions contre l'erreur; mais les vérités qui ne sortent point de l'erreur ressemblent à des hommes qui n'ont pas eu d'enfance. Seulement, sans la sagesse, qu'on appellerait bien aussi prudence, rien n'arrive à maturité. J'ai connu de ces vieux enfants.

Le premier fruit de la sagesse est le travail. Je n'entends pas par là le travail d'esprit, car je ne sais pas ce que c'est, mais ce travail des yeux et des mains qui prépare un objet au jugement. Il est beau de vouloir inventer tout depuis le commencement, et même rien ne peut remplacer ce mouvement précipité qui porte à anticiper et à deviner; mais il est sage aussi de se mettre à l'école, et de prendre toujours pour vrai ce qui est décrit, supposé et même conclu par un auteur, jusqu'à ce que l'on sache bien ce que c'est. C'est pourquoi il est bon de copier beaucoup, et même d'une belle écriture, comme aussi de relire, surtout sans cette tension qui est prise pour effort d'esprit, et qui s'exerce toujours à côté. Tous les exercices scolaires sont de sagesse; il y a autant de péril à les prendre trop à cœur qu'à les mépriser. C'est toujours un signe favorable lorsque l'enfant s'y prête aisément aux heures fixées, sans y penser le reste du temps; car il n'est pas sage non plus de vouloir tout retenir. L'acrobatie gâte la gymnastique, et cela est vrai de tout. Il y a quelque chose qui choque dans l'acrobate, et c'est le pédant. Dans le maître à danser aussi.

On n'apprend pas à avoir de l'esprit. La plus rare sagesse est dans ce gouvernement de la faculté pensante, qui ne peut aller sans une espèce de ruse. Le brillant jeu des passions crée cette apparence qu'un esprit cultivé doit toujours trouver des ressources, en toute occasion et pour tous besoins. Et ce n'est que trop vrai. L'esprit enchaîné trouve toujours des raisons et des répliques; et l'intelligence est bonne à tout. Mais ce n'est pourtant que le désordre à son comble lorsque l'esprit se prête ainsi, comme un baladin, à des tours d'adresse et à des travaux de prisonnier. Il est pourtant bien à prévoir que, lorsque je pense, je ne suis pas attentif aux effets et aux conditions. On ne peut se voir penser et bien penser en même temps. C'est pourquoi il y faut un grand recueillement et renoncement, non pas une application en soi ni un effort, mais plutôt une fuite d'un moment, et un détachement de tout, qui font dire que le vrai observateur semble distrait et absent. Bref il faut ne tenir à rien, et comme dit La Bruyère, ne se piquer de rien. D'où l'impatient conclut qu'il n'est pas libre, puisqu'il ne pense pas à son commandement. Mais je dirais bien mieux en disant que celui-là n'est pas libre qui pense selon ses besoins. Ne te cherche donc pas, car rien de tout cela, qui est objet, n'est toi.

De ce sentiment naît la modestie, qui est une partie de la sagesse, et qui consiste à ne se rien promettre, et enfin à ne se point considérer comme une mécanique à penser dont on attendrait ceci ou cela. Manque de foi toujours, préparation ambitieuse, déception enfin, voilà les chemins de l'orgueil. Mais comprendre que le désir de trouver est une passion aussi, qui n'enchaîne pas moins l'esprit que les autres, c'est renoncer une bonne fois à étonner le monde, et, dans les circonstances difficiles, bien humblement attendre et prier. Une longue expérience a fait conn[illegible] qu'en tous les cas où l'on espère une pensée [illegible] peut sauver soi et les autres, il faut d'abord [illegible] se résigner. « Que votre volonté soit faite [illegible]enne. » L'homme a trouvé ce détour pour [illegible]i. Mais d'autres fictions ont troublé cette retraite m[illegible]astique, en occupant l'esprit de nouvelles craintes et de nouveaux espoirs. C'est vouloir être aimé par menace. Les vrais penseurs ont prié plutôt par silence, sommeil dans les épreuves, ou bien gaieté et enjouement, comme sait si bien faire Socrate aux instants où il a besoin de lui-même. Je crois que les grands spectacles de la nature, qui dépassent nos forces et tous nos projets, ainsi que les dangers certains en présence desquels on ne peut qu'attendre, sont favorables à la vraie réflexion aussi. Tel est le sens des épreuves. Ainsi que ta solitude et ton monastère soient au milieu des hommes.

CHAPITRE IX

DE LA GRANDEUR D'ÂME

Les modernes n'ont guère traité de cette vertu, peut-être parce qu'ils n'ont pas bien considéré en même temps la nécessité des passions et la liberté de l'esprit. Descartes veut appeler générosité le sentiment que nous avons de notre libre arbitre; et c'est très bien nommé. Mais la grandeur d'âme n'est pas seulement dans la possession de quelque chose de grand et qui, étant juge de tout, naturellement surmonte tout; elle suppose encore la mesure exacte de la faiblesse humaine, à l'égard de qui elle n'est ni indulgente ni sévère, mais juste dans le sens le plus profond. Tout le monde sait bien qu'il faut pardonner beaucoup; et ceux qui l'oublient par passion et qui tiennent un compte de toutes les paroles, de tous les oublis et de toutes les intentions sont bien malheureux et bien méchants. Mais encore faut-il savoir pardonner. J'en ai connu qui montraient de l'indulgence, mais après qu'ils avaient obtenu des promesses, des regrets, et enfin tous les signes d'un changement d'opinion. J'y vois de la petitesse et du marchandage, mais surtout une disposition à supposer des pensées en tous les mouvements, et à prêter, comme je dis souvent, de l'esprit aux bêtes. La grandeur ne peut pas tant contre la petitesse, qui lui est tellement étrangère. C'est reprocher à quelqu'un qui bâille de s'ennuyer, et c'est lui en donner l'idée. Le bon abbé Pirard, dans *le Rouge et le Noir,* dit ingénument : « J'ai le malheur d'être irascible; il se peut que nous cessions de nous voir. » Il y a un peu de grandeur dans l'aveu, mais c'est encore trop vouloir régler ses pensées sur sa propre colère, et lui donner ainsi importance. Donner importance à ses propres humeurs, c'est petitesse.

On dira qu'il est pourtant bon d'y donner importance, afin de s'en corriger. C'est justement dans ce cercle d'idées que se meut la morale, et je n'ai pas bonne opinion de cette méditation sur soi qui grossit tout. Encore pis si l'on s'excuse; car c'est trouver enfin un sens à ce qui n'en a pas. C'est de ces vies mal prises, malheureuses et souvent malfaisantes, qu'est sortie cette idée qu'on ne peut s'empêcher de penser, de désirer, de haïr, d'aimer. Eh, diable, le même homme, à ce compte, aime, hait, désire, maudit par signes tous les gens et toute la terre, souvent sans le savoir. Mais ce n'est rien, pourvu que l'on juge que ce n'est rien. Dans une véritable société d'hommes, il faut savoir annuler dès l'origine tout ce qui est mécanique. Une fillette qui se trouvait en conflit avec une grand-mère, pour des motifs bien futiles, trouva enfin à dire qu'elle voudrait être morte aussi; la tombe de sa sœur, bien chérie, n'était pas encore assez fermée. Pour moi je ne fis qu'en rire, comme d'un bruit inattendu et qui ferait par hasard un sens. Que la politesse modère de telles réactions, cela n'est pas mauvais; mais si la politesse empêche l'invention et assure la paix par l'ennui, comme il est à craindre, je préfère la liberté avec tous les bruits accessoires. Les petites choses ne sont de grande apparence que par notre attention; si on les renvoie une fois au mécanisme pur, d'où elles sortent, elles tomberont tout à fait. On ne sait pas ce que peut l'inattention véritable aux défauts d'autrui, pour l'en guérir. Spinoza, dans son tour juste et inimitable, dit qu'en mangeant de bon appétit on évite plus directement la maladie que si on se prive par crainte. Je dirai en l'imitant que ce sont nos vertus seulement qui nous guérissent de nos vices. C'est là que vise la grandeur d'âme.

Ainsi, dans les ouvrages de l'esprit, il y a toujours assez de faiblesses. Et, même dans les bonheurs d'expression, le hasard y est pour beaucoup. Les petits esprits ne remarquent que cela, au lieu de laisser passer ce qui est de peu et d'attendre l'éclair du génie et de la liberté. J'ai cette bonne chance que les retours d'humeur, comme vers la fin des *Confessions,* ne m'importunent pas plus que ce bruit de charrettes dans la rue. Mais je n'irais pourtant point aussi loin que cet homme de goût, un peu trop sabreur, qui voulait extraire le meilleur des beaux livres, et ne relire que cela. Au contraire, ce qui est préparation et remplissage comme disaient les honnêtes musiciens, arrive bientôt à me plaire par une espèce d'allégresse que j'y sens et par la grandeur en méditation qui le laisse passer. Celui qui saurait comment la pensée encore en sommeil tourne déjà, pour son entrée, les choses de simple forme et tout à fait étrangères, connaîtrait un peu ce que c'est que le style.

LIVRE SEPTIÈME

DES CÉRÉMONIES

CHAPITRE PREMIER

DE LA SOLIDARITÉ

Il n'y a rien de plus facile que de vivre avec des étrangers. La différence des langues y ajoute encore; car on ne sait dire que des politesses. Mais aussi les vraies amitiés ne se nouent point là. On a souvent remarqué qu'une certaine espèce de haine n'est pas si loin de l'amitié; il me semble naturel tout au moins qu'une am forte commence par une certaine défiance et résistar On s'étonne quelquefois qu'il y ait si peu de choix d les amours, et même dans les amitiés; mais il faut mi voir; il faut la contrainte pour les faire naître; car donc serait choisi? Rien ne rend aussi sot que de vouloir plaire; et rien ne rend injuste comme l'attention qui s'exerce sur de nouveaux amis. La contrainte naturelle qui vous force à vivre ici et non là, qui vous a fait naître en cette ville et vous a enfermé dans ce petit collège, délivre l'esprit de cette vaine psychologie. La solidarité est ce lien naturel. Non point entre semblables ou qui se conviennent, au contraire entre inconciliables, indiscrets, ennemis. Vous ne choisissez point, hors d'une grande fortune qui vous fait errants et secs, sans l'adoption forcée et les vieilles femmes à roupies. D'autant que l'ardeur du jeu, dans les premières années, nous fait aimer l'espèce. Ajoutez le langage commun, et le ton chantant de chaque ville, dont aucune nuance n'est perdue. Et la condition de l'enfance est d'obtenir tout par prière.

Quand les liens sont plus serrés, les amitiés en naissent

plus fortes et plus durables, comme entre deux prisonniers, entre deux écoliers, entre deux soldats. Mais pourquoi? Parce que la contrainte nous fait accepter ce qui ne manquerait pas de nous rebuter d'abord, si nous étions libres. Et la bienveillance réciproque, même forcée, en appelle par des signes bien clairs une autre; le riche ignore ces trésors-là. Presque tous les hommes conservent avec bonheur ces premiers fruits de leur sagesse, et souvent sans savoir pourquoi; car il est également ignoré que tous les hommes deviennent meilleurs par la bienveillance, mais que le jeu des passions doit rompre inévitablement presque tous les attachements libres. Les effets visibles dans l'expérience ont pourtant mis en honneur la fidélité, qui consiste à vouloir aimer malgré tout. Il faut se garder ici de renverser l'ordre. Ce n'est point par sa force qu'un attachement est fidèle, au contraire c'est par la fidélité qu'il est fort. Aussi ne faut-il pas se plaindre trop de cette contrainte du fait, qui nous rend fidèles par nécessité. Il faut dire seulement que la fidélité forcée est moins clairvoyante, qu'elle fait moins naître ce qu'elle voudrait, qu'elle se contente enfin plus aisément. De toute façon il faut gagner l'amour qu'on a.

Ces victoires ne feraient point une société. L'amitié ne naît pas inévitablement de la contrainte, il s'en faut bien. La haine aussi peut naître du voisinage, car toute passion s'échauffe par la réplique, et imite sa propre image. Tout est bon pour se haïr, même un mur branlant si l'on s'injurie par dessus, même un chien battu. Le plus ordinaire est l'indifférence, surtout, ce qui est commun, lorsque les mêmes métiers ne voisinent point. Mais cela même trompe comme une porte bien fermée. Car toutes ces paroles et ces visages, même dans le train ordinaire, nous façonnent autant que le vent, la pluie et le soleil font les nœuds du chêne. Je n'ai jamais pu parler avec un homme sans prendre son accent; ce n'est que par les remarques des autres que je m'en suis aperçu. Ainsi chacun imite les sourires et les grimaces, les gestes et les petites actions. Voilà comment chacun est de son village, et souvent ne retrouve une certaine aisance que là. Comme un lit que l'on fait à sa forme. Et c'est bien autre chose que de l'aimer.

Je n'oublie point ces mouvements de panique ou de folle espérance, cette puissance de la rumeur et de la mer humaine que l'on subit partout où il y a des hommes, et encore mieux dans son propre pays, encore mieux à la porte de sa maison. Ce n'est qu'un fait d'animal, et le jugement n'y est pour rien. Mais par cette disposition prophétique des passions, qui croient toujours que les émotions annoncent quelque chose, il arrive que le jugement suit. La honte n'est que le combat entre ce jugement forcé et un autre. Et, quand je ne céderais pas à ces mouvements de foule, me voilà porté à une grande colère; il faut toujours qu'ils me donnent leur folie, ou la folie qui les brave. J'étais pris; me voilà emporté. Il n'y aurait donc de sociétés que de convulsionnaires; et dans le fait toutes y arrivent, comme la guerre le fait voir. Voilà des passions redoublées et un autre corps. Comment vivre en Léviathan?

CHAPITRE II

DE LA POLITESSE

On s'étonne quelquefois que les barbares soient attachés aux formes de la politesse cérémonieuse; mais cela ne prouve point qu'ils n'aient pas d'impulsions brutales, au contraire. La paix armée n'est jamais maintenue que si cette dangereuse puissance d'exprimer est réglée jusqu'au détail; car même ce qui n'a point de sens est déjà une menace, et vaut l'insulte; de là cette politesse du diplomate semblable à celle du barbare. Trouvant ici la politesse à sa source, j'observe qu'elle consiste moins à cacher une pensée ou une intention qu'à régler les gestes et les mouvements de physionomie qui signifient sans qu'on le veuille, et sans qu'on sache même quoi. Il faut remarquer aussi que la défiance à l'égard de soi et la lutte contre ces réactions naturelles des muscles donneraient une très mauvaise politesse, car cette lutte se traduit aussi par des signes, comme raideur et rougeur, où chacun sait deviner la dissimulation, ce qui n'éveille pas moins les passions que ne ferait une insulte en forme. La politesse est donc comme une gymnastique de l'expression, qui conduit à ne faire jamais comprendre que ce que l'on veut. La politesse varie d'une société à l'autre comme le langage; mais le calme et la mesure sont politesse en tout pays.

Il eſt à remarquer que politesse n'eſt pas bienveillance. On peut être désagréable ou méchant sans être impoli; il eſt même impossible que l'on soit impoli volontairement. L'impolitesse consiſte à être méchant, en effet, sans l'avoir voulu, comme aussi à exprimer plus d'amitié qu'on ne veut, quoique cela soit plus rare. On appelle énergiquement savoir-vivre l'ensemble de ce qu'il faut savoir, outre cette possession de soi, pour ne blesser ni embarrasser personne sans le vouloir. Seulement, comme il eſt rare que l'on sache tout ce qu'il faudrait, on arrive à ne plus rien dire de neuf. Le langage y gagne en clarté et pureté, mais aussi chacun récite les mêmes choses et l'ennui vient. Les ambitions puissantes et les passions de l'amour, qui font supporter cet ennui-là, redoublent l'attention aux signes, et créent une manière de dire ou de faire entendre qui donne du prix à l'intonation mesurée et même à l'ordre des mots. La musique offre ce même caractère, de plaire en même temps par des modulations réglées et d'usage, qui donnent d'abord la sécurité, et par des surprises aussi, mais qui ne rompent point la règle. La poésie sous ce rapport ressemble à la musique; mais l'une et l'autre ont leur origine dans les cérémonies, dont l'objet eſt plus étendu que de régler les plaisirs de la société. On peut en dire autant du théâtre, qui n'eſt, à bien regarder, que la cérémonie même, mais qui se plie toujours plus ou moins aux règles de la conversation élégante. Le mouvement des passions eſt alors deviné par les changements mesurés que permet le rythme, comme le corps par les plis du vêtement. Et comme les passions se nourrissent à deviner, on voit que les plaisirs de la société polie vont à transformer les émotions en passions. Mais le remède eſt pire que le mal. La timidité, qui eſt le mal des salons, surtout dans la jeunesse, ne porte que trop à eſtimer au-delà du permis la puissance des autres sur soi.

La coutume du duel tient le milieu entre les politesses et les cérémonies. Elle eſt peut-être le plus parfait exemple de cette sagesse d'usage qui pense, non sans raison, avoir fait beaucoup contre les passions lorsqu'elle en a réglé les effets. La colère virile, qui eſt la plus redoutable des passions, eſt nécessairement refroidie par l'isolement, par

Sans compter que le savoir-vivre y gagne; car, sans attendre un vrai bonheur de tous ceux que l'on voit, il faut toujours en venir à s'en accommoder. Au reste, il est impossible d'écrire mieux sur le mariage qu'Auguste Comte n'a fait; et je renvoie le lecteur à sa *Politique*.

J'appuierais seulement sur les contraintes de politesse, si imprudemment méconnues par les jeunes amants. Quand on vit en naïveté avec les passions, et qu'on est en état d'éprouver, par un si étroit voisinage, les moindres mouvements d'humeur de celui dont on attend tout son bien, le premier mouvement est souvent funeste. J'ai observé que, même dans les bons ménages, et quand l'amitié a confirmé l'amour, les moindres disputes arrivent aisément au ton de la violence. Il est vrai aussi que l'amour pardonne beaucoup; mais il ne faut pas s'y fier, car il n'est pas moins vrai que l'amour interprète beaucoup et devine trop. A quoi peut remédier une vie de famille assez patriarcale, et surtout la présence des enfants, qui, dès leur plus jeune âge, modèrent naturellement autour d'eux l'éclat des voix et la vivacité des mouvements, terminant bientôt les disputes par des cris sans mesure qui donnent une juste leçon. D'où est venu le proverbe que Dieu bénit les nombreuses familles.

CHAPITRE IV

DU CULTE

Je suis bien éloigné de croire que le culte ait pour objet ou pour effet d'exalter la puissance mystique de l'esprit. Tout au contraire les règles du culte apaisent toutes les passions et toutes les émotions en disciplinant les mouvements. L'attitude de la prière est justement celle qui permet le moins les mouvements vifs, et qui délivre le mieux les poumons, et, par ce moyen, le cœur. La formule de la prière est propre aussi à empêcher les écarts de pensée en portant l'attention sur la lettre même; et je ne m'étonne point que l'église redoute tant les changements les plus simples; une longue expérience a fait voir, comme il est évident par les causes, que la paix de l'âme suppose que l'on prie des lèvres et sans hésiter, ce qui exige qu'il n'y ait point deux manières de dire; et la coutume du chapelet, qui occupe en même temps les mains, est sans doute ce que la médecine mentale a trouvé de mieux contre les soucis et les peines, et contre ce manège de l'imagination qui tourne autour. Dans les moments difficiles, et lorsqu'il faut attendre, le mieux est de ne pas penser, et le culte y conduit adroitement sans aucun de ces conseils qui irritent ou mettent en défiance. Tout est réglé de façon qu'en même temps qu'on offre ses peines à Dieu pour lui demander conseil ou assistance, on cesse justement de penser à ses peines; en sorte qu'il n'est point de prière, faite selon les rites, qui n'apporte aussitôt un soulagement. Cet effet, tout physique et mécanique, a bien plus de puissance que ces promesses d'une autre vie et d'une justice finale, qui sont plutôt, il me semble, des prétextes pour ceux qui se trouvent consolés sans savoir comment. Personne ne veut être consolé par une heure de lecture, comme Montesquieu dit; aussi le chapelet enferme plus de ruse.

L'observation des choses religieuses vérifie nos principes, au-delà même de l'espérance. Car, d'après ce qui a été dit auparavant, les peines d'esprit les plus cruelles doivent se guérir aisément par de petites causes, et nos vices n'ont de puissance aussi que par un faux jugement de l'esprit qui nous condamne; mais le témoignage de chacun y résiste, tant qu'il ne connaît pas assez les vraies causes. Heureusement les conversions subites, dont il y a tant d'exemples, prouvent que les passions sont bien fragiles comme nous disions, et qu'une gymnastique convenable peut nettoyer l'âme en un moment. Mais j'avoue aussi que ces faits fourniront toujours assez de preuves aux religions, faute d'une connaissance exacte de la nature humaine; car ces guérisons d'esprit sont des miracles, pour ceux qui n'en comprennent pas les causes. Ainsi la pratique conduit à croire; et, à ceux qui ont essayé sans succès, j'ose dire qu'ils ont mal essayé, s'appliquant toujours à croire au lieu de pratiquer tout simplement. On saisit ici le sens de l'humilité chrétienne, dont la vérité est en ceci, que nos drames intérieurs ne sont que du mécanisme sans pensée, comme les mouvements des bêtes. Un confesseur disait à quelque pénitent à demi instruit qui s'accusait de n'avoir plus la foi : « Qu'en savez-vous ? » Je ne sais si j'ai imaginé cette réponse ou si on me l'a contée. Un gros chanoine et fort savant, à qui je la rapportais, eut l'air de trouver que j'en savais trop. Faites attention que la querelle des jésuites et des jansénistes peut être assez bien comprise par là; car les jansénistes voulaient penser.

Il me semble aussi que le dogme, dont on se moque trop vite, est plutôt un constant effort contre les mystiques qui viendraient par leurs rêveries libres à changer l'objet des passions plutôt qu'à les apaiser. Dans toutes les expériences dont la nature humaine est le sujet, les effets sont si étonnants et si loin des causes que la religion naturelle, si elle n'est plus la plate philosophie d'État, ne peut manquer de conduire à une espèce de délire fétichiste; car les dieux sont tout près de nous; on les voit, on les entend, on les touche. Chacun connaît la folie des spirites, mais on imagine à peine jusqu'où elle pourrait aller si les assemblées étaient plus nombreuses; et je reconnais une religion sans docteurs dans cet enthousiasme sans règle pour la justice, pour le droit et pour la patrie; cette religion, la plus jeune de toutes, manque trop de cérémonies et de théologiens. Contre tous ces excès, l'église théologienne exerce une pression modératrice. Les dieux des anciens étaient sentis aussi dans l'amour, dans la colère, dans le sommeil, dans les rêves, enfin dans tous les changements du corps; mais les passions n'en couraient que mieux, non que le culte manquât toujours de décence, mais surtout parce que la théologie était d'imagination seulement, ainsi le dieu gâtait l'œuvre du prêtre. Au lieu que tout l'effort de l'église est contre les miracles, quoiqu'elle ne les nie pas; il est toujours assez clair qu'elle s'en défie pour le présent, assez forte de ses cérémonies. Tenir une réunion d'hommes qui ne cassent rien, c'est déjà assez beau.

CHAPITRE V

DE L'ARCHITECTURE

CHACUN sait bien qu'il y a des sièges où l'on est impatient et déjà debout, d'autres où l'on est paresseux, d'autres pour le calme et le travail; et nos habitudes dépendent plus des choses que de nous, car c'est le manche de l'outil qui dispose le bras. Il faut compter aussi avec la pensée, toujours réglée sur des objets, à ce point que le mathématicien ne peut rien sans équations. Et dire que les objets nous suggèrent nos pensées c'est trop peu dire, car nos objets sont nos pensées. Mais les objets de main d'homme, surtout, tirent souvent notre pensée du chaos, par l'ordre, la symétrie, la ressemblance variée et la répétition; ainsi la pensée est ramenée à sa fonction propre, qui est de reconnaître et de compter. L'artiste nous dessine une autre nature, où la puissance de l'homme est clairement figurée. Aussi je ne dirais point qu'une cathédrale veut nous parler de Dieu. J'y vois plutôt un effort contre les dieux païens, toujours présents dans la forêt, mais exorcisés par la géométrie; en sorte que le mouvement dans le lieu saint est plutôt pour chercher le dieu que pour le craindre; mais encore la rêverie est-elle toujours ramenée à la terre des hommes, et à l'ordre humain de toute façon. Il est signifié clairement que Dieu s'est fait Homme. Les peintures ramènent l'esprit dans les mêmes chemins, surtout celles de la Vierge mère, si propre à figurer l'espérance humaine, sans aucun dieu extérieur. L'effet est encore grandi par le contraste de cette sagesse ordonnée avec les monstres extérieurs; en sorte qu'il n'est pas possible que l'on entre en ce lieu sans éprouver une sécurité et une délivrance. Mais une grande politesse est en même temps imposée. Il est surtout remarquable que le bruit de la voix et de tous les mouvements, envoyé par l'écho et rebondissant de la voûte au pavé en même temps que le regard, augmente encore la timidité naturelle. Rien ne peut être improvisé là.

On sait que la messe fut d'abord un festin de commémoration; l'on devine aussi comment il fallut régler les conversations et les récits, contre les fous survenant et même contre la dangereuse exaltation qui revient toujours lorsque des hommes sont assemblés; et je ne crois pas qu'il y ait dans ces arrangements autant de mensonge que l'on dit, mais seulement un souci de cérémonie d'autant plus nécessaire que la force n'agissait point. Ainsi peu à peu, d'une pièce récitée est sortie une mimique de pure politesse. Là se trouve la pauvreté de l'église, qui passe richesse, car richesse, force, éloquence sont du même ordre; mais, contre les passions, il n'y a de persuasion que par silence et prière; et les chants d'église sont du silence pour les passions. Le théâtre d'église tend donc à représenter la mesure et les égards seulement. Très sagement; car l'animal pensant est si rusé qu'il trouve encore quelque plaisir de passion dans les sévères leçons de la sagesse. En ce sens, le sermon est profane déjà. L'édifice parle mieux; et comptez dans l'édifice tous ces fidèles attentifs à ne point faire scandale, toutes ces politesses lentes, ces cortèges, cet ordre de majesté et ces costumes qui règlent les gestes.

Je me souviens d'avoir eu bien peur du diable et de la mort quand j'étais petit, après les sermons d'un jeune prêtre; ainsi je tombais d'un mal dans un autre, et, par une espèce de décence d'instinct, je laissai tout cela. Mais ce prédicateur ne savait point son métier. Rien n'est plus facile que de jeter une réunion d'hommes dans le désespoir, par le spectacle de la mort; c'est évoquer tous les diables. Mais la cérémonie funèbre ne tend point là. Tout au contraire, la tristesse y est habillée et stylée, et les adieux sont faits par d'autres, dans les formes convenables. Ceux qui veulent dire que les chants lugubres ajoutent à la douleur devraient bien penser aux hurlements et aux convulsions qui suivraient les morts si cette foule se laissait aller aux émotions naturelles. Ils devraient penser aussi à la difficulté, pour l'orateur sans discipline, de trouver le ton juste en de telles circonstances. L'orateur discipliné prendra le ton chantant et les lieux communs. Mais le chantre parle mieux.

CHAPITRE VI

DE LA MUSIQUE

Il faut traiter maintenant de la musique; car outre, qu'elle est dans toute cérémonie, il semble qu'elle soit par elle-même cérémonie et politesse. Aussi la musique sort de partout; ce grand fleuve a mille sources. Sans chercher d'où elle vient, disons du moins ce qu'elle est. Il ne se peut point que les hommes fassent bien un certain mouvement d'ensemble, comme marcher ou frapper sur des coins, ou tirer sur un câble, sans quelque signal, dont le « han » naturel du bûcheron a dû donner l'idée. Il faut même deux bruits dans ce signal dont l'un annonce l'autre, et un rythme réglé sur l'effort et le repos. Ainsi le temps se trouve divisé et compté par le rythme. D'où la danse, accompagnée d'un bruit rythmé qui est une partie de la musique. D'où aussi le plaisir de se mouvoir avec d'autres, et de reconnaître un nombre comme deux, trois, quatre ou six, après lequel le rythme est terminé et recommence. Les esprits exercés peuvent aller fort loin dans cet exercice, et reconnaître aussi des groupes de nombres, même quand les signes en sont presque indistincts. Ce n'est là qu'une partie de la musique, mais qui n'est pas de petite importance; et prenez comme un cœur sans musique, et bien malheureux, celui qui ne sait pas mesurer les silences, et retrouver les signes juste à leur temps. Un des jeux de la musique est d'entrelacer les sons et de les faire durer ou manquer en apparence contre le rythme, mais en réalité pour le rendre plus sensible par une courte inquiétude. L'effet est toujours de ramener la pensée à ce compte, et sans lui permettre d'attendre, car la musique n'attend point.

Le corps de la musique peut se réduire à un bruit de tambour ou de castagnettes; mais le cri humain s'y joint naturellement. Or, la voix est émouvante par elle-même, mais trop; et l'on comprend que la voix de cérémonie soit toujours réglée et chantante. On voit comment la musique touche à la poésie; la différence est que l'émotion étant vide d'objet dans la musique, la rêverie y est plus libre. Mais il faut comprendre comment se règle la voix. Ici les sources se mêlent. Il suffit d'écouter la moindre phrase pour entendre une espèce de chanson, et cette chanson n'est pas sans règles. Naturellement la voix aiguë signifie l'émotion vive, et la voix grave, au contraire, une certaine aisance et possession de soi; il est donc naturel que, lorsqu'une émotion s'apaise, on retourne au grave et l'on termine enfin sur le ton naturel; l'intensité suit les mêmes règles; mais l'intensité croissante vers l'aigu exprimera plutôt la passion, et le contraire, plutôt la volonté ou le conseil. Mais je croirais aussi qu'il y a, dans le travail des muscles parleurs, une règle de compensation, d'après laquelle il faut que ceux qui se sont reposés agissent à leur tour, avant le repos de tous. D'où vient que, par le son seulement, il y a un achèvement de la phrase, que le commencement promet. Ce thème a été développé de mille manières par les musiciens, et l'oreille humaine l'exige surtout lorsque le jeu des sons, ne ressemblant plus guère au jeu de la voix, risquerait de n'avoir plus figure humaine.

Le cri, selon la nature, croît ou décroît en intensité et en hauteur. Le plus simple effet de l'art est au contraire de le maintenir égal à lui-même et de le terminer sans changement, ce qui n'est point facile. Mais aussi l'effet en est que la première alarme est apaisée aussitôt, et qu'il n'en reste que l'attention à ce qui va suivre. Et, comme on ne peut continuer que des cris qui ne fatiguent pas beaucoup, les sons expriment par eux-mêmes une émotion modérée que l'attention retient. Quant aux impuretés qui s'y mêleraient, ce sont toujours de petits changements; un bruit de voix continué et invariable est donc naturellement un son pur. Et comme c'est celui qui fatigue le moins, c'est donc celui qui se fait le mieux entendre d'une foule. Le son pur est donc l'élément de la musique, et il est beau comme la paix est belle sur les passions, les passions étant toujours assez présentes par les petits changements qui restent dans le son, ou que l'art y met de nouveau, mais avec mesure, et en les réglant toujours. On voit d'après cela comment le chant imite la voix, substituant à des passages par degrés insensibles une suite de sons distincts et invariables. Maintenant, comme on s'écoute chanter, et qu'on se plaît à rendre un son puissant avec le moins d'effort, comme aussi ceux qui chantent ensemble s'écoutent, et se plaisent à cette puissance disciplinée, tous recherchent les sons qui se renforcent; et l'on sait assez que certains rapports entre les fréquences des vibrations aériennes assurent, si l'on peut dire, un meilleur rendement que d'autres. Lisez donc Helmholtz là-dessus, car cela concerne le physicien.

Retenons surtout ce qui concerne la cérémonie publique ou privée, ou même solitaire. Certainement la musique veut émouvoir, et chacun le sait bien. Mais il s'y mêle toujours une curiosité d'intelligence qui détourne aussitôt l'attention, plus ou moins, selon que le musicien se plaît davantage aux surprises, aux imitations, aux variations, enfin à tout ce qui nous porte à reconnaître, et qui fait de la musique un objet qui occupe jusqu'à l'extase. Mais ce plaisir est peu de chose en comparaison de cette évocation et guérison sans cesse, qui nous fait sentir d'instant en instant le bienfait du mouvement réglé et de la cérémonie. Il semble que la magicienne ne rappelle les émotions que pour les apaiser aussitôt. Le musicien comme le masseur, ne fait sentir la douleur que pour la guérir; et comme lui, changeant ses touches, il parcourt le système entier des émotions antagonistes, et nous prouvant qu'elles sont toutes disciplinables, il nous console aussi en espérance. Mais que dire de l'improvisation, où le musicien règle pour lui-même cet art d'être ému sans vertige aucun? Ici l'équilibre est moins sévère et dépend de l'heure. Le travail du musicien, qui rend son œuvre durable, est de ramener à l'ordinaire cette combinaison du lent et du vif, de l'héroïque, du sérieux et du léger. Mais, s'il y réussit jusqu'au détail par une méditation où la musique n'est plus qu'un moyen, c'est la foule innombrable qui chante alors dans sa musique, et il se joint à la beauté propre de l'œuvre une émulation d'admirer avec ceux qui l'ont déjà entendue. C'est ce qui, en toute œuvre, achève la gloire.

CHAPITRE VII

DU THÉÂTRE

Le théâtre est comme la messe; pour en bien sentir les effets il faut y venir souvent. Celui qui passe sera choqué de certaines négligences sur la scène, et tantôt ennuyé, tantôt trop vivement ému. Il ne faut pas moins de temps peut-être pour faire un bon spectateur que pour faire un bon acteur; car il faut apprendre à pleurer avec plaisir, et cela ne va pas avec des surprises trop fortes, ni sans une curiosité à beaucoup de petites choses, qui ne laisse pas aller le serrement de cœur jusqu'à la peine. Il ne faut pas oublier que le plaisir du théâtre est un plaisir de société. La disposition même des salles le rappelle assez, puisqu'elles tendent à former un cercle de spectateurs, interrompu seulement par la scène. Ce sont de petits salons qui ont vue les uns sur les autres. Et ici éclate cette vérité qu'il est avantageux de vivre en public, et que la politesse n'a jamais trop de témoins. Il est réel que les attitudes et les gestes, dans chaque loge, sont réglés pour les spectateurs aussi; et les comédiens, surtout dans une pièce médiocre, ou trop connue font toujours leçon de politesse et de costume, je dirais même de beauté, ce qui n'est inutile à personne. Ainsi tout le monde donne la comédie; mais il ne faut pas entendre par là un mensonge tout simplement, ce sont des sentiments véritables qui sont renvoyés d'un bord à l'autre, mais composés, retenus, et finalement agréables, parce que le beau style délivre de cette fureur d'émotion qui, dans la liberté de nature, fait de la moindre alarme un supplice. Ajoutons qu'il n'y a point de timidité au théâtre, j'entends dans la salle, parce qu'il est toujours aisé de se taire et que la scène attire le principal de l'attention avouée.

Il est très vrai qu'il y a des émotions fortes au théâtre, surtout par la contagion; et cela peut aller jusqu'au délire, comme les acclamations, les sifflets, et les luttes de cabale le font voir; et j'aperçois ici l'ivresse du fanatisme toujours à craindre dans les réunions. Aussi, le théâtre, surtout sans musique, a-t-il besoin d'une poétique sévèrement réglée afin que chacun renvoie à son vis-à-vis des émotions purifiées. Il y a des maniaques du théâtre, qui sont presque toujours irritables et timides dans le particulier. Aussi ne vont-ils pas au théâtre pour réveiller leurs émotions et les entretenir, mais plutôt pour les tempérer. On dit facilement que chacun trouve du plaisir à être ému, même de tristesse; et les mots permettent tout; mais c'est la délivrance qui plaît. Il faut seulement bien comprendre que l'angoisse est le pire des maux, et que ceux qui manquent de sagesse portent avec eux l'angoisse sans y faire attention, même lorsqu'ils sont hors du paroxysme, se trouvant assez mal partout, et craignant par-dessus tout l'émotion vive, qu'ils ramènent aussitôt à leurs passions. Cette maladie-là n'est pas l'ennui. Toujours est-il que le théâtre apporte à ces malheureux une émotion qui change leur état et qui, guérie aussitôt, leur donne une liberté d'un instant, que la suite des scènes vient rajeunir. Là est la différence entre le théâtre et la lecture; car on peut s'arrêter dans la lecture, au lieu que la pièce va son train. Il faut seulement que chaque situation en annonce une autre, de façon que l'attention ne se détourne pas un moment; mais c'est comme une musique plus claire; l'intérêt n'est que pour conduire d'émotion en émotion, et de délivrance en délivrance; aussi les artifices du métier l'emportent de loin sur le naturel des situations; et le dénouement final n'importe guère; ce n'est qu'une manière d'éteindre les chandelles. Le vrai dénouement est au bout de tous les vers.

Comme on peut pleurer trop au théâtre, si l'on n'y est point fait, ainsi peut-on y rire trop. Car le rire se gagne par la seule imitation, et même sans cause. Mais l'habitué trouve au théâtre un rire plus libre, et modéré par le désir d'entendre la suite. Et il est rigoureusement vrai que la comédie corrige les passions par le rire, mais non pas du tout par l'exemple et les leçons. Non pas l'avare par le ridicule, car il n'y a point d'avare au spectacle; mais toutes les fureurs et toutes les angoisses et tous les soucis par le rire. Et le difficile n'est pas tant de faire rire, car les spectateurs y aident tous, mais plutôt de faire accepter d'avoir ri. Un esprit plus cultivé ne regarderait pas tant aux causes, et rirait mieux aux farces du cirque, à cause que le cercle des spectateurs y est fermé. Cela ne veut pas dire qu'il n'y ait pas d'art dans les bouffons du cirque, et j'y ai souvent trouvé l'art comique le plus profond, qui fait tout, et même par le blanc sur le visage, pour que le spectateur ne puisse jamais se reconnaître. Molière savait aussi ce secret-là.

CHAPITRE VIII

DU FANATISME

IL n'y a point de fanatisme sans cérémonie. Et c'est parce que la religion est cérémonieuse qu'il y a un fanatisme religieux. C'est ce qui fait que la tolérance est si facile; seulement elle vise à côté.

Il est très facile de supporter d'autres opinions que celles qu'on a; mais aussi le fanatique ne s'occupe point du tout des opinions; il ne veut punir que le scandale, ennemi des cérémonies. Si la religion est bien ce que j'ai dit, les doutes et les objections ne la touchent guère; le sacrilège qui est contre les cérémonies est le péché véritable. L'on voit du fanatisme au théâtre aussi et surtout pour la musique. C'est le malheur de l'ordre, et peut-être sa punition.

Dans une foule, il s'exerce une imitation des mouvements qui rend assez compte de la contagion des sentiments. Quand un homme fuit, c'est une invitation à courir qui est pour beaucoup dans la poursuite. Quand c'est une foule qui s'enfuit, même le plus sage ne peut rester immobile, par des raisons physiques assez claires; et courir est encore une raison de courir, comme crier de crier, pleurer de pleurer, haïr de haïr. Cette imitation est encore plus sensible dans les réunions où tout est réglé et d'accord déjà, pour des mouvements contenus sans raideur et agréables, car le corps est libre pour le départ. De là vient qu'il y a de telles paniques au théâtre; dans une usine, où chacun est occupé avec peine, la terreur serait moins prompte et plus clairvoyante. Au reste, il y aura le même mouvement de panique pour une mort subite, simplement par le vif sursaut d'attention de tous. Tout l'effet du scandale résulte de cette discipline cachée qui attache le plaisir de chacun au plaisir de tous les autres; et le grand malheur de l'ordre est que l'on a laissé toutes ses armes, même de prudence. Mais toutes ces réactions sont sans passion aucune; dès que la cause en est connue, il n'en reste rien. Nous sommes loin encore de la sombre méditation du fanatique.

Il faut comprendre comment le fanatisme d'une foule s'exprime en un seul homme. A quoi peuvent conduire ces convulsions d'un danseur ou d'un tourneur, que les autres considèrent et poussent sans agir eux-mêmes, par une espèce de chant et de musique assez monotone pour endormir cette attention bienfaisante qui cherche le rythme et retrouve le thème. Par cet artifice, le danseur fanatique imite une foule qui ne danse point. Je m'étonne qu'on admire cette espèce de folie volontaire, orgueilleuse, entretenue et accrue par le mouvement, et qui va jusqu'à rendre insensible; c'est l'état des passionnés, étonnant seulement par l'absence de cause, et même de prétexte; mais est-il plus raisonnable de tuer une femme qu'on aime? A bien regarder, une passion n'a jamais d'autre cause qu'elle-même, et ses raisons prétendues sont pour l'ignorant. Je crains parce que je crains, j'aime parce que j'aime, je frappe parce que je frappe, et lui danse parce qu'il danse. Mais ici encore sans passion méditée, sans ce vertige de pensée, sans cet appel de la violence, sans ce décret fatal dont on contemple les signes. Et la fatigue guérit de cette danse folle. Peut-être est-ce un remède naïf à la fureur d'âme, que cette fureur de corps sans pensée.

Mais il y a plus d'une manière de danser. Si tranquille que l'on soit, il s'élève naturellement plus d'une fureur et plus d'une danse, soit par défaut d'occupation, soit par une poussière dans la gorge. Si la pensée trouve alors quelque objet scandaleux, même imaginaire, la cérémonie est troublée en un seul homme; de là une haine impatiente, portée par ces mouvements du cérémonial; et, au sentiment de cette force extérieure toute prête, se joint une honte bien forte, et la peur d'un scandale plus grand. Voilà le premier mouvement d'une indulgence à soi dans la solitude, et d'une méditation où la peur de soi-même et l'ambition font un mauvais mélange. Les signes et présages s'y joignent, et notre malheur est que la résistance mal éclairée les multiplie jusqu'à ce que l'idée fataliste, toujours vérifiée par les doutes sans certitude vraie, termine enfin cette passion comme elle les termine toutes. Et ce genre de crime est presque toujours sans complice et sans confident.

CHAPITRE IX

DE LA POÉSIE ET DE LA PROSE

Je ne sais pas bien lire les poètes. Je vois trop les hasards de la rime, les répétitions et les trous bouchés. Je les ai mieux compris en me les faisant lire. J'étais pris alors par ce mouvement qui n'attend pas; j'oubliais les redites, je n'avais même pas le temps d'y penser; et la rime me plaisait toujours, par la petite crainte que j'avais à chaque fois; car il semble toujours impossible qu'un vers que l'on entend soit fini comme il faut; ce mouvement qui n'attend pas donne l'idée d'une improvisation. Je ne connais que les vers pour m'emmener ainsi en voyage. Il n'y a pas ici de préambule ni de précautions; je sens que je pars; même les premiers mots, je leur dis adieu, et le rythme me fait deviner ceux qui viennent; invitation à décrire, à laquelle se conforment les meilleurs poèmes. Mais examinons de plus près. Il y a toujours dans un poème deux choses qui se battent. Il y a le rythme régulier avec le retour des rimes qu'il faut que je sente toujours; il y a le discours qui contrarie le rythme, et qui me le cache souvent, mais non longtemps. Cet art est comme celui du musicien, mais bien plus accessible; plus tyrannique aussi en ce qu'il ne nous laisse point choisir nos images; moins consolateur par là. Mais on y trouve, comme dans la musique, la réconciliation de place en place, comme un repos; car il vient un moment où la phrase rythmée et la phrase parlée finissent ensemble; c'est alors que le naturel, la simplicité des mots et la richesse du sens font un miracle; et il n'est même pas mauvais que le poète ait eu quelque peine auparavant, comme ces acrobates qui font semblant de tomber. Mais c'est toujours comme un voyage en barque où l'on ne s'arrêterait point. Il faut la prendre ainsi. Sans cette condition on ne comprendrait point cette puissance modératrice du rythme qui occupe l'attention et du mouvement qui le détourne.

L'éloquence est encore une sorte de poésie; on y découvre aisément quelque chose de musical, une mesure des phrases, une symétrie, une compensation des sonorités, enfin une terminaison annoncée, attendue, et que les mots viennent remplir à miracle. Mais ces règles sont cachées. Dans l'inspiration, l'orateur y manque souvent; il reste la nécessité de remplir le temps, un mouvement inexorable, une inquiétude et une fatigue irritée qui gagnent bientôt l'auditoire. Mais ici encore il faut entendre, et non pas lire, sans quoi l'on serait choqué par les redites et le remplissage, qui sont pourtant une nécessité, surtout quand l'orateur argumente. Il manque surtout, quand on lit, le mouvement retenu de l'assemblée. Il y a bien de la différence entre le silence du cabinet et le silence de deux mille personnes. Socrate, enfin, disait la grande raison: « Quand tu arrives à la fin de ton discours, j'ai oublié le commencement »; aussi tous les sophismes sont l'éloquence, et toutes les passions sont éloquentes pour les autres et pour elles-mêmes. La certitude s'y fortifie par la marche du temps, et par l'apparition des preuves annoncées. C'est pourquoi l'éloquence convient surtout pour annoncer des malheurs, ou bien pour faire revenir les malheurs passés. Cet homme va à sa conclusion comme le malheureux au crime. Et c'est le plus mauvais voyage que de revenir à un malheur consommé; car c'est là que l'idée fataliste prend toutes ses preuves.

La prose nous délivrera, qui n'est ni poésie, ni éloquence, ni musique, comme on le sent à cette marche brisée, ces retours, ces traits soudains, qui ordonnent de relire ou de méditer. La prose est affranchie du temps; elle est délivrée aussi de l'argument en forme, qui n'est qu'un moyen de l'éloquence. La vraie prose ne me presse point. Aussi n'a-t-elle point de redites; mais pour cela aussi je ne supporte point qu'on me la lise. La poésie fut le langage naturel fixé, au temps où l'on entendait le langage; mais maintenant nous le voyons. De moins en moins nous lirons tout bas en parlant. L'homme n'a guère changé, que je crois; mais voilà pourtant un progrès d'importance, car l'œil parcourt cet objet intelligent; il choisit son centre et y ramène tout, comme un peintre; il recompose; il met lui-même l'accent, il choisit les perspectives, il cherche le même soleil sur toutes les cimes. Ainsi va le promeneur à pied quoique toujours trop vite, surtout jeune et fort; il n'est que le boiteux pour bien voir. Ainsi va la prose boiteuse comme la justice.

CHAPITRE X

LES POUVOIRS PUBLICS

Il faudrait plus d'un livre pour expliquer les ruses du pouvoir, et ses cérémonies forcées. Mais ce voyage est fini, lecteur. Deux petites pages seulement pour te ramener et me ramener moi-même au devoir d'obéissance. Ce sera comme un retour à la maison. Beaucoup savent respecter, peu savent obéir. Il y a bien à dire sur le choix d'un maître, sur le contrôle réel et sur les garanties; mais, quelque perfectionnement que l'on roule dans sa tête, il faut commencer par obéir, car le progrès, selon le mot d'Auguste Comte, suppose un ordre préexistant. Que ton esprit médite là-dessus, sans passion, et encore aussi sur cette vérité plus cachée que toute désobéissance pour la justice fait durer les abus ; c'est une manière de dominer et de punir les pouvoirs injustes que d'obéir à la lettre ; c'est l'ami du tyran qui laisse passer une nuit. La vraie tyrannie, c'est l'Importance ; le tyran veut être aimé, ou craint ; le tyran aime à pardonner ; la clémence est le dernier moyen de la majesté. Mais, par l'obéissance stricte, je la dépouille de son manteau royal. Faire une objection, c'est une grande flatterie ; c'est lui ouvrir mon chez moi. Mais où conduit ce jeu ? D'abord à me préserver de l'ambition, qui doit être bien forte, car j'ai dû lui accorder de longues rêveries, et quelquefois enivrantes, je l'avoue. Surtout je veux, pour ma part, le priver de ces joies qui le rendent méchant et sot. Je veux un homme d'affaires tout simple, qui fasse son travail simplement et vite, et au surplus qui aime la musique, la lecture, les voyages ou n'importe quoi, excepté la bassesse.

On n'a jamais vu encore de pouvoir sans flatteurs et sans acclamations si ce n'est peut-être le pouvoir militaire ; et, autant qu'il est ainsi, le pouvoir militaire commande bien ; il se sent jugé. Tant que les hommes se croiront admirés, ils feront des sottises. Ainsi, le plus grand péché de l'esprit, qui est de juger selon la force, est une faute politique aussi. La sagesse consiste à retirer l'esprit du corps, et la sagesse politique à retirer toute approbation de l'obéissance. Il n'y a point de plus bel apologue que celui du denier marqué pour César, et qu'il faut donc lui rendre ; mais je dirais avec d'autres mots : « l'obéissance aux pouvoirs, et l'approbation à l'esprit seulement ». Celui qui pense que l'ambitieux ne demande pas plus connaît mal l'ambitieux. L'église a peut-être su refuser aux puissances cet hommage de l'esprit, le seul hommage qui soit digne du mot ; mais ce pouvoir spirituel est trop vacillant ; on voit partout dans son histoire un alliage de force qui l'a déshonoré. Le chanoine a trop bien dîné. Et le César de Shakespeare dit terriblement bien : « Je n'aime pas ces gens maigres. »

C'est peut-être la maladie des constitutions démocratiques que cette approbation d'esprit qui donne tant de puissance à des maîtres aimables, et, pour l'ordinaire, peu exigeants. Le citoyen donne naïvement sa confiance à celui qui avoue qu'il n'est rien sans elle; la force ne vient qu'ensuite, et les acclamations la suivent encore. C'est réellement la théocratie revenue, car les dieux ont plus d'une forme. Cette confusion du spirituel et du temporel rendra mauvais tous les régimes; au lieu qu'une société des esprits, sans aucune obéissance d'esprit, les rendrait tous bons par une sorte de mépris poli. C'est toujours la même tenue de l'esprit, soit à l'égard de tout mouvement qui veut être une pensée, soit à l'égard de la force qui conseille.

XII

ENTRETIENS AU BORD DE LA MER

RECHERCHE DE L'ENTENDEMENT

PREMIER ENTRETIEN

POLITIQUE

J'AVAIS connu le polytechnicien Lebrun au temps des universités populaires, lui bien jeune, et moi déjà dans la force et rêvant d'un changement politique qui ne se fit point. Les grands corps n'ont peut-être que des soubresauts; et puis, surtout, nous n'avions pu prendre l'esprit prolétarien par le dessous, là où il manque; et il manque là, parce que, sachant un métier, il croit savoir quelque chose. Et puisque c'est toujours d'une erreur, plutôt que d'une ignorance, que nous pouvons réussir le mouvement vrai, c'était des connaissances de métier, à la fois vraies et fausses, que nous devions partir, et même n'en sortir point; enfin redresser l'esprit là même où il s'applique, de façon que l'erreur soit sauvée toute. Par exemple le ciment, pâte à demi fluide et si promptement changée en cristal dur, exige un premier dessin des atomes; mais il fallait penser comme Lucrèce et ensuite comme Thalès; au lieu que nous traitions surtout de politique; et ce n'est pas la politique qui peut sauver la politique. Mais nos rudes amis prenaient leurs désirs pour des idées, et nous aussi peut-être. Remuant ces souvenirs nous allions vers le promontoire; à notre droite, des blés mûrs, à notre gauche,

RENCONTRE

la mer sans moissons, comme Homère dit si bien. C'est alors que nous tombâmes au détour sur un peintre aux cheveux tout blancs, à qui Lebrun me nomma, comme si cette rencontre allait de soi. Les politesses furent courtes.

PEINTURE

Le peintre sembla heureux de me connaître autrement que par mes petites feuilles. Dans le fait il n'était point peintre de son état; mais plutôt il se reposait de philosophie en peinture; et la suite fera assez connaître ce qu'il pouvait en l'une et en l'autre. Je ne dois pas oublier une sorte de muse, fort sérieuse, et de style italien; par l'âge, entre muse et sibylle, et qui d'un regard me jugea ami.

J'ai le goût de peindre; et j'y ajoute quelquefois de l'obstination. De ces exercices, je suis arrivé à soupçonner ce que c'est que l'esprit peintre, le moins soumis peut-être et le moins crédule qui soit; car il n'y a point d'homme qui apprenne plus promptement que le peintre à se défier de toutes ses pensées. Ce genre d'esprit ne cède jamais, mais, pour l'ordinaire ne se développe point. Seulement, et sans grand dommage pour les arts, nous en étions l'un et l'autre à prendre la peinture comme un remède à la manie de parler à soi. Dans la suite, nous philosophâmes les pinceaux à la main; cela permit de longs silences, que le lecteur imaginera à sa convenance, et selon la difficulté des propos; car je dois avertir que la peinture, je ne sais comment, nous conduisit presque aussitôt dans les chemins les plus arides; et j'admire que la muse italienne ait eu la patience de retenir nos sévères discours.

APPARENCE

— Ce nuage a tout changé, dit le vieillard; voici que la mer est couleur de vin. Nous finissons par nous tenir à l'apparence, nous qui cherchions l'être. Mais pourquoi ?

— L'apparence, dis-je, l'apparence suffit. N'est-elle point toute vraie ? Ou bien soutiendrez-vous qu'il y ait quelque faute en ces mille reflets ? Un seul de ces éclairs, recueilli et mesuré, donnerait la hauteur exacte du soleil, la puissance de la vague, la chaleur de l'air, toutes choses enfin.

— Toutes choses, dit le vieillard, et aussi le lieu où nous sommes, et la courbure même de mon œil, et même la fatigue qui y peut rester en souvenir d'un éclat trop vif. Étrange situation; nous avons tout, et trop.

— Plus que tout, dis-je, et voilà ce qui est trop. Car l'œil conserve le moment passé, et mêle ainsi dans l'être ce qui n'est plus.

HEGEL

— Mais non, dit le vieillard, la fatigue de mon œil appartient à l'état présent du monde, et le non-être n'est rien. Nous sommes donc servis et comblés, tout l'être est dans cette apparence; et je me souviens d'une grande parole de Hegel, que l'être ne peut nous apparaître mieux qu'il ne fait.

— Je demande passage pour une sottise, dit Lebrun.

Un champ carré là-bas m'apparaît comme une figure aplatie qui a des angles aigus et des angles obtus; il ne m'apparaît pas comme il est.

— Qu'est-ce, lui dis-je, qu'un carré? Y a-t-il un champ carré? Existe-t-il un carré? J'allais trop vite; je voulais vaincre par tous moyens; c'est le premier mouvement, car c'est celui qui nous conserve. J'aurais mieux fait de me coller à l'exemple, comme on devrait toujours, et de montrer comment les perspectives d'un même champ définissent les postes d'où je le perçois. Rien n'est vrai que d'un poste; et cela même, pensé universellement, est ce qui efface la relativité. Mais cette tardive pensée resta sans paroles. Et Lebrun dirigea sur moi son regard d'ingénieur.

RELATIVITÉ

Le vieillard rit, à ce qu'il me sembla, de nous deux, nous regardant l'un après l'autre; et puis passant les yeux sur les moissons, les arbres et les toits, il les ramena sur la mer couleur de vin. — Vous êtes ici, dit-il, deux hommes que je connais assez; l'un de vous a bâti en ciment armé tout ce qu'on peut bâtir; et l'autre a bâti avec des mots tout ce qu'on peut bâtir avec des mots. Si la rencontre de nos trois atomes doit faire quelque chose de neuf, ne regardez pas trop à ces êtres de pierre et de terre. Ils nous portent, et c'est très bien ainsi; pour notre bonheur, ils nous font croire qu'ils demeurent; et l'homme encore nous trompe, remettant une tuile à son toit, et relevant les mottes pour faire toujours le même champ. D'où ces formes, dont il faudrait donner raison, et raison de raison. Cette terre est métaphysicienne. Mais plutôt assurons-nous en notre siège ionien, les yeux sur la mer. Car ici les formes nous assurent qu'elles ne sont point; il n'y a évidemment pas une vague à côté d'une autre; au contraire toute la mer ne cesse d'exprimer que les formes sont fausses. Voyez ces vagues courir; elles ne courent point, mais chaque goutte d'eau s'élève et s'abaisse; et du reste il n'y a point de gouttes d'eau. Bien clairement cette nature fluide refuse toutes nos idées; ou plutôt elle nous en refuse cette trompeuse image, redoutable même au géomètre. Un fleuve est encore trop lui-même, et le même en son apparence, pour nous renvoyer notre pure pensée; et j'ai souvent dit que l'océan était l'objet de choix pour l'en-

LA TERRE

L'OCÉAN

tendement, et meilleur encore qu'une mer sans marée. Briseur d'idoles. Ainsi nos idées se séparent de la chose, et restent en nos mains comme des outils. On ne demande point pourquoi l'outil, mais on se sert de l'outil. Ici la raison avance au lieu de reculer et remonter à elle-même; ici elle se divise, se limite, s'oppose à elle-même selon sa propre loi, sans jamais se faire chose; car on ne creuse point de fossé dans la mer, et l'on n'y plante point de borne. Et puisque comprendre guérit de disputer, je pense qu'il faut finir par une philosophie de l'entendement; et c'est la chose du monde la plus méprisée. C'est qu'on veut résoudre par oui ou non; mais oui selon l'esprit, ou non, selon le corps, c'est toujours système, et, dans le fond, système politique. Je n'ai guère connu de spiritualisme qui ne plaide pour le roi, ni de matérialisme qui ne plaide contre; et ces ambitieuses pensées sont liées de plus d'une manière, à ce que je crois, à toutes ces pierres si bien entassées qui font murs, maisons, villages et villes. Les formes éternelles et l'atome immuable sont étrangement parents; des deux côtés la liberté périt. Il est plus difficile de démêler le rapport de l'idée à la chose, et l'on y vient toujours trop tard. C'est pourquoi par l'avance de mon âge, vous que je veux appeler jeunes gens, je veux que vous regardiez par ici, du côté de la mer, afin que notre rencontre ne soit point vaine.

ENTENDEMENT

— Beaucoup de choses ensemble, lui dis-je, en vos paroles. Méprisée, dites-vous, cette sagesse qui jamais ne se sépare de l'objet et qui jamais ne se prend pour objet. Vous me feriez comprendre pourquoi la politique est métaphysique, et la métaphysique si promptement politique. Car la raison, qui est un entendement errant, ne se peut fixer que par décret; et ce sont les passions qui décrètent; d'où ce nécessaire, si profondément inutile, et pour quoi et au nom de quoi les hommes tyrannisent.

RAISON

— Le fait est, dit Lebrun, que l'on n'a point encore rencontré sur cette planète une politique d'entendement; et c'est cela sans doute que nous cherchions, en compagnie de nos rudes amis, trop tard instruits.

— Mais plutôt, dit le vieillard, vous cherchiez l'entendement par les voies de la raison, encore une fois tendant vos filets trop haut. Car de fins nous avons abondance, et de moyens trop peu. Le comment est tué par le pourquoi; et voilà les guerres de religion.

— Je veux maintenant, dit Lebrun, être plus sage que le maître. Et j'ai souvenir, mon maître, de nos recherches sur la roue, au temps où, laissant induction, déduction et tout ce bagage scolaire, vous vouliez comparer voiture et traîneau, disant que la roue ne fait que tomber imperceptiblement d'un rayon sur l'autre, sans aucun frottement contre le sol, et qu'en revanche la voiture traîne sur le moyeu graissé comme sur une piste de choix, qu'elle emporte avec elle; et aussi que la piste se trouve ici à l'intérieur de la roue; que le moyeu doit être considéré comme le patin du traîneau, qui vient peser sur cette piste courbe, et sans fin l'abaisse devant lui et la relève derrière; que la roue enfin n'est que cette piste courbe, et sans fin basculant; et autres discours que j'ai suivis en tous sens, pendant que les roues tournaient sur la terre, sur la mer et dans les airs. Et ces discours me paraissent aujourd'hui encore pleins de réalité. Je veux dire qu'il me semble que si je savais et percevais en même temps ce que c'est qu'une roue de voiture, je verrais le monde comme il est. Mais je suppose que le Dieu de l'école m'a écartelé entre raison et besoin, me privant de ma nature moyenne.

LA ROUE

— Ce n'est pas peu, dit le vieillard, si vous avez regret de votre nature moyenne. Seulement il faut dire que la roue, cette clef de puissance, est le supplice aussi de l'esclavage. Trop difficile peut-être; nous ne regardons pas assez au commencement, qui est le rouleau.

— Le rouleau, dis-je, où il n'y a plus de frottement du tout; mais aussi l'esclave court, portant le rouleau et le glissant de nouveau sous le bloc de pierre. Et plaise aux dieux que nos pensées avancent ainsi! La fortune, au contraire, un pied sur la roue, comme on la peint, quelle image de nos pensées frivoles!

LE ROULEAU

— Sur roues le vainqueur, dit Lebrun; au temps d'Achille et en notre temps. Mais nous voilà encore une fois pensant le pied sur la roue.

— Et cette vaine recherche sur la roue, dit le vieillard, mais non peut-être tout à fait vaine, est venue de chercher réponse à cette question d'une petite fille, tirant une voiture de poupée. Pourquoi, demandait-elle, la roue tourne-t-elle au lieu de glisser?

— Qu'est-ce tourner? dis-je; il faut commencer par le commencement; géométrie avant mécanique; cercle avant roue; et de nouveau nous voilà aux idées éternelles.

CERCLE

— Mieux, dit le vieillard; pensons mieux; angle avant cercle. Cet immobile cercle, dont Aristote a fait un dieu irréprochable, est sans doute l'énigme mère et le modèle de la clarté impénétrable. J'ai souvent pensé à ce précieux moment de l'esprit où le cercle n'était pas encore tracé. Cette ligne nous trompera toujours; car elle n'est point ligne; elle n'est que tracé. Si le cercle n'est tracé, il n'est rien. Et voilà comment l'idée devient chose. Or, l'angle, si je l'ouvre ou si je le ferme, l'angle qui balaie l'univers entier au-delà de toutes limites, engendre à la fois tous les cercles possibles, et par cela même les efface tous. Et je me suis vu quelquefois sur le point de comprendre que l'idée du cercle n'est pas plus ronde que carrée. Mais on ne se lasse pas de contempler cette autre image de la droite qui refuse la droite. Et il faut du temps pour comprendre que l'image droite elle-même refuse la droite.

ANGLE

— J'ai souvenir aussi, dit Lebrun, d'un mètre pliant avec lequel vous faisiez naître et mourir des triangles aussi mobiles que cette mer. Nos minces lignes de craie ne nous font rien gagner; car ce seraient, à la loupe, des paysages calcaires; et elles ne sont pas plus lignes que ce mètre n'est ligne. Mais le cercle nous ravit; il nous donne le goût des figures bien tracées, et tout est perdu; le sage n'est plus qu'ingénieur, on voudrait dire ingénieux.

— Et nous voilà, dit le vieillard, métaphysiciens et politiques, par ces images qui semblent des idées.

— Bon, dis-je, et je commence à comprendre ce que Montesquieu, homme d'entendement, essayait de s'expliquer à lui-même.

MONTESQUIEU

— Oui, dit Lebrun. Soutenir qu'il n'y avait point de justice avant les lois écrites, c'est prétendre qu'avant qu'on eût tracé le cercle tous les rayons n'étaient pas égaux; c'est à peu près ce qu'il a écrit.

— Et, dit le vieillard, toute l'obscurité possible est

enfermée dans cette formule si claire. L'idée qui y est cachée est sans doute d'un ordre et d'un passage, selon lequel la droite est première et le vrai cercle n'est qu'engendré.

— On pourrait, dis-je, ajouter qu'aussitôt engendré, aussitôt il meurt; car l'idée échappe, et refuse tout à fait d'être image.

— Aussi, dit le vieillard, entendement vient d'entendre, ce qui nous avertit que voir n'est qu'une bâtarde façon de comprendre. Plutôt brisons nos angles par le moyen de notre mètre pliant. Cette action est nature, et aussi fuyante dans le fond que le mouvement des vagues. Mais la chose est toujours notre objet et notre seul objet. Thalès, lorsqu'il disait qu'à l'heure où l'ombre de l'homme est égale à l'homme, l'ombre de la pyramide est égale à la pyramide, Thalès découvrait les figures semblables; mais il ne traçait point de lignes.

LA CHOSE

— Qu'est-ce qu'une ligne non tracée? dit Lebrun.

— Il n'y a, dit le vieillard, qu'une ligne qui puisse être pensée sans tracé. D'une étoile à une autre la droite est pensée en sa pureté; cette distance entre deux points est la droite. Il y a bien des semblants de lignes dans l'univers; mais il n'y a qu'une ligne qui ne soit point du monde, c'est la droite.

LA LIGNE DROITE

— Quoique, dis-je, sans le monde, nous ne puissions penser aucune droite.

Le vieillard m'arrêta d'un geste : — Sans le monde! Voilà une étrange supposition; et je crois assez qu'elle se trouve à l'origine de toutes nos folies. Il est même plus qu'étrange de supposer que ce monde-ci puisse cesser un moment de nous tenir fort exactement, et de régler, par la suite des objets, la suite de nos pensées. Mais peut-être les esprits supérieurs, qui ont cru pouvoir oser jusque-là, n'ont considéré cette supposition hardie que comme ils faisaient de tant d'autres, dont ils savaient très bien qu'elles étaient fausses, tels un atome dernier, un point, et choses de ce genre. Rien n'est plus rare qu'un doute assuré. Mais nous viendrons là. Présentement par le bonheur d'être réunis, et d'échapper à cette contrainte politique qui est ici dans notre dos, nous faisons tourbillonner nos tronçons de pensées. Ainsi naissent les

L'ORDRE

mondes; et c'est quelque chose que le chaos; au lieu que l'ombre des ombres, l'impalpable, le creux de la mort, c'est selon moi l'ordre que je n'ai point fait.

— Être rappelé à l'ordre, dit Lebrun, manière de parler creuse et merveilleuse. Méprisons donc l'ordre tel quel; mais faisons un ordre.

— Un ordre, dis-je, qui ne sera point. Supposer même de l'ordre entre les choses qui ne se précèdent point naturellement les unes les autres.

Le vieillard hocha la tête, et plus gravement : — Ne citons point Descartes, dit-il; il nous enfermerait. Ce voyageur savait rompre ses pensées; mais il y a danger pour le disciple que les tourbillons, Dieu et l'âme, fassent ensemble un cristal dur et impénétrable, quoique clair partout, par ces surfaces de clivage, invisibles, et qui font mur. Comme un bourdon, alors, nous venons et revenons buter sur l'obstacle transparent.

— Spinoza. Je ne pus retenir ce nom adoré et détesté.

SPINOZA

C'est le dieu et c'est l'idole. Cette perfection, que nous aimons contempler, aussitôt se referme sur nous et nous emprisonne; tout est fait et sans remède; le temps périt. Non qu'il n'y ait de grandes lumières en ce majestueux édifice, et peut-être une porte pour s'échapper; mais l'homme libre ne s'occupe alors qu'à chercher la porte; et nous allions tomber dans la dialectique, comme je vis au sourcil de notre Jupiter. Par un bonheur, le grand nuage de pourpre sombre avançait sur nous; la pluie lançait des flèches éparses; la risée courait sur la mer. Il fallut fuir.

SOIR

Les lumières devant nous s'allumaient. Nous entendions déjà ces mille bruits du village qui signifient soir, repos et portes closes. Ordre, foyer, sommeil. Ce qui rassemble les hommes nous sépara. Nature bénie, qui romps nos pensées!

DEUXIÈME ENTRETIEN

TRIANGLE

LEBRUN tenait à la main un mètre pliant; et, tantôt aplatissant son triangle mobile, il le réduisait à une droite, les trois angles couchés là; tantôt, au contraire, il ouvrait deux angles jusqu'à ce que le sommet du troisième angle allât se perdre au-delà des nuages, et même, comme il le fit remarquer, au-delà des astres les plus lointains. Admirable relation qui, par deux angles qui restent sous notre contrôle, nous assure du troisième, si loin qu'il s'échappe. Ce n'est pas d'hier que les mesureurs de la terre, se fiant à la seule preuve d'Euclide, ou même à d'empiriques vérifications, tendent leurs triangles comme des filets; et, de même que le filet n'a point forme de poisson, ils ne se soucient point de savoir si les choses ainsi mesurées sont triangulaires ou non. Ces notions faciles furent rappelées, pendant que le peintre essayait de fixer l'heure claire, et le fil d'argent qui bordait le flot. Quant à moi, songeant à la difficulté de transporter un peu vite une jatte de lait bien pleine, j'essayais de percevoir ce mouvement de la terre penchant toujours vers l'est, et la course de l'eau dans cette coupe mobile, compte tenu, si je pouvais, de cette autre terre oblongue et continuellement déformée qui va jusqu'à la lune, et même jusqu'au soleil, montagnes séparées. La lune, à demi éclairée, suivait le soleil à un quart de ciel, et la morte-eau chantait déjà sa chanson tranquille. Le temps était sicilien et dormant. Mais l'esprit veillait.

MARÉE

— Qui a fait des remarques sur le triangle mouvant? A cette question du vieillard peintre il y eut plus d'une réponse.

EUCLIDE

— Tous les angles, dit Lebrun, venant se coucher sur la droite de base, cet angle plat me donne la valeur de ces angles pris ensemble; voyez l'angle au sommet s'élargit toujours, et les deux autres vont en même temps à s'annuler.

— Au rebours, dis-je à mon tour en maniant le mètre pliant, si j'élargis les angles à la base, c'est l'angle au sommet qui devient nul; les deux autres angles donnent alors la somme des trois, qui est la même.

Le vieillard leva la main. — Ce n'est pas mal; nous touchons à des pensées réelles. Et j'aime à dire que le triangle est le Saturne en cet Olympe des formes, par rapport au Jupiter cercle, petit-fils et même arrière-petit-fils du jugement. Mais il y a toujours des dieux plus anciens; et l'on voudrait considérer la pure grandeur angulaire en sa simplicité, quoique à vrai dire notre angle tout seul risque de s'égarer en son mouvement tournant s'il ne s'appuie sur une troisième droite.

GRANDEUR

— Il faudrait donc trois droites pour faire un angle, et penser trois angles dès que l'on veut en penser un. Sur cette remarque que je fis, nous vînmes à dire que la liaison des grandeurs tournantes ne se laissait point séparer de cette grandeur même, et que l'idée de grandeur, l'idée et non point l'image, était cette corrélation même. Car qu'est-ce qu'une grandeur toute seule et comme séparée ? Y a-t-il grandeur sans comparaison ? Et y a-t-il comparaison autre que purement empirique, s'il n'y a liaison décrétée, qui fasse correspondre une grandeur à une autre ? Et une grandeur risque de n'être plus du tout grandeur si elle ne nous renvoie à une autre. L'exemple le plus simple et peut-être le plus frappant est fourni par la suite des nombres, dont l'essence est de se prolonger toujours au-delà d'elle-même. Que signifie un, si nous n'y pensons deux, trois, et les autres nombres ? Mais ces vues platoniciennes n'allèrent point sans quelque confusion, car la suite des nombres est une sorte d'énigme; il faudrait deux suites liées, au moins l'ordinale et la cardinale; nous nous noyâmes donc en cette eau claire. Seulement, le vieillard avait vu plus d'un naufrage.

NOMBRES

— Il serait beau, dit-il, de s'affranchir de nécessité, ne se laissant tenir, alors, que par l'hypothèse jurée. Mais il se peut aussi que cette condition ne soit pas pour nous respirable, si j'ose dire. On suppose, et puis on prouve;

on change la supposition, la preuve tombe. Euclide portait son contraire en lui.

CORRÉLATION

Ce monde-ci par sa nécessité non hypothétique, car il nous tient, est sans doute le régulateur de nos pensées; non qu'elles ne soient libres de lui, puisqu'il n'y a en cette nature ni triangles, ni droites, ni nombres; mais nos pensées ne se savent libres, sans doute, que devant l'antagoniste. Bref, il se peut que nos pensées les plus séparées et les plus libres soient assujetties à exprimer quelque chose de l'objet, si peu que ce soit. Et puisque la nécessité du monde, celle qui nous tient, consiste en ce que nulle partie ne peut être séparée des autres, de façon, comme dit Pascal, que toute la mer remue pour une pierre, il n'est pas mauvais qu'en nos idées les plus simples nous conservions quelque corrélation première. Par exemple on pourrait dire que penser la suite des nombres selon la loi de génération décrétée, c'est penser dialectiquement, au lieu que penser ensemble la suite des nombres et la suite parallèle de leurs numéros d'ordre, c'est déjà penser physiquement. Car l'en-

ROTATION

tendement, séparé de la résistante nature devient raison, et ne trouve que la preuve; au lieu que la raison étroitement collée à la chose et la tenant toujours embrassée, devient entendement et trouve les raisons dans les effets mêmes. Mais il n'est pas temps de juger la marche inverse, qui est du prétoire, et au fond, politique; il faut seulement se tenir à la marche directe, vers la chose toujours, et par l'idée. Et ce triangle idée, que nous pensons dans un outil simple, est propre à nous montrer que le comment efface le pourquoi. Donc explorons cette grandeur tournante.

ANGLES

— J'y vois à remarquer d'abord, dit Lebrun, si je considère toute la droite, et si je compare ses positions successives à la position initiale, qu'un angle est double à partir du sommet, et que ces angles opposés sont toujours égaux; et cette grandeur tournante s'exprime aussi par deux autres angles opposés, qui diminuent ensemble en restant égaux, pendant que les autres augmentent.

— Pour moi, ajoutais-je, ce qui me semble digne d'attention, c'est que la ligne tournante revient sur elle-même, et deux fois, ce qui fait que la grandeur tournante est finie, et ne peut rien nous offrir de neuf une fois son tour fait.

— Mais, dit le vieillard, il faut encore distinguer deux sens de la rotation, et seulement deux. Il faut que mon angle augmente, ou qu'il diminue; il ne peut recevoir d'autre changement. Et, bien mieux, considérant toujours la troisième droite, qui fait triangle avec les deux autres, je remarque qu'une droite qui tourne dans un sens par rapport à une autre tourne nécessairement dans le même sens, et de la même grandeur tournante, par rapport à la troisième, et aussi par rapport à toute autre droite du plan. Seulement, parce que c'est toujours l'angle complémentaire qui fait l'angle intérieur du triangle, cet angle augmente ou diminue d'autant que le premier diminue ou augmente; et cela étant vrai des trois, telle est la raison de cette somme constante des trois angles.

— Oui, dis-je, mais je traduirais cette raison en termes plus clairs peut-être, si je diminuais mon triangle jusqu'à en faire un point. Car faites tourner après cela comme il vous plaira les trois droites autour du point central, la somme de tous ces angles autour de ce point sera toujours toute la grandeur tournante possible ou, comme on dit, quatre droits; et puisque cette somme comprend les angles du triangle et leurs opposés, encore je saisis la conclusion d'Euclide, mais sans plaider, et seulement par une connaissance meilleure que je prends de ce que c'est que la grandeur tournante.

SANS PLAIDER

Après un silence : — Tout est clair, reprit Lebrun, ou presque tout; je suis sur le point de saisir le triangle lui-même, c'est-à-dire tous les triangles en un. Mais n'est-ce pas intuition, ou vue? Et ne disions-nous pas que l'idée ne paraît jamais?

J'attendais avec curiosité la réponse; car je suis enclin à tirer l'entendement vers l'imagination. Voici quelle fut la réponse.

L'OBJET

— Il n'y a point de connaissance sans objet, ni d'autre objet que la chose; en ce sens toute connaissance est d'intuition. Et c'est pourquoi les hommes d'entendement, presque tous, oublient l'entendement. Ils adhèrent à l'objet de toutes leurs forces; et, comme l'ouvrier ne regarde point sa main, mais la pointe de l'outil, tout de même les ouvriers d'entendement ne font point réflexion sur les relations qui font paraître la chose en sa vérité. Et cela arrive aussi bien dans les définitions préparatoires, qui supposent toujours un objet réel, bien que simplifié, comme tracé ou chiffre ou symbole. Et jamais en aucun cas vous ne saisirez l'idée hors de la chose, sinon par le discours que l'on peut nommer réflexif, et qui remonte de la connaissance vraie de la chose aux conditions de cette connaissance. Aussi tout examen de réflexion, ou recherche de l'entendement, suppose d'abord une connaissance vraie de quelque objet, connaissance qu'il faut se donner, c'est-à-dire, refaire. Hors de cette méthode, que j'appellerais de réflexion expérimentale, je vois deux erreurs possibles, dont la moindre est d'oublier l'entendement, comme font tous les Démocrites et tous les Lucrèces, et dont la pire est d'oublier l'objet, c'est-à-dire la connaissance même, comme font nos dialecticiens. Mais pardonnez-moi ce cours dicté; nul n'oublie jamais son métier.

LUCRÈCE

— Quand je dîne en ville, dit Lebrun, et que j'entends quelque propos de philosophie, la connaissance réelle est toujours sous-entendue, résumée, tenue pour acquise. On n'y fait qu'allusion et c'est bien naturel. Mais quand j'ouvre un livre de philosophie, je retrouve sous la même forme, abstraite, séparée, abrégée, ces mêmes propos pour dîner en ville. On croirait que penser c'est proprement résumer ou abréger. Étrange connaissance de la connaissance, où manque la connaissance.

Le vieillard approuvait; mais d'un geste, il nous ramena.

— L'esprit séparé se moque, et le commun langage nous en avertit; donc revenons de nos lignes tournantes à un autre genre de transport, où les lignes ne tournent point du tout.

Je pensais tout haut : — C'est-à-dire que les lignes transportées doivent faire toujours les mêmes angles avec n'importe quelles lignes fixes.

PARALLÈLES

— Et les lignes transportées, dit Lebrun, si on les compare à leur première position sont dites alors parallèles.

Le vieillard montra la mer : — Il nous suffit de cet éclair de réelle géométrie. Regardez maintenant cette chose mouvante et puis, revenez d'elle à nos deux mouvements séparés, le transport, qui ne change

LA NATURE

point les angles, et la rotation qui ne change que les angles; et encore dans le plan. Il est clair que cette distinction n'est point dans les choses, qui sont tordues et déplacées dans une confusion inexprimable. Et, selon mon opinion, c'est cette distinction purement inventée, et maintenue par nos discours, qui est d'entendement; au lieu que le plaidoyer d'Euclide est de raison, et semble écrit pour un de ces auditeurs qui se trompent toujours et oublient toujours ce qu'ils ont juré. Aussi demande-t-il peu; mais nous autres nous demandons tout; car, regardez la mer; les choses ne sont nullement ainsi; et vouloir que rotation et translation y soient distinctes est aussi

POSTULATS

ridicule que d'y chercher des droites et des nombres ou, comme a écrit quelque part notre Alain, de chercher l'équateur dans le ciel, comme on chercherait une comète.

Lebrun bouillait d'impatience : — Je voudrais dire beaucoup de choses; une grande clarté descend sur le livre d'Euclide et sur beaucoup d'autres. Car, retombant en quelque sorte à la mer, et puis se sauvant par les rochers jusqu'en terre ferme, où tout est d'une certaine manière et tout séparé, ils plaident afin de prouver que les choses sont comme ils ont dit. Qu'est-ce que la parallèle unique par un point, sinon une nécessité des choses, selon eux? Car enfin, il n'y a qu'un nombre trois, et toujours le même en ses applications; et pourquoi ces parallèles seraient-elles deux, si l'angle droit n'est qu'un? Ces demandes clairsemées n'impliquent-elles pas que nos preuves contraignent la nature, et que c'est seulement dans l'absence de preuve que nous pouvons craindre que l'expérience vienne déformer nos définitions? En somme, s'ils demandent ceci ou cela, ne pouvant le prouver, n'est-ce pas qu'ils admettent que les choses y pourraient bien contredire?

Je l'interrompis : Les choses contredire, les choses qui ne disent mot?

— Contredire, reprit Lebrun; quand

GÉOMÈTRES

il est clair qu'elles nient toute la géométrie, autant qu'elles peuvent nier.

— Tout, dis-je, serait donc postulé, ou plutôt posé,

selon l'esprit, non selon la chose. Et je trouve enfin à mettre en place une remarque que j'ai faite l'autre année, et qui m'a d'abord étourdi; c'est que, parmi les géomètres paradoxaux qui se battent contre Euclide, et ont fait tant de bruit dans le monde, les uns nient un postulat, à savoir la parallèle unique; mais les autres nient bel et bien un théorème, à savoir qu'on puisse mener une parallèle. Et ils n'y font point de différence; je vois bien pourquoi; c'est qu'il n'y a pas de différence.

— Et, ajouta le vieillard, tout se plaide, comme parlent les avocats. Mais si les choses sont prises dans nos filets, il suffit. Pourquoi plaider? Il songea un petit moment. — Pourquoi? reprit-il, sinon parce que les idées séparées font alors un autre monde de choses, qui portent leurs attributs. Ainsi nos plaideurs sont mesureurs d'idées, non mesureurs de terre, et se demandent où vont les parallèles en leur monde cristallin; mais il n'y a qu'un monde, et les parallèles n'y voyagent point seules; l'esprit les garde, et telles qu'il les a faites; et la translation n'est point rotation; non, jamais, ni nulle part, quand ce serait à la nébuleuse d'Orion; car ces tourbillons-ci, à crête d'écume, suffiraient bien à tordre toutes les parallèles ensemble; et autant vaudrait dire que les astres fatiguent les coordonnées à force de tirer dessus. Fils de la terre, comme dit Platon, attachés aux arbres et aux rochers!

TRANSLATION

— La droite tracée, dis-je, est livrée à l'encre et au papier, au tableau et à la craie; mais la droite pensée comme rapport entre deux points, sans considération d'un troisième, qui donc la pourrait gauchir, et en quel sens serait-elle deux?

DROITE

— Identité, dit le vieillard, c'est fidélité. Homogénéité, c'est fidélité. La fiction de deux droites entre deux points, ou de plusieurs parallèles par un même point à une même droite, sont des jeux de ce monde remuant et déformant. Et si une droite est définie par un certain angle, soit de trente degrés, qu'elle fait avec une autre, pourquoi ne supposerait-on pas aussi qu'il y a dans le plan plus d'une droite qui fasse avec l'autre précisément cet angle-là.

Je ne pus me tenir : — Voilà donc mon intime ennemie, l'imagination tireuse de lignes, prise pour l'entendement.

— Il nous faut, reprit le vieillard, une image tracée à défaut de la chose réelle. Et, au vrai, tout est toujours ensemble dans la perception du moindre objet. La contrainte ou nécessité est de l'objet; le mouvement, qui est imagination, est de nous; l'entendement enfin, distingue l'une et l'autre, et géométriquement renvoie à l'horizon ce que notre main ne peut saisir, et à nous-mêmes le mouvement de cette main impatiente; d'où l'espace s'étend et se creuse, l'espace qui n'est point, l'espace qui n'est que refus, absence et présence, anticipation, pensée.

ESPACE

— Et non point, dit Lebrun, cette boîte vide échappée de quelque traité de géométrie. Mais n'ai-je point lu quelque part que c'est dans l'espace intelligible, et non dans l'espace sensible, que le soleil est renvoyé à sa vraie distance? Comme s'il y avait deux espaces!

— Disons plutôt, conclut le vieillard, qu'il n'y en a même pas un. Et cela revient à dire que le loin et le près ne sont inhérents à aucune chose. Ce bateau là-bas n'est pas loin tout seul; c'est lui et moi ensemble qui sommes loin; mais s'il me plaît de considérer lui et moi et toute la terre comme un point, je le puis. De la même manière, si je veux rassembler en un nombre deux unités, je le puis; et si je les veux séparer, je le puis; mais il n'y a au monde ni unités séparées, ni unités jointes en un nombre; et c'est par de telles remarques que Platon se plaisait à faire presque paraître nos pensées. Mais non; plutôt à tout faire paraître par nos pensées.

PLATON

— Je suivais cependant d'autres pensées encore et armées en guerre. J'avais souvenir d'un niais qui écrivait ceci : — On a cru jusqu'ici que l'espace était plan; on se demande maintenant s'il n'est pas courbe. C'est ainsi qu'un miroir déformant nous effraye de notre naturel visage. Qui n'a cru une fois que l'espace existait, au lieu d'être fait, défait, refait sous la loi suprême du doute percevant? Qui n'a bâti quelque mur chinois? Ainsi, je partais en guerre contre des erreurs qui ne sont rien. C'est que nous revenions au village, tirant après nous nos ombres longues, allant, comme il faut tous les soirs, de l'océan des relations au monde de l'inhérence et des propriétés. Un sentier entre deux murs nous servait de guide.

PROPRIÉTÉS

TROISIÈME ENTRETIEN

Ce jour-là Lebrun arriva déclamant :

ZÉNON

Zénon, cruel Zénon, Zénon d'Élée,
M'as-tu percé de cette flèche ailée
Qui vibre, et vole, et qui ne vole pas ?

— Il a fallu, lui dis-je, un poète, chose rare et qui arrive une fois peut-être en un siècle, pour transformer en lieu commun ce subtil paradoxe.

Le vieux peintre était fort occupé à ses pinceaux. Nous l'avions trouvé dans une sorte de chambre rocheuse, ouverte sur le ciel et sur la mer, et renvoyant les bruits

COULEUR

chaotiques. Une fumée rousse sur l'horizon, un ciel dévoré de lumière, une mer bleue, des ombres violentes, allaient faire naître quelque pochade héroïque :

— Cet univers eſt tout neuf, dit le vieillard, et de nouveau la Grèce chante. Mais disputez comme il vous plaira ; l'arène eſt vierge, non encore foulée. Je serai juge ; car cette peinture-ci ne veut pas de pensée ; les couleurs sont partagées ; l'esprit eſt séparé, et le temps suspendu. Être et non-être se mirent, et ce monde refuse nos pensées.

— Disputer, lui répondis-je, eſt-ce de cette saison ?

LA FLÈCHE

Et toute dispute n'eſt-elle pas faite et refaite ? Comme la flèche n'eſt ni loin ni près, ni grande ni petite, sinon par comparaison, et puisque diſtance et grandeur ne sont point des vêtements qu'on lui puisse ajuſter, que dirons-nous du mouvement ? Lorsque Descartes a remarqué que le mouvement n'eſt pas plutôt dans la chose qui se meut que dans les choses environnantes dont elle s'éloigne et se rapproche, n'a-t-il pas répondu à Zénon ?

— Disputons, dit Lebrun, mais que ce soit dispute

d'entendement, non de raison. Pour moi, j'aimerais mieux considérer d'abord ces mouvements géo-
MOUVEMENT
métriques qui nous occupaient hier. Mouvements sans sillage; car nos angles tournants n'ont point changé le monde, et nos parallèles ont filé au-delà des mondes visibles selon une vitesse infinie, infinie ou bien nulle, comme on voudra dire. Et n'est-ce point le mouvement pensé entre deux points qui fait la droite, et même la soutient? Mouvement immuable, dirais-je, puisque je pense tout. Nous n'allons pourtant pas demander si la ligne droite est composée de points, ni de combien de points elle est composée. Ces points cessent d'être points si on les prend seuls; et je dirai, comme vous disiez hier, Alain, sans doute faut-il deux points pour en penser un; car qu'est-ce qu'une position sans relation? C'est donc, il me semble, par le mouvement que nous pensons l'immobile.
DISTANCE
L'espace est de trajets, ou trajectoires, et c'est par ces trajectoires que les choses sont quelque part. Les distances, pourrait-on dire, invitent les choses au mouvement. Mais la distance n'est point chose. Le loin et le près ne sont pas dans la chose plutôt que dans les autres choses dont elle est loin ou près. Or, qu'est-ce que mouvement, sinon distance accrue ou diminuée? La flèche ne peut porter ces relations entre pointe et barbe. Et vous voyez, mon maître, que nos pensées s'opposent en moi comme en lui; c'est la vérité de toute dispute.

— Et, ajoutais-je, si l'on en croit Platon, Parménide savait très bien cela.

Le vieillard posa une touche éclatante, se leva, chercha le point du jugement, et cependant, il rêvait à nos discours : — La flèche, murmurait-il, est immobile, car elle est où elle est; elle ne peut être ailleurs; elle ne peut se dépasser; comme Achille ne pouvait
TRAJECTOIRE
dépasser la tortue; mais le vrai est qu'il ne peut sortir de lui-même; sa propre course n'est pas de lui seul.

...Achille immobile à grands pas.

Marchant à grands pas lui-même, le vieillard, foulant et marquant le sable vierge, voulait-il prouver le mouvement à la manière de Diogène ? Mais non ; il s'éveillait de son rêve pictural.

LE MOUVEMENT

— Le mouvement, dit-il, qui n'est pas achevé n'est pas encore commencé. Le mouvement est un tout indivisible ; et par le tout sont les parties, c'est-à-dire les positions successives ; successives lorsque je les parcours, elles sont désormais immobiles. Elles se suivent comme les nombres se suivent, et l'une n'abolit pas l'autre. Hors de ce mouvement pensé et recensé, tracé, fixé, il n'y a que le changement.

— On peut toujours, dis-je, effacer le mouvement à la manière de Hume, disant, quand une bille roule sur le billard, qu'il se peut que l'une naisse toujours et que l'autre meure, comme il arrive pour les fumées qui semblent suivre la locomotive ; mais nous disons alors plutôt qu'une fumée meurt ici et qu'une autre naît là.

NUAGES

— Les nuages, ajouta Lebrun, nous laissent souvent en doute ; car il est vrai quelquefois que le nuage se déplace comme un navire ; mais, bien plus souvent qu'on ne croit, le nuage s'accroît par un côté et s'use par l'autre ; condensation ici, vaporisation là ; ainsi, devant l'écran cinématographique, quand nous voyons qu'un cheval immobile est remplacé par un autre et par un autre, nous pensons que c'est le même cheval qui galope.

Le vieillard interrompit : — Nous choisissons le mouvement ; il ne nous est point proposé. Le mouvement, c'est-à-dire le changement de l'identique. Et la supposition du mouvement universel est bien ce qui prouve que penser est quelque chose. Aussi dans ce nuage qui fond au soleil, nous pensons encore la même eau changeant de place, et des parcelles que nul œil n'a vues, qui sont molécules et atomes, s'éloignant un peu plus les unes des autres. Bien clairement un tel mouvement est supposé ; mais disons que tout mouvement est supposé, que tout mouvement est substitué au changement inexprimable.

MUSCADE

— La muscade, dis-je, était ici ; elle est là ; je n'y ai rien vu, mais je suppose que j'ai mal vu, et qu'elle n'a point péri, et qu'une autre n'est point née ; je suppose un mouvement caché ; voilà comme l'entendement se retrouve devant les prestiges. En quoi il arrive que je me trompe; car il se peut qu'on m'ait caché la première muscade au creux de la main, et qu'on m'en fasse voir une autre sous le gobelet.

VAGUES

Le vieillard de nouveau montrait la mer: — Tout est prestige, et le premier mouvement inventé n'est presque jamais le bon. Vous voyez courir ces vagues, un peu au large de ces rochers; mais l'eau n'est point transportée comme il semble; elle est plutôt soulevée et abaissée; ainsi quand on frappe sur une corde mollement suspendue, quelque chose semble courir, mais rien ne court.

— Peut-être, dit Lebrun, n'est-il pas nécessaire de citer encore tant d'exemples de mouvements mal supposés, et redressés dans nos perceptions elles-mêmes, les passagers du bateau qui croient que la terre s'éloigne d'eux, le voyageur dans le train, et autres semblables. La relativité du mouvement, aujourd'hui mieux connue que jamais, suffirait pour prouver que le mouvement est d'entendement et non d'événement. Car il est bien compris que si l'on change de poste, ou de référence fixe, ce qui se mouvait s'arrête, ce qui était en repos se meut; et comme il ne peut être vrai de la flèche qu'elle ne se meuve pas, l'entendement reprend ici son bien.

RELATIVITÉ

— Cela serait, dit le vieillard, si la relativité, trop promptement acclamée, n'avait porté au comble l'ordinaire confusion. La courbure d'espace est ici une sorte d'enseigne, qui ne peut tromper. Averti par cette erreur énorme, par cet effronté passage de forme à matière, j'ai aperçu dans la doctrine même du mouvement relatif une erreur du même ordre, qui est à vouloir que la relation soit inhérente à la chose.

— Bah! répondit Lebrun, ce sont des physiciens; ils sont tournés vers la nature des choses, et n'en pensent pas plus long; leur métier n'est pas de réfléchir.

— Celui-là, dit le vieillard, ne connaît pas la nature des choses, qui n'a pas séparé ce qui est de la chose et ce qui est de lui, et encore, dans ce qui est de lui, ce qui est du corps et ce qui est de l'esprit.

PHYSICIENS

De nouveau, il y eut un silence et les pinceaux travaillèrent. Le travail du peintre est sans paroles, même sans paroles à soi; car la peinture est proprement l'art où l'apparence suffit à tout, et suffit par soi. Quand j'ai reconnu par concept tel bateau qui tend ses voiles rouges, et quels sont les passagers, et choses de ce genre, je crois bien m'approcher du réel; mais il se peut que je m'en éloigne; car ce bateau est alors séparé et seulement possible; au lieu que tous les reflets le font être dans le tout. Mais je ne pouvais faire travailler que mon esprit; c'est pourquoi je rompis le silence.

— Quant à l'erreur de mêler les passions à l'objet, elle couvre des siècles, des étendues de pays, des foules; et l'homme partout se bat contre son ombre. Et toutefois, il me semble que le physicien est assez bien gardé contre cette erreur-là. Mais l'ombre même de l'entendement, si l'on peut ainsi dire, est bien plus trompeuse; car nous sautons aisément du vrai à l'être,

ESSENCE

demandant si le monde est fait ou non de points, de lignes, d'atomes, de mouvements; et quand nous le saurions, qu'aurions-nous saisi alors sinon un univers seulement possible, et, comme on dit dans l'école, l'essence de l'univers, ce qui ne nous approche nullement de la situation réelle,

EXISTENCE

dont le nom est existence. Et, de ce que je sais que ce bateau est la *Marie-Jeanne,* et qu'il est mené par le roi de la raffinerie, je ne puis conclure s'il a trop de toile pour cette risée qui passe. Bref, il me semble qu'il y a autre chose dans l'existence qu'une nécessité hypothétique.

Lebrun m'interrompit : — Toujours est-il bien évident que le mouvement et l'atome ne sont pas plus des choses existantes, que les triangles ne sont des éléments réels de la France triangulée. Je me tiens ferme là.

— Je m'y tiens ferme, repris-je, autant qu'on peut se tenir à ce qui n'est point. Mais l'étoffe

NÉCESSITÉ

même du monde, si bien cousue à nous, ou, pour mieux parler, ce poids du monde, ce sillage retombant, cette réelle navigation où nous sommes embarqués, est-ce l'entendement maigre, léger, aérien, si maître de ses conceptions incorporelles, est-ce l'entendement qui me le dressera et dessinera comme une machine? Enfin, de l'essence à l'existence, qui fera ce saut? Ou bien, en des mots qui sentent moins l'école, qui me passera, quel passeur, de la nécessité des théorèmes à la nécessité de gagner mon pain?

ARCHIMÈDE

Le vieillard essuyait ses pinceaux : — Je ne ferai rien de mieux, dit-il, pour aujourd'hui ; voilà un horizon qui arrive à l'existence ; mais qui sait ce que dira la couleur sèche ? Il faut attendre. Mes bons amis, ajouta-t-il, parlez prudemment de la nécessité, car il y a deux nécessités, l'une qui nous tient par nos définitions, si nous le voulons bien, et l'autre qui nous tient à la gorge, que nous le voulions ou non. Il m'a fallu du temps pour comprendre que ce n'est point le principe d'Archimède qui noie les hommes, mais plutôt une certaine rencontre de vent, de vague, de voile, en tel lieu et en tel moment. Et toutefois, ce n'est pas un petit profit si nous avons compris qu'un axiome ne nous peut noyer. C'est pourquoi, il est bon de ramener à l'esprit la nécessité selon l'esprit. Quand nous aurons repris nos idées en charge, quand nous serons assez sûrs qu'elles sont de nous, le monde paraîtra.

Je me plaisais déjà à cette autre genèse et à ce geste du créateur qui retire la main. Mais Lebrun, toujours attentif aux exemples, restait accroché à la barque.

— Axiome ? dit-il. Que la poussée soit justement égale au poids du liquide dont le corps flottant occupe la place, est-ce axiome ?

LIQUIDE

— Ce serait axiome, dis-je, si nous y pensions assez. Car supposez seulement un liquide pesant en équilibre ; chaque partie du liquide flotte sur les autres ; elle est portée selon son poids ; il n'y a qu'à analyser les pressions en tous sens et tout, pourvu que nous nous gardions de penser que le léger ou le lourd soient inhérents à la chose flottante ; mais cela nous devons toujours l'apprendre, et nous ne le saurons jamais assez.

— Et du reste, ajouta Lebrun, il n'y a point de liquide en équilibre ; cette mer ne serait point réelle si elle ne frottait contre les rochers, contre l'air, contre la lune et contre le soleil.

— Mais, repris-je, le principe d'Archimède est une liaison simple, et comme une référence, par rapport à laquelle on mesure un réel naufrage.

— Ou un sauvetage, dit-il ? aussi bien.

— Voilà, dit le vieillard, de bons écoliers. Et quoi que pensent nos physiciens, vous ne craignez pas plus qu'on ne trouve en défaut le principe d'Archimède, que vous ne craignez que deux parallèles viennent à se rencontrer; et nul ne pense autrement. Mais il n'est jamais facile de savoir ce que l'on pense. Aussi peut-être avons-nous conduit trop vite nos pensées depuis le mouvement jusqu'à la pression.

— Bah! dit Lebrun; il nous manque la force; mais vous m'avez appris à nettoyer cette notion-là aussi, en suivant la série inertie, mouvement uniforme, vitesse, accélération; ces constructions théoriques, strictement conformes à l'ordre cartésien, sont vraies de la même manière, et juste autant réelles, que le point la droite et l'angle; et même on découvre aisément entre ces deux séries d'admirables correspondances, qui nous assurent que l'entendement est ici chez lui.

LA FORCE

— Si nous voulions abréger, dit le vieillard, nous nommerions vérités selon l'esprit toutes ces constructions soumises aux règles de Descartes.

DESCARTES

— Nous nous étions promis, interrompis-je, de ne pas citer Descartes.

— Il est vrai, dit le vieillard; mais le Descartes des fameuses règles, le Descartes occupé à ses séries pleines, qu'il compose par ordre, qu'il fait et défait, n'a pas encore dans l'apparence cet orgueil, qu'au fond il n'eut jamais, de faire un monde avec des idées. Simplement, il fait l'ordre en son esprit, et s'accorde à lui-même. Qui n'a point suivi ce chemin est réduit à conjecturer, et incapable de supposer.

— Et cette remarque, ajoutai-je, jetterait quelque lumière sur ce champ de la réflexion, où des esprits très éminents ont tout brouillé comme à plaisir. Car il y a des hypothèses qui, même sans être vérifiées, sont honorables aux yeux de l'esprit; et il y en a d'autres qui, même vérifiées, sont indignes de l'esprit. Mais nous ne voulons pas abréger.

L'IDÉE

— Donc, reprit le vieillard, nous devons considérer de plus près ces séries pleines, où l'objet est construit d'après une loi de formation, comme sont la suite des nombres entiers, les progressions par addition, par multiplication, par puissance, la suite géométrique, droite, parallèles, angles, cercle, la suite mécanique, mouvement uniforme, vitesse, vitesse de vitesse, et tant d'autres.

Seulement au lieu de regarder à l'objet ainsi produit, tel que tables numériques ou musée de formes planes et solides, nous devons faire attention à l'idée elle-même, qui est l'invariable relation transportée d'un terme à l'autre, et reconnue la même dans les différences. Mais nous devrons bien remarquer ceci ?

— Quoi ? demanda Lebrun.

COMPTER

— Que les objets n'existant ici que par le dessin et l'écriture ce qu'il y a de nature en eux, et qui exprime nos émotions, est sans rapport avec le mouvement de l'esprit qui les parcourt et leur donne un rang par la relation au précédent et au suivant. Aussi faut-il distinguer compter et compter ; par exemple, le dénombrement d'une multitude est une recherche qui concerne la nature des choses, et à proprement parler, une vérification de la série des nombres comme applicable aux choses.

Lebrun tenait une poignée de sable. — Car, dit-il, quel que soit, à l'essai, le nombre des grains que je tiens ici dans ma main les compter n'est nullement la connaissance de ce nombre même ; mais c'est comme précédent et suivant dans la série pleine que je le puis connaître en sa vérité.

— Un nombre, ajoutai-je, n'est pas premièrement un fait. Mais n'est-ce pas plutôt par le nombre que la multitude dévient un fait ?

LE SABLE

— En votre main, dit le vieillard, la multitude des grains n'est qu'événement ; quelques-uns coulent, et le vent les emporte. Mais, il vaudrait encore mieux dire avec Platon que ces grains ne peuvent être plusieurs, quand ils seraient agglomérés par quelque cause. Être partie de deux, de trois ou de quatre, cela n'appartient pas à la nature d'un grain. Le nombre est d'eux pris ensemble, et n'est d'aucun d'eux.

— Mais, interrompit Lebrun, ce n'est pas encore assez dire ; et comme il faut défaire et refaire le triangle si l'on veut séparer et comme arracher l'idée de la chose triangulaire où elle est toujours prise, il faut sans doute composer le nombre quatre de toutes les manières, faisant passer chaque grain du trois au deux, les percevant tous ensemble comme trois et un, puis deux et deux, puis un et trois, si l'on veut sauver le quatre ; car le confier à ces grains, c'est le procédé du coffre-fort; c'est le livrer au vent et à l'eau.

— Au vent et à l'eau, reprit le vieillard, qui n'y peuvent rien; quatre est le suivant de trois dans la série pleine; et c'est à refaire la série pleine que l'entendement se reconnaît.

— Laissez-moi, dis-je, appliquer ces remarques à la série des mouvements construits. Voici qu'un sillage de bateau vient croiser les vagues soulevées par le vent; tantôt les mouvements de monter et descendre s'ajoutent, tantôt ils se contrarient; et c'est une importante remarque, que j'ai trouvée dans Helmoltz que chaque goutte d'eau n'a jamais qu'un mouvement, comme elle n'a, à chaque moment, qu'une position; toutefois ce n'est qu'une demi-vérité; car, comme nous disions, une goutte d'eau n'a ni mouvement ni position, ce qui nous met à l'aise pour la saisir à volonté dans tel mouvement et dans telle position qui nous plaira. Elle tourne autour du soleil, elle s'élève vers la lune, elle est soulevée, elle tombe, elle tourne dans un tourbillon, dans deux tourbillons à la fois, selon que je rapporte son mouvement au plan vertical ou au plan horizontal; mais enfin elle n'est qu'elle; elle ne peut donc se mouvoir d'aucune manière en elle-même; elle est comme la flèche de Zénon.

SILLAGE

AXES

— Sans compter, interrompit Lebrun, qu'elle n'est point du tout.

— C'est, dit le vieillard, une idée prise pour une chose. Mais ne nous arrive-t-il pas de substituer à un mouvement oblique deux autres mouvements pris sur des axes rectangulaires? Rien n'est plus simple et tout homme un peu instruit se fie à cette méthode d'analyse, tant qu'il ne réfléchit pas. Ce qui ne l'empêche pas, dès qu'il réfléchit, de demander si la bille ou la balle ou l'obus fait réellement ces deux mouvements. L'entendement ne reprend ici que des morceaux de soi.

— Ce n'est point, interrompis-je, Zénon le Cruel qu'il faudrait dire, mais Zénon le Secourable, car, invincible par-dessus les siècles, il ne cesse point de sauver l'entendement.

ZÉNON

— Les idées, dit le vieillard, ne sont idées qu'à leur naissance. On se lasse de nier que ce monde pense. On laisse une âme à la flèche, supposant en elle toutes les relations auxquelles elle peut participer.

Je citai Homère : — La flèche avide de sang...

Lebrun m'interrompit : — Nous pensons de même que la flèche est avide d'espace, forte de son élan, et autres pensées fétichistes, tant que nous voulons penser que son mouvement est en elle.

— Qualités occultes, reprit le vieillard; oui, la force dans le mobile, le poids dans la chose pesante, la position dans le point; ces exemples sont meilleurs que la vertu dormitive dans l'opium. Et qu'est-ce que la droite sinon la négation que le point soit par lui-même position? Et l'angle, sinon la négation que la droite soit par elle-même orientation? C'est par le refus de l'inhérence que l'entendement est entendement.

ATOME

— Et cela, dis-je, définit passablement l'atome, car l'atome n'est rien que par relation. On pourrait dire que, depuis la géométrie, tout l'effort de l'esprit humain est à refuser que l'atome soit chose. Mais n'avons-nous pas abusé du discours, et à quoi nous sert de nous entretenir en un si beau lieu? Un beau couchant s'approchait. La mer, tout unie et couleur d'argent, commençait à refléter des flammes mauves, Lebrun tendit le bras : — De nos discours, dit-il, l'océan se moque.

L'UNIVERS

A quoi le vieillard : — Cela même, qu'il se moque de nos discours et de tout discours, cela même, il ne faut pas moins que les plus subtils discours pour nous conduire à le penser. Car c'est au moment où l'esprit, is fuyant à lui-même, se découvre enfin, c'est à ce moment seulement que paraît l'univers nu. On ne peut sauter de l'essence à l'existence; et même toute la sagesse possible consiste à refuser ce saut à tout instant. C'est par opposition, en niant non seulement de l'essence toute existence, mais de l'existence toute essence, que nous arrivons à savoir ce que c'est qu'existence.

Là-dessus, je me mis à rêver sur cette grande séparation, qu'il faut toujours refaire. Car, me disais-je, c'est notre constante folie de supposer que l'univers veut et ne veut pas, promet, menace ou pardonne. Nous ne consentons point à refuser toute pensée à un chien ou à un chat, alors qu'il est clairement de notre devoir de refuser toute pensée à un homme ivre ou à un homme irrité. Ample matière. Mais il fallait revenir au monde des hommes, où tout eſt mêlé, pour le sommeil, où tout eſt mêlé; au monde des hommes, qui protège si bien et qui inſtruit si mal.

QUATRIÈME ENTRETIEN

ATELIER

PLUIE et vent. Nous trouvons asile dans l'atelier, où la muse avait préparé toutes choses. Ciel gris qui semble éteint; mais toute la clarté du monde tombe du toit vitré. Contraste étonnant. Et l'on devine qu'en ce lieu clos, où toutes choses avaient forme du corps humain, nous allions suivre d'autres pensées. Lebrun ne semblait pas content de nos propos d'hier.

— J'ai bien peur, dit-il, que nous n'ayons pas inventé autre chose que de nouveaux discours pour dîner en ville. Nous disions bien qu'il faut rester tout près de l'objet; mais il vaut mieux le faire que le dire; aussi j'ai apporté ce clou, et j'exige que l'entendement me dise ce que c'est qu'un clou.

SORBONNE

Là-dessus, je tirai de ma poche une vis à bois : — Voilà, lui répliquai-je, un autre clou, qui n'est nullement un clou. Cela me rappelle qu'au temps où je pensais à une thèse doctorale comme à une chose non impossible, j'avais trouvé ce beau titre : Le Clou et la Vis. Mais, outre que je ne me souciais nullement de l'approbation des gens de Sorbonne, je n'espérais point qu'ils prendraient au sérieux mes pensées ouvrières. Si j'avais traduit le Phédon, en faisant seulement deux contresens à la page, ils auraient mieux reconnu ma manière.

— J'avais trouvé, dit le vieillard, un plus beau titre : Réflexions sur les poulies et les nœuds de cordes. Occasion, à ce qu'il me semblait, de faire entendre ce que c'est que de former une idée; car un nœud coulant

MACHINES

n'est, au vrai, qu'une sorte de poulie montée en moufle; et cette courroie de cuir, où je serre mon bagage de peintre, n'est aussi qu'une poulie très petite. Et il m'était venu à l'esprit que, dans tous les nœuds bien faits, on doit retrouver cette lutte de deux brins contre un, et enfin cette inégalité de tensions et de chemins parcourus pour un même effort, qui fait que plus on tire sur le nœud, plus on le serre. Moi-même, je me proposais de prendre l'entendement dans ces nœuds-là. Mais ce n'était qu'une partie de mon projet. Car, puisque ces machines sont aussi anciennes que l'homme, et puisque, selon la vraisemblance, elles ont été inventées sans discours, et dans l'action même, je me proposais de serrer aussi dans mes nœuds la technique, cette pensée sans discours et assurément sans réflexion, et l'apprentissage aussi, cette imitation muette, craintive, rituelle, pieuse, qui regarde à la fois la chose et le visage humain; double crainte, source d'un ordre qui n'est point l'ordre cartésien, et qui est pourtant quelque chose; car la suite ou série des outils enferme une théorie du travail, comme Proudhon l'a entrevu. Ainsi, me dit le vieillard, je me mettais un peu plus que vous à la mode. Mais il me semble, ajouta-t-il en s'adressant à la muse, que nous sommes encore plus ennuyeux aujourd'hui qu'hier.

TRAVAUX

La muse répondit : — J'avoue que les jeux de l'entendement m'ont paru quelquefois monotones. Les définitions et les calculs faisaient comme un désert. Et pourquoi employer ainsi cette courte vie ? Mais j'ai promesse cette fois que les idées ne sont que des outils d'explorateur, et que par elles le monde va paraître; c'est comme un fond de tableau, et je sens que nous nous en approchons; enfin la tête ne va pas seule.

— La femme, dis-je, se laisse moins aisément couper de son propre corps. Elle le supporte mieux par ceci que l'inférieur est rehaussé, et les besoins relevés. Minerve est sortie de la tête de Jupiter; mais cela n'est arrivé qu'une fois. Grand avis, je pense, grand avertissement pour ces têtes séparées que je vois qui veulent être artistes.

— Ce divan, dit le vieillard, a la forme de l'homme; ce fauteuil aussi.

— Ce jardin aussi, dit Lebrun, qui regardait par le vitrage; et même ce beau puits est comme la statue en creux d'une femme qui puise de l'eau; toutes les hauteurs, toutes les distances sont à la mesure du corps humain. Les arbres, les clôtures, les fleurs, tout est par l'homme et selon

LE PUITS

l'homme. Ce n'est pas comme cette mer, qui serait si bien la même quand l'homme n'existerait plus.

— Et qu'est-ce qu'un escalier, ajoutai-je, si ce n'est la trace d'un homme grimpant ? Au reste ce simple sentier de paysan, que l'on voit à peine, et que l'herbe recouvre par places, n'est-il pas comme une écriture bien touchante et que l'on lit couramment, bien qu'elle soit à demi effacée ?

L'EMPREINTE

— L'empreinte d'un pied humain, dit le vieillard, est déjà une sorte de statue, mais en creux, comme vous dites bien qu'est le puits, comme est aussi le manche de l'outil, ou cette partie de l'arc d'Ulysse qui a la forme de la main. Les arts les plus anciens sont plutôt des traces de l'homme que l'image de l'homme tel qu'on le voit. Cette absence, mais présence imminente aussi, ce creux de l'homme est l'éloquence propre aux édifices.

— Hérodote, dis-je, raconte que la tour de Babylone portait une chambre sacrée, mais sans aucun dieu visible. Ne vous semble-t-il pas que l'imagination trouvait alors devant elle, si l'on peut dire, son objet propre qui n'est rien ? Et cela m'a fait quelquefois penser que le dessin fut d'abord comme une signature plutôt qu'une copie de tel objet ou de tel autre ; c'est pourquoi tout dessin et toute peinture ont encore pour nous ce sens mystique, ou bien ce n'est rien qui puisse nous toucher. L'ornement est la règle suprême, quoique bien cachée, de tous les arts d'imitation.

ORNEMENTS

— Quoi ? demanda le vieillard ; même de la poésie ? Mais il fit lui-même la réponse : — Évidemment de la poésie ; car ce rythme et ces retours de sons sont des signaux de l'homme, qui ne ressemblent à aucune chose qu'à l'homme. Et si cet ornement pur n'est premier, s'il ne règne pas sur les paroles qui décrivent, ce n'est que versification. Le poème est un appel de l'homme.

— Oui, ajoutai-je, un appel du pied. Quoi de plus émouvant qu'un pas ?

Lebrun me dit là-dessus : — J'ai contribué moi-même à vous rejeter dans vos recherches d'esthétique. Et j'aperçois ici des chemins tout neufs, qui recouperaient de mille manières ceux que vous avez déjà tracés. Mais le clou, la vis, la poulie nous attendent. Nous avons juré, ou du moins, j'ai juré de découvrir ensemble l'entendement nu et son objet nu.

La Muse souriait : — A l'ordre, messieurs, dit-elle. N'eśt-ce pas le mot des assemblées ?

— Au contraire, répondit le vieillard, il me semble que c'eśt l'ordre qui nous tient. Il eśt vrai qu'il y a plus d'un ordre ; celui-ci eśt l'ordre humain, ou politique. L'ordre cartésien eśt plus près de la nature ; et l'ordre des choses, qui soutient les deux, eśt peut-être désordre pur, comme nous le fait entendre le bruit de ces gouttes d'eau, qui nie la musique ; qui la nie et l'appelle. Mais que voulions-nous ? Seulement décrire en passant cet ordre en creux, qui eśt l'empire de la femme, et le centre de ses pensées ? Que fait-elle, sinon attendre ? Attendre l'homme, attendre l'enfant ; sauver le creux à forme humaine ; or, cette précieuse pensée définit assez bien la pensée virile, qui eśt son opposé. Le dehors de la maison n'a point forme d'homme ; un toit eśt contre la pluie ; chose contre chose ; la gouttière eśt faite selon l'eau.

LA FEMME

— Gargouilles, interrompis-je, monstres ; forme humaine en péril.

GARGOUILLES

— Mais l'entendement ? dit Lebrun.

— L'entendement, dit le vieillard, eśt seul contre tous les dieux ; il ne cesse d'effacer l'homme. Comme dans notre triangle, qui eśt un signe humain, il veut considérer seulement ce qui ne dépend point de l'homme. Et cette nécessité abśtraite n'a point de sens, si on la sépare d'une autre nécessité qu'elle nous découvre. Mais cela même eśt abśtrait. Point de salut hors des exemples.

— C'était votre refrain, dit Lebrun.

— Qu'eśt-ce donc qu'un clou ? reprit le vieillard. Il avait pris en main le clou, il le maniait, il l'interrogeait.

LE CLOU

— Tu es un solide ; la perfeçtion d'un clou n'eśt pas de changer de forme selon les pressions. Tu serais parfait si tu ne changeais jamais de forme, quelle que soit la pression sur cette tête plate.

— Laissez-moi essayer, dit Lebrun ; il faut d'abord écarter l'idée que le bois eśt moins dur que le marteau.

Je l'interrompis. — Qualités occultes, qui sont, comme dit Comte, définies seulement par l'effet.

— Frappons donc, reprit Lebrun, avec un marteau

de bois, et frappons bien droit sur la tête, de façon que la surface du marteau et celle de la tête s'appliquent exactement l'une sur l'autre.

— Supposant, dit le vieillard, ces surfaces parfaitement planes, et le clou parfaitement solide, que se passe-t-il à la pointe ?

— La pointe, reprit l'autre, n'est qu'une surface petite en comparaison de la surface de la tête, disons cent fois plus petite. N'est-il pas évident que l'effort de vingt kilos, admettons cette valeur, étant supporté par toute la surface de la tête, le centième de cette surface n'en supporte ici que la centième partie ; au lieu que la pointe, qui est égale à la centième partie de la tête, rassemble tout l'effort sur cette faible surface. Supposons tout égal, dans les deux surfaces de bois ; celle qui cédera sera celle qui s'oppose à la pointe. Ainsi le clou est une machine solide qui, par sa forme, reçoit un choc sur une large surface et le rassemble sur une surface comparativement très petite.

SURFACES

— Et, dit le vieillard, de quelque façon que puisse se faire le déchirement du bois, chose que nous ne connaissons point, nous éliminons cette résistance en la supposant égale dans le marteau et dans la planche, et nous ne considérons que la forme.

— Éliminant encore, ajoutai-je, cette idée de pointe, qui signifie seulement ce qui pique, nous la remplaçons par un rapport de surfaces. Il ne reste, comme qualités occultes, que ceci, d'abord que le clou est beaucoup plus dur que le bois, ensuite que le marteau et la planche sont également durs ; et c'est encore beaucoup.

DURETÉ

— Attendez, dit le vieillard ; nous arrivons, par l'estimation des surfaces, à une valeur calculée des déformations du bois, dans l'hypothèse où la dureté est égale de part et d'autre ; c'est-à-dire que l'empreinte de la tête dans le marteau devra être cent fois moins profonde que celle de la pointe sur la planche. N'est-ce pas là une sorte de définition de duretés égales ? Et l'écart entre la valeur calculée et la valeur mesurée ne donnera-t-il pas une mesure des duretés si elles se trouvent inégales ?

— Oui, lui répondis-je ; et la dureté du clou, immense

par rapport aux deux autres, ne sera-t-elle pas définie par l'absence de toute déformation appréciable ?

L'ÉGAL

— C'est ainsi, poursuivit le vieillard qu'un rapport défini conduit à d'autres mesures, et que l'égal est juge de l'inégal. Et cet essai des idées se trouve tellement le même dans tous les genres de recherches, que je ne crois pas utile de chicaner là-dessus. En revanche, je suis moins satisfait de ces surfaces planes, que nous substituons à ce qui n'est pas plan ; supposez la pointe et la tête vues au microscope ; ce serait des paysages de roches ferrugineuses, avec des pointes, des arêtes, des gouffres.

— Je me suis souvent demandé, interrompis-je, ce qu'est la limite d'un champ réel. Car même le cordeau de l'arpenteur n'y marquerait qu'une suite de vallons, fort variés aux yeux et aux pattes d'une fourmi.

— Et le cordeau lui-même n'est qu'un corps rugueux et bosselé, dit Lebrun.

— Et nous appelons inégal, ajouta le vieillard, nous appelons varié et bosselé et tortueux ce qui n'est pas droit ; on aperçoit ici deux termes qui se séparent, à savoir la définition et la nature rebelle. Pour moi, il me semble que l'esprit ne finirait jamais d'explorer les différences, et ainsi n'avancerait pas plus que la flèche de Zénon, s'il ne commençait par finir, tendant la droite comme un pont au-dessus des abîmes ; et bref, nous triangulons toujours et partout.

— Nous gardant bien, dis-je, de plier la droite selon les variétés ; et c'est en ce sens que l'ordre de la connaissance, l'espace, précède toujours la chose, sans que la chose se range jamais à l'espace. Car, nous avons beau trianguler, nos triangles, multipliés même à l'échelle des fourmis et des cirons, et même des cirons de cirons, ne seront jamais que des références, par rapport auxquelles nous dresserons la carte de la chose, poussant l'exactitude autant qu'il nous est utile, mais jamais au point que nos formes puissent être dites vraies. La forme n'égale jamais la matière. En revanche, encore une fois, la différence n'est jamais exprimable que par l'uniforme.

RÉFÉRENCES

— Et le rugueux, ajouta le vieillard, que par le poli ; mais je dis l'absolument poli, ou le plan qui n'est point.

Ainsi l'application de la géométrie aux choses n'est pas arbitraire. Nous commençons par finir, et celui qui découvre qu'en un sens le tout est avant la partie découvre l'entendement.

— Non point, dis-je comme un procédé appliqué à la nature, mais comme donné en même temps que la nature, et d'abord collé à elle et comme tressé avec elle.

TIMÉE

Ce que voulait dire Platon, sans doute, lorsqu'il annonçait dans son Timée, que les derniers éléments des choses, si on les trouvait, seraient de petits triangles. Toutefois, selon mon opinion, il développe alors la notion de Dieu, plutôt que celle du monde. C'est qu'il parle ici encore par mythe, décrivant toutes les découvertes possibles de l'esprit, excepté celle qui compte, à savoir que la nature n'est pas l'esprit. Au reste, je suis persuadé, d'après les signes concordants, qu'il le fait exprès, attendu qu'il était né roi. Mais nous, nous sommes ouvriers, massacreurs de formes.

RESPECT

— L'entendement, dit le vieillard, est méprisé, parce qu'il ne respecte rien. Mais avons-nous dit assez sur le clou ?

— Assez, sans doute, lui répondis-je, si nous voulions montrer ce que c'est qu'une idée, en quel sens l'idée s'applique à la chose, et en quel sens non.

Lebrun examinait la vis, et parlait à soi : — Le clou, translation; ici rotation, mais plutôt translation par rotation; ici une surface dure et oblique, qui détourne mon effort. Ici je fais plus de chemin en tournant que la vis en s'enfonçant.

TREUIL

— Aussi, lui dis-je, je gagne sur l'effort, comme en toutes les machines tournantes. C'est la loi du travail que, portant vingt seaux d'eau successivement au lieu d'un baril, je fais un moindre effort, mais sur un parcours plus grand, et même exactement vingt fois moins d'effort, sur un parcours vingt fois plus grand, si je néglige le retour avec le seau vide; et cette loi si simple explique toutes les machines tournantes, treuil, levier, moufle, où la chose mue se meut moins vite que celui qui la traîne.

— Et il me semble, ajouta le vieillard, que cet effet ne se rencontre que dans les machines tournantes; car, par la translation seule, sans aucun changement d'angles, toutes les parties d'un solide parcourent en même temps une égale distance.

— Attention, interrompit Lebrun; vous oubliez les liquides enclos et poussant des pistons. Car, dans la presse hydraulique, il arrive aussi qu'en parcourant un grand chemin avec le petit piston, vous n'arrivez à déplacer le large piston que d'une fraction de millimètre; au reste, autant que l'eau transmet les pressions, la loi du travail, comme vous disiez, s'applique aussitôt, de façon que le produit de la distance par l'effort soit toujours le même; par exemple, sur un mètre de parcours, un kilo d'effort devient, sur un millimètre de parcours, mille kilos d'effort.

PISTONS

— Vous me faites penser, dit le vieillard, que votre presse hydraulique est à peu près le contraire de notre clou; car dans notre clou, une pression d'abord répartie sur une grande surface se trouve rassemblée tout entière sur une surface très petite. Si notre clou était liquide, et maintenu seulement dans une enveloppe solide, et si je posais un piston sur la tête et un autre à la pointe, la pointe ne transmettrait que la centième partie du coup de marteau.

— Et cette remarque, dis-je, est propre à enrichir une définition du solide et une définition du liquide; et, au reste, il n'y a pas plus de liquide ni de solide, qu'il n'y a de pressions, de forces, de surfaces ni de lignes. On conte que des solides comparables aux rochers coulent sous des pressions suffisantes.

LE SOLIDE

— Relations toujours, ajouta Lebrun. Une chose n'est pas solide en elle-même, mais par relation aux choses voisines.

— Mais, reprit le vieillard, si nous retournons à notre formule générale, nous pourrions bien dire qu'en la presse hydraulique aussi la direction, c'est-à-dire l'angle, de l'effort, change, puisque l'effort s'exerce toujours normalement à toute paroi.

— Oh! mais, dit Lebrun, normalement? Cela sera à examiner, car il n'y a point de normale à une paroi de cuivre ou de fer.

— Je l'entends bien ainsi, répondit le vieillard, et notre vis nous ramènera à cette étrange proposition qu'un effort quelconque contre une surface doit être compté normal à cette surface.

LOI

— Comment, ajoutai-je, serait-il compté autrement?

— Cela s'analyse, dit Lebrun. Mais ce qui me paraît remarquable, c'est que dans les machines que nous avons citées, comme dans les machines analogues que l'on pourrait découvrir, cette analyse est inutile. Car, posant que la machine est inerte, c'est-à-dire qu'elle ne peut rendre à un bout que le travail qu'on lui fournit à l'autre, j'aurai toujours le même rapport inverse entre l'effort exercé et le chemin parcouru. N'est-ce pas là une idée ou une loi, comme on voudra dire?

— Soit, répondit le vieillard. Mais je n'ai jamais pu me défaire de cet étrange préjugé d'après lequel une idée commune à plusieurs choses ne convient à aucune d'elles. Ces sortes d'idées ne sont, à mes yeux, que des abrégés pour la pratique et, en somme, des comptes faits. Le comment, en chaque machine, voilà ce qui m'intéresse. Toutefois, il n'y a peut-être ici d'autre différence dans les idées que l'usage qu'on en fait. Car le praticien va toujours à la formule générale, et c'est elle qu'il nomme vraie, voulant dire utile; au lieu que le théoricien, ce qui veut dire le contemplateur, pousse ses idées du côté de la chose, et par l'idée et la composition des idées, exprime la chose autant qu'il peut. Revenons donc à notre vis; et, pour mettre au jour l'effort qu'elle exerce contre le bois, je voudrais la comparer à une voiture qui monte.

LA VIS

— Oui, dis-je, et pour aider un peu l'imagination afin qu'elle ne gêne pas l'entendement, je supposerais une montagne bien conique, et une route en pente qui monterait jusqu'au sommet en tournant tout autour. N'est-ce pas là une vis?

LA PENTE

— Et, ajouta Lebrun, la voiture est comme un écrou qui grimpe le long de la vis.

— Oui, reprit le vieillard; mais après que cette imagerie a amusé un peu l'animal, il faut dérouler cette route tournante; car, il n'importe pas beaucoup qu'elle tourne ou non; nous avons à nous détacher de cette rotation sensible, et regarder à un autre genre d'angle qui nous importe surtout; et nous voilà au plan incliné. Encore faut-il considérer qu'il importe peu que ce soit la route ou la voiture qui soit poussée; car, dans notre vis, la voiture est fixe, et c'est la route qui marche. Mais ces étranges changements qui ne changent rien, n'étonneront point si l'on garde en l'esprit l'idée correcte du mouvement comme relation.

LA ROUTE

— A condition, ajouta Lebrun, que la voiture, ainsi soulevée par la route soit assujettie à ne se mouvoir que verticalement.

— Et voilà, dis-je, le coin, qui est une vis élémentaire.

— Trop vite, interrompit le vieillard. Le coin déplace verticalement la voiture par un mouvement horizontal de la route. Dans la vis, concevez que la route inclinée vient buter contre la voiture fixe, et s'abaisse verticalement à mesure qu'on la pousse horizontalement. Le mouvement a tourné d'un angle droit, par l'intermédiaire d'un plan incliné et d'appuis inflexibles. Regardez, c'est bien ainsi. Le tournevis s'efforce latéralement, et la vis s'enfonce en profondeur.

— Bon, dit Lebrun, pour le changement de direction; mais le rapport de l'effort exercé sur l'outil et de l'effort transmis finalement contre le bois?

LA VOITURE

— Il faut, dit le vieillard, revenir à la voiture et au plan incliné, et faire varier l'inclinaison, où se trouve tout le secret de la machine.

— Si le plan est vertical, interrompit Lebrun, j'ai à hisser la voiture comme le seau d'un puits; chemin plus court, effort plus grand.

— Si, dis-je à mon tour, le plan est horizontal, je n'ai plus rien à soulever; je n'ai à vaincre que la route. Chemin parcouru infini, effort nul.

— Entre deux, dit le vieillard, se trouve l'effet utile de notre machine. Mais laissons les formules à tout résoudre. Je pousse contre le plan incliné cette voiture d'enfant. Que se passe-t-il?

— Des choses effrayantes, interrompit Lebrun; la roue s'use, des blocs sont broyés, un sillon est creusé dans la surface. Le paysage est changé pour les fourmis. La voiture butte, écrase, s'élève et tombe. Suite de catastrophes.

LE PLAN

— Très bien, reprit le vieillard; mais je tends obliquement mon plan parfait, parfaitement uni et parfaitement dur. Je pousse, supposons-le, horizontalement; ma voiture butte là comme sur un mur. Mais verticalement, elle peut se mouvoir. Si le plan avait des marches, je devrais soulever, puis pousser, puis encore soulever. Mais mon plan n'a point de marches. Cela fait un étrange obstacle. Je pousse, et il élève la charge. Que se passe-t-il au contact?

— Il faut voir, dis-je ce que c'est qu'un plan, et ce que peut un plan. Car, vous disiez qu'il fait obstacle au mouvement horizontal; mais cela n'a point de sens; et dans le fait, cela n'est pas.

— J'ai passé beaucoup de temps, dit le vieillard, à découvrir des vérités déjà trouvées; mais je suis bien loin encore d'avoir refait tous les faux raisonnements des inventeurs. On cherche l'entendement, et voilà l'entendement. A le trouver on le perd.

LA NORMALE

Mais nous sommes maintenant à l'idée juste, c'est qu'un plan n'est obstacle que contre ce qui butte directement contre lui. Ainsi mon effort horizontal doit être décomposé en deux; l'un qui butte contre le plan et qui est fort petit pour un plan peu incliné, et l'autre qui, étant parallèle au plan, n'est en aucune façon gêné par lui. Voilà en quel sens je me heurte au plan incliné, en quel sens non.

— Et c'est par là, dis-je, que Descartes, en un théorème célèbre, a expliqué la réflexion d'une bille lancée contre un plan et par lui renvoyée. Mais cette partie de votre travail n'est pas ce qui nous intéresse ici; c'est la partie restante, celle qui transporte la voiture parallèlement au plan incliné.

— On recommence, dit Lebrun. On distingue dans ce transport, deux transports; l'un qui est horizontal et qui ne sert pas directement, si nous supposons que la fin est de gagner en hauteur; l'autre est vertical, et relativement d'autant plus petit que le plan est plus incliné, j'entends plus rapproché de l'horizontale. Nous avons fait peu de chemin sur notre route vraie, et beaucoup sur la route inutile; mais en revanche notre effort est, à l'effort de hisser directement, selon l'inverse proportion, c'est-à-dire relativement d'autant plus petit que la pente est moins forte. C'est ainsi que la route tournante de la vis a fait beaucoup de chemin en glissant obliquement contre le bois; la pointe en a fait beaucoup moins, mais en exerçant alors un bien plus puissant effort que celui que vous employez à faire tourner la vis.

EFFORTS

— Il y aurait encore à dire, reprit le vieillard; mais

nous sommes sur le bon chemin; et il nous suffit d'avoir rencontré encore ici nos idées géométriques, et d'avoir observé comment nous les substituons aux choses, ce qui est remplacer les qualités occultes, ou inhérentes, par des formes, c'est-à-dire des longueurs et des angles.

— Le coin dit Lebrun, mettrait ces choses en meilleure lumière. Je pousse le coin sous ce meuble.

LE COIN

Posant seulement que les solides conservent leur forme, je remarque que le coin ne peut s'avancer horizontalement que si le meuble, buté horizontalement, s'élève d'une hauteur qui, dans le coin utile, est une petite fraction du déplacement total; et ainsi nous appliquons notre formule. Le coin ne fournissant aucun travail, notre travail de soulever se trouve seulement transformé. Et, faisant en poussant six centimètres, pour soulever le meuble de un, nous exerçons en revanche, le long de ces six centimètres une pression six fois moins forte. Je néglige le frottement.

— Que l'on pourrait, interrompis-je, mesurer en comparant l'effort calculé à l'effort réel; et, du reste, ce frottement importe, car la pesanteur, qui ne cesse jamais d'agir, chasserait notre coin. Mais quoi de la poulie? Le mouvement en est plus aérien, sans l'embarras de ces frottements. En aucun cas, il me semble, notre effort n'est plus clairement multiplié. Mais qu'est-ce que la poulie?

LA POULIE

— C'est, répondit le vieillard, un levier continu, appuyé en son milieu, comme est une balance; seulement à la balance se joint le miracle de la roue, qui substitue aussitôt un fléau à un autre, et nous permet d'élever sans fin l'un des plateaux en abaissant toujours l'autre.

— Faut-il dire miracle? interrompit Lebrun. Ce mot sonne mal à l'entendement. Il n'y a point de miracle si je dispose en étoile des fléaux de balance tous égaux, et très proches les uns des autres. Et le frottement est accessoire, d'autant que l'effort applique le câble.

— Et, reprit le vieillard, j'aperçois quelque chose qui importe aussi pour la roue, c'est que le câble travaille sur le grand bras d'un levier, au lieu que l'axe ou moyeu frotte contre un petit; et l'on peut en outre polir cette surface et la graisser.

LEVIERS

— Les choses, dis-je, étant ainsi représentées, quoi de plus clair que le moufle? Le poids à soulever est suspendu au milieu d'un levier continu; et les deux extrémités du levier ne portent évidemment chacune que la moitié du poids. On comprend aussi que si l'on tire sur un des câbles supportants, on fait un chemin double de celui que fait le poids, ce qui nous ramène à nos formules; mais on peut se passer encore ici des formules; tout va par leviers combinés.

— Tout va, reprit le vieillard, comme dans les engrenages sur roues inégales; et le passage se fait aisément si l'on remplace la poulie par une roue dentée et deux crémaillères.

— Le cric, dit Lebrun. Mais d'où cette nécessité, qui nous apparaît en ces machines simples?

INERTIE

Je répondis : — Cela revient comme un refrain en toutes nos analyses. On y suppose toujours que le solide est inerte, c'est-à-dire qu'aucun genre de travail ne se fait dans son intérieur.

L'EXTÉRIEUR

— Inertie, dit le vieillard, ce n'est pas peu. J'ai souvent soupçonné que cette grande idée est suffisante pour exprimer cette existence sans égards qui nous tient si serrés. Et toutes les erreurs, si naturelles, que nous rencontrons dans l'analyse de la nature, viennent des volontés, ou disons travaux intérieurs, que nous supposons d'abord dans les choses heurtantes et heurtées. Par l'inertie, remarquez-le, nous effaçons dans les choses l'image de l'homme. Nous voulons penser que le destin d'une chose matérielle dépend seulement des mouvements et pressions qu'elle reçoit d'autres choses qui n'ont point non plus de nature intérieure et occulte. Et c'est par là que l'entendement a prise, retrouvant toujours le même travail. Mais cette idée veut encore quelque méditation. Nous avons passé une sorte de désert, en ce cabinet trop fermé aux choses; mais il le fallait. Voici que le ciel s'éclaire. Ma foi, je boucle ma courroie, ce moufle. Voyez comme j'imagine aisément un pouvoir de serrer, inhérent à cette sorte de nœud coulant! J'admire cette puissance accrue; mais qui donc remarque que la boucle fait moitié moins de chemin que la main qui tire sur la courroie? Toujours, en toutes choses, nous croyons sentir nos élans et nos colères. Le poids est, me semble-t-il, dans mon paquet; mais ce n'est que mon bras que j'y sens. Une heure de peinture va me laver de tous ces discours.

CINQUIÈME ENTRETIEN

REFLETS

Un chaos de roches pointues, une mer rompue et déchirée; mille reflets; tourbillons, cercles d'écume; des nuages dorés qui semblent éternels, et qui sont autres l'instant d'après. Rien n'est ici par soi. Il n'y a pas une dentelure de roche qui ne dise l'action extérieure. Ce rivage n'a point sa forme a lui; sa forme est de l'eau; la mer est suspendue à la lune voyageuse. Déjà un nouveau mois s'avance; le croissant a grandi derrière les nuages des jours passés; de nouveau la lune pâle en demi-cercle suit le soleil à un quart de ciel. Le peintre fixait les cercles d'eau.

— Les hommes, dit Lebrun, n'ont cessé de gagner contre mort et naissance. Ce n'est pas peu, de penser toujours la même lune, et ses phases par le mouvement.

LUNE MALADE

Les anciens peuples gémissaient de la lune malade et se réjouissaient d'une autre lune qui grandissait. On ne peut pas dire ici que le mécanisme n'est pas le vrai.

— Je ne sais, lui répondis-je. Et c'est peut-être parce qu'on le juge trop aisément vrai dans les cas les plus favorables, qu'on veut le dire faux lorsque les apparences s'y accordent plus difficilement. Pour moi, je veux me répéter à moi-même que la lune ne se meut point, qu'elle ne le peut; que c'est notre esprit seulement qui pense toutes ces lunes ensemble sur une trajectoire; enfin que le rapport d'une position à la voisine ne peut être un fait de la lune, puisque lorsqu'elle est ici elle n'est plus là.

ORBITE

J'aime mieux penser quelque tourbillon frottant contre le nôtre, et dont la lune est le centre; et encore tourbillon, c'est pensée. Il n'y a pas plus d'orbite lunaire qu'il n'y a de cercles dans cette eau. Les cercles sont une manière de lire le changement, comme l'orbite est une manière de lire le changement.

Le peintre leva les yeux sur nous. — On pensait

autrefois, dit-il, que le jour commence et finit, que la nuit commence et finit. Nous savons que le jour et la nuit ne cessent point, et que la terre glisse sans cesse de l'un à l'autre.

— Toujours, dit Lebrun, le changement pensé par un mouvement. Mais, que la terre tourne, cela suppose un choix de points fixes, et le mouvement n'est qu'un rapport, que la terre seule ne peut porter.

DOUTER

— Le soleil, dit le peintre, se joue de moi. L'art de peindre est de peindre peu chaque jour; et l'emportement y est tout à fait contraire. Voyez, cette touche n'est pas de ce moment. Pendant qu'il grattait sa palette, il reprit : — C'est une erreur bien naturelle que de supposer que le mouvement est dans les choses; mais c'est une erreur de grande conséquence. Car, nous pensons alors que l'ordre, la cause, la loi, sont aussi dans les choses. Une autre âme ainsi s'incorpore, et un Dieu qui a visage d'entendement. Nous voici au point difficile; car, il faut penser que la cause et la loi sont aussi de forme, enfin que ce sont des nécessités d'entendement auxquelles la nature n'est nullement soumise.

— Ce que vous dites là, répondit Lebrun, je ne puis le comprendre. Du moins, je l'ai toujours senti. La doctrine de l'induction m'a paru toujours bassement scolaire, et simple mensonge d'académie. Rien ne recommence de même, et les lois sont des à peu près. D'où l'on est amené à douter de tout; mais ce chemin non plus n'est pas bon; je commence à m'en apercevoir.

LÉGISLATEURS

— Il est académique, dis-je, de prêcher pour les autres, et de douter pour soi. Cet homme d'académie qui annonçait que l'éruption de la Martinique arrivait à sa fin, pouvait-il se croire lui-même?

— Les hommes, dit le vieillard, sont si fortement persuadés que les lois politiques sont comme on les veut, qu'ils pensent encore gouverner l'eau et le feu d'après les précédents. Il y eut, n'en doutez pas, des prophètes qui marquèrent des limites à la Tamise, en ces fameuses marées d'équinoxe qui troublèrent tant de coutumes. Et pourtant, c'est par la loi même des marées et des vents que l'on comprend que ce grand désordre était selon l'ordre. Il faut surmonter cette contradiction.

— Par cette vue, demanda Lebrun, que nos lois ne sont qu'approchées ? Mais est-ce bien cela ? Je parle, et je ne saisis rien.

— Il nous manque le courage, répondit le vieillard.

INDUCTION

Ce n'est pas par les accidents, disons par accident, que l'induction est fausse; jugeons-la d'après l'essence, et disons hardiment qu'elle est fausse la première fois.

— Oui, dis-je; ce qui est faux, c'est cette forme de loi, par mouvements, forces, solides résistants, qui est fausse si on l'applique, et quelle que soit la matière. Et cette occasion de redire que le cordeau n'est pas plus une droite que la bordure du champ n'est une droite.

— Ou plutôt, reprit le vieillard, ce qui est faux, c'est prendre la forme pour la matière et, de ce que nos mouvements ont nécessairement une loi, conclure que cette loi est la loi des choses.

— Ne peut-on, demanda Lebrun, concevoir un mouvement sans lois ?

EXISTENCE

Le vieillard répondit : — Vous posez cette question, et déjà la réponse s'offre à vous, d'après ce que nous avons assez expliqué. Car la droite n'est qu'une loi maintenue, on peut dire contre vents et marées; et les parallèles aussi ne sont rien qu'une loi, un recommencement juré, une identité qui brave la distance et le temps. Et, pareillement le mouvement est une loi tendue et tracée, et véritablement une référence pour juger du changement. N'avons-nous pas compris que chaque partie du mouvement est partie par le tout, chaque point de la ligne est point par la ligne ? Et voilà l'induction en son audace; tout le trajet d'un mouvement n'est qu'un recommencement, ou pour mieux dire, une suite absolument déterminée par ce qui a précédé. Mais aussi ce mouvement n'est point chose; il n'existe point. L'existence est ce qui refuse d'être un mouvement, ou deux ou trois mouvements composés, enfin une composition sans dehors, sans accident, autant dire sans corps.

RAPPORT

— L'existence, dis-je, serait donc l'autre terme, l'antagoniste, celui qui refuse l'idée ?

— Qui la refuse, répliqua le vieillard, mais plutôt qui l'achève. Ah ! mes amis, cette mer ne nous a pas encore instruits, nous sommes fils de la terre et marins par aventure.

Et comme nous interrogions du visage et du geste, il continua :

— Vous ne pensez pas que notre mécanisme, pas plus que notre géométrie, soit jamais suffisant. Mais il faudrait en juger par l'essence. Que la suite des nombres soit illimitée, ce n'est pas là une condition de fait; avant que l'on pensât aux étoiles à dénombrer, il était clair qu'un nombre appelle le suivant, le nombre deux aussi bien; tel est l'extérieur en son essence. Le changement, par l'opération propre à l'entendement, est exclu du nombre lui-même et transporté dans les relations; le changement qui convient au nombre, c'est le rapport à son suivant, à son double, à son triple, à ses puissances, c'est cette nécessité de concevoir d'autres nombres à côté. De même entre les nombres, il faut d'autres nombres; et cette fécondité est admirable. La nature, comme on dit, ne se lasse point d'offrir des différences mais l'entendement non plus ne se lasse point de penser. J'ai considéré d'abord l'exemple des nombres, qui est le plus abstrait de tous, parce qu'il nous offre l'idée nue de l'extérieur. Mais cette série des nombres est insuffisante non pas seulement par le bout? On ne sauterait pas d'un nombre à l'autre si l'on ne tendait comme un rapport immédiat de l'un à l'autre. Le nombre exige la droite; et la droite, à son tour, veut d'autres points, d'autres droites; elle cherche corps; et elle le trouvera ample, présent, pressant : ce monde.

INSUFFISANCE

— Le monde, dis-je, étranger aux productions de l'entendement.

— Mais, ajouta le vieillard, étranger selon l'idée même de l'extérieur; et je ne vois que Descartes qui ait aperçu cela. J'applique la règle, dit-il en souriant et après un court silence; je commence par finir. Qui comprendra cette loi de l'extérieur absolu, qui rompt toute loi, si ce n'est le géomètre, par cette énergique purification qui vient de nier d'abord et ensuite toute détermination interne? Ici est l'ascétisme premier; ici le jeune pythagorique. Maigre est cette droite, qui s'allonge hors d'elle-même. Maigre cette force qui ne peut rien, quoique l'imagination veuille y mêler encore le muscle, et ainsi une sorte d'espérance. C'est qu'il m'est interdit de lui donner un corps. Aussi

ASCÉTISME

plus d'un homme depuis Pythagore, développant cette richesse qui attend toujours, et qui promet hors d'elle-même, s'est dit en cette solitude : maigre entendement, que me veux-tu ? L'entendement ne répond jamais, il montre l'univers, et c'est l'univers qui répond.

RAISON D'ÊTRE

Il se taisait, mais moi qui voguais à pleines voiles, sans savoir où j'allais, je demandai : — Que répond l'univers ?

— Faisons donc, répondit le vieillard, une sorte d'énigme. Je suis, dit l'univers, un tout dont la loi est d'être partie. Chacune de mes parties n'est que soi ; mais chacune aussi n'est que les autres. Ce qui est, ce qui arrive, ce qui naît, ce qui meurt, tout dépend d'autre chose ; et cette raison d'être, qui est de l'autre, n'est pas une raison, car l'autre dépend encore de l'autre ; et il n'y a jamais d'autre raison pour qu'une chose soit telle qu'elle est, que ceci, qu'une autre chose est telle, ou fut telle. Et sachez que si jamais quelque raison suffisante se montrait quelque part, quelque raison dans la chose même, enfin une sorte de dieu pensant dans la chose, l'existence périrait, aussitôt, dans l'essence. Ainsi, comme l'a dit un de nos sages, nous vivons, nous autres poissons, oiseaux, vagues, rochers, algues, nous vivons la mort des dieux. C'est à peu près ainsi que l'univers m'a appris l'art de peindre la Vénus marine ; car elle est toute en ces cercles d'eau, en ces sillages qui ne sont que sillages, en ces reflets empruntés qui ne sont qu'empruntés ; elle n'est rien d'autre, et elle est toute belle. Ainsi le maigre entendement n'a pas fini de nous étonner, comme ces plages et ces caps, qui se suivent, se font et se défont. Mes amis, il n'y a point de raison.

— Point de raison, dis-je, point de raison peut-être que la raison d'État. Mais vous nous ferez brûler vifs.

— C'est la loi de l'entendement, reprit le vieillard, que l'entendement périsse par des causes étrangères. Pyrrhus est mort, à ce qu'on dit, d'un pot de chambre sur la tête ; cela est sans rapport concevable avec l'art stratégique ; mais cela même éclaire l'art stratégique.

PYRRHUS

— Comme la mort d'Archimède, dit Lebrun, éclaire la géométrie et la mécanique.

— Et de toute façon, ajoutai-je, il faudra toujours

dire à cet homme d'entendement : c'est toi qui l'as voulu.

LA PUCE DE MER

Les puces de mer faisaient leurs sauts tournants. L'une d'elles s'était posée sur la toile encore fraîche et emporta sur sa tête un petit morceau du ciel. Que faisait là cette huile et cette pâte colorée ? Quelles suites étranges ! Le lin fleurissant, la graine broyée, le moulin à broyer; le chimiste et ses oxydes; la boîte, les pinceaux, le menuisier, l'arbre; le peintre, le projet, le chemin de fer; la maison et le maçon; il ne fallait qu'une différence en ces travaux innombrables, sans compter les voyages aventureux des puces de mer, la marée et le reste, pour que ce petit crustacé n'eût point sur la tête cet étrange chapeau bleu. L'un de nous avait montré du doigt la petite bête; les autres la suivaient des yeux, et suivaient en même temps de joyeuses pensées. Car le pur désordre, à qui sait le voir, fait naître une autre espérance; et, par revanche, le pur extérieur est ce qui fortifie le pur intérieur. Mais ces pensées n'étaient pas encores mûres. Il fallait revenir aux chemins d'entendement. Il faut toujours revenir. Après un assez long silence, ce fut le polytechnicien qui nous ramena.

LE TEMPS

— Je comprends, reprit-il, la cause et l'effet; je ne les sépare point du mécanisme, et, pour dire simplement, l'instant suivant d'un mouvement défini dépend de l'instant immédiatement précédent. Mais cette cause sans corps, pure relation, est-elle une cause ? Et cette succession dans l'idée est-elle le temps ?

— Oui, ajoutai-je, le temps, qui est de l'univers; le temps, qui nous tient si bien. Ce moment-ci est unique et ne reviendra jamais; déjà il n'est plus. Et que pouvons-nous, en arrêtant nos pensées, sinon rendre plus sensible ce passage à l'instant suivant de toutes choses ensemble, et ce mouvement qui n'est point mouvement ?

— Le temps, dit le vieillard, est le récif et le naufrage pour la raison. Appelons de nouveau l'entendement au secours.

VITESSE

— Appelons-le, dis-je à mon tour. Que le temps n'ait point de vitesse et que le temps ne soit nullement une dimension, c'est ce qui est apparu à tous les esprits attentifs, par l'arrogance des nouveaux physiciens. Car, comme ils disaient que leurs étranges propositions étaient désormais incontestables, ce fut une occasion d'examiner, et de trouver qu'elles n'avaient point de sens.

— Le temps, dit Lebrun, n'a point de vitesse. Deux temps ne pourraient être l'un plus vite et l'autre plus lent, que par le double rapport à l'espace et au temps, que suppose la vitesse ; il y aurait donc un temps commun à ces deux temps ; et ce temps commun eſt le temps ; les autres sont des mouvements.

DIMENSION

— Le temps, repris-je, n'eſt nullement une dimension ; il ne suppose point un rapport de lieu ni un changement de lieu, ni une diſtance. Une chose, sans changer de lieu, passe nécessairement à l'inſtant suivant et encore au suivant, du même pas que toutes les autres choses ; et ces pas dans le temps ne sont que des métaphores ; le temps n'eſt ni loin ni près ; le temps de la nébuleuse d'Orion eſt ce même temps où nous voyageons nous-mêmes sans changer de place. Dire qu'un temps eſt éloigné, c'eſt une trompeuse métaphore ; car c'eſt le lieu qui eſt éloigné ; mais le temps où nous atteindrons ce lieu viendra que nous le voulions ou non, que nous allions ou non à ce lieu ; on ne peut le hâter, ni le retarder, ni par conséquent le parcourir.

FORMES

— Voilà, dit le vieillard, en peu de mots un grand nettoyage. On peut tout dire sur le temps séparé et sans contenu, comme on peut tout dire sur l'espace séparé et sans contenu, car les mots permettent tout ; mais lorsque l'entendement eſt à son œuvre, et saisit l'expérience, le temps eſt une forme que l'on retrouve, qu'on ne peut penser autre ; et cela suffit.

— Cela suffit, dis-je, pour qu'on sache que le temps n'eſt pas des choses, pas plus que l'espace, mais que les choses quelles qu'elles soient ne peuvent être contenues que par l'espace et le temps.

— Eh oui, reprit le vieillard. Découvrir ensemble l'esprit et le monde, et chacun par l'autre, cela comble l'homme ; il n'en demande pas plus ; il n'en cherche pas plus. Mais faute de rencontrer cette double résiſtance, qui l'assure de sa place, et même de tous ses devoirs, il part, tantôt à la conquête du monde par la raison, ce qui ne donne que raison sur raison, tantôt à la conquête de la raison par le monde, ce qui ne donne que mondes sur mondes, et une sorte de matière raisonnable. Et c'est toujours confondre forme et matière, ou bien, après les avoir séparées, ne pas comprendre qu'on ne peut les séparer. Connaître le monde par les idées, voilà l'entendement.

UNIVERSEL

— Négligerons-nous, dis-je, ceux qui prennent le temps comme un ordre propre à chaque être qui a conscience de soi, ordre de ses pensées et de ses sentiments, qu'il transporte au monde, et dont il habille le monde comme d'un vêtement étranger ?

— Cela, répondit le vieillard, est hors de notre recherche présente. Mais il n'est pas difficile d'apercevoir que nous n'avons de souvenirs en ordre que par le temps commun. L'avant et l'après sont des vérités universelles, aussi par le poète qui se souvient.

— Voilà donc, conclus-je, le temps rétabli comme universel; et admirez ce beau mot, si peu compris; universel ce qui est nécessaire, et donc de l'univers, de quelque façon que je pense à l'univers.

— Trouver l'universel, ajouta le vieillard, ne pouvoir le plier à soi, s'y ranger, s'y reconnaître, c'est se connaître esprit. Aller au-delà, c'est vouloir, comme dit l'autre, sauter par-dessus son ombre, car, en toute preuve, l'universel est présupposé.

DÉDUCTION

— Permettez-moi, dis-je, une remarque d'écolier. De ce que l'on ne peut rompre le temps, faut-il conclure que l'univers se pliera au temps, que l'instant suivant dépendra du précédent par la seule raison que tout temps suppose un temps qui ait précédé ? Faut-il conclure que quelque chose demeure le même en tout changement, par la seule raison que le même temps nous porte d'un état à l'autre ? Faut-il conclure que quelque chose d'autre doit toujours arriver, par la seule raison qu'un temps suit toujours un temps ? Et enfin que ce qui est après ne peut être avant, par la seule raison qu'on ne peut renverser l'ordre du temps ? Cela me paraît creux. C'est une preuve moins forte que le fait qu'elle veut porter.

VASE CLOS

— Déduction, répondit le vieillard, mal juridique. De

ce que les citoyens doivent obéissance, on voudrait que les choses doivent obéissance. Mais si nous menons à bien ces entretiens, il apparaîtra peut-être que les choses n'obéissent à rien, et que l'espace, le temps et le mouvement sont des instruments qui nous permettront de saisir cela même.

— Il y a des cas, remarqua Lebrun, où la nature répond trop bien. Tout le monde connaît le second principe de la thermo-dynamique; on nous en a rebattu les oreilles, et personne n'a su dire si c'était seulement un fait de l'expérience que, dans un système fermé, jamais l'énergie ne s'élève et ne devient d'elle-même plus efficace, mais qu'au contraire elle descend toujours au plus bas niveau, tous les travaux se faisant, comme on dit, et la transformation de mouvement en chaleur n'étant pas réversible pleinement. Et sans doute nul n'aurait vu en cette condition autre chose qu'une difficulté de plus dans le maniement du monde, si le seigneur Temps n'avait en quelque sorte attendu ce changement irréversible, qui seul lui donne un objet. Le temps ne peut revenir; voilà que le devenir naturel ne peut pas non plus revenir? Cela n'est-il pas providentiel?

— Le monde est raison, reprit le vieillard. Ainsi parlèrent les stoïciens; et cela est la source de toute résignation, c'est-à-dire, à ce que je finis par croire, de tout le mal possible, ou presque. Car, pour un pieux sage qui s'abstient de tuer, combien tuent, en ordre ou non, parce qu'ils se disent qu'après tout c'est l'ordre du divin monde, et son invincible volonté, qui a décrété cela, et qu'enfin tout est bien, tout est juste, tout est raisonnable en ce que nous faisons par force!

LE FOU

Et, selon mon opinion, cette pensée poussée à bout est l'âme du fou. Sage entendement, entendement borné, conseille-nous le courage, d'après le spectacle de cette mer qui ne veut rien, où il est clair que la même vague qui nous noierait, et par le principe d'Archimède, nous portera aussi bien. Mais nous sommes ici au point où l'homme tourne les talons; manière immémoriale et sûre de regarder les dieux.

MIRACLE

— Méfions-nous, dis-je, du miracle; c'est la chose du monde la plus commune.

— Je pense donc selon l'ordre, reprit le vieillard;

c'est le rôle de l'Ancien. Platon a voulu nous instruire, lorsqu'il nous montre le plus ancien pensant par ordre, et le plus jeune répondant seulement : — Oui, c'est cela même, comment autrement? Comme nous mettons des points et des virgules. Et, comme il me

MÉCANISME

semble que, par notre prudence de géomètres, tout est passablement en place, je puis me permettre d'abord une sorte de résumé. Premièrement, il est vrai que la cause, telle que nous l'appliquons à l'expérience, s'accorde au temps; mais non point sans des notions intermédiaires, qui sont droite et angle, mécanisme, composition des mouvements et des forces, atomisme formel, et enfin négation de tout ce qui est interne. Car le mécanisme définit la substance que j'appellerai formelle, c'est-à-dire la chose invariable qui se meut, aussi bien que le travail invariable qui se transforme, ainsi que nous avons compris par le clou, la vis et la poulie. Et ceux, qui voudraient dire que le temps est antérieur selon l'ordre à nos constructions mécaniques et même géométriques, vont certainement trop vite. De même que le mouvement n'est pas encore réel, et qu'il ne le sera qu'appliqué au changement, de même le temps de la mécanique n'est pas encore le temps; c'est plutôt une exigence du temps, ou appel au temps, une place vide, quoique formellement dessinée; et le temps, comme le mouvement, n'est pleinement ce qu'il est que lorsqu'il saisit la chose perçue dans l'expérience. Il y a donc un chemin vers le temps par nos pensées, quoique ensuite nous prononcions, par retour, que nos pensées sont elles-mêmes dans le temps; et cette réflexion est plus ou moins propre à nous faire saisir l'ordre de nos pensées, selon que notre idée du temps est plus près de se poser en quelque sorte sur l'univers donné. Mais il ne faut point se hâter de se soumettre au temps. Et, si nous avions bien compris que rien n'arrive que par l'extérieur, les deux propriétés de la cause n'enfermeront plus guère de mystère. En somme il ne s'agit

CAUSES OCCULTES

encore ici que d'éliminer les causes occultes, ou, si vous voulez, d'exposer le mécanisme en toute rigueur. Mais maintenant il vaut mieux interroger, afin que nos ponctuations ou respirations soient mieux marquées. Et que le plus jeune réponde.

— J'ai, dit Lebrun, une provision de réponses. Le oui est un plaisir rare.

LE VIEILLARD

— Ne dit-on pas que le nuage est cause de

PLUIE la pluie ?

LE PLUS JEUNE

On le dit.

LE VIEILLARD

Mais est-ce bien dit ?

LE PLUS JEUNE

Je ne sais que répondre. Car je sais que le nuage n'est en lui-même qu'une pluie. Les gouttes d'eau ne peuvent cesser de tomber. Regardez, voici là-haut une pluie aérienne, et qui n'arrive point jusqu'à ce sable. Et si j'entends pluie comme ce qui mouille la terre, nuage n'est point cause de pluie.

LE VIEILLARD

Bon. Mais si le nuage, par la grosseur des gouttes, par un vent froid, et enfin par toutes les circonstances, vient à toucher le sol, dirons-nous que le nuage est cause de la pluie ?

LE PLUS JEUNE

Il est pluie alors, il n'est plus nuage.

LE VIEILLARD

Jeunesse trop savante !

LE PLUS JEUNE

Hélas ! déjà mûre.

LE VIEILLARD

Il faut prendre son parti de l'âge. Mais, dites-moi, le nuage n'est-il point dit cause ?

LE PLUS JEUNE

Oui.

LE VIEILLARD

EFFET Et la pluie effet ?

LE PLUS JEUNE

Oui.

LE VIEILLARD

Tant que la cause eſt et que l'effet n'eſt point, peut-on dire que la cause eſt cause ?

LE PLUS JEUNE

Non.

LE VIEILLARD

Et quand l'effet eſt, peut-on encore séparer la cause de l'effet ?

LE PLUS JEUNE

On ne le peut point.

LE VIEILLARD

CHANGEMENT Dirons-nous que la cause passe dans l'effet ?

LE PLUS JEUNE

Nous le dirons.

LE VIEILLARD

Aussitôt dans l'effet ?

LE PLUS JEUNE

Nous le dirons ; aussitôt que la cause eſt cause, la cause n'eſt autre que l'effet.

LE VIEILLARD

Nous ne pouvons donc garder ces deux termes séparés, pas plus que nous ne pouvions séparer un point et un autre, deux points et droite, droite et angle, position et mouvement ?

LE PLUS JEUNE

Non, pas plus.

LE VIEILLARD

GOUTTES Une goutte d'eau eſt d'abord très petite.

LE PLUS JEUNE

Oui.

LE VIEILLARD

Et cette petitesse est cause que la goutte d'eau tombe très lentement.

LE PLUS JEUNE

Oui.

LE VIEILLARD

Mais cela ne veut point dire qu'elle est d'abord très petite, et qu'ensuite elle tombe lentement ?

LE PLUS JEUNE

Non. De cela même qu'elle est très petite, elle tombe très lentement.

LE VIEILLARD

CHUTE

Mais si l'air se trouve refroidi, la goutte grossit ?

LE PLUS JEUNE

Oui.

LE VIEILLARD

Par cela même ?

LE PLUS JEUNE

Par cela même.

LE VIEILLARD

Et, autant qu'elle est plus grosse, elle tombe plus vite ?

LE PLUS JEUNE

CAUSE

Par cela même. La cause passe dans l'effet.

LE VIEILLARD

Il ne peut donc y avoir le moindre retard, ni le moindre écart de temps, entre le moment où la cause existe et le moment où l'effet commence d'exister ?

LE PLUS JEUNE

Cela ne se peut point.

LE VIEILLARD

Ainsi la cause ne peut nullement attendre, ni rester suspendue, comme grosse de possibles qui ne sont point ?

LE PLUS JEUNE

Elle ne le peut, si du moins elle eſt cause.

— Laissez-moi, dis-je, troubler le jeu. Cette cause qui figure en nos raisonnements scolaſtiques, cette cause qui attend, cette cause qui pourrait et ne fait point, c'eſt l'homme juridique. Cette erreur-là aussi vient de politique.

— Et, au rebours, répliqua le vieillard, on verrait une politique nouvelle, si l'entendement s'en mêlait. Mais il doit se fortifier d'abord à des études plus faciles, et même, selon mon opinion, gagner ses lettres de noblesse ? Toute la résiſtance politique fut toujours contre l'intelligence; et j'eſtime que l'intelligence n'a pas encore combattu avec toutes ses armes. Veut-on que les théologiens, qui sont au vrai les politiques, la placent à son rang, quand elle se méprise elle-même ?

THÉOLOGIENS

— Au jeu, maintenant, répondis-je.

LE VIEILLARD

Ainsi, dans la chaîne sans fin des causes et des effets, bien vainement nous voudrions conserver des causes qui ne font rien et des effets qui ne sont point causes ?

LE PLUS JEUNE

Bien vainement.

LE VIEILLARD

Mais sans arrêt la cause passe dans l'effet ?

LE PLUS JEUNE

Sans arrêt.

LE VIEILLARD

Ce nuage se grossit sans cesse en sa partie froide, par condensation ?

CONDENSATION

LE PLUS JEUNE

Oui.

LE VIEILLARD

Disons mieux; la partie froide passe sans cesse du chaud au froid.

LE PLUS JEUNE

Disons-le.

LE VIEILLARD

Cette pluie ne cesse de tomber.

LE PLUS JEUNE

Elle ne cesse.

LE VIEILLARD

Mais dans la partie chaude, ou, pour mieux dire réchauffée, la pluie ne cesse de se sécher dans l'air.

LE PLUS JEUNE

Elle ne cesse.

LE VIEILLARD

Et c'est en ce sens que le nuage est limité par le dessous ?

LE PLUS JEUNE

En ce sens, oui.

LE VIEILLARD

Ainsi ce nuage ne cesse de couler, même quand il demeure ?

LE PLUS JEUNE

Il ne cesse.

LE VIEILLARD

HÉRACLITE

Certes, celui qui a dit il y a quelques siècles que tout s'écoule n'a pas dit une petite chose. Et le soleil d'Héraclite était passé en proverbe au temps de Platon; preuve que l'Ionien n'avait pas considéré seulement la fuite des choses qui fuient, chose facile, mais qu'il avait pénétré par la pensée au cœur même des rochers, et jusqu'à ce soleil aux fidèles retours. Je dis bien par la pensée; car nous ne pouvons d'aucune manière penser le repos que par le changement, et le rapport de cause à effet ne vit que d'un continuel passage.

LE PLUS JEUNE

Il est vrai.

LE VIEILLARD

PENSÉES

C'est ainsi que le temps se dessine dans nos pensées abstraites aussi, nous conduisant toujours à l'instant suivant ?

LE PLUS JEUNE

Oui.

LE VIEILLARD

Mais le mouvement traduit-il autre chose que cette exigence de notre esprit ?

LE PLUS JEUNE

Il me semble que non.

LE VIEILLARD

Et la ligne droite elle-même, est-elle pensée autrement que par une sorte de course de ce qu'elle est à ce qui lui manque ?

LE PLUS JEUNE

Elle n'est pas pensée autrement.

LE VIEILLARD

Le petit n'exige-t-il pas le grand, et le grand le petit ?

LE PLUS JEUNE

Il l'exige.

LE VIEILLARD

LE TISSERAND

Ainsi ne sommes-nous pas semblables au tisserand qui essaie sa navette avant de tisser ?

LE PLUS JEUNE

Nous le sommes.

LE VIEILLARD

Et toutes nos idées d'objet ne sont-elles pas tissées de fils entre-croisés, comme sont les vêtements ?

LE PLUS JEUNE

Elles le sont.

LE VIEILLARD

PASSAGE En voilà assez pour que nous puissions dire que la forme du mécanisme nous prépare mieux à saisir le changement que le repos.

LE PLUS JEUNE

Nous pouvons le dire.

LE VIEILLARD

Sans que nous ayons à faire appel à la seule nécessité du temps ?

LE PLUS JEUNE

Je ne sais.

LE VIEILLARD

ATTENTE Il me semble que le propre de l'entendement eſt de s'en tenir à la nécessité d'une idée et puis d'une autre ; et qu'enfin la droite trace bien le temps, en un sens, et que le mouvement le trace encore mieux, sans qu'on puisse dire toutefois que ces tracés représentent le temps ; mais plutôt ils le préparent ; car il faut que le temps soit nié comme dimension, mais d'abord pensé comme dimension.

LE PLUS JEUNE

Cela me semble à moi aussi.

LE VIEILLARD

Ainsi tout mécanisme nous dispose selon l'attente, l'attente de quelque chose qui va arriver, qui ne cesse d'arriver ?

LE PLUS JEUNE

C'eſt ainsi.

CONTINUITÉ J'interrompis encore une fois. — L'idée, à ce que je crois, dis-je, s'amincit. Certes, il eſt bon de remarquer que notre dialeƈtique tombe d'elle-même dans l'inſtant suivant, et que le mouvement eſt tel qu'on ne peut l'arrêter en pensée sans le continuer en pensée. Mais j'aime mieux porter mon attention sur une idée que je n'avais point jusqu'ici formée, c'eſt que l'idée de cause enferme en elle un changement continuel, une chute imminente et qui n'attend jamais. Arme abstraite, qui frappe toujours, et qui rompt les apparences.

— C'est pourquoi, répondit-il, j'ai voulu insister là-dessus au-delà de toute patience. Au reste l'entendement n'a point pour fonction de fonder absolument les nécessités ; il lui suffit de les éprouver de mille manières. Et je suis persuadé que l'erreur constante des politiques est de croire qu'il y a des causes qui attendent, et qui agiront plus tard, on ne sait quand, comme un canon chargé part à un moment déterminé. Au lieu qu'il faut savoir, par idée claire, qu'une maison ne cesse de crouler, qu'une montagne ne cesse de s'user, qu'une explosion ne cesse de se faire, et choses semblables et je crois que le sentiment de présence, qui nous tient en contact toujours avec la réalité, suppose cette sorte d'attente dialectique, plus clairvoyante que les yeux. Mais, ajouta-t-il, les ombres s'allongent, le couchant déjà rougit et je voulais, en cet entretien déjà trop long, examiner encore, je ne dis pas résoudre, l'autre difficulté. Savons-nous si ce qui est après ne pouvait être avant ? Et comment le savons-nous ?

ENTROPIE

— Entropie, dit Lebrun, mystère !

— Mystère, oui, dans les abrégés, reprit le vieillard. Mais faisons sonner encore une fois cette idée du rapport extérieur, qui est sans doute l'idée de l'existence nue. Quand on s'étonne que, dans un système clos, tout descende au plus bas, n'est-ce pas parce que l'on oublie la règle des règles, que le changement d'une chose, grande ou petite, il n'importe, enfin le nouveau et l'événement dans une chose, s'explique toujours par le dehors, et enfin par ce qu'elle n'est point ? Si l'explosif se concentrait de lui-même, et non par une explosion extérieure comme est un feu, il faudrait dire que le mécanisme échoue là, et qu'il se fait des changements à l'intérieur du point. Car le point, nous l'avons assez dit, n'est pas petit ; il est ce qui n'a de nature qu'extérieure, comme position, ou choc d'un voisin. Et cette souveraine idée d'entendement exige, il me semble, qu'un système clos soit inerte, j'entends par rapport aux systèmes voisins ; en d'autres termes que tout s'y achève, et que rien n'y commence ; ce que la loi de dégradation

LE POINT

exprime assez bien. Ce qu'exprime cette loi, je le soupçonne, c'est que tout ce qui se passe dans un système clos est soumis lui-même au rapport extérieur, c'est-à-dire que les événements y sont la suite de différences qui, par la clôture, ne peuvent donner un changement sans fin; c'est donc encore par l'inertie des parties et des parties de parties que le système clos vient à l'inertie, entendez à ne plus changer tant qu'il est clos. Je suis bien loin de dominer cette idée difficile, mais j'en vois un exemple dans ces molécules en mouvement qui nous représentent la chaleur, et dont l'incessante circulation se traduit finalement par une température uniforme. Aussi ce n'est pas par hasard que l'on imagine un génie qui du froid ferait le chaud; ce n'est que le retour des qualités occultes. Peut-être vaudrait-il mieux dire qu'un système clos n'a point de propriétés; je suppose que telle est l'idée cachée, à laquelle on va en aveugle, et par la seule technique. Au lieu que l'entendement découvre ici l'indivisible relation.

SYSTÈME CLOS

— Je n'en demanderais pas plus, répondit Lebrun. Car présentement, j'ai assez à réfléchir sur le point, qui n'est rien. Aucune chose ne fait que rendre et transmettre; un soleil n'est qu'un centre de chute ou de contraction. Comment concevoir un soleil indépendant?

SOLEIL

— Montagne sans vallée, dis-je. Cette vieille comparaison trouve ici son logement, et ce n'est pas trop tôt.

Ces monologues s'échangeaient, si l'on peut dire, pendant le retour, sur la dune dorée et élastique au pied. Est-il chose au monde plus évidemment mouvante qu'une dune? Le vent y sème un nuage de sable, l'herbe se trouve parfois à demi couverte; mais elle s'étale de nouveau en son sommet, formant le plus étonnant tissu, d'où ces vagues solides sur lesquelles nous marchions, solides pour notre poids et pour notre durée, mais qu'un demi-dieu moins éphémère pourrait voir rouler et s'écrouler comme nous voyons les vagues d'eau. Un homme du pays nous décrivait, d'après les traditions, l'ancien estuaire, le port maintenant enseveli, et la rivière devenue l'humble source aux roseaux. Il ne suffit pas de percevoir le changement;

LA DUNE

il faudrait le chercher et l'exiger et, pour tout dire, ne penser le permanent que dans le changement. Pour moi, je n'en étais pas encore à cette grande idée; j'étais assez content d'avoir compris à demi; remettre au lendemain des pensées qui promettent, est-il fin de journée plus belle?

SIXIÈME ENTRETIEN

COPIE

Nous sommes de nouveau prisonniers; une fine pluie bouche toutes les vues. Silence partout. Est-ce l'image de nos pensées? Le peintre copiait un de ses tableaux. Il disait : — Une copie de copie n'est rien. Quand je perçois les bosses et les dentelures d'une roche, la main suit naturellement le mouvement des yeux; je saisis en imagination, je contourne, je m'accroche; d'où un mouvement animal du crayon ou de pinceau. Mais un dessin d'après tableau n'a point ce pouvoir au même degré; aussi le dessin du copiste revient aux formes de l'écriture; le sinueux selon la main efface la nature.

— C'est, lui dis-je, qu'il n'y a point de raison des formes naturelles, mais plutôt des causes, c'est-à-dire mille chocs de particules dansantes, brassées, heurtées, frottées, usées, sans aucun retour ni recommencement. Selon nos pensées, c'est la vague qui entraîne la goutte d'eau; mais, selon l'existence, chaque gouttelette ignore la vague et s'échappe, et glisse et se heurte.

CHAOS

Cela fait un chaos que la main n'imite point si elle n'est heurtée elle-même ou menacée. La nature brise nos idées comme elle brise nos actions. On peut penser la droite, on ne peut la parcourir. Le monde est sans loi.

— Cela même, dit le vieillard, est la loi du monde. Nos lignes se souviennent et s'imitent elles-mêmes; la nature est sans mémoire. Il n'y a point deux vagues semblables. Or, cette remarque et cette griffe de la nature, la raison ne peut l'imiter. Les monades de Leibnitz sont admirablement uniformes, et l'unité du monde, qu'elles perçoivent toutes, ramène l'identité dans la variété. L'existence se perd alors dans l'essence. Au contraire, enfonçant ici la pointe de l'entendement comme un outil, je me suis trouvé souvent sur le point d'apercevoir comment l'inertie, bien comprise et fortement tenue, explique assez la pure existence. Un atome, qui n'a point du tout de nature interne, qui n'est jamais autre que ce que le font les chocs d'autres atomes, et qui n'a d'autre communication que celle-là avec la lune ou le soleil, donnera une meilleure idée de l'existence pure. Sous deux conditions, que l'on est sujet à oublier. La première est que l'atome n'est qu'une idée c'est-à-dire que toute partie réelle est elle-même un monde régi par la même loi extérieure, et que la nature, même intérieure, de toute chose est hors d'elle. La seconde, c'est qu'il faut bien faire attention que le choc d'une parcelle contre une autre dépend lui-même d'autres chocs, et ainsi indéfiniment. L'indéfini, qu'on nomme quelquefois la fausse infinité, et qui n'est que l'insuffisance radicale ou pure matière, est une grande idée contre les idées, et qui exprime justement l'antagoniste, la chose enfin. Peut-être, veux-je dire; car cette idée nue étourdit.

L'INDÉFINI

— Bon, dit Lebrun. Le monde serait donc brume, à ce compte, tel qu'il se montre aujourd'hui. Mais, qu'est-ce que le choc? Que se passe-t-il au choc? Toute notre physique ici se casse le nez.

— Je ne sais, dit le vieillard. Il n'y a sans doute pas plus de choc dans ce monde qu'il n'y a d'atome, ni de ligne droite. Le choc n'exprime que la nécessité extérieure; et la nécessité extérieure, entendez bien ce mot, exige que la rencontre, comme dans le coin et le levier, ne déforme rien, et se traduise seulement par une déviation et une composition des mouvements, comme dans la réflexion contre un plan, selon Descartes. Et cette idée, hardiment suivie, est ce qui nous jette dans le monde lui-même, où tout est extérieur et pure rencontre. Seulement, j'avoue que l'idée de moyennes et d'abrégés, qui est une idée de praticien, me ramène aisément à penser l'homogène où il n'est point, ce qui est cause que la notion du monde réel se trouve comme émoussée.

L'ÉTERNEL

— Le pyrrhonisme, interrompis-je, serait le vrai des praticiens.

— Au rebours, reprit le vieillard, j'admire comment les idées d'entendement, si méprisées, sont toutes orientées vers l'existence, et contribuent toujours à l'exprimer sans faute, par cette recherche du dehors, et cette notion du solide, si évidemment géométrique, par laquelle l'esprit se donne l'objet.

— Idée inépuisable, dit Lebrun. Croyez-vous qu'en revenant hier soir sur cette idée de système clos, je remontais jusqu'au triangle, système clos, qui prend aussitôt son niveau éternel, qui est tout ce qu'il peut, et qui ne s'enrichit que par des déterminations étrangères ?

LA BOMBE

— Mais, demandais-je, vous n'en restiez point là; vous vous rapprochiez de la bombe calorimétrique, j'entends parfaite, c'est-à-dire définie.

— Pour mieux dire, répondit Lebrun, je sautais dedans, fermant la porte à toute relation extérieure. Et je me disais que rien n'agit au monde que comme une chute, et sous la condition d'un trou, ou différence de niveau. Par exemple la chaleur uniforme ne fait rien; un corps électrisé, sans communication avec aucun autre, il n'importe point qu'il soit peu chargé ou beaucoup, et ces expressions n'ont même point de sens. Or, dans ma bombe calorimétrique, je voyais bien que tous les trous se combleraient, soit de chaleur, soit d'électricité, soit de travaux mécaniques; j'admettais encore un balancement, comme de vagues; mais tout revenait sur soi, les parois, supposées parfaitement imperméables à tout, supprimant toute différence de niveau entre le dedans et le dehors. Ainsi, par ces limites, il me semblait que tout allait au repos, et que mon système clos n'en sortirait plus.

L'ÉVÉNEMENT

— Ce qui revient à dire, ajoutais-je, qu'une chose, prise en soi, ne change jamais et, au contraire s'établit dans son être.

— Disons, reprit le vieillard, qu'elle n'est qu'essence et qu'elle n'existe point. Exister, c'est dépendre, c'est être battu du flot extérieur. Il n'y a point d'événement dans nos idées; et cela ne définit pas mal l'événement.

— L'événement, dit Lebrun, par l'infini du monde autour ?

— Trop vite, répondit le vieillard, il n'y a d'infini ici que par une imprudente abréviation. Simplement une chose pousse, elle-même poussée; une existence en suppose une autre et une autre et, il n'y a point d'et cætera

L'AVENTURE

pour l'entendement Les conditions autour ne perdent point d'importance à mesure qu'on s'éloigne, si ce n'est aux yeux du praticien obtus. L'existence toujours suppose l'existence, hors d'elle toujours et autre ; et voilà l'existence.

— Fluide, perfide, dit Lebrun, je ne sais si l'homme moyen supportera cette idée. Si l'on en persuadait les gens, cela ferait un fameux mouvement de Bourse.

— J'ai cru cela, faute d'avoir observé l'homme, répondit le vieillard. Dans le fait, nous semblons vivre sur un ensemble de prévisions réellement ridicules, et auxquelles personne ne croit. César n'a pas prévu les poignards. Et qui donc a prévu le jour de sa propre mort ? Je me suis fait une sorte de règle pour l'histoire de mon temps, c'est que les événements qui arrivent ne sont jamais ceux qu'on avait prévus. Dans le fait les hommes traversent plus aisément un océan qu'un continent. Ils vont alors à l'avenir tout proche, sans le connaître, mais forts pour le changer.

HYPOTHÈSE

Une traversée ne dépend pas, heureusement, du premier coup de barre ; le monde fluide nous lave de prévision. Ce qui effraye les hommes et les rend tristes, c'est qu'ils imaginent que cet avenir, qu'ils ne savent prévoir, est néanmoins prévu ; idée confuse que l'entendement effacerait s'il étudiait les interférences, en se délivrant de penser un système clos, où rien n'arrive, comme vous disiez Lebrun, où tout est déjà arrivé. Ne pas clore, c'est le salut de l'esprit ; et l'action passe aussi par cette porte-là.

— La nécessité, demandai-je, est pourtant d'entendement ?

— Nécessité, répondit le vieillard, que l'entendement ne cesse de couper en deux. Car la nécessité des idées est hypothétique ; si je suppose un triangle, tout s'enchaîne nécessairement ; mais cette nécessité n'existe pas plus que le triangle. Et quant à la nécessité réelle, elle n'est que la dépendance d'une chose quelconque à l'égard des autres.

DÉPENDANCE

— Ce qui, ajoutai-je, réalise l'hypothèse.

— Regardons bien ici, dit le vieillard. C'est parce que le coin est un plan incliné indéformable que le meuble est soulevé; mais un théorème ne soulève rien; ce qui fait quelque chose, c'est la réunion ici et en ce moment, du coin, du meuble, du plancher, du marteau, de l'homme qui frappe; et chacune de ces conditions dépend d'autres, maison bâtie, voyage fait, erreur d'aiguillage, outil fabriqué, arbre coupé et d'abord planté, et ainsi du reste. Les théorèmes permettent de lire cette dépendance, ils ne la font point; ils en expliqueraient aussi bien une autre. Comme je disais, le principe d'Archimède est loi de toute navigation, mais de tout naufrage aussi. Ce n'est pas la nécessité des théorèmes qui nous tient; celle-là au contraire c'est nous qui la tenons comme un outil. Mais l'esprit, je l'ai remarqué pour mon propre compte, glisse là, substituant à la nécessité des choses, qui est pur fait et simple rencontre, la nécessité des idées, contre laquelle il se dit qu'il ne peut lutter. Oui, ajouta-t-il, les hommes sont pris et repris à ce piège, saisis soudain de cette idée mortelle qu'il est aussi nécessaire qu'ils périssent ou soient sauvés en telle rencontre, qu'il l'est que les trois angles d'un triangle fassent ensemble deux droits, ou que le nombre Pi ait telle décimale après telle autre. Tout leur semblant calculé, mesuré, pesé, ils ne comptent plus leur active présence, ni leur propre action, et du jeu retirent leur courage, qui pourtant importe. Ce qui vient de ne pas savoir que le monde existe; ce qui vient de ne pas savoir ce que c'est qu'exister.

LE RÉEL

Nous écoutions en silence le petit bruit de la pluie, nous imaginions la mer proche; perpétuellement balancée. J'interrogeais même, pour ma part, cette pesanteur si sensible, et qui toujours menace. Nous nous sentions passagers pour un voyage incertain. Après que j'eus rassemblé en quelques mots, cette pensée par elle-même assez éloquente, je poursuivis mes réflexions en ces termes : — D'après une expérience qui m'est maintenant familière, je sais que cette idée de voyage incertain, d'avenir inconnu, de luttes imminentes et imprévisibles, qui est une idée de marin, est bien loin de porter la marque de la tristesse. C'est la destinée, notion fantastique, qui nous accable dans les mauvais moments. Le monde nous accable souvent, et finalement nous chassera de l'existence, mais d'une tout autre manière, comme les vagues attaquent le bateau. Jamais,

VOYAGE

disiez-vous, l'événement n'est ce qu'on prévoyait; cette vue de l'avenir est ce qui console et redresse. Remarquez que le bonheur continu et prévu ennuie. Mathilde, dit Stendhal, s'ennuyait en espoir. Cet avenir bien réglé, qui nous semble s'approcher tout chargé, et arrimé, nous ne l'aimons point. Cette remarque, si amplement vérifiée, éclaire à son tour nos chagrins; c'est autant que nous les imaginons en marche, tout chargés aussi et arrimés, comme si nous lisions une lettre de voiture, c'est par là qu'ils nous accablent. Chacun, dans les mauvais passages, se représente toute sa vie selon l'actuelle situation; de ce qu'il est, il déduit en géomètre ce qu'il sera; l'ennui n'est pas peu dans le chagrin; il est presque tout; et l'ennui est purement imaginaire. Et quand je cherche ainsi misérablement à prévoir l'imprévisible événement, à me prouver qu'il doit être tel, qu'il ne peut être autre, n'est-ce pas une sorte d'argument ontologique que j'essaie, construisant l'existence par raisonnement? C'est ainsi que nos peines se font un avenir. Mais sois tranquille, mon cœur; il y aura autre chose, et encore autre chose; hâte-toi de jouir de cette tristesse, car elle n'est qu'une ride sur l'eau. De grands maux peuvent nous consoler. Imaginez un homme souffrant d'une déception; cela est déjà derrière lui, mais il le voit devant lui. Supposons qu'un incendie mette en péril à ce moment-là ses biens et sa vie; la déception est oubliée.

LE CŒUR

Pendant que je parlais, le ciel devenait plus clair à l'ouest; un bon vent emportait ensemble la pluie et les nuages bas. Le soleil presque aussitôt fit briller les chardons comme des bijoux.

SAISONS

— Ce ciel, dit le vieillard, devrait nous instruire; car la loi la plus claire est que nous n'y pouvons découvrir de loi; tout y est importé, tout y vient d'ailleurs. Les saisons ne sont que des moyennes. Il ne semble point possible qu'un ciel bas soit jamais nettoyé; mais rien n'est plus simple; et on le comprendrait mieux si l'on apercevait le changement partout; car nous disons abstraitement que la pluie ne cesse pas; en réalité toute pluie meurt, c'en est une autre qui renaît; et, comme nous disions, un nuage ne cesse jamais de fondre. De même, dans nos tristesses, nous ne remarquons point qu'elles sont

PHILOSOPHES

changées, effacées, consolées d'instant en instant; nous travaillons vainement à les retrouver. Et cette obstination est métaphysique; nous voulons penser comme essence ce qui n'est qu'événement. Les hommes sont tous philosophes; bien peu d'hommes sont physiciens.

— Bien peu de physiciens sont physiciens, dit Lebrun. Car ils en viennent presque tous à dire : Voilà ce que c'est que la pluie et ce que c'est que la vague. Leur univers n'est qu'un abrégé, quelque chose d'égal à soi, sans aucun avenir. Ils sont même contents d'avoir tout réglé. J'ai remarqué une étrange préférence de ces hommes, qui se croient contemplateurs, pour l'éternel recommencement. C'est bien exactement oublier l'existence, et s'ennuyer en espoir, comme disait Stendhal; alors que cet admirable univers nous saisit déjà d'une prise neuve, et nous propose une nouvelle aventure. Mais je vaincrai l'ennui physicien. Je me répète que ce n'est pas leur loi qui nous tient, mais la rencontre, et cette pensée m'éclaire à chaque fois. Ce n'est pas la loi de condensation qui me mouille; si je suis chez moi au moment où il pleut, je suis au sec. Maintenant pourquoi suis-je chez moi à ce moment-là ? Parce que, à tel autre moment, j'étais dehors, où j'ai rencontré un menuisier, en compagnie de qui je suis revenu; lui-même venait de tel lieu, par une autre rencontre, et j'avais un volet qui fermait mal, par l'effet d'autres pluies et d'autres vents. Si le poignard de Ravaillac s'était trouvé à un mètre plus loin de la poitrine de Henri IV, l'événement eût été autre; cette idée a été suivie mille fois, mais on n'en tire point ce qu'elle contient; tout au contraire on en tire que tout est inévitable, et que l'avenir nous aborde tout fait. J'y suis toujours pris.

RAVAILLAC

— Ici, dit le vieillard, nous nous heurtons au possible, qui est une étrange idée. Nous pensons communément plusieurs possibles, en affirmant en même temps qu'il n'y en a qu'un qui soit possible, ce qui efface le possible. Et voilà ce que c'est que de transporter dans l'événement une idée qui convient seulement à l'essence. Il se peut qu'un triangle ait deux angles égaux, il se peut que non; c'est comme il me plaira, et ces deux possibles ne cessent jamais d'être également possibles mais c'est

LES POSSIBLES

qu'il n'y a pas ici d'existence. Au contraire, dans l'existence, le possible est réellement impossible; par exemple je dis qu'il serait possible qu'il plût maintenant; mais je sais bien que non, puisqu'il ne pleut pas. En revanche cet impossible dans l'existence n'est pas impossible au sens où il est impossible que le calcul de Pi soit achevé ou qu'un triangle ait trois angles droits. Les impossibles du monde sont aussi des possibles du monde; nous raisonnons alors du réel au possible toujours, disant que Ravaillac manquant son coup cela était impossible; mais quelle est notre preuve? Elle est de fait. Cela était impossible, et la seule preuve, et suffisante, c'est que Ravaillac n'a point manqué son coup. Et voici comment cette idée se développe; il aurait fallu un autre état de l'univers avant celui-là; mais cette manière de dire est trop abstraite; il aurait fallu une autre position du couteau, ou de la cuirasse, ou du carrosse, ou des gardes; ce qui suppose d'autres conditions du même genre, au sujet de chacune desquelles nous dirons toujours qu'elle était la seule possible puisqu'elle a existé. C'est ainsi que nous poursuivons le possible et l'impossible dans les faits, ne trouvant jamais que l'existence, seule possible, et d'autres possibles, que nous jugeons aussitôt impossibles, parce qu'ils ne furent pas.

LE FAIT

— Et par cette recherche, reprit Lebrun, nous ne trouvons jamais cette nécessité de l'essence, qui réglerait tout d'avance, et qui, à vrai dire, supprime le temps; rien n'existe alors mais toutes les conséquences sont vraies ensemble. Au lieu que, selon l'existence, il n'y a de possible absolument que ce qui est réel.

L'IMPOSSIBLE

— Nous sommes, dis-je, au centre des difficultés. Regardons de près. Quand je pousse ce coin sous ce meuble, il me semble que ces solides ainsi taillés obéissent à la loi de l'essence. Par exemple, il est impossible que le meuble fasse verticalement autant de chemin que ce coin en fait horizontalement, et cela résulte de la valeur de l'angle d'attaque du coin. N'est-ce pas là une impossibilité de l'existence aussi?

Le vieillard se taisait; et tous, ainsi que lui, nous rassemblions les idées en cet exemple fort simple; et cela ne rendait pas la réflexion plus facile, bien au contraire. Lebrun osa transporter l'examen sur ce terrain étroit.

RAISONNER

— Je nie, dit-il, que le mouvement vertical dont vous parlez, égal au déplacement du coin dans le sens horizontal, soit une impossibilité de l'existence. Supposons un soulèvement du sol à ce moment-là.

— Mais, dis-je, nous supposons tout égal, à l'exception des deux mouvements que nous avons définis.

— Vous n'avez pas le droit, répondit Lebrun, de limiter l'existence à un système clos; il n'existe point de système clos. L'armoire et le coin tournent ensemble avec la terre; qui sait comment ils sont transportés? Il faut choisir un axe supposé immobile, comme ce mètre, ce qui est substituer l'essence à l'existence.

— Peut-être, dit le vieillard, l'idée la plus claire de l'existence est qu'on n'y peut rien négliger.

SAGESSE

— Ce qui, ajoutai-je, nous ramène à cette condition de constater au lieu de raisonner. L'existence ne reçoit le possible que dans l'existence; ou, si vous voulez, les possibles dans l'existence sont des réels possibles, c'est-à-dire des possibles bien plus que possibles. La terre peut trembler dans un moment; mais entendons que c'est l'événement qui le dira.

— Ne retrouvons-nous point ici, dit le vieillard, sous d'autres mots, cette difficulté concernant la cause, et qui nous occupait hier? Si la cause est l'effet est non seulement possible, mais réel. Si la cause n'est point, l'effet n'est nullement possible. Mais, ajouta-t-il, cela n'est que dialectique. Il faut examiner en quel sens on peut dire que l'événement obéit aux lois de l'essence.

CONDITIONS

Nous attendions. La lumière ne pouvait nous venir, en ce détour de notre chemin, que d'une somme de sagesse. Car en ce point périssent nos pensées d'occasion. Après un silence, le vieillard reprit, comme s'il parlait à lui-même : — Je vais dire quelque chose qui semble d'abord ridicule. Un coin parfait serait un coin indéformable, c'est-à-dire tel que les surfaces, les angles, les volumes seraient invariables. Or, qu'est-ce que j'élimine par là? Une nature du coin, qui serait cachée en lui, et qui pousserait en quelque sorte du fond de lui, comme il me semble que ma main pousse quelque objet ou presse contre quelque chose. Ce que je nomme ici la loi d'entendement, c'est la négation d'un changement qui ne résulterait point des circonstances extérieures. Je réduis le changement à des conditions invariables; et, autant que j'y réussis, bien loin de manquer l'objet existant, au contraire je le trouve. Ce qui existe, c'est l'effet sur une chose de toutes les choses environnantes qui la heurtent, la poussent, la déplacent. Tous ces rapports, disions-nous, sont pensés, et nous n'y trouvons jamais que ce que nous y avons mis. Penser le coin d'après une valeur d'angle, et dire qu'il soulève d'un millimètre sa charge pour un centimètre de déplacement, c'est penser la même chose. Ce mouvement n'a point de mystère, parce que les choses mues n'y ont point de dedans ou, si vous voulez, n'y ont point de mouvements secrets. Un coin qui ne soulèverait pas selon la loi de sa forme, serait un coin usé ou déformé par le choc. En vain, j'essaie de penser une poulie régulière, sans glissement, à corde inextensible, et de concevoir en même temps que l'un des bouts du fil ne fait pas le même chemin que l'autre. De même pour le moufle je ne puis penser les conditions invariables que je disais, et penser en même temps que le chemin parcouru par ma main qui hisse n'est pas le double du chemin parcouru par la chose hissée. Ici, un redoublement d'attention est nécessaire. Si, je veux penser que le moufle n'obéit pas seulement à la loi du moufle, ou le coin à la loi du coin, il faut que j'aille chercher quelque changement non compris dans cet inventaire de formes invariables. Car, pour le coin, le chemin parcouru verticalement ne peut être raccourci que par un creux du coin, ou allongé que par une bosse du coin ou bien par quelque séparation du coin et du meuble qu'il soulève. Je ne puis penser une distance déterminée comme inégale à elle-même. Donc quand je veux dire, à la manière de Hume, que l'effet du mouvement du coin sur le mouvement du meuble va être pur caprice, encore faut-il que je dise quelque chose que je pense et, non pas seulement des mots. C'est comme si je voulais supposer qu'un mouvement déterminé peut se continuer n'importe comment; pour penser cela il faut que j'imagine quelque cause interne, c'est-à-dire que

MOUFLE

HUME

je me jette en dehors des conditions d'existence. Et quant aux causes externes, que je sais innombrables, je me les représente selon la géométrie et la mécanique, ou bien je ne pense rien. Ainsi, pensant ce coin selon l'existence, j'entends deux choses ensemble; d'abord qu'il n'existe pas de coin parfait ou de système clos et indéformable, et aussi que ces écarts, par rapport à la règle du coin, dépendent eux-mêmes d'autres formes, ce qui exclut le caprice, c'est-à-dire toujours la nature interne, autrement dit, la qualité occulte. Un corps tombe; je ne puis penser que par la loi de la chute, il manquera à cette même loi; ce clinamen que Lucrèce suppose, qui est une disposition interne à s'écarter de la trajectoire mécanique, n'est absolument rien qu'on puisse connaître; mais, d'un autre côté, je sais bien aussi qu'un corps existant qui tombe dans le monde ne suivra jamais la trajectoire pensée; seulement, je ne l'explique jamais que par la rencontre, frottement ou choc ou comme on voudra dire, d'autres corps existants, eux-mêmes déviés par d'autres. En sorte que la loi de l'existence, qui frappe d'insuffisance ma géométrie, en même temps enferme que la géométrie est reine du monde. D'où il vient que, devant toute exception, c'est-à-dire devant toute apparence d'action mystérieuse, je recherche aussitôt quelques éléments indéformables et déplacés les uns par les autres. Je ne pense jamais que l'atome, et dans l'atome encore des atomes; par exemple ce coin est un atome, autant que je le pense indéformable et inusable. Et à son tour cette déformation ou usure supposera d'autres atomes indéformables, soumis eux aussi à la loi extérieure. Et pourquoi? Parce que cette manière de chercher exprime la loi même de l'existence nue. Dans les changements d'un objet quelconque, je suppose toujours que l'objet n'y est pour rien; je vais à la recherche de l'objet qui est seulement poussé par d'autres, car cela, c'est l'objet. Pardonnez en ce long discours une obscurité que je ne sais pas éviter. Je voudrais dire, en d'autres termes, que la relation est la loi de l'existence, ou bien que l'inhérence nie la loi de l'existence.

LUCRÈCE

Songez que l'inhérence, c'est ce qu'un objet possède par lui-même et quand il serait seul; supposition qui efface l'existence.

INHÉRENCE

— Et qui efface l'essence aussi, interrompis-je.

— C'est là le point, répondit le vieillard. L'essence, autant que nous en formons l'idée, par exemple l'essence du triangle, ou l'essence du cercle, se résout en rapports extérieurs; je dirais que l'essence cherche l'existence. Par exemple la droite ne se définit pas par l'inhérence; une droite a toute sa vertu hors d'elle; et c'est en cela qu'elle est la plus simple des formes de l'existence; elle nous porte au monde. Et pourtant, comme nous disions, nous ne pouvons pas la faire exister. Tracer une droite est impossible. Et vous ne direz cependant pas, que les lois des distances ne sont pas des lois du monde.

— Oui, dit Lebrun, autant qu'on suppose des points.

— Et, ajouta le vieillard, l'intérieur du point, puisqu'il n'est jamais un point, sera figuré par un système de distances et ainsi sans fin.

— En sorte, dis-je à mon tour, qu'il ne se présentera jamais un cas où les choses n'obéiraient point aux lois.

— Précisément parce que, dit le vieillard, il ne se présentera jamais un cas où les choses obéiraient aux lois.

— L'exception, dit Lebrun, est prévue par la règle même.

LE DEHORS

— Et, dis-je, c'est par l'essence qu'on sait qu'il n'y a qu'événement. Il me semble que j'aperçois ici quelque idée d'importance.

— Tout l'entendement, dit le vieillard. L'idée dont nous cherchons les racines se montre par les effets en toute recherche du monde. Il n'y a que les esprits géomètres qui sachent constater. Le système de nos preuves éclaire un système de faits. Et en somme, bien comprendre que les choses obéissent à la loi extérieure, c'est la même chose que comprendre que les choses ne sont pas gouvernées et n'ont point de loi. Un homme tombe

LE REQUIN

à l'eau; un requin se trouve là. On voudrait dire que l'homme est dévoré parce que le requin a de fortes mâchoires; mais cela exprimerait seulement que l'homme est éternellement la proie du requin. La cause existante, c'est que le requin se trouvait là; et ce n'est pas seulement par sa nature de requin qu'il se trouvait là à cette minute, mais par une suite d'actions et réactions, bancs de poissons, courant, marée. Et de même pour l'homme qui tombe à l'eau. Pourquoi à l'eau en ce lieu et à ce moment? Certes ce n'est pas parce qu'il est plus faible que le requin, qu'il tombe à l'eau à ce moment-là. Tout dans l'événement est selon les lois, mais les lois n'expliquent pas l'événement; bien plutôt elles le font paraître, inexplicable par l'essence, et tout accident, comme il est. L'esprit qui n'est pas géométrique ne pense jamais l'accident. Vous voyez donc que la géométrie exclut la mythologie, c'est-à-dire volonté, destin, et choses semblables et, que c'est par cette élimination que l'on conquiert la connaissance du monde. Mais cette sévère idée échappe toujours.

MYTHOLOGIE

— Il faut, dis-je, avoir patience et y revenir plus d'une fois.

— Il me semble, dit Lebrun, que je me suis vu quelquefois étalant l'univers, jusque dans la moindre partie, par le seul scrupule du géomètre. Certes, je ne me passais pas de points donnés, je dis perçus noir sur blanc, mais toute la loi de ma recherche était de n'avoir pas égard à ces petits paquets de nature, dont l'inventaire n'était pas encore fait et étalé. Or, le sens de ces opérations abstraites n'apparaît qu'au physicien et au chimiste, qui toujours dépouille les éléments, autant qu'il peut, de tout être distinct qui ne serait pas une forme. Mais encore mieux paraît cette géométrie essentielle, qui correspond à ce que Descartes nommait l'étendue, notion bien cachée, encore mieux paraît cette géométrie en deçà de l'essence, dans la recherche biologique. Darwin est un homme dont on ne connaît pas encore la proportion. Son idée est presque cachée par une masse des discussions où l'on se perd. C'est que les faits ne décident pas. Et cette remarque ne peut nous étonner maintenant, au point où nous en sommes. Il s'agit de constituer des faits, c'est-à-dire de rendre l'univers observable. Or, l'univers des vivants, selon Cuvier ou selon Lamarck, n'est pas encore observable. Un lion n'est pas un fait. Un requin n'est pas un fait. Un lion semble se suffire à lui-même et se produire de lui-même par le dedans. Et l'on dit souvent que ce genre de production définit la biologie; à mes yeux, et après ce qui a été dit et redit dans ces entretiens, ce n'est

DARWIN

toujours que l'inhérence qui revient, comme elle revient à l'esprit du physicien naïf qui soupèse l'or, et y sent un poids en quelque sorte interne, que le morceau d'or porte avec lui comme une nature. Et l'inhérence revient même en l'esprit du géomètre fatigué, lorsqu'il arrive à considérer ses triangles et ses cercles comme des êtres complets et suffisants, d'espèce différente, et remarquables par les propriétés qu'ils portent en eux. Au vrai, et devant le géomètre actif, celui qui pousse sa géométrie du côté du monde, le triangle et le cercle ne sont point des êtres par eux-mêmes; leurs propriétés sont des relations à autre chose; par exemple le cercle retrouve une meilleure naissance, et j'ose dire une famille plus naturelle, lorsqu'on le rencontre parmi les coniques, courbes qui naissent toutes de la rencontre formée, de toutes les manières possibles, entre un plan et les deux nappes d'un cône. Et il me semble que Darwin a tenté d'esquisser une génération du vivant par une sorte d'intersection de toutes les choses, sol, eau, air, rochers, boue; l'insecte aux ailes fortes et l'insecte aptère exprimant l'un et l'autre la force des vents; le loup massif exprimant sa proie, le buffle; et le loup lévrier exprimant sa proie, l'antilope.

CONIQUES

En suivant cette idée, il faudrait décrire l'oiseau comme exprimant l'air et la pesanteur, par la forme du corps et des ailes; et enfin toute la nature d'un vivant comme extérieure à lui. Seulement nous n'avons encore qu'une esquisse de cette difficile analyse. J'ai souvent réfléchi à ce moyen auxiliaire, tiré de la variété présupposée des individus naissants, parmi lesquels quelques-uns sont conservés, à savoir ceux qui expriment le mieux le milieu même où ils ont à vivre. N'est-ce pas là une sorte d'axiome par lequel nous subordonnons l'inhérence à la relation? Ce qui fait que telle forme survit, ce n'est point elle, c'est-à-dire sa convenance à elle-même, mais c'est elle plus ou moins portée par le vent, nourrie d'une certaine proie, protégée par une certaine forme de cachette, poursuivie par une certaine forme d'yeux et de griffes. Certes, ce n'est pas par ces conditions que l'animal avait de hasard une petite différence de forme, à lui avantageuse; telle est la part de l'inhérence, qu'aucune recherche jamais

L'OISEAU

SÉLECTION

n'élimine. Mais c'est bien par des conditions extérieures à lui et étrangères, tel ennemi, telle proie, tel milieu fluide, qu'il l'emporte sur d'autres, c'est-à-dire qu'il se maintient dans l'existence. Par cette sévère méthode, où je reconnais l'entendement, il est clair que l'inhérence sera éliminée autant qu'on pourra.

— C'est ainsi, reprit le vieillard, que dans mon exemple du requin, j'ai dû considérer d'abord le requin comme apporté à la manière d'une algue et formant pour sa part l'événement que je décrivais. Mais cette méthode annonce aussi que la forme même du requin sera analysée d'après les mêmes vues, tel requin n'étant qu'un événement, un tourbillon plus dense, plus stable, et conservé requin, comme il est porté, par des circonstances qui ne sont point lui. Là-dessus les objections s'élèvent comme des nuées de mouches; et nous serions vaincus s'il y avait ici quelque disputeur. J'aime mieux reconnaître encore une fois l'effort de l'entendement qui braque toujours sur l'objet sa prise géométrique, déterminant le dehors, éliminant le dedans.

L'AVARE

— N'est-ce pas ainsi, interrompis-je, que l'on connaît l'homme? Car la vaine science qui suppose un caractère et en suit le développement, par exemple l'avare et l'ambitieux, ne découvre rien d'existant, par l'absence de liaison entre l'homme et toutes choses; au lieu qu'on s'instruit mieux en remarquant comment l'argent fait l'avare et comment le succès fait l'ambitieux.

LES PASSIONS

— Vous dites volontiers, ajouta Lebrun, qu'un homme assis n'a pas les mêmes désirs ni les mêmes pensées qu'un homme debout, et autres remarques, qui sont mieux jugées, remarquez-le, par ceux qui agissent ou ont agi, industriels, militaires, marins, que par ceux qui voudraient deviner l'intérieur des hommes. Et j'ai connu un général qui ne méprisait point une théorie du commandement, ainsi fondée sur les alentours de l'homme, groupe, armes, costumes. Où je retrouve encore l'entendement.

— Le fait, est, répondis-je, que je suis Darwinien plus que je ne puis dire, même Darwinien en action, essayant toujours et par préjugé d'expliquer les passions et les actions par le rapport extérieur. Mais encore une fois le succès ne prouve rien. L'entendement, comme nous l'avons assez dit, ne cesse de chercher le monde; et aussi bien quand il cherche l'homme. Voilà sa preuve; il passe à l'existence, formant le roi selon le costume et selon le cortège, et ne faisant pas beaucoup de cas de ce qui resterait du roi s'il devenait mendiant. C'est prendre l'homme comme un objet. Et qu'est-ce qu'un querelleur sans un autre querelleur? Que peut-on dire d'un homme si on ne le connaît dans le texte du monde?

COURAGE Dira-t-on que le courage est inhérent au héros, quand un changement de boisson ou de nourriture, la privation de sommeil par l'effet de la boue et du froid, et tant d'autres causes, changent si promptement la valeur d'une troupe? Des remarques de ce genre ne sont jamais contestées; l'étude de l'homme est une sorte de refuge où la paix s'établit promptement. Mais dégagez l'entendement, tirez-le au dehors, éclairez-le par une imposante suite de victoires, aussitôt l'on se moque et l'on méprise.

— Il me semble, dit Lebrun, que j'en vois la cause. L'homme calcule et pèse l'homme; mais où est l'homme qui se traite lui-même ainsi? L'inhérence trouve son dernier refuge dans le sujet peut-être.

— Et la liberté, dit le vieillard, est peut-être la seule qualité occulte.

LIBERTÉ

Mais, sur le point de raisonner encore là-dessus, nous trouvâmes, d'un commun accord, que nos raisonnements sentaient un peu le renfermé. L'éclaircie nous invitait, et l'univers, nous baignant de toutes parts, eut bientôt nettoyé nos pensées de toute dispute.

SEPTIÈME ENTRETIEN

Du haut de la falaise, nous avions sous les yeux la mer comme un grand miroir. — Désespoir du peintre, dit le vieillard; nous distinguons ici le fond à travers la masse translucide; d'où ces nappes et traînées de couleur, qui n'ont point la forme de l'eau. N'essayons point de nommer; composons sans aucune pensée, par des essais et des retouches; dès que le peintre sait comment sa couleur est faite, sa couleur est fausse.

J'aurais pu faire mon profit de ces remarques, car ce jour-là je tenais, moi aussi, palette et pinceaux. Et je remarquais que je ne posais jamais une couleur sans la nommer; je peignais par concept, et mon petit panneau n'était qu'un discours de couleurs. A quoi il n'y avait plus de remède, car le beau moment s'effaçait. Aussi, j'avais pensé tout haut, en pliant mon bagage.

PAR CONCEPT

— Oui, dit Lebrun, la couleur est alors un langage; on peut le comprendre et se plaire à le comprendre; et nous avons vu d'étranges procédés, qui font une espèce de vérité propre à la peinture.

LANGAGE

— Comme il y a, ajoutai-je, un genre de vérité propre à l'idéalisme, un autre genre propre au mysticisme, et aussi une palette des psychologues, qui change tous les vingt ans.

— A ce compte, dit le peintre, la couleur de la mer serait de mode, comme celle des robes. Mais mon plaisir ici n'est pas de plaire. Heureux si je ne pensais pas plus aux systèmes, devant cet univers, que je ne pense aux couleurs en mon patient travail de peintre. Mais on ne peut.

— On ne peut, interrompis-je, puisque par des chemins qui me semblent assez neufs nous tombions pourtant sur des problèmes de concours.

Lebrun riait : — Comment, dit-il, la liberté est-elle conciliable avec le déterminisme des phénomènes ?

— Et cet autre, dis-je, qui est comme le sacrifice d'Iphigénie pour le peintre d'idées, de l'existence du monde extérieur !

IPHIGÉNIE

— Il ne faudra pourtant point rougir, dit le vieillard, si l'on reconnaît aussitôt ces vieux problèmes par nos couleurs neuves. Et, d'abord, il faut que le monde paraisse dans nos discours comme il est ; après quoi je prévois que la liberté paraîtra aussi dans nos discours comme elle est.

— Et, tel est je crois, ajouta Lebrun, le meilleur ordre ; car chacun sent bien que la liberté ne s'exerce que contre un objet pur ; et, pour ma part, je crois que je le sais.

— C'est le ciment armé, dis-je, qui vous a appris cela. A ce monde, donc ; et il me semble que nous n'étions pas loin de le saisir.

— Ce qui, ajouta le vieillard, est la preuve. Bien clairement, j'aperçois que, dans ces efforts à prouver l'existence du monde, ce qui manque c'est le monde lui-même. On nous propose des fantômes et, l'on voudrait ajouter à l'un d'eux ou à tous l'existence qui leur manque ; mais parce que l'existence leur manque, la preuve manque. Il faut penser ici à Berkeley, à ses ancêtres innombrables et à la multitude de ses enfants. L'immense succès de cette doctrine sceptique fait voir que l'attention à la preuve nous fait oublier aisément l'objet, comme dans les plaideries. Mais qui donc va plaider ?

BERKELEY

— Je veux bien plaider, répondis-je. Et je vais donc vous proposer par ordre tout ce qui se présentera comme candidat à l'existence. Qu'y a-t-il dans cette apparence ici ? D'abord des couleurs, des bruits, des odeurs, des contacts et choses de ce genre. Mais faut-il dire la suite ? C'est bien facile et trop connu.

— Il faut, dit le vieillard, revoir honnêtement les preuves, jusqu'à découvrir le défaut et le défaut du défaut.

— Je prouve donc, repris-je, en faisant varier une couleur du modéré au vif, un contact de même, et ainsi du reste, que ces objets, si l'on peut dire, participent de la douleur et du plaisir, même dans les plus faibles degrés, ce qui fait voir qu'ils ne sont rien d'autre que des modifications de moi-même.

HALLUCINATION

— Et nous pouvons, dit le vieillard, économiser sur les vieilles preuves, du rêve, de la mémoire, de l'hallucination.

IDÉALISME

— J'ai lu, dit Lebrun, qu'il n'y a plus d'hallucination, mais seulement des discours d'hallucinés.

— C'eſt un beau trait de notre temps, dit le vieillard, et un grand moment du progrès, que l'on ait pris le parti de ne plus croire les fous. Au reſte nous n'avons pas besoin des preuves de ce genre et la première remarque suffit. L'éblouissement n'eſt pas en ce reflet de soleil, pas plus que la douleur dans le biſtouri.

— Aussi, dis-je, ne vous ai-je pas donné cette preuve comme étonnante; c'eſt le total de ces preuves faciles qui eſt étourdissant. Ayant donc rappelé à moi toutes ces qualités qui me piquent plus ou moins, et me révèlent seulement quelque chose de mon être, je vous invite à considérer ce qui reſte, qui eſt l'étendue vide.

— Objet connu maintenant de nous, et qui n'eſt point objet, dit Lebrun.

PREUVES

— Et voyez, dit le vieillard, comme le sort de l'univers eſt promptement réglé. Forme, ou étendue, mouvement et choses de ce genre qui ne sont nullement choses, mais qui sont des pensées. Matière ou contenu, c'eſt-à-dire qualités. En tout une étoffe qui eſt l'étoffe de nos songes. Et qu'y a-t-il derrière? Déchirerons-nous l'étoffe.

— Un trou à l'étendue? dit Lebrun.

— Un zéro des qualités? dis-je.

— Deux impossibles, dit le vieillard.

La marée attaquait les rocs; les barques dansaient. Les baigneurs au loin criaient et riaient sous le choc écumeux. L'univers aussi riait de nos preuves. Les philosophes savent-ils assez qu'on ne les prend point au sérieux? Mais nous étions tournés vers le vieillard, qui s'était levé, qui tendait ses mains au vent, saisi et saisissant. Il dit, après un moment : — Je ne me laisse plus tromper. Ce qu'on cherche sous le nom d'exiſtence, ce n'eſt nullement une présence de qualités, ni un tissu géométrique qui les étale. Tout cela eſt de nous; et nous cherchons ce qui n'est point de nous. La nécessité extérieure, objet et appui du travail, voilà ce que nous appelons le monde. Ces qualités s'imposent à leur place et les distances ne peuvent être changées que par un pénible mouvement. Cette eau-ci n'existe point tant qu'elle n'est que couleur, fraîcheur, bruit. Mais essayez, mes amis, de mettre la couleur du sable à la place de cette couleur de mer. Il faudra digue et transport de pierres. Une qualité ne change que par une autre, celle-là par une autre; et à force de travail, il faut tirer comme font ces chevaux. Mais nous pensons trop sur des exemples imaginaires. Dirait-on pas que nos propres états sont plus maniables que ces pierres? Mais non. Si je veux changer l'aspect de cette lande en un aspect de maison, il faut des journées de charroi et des journées de maçon. Il a manqué à Berkeley de manier la pelle et la pioche; tout lui venait comme un dîner d'évêque. Or, ce monde n'est pas un jeu d'images; et enfin tout s'y tient et tout me tient. Le corps du baigneur déplace l'eau, mais l'eau déplace en retour le corps du baigneur; et le meilleur nageur ne peut pas faire que ces efforts liés soient autres qu'ils ne sont. Il n'y a pas de distance, il n'y a pas de forme, qui ne soit liée à toutes les distances et à toutes les formes. Et cela, cette dépendance de la moindre partie par rapport à tout le reste, c'est cela qui est le monde, ou l'existence, car ces deux mots ne sont pas séparables; l'existence, disions-nous, c'est le lien, c'est la dépendance même. Ce n'est pas parce qu'une chose est rouge qu'elle existe; c'est parce que ce rouge est lié à toutes les lumières et à toutes les couleurs. Ce n'est pas parce qu'une chose est ronde ou carrée qu'elle existe; mais c'est parce que ces formes sont aussi exactement encastrées dans toutes les formes que sont les unes dans les autres les pièces d'un carrelage.

TRANSPORT

LIAISONS

— Idée commune, dis-je, familière à tous, mais que le raisonneur oublie toujours.

— C'est, dit le vieillard, qu'il ne la cherche point par une continuelle élimination des autres, et selon la démarche de l'entendement. Quand on dit que les qualités occultes n'existent pas, il faut savoir bien ce qu'on dit. Ce que peut une chose par sa seule présence, cela n'est pas existence; mais dès que ce que peut une chose se réduit à ce qu'elle reçoit des autres, dans le balancement serré de toutes, comme de ces vagues, c'est alors que l'existence paraît. L'existence n'appartient pas à telle chose ou à telle autre; elle n'est que le rapport extérieur, d'après lequel il n'arrive rien en aucune chose que de ce qui n'est pas elle. Et, par l'application de ce rapport qui nous jette toujours à autre chose, et sans fin à autre chose, nous explorons l'existence. Dont la mer est une meilleure image que la terre des hommes, où l'on croirait souvent que les choses existent chacune par soi.

BALANCEMENT

— Oui, ajoutai-je. Ce qui n'existe pas, c'est ce qui change n'importe comment, par exemple un mètre cube de pierre que je déplacerais en y appuyant ma canne, ou même en soufflant dessus; ainsi sont nos rêves.

LE RÊVE

— Ainsi sont-ils, poursuit le vieillard, mais peut-être faut-il serrer de plus près ce qui n'est pas, afin de s'assurer que ce n'est rien. Car, finalement le rêve bien perçu serait quelque chose. Ce qui n'est rien, c'est la pierre portant en elle son poids, c'est le nuage portant en lui sa couleur, c'est le bois par lui-même flottant et le fer par lui-même coulant à fond, c'est la nuit qui naît d'elle-même et meurt, c'est l'éclipse maladie de la lune, c'est le printemps réveil de la terre, c'est enfin ce monde même tel qu'il est connu par l'ignorant, où le volcan est un être qui soudain se réveille, et où le nuage lance la foudre. Cet univers-là n'est pas. Mais ne disons jamais que cet univers-là est une simple apparence, qui n'existe pas; car ce n'est pas une apparence. L'apparence est pleine et ajustée; elle annonce ce qu'elle enferme. Observez cette bordure fine de l'eau mouvante, comme exactement elle exprime la forme du rivage et le moindre caillou, et en même temps la marée, la lune, le soleil. L'apparence n'est jamais en faute. Ce qui n'existe pas c'est l'inhérence, c'est l'indépendance, c'est le changement interne, c'est le dieu; et ce n'est rien.

DIALECTIQUE

Lebrun rêvait; quelque chose s'éclairait pour lui. — Je vois bien maintenant la faute, dit-il, qui est de chercher les preuves de l'existence, c'est-à-dire de passer des raisons d'exister à l'existence même.

INCOHÉRENCE On n'y réussit point; le débat est jugé; c'est ici toujours la preuve ontologique, accrochée à ceci que, quand toutes les raisons d'exister seraient rassemblées, cela ne fait point une existence. Seulement, il me semble que je vois mieux maintenant pourquoi nous ne devons jamais réussir. Jamais l'existence d'une chose ne se définit par la nature ou l'essence de cette chose, mais toujours au contraire par des conditions étrangères. Archimède meurt par une épée qui ne le connaît point; cette légende est belle. Mais serrons bien l'idée, car elle échappe. L'ordre de l'existence est exactement ce qui n'a point de raisons. Quand un marin périt en mer, il nous semble que nous pouvons expliquer cet épisode capital d'une existence par l'intérieur de cet homme, qui n'aimait que voyages et qui ne craignait point. Mais, s'il meurt en chemin de fer, et par l'absurde coutume d'enfermer les voyageurs, alors nous admirons une incohérence étonnante.

— Qui est, interrompis-je, admirable cohésion. L'existence paraît là avec un visage extraordinaire, qui est son visage ordinaire. Ce qui nous égare, c'est un semblant de raison quelquefois dans l'existence; mais on ne veut pas remarquer qu'un homme qui meurt par son courage, comme le Beauchamp de Mérédith, se sauverait aussi bien par son courage, si la rencontre était autre. Ainsi, il n'y a point du tout de raison, mais des choses poussant et poussées, et ainsi sans fin.

— Très bien, dit le vieillard, cuisez et recuisez cette idée, ce qui est penser l'univers même par

HAMELIN elle, selon les leçons de l'incorruptible entendement. Mais observez comme nous jugeons. Nous disons d'un accident mortel, comme de cet Hamelin à barbe neptunienne, qui mourut dans un trou d'eau, le long d'une plage, voulant sauver une femme, nous disons que cela devait être; et nous pensons à l'essence de cet homme pensant tirant de grand esprit bonté et courage, et de courage, mort. Et si la mort en tel lieu et à tel moment était de l'essence de tel homme, oui assurément il serait vrai de l'attendre là, comme il est vrai d'attendre une décimale après l'autre dans un calcul. Mais ce n'est pas ainsi.

— Spinoza, repris-je, a montré avec force qu'il n'est

point de l'essence d'un homme qu'il meure jamais, ni qu'il soit malade jamais. Et j'ai admiré souvent comme cette idée est saine. L'homme ne se tue point; il est tué; oui, dit le philosophe, même s'il tourne lui-même son épée contre sa poitrine; car ce n'est point lui qui la tourne; il ne veut que vivre. Mais il est chassé de l'existence, et par des choses entrechoquées qui n'ont point de mesure avec ses raisons d'être, au contraire qui sont profondément étrangères à lui, même quand elles lui semblent parentes. Brutus semble né pour tuer César; mais imaginez Brutus retenu au lit par la fièvre, ou César ayant une angine, ou seulement un fruit écrasé sur une marche, un pied glissant; voilà ce qui fait que César meurt ou ne meurt point, je dis à cet instant-là, et de cette manière-là.

BRUTUS

— Ici, dit le vieillard, passe la prophétie, qui revient à croire qu'un événement arrive par une suite d'idées. Ce n'est toujours que la preuve ontologique, que nous essayons encore une fois en sa nudité.

— Prédestination, dit Lebrun.

PRÉDESTINATION

— Attention, dit le vieillard. J'ai entrevu quelquefois que la prédestination signifie autre chose, qui est de l'ordre moral seulement; comme si un homme jurait d'être lui-même, et de ne jamais céder aux choses de hasard. Or nous viendrons à dire que les choses existantes sont tellement indifférentes, et pour ainsi dire flottantes comme cet océan, que l'homme obstiné finira bien par trouver un destin en rapport avec ses pensées. Mais, en vérité, la prédestination va se confondre avec le libre arbitre. De cela plus tard.

— Car, ajoutai-je, nos actions mêmes, dès qu'elles sont tombées de nous, roulent comme des pierres. Bonnes ou mauvaises, il n'importe; le bienfait ne change pas la physique; le bienfait roule comme une pierre. Et ce monde est le lieu des faits accomplis, je le vois bien.

— Faits accomplis, reprit le vieillard; il n'y a peut-être pas de formule meilleure, si l'on veut comprendre comment nos projets réussissent; toujours déformés, absolument déformés. Tel est le monde où Zadig nuit en voulant servir et sauve ceux qu'il veut perdre. Mais l'ironie ici n'a point

ZADIG

de lieu. Il s'agit, pour l'homme, de savoir qu'il existe, et le sens exact de cet attribut. Voilà ce qu'il apprend toute sa vie, et ce qu'il ne sait jamais assez. Ai-je rencontré un homme qui ait joué le jeu?

— Ce pêcheur, dis-je, qui tend sa toile, joue le jeu; car il ne cherche point si la vague lui veut mal ou bien. Il la prend comme chose de nulle valeur et de toute puissance, par laquelle rien n'est dit ni prédit.

— Savoir, dit le vieillard. Qu'il pense seulement, ce qui est penser qu'il pense, et le voilà qui cherche un sens à ce qui n'en a point, qui rentre au port pour un présage, et choses de ce genre. Où donc le pêcheur, où donc l'homme, en toute aventure, qui ne se dit jamais que tout est perdu, et, encore plus rare, qui ne se dit jamais que tout est sauvé? Cet homme saurait que le monde existe?

ONTOLOGIQUE

— Mais, demandai-je, n'avons-nous point conduit à bien une sorte de preuve ontologique? Car, pensant l'essence selon l'entendement, et même, si j'ose dire, l'essence de l'essence, n'avons-nous point prononcé que la pure essence, celle qui est mesurée, comptée et prouvée, c'est la loi même de l'existence. Par exemple la vérité du point, c'est que toute situation est absolument hors d'elle-même; et la vérité de l'atome, c'est que ce qui arrive à un être, est absolument hors de lui.

LE JUSTE

— Le monde, répondit le vieillard, serait donc bon et juste, étant exact géomètre; et, si dangereux qu'il soit, en accord toujours avec nos meilleures pensées, ce qui serait récompense. Mais nous glissons encore là. La géométrie n'est ni juste ni injuste; elle a les mêmes formules pour le meilleur et le pire. Et redisons que les choses n'obéissent point à la géométrie, car la géométrie n'exige rien d'elles et n'attend rien d'elles, mais tout au contraire nie toute nature des choses comme telle ou telle, en dépouillant tous les points, toutes les lignes, toutes les surfaces, de conditions attachées, et puisque nous sommes toujours renvoyés d'un être qui n'y peut rien à un être qui n'y peut rien, la proposition que le monde est bon, ou juste, ou préparé pour notre géométrie, n'a point de sujet. Il n'y a pas au monde de support pour un attribut; et cela même c'est le monde.

Lebrun reprit : — Ce qui me semble le plus difficile et le plus important c'eſt de comprendre, peut-être, ce vide et cette indifférence de l'entendement impartial. La géométrie réussit; mais quand on cherche par où elle pourrait manquer, on ne trouve rien; ce n'eſt qu'un réseau, qui eſt bon pour tout, qui mesure tout, qui saisit tout. Et c'eſt encore plus évident pour les nombres, qui ne prescrivent rien.

GÉOMÉTRIE

— Plus difficile, dis-je, de comprendre que la mécanique ne prescrit rien.

— Toutes ces études, dit le vieillard, semblent avoir pour fin de nous dépouiller et de nous mettre nus. Qui n'a pas senti le vide géométrique, celui-là ne peut sans doute point comprendre en quelle sorte de jeu nous sommes engagés. C'eſt comme nous voulons, mais aussitôt ce n'eſt nullement comme nous voulons. Nécessité nue. Ce que je conçois dans le triangle, c'eſt ce qui arrive de la position des choses et nullement de leur nature. Voici une barque. Coque, gouvernail, mâts, voiles, comme vague, courant, brise, toutes ces choses peuvent être pensées comme bonnes ou mauvaises, utiles ou nuisibles; mais ce ne sont que de vains possibles. Le mât eſt assez lourd pour me casser la tête; mais c'eſt par changement de position que cela arrivera; la voile eſt bonne si elle eſt tendue comme il faut; offerte autrement, dans une brise trop forte, elle peut noyer l'homme.

LA BARQUE

— N'ai-je pas entendu conter, dit Lebrun, que le plus fort nageur eſt perdu si, quand il chavire, il eſt pris sous la voile?

— Toute notre vie, reprit le vieillard, eſt un problème de positions.

— Étrange erreur des hommes, dis-je à mon tour. Car je les vois soucieux toujours de savoir si une chose par elle-même leur eſt bonne ou mauvaise; et si l'on regardait bien, on verrait que toute l'idolâtrie possible eſt nichée là. Au lieu que les choses ne sont bonnes ou mauvaises que par une certaine situation et un certain mouvement entre nous et elles. Une tuile peut tuer, mais une tuile eſt bonne à sa place, et indifférente dans la poudre du chemin. Une voiture te peut broyer, mais, passant à

CROMWELL

un mètre de toi, elle est toute bonne. Un poison, dans sa bouteille, il y peut rester mille ans sans mort d'homme. Le fameux grain de sable, comme dit Pascal, qui changea toute l'histoire en tuant Cromwell, était seulement mal placé.

— Si je ne me trompe, ajouta Lebrun, nous tenons ici les qualités occultes; nous les tenons à la gorge, si j'ose dire. N'est-il pas étrange qu'une idée si simple nous sollicite longtemps, comme un grand et beau secret, sans que nous en puissions rien faire; et nous passons comme à côté de quelque dieu Terme.

— Dieu Terme, dit le vieillard; le seul dieu peut-être. Oui, la qualité occulte, c'est la qualité prise hors d'une situation déterminée.

— L'or, interrompit Lebrun, n'est point jaune; éclairé d'un autre soleil, il serait noir.

— L'homme n'est point mauvais, reprit le vieillard, si tu ne te trouves dans son chemin. Et lui-même, de debout à couché, c'est un autre homme.

PROJETS

L'IMPRÉVU

— D'où je comprends, dis-je, que trop peu d'hommes sachent que le monde existe. Mais faisant leurs projets pour un monde possible, c'est-à-dire impossible, que peuvent-ils alors, sinon cacher une cause en chacun des êtres auxquels ils pensent, et composer l'événement d'après ce concours ou ce conflit? Car rien ne remplace l'existence; rien ne remplace ce balancement réel où choses petites et grandes, estimées et méprisées, connues et ignorées, sont toutes d'égale importance. Souvent, je l'ai remarqué, l'homme, attentif à son univers séparé, qui n'est rien et qui ne fait rien, se répond à lui-même que la situation n'a pas d'issue; amour trompé, crise d'argent, menace de guerre, c'est tout de même. Il pèse donc son malheur, il l'élève et le suspend au-dessus de lui, car, pense-t-il, les êtres sont ce qu'ils sont. Et quand? Dans le moment même où le malheur est déjà passé, où la crise se dénoue, où la solution se fait par le grand flux autour de lui; et quand souvent un autre mal s'approche par derrière, qu'il ne voit point. Tel grand politique interroge une Europe qu'il a composée, attend vainement réponse, et meurt d'un rhume.

— Ce sont, dit le vieillard, des oppositions de tragédie.

Serrons l'idée, tenons-la bien. Ce n'eſt pas assez de craindre l'imprévu; il faut l'aimer. Rien n'eſt perfide en ce monde; un rhume n'eſt pas une sorte d'être qui nous guette. Cet homme qui navigue là-bas glisse d'un coup de barre, et évite la risée; il ne fait qu'ajouter le poids d'une main au mouvement qui le sauve, car cette grande voile attaquée le tourne déjà. C'eſt dans le moment critique que le salut eſt sous la main; et le plus important secret de la vie eſt que toutes nos prévisions sont fausses. Folle politique, qui fait le geſte préparé! Parce qu'il était préparé, il eſt hors de lieu. Mais non; percevoir et sentir en même temps où le monde nous conduit; y aller, mais non pas tout à fait; composer de l'homme et du monde un passage pour chaque inſtant. Nous n'avons pas assez ri des prophètes. Nous aimons un deſtin tracé, dont nos temples et nos dieux nous proposent l'image.

PROPHÈTES

Lebrun interrompit. — J'aime à parler, dit-il, des militaires, parce que je les ai bien connus. Ils passent leur temps à encercler et à écraser des positions non occupées, et ils n'aiment point ceux qui le leur disent. Les grands, au contraire, se défient de ce qu'ils croient, et se tiennent dans la situation convenable à l'homme, et presque inexprimable, qui eſt d'attendre ce qu'ils n'ont point prévu. Le plaisant eſt que l'on dit d'eux qu'ils sont fataliſtes, et qu'ils le disent d'eux-mêmes. Comme si le deſtin, au contraire, n'était pas chose que l'on pense inhérente à l'homme, et toujours réalisée quelles que soient les causes.

— Et c'eſt proprement cette idée, ajouta le vieillard, que l'entendement dissout, par cette impossibilité, qui eſt sa conſtante pensée, de terminer l'événement et de mettre des limites au monde. Et le géomètre, comme nous disions, ne fait que tendre des antennes vers l'absolu extérieur, lui-même mû et conformé par l'extérieur. Oui, pour le vrai géomètre, ce qui arrive n'arrive point d'un monde calculable, quand ce serait pour un Dieu; mais au contraire, la porte étant toujours ouverte, et le point ayant ouverture sur un monde qui en appelle d'autres et encore d'autres, le voilà préparé à comprendre qu'il n'y a de règles que de méthode. Sa pensée sans corps

L'ILLIMITÉ

reçoit l'événement sans le déformer, et

ESPRIT PUR

passe libre d'un moment à l'autre par cette merveilleuse transparence qu'il assure en lui-même. A esprit pur, matière pure.

Je rassemble ici en discours pressés ce qui n'était que remarques, et courts monologues coupés de grands silences et de regards aux choses. Le soleil avait glissé derrière les arbres de la pointe. Déjà la lune à son premier quartier illuminait par instants la bordure liquide. Et la grande mer montrait assez qu'elle n'avait point de couleur à soi. Autre sans cesse en son apparence irréprochable, elle effaçait, bienfaisante, toutes

POÈTES

les pensées que nous formions d'elle, non pas en vain. Les hommes aiment tous d'un amour inexplicable cette nature qui refuse l'idée. Ils voudraient bien mettre leur espoir en ce qui ne promet rien. Les yeux humains sont beaux par ce refus. Mais qui sait ce qu'il aime? Ainsi, revenant, et environnés de ce jour périssant, nous nous reposions aux poètes, et à ce voyage incertain, la seule chose au monde qui plaise.

HUITIÈME ENTRETIEN

CRAYON

GOÉMON

L'ÉQUINOXE n'est pas loin; une tempête a brassé les fonds; des hommes recueillent la moisson d'algues, lançant leurs grands râteaux. Ces choses n'ont pas changé depuis le temps où les soldats de César abordaient ici. Notre pensée s'étalait sur une longue suite de travaux, et cela nous disposait assez bien pour examiner enfin ce que l'entendement laisse de l'homme. Le vent du sud-ouest emportait des nuages en lambeaux; ce n'était point le temps de peindre. Le crayon de l'artiste voulait fixer seulement quelques-uns de ces mouvements de danseur par lesquels les hommes sauvaient leur conquête en évitant le flot. Lebrun regardait ces choses semblable à un homme qui est rentré chez lui après une longue absence, et qui mesure ensemble les travaux des hommes, des bœufs et des chevaux. — Vaincre en obéissant, dit-il, voilà une grande parole. Tout est imposé ici; les moindres gestes suivent la vague; les yeux guettent et le corps se glisse par un étroit passage, d'un instant. Quelquefois, un homme jeune manque le goémon, risque un pas de trop, et ruisselle. L'outil même a la forme et l'angle de la chose; ces dents inclinées du râteau, c'est la plage même qui les a dessinées. Ces hommes roulent au vent, comme la vague, l'algue et le nuage. Tout est nature.

— Mais, répliquai-je, tout est inventé. La forme humaine se sauve et conforme à elle-même ce qui la peut servir, laissant le reste au tourbillon. Cet outil est autant de l'homme que de la chose, et mesuré exactement sur ce jet oblique et sur cette course en arrière, qui assurent la conquête. Et ces tas de goémon eux-mêmes sont préparés pour la fourche. Quand cette plage serait déserte, ils diraient que l'homme vient de passer, aussi clairement qu'un pied nu marqué dans le sable.

Le peintre, cependant, suivait des yeux et de la main la vivante frise; il la fixait d'un geste prompt et léger. En sa main, autre frise à cinq personnages, les travaux à forme d'homme prenaient forme de main; les lignes couraient.

DESSIN

— Merveilleuse chose, dit-il, qu'une ligne juste! Elle suffit; elle dit tout. Ce blanc du papier qu'elle enferme est aussitôt rempli comme un vase. Et pourtant la ligne n'est point.

— Trace d'action elle-même, interrompis-je, et encore plus clairement que ces tas réguliers. Action nue, règle pensée d'avance et qui enferme fin et moyens. Rien n'exprime mieux ce qui est de l'homme; et ici le peintre est vaincu. L'homme peint refuse l'homme. L'homme peint n'est rien que nature.

— Après la peinture de l'homme, répondit le vieillard, c'est donc le dessin de l'homme qui nous reste à faire.

— Le même entendement, dit Lebrun, qui nous montra l'objet nu, y pourra-t-il suffire? Je prévois que, sous l'œil géomètre, l'homme sera toujours chose et objet, remous seulement et tourbillon parmi remous et tourbillons. Nœud et centre d'énergie, explosion, soleil d'un moment.

LIBRE PENSEUR

— Peut-être non, dis-je, à mon tour. Je lisais hier soir Lucrèce, poète de l'entendement pur. L'homme n'y est point; le poète l'a oublié, et cela est arrivé à d'autres. Mais, parce que l'homme n'y est point, l'homme aussi n'y est point déformé. Comme derrière le lecteur, et l'éclairant, je sens le libre penseur, sans aucune faute. Car il est assez clair que, ce système d'atomes, la nature ne peut point le porter. Une somme d'atomes, la nature ne peut point la porter. Une somme d'atomes n'est d'aucun d'eux; la rencontre seulement de deux atomes n'est ni de l'un ni de l'autre. Ainsi sur ce poème parfait, il me semblait voir projetée l'ombre de l'homme, sans aucune faute.

— La chose, dit le vieillard, refuse l'homme; mais l'homme, par ce même mouvement, refuse la chose et se trouve pensant. La géométrie prouve aussi le géomètre. Car, pour qui est soumis aux preuves, il n'y a plus de preuves.

— Oh! Oh! dit Lebrun; cela est trop vif pour moi.

Doucement s'il vous plaît, maître.

MÉTAPHYSIQUE Une fois de plus, j'aperçois cet étroit terrain de métaphysique, solide, à ce que je crois, mais sans dimension aucune. Pur trône d'esprit, tant de fois manqué. Cet autre terme, insaisissable et saisissant! Une fois en sa vie, disait Descartes, l'homme doit s'assurer de l'homme.

La muse interrompit : — Il disait de Dieu.

Le vieillard leva le doigt : — De Dieu plus tard, dit-il. Il y a abondance de faux dieux. On ne voit que cela. La terre ici derrière nous et partout est

IDOLES couverte de temples et d'idoles. Cela aussi il faut le surmonter; et toute puissance doit être vaincue. C'est le premier travail, et je soupçonne que c'est le seul.

— A l'esprit pur, interrompit Lebrun, à l'esprit pur revenons; j'ai cru l'apercevoir. Mais, ô mon maître, comment pouvez-vous dire qu'il n'y a plus de preuves si l'on se soumet aux preuves?

Le vieillard rêva un moment, puis il répondit en ces termes : — Concevez seulement une preuve sans demande, une preuve qui s'impose, qui force, qui lie; une preuve sans recours; une preuve qu'on ne puisse considérer sans s'y laisser choir; une preuve vertige, une preuve trou; ou, autrement dit, une

MACHINE À COMPTER somme déjà faite et proposée seulement comme une addition à l'écolier. N'est-ce pas machine, et chose du monde?

— Force en effet, dit Lebrun, et étrangère; fait de l'homme, mais de l'homme objet. C'est ainsi que compte la machine à compter; mais aussi ce n'est point compter.

— On sait beaucoup, interrompis-je, et peut-être tout, si l'on comprend que la machine à compter ne peut faire un seul nombre, et que jamais les unités n'y sont liées que par des chocs de roues. Écoutez comme elle compte : encore un et encore un, comme on m'a dit qu'un berger ignorant comptait ses moutons.

— Il vaut mieux, dit le vieillard, méditer sur un seul exemple que courir d'une preuve à l'autre; et je dirais même que les preuves sont maintenant nos ennemies. Bien loin de chercher la preuve des preuves, nous pouvons comprendre à présent, et nous le devons, qu'il n'y a point de preuve des preuves. Mais attention.

Douter de tout n'est pas une pensée. Car qu'est-ce que tout? L'entendement refuse cette pensée sans objet, et proprement dialectique. Douter c'est refuser l'objet et le refaire, comme c'est refuser la preuve et la refaire. L'avons-nous assez dit? Mais cela ne sera jamais assez dit. De ce point de refus, enfin, nous connaissons le monde comme il est; et, récompense, nous le voyons paraître comme il paraît. Car il est vrai que tout nous trompe; sens, inhérence, existence, cause, loi, tout nous trompe; mais par cette faute de nous coucher dans la croyance comme dans un lit; et c'est la même faute, de croire que la pesanteur est dans l'or, et de croire que la preuve est dans la preuve. Ce que je vois maintenant, c'est que ce dont on ne doute point ne peut être assuré. La géométrie en est un exemple, la géométrie, qui ne se tient en sa certitude que par un doute appliqué.

CROYANCE

— J'ai observé, dit Lebrun, que les apprentis géomètres manquaient souvent la preuve parce qu'ils ne savaient pas douter. La vraie droite n'est peut-être que doute sur la droite.

— L'esprit libre paraît, dit le vieillard, et aussitôt disparaît, comme l'artisan se retire de l'œuvre, par ce prudent mouvement de l'outil. Mais il nous suffit d'entrevoir. Le monde mécanique enferme l'homme, il ne l'efface point.

— Je demande encore grâce, ajoutai-je, pour une remarque qui m'a toujours paru forte contre tous les genres de preuves dialectiques, c'est qu'on ne peut être libre par force, ou autrement dit que pour être libre il faut le vouloir.

— Oui, dit Lebrun; la liberté ne peut choisir que si elle est elle-même choisie.

Le vieillard l'arrêta du geste : — Choisit-on? Ces conquérants ont-ils choisi? J'ai souvent pensé que le choix n'est jamais entre un parti et un autre, mais plutôt entre vouloir et ne vouloir pas. Car le choix est de nature, et nous sommes embarqués.

CHOIX

— Choix de nature, dit Lebrun, qui n'est point choix. Faisons ici revenir, pour le jugement de tant d'analyses creuses, nos possibles impossibles.

— Qui délibère et décide, ajoutai-je, celui-là ne fait

rien au monde. Agir est d'autre sorte, car tout est commencé et le monde n'attend pas.

— Cette vague, dit le vieillard, n'a pas attendu. Ingrats que nous sommes! Cette puissance de l'homme, et même de penser, comment ose-t-on la décrire en oubliant la longue suite des travaux et des outils? Ce râteau fut fait; ce bateau fut fait. L'invention y brille encore à chaque nœud de bois. Voiture, cheval, champ de blé, routes, maisons, usines, ports, machines à feu, et jusqu'à la police de ces choses, qui barre pour faire passage, tout cela est œuvre et outil, que l'apprenti admire et que l'homme prend en mains, faisant revivre à l'extrême pointe de son action toutes ces réelles et puissantes pensées.

OUTILS

— Deux appuis, dis-je, deux appuis, donc au travail, le monde et l'outil.

— Et sans doute, ajouta le vieillard, est-ce seulement le travail qui nous fait connaître les deux, impuissance et puissance. Et remarquez comme, par le seul entendement, nous gagnons sur la raisonneuse. Car il ne s'agit point de chercher entrée dans un monde clos pour la liberté qui gratte à la porte.

— Le monde n'est point clos, dit Lebrun.

— Et, ajoutai-je, l'homme est au monde; il n'a pas à s'y faire une place; il y est; il y nage. Ulysse, tout en nageant, écoutait le ressac et regardait du haut de la vague; et son cadavre encore aurait divisé les eaux. Être un corps, avoir droit de choc, c'est le départ de la puissance; et nos moyens sont tous en mouvement et déjà à l'œuvre. Mais que d'analyses faibles, en ces penseurs retranchés! Fin, moyen, motif, faibles idées. Vase clos où tout s'équilibre.

ULYSSE

— L'univers, reprit le vieillard, n'est point clos. Et puisqu'il nous renvoie toujours à un autre, toujours, par la notion même de l'existence, il est clair que je puis, au moment même où je vais le considérer comme un être suffisant, et qui renferme en lui tout son avenir, redresser cette vue de sauvage, et concevoir au contraire cet univers quel qu'il soit comme un atome battu de toutes parts, ou bien comme un système dont les limites sont aussitôt crevées en tous sens par pression et dépression autour. Et pensez bien à ceci que c'est la notion même

L'INACHEVÉ

d'un être existant qui me conduit là, et non pas une imagination incapable de vide. L'univers quel qu'il soit n'est pas seulement lui, mais encore autre chose; il n'est jamais ceci ou cela; il n'est pas achevé, il n'est pas fini; l'existence de n'importe quoi, grand ou petit, consiste en cela même qu'elle est extérieure absolument, ou bien que l'être est insuffisant absolument; que l'existence, par la notion même, le déborde, comme l'espace toujours autour de nos figures et au-delà des limites, par la notion même de limite. Or, cette position de l'entendement, qui toujours regarde autour de l'objet et encore autour, faisons-y grande attention.

Comme il se taisait, Lebrun pensa tout haut : — Je vois bien, dit-il, qu'il est absurde de chercher une existence absolue. Je la voudrais finie, et en soi suffisante. Mais aussitôt, par cela seul, ce n'est plus qu'une idée.

— Nous déplaçons, si je ne me trompe, ajoutai-je, quelque centre de dignité. Car il est admis, d'après les célèbres antinomies, que l'antithèse, qui est d'entendement (après la limite encore l'espace, avant une cause encore une cause, autour d'une circonstance, encore une circonstance), que l'antithèse n'est qu'une antithèse, qui ne peut satisfaire, qui laisse l'esprit en ignorance et suspens, et qui fait que l'existence ne peut naître, faute d'un premier parent. Et, au contraire, l'orgueilleuse thèse, que tout est fini, puisque quelque chose existe, la thèse, si forte, que je l'ai prise jusqu'à ce jour pour invincible, la thèse donne seule la raison d'être, et justifie enfin l'existence. Mais maintenant mes yeux s'ouvrent, et j'aperçois que ce qui est ainsi justifié, et clos, et suffisant, ce ne peut être l'existence. J'aperçois pourquoi nous manquons l'existence par ce chemin, et que ce n'est pas elle que nous cherchons, mais l'essence. Et, reprenant un argument célèbre, je dirais que nous changeons de place notre monnaie, mais vainement, car c'est toujours monnaie et toujours nôtre, et que les raisons d'être ne nous approchent nullement de l'existence. Je dis reprenant, et je dis mal; car en vérité je ne fais que comprendre enfin cette étonnante critique, par quoi toute preuve ontologique est coupée dans sa racine. L'existence ne peut naître d'un raisonnement. Le bord de notre esprit, le flot battant, cela ne

ANTINOMIES

KANT

peut être que donné et reçu par une autre voie, qui est l'expérience même. Et Kant a dit cela aussi, sommairement, mais assez. Pardonnez ce mouvement d'avoir voulu dépasser un maître. Je le sais pourtant, pour l'avoir tant de fois éprouvé; ce n'est pas hors d'une limite qu'on dépasse le maître, mais au dedans de sa pensée, et par une préparation, je ne dis pas meilleure, mais autre, et plus convenable à chacun.

— C'est ainsi, reprit le vieillard, c'est bien ainsi que nous tentions de dépasser Euclide; en arrière de lui, non en avant de lui. Toutes ces remarques éclairent notre chemin. Maintenant, tenant ferme, non point sur des positions insuffisantes, mais sur l'insuffisance même de toute existence prise en ses limites, nous pouvons vaincre le massif argument, tant de fois revenant, si nu et si puissant en des pages célèbres de Léquier. Ce monde pris à un moment quelconque du passé, gaz bouillonnant, nébuleuse, ou comme on voudra, est comme il est, et absolument comme il sera, par la loi même d'entendement; et qui saurait toutes les molécules ou tous les atomes, et leur mouvement à ce moment-là, pouvait calculer l'assassinat de Sérajévo, et l'obus qui emporta la tête du pilote d'avion, rencontre éternelle, mort éternelle, comme celle de Marcellus :

LIMITES

VIRGILE

Tu Marcellus eris, manibus date lilia plenis.

Il y a quelque chose d'effrayant, et toute la poésie du désespoir, en cette perspective Virgilienne. Avant la naissance, déjà les funérailles! Et il faut, car il le faut, briser par force ce monde cristallisé, ce spinozisme où tout est réglé et fait. C'est en apparence humilier l'entendement; mais c'était, nous le savons, et je le sais maintenant tout à fait, c'était trahir l'entendement que de fermer le monde; la faute était faite, et ce n'était pas la noble faute, par quoi nous nous voulons libres contre nous-mêmes, c'était la faute honteuse, je dis la faute par honte, et, sous l'apparence de la rigueur, se hâter de penser sans rigueur, et, dans toute la force des termes, ne point savoir ce qu'on dit. C'est une mode de société; c'est une politesse, c'est une précaution de parvenu que de passer à la raison d'État avec armes et bagages.

— Déserteurs, interrompit Lebrun.

DÉSERTEURS J'ai connu leur sourire, en vérité conforme au foie gras ou à la timbale de poulet.

— Rompons, dit le vieillard, rompons l'argument. Que cette grande mer nous lave de lâcheté. Un univers à un moment, égal à lui-même, fermé sur soi et contenant tout ce qu'il développera, c'est un univers auquel nous ne pouvons attacher l'existence, elle ne s'y accroche pas; cela ne se peut, si nous savons ce que nous pensons. Ce n'est que vase clos, comme le triangle; et en effet, tout ce qu'enferme le triangle semble y être déjà contenu. Mais nous avons mieux regardé; il n'y a point d'intérieur du triangle; tout y est extérieur; c'est comme un avertissement de l'existence et une expérience qui cherche contenu. Revenons à notre univers; rien n'y est fait d'avance, rien n'y est prédit, et chaque instant est neuf.

— Ainsi, ajoutai-je, le temps trouve son contenu propre, et ne se perd plus dans l'éternel.

AVENIR Car l'avenir déjà fait, ce n'est pas l'avenir; et rien n'arriverait.

— Et, dit Lebrun, il arrive continuellement quelque chose de neuf, par toute la richesse extérieure. Et le fatalisme a péri. Je le vois bien. Mais l'homme n'est pas encore libre par là; son corps existant est soumis aux conditions des corps; il n'est point par soi; il subit; il reçoit tout du dehors, et même ses actions, comme le volubilis qui grimpait hier autour d'une canne oubliée.

— De toute façon, dit le vieillard, l'homme sauve sa propre foi et se sauve lui-même. Nous ne cessons point d'écarter, de parer, de construire, d'aménager; nous ne cessons point de gouverner. Et la position humaine est telle que l'homme ne se sent jamais plus libre qu'au moment même où il se glisse au plus près dans la grande mer de toutes parts secouée. Et au contraire l'homme qui se retire en ses projets et en ses pensées sent alors le poids du monde, et se trouve en attente de ce qu'il ne peut changer; hors du monde, il n'y peut plus rentrer. Je dirais, imitant un mot célèbre, que l'homme est libre à son poste. J'entends en un point de cette chaîne des travaux humains, soutenu de provisions et d'outils, aidé et aidant. Ce qui revient à décrire cette victoire qui est en même temps BACON obéissance, selon le mot de Bacon, mot justement fameux dont on ne peut se détourner, et qu'on ne peut sans doute éclairer tout à fait. L'homme qui est spectateur ne peut rien contre la tempête; il attend; telle est la position fataliste. Mais le MARIN pilote ne cesse point de gouverner en cédant; et toutes les fautes qu'il peut faire, et qui le ramènent en éclair à la position du spectateur, viennent toujours de ce qu'il n'a point suivi le mouvement de tourbillon qui l'emporte; je dis qu'il ne l'a point suivi d'assez près; il s'agit de passer la vague, et sur la vague même, et de s'accorder à l'instant; c'est ainsi que cet homme navigue là-bas; et s'il prend mal le temps de tourner le nez de sa barque, c'est alors FATALISME qu'il cesse d'aller où il veut aller. Or, cette intrépide foi n'est rompue que par l'idée fataliste; et vous connaissez le piège. Tout homme ici est métaphysicien; tout homme se dira que tout est écrit et dit et déjà fait, soit qu'il doive se sauver par industrie, soit qu'il doive périr par attention détournée au sort. Et, comme on répète depuis les âges anciens, pourquoi chercher le médecin? Car s'il est écrit que je mourrai faute de médecin, je n'irai pas; et s'il est écrit que je vivrai par le médecin, j'irai au médecin. Ce raisonnement étourdit. Mais chercher le médecin et le remède ou, en notre autre exemple, faire au mieux selon le tourbillon et la vague, c'est justement secouer de soi ce raisonnement, ce mortel raisonnement. Nous l'avons secoué de nous. Vouloir, c'est ne point croire que tout est dit. Vouloir, c'est saisir sa chance; c'est savoir que la chance n'est pas encore chance toute seule, et qu'elle n'est chance que par le vouloir; j'entends l'action toujours, car je ne sais ce que c'est que vouloir sans faire. Telles sont les pensées saines auxquelles l'entendement nous range. Et je ne sais ce qu'on demande encore.

— On demande, dis-je, le pourquoi de cette autre pensée, pour laquelle tout est fait et arrivé. Trop tard, toujours trop tard, c'est peut-être la pensée fataliste, non plus seulement dialectique, mais percevante et éclairée d'une sorte d'horreur diffuse. C'est ainsi que l'homme tombe, la pensée en retard sur la chute.

— Voici, dit le vieillard, ce que je puis dire de mieux là-dessus. Qui n'a tardé par l'idée même d'un retard sans remède ? Ce sont les jeux du temps. Par cette idée du changement continuel, il se trouve que le moindre regard en arrière, sur ce qu'il fallait faire et que l'on n'a pas fait, nous met devant une porte fermée; une autre s'ouvre, car rien n'est dit; mais on ne la voit point; fermée encore, aussitôt fermée par le changement de toutes choses. Le politique comme le militaire connaissent ce sentiment, et souvent même le développent en discours; mais admirez les pompiers au feu, et tous les genres de sauveteurs; en vérité je les vois secouant le passé proche, et par leur geste même, qui est le plus beau geste humain, effaçant ce qui n'est plus possible. Mais celui pour qui l'action n'est pas travail et métier ne peut franchir cet étroit passage. Le vrai banquier aussi, dans la crise, se tient sur le bord de l'avenir, par cette assurance de métier; l'autre, qu'il faut nommer l'amateur, périt sur la funeste idée : — Il aurait fallu; comment n'ai-je pas compris ? Trop tard ! L'outil alors se porte toujours en un point imaginaire, et s'use contre l'irréparable. C'est vouloir refaire un avenir déjà fait. Et voilà sans doute l'objet par quoi la pensée fataliste croit subir quelque chose. Non pas le souvenir refait et contemplé, mais l'immédiat souvenir, comme est la résonance rétinienne; c'est, comme disent les maîtres d'escrime, attaquer sur la parade. Il n'y a que l'homme de métier qui frappe juste.

SAUVETEURS

MÉTIER

— J'ai vu, remarqua Lebrun, dans les romans vrais, que le passionné délibère toujours sur une situation qui n'est plus. Comment sortir de là ? se dit-il. Il en est sorti, et il ne le sait pas; un monde nouveau ne cesse de naître, et jamais le héros de roman n'arrive à s'y jeter comme il faudrait, toujours le regard en avant, comme le guetteur de proue.

AGIR

— C'est, dis-je, ce que signifie le romanesque; mais le roman l'oublie souvent, exposant des délibérations raisonnables et des actions efficaces; et rien n'est plus froid; car l'aventure est ce qui garde toujours un peu d'avance sur nos pensées. Il faut que le temps mène le jeu, et que l'homme suive. Années d'apprentissage.

— Malheureux, dit le vieillard, celui qui agit en pensée ! que pourrait-il ? Comment pourrait-il quand il ne trouve point devant lui le double appui de la résistance et du changement ? Mais, ajouta-t-il après avoir rêvé un peu, si la réflexion n'est pas un remède aux passions, elle n'est rien. Et penser n'est pas un métier. L'entendement résout les problèmes en même temps qu'il les pose ; et la géométrie prouve assez la géométrie. Mais celui qui n'a pas souffert de passions insupportables ne connaîtra jamais le vrai visage de l'erreur. Coutume est un mauvais chemin ; et toutes ces froides analyses par accumulation, que l'on respecte certainement trop en Hume, sont entièrement à côté de l'homme. L'homme n'est pas assujetti à recommencer ni à se recommencer ; au contraire l'univers le balance et le déporte sans cesse. Nous avons vu et revu ces baigneurs ; c'étaient des hommes sauvages, nus au soleil, ou jouant dans l'eau comme des marsouins. Qui aurait reconnu le chef de bureau, le juriste ou le marchand ?

FANTASSINS

— Et, ajouta Lebrun, qui aurait reconnu l'arpenteur ou le marchand de cravates dans ces fantassins boueux ? C'étaient les légionnaires de César, chargés comme des mulets, et méditant quelque massacre des chefs. Un peu de vin les détournait.

LE MÉCHANT

— Je croirais assez, dis-je, que le vrai visage de la coutume est fanatisme, ou coutume jurée ; coutume irritée ; irritée parce que la nature la défait. On ne peut être d'un parti ; voilà pourquoi on est d'un parti. En cette année, qui fut pour moi une année de dispute, j'ai vu plus d'un visage sourire, et plus d'une amitié se nouer soudain dans la querelle même ; ce sont des choses que l'on ne se pardonne guère, et l'homme se jure d'être méchant. Tel, et de mauvaise foi, mais c'est encore foi, tel, on peut l'aimer.

Le vieillard m'interrompit, prompt et vivace comme d'une jeunesse jurée. — Il faut l'aimer, dit-il. Il s'indigne d'être ; il commence par là. Ce n'est pas qu'il ait coutume d'accuser la chose résistante ou le nœud rebelle ; bien plutôt je le vois offensé et tragédien, oui, quand il pèse l'or et qu'il sent le poids au bout de ses doigts ; non pas dans ses doigts seulement, mais jusqu'à son cœur,

HERCULE

jusqu'à ses cheveux, jusqu'à la plante de ses pieds; seulement ce sont des passions sans pensée. C'est ainsi qu'Hercule sentit l'amour, et il ne s'en put sauver. O tremblant cœur humain! Mais celui qui a dit cette parole plus valable que l'or était un poète, délivré et délivrant. Le fanatique, c'est l'homme qui écrit que l'éternuement occupe toute l'âme. Car, il ne peut comprendre qu'on éprouve toute la terreur possible en un moment pour une porte qui frappe, et enfin que toute la perception n'est qu'indignation diffuse. Et c'est de là, partant de cette vie qui veut être toute d'esprit, et qui est toute de corps, c'est de là qu'il s'indigne jusqu'à ne pas vouloir.

— J'ai observé, dis-je, en toutes les discussions sur la liberté une fureur de nier dont je commence à découvrir la source. Et ce qu'on nomme raison pourrait bien n'être que le sublime herculéen. C'est ici le combat des dieux; pour nous ou contre nous, ils courent comme dans l'*Iliade* et le Scamandre enlace toujours les jambes d'Achille. Tourbillons pensants.

— Tourbillons dansants, reprit le vieillard. Voyez, cette grande mer ne pense rien et ne veut rien. Vénus marine n'est que ceinture d'eau, perpétuellement nouée et dénouée. Ces marsouins, qui tournent là-bas comme des roues, conservent leur forme ornementale. Et l'esprit douterait de soi, servi par ces mains, qui ont trouvé le temps de sculpter tant de marsouins, et tant d'autres formes, et tant de dieux! Mais la dernière folie est sans doute de vouloir mouvoir ces mains par une pensée; une pensée qui bondit du ciel à la terre, et ces mains! Comment joindre? Mais on ne peut joindre le tout de tout à la partie comme une partie à la partie. Le sage entendement nous sauve encore ici par le refus. Penser en agissant, et laisser faire les mains.

LES MAINS

— Ce qui revient à dire, ajoutai-je, qu'on ne change que ce qui est commencé. Et quel étrange effort, et toujours perdu, de vouloir commencer par une pensée!

— C'est vouloir sauter, dit Lebrun, comme on explique le saut. Mais on ne saute pas en deux fois ni en trois.

— Pas plus, reprit le vieillard, qu'on ne pense la

ligne droite en deux fois ni en trois?

L'ACHILLE Nous voilà de nouveau à l'Achille, je dis celui de Zénon. Et lui dépasse la tortue; mais l'entendement aussi. Il n'y a qu'un mauvais mélange, de l'objet où tout commence par finir, il n'y a que ce mauvais mélange qui arrête l'indivisible saut. Et nous tombons, par ne point séparer l'esprit et le corps et ne point nous fier à l'un comme à l'autre. Descartes, en tout homme pensant, refait la coupure et rassemble tout l'homme autour de l'espérance nue.

BEAUTÉ Que signifierait cette beauté du soir? Que signifierait ce monde changeant s'il n'était le lieu de notre salut? Pourrions-nous l'aimer? Un ciel gris orné de violettes s'étendait sur une mer irisée et dormante; au loin les caps brumeux s'allongeaient. Le soleil invisible ressortait du sable. Cet équinoxe renouait le pacte. Et quel pacte? Non point d'un dieu caché et secourable, mais d'une nature purement ignorante d'elle-même, extérieure même en son dedans, sourde aux prières, fidèle aux mains. Comme nous revenions, le phare s'alluma, jetant son cri de lumière.

NEUVIÈME ENTRETIEN

DIMANCHE

C'EST le temps des manteaux; c'eſt le temps du retour. Nous marchons sous un soleil blanc, le long de la grande plage maintenant déserte que j'ai nommée plage de la Création. Pourquoi? Parce que le flot roule sur un long banc de sable qu'il refoule, barrant un petit ruisseau, autrefois fleuve, et conſtruisant, avec l'aide du vent et du gazon maigre, cette grande dune aux ondulations arrêtées. Ici le flot ne cesse de faire une terre immobile à son image, sur quoi les hommes ont bâti des maisons, et cette petite chapelle si éloquente. C'eſt dimanche. C'eſt le jour des choses qui ne changent point.

— Voici, dis-je, en montrant le pâturage, voici la vache Io, soudainement folle, on ne sait pourquoi; la queue tendue, et essayant un galop boiteux. Piquée par quelque mouche, ou seulement lasse de son métier.

— Et, dit le vieillard, l'éternel Prométhée, en ses liens, contemple cette image de la liberté qu'il a perdue. Mais le voilà qui passe, coiffé de son grand chapeau. Il va à la messe. Il assommera très bien ceux qui n'y vont point.

JUPITER

— Voilà donc, ajouta Lebrun, voilà donc la paix des champs. Ici les forces, sur la mer et autour des caps. Et là règne le Dieu politique, le Jupiter qui change de nom tous les mille ans.

— Ne ferez-vous point grâce à la maison, dit la Muse. La forme humaine a grand besoin de ce monde en creux.

— Pensée du soir, dit le vieillard. Mais ce piquant matin nous conseille mieux.

— Ces feuilles déjà rousses, dit la Muse, et ce soir des saisons, ce soir qui vient?

— Le froid, répondit le vieillard, c'eſt le temps des pensées.

— Et non, et non, poursuivis-je, je ne ferai pas grâce à cet ordre terrible. C'est ici le pays des fantassins d'élite, ceux qui accompagnaient les chars d'assaut. Et le prêtre qui va redire le message de grâce a béni toute l'obéissance. Message de force si je comprends bien, et mauvaise nouvelle cent fois redite depuis le temps où l'on vendit Ésope au marché.

— La colère, dit la Muse, est force encore; et la guerre des esclaves avait ses généraux aussi.

IO

— Et soit, dit le vieillard, cette vache Io est folle, et de plus ridicule, qui galope dans son entrave. Sans doute vaut-il mieux obéir à l'ordre tel quel, sans attendre le rappel de la corde. Mais voici que nos pensées bourdonnent comme des guêpes irritées.

— Pardonnez, dis-je, pardonnez Muse, à des hommes qui refusent d'adorer la corde.

Lebrun rêvait. — J'accepte la corde; je sais qu'à tirer dessus l'on s'étrangle. Je suis un bon citoyen; je veux l'être. Je compte les galons de l'aumônier militaire et je salue. Qui demande plus? A-t-on jamais demandé plus?

L'AMOUR ESCLAVE

Le vieillard interrompit: — Ceux qui nomment Dieu, dit-il, demandent bien plus. Car cette irrésistible puissance, on l'achève sous ce nom redouté; et la dure politique se mêlant à la nature aimée, voici qu'il faut aimer le Maître et lui dire merci. Se sentir dans la main de quelqu'un. L'amour va tout droit là, car il faut bien orner l'obéissance.

— Mais, dis-je, le code secret des amours méprise l'amour esclave. Il y veut quelque chose de libre, de fier, d'indomptable; nul n'aime par force, aussi c'est la faiblesse qui est aimée.

— Mais redoutée aussi, ajouta Lebrun; redoutée par cette fine corde qu'elle tient, que nous lui avons donnée, et qui nous étrangle. L'homme se tire de là comme il peut. C'est encore industrie. Il n'y a point un seul mouvement ni un seul effet des passions qui ne s'explique comme la marée, le remous et la dune. L'amour fait présages, statues et temples. Dieu n'est pas secret.

— Dieu n'est pas secret, interrompit le vieillard; mais

PUISSANCE

Dieu est composé; composé de puissance et d'une autre grandeur. Toutes les preuves, si l'on regardait bien, reviennent à deux; ou bien partir de la puissance et prouver qu'elle est digne d'amour; ou partir de ce que tous aiment et respectent et vénèrent, et prouver que le bien a puissance. De la chose à l'esprit ou de l'esprit à la chose, voilà le saut. Et la raison raisonnante nous fait faire le saut de toute façon, par cette ancienne preuve, nue en Parménide, que l'être est un.

— Seulement, dit Lebrun, l'entendement qui saisit quelque chose, nous répète, en chacune de ses démarches, que l'être est deux, et nous maintient sur cette opposition, d'où naissent et renaissent toutes nos pensées.

— Et, ajouta le vieillard, poussant ce travail aussi honnêtement qu'il nous fut possible, nous avons contemplé la puissance nue, d'où nous avons retiré âme, préférence, décret, tout ce que l'esprit enfin y mettait de lui-même. Et en revanche, cet esprit avec toutes ses armes, fut sauvé de naufrage, et même pour toujours, car nous l'avons juré; et le voilà maître au moins de ce qui lui est propre dans tout destin, comme les stoïciens voulaient.

STOÏCIENS

— Hommes étranges, dis-je, et admirables, et toujours au-dessus d'eux-mêmes! Car ils enseignaient que le monde est dieu, mais aussi que le sage est l'égal des dieux.

— C'était, ajouta le vieillard, fuir au donjon en laissant le reste. Mais il ne faut point fuir. Archimède était mieux réfugié, et plus que stoïcien, sans le savoir.

— Peut-être, dit Lebrun, peut-être le savait-il. J'ai observé une ou deux fois, dans un vrai géomètre, une attention religieuse plus valable que la vertu. Mais n'est-il pas vrai que tout homme méprise la force?

— Ce qui effraye, dis-je, n'est point beau. C'est le courage qui est beau.

— C'est le courage, dit le vieillard, c'est le courage qui est Dieu.

— C'est donc faiblesse qui est Dieu; conclut Lebrun, car qui a force, il n'a point courage.

— Cette croix, dit le vieillard, sculptée sur ce vieux puits, ne rappelle-t-elle pas un illustre supplice? Les hommes ont trouvé; il ne leur reste plus qu'à savoir ce qu'ils pensent.

LA CROIX

— Et à en appeler, dis-je, de la chose à l'esprit, ce qui est prier.

— Jupiter, ajouta Lebrun, est passé et dépassé. En

toute prière passé et dépassé. Mais on ne le dit point. Les prêtres sont comme des ministres de chair, qui s'appliquent à masquer le grand refus, qu'eux-mêmes enseignent. Et tous les sermons sont ambigus. Car, je sais bien qu'il faut mourir, obéir et mourir, et ils le disent trop; mais je sais bien aussi qu'il ne faut pas mourir à l'esprit, et cela ils ne le disent guère.

— C'est, dit le vieillard, qu'ils meurent eux-mêmes à l'esprit, portant livrée d'Archimède! D'ou ce bâtard arrangement, et ces vils traités, que le redresseur dénonce; mais il en conclut d'autres. Ainsi la croix est trahie, et par nous tous; mais le signe reste, et dessine, voyez, quatre angles égaux sur cette nature oblique.

L'OBLIQUE

— Oblique, dit Lebrun, c'est diabolique. Cette théologie n'a point cessé d'être divine. Alors, il faut donc croire?

— Qu'est-ce que croire? demanda le vieillard. Croire n'est que terre et chose, si l'on ne sait ce qu'on croit.

— Croire, repris-je, croire que le monde nous aidera si nous ne nous aidons, c'est cela qui est défendu. Ne pas croire, mais changer. Au contraire, à l'égard de l'esprit, croire, et ne point changer.

— Muse, dit le vieillard, il me semble que vous devez reconnaître ici votre jansénisme. On peut admirer comme l'histoire arrive à tout démêler; il se peut que les rivalités et les querelles rendent à la fin l'équivalent de la dialectique intérieure. Toujours est-il que nous voyons le jésuite adorer cérémonie et chercher puissance; et le jansénisme s'est purifié par l'opposition.

JANSÉNISME

— N'est-ce pas l'esprit de la Réforme? demanda Lebrun.

— Non, pas tout à fait, répondit le vieillard, car la Réforme a changé l'ordre; et l'ordre, peut-être, n'en valait pas la peine; et changer l'ordre c'est encore adorer l'ordre, et chercher force; au reste les guerres religieuses ont jugé l'un et l'autre parti. Ce qui est jansénisme, c'est une résignation devant l'ordre, sans aucun respect, c'est le refus d'un dieu des choses comme elles vont, et une profonde défiance à l'égard de la justice que l'on nomme divine; ce qui ne change pas le culte, mais ce qui va à le purifier d'idolâtrie. Après cela, que le janséniste se

DIEU

réfugie en un Dieu caché, de pur amour, ou de pure générosité, comme disait Descartes; en un dieu qui n'a rien à donner que d'esprit; en un dieu absolument faible et absolument proscrit, et qui ne sert point, mais qu'il faut servir au contraire, et dont le règne n'eﬆ pas arrivé, voilà le fond de la religion, je dis de la vraie et de la seule religion. Ici, j'en appelle à tous contre tous; car tous sont idolâtres, et mécontents de l'être.

— Pascal, dis-je, eﬆ peut-être de tous les théologiens le plus lu.

LA MESSE

— Pascal, répondit le vieillard, Pascal, en qui les raisons d'obéir font scandale d'abord et aussitôt lumière. Mais pesez bien cette manière de répondre à la messe par un refus de la messe; seulement pour refuser la messe il faut y aller.

— Et, interrompis-je, vous n'y allez pas; ni moi.

— Ni moi, dit Lebrun.

— Ou, peut-être, dis-je, tout le monde y va. Vous me rappelez mon grand-père, qui était un paysan d'importance en son village, et qui tous les dimanches se mettait en marche avec son grand chapeau et me tenant par la main. Seulement, toutes conversations finies, et après quelques bouteilles, il se trouvait devant l'église à l'heure où les femmes en sortaient; presque tous les hommes entendaient la religion comme lui. Au reﬆe, il payait des messes selon le convenable, et il traitait honorablement le curé, donnant le pain bénit à son tour, et ainsi du reﬆe. L'usage eﬆ plein de pensées; l'usage mesure merveilleusement le respect. Tout homme donne beaucoup à l'ordre de police, et peut-être sent-il qu'il ne faut pas y donner trop. La femme, moins disposée toujours à accepter la nécessité étrangère, par cela même se devrait un peu plus à la cérémonie; elle serait plus religieuse que l'homme en un sens, et en un sens moins, comme chacun le peut remarquer.

PASCAL

— La politique, dit la Muse, serait donc votre messe. Au reﬆe voici mon missel, et c'eﬆ Pascal; et je ne regrette pas cette messe d'aujourd'hui, que j'ai oubliée, car bien des choses se trouvent éclairées. L'entendement eﬆ donc subtil au-delà du cœur?

— Accord, dit le vieillard; paix des champs et des villes. Mais l'esprit ne veut point d'accord; il faut que la paix soit défaite et refaite, comme notre géométrie défaite et refaite.

REFUS

— Obéir en refusant, ajouta Lebrun; il y a un point de résistance, qui est sans doute le départ de toutes les querelles monastiques. L'homme se soumet, mais il garde toujours une arme.

— Contre l'individualisme, dis-je, et au nom des droits sacrés de l'individu; on lit ce jargon partout; l'homme porte allégrement cette contradiction.

— Vaincre en obéissant, reprit le vieillard. Il y a des forces invincibles, et la volonté invincible. Il y a les faux dieux, et il y a le vrai Dieu, qui n'est que le refus, le doute sacré, le scrupule. Et cela est sans fin, comme on voit que la moindre action, par exemple de ce pêcheur qui maintenant vire et prend le vent d'autre côté, fait aussitôt une vague parmi les vagues, et une donnée aussi étrangère à nous que l'attraction entre terre et lune. Tout devient chose et objet ainsi en nos pensées; et c'est dans ce sens que toute pensée est un fait du corps.

— Une ennemie, dit Lebrun.

ASTRONOME

— Refuge en mouvement, dis-je. Mais n'est-ce point penser? N'est-ce point cela même qui est pensé? Cet horizon, cette perspective, ce ciel courbé et refermé, que faisons-nous d'autre que de les refuser, ce qui est les connaître? Et la distance de la lune, comment la connaître, si ce n'est par refus de ce que j'en crois? Aussi bien dans l'astronome, qui sait encore mieux que moi que ce n'est pas exactement cela que j'en pense qui est le vrai. De toute chose, cela que j'en pense ce n'est pas encore ce que j'en dois penser. Je refuse mes pensées faites, je les juge et c'est cela penser.

— Exactement Descartes, répondit le vieillard. Et chacun pense ainsi; et cette réflexion, toujours mouvante, n'effraie que ceux qui oublient le monde, toujours résistant; assez et trop résistant. Comme ceux qui craignent les révolutions; c'est qu'ils ne diffèrent point tant de ceux qui les espèrent; les uns et les autres croient que l'on change par décret ce qui ne plaît pas, comme le prix du beurre et des légumes. L'idée qui manque ici est celle même de cette mer qui revient toujours, qui ne

L'ÉTROIT PASSAGE

se lasse point de ne rien vouloir, et de pousser comme elle est poussée. Contre quoi il reste à l'homme l'étroit passage et le faible changement, qui ne compte jamais pour l'instant suivant que comme chose à son tour et à son tour balancée.

— Travail de mer, dis-je, et travail de terre. Voici un carré de jardin qu'on laissa inculte peut-être pendant une demi-saison; ici les plantes sauvages reviennent; plus loin la pluie et le vent ont refait un désert de sable. Tout retrouve équilibre, et le monde recommence comme il était. Cette maison là-haut semble sans maître; et, faute du travail recommencé, elle est déjà ruine. Il faut faire et refaire. Et le doute trouve ici sa place; le doute, qui fait paraître le monde, le monde toujours recouvert de rêve, toujours marqué d'incertitude dès qu'on y croit.

CALIGULA

— Et le pouvoir, ajouta Lebrun, le pouvoir, aussitôt marqué de folie, dès qu'on y croit. Caligula est de demain, si nous permettons. Un cheval sera consul. Et qu'est-ce que le pouvoir, sinon le chef du chantier et l'ordonnateur des travaux? Il le sait, il le dit; il traduit en ses ordres la nature des choses; et jusque-là tout est bien, comme sur le navire. Mais le doute est le sel de l'obéissance. Comment mesurer l'extravagance d'un chef qui se voit adoré? A la lettre il est Dieu. L'idolâtrie se reforme sans cesse; et vous ne savez peut-être pas assez que l'industrie se règle aussitôt sur la manie, dès que le chef s'admire.

— L'idolâtrie, reprit le vieillard, qui trouve aussitôt ses preuves, si fortes, si touchantes. Car l'aveugle croyance fait aussitôt des exécutants sans peur et presque sans besoins.

— A la guerre, interrompit Lebrun, il s'agit premièrement de vaincre la peur. C'est pourquoi le pouvoir trouve ici un supplément de puissance à s'admirer lui-même. Et c'est bien par ce mouvement si naturel que ce genre d'ordre produit aussitôt des maux exorbitants. Heureusement, il y a les routes, les convois, les machines, les poids, aussi inertes que cette mer.

L'ENFER

— Et l'enfer même, reprit le vieillard, l'enfer des croyants, n'est-il pas en leur pensée l'effet d'une puissance infinie, développant le mal selon la loi du bien? Espérer n'importe quoi conduit à craindre n'importe quoi. L'enfer vrai est ce monde même, qui si fidèlement nous renvoie notre flèche, et nous punit par nos actions. Certes, rien ne nous est pardonné, mais rien non plus n'est sans remède, et notre faute n'a point de privilège sur la masse flottante des faits accomplis.

MOURIR

— Mais, dit la Muse, il faut pourtant mourir.

— Il ne faut point mourir, dit le vieillard. Ou bien il faut dire que nous mourons à chaque heure, en ce sens que l'ordre tel quel, à qui nous voudrions nous fier, s'efface par le concours de conditions non dénombrables. Il faut toujours se démettre de ce qu'on est; et demain nous partons. Mais, comme on l'a toujours pensé, l'esprit ne peut mourir à soi que s'il renonce; sa fonction même est de tenir contre tout; elle n'est pas plus difficile, ni moins, à l'âge que j'ai qu'à l'âge d'enfance. Et croire à l'instant qui suivra, tout neuf, et tout lavé par le grand univers, c'est vivre toujours. Au-delà de toute limite, et par la limite même, nous poussons notre vie comme nous poussons la ligne droite. Et le dernier instant est aussi absurde à penser que le plus grand des nombres.

L'ESPÉRANCE

Le vieillard se tut un moment. Puis il reprit : — Telle serait cette théologie d'entendement, que j'ai souvent rêvé de mettre en forme; mais chacun suivra aisément les conséquences. N'avons-nous pas suffisante provision maintenant pour reprendre le travail de ville? Heureux paysans! comme on dit. Et plus heureux marins, pour qui l'instant suivant est toujours neuf!

Le soleil chauffait déjà le sable; l'air chaud revenait au visage. Au loin quelques voiles; plus près, les rondes des marsouins. Un vol de mouettes s'éleva. La terre qui porte les moissons poussait ses dernières herbes au-dessus de la mer, cherchant dans ce grand miroir, infidèle et fidèle, le secret des temples. Avant de reprendre le chemin des choses muettes et refermées, nous jetâmes à cette belle nature encore un regard de reconnaissance.

ADIEU

Le Pouldu, août-septembre 1929.

quoi conduit à craindre n'importe quoi. L'enfer vrai est ce monde même, qui si fidèlement nous renvoie notre décret, et nous punit par nos actions. Certes, rien ne nous est pardonné, mais rien non plus n'est sans remède, et notre faute n'a point de privilège sur la masse flottante des faits accomplis.

MOURIR. — Mais, dit la Muse, il faut pourtant mourir.

— Il ne faut point mourir, dit le vieillard. Ou bien il faut dire que nous mourons à chaque heure, en ce sens que l'ordre tel quel, à qui nous voudrions nous fier, s'efface par le concours de conditions non dénombrables. Il faut toujours se démettre de ce qu'on est; et demain nous partons. Mais, comme on l'a toujours pensé, l'esprit ne peut mourir à soi que s'il renonce; sa fonction même est de tenir contre tout; elle n'est pas plus difficile, ni moins, à l'âge que j'ai

L'ESPÉRANCE. qu'à l'âge d'enfance. Et croire à l'instant qui suivra, tout neuf, et tout livré par le grand univers, c'est vivre toujours. Au-delà de toute limite, et par la limite même, nous poussons notre vie comme nous poussons la ligne droite. Et le dernier instant est aussi absurde à penser que le plus grand des nombres.

Le vieillard se tut un moment. Puis il reprit : — Telle serait cette théologie d'entendement, que j'ai souvent rêvé de mettre en forme; mais chacun suivra aisément les conséquences. N'avons-nous pas suffisante provision maintenant pour reprendre le travail de ville? Heureux paysans! comme on dit. Et plus heureux marins, pour qui l'instant suivant est toujours neuf!

Le soleil chauffait déjà le sable; l'air chaud revenait au visage. Au loin quelques voiles; plus près, les rondes des marsouins. Un vol de mouettes s'éleva. La terre qui porte les moissons poussait ses dernières

ADIEU. flèches au-dessus de la mer, cherchant dans ce grand miroir, infidèle et fidèle, le secret des temples. Avant de reprendre le chemin des choses murées et refermées, nous jetâmes à cette belle nature encore un regard de reconnaissance.

Le Pouldu, août-septembre 1929.

INDEX

La seconde lecture, la vraie...

INDEX

Cet Index se compose de deux parties. La première note les thèmes généraux ou particuliers qu'Alain a pu reprendre en plusieurs œuvres. Les deux nombres qui accompagnent chaque référence renvoient, le premier à l'ouvrage particulier, le second à la page du volume.

La seconde partie se détache davantage de l'œuvre et retient quelques traits qui ont paru mieux manifester la pensée de l'auteur. Elle devrait s'enrichir chez le lecteur, à la mesure des lectures.

G. B.

PREMIÈRE PARTIE